문제

써니 행정법총론
소방
단원별
모의고사

이 책에 앞서서 PREFACE

공무원 대표 행정법 '써니 행정법' 명성 그대로, 소방 시험에 최적화한 「2026 써니 행정법총론 소방 단원별 모의고사」를 내놓습니다. 이번 「2026 써니 행정법총론 소방 단원별 모의고사」는 현재의 수험단계에서 반드시 풀어보아야 할 지문들로 구성한 400개의 문항을 25문항씩 총 16회차로 담았습니다. 수록된 문제는 출제 이력이 있는 지문을 응용(변형)하거나 아직 출제되지 않았지만 충분히 출제가능성 있는 판례와 조문의 내용을 지문화하여 구성하였으며, 중복선지를 최소화하였습니다. 어떤 키워드에 출제 포인트를 둘지, 어떤 판례에 방점을 찍어야 할지, 어떤 법조문에 밑줄을 그어야 할지 깊이 숙고하면서 문제 출제와 해설 집필에 심혈을 기울였습니다. 그리고 수험생의 효율적인 기억 강화와 반복 학습을 위해 모의고사에 사용된 모든 선지를 옳은 지문으로 재구성하여 교재 마지막에 수록하였습니다. 이외에도 문제집 그 이상의 학습 효과를 나타낼 수 있도록 개인별 맞춤형 학습 앱(기출지문 학습)에 이르기까지 다양한 학습 장치를 마련하였습니다. 또한 정답을 이해하는 데에 소요되는 시간을 확실하게 단축할 수 있도록 모의문제 풀이를 통해 실전적용능력을 기를 수 있는 '2026 써니 행정법총론 소방 단원별 문제풀이' 강의를 함께 제공합니다.

이 책의 구체적인 특징과 짜임새는 다음과 같습니다.

1 다양한 수준별·유형별 모의문제 구성으로 실전 대비

이 책은 기본서 편제에 맞추어 <행정법통론>에서 시작하여 <행정작용법>, <행정절차, 행정공개>, <행정의 실효성 확보수단>의 단원을 거쳐 <행정구제>로 끝을 맺습니다. 이러한 흐름에 따라 총 16 회차를 단원별로 구성하였습니다. 그리고 자신에게 취약한 단원을 확인하고 기본서나 기출문제집을 통해 해당 내용을 다시 복습할 수 있도록 각 회차별 출제 범위를 기재하였습니다.

2 실전 문제풀이와 학습 효율을 고려한 <문제편>과 <정답과 해설편>의 분권 구성

학습 편의를 위해 <문제편>과 <정답과 해설편>, 두 권으로 나누어 구성하였습니다. 우선 <문제편>에서는 2025년에 출제된 소방 행정법총론 문제를 포함한 최신 기출문제까지 철저히 분석하여 새로운 논점을 추가하고 문제 구성에 변화를 주었습니다. 특히 <보기>형 문제는 선지를 4~5개 정도로 축소·구성하여 실전 문제풀이효과도 함께 도모하였습니다. 나아가 최신판례와 개정법령을 촘촘히 검토·반영함으로써 문제를 통해 최신판례와 개정법령을 확인하고자 하는 수험생들의 수요에 부응할 것으로 기대합니다. 또한 <정답과 해설편>에서는 선지마다 풍부하고 이해하기 쉬운 해설을 수록하였으며, 효과적인 학습을 위해 주요 내용은 밑줄을 그었고, 판례의 핵심 요지는 색 글자로 나타내었습니다. 이로써 <문제편>에서는 실전처럼 모의고사를 치렀다는 효과를 주고, <정답과 해설편>에서는 또 한 권의 책으로 구성한 확인 학습의 만족감을 줄 것입니다.

3 '기출체크'를 통한 기출 회독 효과

각 모의고사 선지와 관련된 기출지문을 '기출체크'에 수록하였습니다. 이를 통해 현재 풀고 있는 모의고사의 선지가 실제 시험에서는 어떻게 문제화되었는지를 살펴봄과 동시에 그러한 기출문제를 OX문제(또는 객관식 기출문제)로 다시 풀어 볼 수 있습니다. 최근 시행된 2025 지방직·서울시 7급을 포함한 주요 시험의 기출문제를 '출제 키워드' 중심으로 면밀히 분석하여, 모의고사 선지에 맞게 기출 OX문제(또는 객관식 기출문제) 형태로 배열하였기 때문에 주요 기출지문을 집중력 있게 한 번 더 회독할 수 있습니다.

2026 써니 행정법총론 소방 단원별 모의고사

4 부록 '옳은 지문 워크북'을 복습과 마무리에 활용

<정답과 해설편> 부록으로 '옳은 지문 워크북'을 수록하였습니다. <문제편>에 수록된 모든 지문을 '옳은 지문'화하였으며, 그중 핵심 키워드는 색 글자로 표현하였습니다. 문제풀이 후 '옳은 지문 워크북'을 정독하여 학습함으로써 「2026 써니 행정법총론 소방 단원별 모의고사」의 주요 내용을 압축하고, 시험 직전에는 시험장 노트로 '옳은 지문 워크북'을 충분히 활용하기 바랍니다.

5 <2026 써니행정법 APP> 이용쿠폰 수록

<정답과 해설편> 마지막 장에 <2026 써니행정법 APP> 이용쿠폰을 수록하였습니다. <2026 써니행정법 APP>은 틈새 시간을 이용하여 다양한 기출지문을 OX 문제형태로 풀어볼 수 있도록 짜여져 있으며, 나의 순위 확인, 즐겨찾기 저장 등 다양한 부가기능도 제공합니다. 문제풀이 후 학습이 부족한 단원을 <2026 써니 행정법 APP> OX 문제풀이기능을 통해 채워보세요.

「2026 써니 행정법총론 소방 단원별 모의고사」는 문제풀이능력을 극대화시키기 위해 많은 시간을 쏟고 숱한 노력을 기울여서 펴낸, 수험생 여러분을 위한 책입니다. '단원별 모의고사'를 풀면서 실전 감각을 키우고, '기출체크'를 통해 주요 기출지문을 재확인하며, '옳은 지문 워크북'으로 최종 마무리한다면 최대의 학습 효과를 얻을 수 있을 것입니다.

수험생 여러분의 합격을 진심으로 기원하면서 이만 글을 마칩니다.

2025년 11월
편저자 박준철 씀

싣는 순서 CONTENTS

문제 | 소방 단원별 모의고사

제1회 제1강 행정~제4강 행정법의 일반원칙 ········· 8

제2회 제4강 행정법의 일반원칙~제9강 사인의 공법행위 ········· 29

제3회 제9강 사인의 공법행위~제11강 행정규칙 ········· 47

제4회 제12강 행정행위의 기초개념~제13강 행정행위의 내용 ········· 70

제5회 제13강 행정행위의 내용~제15강 행정행위의 요건과 효력 ········· 94

제6회 제15강 행정행위의 요건과 효력~제17강 행정행위의 폐지(취소·철회) 및 실효 ········· 115

제7회 제18강 확약 등~제21강 행정절차법(처분 등) ········· 137

제8회 제21강 행정절차법(처분 등)~제22강 정보공개법 ········· 159

제9회 제22강 정보공개법~제24강 행정상 강제집행(대집행 등) ········· 181

2026 써니 행정법총론 소방 단원별 모의고사

제10회	제24강 행정상 강제집행(대집행 등)~제26강 행정벌(행정형벌, 행정질서벌) ········· 204
제11회	제26강 행정벌(행정형벌, 행정질서벌)~제29강 행정상 손해배상 2(국가배상법 제5조 등) ········· 225
제12회	제29강 행정상 손해배상 2(국가배상법 제5조 등)~제32강 손해전보를 위한 그 밖의 제도 등 ········· 248
제13회	제33강 행정심판의 개관 등~제35강 행정소송 개관, 당사자소송 및 객관적 소송 ········· 271
제14회	제35강 행정소송 개관, 당사자소송 및 객관적 소송~제36강 항고소송 1(취소소송의 의의 등) ········· 291
제15회	제36강 항고소송 1(취소소송의 의의 등)~제37강 항고소송 2(처분 등) ········· 314
제16회	제38강 항고소송 3(그 밖의 소송요건 및 소변경 등)~ 제40강 항고소송 5(무효등확인소송, 부작위위법확인소송) ········· 336

정답과 해설 소방 단원별 모의고사

부록	옳은 지문 워크북 ········· 198
	OMR 답안지 ········· 291
	한눈에 보는 빠른 정답 ········· 303

문제

2026 써니 행정법총론 소방 단원별 모의고사

소방
단원별 모의고사
제1~16회

제1회 | 소방 단원별 모의고사

제한시간 /25분
나의 점수 /100점

출제 범위 : 제1강 행정~제4강 행정법의 일반원칙

정답과 해설 p.6
옳은 지문 워크북 p.198

01 □□□

실질적 의미의 행정에 해당하지 <u>않는</u> 것만을 <보기>에서 모두 고른 것은? (다툼이 있는 경우 판례에 의함)

―보기―
㉮ 국회사무총장의 직원임명
㉯ 집회의 금지통지
㉰ 행정심판의 재결
㉱ 시행령의 제정
㉲ 지방공무원의 임명
㉳ 일반법관의 임명
㉴ 조세강제징수

① ㉰, ㉱
② ㉮, ㉯, ㉴
③ ㉯, ㉰, ㉲
④ ㉰, ㉱, ㉳

✓ 기출체크

㉮ **관련기출**
1. 국회사무총장의 직원임명(은 실질적 의미, 형식적 의미 모두 행정에 속한다) 2010 경행특채 변형 (○ | ×)

㉯ **관련기출**
2. 집회의 금지통지(는 실질적 의미의 행정에 해당한다)
2015 지방직 7급 변형 (○ | ×)
3. 집회의 금지통지(는 실질적 의미, 형식적 의미 모두 행정에 속한다) 2010 경행특채 변형 (○ | ×)

㉰ **관련기출**
4. 행정심판의 재결(은 실질적 의미의 행정에 해당한다) 2015 지방직 7급 (○ | ×)
5. 행정심판의 재결(은 실질적 의미, 형식적 의미 모두 행정에 속한다) 2010 경행특채 변형 (○ | ×)

㉱ **관련기출**
6. 대통령령의 제정(은 실질적 의미의 행정에 해당한다) 2015 지방직 7급 (○ | ×)
7. 시행규칙 제정(은 실질적 의미, 형식적 의미 모두 행정에 속한다) 2010 경행특채 변형 (○ | ×)

㉲ **관련기출**
8. 지방공무원 임명(은 실질적 의미의 행정에는 속하나 형식적 의미의 행정이 아니다) 2010 경행특채 (○ | ×)

㉳ **관련기출**
9. 일반법관의 임명(은 실질적 의미의 행정에 해당한다) 2015 지방직 7급 (○ | ×)

㉴ **관련기출**
10. 조세체납처분(현 조세강제징수)(은 실질적 의미, 형식적 의미 모두 행정에 속한다) 2010 경행특채 변형 (○ | ×)

정답
1. × 2. ○ 3. ○ 4. × 5. × 6. × 7. × 8. × 9. ○ 10. ○

02 □□□

통치행위에 관한 설명으로 옳은 것은? (다툼이 있는 경우 판례에 의함)

① 대통령의 긴급재정·경제명령은 국가긴급권의 일종으로서 고도의 정치적 결단에 의하여 발동되는 통치행위에 해당하므로 그것이 국민의 기본권 침해와 직접 관련되는 경우에도 헌법재판소의 심판대상이 되지 않는다.
② 대통령의 개성공단 운영 전면중단조치는 국가안보와 관련된 대통령의 의사결정을 포함하고, 그러한 의사결정은 고도의 정치적 결단을 요하는 문제이므로 사법심사의 대상이 될 수 없다.
③ 대통령의 비상계엄의 선포나 확대행위는 고도의 정치적·군사적 성격을 지니고 있는 행위라 할 것이나, 계엄선포나 확대가 국헌문란의 목적을 달성하기 위해 행해진 경우에는 법원은 그 자체가 범죄행위에 해당하는지 여부에 대해서 심사할 수 있다.
④ 서훈취소행위는 대통령이 국가원수로서 행하는 행위이므로, 사법심사를 자제하여야 할 고도의 정치성을 띤 것으로서 통치행위에 해당한다.

✓ 기출체크

① 관련기출
1. 법률의 효력을 가지는 긴급재정·경제명령은 국민의 기본권 침해와 직접 관련되므로 헌법재판소의 심판대상이 될 수 있다. 2025 변호사 (O | X)
2. 대통령의 「금융실명거래 및 비밀보장에 관한 긴급재정·경제명령」은 국가긴급권의 일종으로서 고도의 정치적 결단에 의하여 발동되는 행위이고 그 결단을 존중하여야 할 필요성이 있는 행위라는 의미에서 통치행위이지만 그것이 국민의 기본권 침해와 직접 관련되는 경우에는 당연히 헌법재판소의 심판대상이 된다. 2024 군무원 5급 (O | X)
3. 판례는 대통령의 「금융실명거래 및 비밀보장에 관한 긴급재정·경제명령」의 발령을 통치행위로 보았다. 2024 해경승진 (O | X)
4. 대통령의 긴급재정·경제명령은 국가긴급권의 일종으로서 고도의 정치적 결단에 의하여 발동되는 행위이다. 2020 군무원 9급 (O | X)

② 관련기출
5. 국민의 기본권 제한과 직접 관련된 공권력의 행사는 고도의 정치적 고려가 필요한 행위라도 헌법과 법률에 따라 결정되고 집행되어야 하므로 개성공단 전면중단조치는 헌법소원심판의 대상이 될 수 있다. 2025 변호사 (O | X)
6. 개성공단 전면중단조치는 고도의 정치적 결단을 요하는 문제이므로 기본권 제한이 발생하더라도 헌법소원심판의 대상이 될 수 없다. 2025 경찰간부 (O | X)

③ 관련기출
7. 사법부는 계엄선포의 요건 구비 여부나 선포의 당·부당을 판단할 수 있으며, 비상계엄의 선포나 확대가 국헌문란의 목적을 달성하기 위하여 행하여진 경우 그 자체가 범죄행위에 해당하는지의 여부에 관하여 심사할 수 있다. 2026 경찰간부 (O | X)
8. 비상계엄의 선포나 확대가 국헌문란의 목적을 달성하기 위하여 행하여진 경우 법원은 그 자체가 범죄행위에 해당하는지의 여부에 관하여 심사할 수 있다. 2025 경찰간부 (O | X)

④ 관련기출
9. 서훈취소가 대통령이 국가원수로서 행하는 행위라고 하더라도 법원이 사법심사를 자제하여야 할 고도의 정치성을 띤 행위라고 볼 수는 없다. 2025 변호사 (O | X)
10. 「상훈법」 제8조의 서훈취소는 대통령이 국가원수로서 행하는 행위이므로 법원이 사법심사를 자제하여야 할 고도의 정치성을 지니는 행위이다. 2025 경찰간부 (O | X)
11. 서훈취소는 서훈수여의 경우와는 달리 이미 발생된 서훈대상자 등의 권리 등에 영향을 미치지 않는 행위로서 관련 당사자에게 미치는 불이익의 내용과 정도 등을 고려하면 사법심사의 필요성이 크지 않다. 따라서 서훈취소는 대통령이 국가원수로서 행하는 행위로서 법원이 사법심사를 자제하여야 할 고도의 정치성을 띤 행위라고 볼 수 있다. 2024 군무원 5급 (O | X)
12. 대법원은 대통령의 서훈취소행위를 통치행위로 보고 있다. 2020 경행경채 (O | X)

정답
1. O 2. O 3. O 4. O 5. O 6. X 7. X 8. O 9. O 10. X
11. X 12. X

03

통치행위에 관한 설명으로 옳지 않은 것은? (다툼이 있는 경우 판례에 의함)

① 외국에의 국군파견결정이 헌법과 법률이 정한 절차를 지켜 이루어진 것이라면 대통령과 국회의 판단은 존중되어야 하고 사법적 기준만으로 심판하는 것은 자제되어야 한다.
② 대통령의 사면권 행사는 형의 선고의 효력 또는 공소권을 상실시키거나 형의 집행을 면제시키는 국가원수의 고유한 권한을 의미하며, 사법부의 판단을 변경하는 제도로서 권력분립의 원리에 대한 예외에 해당한다.
③ 신행정수도건설이나 수도이전의 문제에 관한 대통령의 의사결정은 고도의 정치적 결단을 요하므로 사법심사를 자제함이 바람직하지만, 그것이 국민의 기본권 침해와 직접 관련되는 경우에는 헌법재판소의 심판대상이 될 수 있다.
④ 남북정상회담 개최는 고도의 정치적 성격을 지니고 있는 행위이므로, 그 과정에서 재정경제부장관에게 신고하지 아니하거나 통일부장관의 협력사업승인을 얻지 아니한 채 대북송금한 행위는 사법심사의 대상이 되지 아니한다.

✓ 기출체크

① 관련기출
1. 외국에의 국군의 파견결정은 그것이 헌법과 법률이 정한 절차를 지켜 이루어진 것이라면 대통령과 국회의 판단은 존중되어야 하고 사법적 기준만으로 심판하는 것은 자제되어야 한다. 2025 변호사 (O | X)
2. 외국에의 국군의 파견결정과 같이 성격상 외교 및 국방에 관련된 고도의 정치적 결단이 요구되는 사안에 대한 국민의 대의기관의 결정이 사법심사의 대상이 되지 아니한다. 2022 군무원 9급 (O | X)
3. 국군을 외국에 파견하는 결정은 통치행위로서 고도의 정치적 결단이 요구되는 사안에 대한 대통령과 국회의 판단은 존중되어야 하고 헌법재판소가 사법적 기준만으로 이를 심판하는 것은 자제되어야 한다. 2022 군무원 7급 (O | X)
4. 일반사병 이라크 파병에 대한 헌법소원 사건에서 외국에의 국군의 파견결정은 파견군인의 생명과 신체의 안전뿐만 아니라 국제사회에서의 우리나라의 지위와 역할, 동맹국과의 관계, 국가안보문제 등 궁극적으로 국민 내지 국익에 영향을 미치는 복잡하고도 중요한 문제로서 통치행위로 보고 있다. 2020 경행경채 (O | X)

② 관련기출
5. 사면은 형의 선고의 효력 또는 공소권을 상실시키거나 형의 집행을 면제시키는 것으로 사법부의 판단을 변경하는 제도이므로 권력분립의 원리에 반한다. 2025 경찰간부 (O | X)
6. 대통령의 특별사면(은 통치행위에 해당한다) 2016 교육행정직 9급 (O | X)
7. 헌법재판소는 사면이 사법부의 판단을 변경하는 제도로서 권력분립의 원리에 대한 예외가 된다고 보았다. 2011 국회(속기·경위직) 9급 (O | X)

③ 관련기출

8. 헌법재판소는 신행정수도건설이나 수도이전의 문제가 정치적 성격을 가지고 있는 것은 인정할 수 있지만, 그 자체로 고도의 정치적 결단을 요하여 사법심사의 대상으로 하기에는 부적절한 문제라고까지는 할 수 없다고 보았다. 2025 군무원 7급 (O | X)

9. 신행정수도건설이나 수도이전문제는 그 자체로 고도의 정치적 결단을 요하므로 사법심사의 대상에서 제외되고, 그것이 국민의 기본권 침해와 관련되는 경우에도 헌법재판소의 심판대상이 될 수 없다. 2017 지방직 9급 (O | X)

10. 대통령의 의사결정이 국민의 기본권 침해와 직접 관련되는 경우에는 헌법재판소의 심판대상이 될 수 있고, 이에 따라 위 의사결정과 관련된 법률도 헌법재판소의 심판대상이 될 수 있다. 2016 경행경채 (O | X)

④ 관련기출

11. 대법원은 남북정상회담의 개최는 고도의 정치적 성격을 지니고 있는 행위라 할 것이므로 특별한 사정이 없는 한 그 당부를 심판하는 것은 사법권의 내재적·본질적 한계를 넘어서는 것이 되어 적절하지 못하다고 보았다. 2025 군무원 7급 (O | X)

12. 남북정상회담의 개최와 그 개최과정에서 재정경제부장관에게 신고하지 아니하거나 통일부장관의 협력사업승인을 얻지 아니한 채 북한 측에 사업권의 대가 명목으로 송금한 행위는 사법심사의 대상이 될 수 없다. 2025 변호사 (O | X)

13. 남북정상회담의 개최과정에서 재정경제부장관에게 신고하지 아니하거나 통일부장관의 협력사업승인을 얻지 아니한 채 북한 측에 사업권의 대가 명목으로 송금한 행위 자체는 헌법상 법치국가의 원리와 법 앞에 평등원칙 등에 비추어 볼 때 사법심사의 대상이 된다. 2020 경행경채 (O | X)

14. 남북정상회담의 개최는 통치행위에 해당한다. 2016 교육행정직 9급 (O | X)

정답
1. O 2. O 3. O 4. O 5. × 6. O 7. O 8. O 9. × 10. O
11. O 12. × 13. O 14. O

04

행정법의 지도원리와 법치행정의 원리에 관한 설명으로 옳지 않은 것은? (다툼이 있는 경우 판례에 의함)

① 국가가 국민의 생명·신체의 안전에 대한 보호의무를 다하지 않았는지 여부를 헌법재판소가 심사할 때에는 국가가 이를 보호하기 위하여 적어도 적절하고 효율적인 최소한의 보호조치를 취하였는가 하는 이른바 '과소보호금지의 원칙'을 위반하였는지 여부를 기준으로 삼는다.

② 구 「국가를 당사자로 하는 계약에 관한 법률」상의 요건과 절차를 거치지 않고 체결한 국가와 사인 간의 사법상 계약은 무효이다.

③ 구 여객자동차 운수사업법령상 개인택시운송사업자의 운전면허가 취소된 때에는 그의 개인택시운송사업면허를 취소할 수 있도록 규정되어 있다. 따라서 개인택시운송사업자가 운전면허취소사유인 음주운전 교통사고로 사망하였다면 그 운전면허취소처분이 없더라도 관할 관청은 해당 개인택시운송사업자에 대한 개인택시운송사업면허를 취소할 수 있다.

④ 국회가 형식적 법률로 직접 규정할 필요성은 규율대상이 국민의 기본권 및 기본적 의무와 관련한 중요성을 가질수록, 그에 관한 공개적 토론의 필요성 또는 상충하는 이익 사이의 조정필요성이 클수록 더 증대된다.

✓ 기출체크

① 관련기출

1. 국가가 국민의 생명·신체의 안전에 대한 보호의무를 다하지 않았는지 여부를 헌법재판소가 심사할 때에는 국가가 이를 보호하기 위하여 적어도 적절하고 효율적인 최소한의 보호조치를 취하였는가 하는 '과소보호금지원칙'의 위반 여부를 기준으로 삼는다. 2021 국가직 9급 (O | X)

2. 국가가 국민의 생명·신체의 안전에 대한 보호의무를 다하지 않았는지 여부에 대한 심사는 '과소보호금지원칙'의 위반 여부를 기준으로 삼는다. 2017 국가직 7급 (O | X)

② 관련기출

3. 국가계약의 본질적인 내용은 사인 간의 계약과 다를 바가 없어 법령에 특별한 규정이 있는 경우를 제외하고는 사법의 규정 내지 법원리가 그대로 적용되므로, 국가와 사인 간의 계약은 국가계약법령에 따른 요건과 절차를 거치지 않더라도 유효하다. 2022 소방직 9급 (O | X)

4. 국가계약의 본질적인 내용은 사인 간의 계약과 다르므로 법령에 특정한 규정이 있는 경우에 한하여 사법의 규정 내지 법원리가 적용된다. 2019 사회복지직 9급 (O | X)

5. 국가가 사인과 계약을 체결할 때에는 「국가를 당사자로 하는 계약에 관한 법률」에 따른 계약서를 따로 작성하는 등 그 요건과 절차를 이행하여야 한다. 2019 사회복지직 9급 (O | X)

6. 「국가를 당사자로 하는 계약에 관한 법률」에 따른 계약서를 따로 작성하는 등 그 요건과 절차를 거치지 않고 체결된 계약이라고 해서 무효가 되는 것은 아니다. 2019 사회복지직 9급 (O | X)

③ 관련기출

7. 구 「여객자동차 운수사업법」 및 동법 시행령상 개인택시운송사업자의 운전면허가 취소된 때에는 그의 개인택시운송사업면허를 취소할 수 있도록 규정되어 있으므로, 개인택시운송사업자 甲이 운전면허취소사유인 음주운전 교통사고로 사망하였다면 그 운전면허취소처분이 없더라도 관할 관청은 甲에 대한 개인택시운송사업면허를 취소할 수 있다. 2025 지방직·서울시 9급 (O | X)

8. 개인택시운송사업자의 운전면허가 아직 취소되지 않았더라도 운전면허취소사유가 있다면 행정청은 명문규정이 없더라도 개인택시운송사업면허를 취소할 수 있다. 2019 국가직 9급 (O | X)

9. 개인택시기사가 음주운전사고로 사망한 경우 음주운전이 운전면허취소사유로만 규정되어 있으므로 관할 관청은 당해 음주운전사고를 이유로 개인택시운송사업면허를 바로 취소할 수는 없다. 2019 국회직 8급 (O | X)

④ 관련기출

10. 어떠한 사안이 국회가 형식적 법률로 스스로 규정하여야 하는 본질적 사항에 해당되는지는, 구체적 사례에서 관련된 이익 내지 가치의 중요성, 규제 또는 침해의 정도와 방법 등을 고려하여 개별적으로 결정하여야 하므로, 규율대상이 국민의 기본권과 관련한 중요성을 가질수록 그리고 그에 관한 공개적 토론의 필요성 또는 상충하는 이익 사이의 조정필요성이 클수록, 그것이 국회의 법률에 의하여 직접 규율될 필요성은 더 감소된다. 2024 군무원 5급 (O | X)

11. 규율대상이 국민의 기본권 및 기본적 의무와 관련한 중요성을 가질수록 그리고 그에 관한 공개적 토론의 필요성 또는 상충하는 이익 사이의 조정필요성이 클수록, 그것이 국회의 법률에 의해 직접 규율될 필요성은 더 증대된다고 보아야 한다. 2024 해경승진 (O | X)

12. 공개적 토론의 필요성과 상충하는 이익 사이의 조정필요성이 클수록 국회의 법률에 의하여 직접 규율될 필요성은 증대된다. 2019 국회직 8급 (O | X)

정답
1. O 2. O 3. X 4. X 5. O 6. X 7. O 8. X 9. O 10. X
11. O 12. O

05 □□□

법률유보의 원칙에 관한 설명으로 옳지 않은 것만을 <보기>에서 모두 고른 것은? (다툼이 있는 경우 판례에 의함)

― 보기 ―

㉮ 법률유보의 원칙에서 요구되는 법적 근거는 작용법적 근거를 의미하며, 조직법적 근거는 모든 행정권 행사에 있어서 당연히 요구된다.

㉯ 예산은 법률과 마찬가지로 국회의 의결을 거쳐 제정되는 일종의 법규범이므로 국가기관뿐만 아니라 국민도 구속한다.

㉰ 법률유보의 원칙은 '법률에 의한' 규율을 뜻하는 것이므로, 기본권 제한의 형식은 반드시 법률의 형식이어야 한다.

㉱ 법률유보의 원칙은 단순히 행정작용이 법률에 근거를 두기만 하면 충분한 것이 아니라, 국가공동체와 그 구성원에게 기본적이고도 중요한 의미를 갖는 영역, 특히 국민의 기본권 실현과 관련된 영역에 있어서는 국민의 대표자인 입법자가 그 본질적 사항에 대해서 스스로 결정하여야 한다는 요구까지 내포한다.

① ㉮, ㉯ ② ㉮, ㉱
③ ㉯, ㉰ ④ ㉰, ㉱

✓ 기출체크

㉮ 관련기출

1. 모든 행정권 행사는 작용법적 근거가 당연히 요구되기 때문에 법률유보원칙에서 문제되는 것은 조직법적 근거이다. 2025 해경승진 (O | X)

2. 법률유보의 원칙은 행정권의 발동에 있어서 조직규범의 근거가 필요하다는 것을 말한다. 2019 서울시 1회 7급 (O | X)

3. 법률유보의 원칙은 행정권의 발동에 있어서 조직규범 외에 작용규범이 요구된다는 것을 의미한다. 2018 교육행정직 9급 (O | X)

4. 법률유보의 원칙에서 요구되는 행정권 행사의 법적 근거는 작용법적 근거를 말하며 원칙적으로 개별적 근거를 의미한다. 2017 국가직 7급 (O | X)

㉯ 관련기출

5. 헌법재판소는 국회의 의결을 거쳐 확정되는 예산도 일종의 법규범이므로 법률과 마찬가지로 국가기관뿐만 아니라 국민도 구속한다고 본다. 2019 서울시 9급 (O | X)

6. 헌법재판소는 예산도 일종의 법규범이고, 법률과 마찬가지로 국회의 의결을 거쳐 제정되며, 국가기관뿐만 아니라 일반국민도 구속한다고 본다. 따라서 법률유보원칙에서 말하는 법률에는 예산도 포함된다. 2013 지방직 9급 (O | X)

㉰ 관련기출

7. 법률유보의 원칙은 '법률에 근거한' 규율을 요청하는 것이 아니라 '법률에 의한' 규율을 뜻하는 것이므로, 기본권 제한의 형식은 반드시 법률의 형식이어야 한다. 2025 소방간부 (O | X)

8. 법률유보의 원칙은 '법률에 의한 규율'만을 요청하는 것이 아니라 '법률에 근거한 규율'을 요청하는 것이기 때문에 기본권의 제한에는 법률의 근거가 필요할 뿐이고 기본권 제한의 형식이 반드시 법률의 형식일 필요는 없다. 2023 지방직·서울시 9급 (O | X)

9. 헌법재판소 결정에 따를 때 기본권 제한에 관한 법률유보원칙은 법률에 근거한 규율을 요청하는 것이므로 그 형식이 반드시 법률일 필요는 없더라도 법률상의 근거는 있어야 한다. 2019 서울시 9급 (O | X)

10. 기본권 제한에 관한 법률유보원칙은 '법률에 근거한 규율'을 요청하는 것이 아니라 '법률에 의한 규율'을 요청하는 것이다. 2018 경행경채 (O | X)

11. 법률유보의 원칙은 '법률에 의한 규율'만을 뜻하는 것이 아니라 '법률에 근거한 규율'을 요청하는 것이므로 기본권 제한의 형식이 반드시 법률의 형식일 필요는 없고 법률에 근거를 두면서 헌법 제75조가 요구하는 위임의 구체성과 명확성을 구비하기만 하면 위임입법에 의하여도 기본권 제한을 할 수 있다. 2017 변호사 (O | X)

㉣ 관련기출

12. 법률유보원칙은 단순히 행정작용이 법률에 근거를 두기만 하면 충분한 것이 아니라, 국민의 기본권 실현과 관련된 영역에 있어서는 국민의 대표자인 입법자가 그 본질적 사항에 대해서 스스로 결정하여야 한다는 요구까지 내포하고 있다. 2024 군무원 9급 (O | X)

13. 오늘날 법률유보원칙은 단순히 행정작용이 법률에 근거를 두기만 하면 충분한 것이 아니라, 국가공동체와 그 구성원에게 기본적이고도 중요한 의미를 갖는 영역, 특히 국민의 기본권 실현과 관련된 영역에 있어서는 국민의 대표자인 입법자가 그 본질적 사항에 대해서 스스로 결정하여야 한다는 요구까지 내포하고 있다는 헌법재판소 결정과 가장 관계가 깊은 것은? 2014 서울시 9급
① 법률우위원칙   ② 의회유보원칙   ③ 침해유보원칙
④ 과잉금지원칙   ⑤ 신뢰보호원칙

정답
1. × 2. × 3. ○ 4. ○ 5. × 6. × 7. × 8. ○ 9. ○ 10. ×
11. ○ 12. ○ 13. ②

06

법치행정의 원리에 관한 설명으로 옳지 않은 것은? (다툼이 있는 경우 판례에 의함)

① 지방의회의원에 대하여 유급보좌인력을 두는 것은 지방자치권과 관련된 것이므로 이는 개별지방의회의 조례로써 규정할 사항에 해당하며 국회의 법률로써 규정하여야 할 입법사항이라고 볼 수는 없다.

② 납세의무자에게 조세의 납부의무뿐만 아니라 스스로 과세표준과 세액을 계산하여 신고하여야 하는 의무까지 부과하는 경우, 신고의무 불이행에 따른 불이익 등은 납세의무를 구성하는 기본적·본질적 내용으로서 법률로 정하여야 한다.

③ 토지 등 소유자가 도시환경정비사업을 시행하는 경우 사업시행인가 신청시 요구되는 토지 등 소유자의 동의정족수를 정하는 것은 국민의 권리와 의무의 형성에 관한 기본적이고 본질적인 사항이므로, 이를 토지 등 소유자가 자치적으로 정하여 운영하는 규약에 정하도록 한 것은 법률유보의 원칙에 위반된다.

④ 텔레비전방송수신료의 징수업무를 한국방송공사가 직접 수행할 것인지, 제3자에게 위탁할 것인지, 위탁한다면 누구에게 위탁하도록 할 것인지는 징수업무 처리의 효율성 등을 감안하여 결정할 수 있는 사항으로서 국민의 기본권 제한에 관한 본질적인 사항이라고 볼 수 없다.

✔ 기출체크

① 관련기출

1. 지방의회의원에 대하여 유급보좌인력을 두는 것은 개별지방의회의 조례로써 규정할 사항이 아니라 국회의 법률로써 규정하여야 할 입법사항이다. 2018 서울시 9급 (O | X)

2. 지방의회의원에 대하여 유급보좌인력을 두는 것은 지방의회의 조례로 규정할 사항이다. 2018 교육행정직 9급 (O | X)

3. 대법원은 지방의회의원에 대하여 유급보좌인력을 두는 것은 지방의회의원의 신분·지위 및 그 처우에 관한 현행 법령상의 제도에 중대한 변경을 초래하는 것으로서, 이는 개별지방의회의 조례로써 규정할 사항이 아니라 국회의 법률로써 규정하여야 할 입법사항이라고 한다. 2017 국가직 9급 (O | X)

② 관련기출

4. 납세의무자에게 조세의 납부의무뿐만 아니라 스스로 과세표준과 세액을 계산하여 신고하여야 하는 의무까지 부과하는 경우에는 신고의무 불이행에 따른 불이익의 내용을 법률로 정하여야 한다. 2022 소방직 9급 (O | X)

③ 관련기출

5. 토지 등 소유자가 도시환경정비사업을 시행하는 경우 사업시행인가 신청에 필요한 토지 등 소유자의 동의정족수를 토지 등 소유자가 자치적으로 정하여 운영하는 규약에 정하도록 한 것은 법률유보원칙에 위반된다. 2022 해경간부 (O | X)

6. 토지 등 소유자가 도시환경정비사업을 시행하는 경우, 도시환경정비사업시행인가 신청시 요구되는 토지 등 소유자의 동의정족수를 정하는 것은 법률유보 내지 의회유보의 원칙이 지켜져야 할 영역이다. 2022 국회직 8급 변형 (O | X)

7. 헌법재판소는 토지 등 소유자가 도시환경정비사업을 시행하는 경우, 사업시행인가 신청시 필요한 토지 등 소유자의 동의정족수를 정하는 것은 국민의 권리와 의무의 형성에 관한 기본적이고 본질적인 사항으로 법률유보 내지 의회유보의 원칙이 지켜져야 할 영역이라고 한다. 2017 국가직 9급 (O | X)

④ 관련기출

8. 수신료 징수업무를 한국방송공사가 직접 수행할 것인지 제3자에게 위탁할 것인지, 위탁한다면 누구에게 위탁하도록 할 것인지, 위탁받은 자가 자신의 고유업무와 결합하여 징수업무를 할 수 있는지는 징수업무 처리의 효율성 등을 감안하여 결정할 수 있는 사항으로서 국민의 기본권 제한에 관한 본질적인 사항이 아니다. 2024 소방직 9급 (O | X)

9. 텔레비전방송수신료의 징수업무를 한국방송공사가 직접 수행할 것인지, 제3자에게 위탁할 것인지, 위탁한다면 누구에게 위탁하도록 할 것인지, 위탁받은 자가 자신의 고유업무와 결합하여 징수업무를 할 수 있는지는 국민의 기본권 제한에 관한 본질적인 사항이다. 2019 경행경채 2차 (O | X)

10. 수신료 징수업무를 한국방송공사가 직접 수행할지 제3자에게 위탁할지 여부는 국민의 기본권 제한에 관한 본질적인 사항이 아니다. 2019 사회복지직 9급 (O | X)

정답
1. O 2. X 3. O 4. O 5. O 6. O 7. O 8. O 9. X 10. O

07 □□□

법치행정의 원리에 관한 설명으로 옳은 것만을 <보기>에서 모두 고른 것은? (다툼이 있는 경우 판례에 의함)

┤ 보기 ├

㉮ 법률유보의 원칙에서 말하는 법률은 국회의 의결을 거친 형식적 의미의 법률뿐만 아니라 관습법 등 불문법을 포함하는 개념이다.

㉯ 헌법상 법치주의의 한 내용인 법률유보의 원칙은 국민의 기본권 실현에 관련된 영역에 있어서 국가 행정권의 행사에 관하여 적용되는 것이지, 기본권 규범과 관련 없는 경우에까지 준수되도록 요청되는 것은 아니다.

㉰ 공법상 계약과 행정지도에는 법률유보의 원칙이 적용되지 않는다고 보는 것이 일반적 견해이지만, 그러한 행정작용에도 법률우위의 원칙은 적용된다.

㉱ 병(兵)의 복무기간은 국방의무의 본질적 내용에 관한 것이라고 할 수 없으므로, 이는 반드시 법률로 정하여야 할 입법사항에 속한다고 볼 수 없다.

① ㉮, ㉰
② ㉮, ㉱
③ ㉯, ㉰
④ ㉯, ㉱

✓ **기출체크**

㉮ 관련기출

1. 법률유보원칙에서 '법률의 유보'라고 하는 경우의 '법률'에는 국회에서 법률제정의 절차에 따라 만들어진 형식적 의미의 법률뿐만 아니라 국회의 의결을 거치지 않은 명령이나 불문법원으로서의 관습법이나 판례법도 포함된다. 2019 서울시 1회 7급 (O | X)

2. 관습법은 성문법령의 흠결을 보충하기 때문에 법률유보원칙에서 말하는 법률에 해당한다. 2016 서울시 9급 (O | X)

3. 법률유보의 원칙에 있어서 법률은 형식적 의미의 법률을 의미하므로 관습법은 포함되지 않는다. 2013 국회속기직 9급 (O | X)

㉯ 관련기출

4. 헌법상 법치주의의 한 내용인 법률유보원칙은 기본권 규정과 관련 없는 경우에까지 준수되도록 요청되는 것은 아니다. 2024 국회직 8급 (O | X)

㉰ 관련기출

5. 행정지도는 작용법적 근거가 필요하지 않으므로, 비례원칙과 평등원칙에 구속되지 않는다. 2019 국가직 9급 (O | X)

6. 일반적으로 공법상 계약은 법규에 저촉되지 않는 한 자유로이 체결할 수 있으며 법률의 근거도 필요하지 않다. 2017 서울시 7급 (O | X)

7. 다수설에 따르면 공법상 계약은 당사자의 자유로운 의사의 합치에 의하므로 원칙적으로 법률유보의 원칙이 적용되지 않는다고 본다. 2017 국가직 9급 (O | X)

8. 다수설에 따르면 행정지도에 관해서 개별법에 근거규정이 없는 경우 행정지도의 상대방인 국민에게 미치는 효력을 고려하여 행정지도를 할 수 없다고 본다. 2017 국가직 9급 (O | X)

㉱ 관련기출

9. 병의 복무기간은 국방의무의 본질적 내용에 관한 것이어서 반드시 법률로 정하여야 할 입법사항에 속한다. 2012 국회(속기·경위직) 9급 (O | X)

정답
1. X 2. X 3. O 4. O 5. X 6. O 7. O 8. X 9. O

08 □□□

행정법의 법원과 효력에 관한 설명으로 옳은 것은? (다툼이 있는 경우 판례에 의함)

① 법률은 대한민국의 영토 전역에 걸쳐 효력을 가져야 하므로 일부 지역에만 적용되는 법률은 효력이 없다.
② 헌법에 의하여 체결·공포된 조약과 일반적으로 승인된 국제법규는 국내법과 같은 효력을 가지므로, 「남북 사이의 화해와 불가침 및 교류협력에 관한 합의서」는 국내법과 동일한 효력을 갖는다.
③ 헌법재판소에 의한 법률의 위헌결정은 법원과 그 밖의 국가기관 및 지방자치단체를 기속하여 행정법의 법원(法源)이 되므로, 구체적 사건의 해결에 있어 법원(法院)은 헌법재판소가 법률의 위헌 여부를 판단하기 위하여 한 법률해석에 구속된다.
④ 법령 등을 공포한 날부터 시행하는 경우에는 공포한 날을 시행일로 하고, 법령 등을 공포한 날부터 일정 기간이 경과한 날부터 시행하는 경우 법령을 공포한 날을 첫날에 산입하지 아니하되, 그 기간의 말일이 토요일 또는 공휴일인 때에는 그 말일로 기간이 만료한다.

✓ 기출체크

① 관련기출
1. 특정 지역만을 규율대상으로 하는 법률은 무효이다. 2016 교육행정직 9급 (O | X)
2. 법령은 지역적으로 대한민국의 영토 전역에 걸쳐 효력을 가지는 것이 원칙이나 예외적으로 일부 지역에만 적용될 수 있다. 2015 행정사 (O | X)

② 관련기출
3. 「남북 사이의 화해와 불가침 및 교류협력에 관한 합의서」는 국가 간의 조약이다. 2017 교육행정직 9급 (O | X)
4. 「남북 사이의 화해와 불가침 및 교류협력에 관한 합의서」는 국가 간의 조약이 아니므로 국내법과 동일한 효력이 인정되는 것이 아니다. 2015 경행특채 1차 (O | X)
5. 헌법에 의하여 체결·공포된 조약과 일반적으로 승인된 국제법규는 국내법과 같은 효력을 가진다. 2015 경행특채 1차 (O | X)
6. 「남북 사이의 화해와 불가침 및 교류협력에 관한 합의서」는 남북한 당국이 각기 정치적인 책임을 지고 상호 간에 그 성의 있는 이행을 약속한 것으로 법적 구속력이 인정되는 조약에 해당되어 국내법과 동일한 효력을 갖는다. 2014 경행특채 1차 (O | X)

③ 관련기출
7. 헌법재판소에 의한 법률의 위헌결정은 국가기관과 지방자치단체를 기속한다는 「헌법재판소법」 제47조에 의해 법원으로서의 성격을 가진다. 2012 지방직 9급 (O | X)
8. 헌법재판소가 법률의 위헌 여부를 판단하기 위하여 한 법률해석에 대법원이나 각급 법원이 구속되는 것은 아니다. 2010 국가직 9급 (O | X)

④ 관련기출
9. 법령 등을 공포한 날부터 일정 기간이 경과한 날부터 시행하는 경우 기간 계산에 관한 초일불산입의 원칙이 적용된다. 2026 경찰간부 (O | X)
10. 법령 등을 공포한 날부터 일정 기간이 경과한 날부터 시행하는 경우 법령 등을 공포한 날을 첫날에 산입하지 아니한다. 2025 소방직 9급 (O | X)
11. 「행정기본법」에 의하면 법령 등을 공포한 날부터 일정 기간이 경과한 날부터 시행하는 경우 그 기간의 말일이 토요일 또는 공휴일인 때에는 그 익일로 만료한다. 2025 국회직 8급 (O | X)
12. 법령 등을 공포한 날부터 일정 기간이 경과한 날부터 시행하는 경우 그 기간의 말일이 토요일 또는 공휴일인 때에는 그 말일로 기간이 만료한다. 2024 국가직 9급 (O | X)
13. 법령 등의 시행일을 정하거나 계산할 때에는 법령 등을 공포한 날부터 시행하는 경우 공포한 날을 시행일로 한다. 2023 소방간부 (O | X)

정답
1. X 2. O 3. X 4. O 5. O 6. X 7. O 8. O 9. O 10. O
11. X 12. O 13. O

09 □□□

행정법의 법원에 관한 설명으로 옳은 것은? (다툼이 있는 경우 판례에 의함)

① 초·중·고등학교의 학교급식을 위해 지방자치단체에서 생산되는 우수농산물을 사용하여 식재료를 만드는 자에게 식재료나 구입비의 일부를 지원하는 지방자치단체의 조례안이 「1994년 관세 및 무역에 관한 일반협정(GATT)」에 위반된다고 하여 무효로 볼 수는 없다.
② 일반적으로 관습법은 성문법에 대하여 개폐적 효력을 가진다.
③ 회원국 정부의 반덤핑 부과처분이 WTO 협정 위반이라는 이유만으로 사인(私人)이 직접 국내 법원에 그 처분의 취소를 구하는 소를 제기할 수 있으며, 협정 위반을 처분의 독립된 취소사유로 주장할 수 있다.
④ 대법원 판례가 법률해석의 일반적인 기준을 제시한 경우에 유사한 사건을 재판하는 하급심법원의 법관은 판례의 견해를 존중하여 재판하여야 하는 것이나, 판례가 사안이 서로 다른 사건을 재판하는 하급심법원을 직접 기속하는 효력이 있는 것은 아니다.

① 관련기출
1. 지방자치단체가 제정한 조례가 헌법에 의하여 체결·공포된 조약에 위반되는 경우 그 조례는 효력이 없다. 2021 국가직 9급 (O | X)
2. 학교급식을 위해 국내 우수농산물을 사용하는 자에게 식재료나 구입비의 일부를 지원하는 것 등을 내용으로 하는 지방자치단체의 조례안이 「1994년 관세 및 무역에 관한 일반협정」을 위반하여 위법한 이상, 그 조례안은 효력이 없다. 2020 국가직 7급 (O | X)
3. 「1994년 관세 및 무역에 관한 일반협정」에 위반되는 조례는 무효이다. 2017 교육행정직 9급 (O | X)
4. 학교급식을 위해 국내 우수농산물을 사용하는 자에게 식재료나 구입비의 일부를 지원하는 것 등을 내용으로 하는 지방자치단체의 조례안은 「1994년 관세 및 무역에 관한 일반협정」에 위반되어 그 효력이 없다. 2014 경행특채 1차 (O | X)

② 관련기출
5. 관습법은 성문법의 결여시에 성문법을 보충하는 범위에서 효력을 갖는다. 2015 경행특채 2차 (O | X)
6. 행정관습법은 성문법의 규정이 불비된 경우에 그것을 보충하는 효력을 가질 뿐이므로 성문법과 저촉되는 행정관습법은 인정될 수 없다. 2011 국회(속기·경위직) 9급 (O | X)

③ 관련기출
7. WTO 협정에 따른 회원국 정부의 반덤핑 부과처분이 WTO 협정 위반이라는 이유만으로 사인이 직접 국내 법원에 회원국 정부를 상대로 그 처분의 취소를 구하는 소를 제기할 수 있다. 2024 지방직·서울시 7급 (O | X)
8. 회원국 정부의 반덤핑 부과처분이 WTO 협정 위반이라는 이유만으로 사인이 직접 국내 법원에 회원국 정부를 상대로 그 처분의 취소를 구하는 소를 제기할 수 있다. 2022 해경간부 (O | X)
9. 국제법규도 행정법의 법원이므로, 사인이 제기한 취소소송에서 WTO 협정과 같은 국제협정 위반을 독립된 취소사유로 주장할 수 있다. 2019 서울시 9급 (O | X)
10. 사인(私人)은 반덤핑 부과처분이 세계무역기구(WTO) 협정 위반이라는 이유로 직접 국내 법원에 회원국 정부를 상대로 그 처분의 취소를 구하는 소를 제기할 수 있다. 2011 지방직(상) 9급 (O | X)

④ 관련기출
11. 대법원의 판례가 법률해석의 일반적인 기준을 제시한 경우에 유사한 사건을 재판하는 하급심법원의 법관은 판례의 견해를 존중하여 재판하여야 하는 것이기 때문에, 판례가 사안이 서로 다른 사건을 재판하는 하급심법원도 직접 기속하는 효력이 있다. 2025 소방직 9급 (O | X)
12. 대법원의 판례가 법률해석의 일반적인 기준을 제시하였어도 사안이 서로 다른 사건을 재판하는 하급심법원을 직접 기속하는 것은 아니다. 2016 행정사 (O | X)
13. 동종사건에 관하여 대법원의 판례가 있더라도 하급법원은 그 판례와 다른 판단을 하는 것이 가능하다. 2011 국가직 9급 (O | X)
14. 대법원은 "유사사건에 관한 대법원 판례가 하급심법원을 직접 기속한다."고 판시한 바 있다. 2007 국가직 9급 (O | X)

정답
1. O 2. O 3. O 4. O 5. O 6. O 7. X 8. X 9. X 10. X
11. X 12. O 13. O 14. X

10 □□□

행정법의 효력에 관한 설명으로 옳지 <u>않은</u> 것만을 <보기>에서 모두 고른 것은? (다툼이 있는 경우 판례에 의함)

┤ 보기 ├

㉮ 법률의 소급적용금지의 원칙은 그 법률의 효력발생 전에 완성된 요건사실뿐만 아니라 계속 중인 사실이나 그 후에 발생한 요건사실에 대해서도 그 법률을 소급적용할 수 없다는 것을 의미하므로 과세연도 진행 중에 세율 등을 인상하는 세법을 제정하여 당해 연도에 적용하는 것은 원칙적으로 허용되지 않는다.

㉯ 진정소급입법은 허용되지 아니하는 것이 원칙이지만, 일반적으로 국민이 소급입법을 예상할 수 있었거나 법적 상태가 불확실하고 혼란스러워 보호할 만한 신뢰이익이 적은 경우에는 예외적으로 허용된다.

㉰ 부진정소급입법은 소급효를 요구하는 공익상의 요구보다 국민의 신뢰보호의 요청이 큰 경우에도 원칙적으로 허용된다.

㉱ 어떠한 법률조항에 대하여 헌법재판소가 헌법불합치결정을 하여 그 법률조항을 합헌적으로 개정 또는 폐지하는 임무를 입법자의 형성재량에 맡긴 이상, 그 개선입법의 소급적용 여부와 소급적용의 범위는 원칙적으로 입법자의 재량에 달린 것이다.

① ㉮, ㉯ ② ㉮, ㉰
③ ㉯, ㉱ ④ ㉰, ㉱

㉮ 관련기출
1. 신법의 효력발생일까지 진행 중인 사건에 대하여 신법을 적용하는 것은 법률의 소급적용에 해당하므로 원칙적으로 허용될 수 없다. 2023 국가직 7급 (O | X)
2. 새로운 법령 등은 법령 등에 특별한 규정이 있는 경우를 제외하고는 그 법령 등의 효력발생 전에 완성되거나 종결된 사실관계 또는 법률관계에 대해서는 적용되지 아니한다. 2022 서울시 지적 7급 (O | X)
3. 법률불소급의 원칙은 그 법률의 효력발생 전에 완성된 요건사실뿐만 아니라 계속 중인 사실이나 그 후에 발생한 요건사실에 대해서도 그 법률을 소급적용할 수 없다. 2021 군무원 9급 (O | X)
4. 「소득세법」이 개정되어 세율이 인상된 경우, 법 개정 전부터 개정법이 발효된 후에까지 걸쳐 있는 과세기간(1년)의 전체 소득에 대하여 인상된 세율을 적용하는 것은 재산권에 대한 소급적 박탈이 되므로 위법하다. 2015 서울시 9급 (O | X)

㉯ 관련기출
5. 진정소급입법은 허용되지 않는 것이 원칙이지만 국민이 소급입법을 예상할 수 있었거나 신뢰보호의 요청에 우선하는 심히 중대한 공익상의 사유가 소급입법을 정당화하는 경우에는 허용된다. 2024 국가직 7급 (O | X)

6. 진정소급입법이라 하더라도 예외적으로 국민이 소급입법을 예상할 수 있었거나 신뢰보호의 요청에 우선하는 심히 중대한 공익상의 사유가 소급입법을 정당화하는 경우 등에는 허용될 수 있다. 2020 국가직 7급 (O | X)

7. 개인의 신뢰보호의 요청에 우선하는 심히 중대한 공익상의 사유가 소급입법을 정당화하는 경우에는 예외적으로 진정소급입법이 허용된다. 2016 교육행정직 9급 (O | X)

8. 일반적으로 국민이 소급입법을 예상할 수 있었거나 법적 상태가 불확실하고 혼란스러워 보호할 만한 신뢰이익이 적은 경우에도 진정소급입법이 허용되지 않는다. 2015 사회복지직 9급 (O | X)

㈐ 관련기출

9. 계속 중인 사실이나 그 이후에 발생한 요건사실에 대한 법률적용을 인정하는 부진정소급입법의 경우 개인의 신뢰보호와 법적 안정성을 내용으로 하는 법치국가원리에 의하여 허용되지 않는 것이 원칙이다. 2021 국회직 8급 (O | X)

10. 부진정소급입법은 원칙적으로 허용되지만, 소급효를 요구하는 공익상의 사유와 신뢰보호의 요청 사이의 형량과정에서 신뢰보호의 관점이 입법자의 형성권에 제한을 가하게 된다. 2017 국가직 7급 (O | X)

㈑ 관련기출

11. 어떠한 법률조항에 대하여 헌법재판소가 헌법불합치결정을 하여 그 법률조항을 합헌적으로 개정 또는 폐지하는 임무를 입법자의 형성재량에 맡긴 이상, 그 개선입법의 소급적용 여부와 소급적용의 범위는 원칙적으로 입법자의 재량이다. 2012 국회(속기·경위직) 9급 (O | X)

정답
1. × 2. O 3. × 4. × 5. O 6. O 7. O 8. × 9. × 10. O
11. O

11 □□□

행정법의 효력에 관한 설명으로 옳은 것만을 <보기>에서 모두 고른 것은? (다툼이 있는 경우 판례에 의함)

┌─ 보기 ─
㉮ 헌법개정·법률·조약·대통령령·총리령 및 부령의 공포는 관보에 게재함으로써 하며, 「국회법」에 따라 하는 국회의장의 법률 공포는 서울특별시에서 발행되는 둘 이상의 일간신문에 게재함으로써 한다.
㉯ 조례와 규칙의 공포는 해당 지방자치단체의 공보에 게재하는 방법으로 하며, 지방의회의 의장이 조례를 공포하는 경우에는 공보나 일간신문에 게재하거나 게시판에 게시한다.
㉰ 관보의 내용 해석 및 적용 시기 등에 대하여는 종이관보보다 전자관보가 우선한다.
㉱ 법령이 일부개정된 경우 기존법령 부칙의 경과규정을 개정 또는 삭제하거나 이를 대체하는 별도의 규정을 두는 등의 특별한 조치가 없더라도, 기존법령 부칙의 경과규정은 당연히 실효된다.

① ㉮, ㉯ ② ㉮, ㉱
③ ㉯, ㉰ ④ ㉰, ㉱

✓ 기출체크

㉮ 관련기출

1. 법령 등의 공포일 또는 공고일은 해당 법령 등을 게재한 관보 또는 신문이 발행된 날로 한다. 2024 소방간부 (O | X)

2. 「국회법」에 따라 하는 국회의장의 법률 공포는 관보(官報)에 게재함으로써 한다. 2023 경찰간부 (O | X)

3. 헌법개정·법률·조약·대통령령·총리령 및 부령의 공포는 관보에 게재함으로써 한다. 2021 지방직·서울시 9급 (O | X)

4. 「국회법」에 따라 하는 국회의장의 법률 공포는 서울특별시에서 발행되는 둘 이상의 일간신문에 게재함으로써 한다. 2021 지방직·서울시 9급 (O | X)

5. 「국회법」 제98조 제3항 전단에 따라 하는 국회의장의 법률 공포는 수도권에서 발행되는 둘 이상의 일간신문에 게재함으로써 한다. 2020 경행경채 (O | X)

㉯ 관련기출

6. 조례와 규칙의 공포는 해당 지방자치단체의 공보에 게재하는 방법으로 한다. 다만, 「지방자치법」 제32조 제6항 후단에 따라 지방의회의 의장이 조례를 공포하는 경우에는 공보나 일간신문에 게재하거나 게시판에 게시한다. 2022 서울시 지적 7급 (O | X)

7. 지방자치단체의 장에 의한 조례와 규칙의 공포는 해당 지방자치단체의 공보에 게재하는 방법으로 한다. 2015 지방직 9급 (O | X)

8. 지방자치단체의 조례와 규칙을 지방의회의 의장이 공포하는 경우에는 일간신문에 게재함과 동시에 해당 지방자치단체의 인터넷 홈페이지에 게시하여야 한다. 2015 지방직 9급 (O | X)

관련기출

9. 「법령 등 공포에 관한 법률」상 관보의 내용 해석 및 적용 시기 등에 대하여 종이관보와 전자관보는 동일한 효력을 가진다. 2025 소방직 9급 (O | X)

10. 관보의 내용 해석 및 적용 시기 등에 대하여 종이관보가 전자관보보다 우선적 효력을 가진다. 2021 지방직·서울시 9급 (O | X)

11. 관보의 내용 해석 및 적용 시기는 전자관보를 우선으로 하며, 종이관보는 부차적인 효력을 가진다. 2020 경행경채 (O | X)

관련기출

12. 법령이 일부개정된 경우에는 기존법령 부칙의 경과규정을 개정 또는 삭제하거나 이를 대체하는 별도의 규정을 두는 등의 특별한 조치가 없는 한 개정법령에 다시 경과규정을 두지 않았다고 하여 기존법령 부칙의 경과규정이 당연히 실효되는 것은 아니다. 2022 소방간부 (O | X)

13. 법령이 전문개정된 경우 특별한 사정이 없는 한 종전의 법률 부칙의 경과규정도 모두 실효된다. 2008 국가직 9급 (O | X)

정답
1. ○ 2. × 3. ○ 4. ○ 5. × 6. ○ 7. ○ 8. × 9. ○ 10. ×
11. × 12. ○ 13. ○

12 □□□

행정법의 효력에 관한 설명으로 옳지 <u>않은</u> 것만을 <보기>에서 모두 고른 것은?

보기

㉮ 대통령령, 총리령 및 부령과 조례·규칙은 그 시행일에 관하여 특별한 규정이 없으면, 공포한 날로부터 20일을 경과함으로써 효력을 발생한다. 다만, 국민의 권리 제한, 의무 부과와 직접 관련되는 법률, 대통령령, 총리령 및 부령은 긴급히 시행하여야 할 특별한 사유가 있는 경우를 제외하고는 공포일로부터 적어도 30일이 경과한 날로부터 시행되도록 하여야 한다.

㉯ 법령 등의 시행일을 정하거나 계산할 때에는 법령 등을 공포한 날부터 시행하는 경우 공포한 날을 시행일로 한다.

㉰ 법령 등을 공포한 날부터 일정 기간이 경과한 날부터 시행하는 경우 법령 등을 공포한 날을 첫날에 산입한다.

㉱ 법령 등을 공포한 날부터 일정 기간이 경과한 날부터 시행하는 경우 그 기간의 말일이 토요일 또는 공휴일인 때에는 그 다음 날로 기간이 만료한다.

① ㉮, ㉯
② ㉮, ㉱
③ ㉯, ㉰
④ ㉰, ㉱

✓ 기출체크

㉮ 관련기출

1. 법령, 조례, 행정규칙은 특별한 규정이 없는 한 공포한 날부터 20일이 경과함으로써 효력을 발생한다. 2026 경찰간부 (O | X)

2. 「법령 등 공포에 관한 법률」에 의하면 총리령 및 부령은 특별한 규정이 없으면 공포한 날부터 14일이 경과함으로써 효력을 발생한다. 2025 국회직 8급 (O | X)

3. 조례와 규칙은 특별한 규정이 없으면 공포한 날부터 20일이 지나면 효력을 발생한다. 2024 소방직 9급 (O | X)

4. 국민의 권리 제한 또는 의무 부과와 직접 관련되는 법률, 대통령령, 총리령 및 부령은 긴급히 시행하여야 할 특별한 사유가 있는 경우를 제외하고는 공포일로부터 적어도 30일이 경과한 날부터 시행되도록 하여야 한다. 2024 소방간부 (O | X)

5. 법령과 조례·규칙은 그 시행일에 관하여 특별한 규정이 없으면, 공포한 날로부터 30일을 경과함으로써 효력을 발생한다. 2022 서울시 지적 7급 (O | X)

㉯ 관련기출

6. 법령 등을 공포한 날부터 일정 기간이 경과한 날부터 시행하는 경우 기간 계산에 관한 초일불산입의 원칙이 적용된다. 2026 경찰간부 (O | X)

7. 법령 등을 공포한 날부터 일정 기간이 경과한 날부터 시행하는 경우 법령 등을 공포한 날을 첫날에 산입하지 아니한다. 2025 소방직 9급 (O | X)

㉰ 관련기출

8. 「행정기본법」에 의하면 법령 등을 공포한 날부터 일정 기간이 경과한 날부터 시행하는 경우 그 기간의 말일이 토요일 또는 공휴일일 때에는 그 익일로 만료한다. 2025 국회직 8급 (O | X)

9. 법령 등을 공포한 날부터 일정 기간이 경과한 날부터 시행하는 경우 그 기간의 말일이 토요일 또는 공휴일인 때에는 그 말일로 기간이 만료한다. 2024 국가직 9급 (O | X)

10. 행정법령의 시행일을 정하지 않은 경우에는 공포한 날부터 20일이 경과함으로써 효력을 발생하는데, 이 경우 공포한 날을 첫날에 산입하지 아니하고 기간의 말일이 토요일 또는 공휴일인 때에는 그 말일의 다음 날로 기간이 만료한다. 2022 군무원 9급 (O | X)

정답
1. × 2. × 3. ○ 4. ○ 5. × 6. ○ 7. ○ 8. × 9. ○ 10. ×

13 □□□

행정법의 효력에 관한 설명으로 옳지 않은 것은? (다툼이 있는 경우 판례에 의함)

① 사회의 거듭된 관행으로 생성된 사회생활규범이 관습법으로 승인되었더라도 사회구성원들이 그러한 관행의 법적 구속력에 대하여 확신을 갖지 않게 되었다면, 그러한 관습법은 법적 규범으로서의 효력이 부정된다.
② 신법의 효력발생일까지 진행 중인 사건에 대하여 신법을 적용하는 것은 법률의 소급적용에 해당하므로 원칙적으로 허용될 수 없다.
③ 진정소급입법은 원칙적으로 허용되지 않지만, 국민이 소급입법을 예상할 수 있었거나 신뢰보호의 요청에 우선하는 심히 중대한 공익상의 사유가 소급입법을 정당화하는 경우 등에는 예외적으로 허용된다.
④ 수강신청 이후 징계요건을 완화하는 학칙개정이 이루어지고 이어 시험이 실시되어 그 개정학칙에 따라 징계처분을 한 경우라면 이는 이른바 부진정소급효에 관한 것으로서 특별한 사정이 없는 한 위법이라고 할 수 없다.

✔기출체크

① 관련기출
1. 사회의 거듭된 관행으로 생성된 사회생활규범이 관습법으로 승인되었다고 하더라도 사회구성원들이 그러한 관행의 법적 구속력에 대하여 확신을 갖지 않게 되었다면 그러한 관습법은 법적 규범으로서의 효력이 부정될 수밖에 없다. 2022 해경간부 (○ | ×)

② 관련기출
2. 법률불소급의 원칙은 그 법률의 효력발생 전에 완성된 요건사실에 대하여 그 법률을 적용할 수 없다는 의미일 뿐, 계속 중인 사실이나 그 이후에 발생한 요건사실에 대한 법률적용까지를 제한하는 것은 아니다. 2025 소방직 9급 (○ | ×)
3. 법률불소급의 원칙은 그 법률의 효력발생 전에 완성된 요건사실뿐만 아니라 계속 중인 사실이나 그 후에 발생한 요건사실에 대해서도 그 법률을 소급적용할 수 없다. 2021 군무원 9급 (○ | ×)

③ 관련기출
4. 진정소급입법은 허용되지 않는 것이 원칙이지만 국민이 소급입법을 예상할 수 있었거나 신뢰보호의 요청에 우선하는 심히 중대한 공익상의 사유가 소급입법을 정당화하는 경우에는 허용된다. 2024 국가직 7급 (○ | ×)
5. 진정소급입법이라 하더라도 예외적으로 국민이 소급입법을 예상할 수 있었거나 신뢰보호의 요청에 우선하는 심히 중대한 공익상의 사유가 소급입법을 정당화하는 경우 등에는 허용될 수 있다. 2024 국회직 8급 (○ | ×)
6. 부진정소급입법은 원칙적으로 허용되지만 소급효를 요구하는 공익상의 사유와 신뢰보호의 요청 사이의 형량과정에서 신뢰보호의 관점이 입법자의 형성권에 제한을 가하게 된다. 2017 국가직 7급 (○ | ×)
7. 일반적으로 국민이 소급입법을 예상할 수 있었거나 법적 상태가 불확실하고 혼란스러워 보호할 만한 신뢰이익이 적은 경우에도 진정소급입법이 허용되지 않는다. 2015 사회복지직 9급 (○ | ×)

④ 관련기출
8. 수강신청 후에 징계요건을 완화하는 학칙개정이 이루어지고 이어 시험이 실시되어 그 개정학칙에 따라 대학이 성적불량을 이유로 학생에 대하여 징계처분을 한 경우라면 이는 이른바 부진정소급효에 관한 것으로서 특별한 사정이 없는 한 위법이라고 할 수 없다. 2022 국가직 9급 (○ | ×)

정답
1. ○ 2. ○ 3. × 4. ○ 5. ○ 6. ○ 7. × 8. ○

14 □□□

신뢰보호의 원칙에 관한 설명으로 옳은 것은? (다툼이 있는 경우 판례에 의함)

① 폐기물처리업 사업계획에 대한 적정통보 중에는 토지에 대한 형질변경신청을 허가하는 취지의 공적 견해표명도 있다고 보아야 한다.
② 폐기물처리업에 대하여 관할 관청의 사전적정통보를 받고 막대한 비용을 들여 요건을 갖춘 다음 허가신청을 한 경우, 행정청이 청소업자의 난립으로 효율적인 청소업무의 수행에 지장이 있다는 이유로 불허가처분을 한 경우 신뢰보호의 원칙에 반하여 위법하다고 볼 수 없다.
③ 「자동차운수사업법」(현 「여객자동차 운수사업법」) 제31조 제1항 제5호 소정의 중대한 교통사고를 이유로 사고로부터 1년 10개월 후에야 사고택시에 대하여 운송사업면허를 취소한 경우 신뢰보호의 원칙에 위반된다고 볼 수 있다.
④ 도시계획구역 내 생산녹지로 답(畓)인 토지에 대하여 종교회관 건립을 이용목적으로 하는 토지거래계약의 허가를 받으면서 담당공무원이 관련 법규상 허용된다 하여 이를 신뢰하고 건축준비를 하였으나, 그 후 토지형질변경허가신청을 불허가한 것은 신뢰보호의 원칙에 반한다.

✔기출체크

① 관련기출
1. 일반적으로 행정청이 폐기물처리업 사업계획에 대한 적정통보를 한 경우 이는 토지에 대한 형질변경신청을 허가하는 취지의 공적 견해표명까지도 포함한다. 2021 국가직 9급 (○ | ×)
2. 폐기물처리업 사업계획에 대한 적정통보에는 당해 토지에 대한 형질변경신청을 허가하는 취지의 공적 견해표명이 있다고 볼 수 있다. 2012 지방직(하) 7급 (○ | ×)

② 관련기출
3. 폐기물처리업에 대하여 사전에 관할 관청으로부터 사업계획 적합통보를 받고 막대한 비용을 들여 허가요건을 갖춘 다음 허가신청을 하였음에도 다수 청소업자의 난립으로 안정적이고 효율적인 청소업무의 수행에 지장이 있다는 이유로 한 불허가처분은 신뢰보호의 원칙 및 비례의 원칙에 반하는 것으로서 재량권을 남용한 위법한 처분이다. 2025 국가직 9급 (○ | ×)

4. 폐기물처리업에 대하여 사전에 관할 관청으로부터 적정통보를 받고 막대한 비용을 들여 허가요건을 갖춘 다음 허가신청을 하였음에도 다수 청소업자의 난립으로 안정적이고 효율적인 청소업무의 수행에 지장이 있다는 이유로 한 불허가처분은 신뢰보호의 원칙 및 비례의 원칙에 반하는 위법한 처분이라고 할 수 없다. 2024 국회직 9급
(○ | ×)

5. 폐기물처리업에 대하여 관할 관청의 사전적정통보를 받고 막대한 비용을 들여 요건을 갖춘 다음 허가신청을 한 경우, 행정청이 청소업자의 난립으로 효율적인 청소업무의 수행에 지장이 있다는 이유로 불허가처분을 하였다면 신뢰보호의 원칙에 반하여 위법하다. 2023 소방승진
(○ | ×)

6. 신뢰보호원칙과 관련된 사안에 대한 검토의견으로 옳지 <u>않은</u> 것은? (다툼이 있는 경우 판례에 의함) 2011 국가직 9급

① 사안 : 보건복지부장관은 중앙일간지에 "의료취약지 병원설립 운용자에게 5년간 지방세 중 재산세를 면제한다."는 취지의 공고를 하였다. 이에 甲은 의료취약지인 B군(郡)에서 병원을 설립·운용하였으나, B군수는 「지방세법」 규정에 근거하여 甲에 대해 군세(郡稅)인 재산세를 부과하였다.
검토의견 : 보건복지부장관은 권한분장관계상 재산세를 부과할 권한이 없으므로 보건복지부장관의 공고는 신뢰보호원칙의 요건인 행정청의 공적 견해표명에 해당하지 않는다. 따라서 甲은 신뢰보호원칙의 적용을 주장할 수는 없다.

② 사안 : 甲은 폐기물처리업 사업계획에 대하여 적정통보를 받은 상태에서 사업부지 토지에 대한 국토이용계획변경신청을 승인하여 주겠다는 취지의 공적인 견해표명이 없었음에도 불구하고 승인받을 것을 신뢰하고 그에 기해 일정한 처리를 하였다. 그러나 그 후 甲은 국토이용계획변경승인을 거부당하였다.
검토의견 : 폐기물관리법령에 의한 폐기물처리업 사업계획에 대한 적정통보와 국토이용관리법령에 의한 국토이용계획변경은 각기 그 제도적 취지와 결정단계에서 고려해야 할 사항들이 다르다. 따라서 甲은 신뢰보호원칙에 의해 보호받을 수 없다.

③ 사안 : 건축주 甲은 건축사 乙에게 건축설계와 신청행위를 의뢰하였는데 乙의 귀책사유로 건축한계선을 위반하였고 이로써 철거명령을 받게 되었다.
검토의견 : 甲과 그로부터 신청행위를 위임받은 수임인 乙 등 관계자 모두를 기준으로 판단할 때 甲에게 귀책사유가 있다고 볼 수 있으므로 甲은 신뢰보호원칙에 의해 보호받을 수 없다.

④ 사안 : 甲은 폐기물처리업에 대하여 사전에 관할 관청으로부터 적정통보를 받고 막대한 비용을 들여 허가요건을 갖춘 다음, 허가신청을 하였으나 다수 청소업자의 난립으로 안정적이고 효율적인 청소업무의 수행에 지장이 있다는 이유로 불허가처분을 받았다.
검토의견 : 甲은 위 불허가처분이 신뢰보호의 원칙에 위반되므로 위법한 처분이라고 주장할 수 있다.

③ 관련기출

7. 교통사고가 일어난 지 1년 10개월이 지난 뒤 그 교통사고를 일으킨 택시에 대하여 운송사업면허를 취소한 경우, 택시운송사업자로서는 「자동차운수사업법」(현 「여객자동차 운수사업법」)의 내용을 잘 알고 있어 교통사고를 낸 택시에 대하여 운송사업면허가 취소될 가능성을 예상할 수 있었으므로 별다른 행정조치가 없을 것으로 자신이 믿고 있었다 하여도 신뢰의 이익을 주장할 수는 없다. 2013 국가직 9급 (○ | ×)

8. 택시운송사업자가 중대한 교통사고로 인하여 많은 사상자를 냈다면 사업면허가 취소될 것을 예상할 수 있었다 하더라도 1년 10개월이 지나 사업면허를 취소하였다면 위법하다. 2010 경행특채 (○ | ×)

④ 관련기출

9. 토지거래계약의 허가를 통하여서나 그 과정에서 그 소속 공무원들을 통하여 토지형질변경이 가능하다는 견해표명은 건축을 위한 토지의 형질변경이 가능하다는 공적 견해표명을 한 것이라고 볼 여지가 많다. 2008 지방직 9급 (○ | ×)

10. 도시계획구역 내 생산녹지로 답(畓)인 토지에 대하여 종교회관 건립을 이용목적으로 하는 토지거래계약의 허가를 받으면서 담당공무원이 관련 법규상 허용된다 하여 이를 신뢰하고 건축준비를 하였으나, 그 후 다른 사유를 들어 토지형질변경허가신청을 불허가한 것은 신뢰보호원칙에 반하지 않는다. 2008 지방직 7급 (○ | ×)

정답

1. × 2. × 3. ○ 4. × 5. ○ 6. ① 7. ○ 8. × 9. ○ 10. ×

15 □□□

신뢰보호의 원칙에 관한 설명으로 옳은 것은? (다툼이 있는 경우 판례에 의함)

① 행정청은 공익 또는 제3자의 이익을 현저히 해칠 우려가 있는 경우에도 행정에 대한 국민의 정당하고 합리적인 신뢰를 보호하여야 한다.

② 문화관광부장관(현 문화체육관광부장관)이 지방자치단체장에게 한 사업승인가능성에 대한 회신은 사업신청자인 민원인에 대한 공적 견해표명으로 볼 수 없다.

③ 헌법재판소의 위헌결정은 개인에 대하여 신뢰의 대상이 되는 공적인 견해를 표명한 것이라고 할 수 있다.

④ 행정청의 확약 또는 공적 견해표명이 있은 후에 사실적·법률적 상태가 변경된 경우, 그와 같은 공적 견해표명이 당연히 실효되는 것은 아니며 행정청의 취소 또는 철회 등의 의사표시가 있어야 한다.

기출체크

① 관련기출

1. 행정청은 공익 또는 제3자의 이익을 현저히 해칠 우려가 있는 경우를 제외하고는 행정에 대한 국민의 정당하고 합리적인 신뢰를 보호하여야 한다. 2024 소방직 9급 (○ | ×)

2. 행정청은 공익을 현저히 해칠 우려가 있는 경우라도 행정에 대한 국민의 정당하고 합리적인 신뢰를 보호하여야 한다. 2023 군무원 9급 (○ | ×)

3. 신뢰보호의 원칙은 공익 또는 제3자의 정당한 이익을 현저히 해칠 우려가 있는 경우에도 부정되어야 하는 것은 아니다. 2023 소방직 9급 (○ | ×)

② 관련기출

4. 판례에 의하면, 문화관광부장관(현 문화체육관광부장관)이 지방자치단체장에게 한 사업승인가능성에 대한 회신은 사업신청자인 민원인에 대한 공적 견해표명이다. 2012 경행특채 (○ | ×)

③ 관련기출

5. 헌법재판소의 위헌결정은 행정청이 개인에 대하여 신뢰의 대상이 되는 공적인 견해를 표명한 것이라고 할 수 없으므로 그 결정에 관련한 개인의 행위에 대하여는 신뢰보호의 원칙이 적용되지 아니한다.
   2024 국가직 9급 (O | X)
6. 헌법재판소의 위헌결정이 있다면 행정청이 개인에 대하여 공적인 견해를 표명한 것으로 볼 수 있으므로 위헌결정과 다른 행정청의 결정은 신뢰보호원칙에 반한다. 2022 군무원 9급 (O | X)
7. 헌법재판소의 위헌결정은 신뢰보호의 원칙의 적용요건 중의 하나인 '공적인 견해표명'에 해당한다. 2012 국회직 8급 (O | X)

④ 관련기출

8. 행정청이 상대방에게 장차 어떤 처분을 하겠다고 공적 견해표명을 하였더라도 그 후에 그 전제로 된 사실적·법률적 상태가 변경되었다면, 그와 같은 공적 견해표명은 효력을 잃게 된다. 2022 국가직 9급 (O | X)
9. 행정청의 확약 또는 공적인 의사표명이 있은 후에 사실적·법률적 상태가 변경되었다면, 그와 같은 확약 또는 공적인 의사표명은 행정청의 별다른 의사표시를 기다리지 않고 실효된다. 2020 국가직 9급 (O | X)
10. 행정청의 공적 견해표명이 있은 후에 사실적·법률적 상태가 변경되었을 때, 그와 같은 공적 견해표명이 실효되기 위하여서는 행정청의 의사표시가 있어야 한다. 2017 국회직 8급 (O | X)

정답
1. O 2. X 3. X 4. X 5. O 6. X 7. X 8. O 9. O 10. X

16 ☐☐☐

신뢰보호의 원칙에 관한 설명으로 옳은 것은? (다툼이 있는 경우 판례에 의함)

① 행정청의 선행조치는 법적 구속력을 가지는 행위 형식에 한정되지만 명시적으로 표시되어야 할 필요는 없다.
② 행정청 내부의 사무처리준칙에 해당하는 농림사업시행지침서가 공표되었다고 하여 사업자로 선정되기를 희망하는 자가 당해 지침에 명시된 요건을 충족할 경우 사업자로 선정되어 사업자금 지원 등의 혜택을 받을 수 있다는 보호가치 있는 신뢰를 가지게 된다고 볼 수 없다.
③ 병무청 담당부서의 담당공무원에게 공적 견해의 표명을 구하는 정식의 서면질의 등을 하지 아니한 채 총무과 민원팀장에 불과한 공무원이 민원봉사차원에서 상담에 응하여 안내한 것을 신뢰한 경우에도 신뢰보호의 원칙이 적용된다.
④ 과세관청이 납세의무자에게 부가가치세 면세사업자용 사업자등록증을 교부한 행위는 부가가치세를 과세하지 아니함을 시사하는 언동이나 공적인 견해를 표명한 것으로 볼 수 있다.

✓ 기출체크

① 관련기출

1. 「행정절차법」은 처분의 방식으로 문서주의를 표방하고 있으므로, 행정청의 공적 견해표명은 묵시적으로 표시되어서는 안 된다. 2023 소방직 9급 (O | X)
2. 신뢰보호의 대상인 행정청의 선행조치에는 법적 행위만이 포함되며, 행정지도 등의 사실행위는 포함되지 아니한다. 2014 국회직 8급 (O | X)
3. (신뢰보호의 원칙과 관련하여) 공적 견해표명의 존재 여부를 판단함에 있어 법적 구속력 있는 형식으로 표명되었는가 여부는 절대적인 기준이 되지 않는다. 2009 국회직 8급 (O | X)

② 관련기출

4. 구 농림수산식품부에 의하여 공표된 「2008년도 농림사업시행지침서」가 되풀이 시행되어 행정관행이 이루어졌다거나 그 공표만으로 신청인이 보호가치 있는 신뢰를 갖게 되었다고 볼 수 없다면, 이 지침에 명시되지 않은 기준을 충족하지 못하였다는 이유를 들어 신청인의 사업자 인정신청을 반려한 처분은 행정의 자기구속의 원칙에 위배되지 않는다. 2025 지방직·서울시 9급 (O | X)
5. 행정청 내부의 사무처리준칙에 해당하는 농림사업시행지침서가 공표된 것만으로는 사업자로 선정되기를 희망하는 자가 당해 지침에 명시된 요건을 충족할 경우 사업자로 선정되어 사업자금 지원 등의 혜택을 받을 수 있다는 보호가치 있는 신뢰를 가지게 되었다고 보기 어렵다. 2021 변호사 (O | X)
6. 재량권 행사의 준칙인 행정규칙의 공표만으로 상대방은 보호가치 있는 신뢰를 갖게 되었다고 볼 수 있다. 2021 지방직·서울시 9급 (O | X)
7. 행정청 내부의 사무처리준칙에 해당하는 지침의 공표만으로도 신청인은 보호가치 있는 신뢰를 갖게 된다. 2016 지방직 9급 (O | X)

③ 관련기출

8. 지방병무청 총무과 민원팀장이 관련 법령의 내용을 숙지하지 못한 채 민원봉사차원에서 상담에 응하여 보충역 편입이 가능하다고 안내한 것은 공적인 견해표명으로 볼 수 있다. 2023 국회직 9급 (O | X)
9. 병무청 담당부서의 담당공무원에게 공적 견해의 표명을 구하는 정식의 서면질의 등을 하지 아니한 채 총무과 민원팀장에 불과한 공무원이 민원봉사차원에서 상담에 응하여 안내한 것을 신뢰한 경우, 신뢰보호의 원칙이 적용되지 아니한다. 2023 소방직 9급 (O | X)
10. 병무청 담당부서의 담당공무원에게 공적 견해의 표명을 구하지 아니한 채 민원봉사 담당공무원이 상담에 응하여 안내한 것을 신뢰한 경우에도 신뢰보호의 원칙이 적용된다. 2022 국가직 9급 (O | X)

④ 관련기출

11. 과세관청이 납세의무자에게 부가가치세 면세사업자용 사업자등록증을 교부한 행위는 그가 영위하는 사업에 관하여 부가가치세를 과세하지 아니함을 시사하는 언동이나 공적인 견해를 표명한 것으로 볼 수 없다. 2025 국가직 9급 (O | X)
12. 과세관청이 납세의무자에게 부가가치세 면세사업자용 사업자등록증을 교부하거나 고유번호를 부여하였다고 하더라도 그가 영위하는 사업에 관하여 부가가치세를 과세하지 않겠다는 언동이나 공적 견해를 표명한 것으로 볼 수 없다. 2017 지방직 7급 (O | X)

정답
1. X 2. X 3. O 4. O 5. O 6. X 7. X 8. X 9. O 10. X
11. O 12. O

17

신뢰보호의 원칙에 관한 설명으로 옳은 것은? (다툼이 있는 경우 판례에 의함)

① 법적으로 혼인한 상태가 아닌 대한민국 국적인 부와 중화인민공화국 국적인 모 사이에 출생한 자녀가 출생신고에 따라 주민등록번호를 부여받고 가족관계등록부에 등록되었으며 17세 때 주민등록증을 발급받았더라도, 이후 관할 행정청이 '외국인 모와의 혼인외자 출생신고'라는 이유로 가족관계등록부를 말소하였다면, 법무부장관이 해당 자녀에게 대한민국 국적 보유자가 아니라며 국적비보유판정을 한 것은 정당화될 수 있다.

② 행정기관의 공적 견해표명에는 추상적 질의에 대한 일반적인 견해표명에 불과한 경우도 포함된다.

③ 「개발이익환수에 관한 법률」에서 정한 개발사업을 시행하기 전에, 사건 토지 위에 예식장·대형 할인매장 등을 건축하는 것이 관계 법령상 가능한지 여부를 질의하여 민원 부서로부터 '저촉사항 없음'이라고 기재된 민원예비심사 결과를 통보받았다면, 이후의 개발부담금 부과처분에 관하여 신뢰보호의 원칙을 적용하기 위한 요건인 공적 견해표명을 한 것이라고 볼 수 있다.

④ 행정청이 단순한 착오로 어떠한 처분을 계속하다가 추후 오류를 발견하여 합리적인 방법으로 변경한 경우에는 신뢰보호의 원칙에 위배된다고 볼 수 없다.

✓ 기출체크

① 관련기출

1. 법적으로 혼인한 상태가 아닌 대한민국 국적인 부와 중화인민공화국 국적인 모 사이에 출생한 甲에게 출생신고에 따라 행정청에 의해 주민등록번호와 이에 따른 주민등록증이 부여되었더라도, 행정청에 의해 '외국인 모와의 혼인외자 출생신고'라며 가족관계등록부가 말소된 이상, 법무부장관이 대한민국 국적 보유자가 아니라는 이유로 甲에게 국적비보유판정을 한 것은 정당화될 수 있다. 2025 변호사 (○ | ×)

② 관련기출

2. 행정기관의 선행행위를 명시적 또는 묵시적 공적 견해의 표명에 국한시키지 않고, 추상적 질의에 대한 일반적 견해표명도 이러한 공적 견해의 표명으로 볼 수 있다. 2024 군무원 9급 (○ | ×)

③ 관련기출

3. 개발사업을 시행하기 전에 사건 토지 지상에 예식장 등을 건축하는 것이 관계 법령상 가능한지 여부를 질의하여 민원 부서로부터 '저촉사항 없음'이라고 기재된 민원예비심사 결과를 통보받았다면, 이는 이후의 개발부담금 부과처분에 관하여 신뢰보호의 원칙을 적용하기 위한 공적인 견해표명을 한 것에 해당한다. 2024 국가직 9급
(○ | ×)

4. 행정청이 민원예비심사에 대하여 관련 부서 의견으로 「개발이익환수에 관한 법률」에 '저촉사항 없음'이라고 기재한 것은, 이후의 개발부담금 부과처분에 관하여 공적인 견해표명을 한 것이라고 볼 수 없다. 2023 서울시 지적 7급 (○ | ×)

5. 「개발이익환수에 관한 법률」에 정한 개발사업을 시행하기 전에, 행정청이 민원예비심사에 대하여 관련 부서 의견으로 '저촉사항 없음'이라고 기재하였다는 사정만으로 신뢰의 대상이 되는 공적인 견해표명을 한 것이라고는 보기 어렵다. 2021 국가직 7급 (○ | ×)

6. 「개발이익환수에 관한 법률」에 정한 개발사업을 시행하기 전에, 행정청이 민원예비심사에 대하여 관련 부서 의견으로 '저촉사항 없음'이라고 기재한 것은 공적인 견해표명에 해당한다. 2016 경행경채
(○ | ×)

④ 관련기출

7. 행정청이 단순히 착오로 어떠한 처분을 계속하였다가 추후 오류를 발견하여 합리적인 방법으로 변경하는 것은 신뢰보호원칙에 위배되지 않는다. 2025 국가직 7급 (○ | ×)

8. 행정청이 단순한 착오로 어떠한 처분을 계속한 경우, 신뢰보호원칙상 행정청이 그와 배치되는 조치를 할 수 없는 행정관행이 성립하므로, 행정청이 추후 오류를 발견하여 합리적인 방법으로 변경하더라도 신뢰보호원칙에 위배된다. 2023 변호사 (○ | ×)

9. 단순히 착오로 어떠한 처분을 계속하다가 처분청이 추후 오류를 발견하여 합리적인 방법으로 변경할 경우 신뢰보호원칙에 위배된다. 2022 행정사 (○ | ×)

정답
1. × 2. × 3. × 4. ○ 5. ○ 6. × 7. ○ 8. × 9. ×

18 □□□

사례에 관한 설명으로 옳은 것만을 <보기>에서 모두 고른 것은? (다툼이 있는 경우 판례에 의함)

> 甲은 국립공원지구 인근의 자연녹지지역에서의 토석채취허가가 법적으로 가능할 것이라는 관할 A시 공무원 乙의 언질을 신뢰하여 많은 비용과 노력을 투자하였으나, 주변의 환경·풍치·미관 등의 보호를 이유로 한 A시 시장의 허가거부처분으로 상당한 불이익을 입게 되었다.

┌ 보기 ┐

㉮ 甲이 주장할 수 있는 원칙은 신뢰보호의 원칙인바, 신뢰보호의 원칙의 근거는 법치주의의 원리인 법적 안정성에서 찾는 것이 일반적이다.

㉯ 乙의 언질 등이 공적 견해표명에 해당하는지 여부를 판단함에 있어 반드시 행정조직상의 형식적인 권한분장에 구애될 것은 아니고, 乙의 지위와 임무, 당해 언동을 하게 된 구체적인 경위 및 상대방의 신뢰가능성 등에 비추어 실질에 의하여 판단하여야 한다.

㉰ 신뢰보호의 원칙은 행정청이 공적인 견해를 표명할 당시의 사정이 그대로 유지됨을 전제로 적용되는 것이 원칙이므로, 공적 견해표명 당시의 사정이 사후에 변경된 경우에는 특별한 사정이 없는 한 행정청이 그 견해표명에 반하는 처분을 하더라도 신뢰보호의 원칙에 위반된다고 할 수 없다.

㉱ 위 사례에서 허가거부처분에 의하여 달성하려는 주변의 환경·풍치·미관 등의 공익이 거부처분으로 인하여 甲이 입게 되는 불이익을 정당화할 만큼 강한 경우에는 A시 시장의 허가거부처분은 위법하지 않다.

① ㉮, ㉰
② ㉮, ㉯, ㉱
③ ㉯, ㉰, ㉱
④ ㉮, ㉯, ㉰, ㉱

✔기출체크

㉮ 관련기출
1. 신뢰보호의 원칙은, 국민이 법률적 규율이나 제도가 장래에 지속할 것이라는 합리적인 신뢰를 바탕으로 개인의 법적 지위를 형성해 왔을 때에는 국가에게 그 국민의 신뢰를 되도록 보호할 것을 요구하는 법치국가원리의 파생원칙이다. 2017 국가직 7급 (O | X)

㉯ 관련기출
2. 행정청의 공적 견해표명이 있었는지의 여부를 판단하는 데 있어서는 담당자의 조직상의 지위와 임무, 당해 언동을 하게 된 구체적인 경위 및 그에 대한 상대방의 신뢰가능성에 비추어 실질에 의하여 판단하여야 한다. 2025 국가직 7급 (O | X)

3. 행정청의 공적 견해표명이 있었는지 여부를 판단함에 있어서는, 반드시 행정조직상의 형식적인 권한분장에 구애될 것은 아니고, 담당자의 조직상의 지위와 임무, 당해 언동을 하게 된 구체적인 경위 및 그에 대한 상대방의 신뢰가능성에 비추어 실질에 의하여 판단하여야 한다. 2024 지방직·서울시 9급 (O | X)

4. 행정청의 공적 견해표명이 있다고 인정하기 위해서는 적어도 담당자의 조직상 지위와 임무, 당해 언동을 하게 된 구체적인 경위 등에 비추어 그 언동의 내용을 신뢰할 수 있는 경우이어야 한다. 2024 소방직 9급 (O | X)

5. 행정청의 공적 견해표명이 있었는지를 판단할 때 행정조직상의 형식적인 권한분장에 구애될 것은 아니다. 2023 국회직 8급 (O | X)

6. 신뢰보호의 원칙이 적용되기 위한 요건의 하나인 행정청의 공적 견해표명이 있었는지의 여부를 판단함에 있어서는 반드시 행정조직상의 형식적인 권한분장에 따라야 한다. 2017 국가직(하) 9급 (O | X)

㉰ 관련기출
7. 행정청이 공적 견해를 표명할 당시의 사정이 변경된 경우에는, 특별한 사정이 없는 한 행정청이 그 견해표명에 반하는 처분을 하더라도 신뢰보호원칙에 위반된다고 할 수 없다. 2025 국가직 7급 (O | X)

8. 신뢰보호의 원칙은 행정청이 공적인 견해를 표명할 당시의 사정이 그대로 유지됨을 전제로 적용되는 것이 원칙이므로, 사후에 그와 같은 사정이 변경된 경우에는 그 공적 견해가 더 이상 개인에게 신뢰의 대상이 된다고 보기 어려운 만큼, 특별한 사정이 없는 한 행정청이 그 견해표명에 반하는 처분을 하더라도 신뢰보호의 원칙에 위반된다고 할 수 없다. 2025 군무원 7급 (O | X)

9. 신뢰보호원칙은 법률적·사실적 사정이 변경된 경우 그 적용이 제한될 수 있다고 보는 것이 판례의 태도이다. 2024 군무원 9급 (O | X)

10. 행정청의 공적 견해의 표명 후 그 견해표명 당시의 사정이 변경된 경우에도 행정청이 공적 견해표명에 반하는 처분을 하는 경우에는 특별한 사정이 없는 한 신뢰보호의 원칙에 위반된다. 2024 지방직·서울시 9급 (O | X)

11. 행정청이 공적인 견해를 표명할 당시의 사정이 사후에 변경된 경우에는 그 공적 견해가 더 이상 개인에게 신뢰의 대상이 된다고 보기 어려운 만큼, 특별한 사정이 없는 한 행정청이 그 견해표명에 반하는 처분을 하더라도 신뢰보호원칙에 위반된다고 할 수 없다. 2024 소방직 9급 (O | X)

㉱ 관련기출
12. 담당공무원으로부터 국립공원 인근 자연녹지지역에서 토석채취허가가 법적으로 가능할 것이라는 말을 듣고 관련 토지를 매수하는 등 많은 비용을 투자하고 형질변경 및 토석채취허가를 신청한 사람에 대해 관할 행정청이, 해당 토지에서 토석채취작업을 하면, 주변의 환경·풍치·미관 등이 크게 손상될 우려가 있다는 이유를 들어 이를 불허가처분하는 것은 신뢰보호원칙에 반한다고 볼 수 없다. 2022 소방간부 (O | X)

정답
1. O 2. O 3. O 4. O 5. O 6. X 7. O 8. O 9. O 10. X 11. O 12. O

19

신뢰보호의 원칙에 관한 설명으로 옳지 않은 것은? (다툼이 있는 경우 판례에 의함)

① 신뢰보호의 원칙의 요건인 개인의 귀책사유란 행정청의 견해표명의 하자가 상대방 등 관계자의 사실은폐나 기타 사위의 방법에 의한 신청행위 등 부정행위에 기인한 것이거나 그러한 부정행위가 없더라도 하자가 있음을 알았거나 중대한 과실로 알지 못한 경우 등을 의미한다.

② 과세관청이 질의회신 등을 통하여 어떤 견해를 대외적으로 표명하였다면 그것이 중요한 사실관계와 법적인 쟁점을 제대로 드러내지 아니한 채 질의한 데 따른 것이라도, 공적인 견해표명에 의하여 정당한 기대를 가지게 할 만한 신뢰가 부여된 경우로 볼 수 있다.

③ 운전면허취소사유에 해당하는 음주운전을 적발한 경찰관의 소속 경찰서장이 사무착오로 위반자에게 운전면허정지처분을 한 상태에서 위반자의 주소지 관할 경찰청장이 위반자에게 운전면허취소처분을 한 것은 신뢰보호의 원칙에 반한다.

④ 과세관청이 납세자에게 신뢰의 대상이 되는 공적인 견해표명을 하였다는 사실은 납세자가 입증하여야 한다.

✓ 기출체크

① 관련기출

1. 신뢰보호의 원칙에서 개인의 귀책사유라 함은 행정청의 견해표명의 하자가 상대방 등 관계자의 사실은폐 기타 사위의 방법에 의한 신청행위 등 부정행위에 기인한 것이거나 그러한 부정행위가 없더라도 하자가 있음을 알았거나 중대한 과실로 알지 못한 경우 등을 의미한다. 2024 지방직·서울시 9급 (O | X)

2. 신뢰보호원칙의 요건 중 귀책사유라 함은 행정청의 견해표명의 하자가 상대방 등 관계자의 사실은폐 등 부정행위에 기인한 것이거나 그러한 부정행위가 없다고 하더라도 하자가 있음을 알았거나 중대한 과실로 알지 못한 경우 등을 의미한다. 2014 국가직 9급 변형 (O | X)

3. 사후에 선행조치가 변경될 것을 사인이 예상하였거나 중대한 과실로 알지 못한 경우에는 보호가치 있는 신뢰라고 할 수 없다. 2012 사회복지직 9급 (O | X)

4. 공적 견해표명을 신뢰한 자가 사실은폐 등 적극적 부정행위를 하지 않는 한 귀책사유가 인정되지 않는다. 2009 국회직 8급 (O | X)

5. 행정청의 견해표명을 신뢰함에 있어서 개인에게 귀책사유가 존재하지 아니하여야 한다는 것도 신뢰보호원칙의 적용요건 중 하나이다. 2004 행정고시 (O | X)

② 관련기출

6. 과세관청이 질의회신 등을 통하여 어떤 견해를 대외적으로 표명하였더라도 그것이 중요한 사실관계와 법적인 쟁점을 제대로 드러내지 아니한 채 질의한 데 따른 것이라면, 공적인 견해표명에 의하여 정당한 기대를 가지게 할 만한 신뢰가 부여된 경우로 볼 수 없다. 2022 소방직 9급 (O | X)

③ 관련기출

7. 동일한 사유에 관하여 보다 무거운 면허취소처분을 하기 위하여 이미 행하여진 가벼운 면허정지처분을 취소하는 것은 선행처분에 대한 당사자의 신뢰 및 법적 안정성을 크게 저해하는 것이 되어 허용될 수 없다. 2023 경찰간부 (O | X)

8. 운전면허취소사유에 해당하는 음주운전을 적발한 경찰관의 소속 경찰서장이 사무착오로 위반자에게 운전면허정지처분을 한 상태에서 위반자의 주소지 관할 지방경찰청장(현 시·도경찰청장)이 위반자에게 운전면허취소처분을 한 것은 선행처분에 대한 당사자의 신뢰 및 법적 안정성을 저해하는 것으로 볼 수 없다. 2018 경행경채 (O | X)

9. 운전면허취소사유에 해당하는 음주운전을 적발한 경찰관의 소속 경찰서장이 사무착오로 위반자에게 운전면허정지처분을 한 상태에서 위반자의 주소지 관할 지방경찰청장(현 시·도경찰청장)이 위반자에게 운전면허취소처분을 한 것은 선행처분에 대한 당사자의 신뢰 및 법적 안정성을 저해하는 것으로서 허용될 수 없다. 2007 국가직 7급 (O | X)

④ 관련기출

10. 납세자에게 신뢰의 대상이 되는 공적인 견해가 표명되었다는 사실은 과세처분의 적법성에 대한 증명책임이 있는 과세관청이 주장·입증하여야 한다. 2022 소방간부 (O | X)

정답
1. O 2. O 3. O 4. X 5. O 6. O 7. O 8. X 9. O 10. X

20

행정법의 일반원칙에 관한 설명으로 옳은 것은? (다툼이 있는 경우 판례에 의함)

① 국립공원 관리권한을 가진 행정청이 실제의 공원구역과 다르게 경계측량 및 표지를 설치한 후 십수 년이 흘러 착오를 발견하여 지형도를 수정한 경우, 그 조치는 신뢰보호의 원칙에 위배된다.

② 음주운전으로 인한 운전면허취소처분의 재량권 일탈·남용 여부를 판단할 때는 음주운전으로 인한 교통사고를 방지하여야 하는 일반예방적 측면보다 운전면허의 취소로 입게 될 당사자의 불이익이 더 강조되어야 한다.

③ 관할 관청이 위법한 직업능력개발훈련과정인정제한처분을 하여 사업주로 하여금 제때 훈련과정인정신청을 할 수 없도록 하였음에도, 인정제한처분에 대한 취소판결 확정 후 사업주가 인정제한기간 내에 실제로 실시하였던 훈련에 관하여 비용지원신청을 한 경우에, 사전에 훈련과정인정을 받지 않았다는 이유만을 들어 훈련비용지원을 거부하는 것은 신의성실의 원칙에 반한다.

④ 「국세기본법」의 취지에 따르면 과세관청이 비과세대상에 해당하는 것으로 잘못 알고 일단 비과세결정을 하였다면 그 후 과세표준과 세액의 탈루 또는 오류가 있는 것을 발견한 때라도, 이를 조사하여 다시 과세결정하는 것은 신의성실의 원칙에 위반된다.

✓ 기출체크

① 관련기출
1. 국립공원 관리권한을 가진 행정청이 실제의 공원구역과 다르게 경계측량과 표지를 설치한 십수 년 후 착오를 발견하여 지형도를 수정한 조치는 신뢰보호원칙에 위배된다. 2015 사회복지직 9급 (O | X)

② 관련기출
2. 음주운전으로 인한 운전면허취소처분의 재량권 일탈·남용 여부를 판단할 때, 운전면허의 취소로 입게 될 당사자의 불이익보다 음주운전으로 인한 교통사고를 방지하여야 하는 일반예방적 측면이 더 강조되어야 한다. 2023 지방직·서울시 7급 (O | X)

③ 관련기출
3. 관할 관청이 위법한 직업능력개발훈련과정인정제한처분을 하여 사업주로 하여금 제때 훈련과정인정신청을 할 수 없도록 하였음에도, 인정제한처분에 대한 취소판결 확정 후 사업주가 인정제한기간 내에 실제로 실시하였던 훈련에 관하여 비용지원신청을 한 경우에, 사전에 훈련과정인정을 받지 않았다는 이유만을 들어 훈련비용지원을 거부하는 것은 신의성실의 원칙에 반하여 허용될 수 없다. 2021 국회직 8급 (O | X)

④ 관련기출
4. 과세관청이 비과세대상에 해당하는 것으로 잘못 알고 일단 비과세결정을 하였으나 그 후 과세표준과 세액의 탈루 또는 오류가 있는 것을 발견한 때에는, 이를 조사하여 결정할 수 있다. 2013 국가직 7급 (O | X)

정답
1. × 2. O 3. O 4. O

21 □□□

행정법의 일반원칙에 관한 설명으로 옳은 것은? (다툼이 있는 경우 판례에 의함)

① 법률에 따른 개인의 행위가 국가에 의하여 일정 방향으로 유인된 신뢰의 행사가 아니라 단지 법률이 부여한 기회를 활용한 것이라 하더라도, 신뢰보호의 이익이 인정되어야 한다.

② 공무원 임용신청 당시 잘못 기재된 호적상 출생연월일을 생년월일로 기재하고, 처음 임용된 때부터 36년 동안 이의를 제기하지 않다가, 정년을 1년 3개월 앞두고 출생연월일을 정정한 후 그 출생연월일을 기준으로 정년연장을 요구하는 것은 신의성실의 원칙에 반한다.

③ 권한 행사의 기회가 있음에도 불구하고 장기간 권한을 행사하지 아니하여 국민이 그 권한이 행사되지 아니할 것으로 믿을 만한 정당한 사유가 있는 경우에는 행정청은 그 권한을 행사해서는 아니 되지만 공익 또는 제3자의 이익을 현저히 해칠 우려가 있는 경우는 예외이다.

④ 어떤 행정처분이 실효의 법리를 위반하여 위법한 것이라면, 이러한 하자는 객관적으로 명백한 것이어서 행정처분의 당연무효사유에 해당한다.

✓ 기출체크

① 관련기출
1. 법률에 따른 개인의 행위가 국가에 의하여 일정 방향으로 유인된 신뢰의 행사가 아니라 단지 법률이 부여한 기회를 활용한 것이라 하더라도, 신뢰보호의 이익이 인정된다. 2018 국가직 7급 (O | X)
2. 법령개정에 대한 신뢰와 관련하여, 법령에 따른 개인의 행위가 국가에 의하여 일정한 방향으로 유인된 경우에 특별히 보호가치가 있는 신뢰이익이 인정될 수 있다. 2016 지방직 9급 (O | X)

② 관련기출
3. 공무원 임용신청 당시 잘못 기재된 호적상 출생연월일을 생년월일로 기재하고, 임용 후 36년 동안 이의를 제기하지 않다가, 정년을 1년 3개월 앞두고 정정된 출생연월일을 기준으로 정년연장을 요구하는 것은 신의성실의 원칙에 반한다. 2021 국가직 9급 (O | X)
4. 지방공무원 임용신청 당시 잘못 기재된 생년월일에 근거하여 36년 동안 공무원으로 근무하다 정년을 1년 3개월 앞두고 생년월일을 정정한 후 그에 기초하여 정년연장을 요구하는 것은 신의성실의 원칙에 반한다. 2015 서울시 7급 (O | X)

③ 관련기출
5. 행정청은 권한 행사의 기회가 있음에도 불구하고 장기간 권한을 행사하지 아니하여 국민이 그 권한이 행사되지 아니할 것으로 믿을 만한 정당한 사유가 있는 경우에는 어떠한 경우라도 그 권한을 행사해서는 아니 된다. 2025 군무원 7급 (O | X)
6. 행정청은 권한 행사의 기회가 있음에도 불구하고 장기간 권한을 행사하지 아니하여 국민이 그 권한이 행사되지 아니할 것으로 믿을 만한 정당한 사유가 있는 경우에는 그 권한을 행사해서는 아니 되며, 이는 제3자의 이익을 현저히 해칠 우려가 있는 경우에도 마찬가지이다. 2025 변호사 (O | X)

④ 관련기출
7. 어떤 행정처분이 실효의 법리를 위반하여 위법한 것이라면 이는 행정처분의 당연무효사유에 해당한다. 2024 국가직 7급 (O | X)

정답
1. × 2. O 3. × 4. × 5. × 6. × 7. ×

22 ☐☐☐

행정법의 일반원칙에 관한 설명으로 옳지 <u>않은</u> 것만을 <보기>에서 모두 고른 것은? (다툼이 있는 경우 판례에 의함)

보기
㉮ 근로복지공단의 요양불승인처분에 대한 취소소송을 제기하여 승소확정판결을 받은 근로자가 요양으로 인하여 취업하지 못한 기간의 휴업급여를 청구한 경우, 그 휴업급여청구권이 시효완성으로 소멸하였다는 근로복지공단의 항변은 신의성실의 원칙에 반하지 않는다.
㉯ 행정청이 착오로 인하여 국적이탈을 이유로 주민등록을 말소한 행위는 법령에 따라 국적이탈이 처리되었다는 견해를 표명한 것으로 보아야 하며, 상대방이 이러한 주민등록말소를 통하여 자신의 국적이탈이 적법하게 처리된 것으로 신뢰하였다면 이는 보호할 가치 있는 신뢰에 해당한다.
㉰ 법원이 하는 과태료재판에는 원칙적으로 행정소송에서와 같은 신뢰보호의 원칙이 적용되지 않는다.
㉱ 같은 정도의 비위를 저지른 자들 사이에 있어서, 개전의 정이 있는지 여부에 따라 징계의 종류의 선택과 양정에 있어서 차별적으로 취급하는 것은 평등원칙에 반한다.

① ㉮, ㉯
② ㉮, ㉱
③ ㉯, ㉰
④ ㉰, ㉱

✓ 기출체크

㉮ 관련기출

1. 근로복지공단의 요양불승인처분의 적법 여부는 사실상 근로자의 휴업급여청구권 발생의 전제가 된다고 볼 수 있는 점 등에 비추어, 근로자가 요양불승인에 대한 취소소송의 판결확정시까지 근로복지공단에 휴업급여를 청구하지 않았던 것에 대한 근로복지공단의 소멸시효 항변은 신의성실의 원칙에 반하여 허용될 수 없다. 2021 국회직 8급
(O | X)

㉯ 관련기출

2. 행정청이 착오로 인하여 국적이탈을 이유로 주민등록을 말소한 행위를 법령에 따라 국적이탈이 처리되었다는 견해를 표명한 것으로 볼 수는 없으며, 상대방이 이러한 주민등록말소를 통하여 자신의 국적이탈이 적법하게 처리된 것으로 신뢰하였다고 하더라도 이는 보호할 가치 있는 신뢰에 해당하지 않는다. 2022 소방간부
(O | X)

㉰ 관련기출

3. 법원이 하는 과태료재판에는 원칙적으로 행정소송에서와 같은 신뢰보호의 원칙이 적용된다. 2022 지방직·서울시 9급
(O | X)

㉱ 관련기출

4. 같은 정도의 비위를 저지른 자들 사이에 있어서 그 직무의 특성 등에 비추어, 개전의 정이 있는지 여부에 따라 징계의 종류의 선택과 양정에 있어서 차별적으로 취급하는 것은, 자의적 취급이라고 할 수 있어서 평등원칙 내지 형평에 반한다. 2023 군무원 9급
(O | X)

5. 같은 정도의 비위를 저지른 자들임에도 불구하고 그 직무의 특성 등에 비추어 개전의 정이 있는지 여부에 따라 징계 종류의 선택과 양정에서 다르게 취급하는 것은 평등의 원칙에 반하지 않는다. 2020 군무원 7급
(O | X)

6. 동일한 사항을 다르게 취급하는 것은 합리적 이유가 없는 차별이므로, 같은 정도의 비위를 저지른 자들은 비록 개전의 정이 있는지 여부에 차이가 있다고 하더라도 징계 종류의 선택과 양정에 있어 동일하게 취급받아야 한다. 2020 지방직·서울시 9급
(O | X)

정답
1. O 2. X 3. X 4. X 5. O 6. X

23 ☐☐☐

다음 제시된 행정법의 일반원칙에 관한 설명으로 옳은 것은? (다툼이 있는 경우 판례에 의함)

(가) 어떤 행정목적을 달성하기 위한 수단은 그 목적 달성에 유효·적절하고 또한 가능한 한 최소침해를 가져오는 것이어야 하며, 아울러 그 수단의 도입으로 인한 침해가 의도하는 공익을 능가하여서는 아니 된다.
(나) 행정청은 합리적 이유 없이 국민을 차별하여서는 아니 된다.
(다) 행정청에 취소권·영업정지권 등 권리 행사의 기회가 있음에도 불구하고 장기간 권리를 행사하지 않음으로써 상대방인 국민이 행정청이 그 권리를 행사하지 아니할 것으로 신뢰할 만한 정당한 사유가 있는 경우에는 그 권리를 행사할 수 없다.

① (가)는 법치국가원리에서 당연히 파생되는 헌법상의 기본원리이므로 「행정기본법」에는 명문규정이 없다.
② 수입녹용 중 일정 성분이 기준치를 0.5% 초과하였다는 이유로 수입녹용 전부에 대하여 전량폐기 또는 반송처리를 지시한 처분은 (가) 위반에 해당한다.
③ 지방의회의 조사·감사를 위해 채택된 증인의 불출석 등에 대한 과태료를 그 사회적 신분에 따라 차등 부과할 것을 규정한 조례는 (나)에 반한다.
④ 대법원은 (다)를 법의 일반원리인 신의성실의 원칙에 근거하는 것으로 보면서도 성질상 권력관계에는 적용될 수 없다고 보았다.

✓ 기출체크

① 관련기출
1. 행정작용은 행정목적을 달성하는 데 유효하고 적절해야 하고, 행정목적을 달성하는 데 필요한 최소한도에 그쳐야 하며, 행정작용으로 인한 국민의 이익침해가 그 행정작용이 의도하는 공익보다 크지 아니해야 한다. 2023 군무원 5급 (O | X)
2. 비례의 원칙은 법치국가원리에서 당연히 파생되는 헌법상의 기본원리이다. 2022 지방직·서울시 9급 (O | X)
3. 「행정기본법」은 비례의 원칙을 명문으로 규정하고 있다. 2022 국가직 9급 (O | X)

② 관련기출
4. 지방식품의약품안전청장이 수입녹용 중 전지 3대를 절단부위로부터 5cm까지의 부분을 절단하여 측정한 회분함량이 기준치를 0.5% 초과하였다는 이유로 수입녹용 전부에 대하여 전량폐기 또는 반송처리를 지시한 처분은 재량권의 일탈·남용에 해당하지 않는다. 2025 소방직 9급 (O | X)
5. 수입녹용 중 일정 성분이 기준치를 0.5% 초과하였다는 이유로 수입녹용 전부에 대하여 전량폐기 또는 반송처리를 지시한 처분은 재량권을 일탈·남용한 경우에 해당한다고 판시하였다. 2021 소방직 9급 (O | X)

③ 관련기출
6. 지방의회의 조사·감사를 위해 채택된 증인의 불출석 등에 대한 과태료를 그 사회적 신분에 따라 차등 부과할 것을 규정한 조례안은 과태료를 부과하는 목적에 비추어 볼 때 그 합리성을 인정할 수 있어서 헌법에 규정된 평등의 원칙에 위배되지 않는다. 2025 국가직 9급 (O | X)
7. 조례안이 지방의회의 감사 또는 조사를 위하여 출석요구를 받은 증인이 5급 이상 공무원인지 여부, 기관(법인)의 대표나 임원인지 여부 등 증인의 사회적 신분에 따라 미리부터 과태료의 액수에 차등을 두고 있는 경우 그 합리성을 인정할 수 없고 지위의 높고 낮음만을 기준으로 한 부당한 차별대우라고 할 것이어서 평등의 원칙에 위배되어 무효이다. 2024 국회직 9급 (O | X)
8. 지방의회의 감사 또는 조사를 위하여 출석요구를 받은 증인이 출석하지 않을 경우 증인의 사회적 지위에 따라 과태료의 액수에 차등을 두는 것을 내용으로 하는 조례안은 헌법에 규정된 평등의 원칙에 위배된다고 볼 수 없다. 2017 서울시 9급 (O | X)
9. 조례안이 지방의회의 조사를 위하여 출석요구를 받은 증인이 5급 이상 공무원인지 여부, 기관(법인)의 대표나 임원인지 여부 등 증인의 사회적 신분에 따라 미리부터 과태료의 액수에 차등을 두고 있는 것은 평등의 원칙에 위반되지 않는다. 2016 국가직 7급 (O | X)

④ 관련기출
10. 실권의 법리는 법의 일반원리인 신의성실의 원칙에 바탕을 둔 파생원칙이므로 권력관계에는 적용되지 않는다. 2023 소방직 9급 (O | X)
11. 실권의 법리는 일반적으로 신뢰보호원칙의 적용영역의 하나로 설명되고 있으나, 판례는 신의성실원칙의 파생원칙으로 보고 있다. 2015 사회복지직 9급 (O | X)
12. 대법원은 실권의 법리를 신의성실의 원칙에 바탕을 둔 파생원칙으로 보았다. 2010 지방직 9급 (O | X)

정답
1. O 2. O 3. O 4. O 5. × 6. × 7. O 8. × 9. × 10. ×
11. O 12. O

---

24 □□□

다음 제시된 행정법의 일반원칙에 관한 설명으로 옳은 것만을 <보기>에서 모두 고른 것은? (다툼이 있는 경우 판례에 의함)

> (가) 행정청은 공익 또는 제3자의 이익을 현저히 해칠 우려가 있는 경우를 제외하고는 행정에 대한 국민의 정당하고 합리적인 신뢰를 보호하여야 한다.
> (나) 행정청은 합리적 이유 없이 국민을 차별하여서는 아니 된다.
> (다) 행정기관은 행정결정에 있어서 동종의 사안에 대하여 이전에 제3자에게 행한 결정과 동일한 결정을 상대방에게 하도록 스스로 구속당한다.

─┤ 보기 ├─

㉮ (가)는 선행행위가 위법한 경우에도 적용될 수 있다.
㉯ 단 1회의 요정출입을 한 공무원에 대해 파면처분을 한 것은 행정법의 일반원칙 중 (가)에 위반되어 위법하다.
㉰ (나)는 헌법과 「행정기본법」에 명문으로 규정되어 있으며, 일반직 직원의 정년을 58세로 규정하면서 전화교환직렬 직원만은 정년을 53세로 규정하여 5년간의 정년차등을 둔 것은 (나)에 위배되지 않는다.
㉱ 청원경찰의 인원감축을 위하여 초등학교 졸업 이하 학력소지자 집단과 중학교 중퇴 이상 학력소지자 집단으로 나누어 각 집단별로 같은 감원비율의 인원을 선정한 것은 (나)에 위배된다.
㉲ (다)는 (가)와 (나)를 근거로 인정되며, 재량권 행사의 준칙인 규칙이 그 정한 바에 따라 되풀이 시행되어 행정관행이 이루어지면 행정기관은 그 상대방에 대한 관계에서 그 규칙에 따라야 할 자기구속을 당하게 되고, 그러한 경우에는 대외적인 구속력을 가지게 된다.

① ㉰, ㉲
② ㉮, ㉯, ㉱
③ ㉮, ㉰, ㉱, ㉲
④ ㉯, ㉰, ㉱, ㉲

✓ 기출체크

㉮ 관련기출
1. 신뢰보호원칙의 요건은 행정청의 적법한 선행조치, 보호가치가 있는 사인의 신뢰, 신뢰에 기한 사인의 처리, 인과관계, 선행행위에 반하는 후행처분이다. 2015 서울시 9급 (O | X)
2. 신뢰의 대상인 행정청의 선행조치에는 적극적·소극적 언동이 모두 포함되지만, 적어도 적법한 선행조치일 것이 요구되므로 위법한 선행조치에 대한 신뢰보호는 허용되지 않는다. 2008 국회직 8급 (O | X)

㉯ 관련기출

3. 원고가 단지 1회 훈령에 위반하여 요정출입을 하다가 적발된 정도라면, 면직처분보다 가벼운 징계처분으로서도 능히 위 훈령의 목적을 달성할 수 있다고 볼 수 있는 점에서 이 사건 파면처분은 이른바 비례의 원칙에 어긋난 것으로 위법하다고 판시하였다. 2021 소방직 9급
(O | ×)
4. 비례의 원칙에 의할 때 공무원이 단지 1회 훈령에 위반하여 요정출입을 하였다는 사유만으로 한 파면처분은 위법하다. 2018 소방직 9급
(O | ×)

㉰ 관련기출

5. 평등의 원칙(은 「행정기본법」에 명문으로 규정되어 있다)
2021 행정사 (O | ×)
6. 평등원칙은 일체의 차별적 대우를 부정하는 절대적 평등을 의미하는 것이 아니라 입법과 법의 적용에 있어서 합리적인 근거가 없는 차별을 배제하는 상대적 평등을 뜻한다. 2021 국가직 9급 (O | ×)
7. 일반직 직원의 정년을 58세로 규정하면서 전화교환직렬 직원만은 정년을 53세로 규정하여 5년간의 정년차등을 둔 것은 사회통념상 합리성이 없는 차별로서 평등원칙에 위반된다. 2011 국회직 8급 (O | ×)

㉱ 관련기출

8. 청원경찰의 인원감축을 위하여 초등학교 졸업 이하 학력소지자 집단과 중학교 중퇴 이상 학력소지자 집단으로 나누어 각 집단별로 같은 감원비율의 인원을 선정한 것은 위법한 재량권 행사이다.
2008 국가직 9급 (O | ×)

㉲ 관련기출

9. 재량권 행사의 준칙인 행정규칙이 그 정한 바에 따라 되풀이 시행되어 행정관행이 이루어지게 되면 평등의 원칙이나 신뢰보호의 원칙에 따라 행정기관은 그 상대방에 대한 관계에서 그 규칙에 따라야 할 자기구속을 받게 된다. 2025 지방직·서울시 9급 (O | ×)
10. 재량권 행사의 준칙인 행정규칙이 그 정한 바에 따라 되풀이 시행되어 행정관행이 이루어지게 되면, 평등의 원칙이나 신뢰보호의 원칙에 따라 행정기관은 그 상대방에 대한 관계에서 그 행정규칙에 따라야 할 자기구속을 받게 되고, 그러한 경우에는 대외적인 구속력을 가지게 된다. 2023 국가직 7급 (O | ×)
11. 행정의 자기구속의 원칙은 법적으로 동일한 사실관계, 즉 동종의 사안에서 적용이 문제되는 것으로 주로 재량의 통제법리와 관련된다.
2022 해경간부 (O | ×)
12. 헌법재판소는 평등의 원칙이나 신뢰보호의 원칙을 근거로 행정의 자기구속의 원칙을 인정하고 있다. 2022 해경간부 (O | ×)
13. 재량권 행사의 준칙인 규칙이 그 정한 바에 따라 되풀이 시행되어 행정관행이 이루어지면 평등의 원칙에 따라 행정기관은 그 상대방에 대한 관계에서 그 규칙에 따라야 할 자기구속을 당하게 되고, 그러한 경우에는 대외적인 구속력을 가지게 된다는 것이 판례의 입장이며, 이러한 원칙은 신뢰보호의 원칙과는 무관하다고 한다. 2014 국가직 9급
(O | ×)

정답
1. × 2. × 3. ○ 4. ○ 5. ○ 6. ○ 7. × 8. ○ 9. ○ 10. ○
11. ○ 12. ○ 13. ×

25 ☐☐☐

사례에 관한 설명으로 옳지 않은 것만을 <보기>에서 모두 고른 것은? (다툼이 있는 경우 판례에 의함)

> 甲은 대전광역시 둔산지구 내의 자기 소유 토지에서 건물을 신축하고자 A건축사사무소에 설계를 위임하였다. 이에 건축사사무소 소장인 乙은 설계도면을 작성하여 甲에게 제출하였다(이 과정에서 건축사 乙은 甲의 토지에 건축한계선이 있다는 사실을 간과한 채 건축설계를 하였다). 甲은 乙의 설계도면을 토대로 서구청에 건축허가를 신청하였고 서구청장은 5월 10일 허가를 하였다. 그 후 서구청장은 甲의 건축물이 건축한계선을 위반한 사실을 알고 건축허가선을 침범한 부분에 대해 6월 11일 철거명령을 내렸다. 이에 甲은 서구청장의 철거명령이 위법하다며 다투고자 한다.

— 보기 —
㉮ 위 사례에서 甲이 주장할 수 있는 원칙은 신뢰보호원칙인바, 신뢰보호원칙의 근거는 헌법상의 사회국가원리에서 찾는 것이 일반적이다.
㉯ 위 사례의 경우 신뢰보호원칙의 요건 충족 여부와 관련하여 귀책사유의 존재가 문제되는바, 귀책사유는 당사자의 사실은폐 등 적극적인 부정행위만을 의미하는 것이므로 위 사례의 경우 귀책사유는 없다고 보아야 한다.
㉰ 위 사례의 경우 귀책사유를 인정한다 하더라도 乙에게 귀책사유를 인정할 수 있을지언정 甲에게는 귀책사유를 인정할 수 없으므로 신뢰보호원칙의 요건은 충족되었다고 보아야 한다.

① ㉮, ㉯ ② ㉮, ㉰
③ ㉯, ㉰ ④ ㉮, ㉯, ㉰

✔기출체크

㉮ 관련기출

1. 대법원과 헌법재판소는 신뢰보호원칙이 헌법상 법치주의원리에서 도출된다고 한다. 2024 군무원 9급 (O | ×)
2. 신뢰보호의 원칙은, 국민이 법률적 규율이나 제도가 장래에 지속할 것이라는 합리적인 신뢰를 바탕으로 개인의 법적 지위를 형성해 왔을 때에는 국가에게 그 국민의 신뢰를 되도록 보호할 것을 요구하는 법치국가원리의 파생원칙이다. 2017 국가직 7급 (O | ×)
3. 헌법재판소와 대법원은 (신뢰보호원칙의) 이론적 근거를 사회국가원리에서 찾고 있다. 2015 서울시 9급 (O | ×)

㈏ 관련기출

4. 신뢰보호의 원칙에서 개인의 귀책사유라 함은 행정청의 견해표명의 하자가 상대방 등 관계자의 사실은폐나 기타 사위의 방법에 의한 신청행위 등 부정행위에 기인한 것이거나 그러한 부정행위가 없더라도 하자가 있음을 알았거나 중대한 과실로 알지 못한 경우 등을 의미한다.
   2024 지방직·서울시 9급 (O | X)

5. 신뢰보호원칙의 요건 중 귀책사유라 함은 행정청의 견해표명의 하자가 상대방 등 관계자의 사실은폐 등 부정행위에 기인한 것이거나 그러한 부정행위가 없다고 하더라도 하자가 있음을 알았거나 중대한 과실로 알지 못한 경우 등을 의미한다. 2014 국가직 9급 변형 (O | X)

6. 사후에 선행조치가 변경될 것을 사인이 예상하였거나 중대한 과실로 알지 못한 경우에는 보호가치 있는 신뢰라고 할 수 없다.
   2012 사회복지직 9급 (O | X)

7. 공적 견해표명을 신뢰한 자가 사실은폐 등 적극적 부정행위를 하지 않는 한 귀책사유가 인정되지 않는다. 2009 국회직 8급 (O | X)

8. 행정청의 견해표명을 신뢰함에 있어서 개인에게 귀책사유가 존재하지 아니하여야 한다는 것도 신뢰보호원칙의 적용요건 중 하나이다.
   2004 행정고시 (O | X)

㈐ 관련기출

9. 신뢰보호의 원칙이 적용되기 위하여는 행정청의 견해표명이 정당하다고 신뢰한 데에 대하여 그 개인에게 귀책사유가 없어야 하는데, 여기서 귀책사유의 유무는 견해표명의 상대방과 그로부터 일정한 행위를 위임받은 수임인 등 관계자 모두를 기준으로 판단하여야 한다.
   2025 변호사 (O | X)

10. 신뢰보호의 원칙에 있어서 신청을 요하는 행정행위와 관련하여 개인의 귀책사유의 유무는 상대방을 기준으로 판단하여야 하고, 상대방으로부터 신청행위를 위임받은 수임인 등 관계자 모두를 기준으로 판단하여야 하는 것은 아니다. 2024 국회직 9급 (O | X)

11. 상대방에게 귀책사유가 있어 그 신뢰의 보호가치가 인정되지 않는다면 신뢰보호의 원칙이 적용되지 않는데, 이때 귀책사유의 유무는 상대방을 기준으로 판단하여야 하고, 상대방으로부터 신청행위를 위임받은 수임인 등의 귀책사유 유무는 고려하지 않는다.
    2023 지방직·서울시 7급 (O | X)

12. 건축주와 그로부터 건축설계를 위임받은 건축사가 관계 법령에서 정하고 있는 건축한계선의 제한이 있다는 사실을 간과한 채 건축설계를 하고 이를 토대로 건축물의 신축 및 증축허가를 받은 경우, 그 신축 및 증축허가가 정당하다고 신뢰한 데에는 귀책사유가 있다.
    2022 국가직 9급 (O | X)

13. 신뢰보호원칙의 적용에 있어서 귀책사유의 유무는 상대방을 기준으로 판단하여야 하며, 상대방으로부터 신청행위를 위임받은 수임인 등 관계자까지 포함시켜 판단할 것은 아니다. 2019 국가직 7급 (O | X)

14. 건축설계를 위임받은 건축사가 건축한계선의 제한이 있다는 사실을 간과한 채 건축설계를 하고 이를 토대로 건축물의 신축허가를 받은 경우, 신축허가에 대한 건축주의 신뢰는 보호되어야 한다.
    2008 국가직 9급 (O | X)

정답
1. O 2. O 3. X 4. O 5. O 6. O 7. X 8. O 9. O 10. X
11. X 12. O 13. X 14. X

제 2 회 | 소방 단원별 모의고사

출제 범위 : 제4강 행정법의 일반원칙~제9강 사인의 공법행위

01 □□□
사례에 관한 설명으로 옳은 것만을 <보기>에서 모두 고른 것은? (다툼이 있는 경우 판례에 의함)

> 甲기업은 ○○지하철역 인근에서 백화점을 경영하고자 한다. 甲기업은 경쟁기업인 A기업이 이미 ○○지하철역 인근에서 백화점을 경영하고 있는 것을 알고 A기업의 임원인 B를 특채하여 A기업과 동일한 요건을 갖추어 서울특별시장에게 도로점용허가를 신청하였고 주무관청인 서울특별시장은 甲기업이 서울특별시에서 정한 내부지침에 따른 요건을 모두 충족하고 있음에도 불구하고 甲기업에 대해 도로점용허가를 거부하였다. 한편, 서울특별시에서 정한 내부지침은 법률에 위반되는 것으로 담당공무원이 법을 잘못 해석하여 A기업에 대해 위법한 도로점용허가를 발급한 것이었고 이를 알게 된 서울특별시장은 A기업에 대한 도로점용허가를 취소하려고 한다.

┤ 보기 ├

㉮ 甲기업은 거부처분 취소소송을 제기하면서 서울특별시장의 처분이 자기구속의 원칙을 위반하여 위법하다고 주장할 수 있다.
㉯ A기업에 대한 점용허가가 없고 甲기업에 대해 내부규정을 최초로 적용하는 경우라도 甲기업은 내부지침에 따라 자신에게 도로점용허가를 발급하여 줄 것을 요구할 수 있다.
㉰ A기업에 대한 도로점용허가가 위법하더라도 A기업에게 귀책사유가 없어 신뢰보호의 원칙이 성립하는 경우라면 서울특별시장은 A기업에 대한 도로점용허가를 취소하지 않을 수도 있다.
㉱ 위 사례의 도로점용허가는 특허로서 재량행위이다.

① ㉮, ㉯
② ㉮, ㉰
③ ㉯, ㉱
④ ㉰, ㉱

✓ 기출체크

㉮ 관련기출

1. 위법한 행정처분이 수차례에 걸쳐 반복적으로 행하여졌다 하더라도 그러한 처분이 위법한 것인 때에는 행정청에 대하여 자기구속력을 갖게 된다고 할 수 없다. 2025 지방직·서울시 9급 (O | X)
2. 평등의 원칙은 본질적으로 같은 것을 자의적으로 다르게 취급함을 금지하는 것이므로, 위법한 행정처분이 수차례에 걸쳐 반복적으로 행하여졌다면 행정청에 대하여 자기구속력을 갖게 된다. 2025 해경승진 (O | X)
3. 행정처분이 수차례에 걸쳐 반복적으로 행하여졌다면, 설령 그러한 처분이 위법한 것인 때에도 행정청에 대하여 자기구속력을 갖게 된다. 2024 국회직 9급 (O | X)
4. 반복적으로 행해진 행정처분이 위법하더라도 행정의 자기구속의 원칙에 따라 행정청은 선행처분에 구속된다. 2024 해경승진 (O | X)
5. 행정청이 조합설립추진위원회의 설립승인심사에서 위법한 행정처분을 한 선례가 있는 경우에는, 행정청에 대해 자기구속력을 갖게 되어 이후에도 그러한 기준에 따라야 한다. 2021 국가직 9급 (O | X)

㉯ 관련기출

6. 최초의 선례가 없는 경우에도 예기된 관행만으로 행정기관의 자기구속이 인정된다. 2023 서울시 연구사 (O | X)
7. 재량권 행사의 준칙인 행정규칙이 있으면 그에 따른 관행이 없더라도 평등의 원칙에 따라 행정기관은 상대방에 대한 관계에서 그 규칙에 따라야 할 자기구속을 받게 된다. 2019 서울시 1회 7급 (O | X)

㉰ 관련기출

8. 신뢰보호의 원칙과 행정의 법률적합성의 원칙이 충돌하는 경우 국민보호를 위해 원칙적으로 신뢰보호의 원칙이 우선한다. 2020 지방직·서울시 7급 (O | X)
9. 신뢰보호의 원칙과 행정의 법률적합성의 원칙이 충돌하는 경우 법률적합성의 원칙이 우선한다. 2014 경행특채 1차 (O | X)
10. 신뢰보호의 원칙은 행정의 적법성원칙과 갈등관계가 형성될 수 있으며, 후자의 원칙을 배제할 만한 우월한 사정이 있을 때 그 효력을 인정할 수 있게 된다. 2009 국가직 7급 (O | X)

㉱ 관련기출

11. 도로점용허가는 특허행위로서 상대방의 신청 또는 동의를 요하는 쌍방적 행정행위이며, 권리를 설정하여 주는 행위로서 재량행위이다. 2023 국회직 8급 (O | X)

정답
1. O 2. × 3. × 4. × 5. × 6. × 7. × 8. × 9. × 10. O
11. O

02 ☐☐☐

행정법의 일반원칙에 관한 설명으로 옳은 것은? (다툼이 있는 경우 판례에 의함)

① 개발제한구역 훼손부담금의 부과율을 규정함에 있어서 전기공급시설 등과는 달리 집단에너지공급시설에 차등을 두는 것은 헌법상 평등의 원칙에 위반된다.
② 연구단지 내 녹지구역에 위험물저장시설인 주유소와 LPG충전소 중에서 주유소는 허용하면서 LPG충전소를 금지하는 시행령 규정은 LPG충전소 영업을 하려는 국민을 합리적 이유 없이 자의적으로 차별하는 것으로서 결과적으로 평등원칙에 위배된다.
③ 세무조사가 과세자료의 수집 또는 신고내용의 정확성 검증이라는 본연의 목적이 아니라 부정한 목적을 위하여 행하여졌더라도, 그것만으로 이러한 세무조사에 의해 수집된 과세자료를 기초로 한 과세처분이 위법하다고 볼 수는 없다.
④ 입법예고를 통해 법령안의 내용을 국민에게 예고한 적이 있다면, 그것이 법령으로 아직 확정되지 않았더라도 신뢰보호의 대상이 될 수 있다.

✔ 기출체크

② 관련기출

1. 연구단지 내 녹지구역에 위험물저장시설인 주유소와 LPG충전소 중에서 주유소는 허용하면서 LPG충전소를 금지하는 시행령 규정은 LPG충전소 영업을 하려는 국민을 합리적 이유 없이 자의적으로 차별하여 결과적으로 평등원칙에 위배된다는 것이 헌법재판소의 태도이다. 2020 소방직 9급   (O | X)

③ 관련기출

2. 세무조사가 과세자료의 수집 또는 신고내용의 정확성 검증이라는 본연의 목적이 아니라 부정한 목적을 위하여 행하여졌다고 하더라도, 이러한 세무조사에 의하여 수집된 과세자료를 기초로 한 과세처분은 위법하지 않다. 2025 지방직·서울시 9급   (O | X)
3. 세무조사가 과세자료의 수집 또는 신고내용의 정확성 검증이라는 본연의 목적이 아니라 부정한 목적을 위하여 행하여진 것이라면 이는 세무조사에 중대한 위법사유가 있는 경우에 해당하고, 이러한 세무조사에 의하여 수집된 과세자료를 기초로 한 과세처분 역시 위법하다. 2024 군무원 9급   (O | X)
4. 세무조사가 과세자료의 수집 또는 신고내용의 정확성 검증이라는 본연의 목적이 아니라 부정한 목적을 위하여 행하여진 경우, 세무조사에 의하여 수집된 과세자료를 기초로 한 과세처분 역시 위법하다. 2024 소방간부   (O | X)
5. 세무조사에 중대한 위법사유가 있는 경우 이러한 세무조사에 의하여 수집된 과세자료를 기초로 한 과세처분 역시 위법하다. 2022 국가직 7급   (O | X)
6. 과세자료의 수집 또는 신고내용의 정확성 검증이라는 그 본연의 목적이 아니라 부정한 목적을 위하여 세무조사가 행하여진 것이라면 이러한 세무조사에 의하여 수집된 과세자료를 기초로 한 과세처분 역시 위법하다. 2022 소방간부   (O | X)

④ 관련기출

7. 입법예고를 통해 법령안의 내용을 국민에게 예고하였다면, 그것이 법령으로 확정되지 아니하였더라도 신뢰보호의 대상이 될 수 있다. 2025 국가직 7급   (O | X)
8. 입법예고를 통해 법령안의 내용을 국민에게 예고한 적이 있다고 하더라도 그것이 법령으로 확정되지 아니한 이상 국가가 이해관계인들에게 위 법령안에 관련된 사항을 약속하였다고 볼 수 없으며, 이러한 사정만으로 어떠한 신뢰를 부여하였다고 볼 수도 없다. 2024 해경승진   (O | X)
9. 주무부처인 중앙행정기관이 입법예고를 통해 법령안의 내용을 국민에게 예고한 적이 있다면, 그것이 법령으로 확정되지 아니하였다고 하더라도 국가는 위 법령안에 관련된 사항에 대해 이해관계자들에게 어떠한 신뢰를 부여한 것으로 볼 수 있다. 2022 소방직 9급   (O | X)

정답
1. × 2. × 3. ○ 4. ○ 5. ○ 6. ○ 7. × 8. ○ 9. ×

03 ☐☐☐

행정법의 일반원칙에 관한 설명으로 옳지 않은 것은? (다툼이 있는 경우 판례에 의함)

① 정구장시설 설치의 도시계획결정을 청소년수련시설 설치의 도시계획으로 변경한 경우, 정구장시설의 도시계획사업시행자로 지정받을 것을 예상하고 정구장 설계비용 등을 지출한 자의 신뢰이익을 침해한 것으로 보기 어렵다.
② 행정청 내부의 사무처리준칙이 제정·공표되었다면 이 자체만으로도 행정청은 자기구속을 받게 되므로 이 준칙에 위배되는 처분은 위법하게 된다.
③ 고속국도 관리청이 고속도로 부지와 접도구역에 송유관 매설을 허가하면서 상대방과 체결한 협약에 따라 송유관 시설을 이전하게 될 경우 그 비용을 상대방에게 부담하도록 한 부관은 부당결부금지의 원칙에 반하지 않는다.
④ 지방자치단체장이 사업자에게 주택사업계획승인을 하면서 그 주택사업과는 아무런 관련이 없는 토지를 기부채납하도록 하는 부관은 부당결부금지의 원칙에 위반되어 위법하지만 당연무효라고 볼 수는 없다.

✔ 기출체크

① 관련기출

1. 당초 정구장시설을 설치한다는 도시계획결정을 하였다가 정구장 대신 청소년수련시설을 설치한다는 도시계획변경결정 및 지적승인을 한 경우, 당초의 도시계획결정만으로는 도시계획사업의 시행자지정을 받게 된다는 공적 견해를 표명했다고 할 수 없다. 2024 군무원 5급   (O | X)

2. 당초 정구장시설을 설치한다는 도시계획결정을 하였다가 정구장 대신 청소년수련시설을 설치한다는 도시계획변경결정 및 지적승인을 한 경우, 당초의 도시계획결정에 따른 도시계획사업의 시행자로 지정받을 것을 예상하여 상당한 비용 등을 지출하였다면 정구장 대신 청소년수련시설을 설치한다는 내용의 도시계획변경결정 및 지적승인을 한 것은 신뢰이익을 침해한 것이다. 2018 경행경채 3차 (O | X)

3. 정구장시설 설치의 도시계획결정을 청소년수련시설 설치의 도시계획으로 변경한 경우, 사업시행자로 지정받을 것을 예상하고 정구장 설계비용 등을 지출한 자의 신뢰이익을 침해한 것으로 볼 수 없다. 2012 지방직 7급 (O | X)

② 관련기출

4. 재량권 행사의 준칙인 행정규칙이 그 정한 바에 따라 되풀이 시행되어 행정관행이 이루어지게 되면 평등의 원칙이나 신뢰보호의 원칙에 따라 행정기관은 그 상대방에 대한 관계에서 그 규칙에 따라야 할 자기구속을 받게 된다. 2025 지방직·서울시 7급 (O | X)

5. 재량준칙이 공표된 것만으로는 행정의 자기구속의 원칙이 적용될 수 없고, 재량준칙이 되풀이 시행되어 행정관행이 성립한 경우에 행정의 자기구속의 원칙이 적용될 수 있다. 2023 지방직·서울시 7급 (O | X)

6. 재량준칙은 일반적으로 행정조직 내부에서만 효력을 가질 뿐 대외적인 구속력을 갖는 것은 아니므로 행정처분이 이를 위반하였다고 하여 그러한 사정만으로 곧바로 위법하게 되는 것은 아니다. 다만, 그 재량준칙이 정한 바에 따라 되풀이 시행되어 행정관행이 이루어지게 되면 평등의 원칙이나 신뢰보호의 원칙에 따라 행정기관은 상대방에 대한 관계에서 그 규칙에 따라야 할 자기구속을 받는다. 2021 경행경채 (O | X)

7. 재량권 행사의 준칙인 행정규칙의 공표만으로 상대방은 보호가치 있는 신뢰를 갖게 되었다고 볼 수 있다. 2021 지방직·서울시 9급 (O | X)

③ 관련기출

8. 고속국도의 관리청이 고속도로 부지와 접도구역에 송유관 매설을 허가하면서 상대방과 체결한 협약에 따라 송유관시설을 이전하게 될 경우 상대방에게 그 비용을 부담하도록 한 부관은 행정작용과 실질적 관련성이 없는 의무를 부과하는 것으로서 부당결부금지원칙에 위반된다. 2021 경행경채 (O | X)

④ 관련기출

9. 지방자치단체장이 사업자에게 주택사업계획승인을 하면서 그 주택사업과는 아무런 관련이 없는 토지를 기부채납하도록 하는 부관을 주택사업계획승인에 붙인 경우, 그 부관은 부당결부금지의 원칙에 위반되어 위법하다. 2025 국가직 9급 (O | X)

10. 주택사업계획승인을 하면서 그 주택사업과 아무 관련이 없는 토지를 기부채납하도록 하는 부관을 붙인 경우, 그 부관은 부당결부금지원칙에 위반되어 위법하다. 2022 국가직 7급 (O | X)

11. 행정주체가 행정작용을 함에 있어서 상대방에게 이와 실질적 관련이 없는 의무를 부과하거나 그 이행을 강제하여서는 아니 된다. 2020 소방직 9급 (O | X)

[정답]
1. O 2. X 3. O 4. O 5. O 6. O 7. X 8. X 9. O 10. O
11. O

04 ☐☐☐

행정법의 일반원칙에 관한 설명으로 옳지 않은 것은? (다툼이 있는 경우 판례에 의함)

① 동일한 사유에 관하여 보다 무거운 면허취소처분을 하기 위하여 이미 행하여진 가벼운 면허정지처분을 취소하는 것은 선행처분에 대한 당사자의 신뢰 및 법적 안정성을 크게 저해하는 것이 되어 허용될 수 없다.

② 한 사람이 여러 종류의 자동차운전면허를 취득하는 경우뿐 아니라 이를 취소함에 있어서도 서로 별개의 것으로 취급하는 것이 원칙이므로, 제1종 보통면허로 운전할 수 있는 차량을 음주운전한 경우 제1종 대형면허와 원동기장치자전거면허까지 취소할 수 없다.

③ 행정청이 여러 종류의 자동차운전면허를 취득한 자에 대해 그 운전면허를 취소하는 경우, 취소사유가 특정 면허에 관한 것이 아니고 다른 면허와 공통된 것이거나 운전면허를 받은 사람에 관한 것일 경우에는 여러 면허를 전부 취소할 수 있다.

④ 이륜자동차로서 제2종 소형면허를 가진 사람만이 운전할 수 있는 오토바이를 음주운전한 사유만으로 제1종 대형면허나 보통면허의 취소·정지를 할 수 없다.

✓ 기출체크

① 관련기출

1. 운전면허취소사유에 해당하는 음주운전을 적발한 경찰관의 소속 경찰서장이 사무착오로 위반자에게 운전면허정지처분을 한 상태에서 위반자의 주소지 관할 지방경찰청장(현 시·도경찰청장)이 위반자에게 운전면허취소처분을 한 것은 선행처분에 대한 당사자의 신뢰 및 법적 안정성을 저해하는 것으로 볼 수 없다. 2018 경행경채 (O | X)

2. 운전면허취소사유에 해당하는 음주운전을 적발한 경찰관의 소속 경찰서장이 사무착오로 위반자에게 운전면허정지처분을 한 상태에서 위반자의 주소지 관할 지방경찰청장(현 시·도경찰청장)이 위반자에게 운전면허취소처분을 한 것은 선행처분에 대한 당사자의 신뢰 및 법적 안정성을 저해하는 것으로서 허용될 수 없다. 2007 국가직 7급 (O | X)

② 관련기출

3. 제1종 보통면허로 운전할 수 있는 차량을 음주운전한 경우에도 이와 관련된 면허인 제1종 대형면허와 원동기장치자전거면허까지 취소할 수 있는 것은 아니다. 2024 국가직 7급 (O | X)

4. 제1종 보통면허로 운전할 수 있는 차량을 운전면허정지기간 중에 운전한 경우 이와 관련된 원동기장치자전거면허까지 취소할 수 있다. 2022 소방간부 (O | X)

5. 제1종 보통면허로 운전할 수 있는 차량을 음주운전한 경우 제1종 보통면허의 취소 외에 동일인이 소지하고 있는 제1종 대형면허와 원동기장치자전거면허는 취소할 수 없다. 2015 국가직 9급 (O | X)

6. 제1종 보통면허로 운전할 수 있는 차량을 음주운전한 경우에 제1종 대형면허와 원동기장치자전거면허도 취소할 수 있다. 2010 국회직 8급 (O | X)

③ 관련기출

7. 한 사람이 여러 종류의 자동차운전면허를 취득하는 경우뿐 아니라 이를 취소함에 있어서도 서로 별개의 것으로 취급하는 것이 원칙이다. 2023 군무원 9급 (○ | ×)

8. 여러 종류의 자동차운전면허는 서로 별개의 것으로 취급하는 것이 원칙이나, 취소사유가 특정 면허에 관한 것이 아니고 다른 면허와 공통된 것이거나 운전면허를 받은 사람에 관한 것일 경우에는 여러 면허를 전부 취소할 수도 있다. 2016 서울시 7급 (○ | ×)

9. 운전면허취소사유가 그 사람이 가진 여러 면허에 공통된 것이라면 그 면허 전부를 취소할 수 있다. 2015 경찰특채 1차 (○ | ×)

④ 관련기출

10. 제2종 소형면허로만 운전할 수 있는 이륜자동차를 음주운전한 사유만 가지고서는 제1종 대형면허나 보통면허의 취소나 정지를 할 수 없다. 2023 소방승진 변형 (○ | ×)

11. 이륜자동차로서 제2종 소형면허를 가진 사람만이 운전할 수 있는 오토바이를 음주운전한 사유만 가지고서는 제1종 대형면허나 보통면허의 취소나 정지를 할 수 없다. 2022 경찰간부 (○ | ×)

정답
1. × 2. ○ 3. × 4. ○ 5. × 6. ○ 7. ○ 8. ○ 9. ○ 10. ○
11. ○

05 □□□

행정상 법률관계에 관한 설명으로 옳은 것은? (다툼이 있는 경우 판례에 의함)

① 구 「예산회계법」상 입찰보증금의 국고귀속조치는 국가가 우월한 공권력의 주체로서 행위하는 것이므로 이에 관한 분쟁은 행정소송의 대상이 된다.

② 「수도법」에 의하여 지방자치단체인 수도사업자가 그 수돗물의 공급을 받는 자에게 하는 수도료 부과·징수와 이에 따른 수도료 납부관계는 사법상의 권리·의무관계이므로, 이에 관한 분쟁은 민사소송의 대상이다.

③ 구 「한국공항공단법」에 의하여 한국공항공단이 정부로부터 무상사용허가를 받은 행정재산을 전대(轉貸)하는 행위는 사법상의 행위이다.

④ 한국전력공사가 한국방송공사로부터 수신료의 징수업무를 위탁받아 자신의 고유업무와 관련된 고지행위와 결합하여 수신료를 징수할 권한이 있는지 여부를 다투는 소송은 민사소송이다.

✓ 기출체크

① 관련기출

1. 「국가를 당사자로 하는 계약에 관한 법률」에 의한 입찰보증금의 국고귀속조치(는 공법관계이다) 2026 경찰간부 (○ | ×)

2. 구 「예산회계법」에 따른 입찰보증금 국고귀속조치는 공권력의 행사로서 공권력작용과 일체성을 가진 것이므로 이에 관한 분쟁은 행정소송의 대상이 된다. 2025 국회직 8급 (○ | ×)

3. 구 「예산회계법」상 입찰보증금의 국고귀속조치는 국가가 공권력을 행사하는 것이므로 이에 관한 분쟁은 행정소송의 대상이 된다. 2025 국가직 9급 (○ | ×)

4. 「국가를 당사자로 하는 계약에 관한 법률」에 따른 입찰보증금의 국고귀속조치는 행정청의 일방적 조치로서 행정처분에 해당하며 그에 의한 법률관계는 공법관계이다. 2025 소방간부 (○ | ×)

5. 입찰보증금의 국고귀속조치는 국가가 사법상의 재산권의 주체로서 행위하는 것이지, 공권력을 행사하는 것이거나 공권력작용과 일체성을 가진 것이 아니라 할 것이다. 2020 지방직·서울시 9급 (○ | ×)

② 관련기출

6. 「수도법」에 의하여 지방자치단체인 수도사업자가 그 수돗물의 공급을 받는 자에게 하는 수도료 부과·징수와 이에 따른 수도료 납부관계는 공법상의 권리·의무관계이므로, 이에 관한 분쟁은 행정소송의 대상이다. 2019 국가직 9급 (○ | ×)

③ 관련기출

7. 한국공항공사가 정부로부터 무상사용허가를 받은 행정재산을 전대하는 행위는 통상의 사인 간의 임대차와 달리 공법상 법률관계에 해당한다. 2025 지방직·서울시 7급 (○ | ×)

8. 구 「한국공항공단법」에 의하여 한국공항공단이 정부로부터 무상사용허가를 받은 행정재산을 전대(轉貸)하는 행위는 행정소송의 대상이 되는 행정처분이다. 2023 국회직 8급 (○ | ×)

9. 국유재산 중 행정재산의 사용허가는 공법관계이나, 한국공항공단이 무상사용허가를 받은 행정재산에 대하여 하는 전대행위는 사법관계이다. 2023 국가직 9급 (○ | ×)

④ 관련기출

10. 한국전력공사가 한국방송공사로부터 수신료의 징수업무를 위탁받아 자신의 고유업무와 관련된 고지행위와 결합하여 수신료를 징수할 권한이 있는지 여부를 다투는 쟁송(은 공법상 당사자소송이다) 2022 군무원 9급 (○ | ×)

11. TV방송수신료 통합징수권한의 부존재확인은 당사자소송으로 다툴 수 있다. 2016 교육행정직 9급 (○ | ×)

정답
1. × 2. × 3. × 4. × 5. ○ 6. ○ 7. × 8. × 9. ○ 10. ○
11. ○

06

행정상 법률관계에 관한 설명으로 옳은 것은? (다툼이 있는 경우 판례에 의함)

① 「귀속재산처리법」에 의한 귀속재산의 매각행위는 공법상 행위가 아니라 사법상 매매에 해당한다.
② 농지개량조합과 그 직원의 관계는 사법관계로서 그 직원의 징계처분에 대한 다툼은 민사소송에 의한다.
③ 「국가를 당사자로 하는 계약에 관한 법률」에 따라 국가가 당사자가 되는 이른바 공공계약은 사경제주체로서 상대방과 대등한 위치에서 체결하는 사법상 계약으로서 그에 관한 법령에 특별한 정함이 있는 경우를 제외하고는 사법의 원리가 그대로 적용된다.
④ 지방자치단체가 학교법인이 설립한 사립중학교에 의무교육대상자에 대한 교육을 위탁한 때에 그 학교법인과 해당 사립중학교에 재학 중인 학생의 재학관계는 공법관계이다.

✔기출체크

① 관련기출
1. 「귀속재산처리법」에 의한 귀속재산의 매각행위(는 공법관계라는 것이 판례의 입장이다) 2017 국가직(하) 7급 (O | X)

② 관련기출
2. 농지개량조합의 직원에 대한 징계처분은 처분성이 인정된다. 2017 사회복지직 9급 (O | X)
3. 농지개량조합의 직원에 대한 징계처분(은 판례에 따를 때, 사법관계에 해당한다) 2015 서울시 9급 (O | X)
4. 농지개량조합과 그 직원의 관계는 공법상 특별권력관계이다. 2015 경행특채 1차 (O | X)

③ 관련기출
5. 지방자치단체가 일방당사자가 되는 이른바 '공공계약'이 사경제의 주체로서 상대방과 대등한 위치에서 체결하는 사법상 계약에 해당하는 경우, 그에 관한 법령에 특별한 정함이 있는 경우를 제외하고는 사적 자치와 계약자유의 원칙 등 사법의 원리가 그대로 적용된다. 2024 소방직 9급 (O | X)
6. 「국가를 당사자로 하는 계약에 관한 법률」에 따라 국가가 당사자가 되는 이른바 공공계약은 그에 관한 법령에 특별한 정함이 없는 한 사법상 계약에 해당한다. 2023 지방직·서울시 7급 (O | X)
7. 국가가 사경제의 주체로서 상대방과 대등한 지위에서 체결하는 계약의 본질적인 내용은 사인 간의 계약과 다를 바가 없으므로 사적 자치와 계약자유의 원칙을 비롯한 사법의 원리가 원칙적으로 적용된다. 2023 소방직 9급 (O | X)

④ 관련기출
8. 지방자치단체가 학교법인이 설립한 사립중학교에 의무교육대상자에 대한 교육을 위탁한 때에 그 학교법인과 해당 사립중학교에 재학 중인 학생의 재학관계는 기본적으로 공법상 계약에 따른 법률관계이다. 2021 군무원 7급 (O | X)

정답
1. O 2. O 3. X 4. O 5. O 6. O 7. O 8. X

07

행정상 법률관계에 관한 설명으로 옳은 것은? (다툼이 있는 경우 판례에 의함)

① 국가가 수익자인 수요기관을 위해 국민을 계약상대자로 체결하는 요청조달계약에는 다른 법률에 특별한 규정이 없는 한 당연히 「국가를 당사자로 하는 계약에 관한 법률」이 적용된다.
② 한국증권거래소의 기본적인 성격은 공법상 사단법인에 준하는 것으로 한국증권거래소의 상장폐지결정 및 상장폐지확정결정은 헌법소원의 대상이 되는 공권력의 행사에 해당한다.
③ 국유재산의 관리청이 행정재산의 사용·수익을 허가하는 행위는 강학상 특허에 해당하지만, 그 후 사용·수익하는 자에 대한 사용료의 부과는 사경제주체로서 행하는 사법상의 이행청구에 해당한다.
④ 일반재산의 대부계약은 지방자치단체가 상대방과 대등한 지위에서 행하는 공법상 계약으로 이를 다투는 소송은 당사자소송이다.

✔기출체크

① 관련기출
1. 국가가 수익자인 수요기관을 위하여 국민을 계약상대자로 하여 체결하는 요청조달계약에는 다른 법률에 특별한 규정이 없는 한 당연히 「국가를 당사자로 하는 계약에 관한 법률」이 적용된다. 2024 국가직 9급 (O | X)

③ 관련기출
2. 공유재산의 관리청이 행정재산의 사용·수익에 대한 허가는 순전히 사경제주체로서 행하는 사법상의 행위가 아니라 관리청이 공권력을 가진 우월적 지위에서 행하는 행정처분이다. 2023 해경간부 (O | X)
3. 공유재산의 관리청이 행하는 행정재산의 사용·수익에 대한 허가는 순전히 사경제주체로서 행하는 사법상의 법률행위이다. 2020 국가직 7급 (O | X)
4. 국유재산의 관리청이 행정재산의 사용·수익을 허가하는 행위는 강학상 특허에 해당하나, 그 후 사용·수익하는 자에 대한 사용료 부과는 사경제주체로서 행하는 사법상의 이행청구이다. 2017 서울시 7급 (O | X)

④ 관련기출
5. 국유의 일반재산 대부료 납부고지는 사법상 이행청구에 해당하고, 이를 행정처분이라고 할 수 없다. 2024 국회직 8급 (O | X)
6. 국·공유일반재산을 대부하는 행위와 국유재산의 무단점유에 대한 변상금 부과는 처분으로 공법관계에 해당한다. 2023 해경간부 (O | X)
7. 「국유재산법」상 일반재산의 대부는 행정처분이 아니며 그 계약은 사법상 계약이다. 2016 지방직 9급 (O | X)

정답
1. O 2. O 3. X 4. X 5. O 6. X 7. O

08

판례상 공법관계에 해당하는 것만을 <보기>에서 모두 고른 것은?

보기
㉮ 지방자치단체에 근무하는 청원경찰의 근무관계
㉯ 사립학교법인에 대한 중학교 의무교육의 위탁관계
㉰ 「공익사업을 위한 토지 등의 취득 및 보상에 관한 법률」에 의한 협의취득
㉱ 「국가를 당사자로 하는 계약에 관한 법률」에 따라 지방자치단체가 시행한 입찰절차에서의 낙찰자 결정

① ㉮, ㉯
② ㉮, ㉱
③ ㉯, ㉰
④ ㉰, ㉱

기출체크

㉮ 관련기출
1. 지방자치단체에 근무하는 청원경찰에 대한 징계처분의 시정을 구하는 소는 행정소송의 대상이지 민사소송의 대상이 아니다. 2025 경찰간부 (O | X)
2. 국가나 지방자치단체에 근무하는 청원경찰은 「국가공무원법」이나 「지방공무원법」상의 공무원은 아니지만, 다른 청원경찰과는 달리 그 임용권자가 행정기관의 장이고, 국가나 지방자치단체로부터 보수를 받으므로, 그 근무관계는 사법상의 고용계약관계로 보기는 어려우므로 그에 대한 징계처분의 시정을 구하는 소는 행정소송의 대상이지 민사소송의 대상이 아니다. 2023 군무원 9급 (O | X)
3. 국가나 지방자치단체에 근무하는 청원경찰은 「국가공무원법」이나 「지방공무원법」상의 공무원은 아니므로 그 근무관계는 사법상의 고용계약관계로 볼 수 있다. 2020 군무원 7급 (O | X)
4. 국가나 지방자치단체에 근무하는 청원경찰의 징계처분에 대한 소송(은 「행정소송법」상의 행정소송에 해당한다) 2018 지방직 9급 (O | X)

㉯ 관련기출
5. 중학교 의무교육의 위탁관계는 공법적 관계이다. 2024 소방간부 (O | X)
6. 「초·중등교육법」상 사립중학교에 대한 중학교 의무교육의 위탁관계는 사법관계에 속한다. 2020 국회직 8급 (O | X)

㉰ 관련기출
7. 공익사업을 위한 토지 등의 취득 및 보상에 관한 법령에 의한 협의취득은 공법상 계약에 해당한다. 2025 소방직 9급 (O | X)
8. 「공익사업을 위한 토지 등의 취득 및 보상에 관한 법률」상 협의취득은 공법상 당사자소송의 대상이다. 2024 국회직 8급 (O | X)
9. 공익사업을 위한 토지 등의 취득 및 보상에 관한 법령에 의한 협의취득은 사법상의 법률행위이지만 당사자 사이의 자유로운 의사에 따라 채무불이행책임이나 매매대금 과부족금에 대한 지급의무를 약정할 수 있는 것은 아니다. 2024 국가직 9급 (O | X)
10. 「공익사업을 위한 토지 등의 취득 및 보상에 관한 법률」상 사업시행자와 토지소유자 사이의 협의취득에 대한 분쟁은 민사소송으로 다투어야 한다. 2023 국가직 9급 (O | X)
11. 공익사업을 위한 토지 등의 취득 및 보상에 관한 법령에 의한 협의취득은 사법상의 법률행위이다. 2020 국가직 7급 (O | X)

㉱ 관련기출
12. 「국가를 당사자로 하는 계약에 관한 법률」에 따른 입찰절차에서의 낙찰자의 결정은 「행정소송법」상 처분에 해당한다. 2019 사회복지직 9급 (O | X)

정답
1. O 2. O 3. X 4. O 5. O 6. X 7. X 8. X 9. X 10. O
11. O 12. X

09

판례상 공법관계에 해당하는 것은?

① 개발부담금 부과처분이 취소된 경우, 그 과오납금 반환
② 「공익사업을 위한 토지 등의 취득 및 보상에 관한 법률」상 환매권의 존부에 관한 확인을 구하는 소송과 환매금액의 증감을 구하는 소송
③ 지방자치단체의 관할 구역 내에 있는 각급 학교에서 학교회계직원으로 근무하는 것을 내용으로 하는 근로계약
④ 국립의료원 부설주차장 위탁관리용역운영계약

기출체크

① 관련기출
1. 개발부담금 부과처분이 취소된 이상 그 후의 부당이득으로서의 과오납금 반환에 관한 법률관계는 단순한 민사관계에 불과한 것이고, 행정소송절차에 따라야 하는 관계로 볼 수 없다. 2025 국가직 9급 (O | X)
2. 개발부담금 부과처분이 취소된 후, 부당이득으로서의 과오납금 반환에 관한 법률관계는 행정소송절차에 따라야 하는 관계로 볼 수 없다. 2025 경찰간부 (O | X)
3. 개발부담금 부과처분이 취소된 이상 그 후의 부당이득으로서의 과오납금 반환에 관한 법률관계는 단순한 민사관계라 볼 수 없고, 행정소송절차에 따라야 하는 행정법관계로 보아야 한다. 2023 군무원 9급 (O | X)
4. 개발부담금 부과처분이 취소된 후의 부당이득으로서의 과오납금 반환에 관한 법률관계는 공법상 법률관계이다. 2020 국가직 7급 (O | X)
5. 개발부담금 부과처분이 취소된 경우, 그 과오납금 반환에 대한 법률관계는 단순한 민사관계에 해당하는 것으로 볼 수 없다. 2020 국가직 5급 승진 (O | X)

② 관련기출
6. 「공익사업을 위한 토지 등의 취득 및 보상에 관한 법률」상 환매권은 상대방에 대한 의사표시를 요하는 공법상 형성권의 일종으로서 이러한 환매권의 존부에 관한 확인을 구하는 소송은 당사자소송에 해당한다. 2024 군무원 5급 (O | X)
7. 「공익사업을 위한 토지 등의 취득 및 보상에 관한 법률」상 환매권의 존부에 관한 확인을 구하는 소송 및 환매금액의 증감을 구하는 소송은 당사자소송이다. 2023 서울시 연구사 (O | X)
8. 사업시행자가 환매권의 존부에 관한 확인을 구하는 소송은 민사소송이다. 2018 서울시 2회 7급 (O | X)

9. 구 「공익사업을 위한 토지 등의 취득 및 보상에 관한 법률」상 환매금액의 증감청구(는 당사자소송의 대상이다) 2017 사회복지직 9급 (O | X)

10. 「공익사업을 위한 토지 등의 취득 및 보상에 관한 법률」상 환매권의 존부에 관한 확인 및 환매금액의 증감을 구하는 소송(은 행정소송으로 청구할 수 있다) 2017 국가직 7급 (O | X)

③ 관련기출

11. 지방자치단체의 관할 구역 내에 있는 각급 학교에서 학교회계직원으로 근무하는 것을 내용으로 하는 근로계약은 사법상 계약이다. 2021 군무원 7급 (O | X)

④ 관련기출

12. 국립의료원 부설주차장에 관한 위탁관리용역운영계약은 관리청인 국립의료원이 순전히 사경제주체로서 행한 사법상 계약이다. 2025 국가직 9급 (O | X)

13. 국립의료원 부설주차장에 관한 위탁관리용역운영계약의 실질은 공법상 계약에 해당한다. 2025 소방직 9급 (O | X)

14. 국립의료원 부설주차장 위탁관리용역운영계약은 공법상 계약에 해당한다. 2018 교육행정직 9급 (O | X)

15. 국립의료원 부설주차장에 관한 위탁관리용역운영계약의 실질은 국립의료원이 원고의 신청에 의하여 공권력을 가진 우월적 지위에서 행한 행정처분으로서 사법상의 계약으로 보기 어렵다고 할 것이다. 2016 경행경채 (O | X)

정답
1. ○ 2. ○ 3. × 4. × 5. × 6. × 7. × 8. ○ 9. × 10. ×
11. ○ 12. × 13. × 14. × 15. ○

10 □□□

제기한 소송의 형식이 옳은 것은? (다툼이 있는 경우 판례에 의함)

① 甲지방자치단체는 A와 자원회수시설에 관한 위·수탁운영협약을 체결하였는데, 사무감사를 실시한 결과 A가 위 협약에 근거하여 노무비와 복지후생비 등 비정산비용 명목으로 지급받은 금액 중 집행되지 않은 금액에 대하여 회수하기로 하고 A에 이를 납부하라고 통보하자, A는 이를 납부한 후 회수통보 무효확인을 구하는 항고소송을 제기하였다.

② B는 공립유치원의 임용기간을 정한 전임강사로 임용된 자로서 해임을 당하자 해임처분의 시정 및 수령지체된 보수의 지급을 구하는 민사소송을 제기하였다.

③ 행정청 C는 국유일반재산인 건물을 대부하는 계약을 乙과 체결하였는데, 乙이 납부기한까지 대부료를 납부하지 않자, 체납된 대부료의 지급을 구하는 민사소송을 제기하였다(「국유재산법」에 따르면 국유재산의 대부료 등이 납부기한까지 납부되지 아니한 경우에는 「국세징수법」상의 강제징수에 관한 규정을 준용하고 있다).

④ 서울특별시장은 서울특별시립무용단원 D를 해촉하였고 D는 이에 대하여 공법상 당사자소송으로 그 무효확인을 청구하였다.

기출체크

① 관련기출

1. 지방자치단체가 사기업과 체결한 자원회수시설에 대한 위탁운영협약(은 공법상 계약에 해당한다) 2026 경찰간부 (O | X)

2. 지방자치단체가 사인과 체결한 자원회수시설에 대한 위탁운영협약은 사법상 계약에 해당하므로 그에 관한 다툼은 민사소송의 대상이 된다. 2023 국회직 8급 (O | X)

3. 지방자치단체가 A주식회사를 자원회수시설과 부대시설의 운영·유지관리 등을 위탁할 민간사업자로 선정하고 A주식회사와 체결한 위 시설에 관한 위·수탁운영협약은 사법상 계약에 해당한다. 2022 지방직·서울시 9급 (O | X)

4. 지방자치단체가 자원회수시설과 부대시설의 운영·관리 등을 위탁하고 그 위탁운영비용을 지급하는 것을 내용으로 하는 용역계약을 사인과 체결한 경우, 이러한 위탁운영에 관한 협약의 법적 성질은 공법상 계약에 해당한다. 2021 경행경채 (O | X)

② 관련기출

5. 공립유치원 전임강사에 대한 해임처분의 시정 및 수령지체된 보수의 지급을 구하는 소송(은 판례가 민사소송의 대상이라고 판단하고 있다) 2018 서울시 9급 (O | X)

③ 관련기출

6. 국유일반재산의 대부료 징수에 관하여 국세 체납처분의 예에 따른 간이하고 경제적인 특별한 구제절차가 마련되어 있으므로, 특별한 사정이 없는 한 민사소송으로 일반재산의 대부료 지급을 구하는 것은 허용되지 않는다. 2018 국가직 7급 (O | X)

④ 관련기출

7. 시립무용단원의 위촉은 공법상 계약에 해당하지만 해촉에 대하여는 민사소송으로 다투어야 한다. 2024 국가직 7급 (O | X)

8. 서울특별시립무용단 단원의 위촉은 공법상 계약에 해당하므로 그 단원의 해촉에 대하여는 공법상 당사자소송으로 그 무효확인을 청구할 수 있다. 2023 국회직 8급 (O | X)

9. 시립무용단원의 해촉(은 행정소송의 대상이 된다) 2019 서울시 9급 (O | X)

10. 시립무용단원의 채용계약과 공중보건의사 채용계약은 공법상 계약에 해당한다. 2017 서울시 7급 (O | X)

11. 시립무용단원의 해촉에 대해서는 항고소송으로 다투어야 하고 당사자소송으로 다툴 수는 없다. 2016 교육행정직 9급 (O | X)

정답
1. × 2. ○ 3. ○ 4. × 5. × 6. ○ 7. × 8. ○ 9. ○ 10. ○
11. ×

11 ☐☐☐

행정법관계에 관한 설명으로 옳지 않은 것만을 <보기>에서 모두 고른 것은? (다툼이 있는 경우 판례에 의함)

─┤ 보기 ├─

㉮ 공무수탁사인은 수탁받은 공무를 수행하는 범위 내에서 행정주체이면서, 「행정절차법」이나 「행정소송법」상 행정청에 해당한다.

㉯ 법령에 의하여 공무를 위탁받은 공무수탁사인이 행한 처분에 대하여 항고소송을 제기하는 경우 피고는 위임행정청이 된다.

㉰ 「도시 및 주거환경정비법」에 따른 주택재건축정비사업조합은 관할 행정청의 감독 아래 주택재건축사업을 시행하는 공법인으로서, 그 목적범위 내에서 법령이 정하는 바에 따라 일정한 행정작용을 행하는 행정주체로서의 지위를 갖는다.

㉱ 「공익사업을 위한 토지 등의 취득 및 보상에 관한 법률」에 따른 토지수용권을 행사하는 사인은 공무수탁사인에 해당한다.

㉲ 「소득세법」에 따른 원천징수의무자의 원천징수행위는 법령에서 규정된 징수 및 납부의무를 이행하기 위한 것에 불과한 것이지, 공권력의 행사로서의 행정처분에 해당하지 않는다.

㉳ 국가가 공무수탁사인의 공무수탁사무수행을 감독하는 경우 수탁사무수행의 합법성을 감독할 수 있을 뿐 합목적성(타당성)은 감독할 수 없다.

① ㉮, ㉱
② ㉯, ㉳
③ ㉰, ㉲
④ ㉲, ㉳

✓ 기출체크

㉮ 관련기출

1. 공무수탁사인은 특별한 사정이 없는 한 권한을 부여받은 법령의 범위 내에서 행정주체의 지위를 가진다. 2022 서울시 지적 7급 (O | X)
2. 공무수탁사인은 행정주체이면서 동시에 행정청의 지위를 갖는다. 2017 서울시 7급 (O | X)

㉯ 관련기출

3. 공무수탁사인의 업무수행으로 인하여 권리가 침해당한 사인은 공무수탁사인을 상대로 행정소송을 제기할 수 있다. 2022 서울시 지적 7급 (O | X)
4. 행정권한을 위탁받은 공공단체 또는 사인이 자신의 이름으로 처분을 한 경우에는 그 공공단체 또는 사인이 항고소송의 피고가 된다. 2017 국가직(하) 9급 (O | X)

㉰ 관련기출

5. 「도시 및 주거환경정비법」에 따른 재건축정비사업조합은 관할 행정청의 감독 아래 재건축사업을 시행하는 공법인으로서, 그 목적범위 내에서 법령이 정하는 바에 따라 일정한 행정작용을 행하는 행정주체의 지위를 갖는다. 2025 소방간부 (O | X)
6. 「도시 및 주거환경정비법」상의 주택재건축정비사업조합은 관할 행정청으로부터 조합설립인가를 받은 후 등기함으로써 법인으로 성립할 경우 주택재건축사업을 시행하는 목적범위 내에서 법령이 정하는 바에 따라 일정한 행정작용을 행하는 행정주체로서의 지위를 갖는다. 2024 변호사 (O | X)
7. 「도시 및 주거환경정비법」에 따른 주택재건축정비조합은 공법인으로서 행정주체의 지위를 가진다고 보기 어렵다. 2017 서울시 9급 (O | X)
8. 「도시 및 주거환경정비법」에 따른 주택재건축정비사업조합은 주택재건축사업을 시행하는 공법인으로서 행정주체의 지위를 갖는다. 2015 국회직 8급 (O | X)
9. 행정주체가 될 수 없는 것은? (다툼이 있는 경우 판례에 의함) 2013 국가직 9급

① 대한민국
② 「도시 및 주거환경정비법」에 따른 주택재건축정비사업조합
③ 서울특별시
④ 행정안전부장관

㉱ 관련기출

10. 「공익사업을 위한 토지 등의 취득 및 보상에 관한 법률」상 토지수용권을 행사하는 사인은 공무수탁사인에 해당된다. 2018 서울시 1회 7급 (O | X)

㉲ 관련기출

11. 「소득세법」에 의한 원천징수의무자의 원천징수행위는 법령에서 규정된 징수 및 납부의무를 이행하기 위한 것에 불과한 것이지, 공권력의 행사로서의 행정처분에 해당되지 아니한다고 보는 것이 판례의 입장이다. 2010 지방직 9급 (O | X)

㉳ 관련기출

12. 국가가 공무수탁사인의 공무수탁사무수행을 감독하는 경우 수탁사무수행의 합법성뿐만 아니라 합목적성까지도 감독할 수 있다. 2017 서울시 7급 (O | X)

> 정답
> 1. O 2. O 3. O 4. O 5. O 6. O 7. × 8. O 9. ④ 10. O
> 11. O 12. O

12 □□□

사례에 관한 설명으로 <보기>에서 옳은 것(○)과 옳지 않은 것(×)을 올바르게 조합한 것은? (다툼이 있는 경우 판례에 의함)

「대기환경보전법」 제33조는 "시·도지사는 조업 중인 배출시설에서 배출되는 오염물질의 정도가 동법에 따른 배출허용기준을 초과한다고 인정하면 사업자에게 그 오염물질의 정도가 배출허용기준 이하로 내려가도록 필요한 조치를 취할 것을 명할 수 있다."라고 규정하고 있다. 그런데 공해 배출업체 A가 배출허용기준을 초과해 오염물질을 배출하였음에도 시·도지사가 아무런 개선명령을 발하지 않고 있어서 인근주민 甲은 건강상에 막대한 피해를 입고 있다.

<보기>

㉮ 동 규정에 따라 인근주민 甲에게 개선명령을 요청할 청구권이 인정되려면 「대기환경보전법」에 행정소송의 제기가 가능함을 규정하고 있어야 한다.

㉯ 동 규정에 따라 인근주민 甲에게 개선명령을 요청할 청구권이 인정되려면 동법은 순수하게 공익만을 보호하는 것으로 해석될 수 있어야 한다.

㉰ 동 규정에 따라 甲에게 개선명령을 요청할 청구권이 인정된다면, 甲이 개선명령을 요청하였음에도 불구하고 상당한 기간 행정청이 아무런 응답이 없는 경우, 甲은 부작위위법확인심판을 제기하거나 의무이행소송을 통하여 자신의 권리를 실현시킬 수 있다.

㉱ 동 규정에 따라 甲에게 개선명령을 요청할 청구권이 인정된 경우라면, 만약 甲이 개선명령을 요청하였음에도 불구하고 행정청이 아무런 응답이 없어서 甲이 행정심판을 제기할 때에는 행정심판의 청구기간의 제한이 없다.

㉲ 법령상 재량행위로 규정되어 있으므로 甲에게 개선명령을 요청할 청구권은 인정될 수 없다.

① ㉮(○) ㉯(×) ㉰(×) ㉱(○) ㉲(×)
② ㉮(×) ㉯(○) ㉰(×) ㉱(×) ㉲(○)
③ ㉮(×) ㉯(×) ㉰(○) ㉱(○) ㉲(×)
④ ㉮(×) ㉯(×) ㉰(×) ㉱(○) ㉲(×)

✓ 기출체크

㉮ 관련기출

1. 개인적 공권과 관련하여 오늘날 공권의 성립요건 가운데 '의사력(법상의 힘)의 존재'를 요구하는 것이 새로운 경향이다. 2013 국가직 7급
(○ | ×)

㉯ 관련기출

2. 처분의 직접적인 근거법규뿐만 아니라 관계 법규가 사익을 보호하는 것으로 인정되는 경우에도 공권이 성립될 수 있다. 2022 해경간부
(○ | ×)

3. 일반적인 개인적 공권의 성립요건인 사익보호성은 무하자재량행사청구권이나 행정개입청구권에는 적용되지 않는다. 2015 국가직 9급
(○ | ×)

4. 개인적 공권은 강행적인 행정법규에 의하여 행정청을 기속함으로써 비로소 성립하는 것일 뿐 개인의 사익보호성은 성립요건이 아니라는 것이 일반적인 견해이다. 2012 국가직 9급
(○ | ×)

㉰ 관련기출

5. 당사자의 신청에 대한 행정청의 위법한 부작위에 대하여 행정청의 부작위가 위법하다는 것을 확인하는 행정심판은 현행법상 허용되지 않는다. 2020 지방직·서울시 9급
(○ | ×)

6. (甲은 도로관리청 乙에게 도로점용허가를 신청하였으나, 상당한 기간이 지났음에도 아무런 응답이 없어 행정쟁송을 제기하여 권리구제를 강구하려고 한다) 甲은 의무이행소송을 제기하여 권리구제가 가능하다. 2016 지방직 9급
(○ | ×)

㉱ 관련기출

7. 부작위에 대한 의무이행심판에는 심판청구의 기간상 제한이 따르지 않는다. 2014 서울시 9급
(○ | ×)

8. 부작위에 대한 의무이행심판에는 심판청구에 기간상의 제한이 있다. 2013 서울시 7급
(○ | ×)

㉲ 관련기출

9. 재량권이 영(0)으로 수축하는 경우에는 무하자재량행사청구권은 행정개입청구권으로 전환되는 특성이 존재한다. 2023 군무원 9급
(○ | ×)

10. 「대기환경보전법」상 개선명령에 관한 다음 조문에 대한 설명으로 옳지 않은 것은? (다툼이 있는 경우 판례에 의함) 2022 지방직·서울시 7급

제1조 【목적】 이 법은 대기오염으로 인한 국민건강이나 환경에 관한 위해를 예방하고 대기환경을 적정하고 지속 가능하게 관리·보전하여 모든 국민이 건강하고 쾌적한 환경에서 생활할 수 있게 하는 것을 목적으로 한다.

제33조 【개선명령】 환경부장관은 제30조에 따른 신고를 한 후 조업 중인 배출시설에서 나오는 오염물질의 정도가 제16조나 제29조 제3항에 따른 배출허용기준을 초과한다고 인정하면 대통령령으로 정하는 바에 따라 기간을 정하여 사업자(제29조 제2항에 따른 공동 방지시설의 대표자를 포함한다)에게 그 오염물질의 정도가 배출허용기준 이하로 내려가도록 필요한 조치를 취할 것(이하 '개선명령'이라 한다)을 명할 수 있다.

① 환경부장관은 위 법률 제33조에서 위임한 사항을 규정한 대통령령을 입법예고를 할 때와 개정하였을 때에는 10일 이내에 이를 국회 소관 상임위원회에 제출하여야 한다.

② 환경부장관이 인근주민의 개선명령 신청에 대해 거부한 행위가 항고소송의 대상이 되는 처분이 되기 위해서는 인근주민에게 개선명령을 발할 것을 요구할 수 있는 신청권이 있어야 한다.

③ 인근주민이 배출시설에서 나오는 대기오염물질로 인하여 생명과 건강에 심각한 위협을 받고 있다면, 환경부장관의 개선명령에 대한 재량권은 축소될 수 있다.

④ 환경부장관에게는 하자 없는 재량 행사를 할 의무가 인정되므로, 위 개선명령의 근거 및 관련 조항의 사익보호성 여부를 따질 필요 없이 인근주민에게는 소위 무하자재량행사청구권이 인정된다.

11. 개인적 공권이 성립하려면 공법상 강행법규가 국가 기타 행정주체에게 행위의무를 부과해야 한다. 과거에는 그 의무가 기속행위의 경우에만 인정되었으나, 오늘날에는 재량행위에도 인정된다고 보는 것이 일반적이다. 2017 국가직 9급 (O | X)
12. 재량권의 영(0)으로의 수축이론은 개인적 공권을 확대하는 이론이다. 2017 교육행정직 9급 (O | X)
13. 개인의 신체, 생명 등 중요한 법익에 급박하고 현저한 침해의 우려가 있는 경우 재량권이 영(0)으로 수축된다. 2015 국가직 9급 (O | X)

정답
1. ✕ 2. ○ 3. ✕ 4. ✕ 5. ○ 6. ✕ 7. ○ 8. ✕ 9. ○ 10. ④
11. ○ 12. ○ 13. ○

13 □□□

개인적 공권과 공의무에 관한 설명으로 옳은 것은? (다툼이 있는 경우 판례에 의함)

① 개인적 공권은 공법상 계약이나 관습법에 의해 성립할 수는 없다.
② 구「산림법」에 의해 형질변경허가를 받지 아니하고 산림을 형질변경한 자가 사망한 경우, 행정청은 그 상속인에 대하여 복구명령을 할 수 있다.
③ 환경영향평가대상지역 밖에 거주하는 주민은 헌법상의 환경권 또는「환경정책기본법」에 근거하여 공유수면매립면허처분과 농지개량사업시행인가처분의 무효확인을 구할 수 있다.
④ 환경영향평가에 관한 자연공원법령 및 환경영향평가법령의 규정취지는 환경공익을 보호하려는 데 그치므로 환경영향평가대상지역 안의 주민들이 개발 전과 비교하여 수인한도를 넘는 환경침해를 받지 아니하고 쾌적한 환경에서 생활할 수 있는 개별적 이익까지 보호하는 데 있다고 볼 수는 없다.

✓ 기출체크

① 관련기출
1. 공법상 계약을 통해서는 개인적 공권이 성립할 수 없다. 2017 교육행정직 9급 (O | X)
2. 개인적 공권은 공법상 계약을 통해서는 성립할 수 없다. 2012 국가직 9급 (O | X)

② 관련기출
3. 산림을 무단형질변경한 자가 사망한 경우 당해 토지의 소유권 또는 점유권을 승계한 상속인은 그 복구의무가 일신전속적이어서 승계하지 않으므로 따라서 관할 행정청은 그 상속인에 대하여 복구명령을 할 수 없다. 2024 해경간부 (O | X)
4. 구「산림법」에 의해 형질변경허가를 받지 아니하고 산림을 형질변경한 자가 사망한 경우, 해당 토지의 소유권을 승계한 상속인은 그 복구의무를 부담하지 않으므로, 행정청은 그 상속인에 대하여 복구명령을 할 수 없다. 2021 국가직 7급 (O | X)

③ 관련기출
5. 환경영향평가대상지역 밖의 주민이라 할지라도 공유수면매립면허처분 등으로 인하여 그 처분 전과 비교하여 수인한도를 넘는 환경피해를 받거나 받을 우려가 있는 경우에는 헌법 제35조 제1항에서 정하고 있는 환경권에 관한 규정에 근거하여 그 처분 등의 무효확인을 구할 원고적격을 인정받을 수 있다. 2022 서울시 지적 7급 (O | X)
6. 「환경정책기본법」제6조의 규정내용 등에 비추어 국민에게 구체적인 권리를 부여한 것으로 볼 수 없더라도 환경영향평가대상지역 밖에 거주하는 주민에게 헌법상의 환경권 또는「환경정책기본법」에 근거하여 공유수면매립면허처분과 농지개량사업시행인가처분의 무효확인을 구할 원고적격이 있다. 2017 지방직 9급 (O | X)
7. 환경영향평가대상지역 밖에 거주하는 주민은 관계 법령의 내용과는 상관 없이 헌법상의 환경권에 근거하여 제3자에 대한 공유수면매립면허처분을 취소할 것을 청구할 수 있는 공권을 가진다. 2017 국회직 8급 (O | X)
8. 환경영향평가대상지역 밖에 거주하는 주민에게 헌법상의 환경권 또는 「환경정책기본법」에 근거하여 공유수면매립면허처분과 농지개량사업시행인가처분의 무효확인을 구할 원고적격은 인정되지 아니한다. 2010 지방직 7급 (O | X)

④ 관련기출
9. 환경영향평가에 관한 자연공원법령 및 환경영향평가법령들의 취지는 환경공익을 보호하려는 데 있으므로 환경영향평가대상지역 안의 주민들이 수인한도를 넘는 환경침해를 받지 아니하고 쾌적한 환경에서 생활할 수 있는 개별적 이익까지 보호하는 데 있다고 볼 수는 없다. 2017 국가직 9급 (O | X)
10. 환경영향평가대상사업에 해당하는 국립공원집단시설지구개발사업에 관한 공원사업시행허가처분에 대한 환경영향평가대상지역 안의 주민들의 이익(은 반사적 이익으로 재판에 의하여 구제받기 어렵다) 2012 서울시 9급 (O | X)

정답
1. ✕ 2. ✕ 3. ✕ 4. ✕ 5. ✕ 6. ✕ 7. ✕ 8. ○ 9. ✕ 10. ✕

14 □□□

개인적 공권과 공의무에 관한 설명으로 옳지 <u>않은</u> 것만을 <보기>에서 모두 고른 것은? (다툼이 있는 경우 판례에 의함)

─┤ 보기 ├─

㉮ 소극적 방어권인 헌법상 자유권적 기본권은 법률규정이 없더라도 직접 개인적 공권으로 성립될 수 있다.

㉯ 행정소송에 있어서의 소권(訴權)은 당사자의 합의로써 이를 포기할 수 없다.

㉰ 경원관계에서 허가 등 처분을 받지 못한 사람은 허가 등 처분의 취소를 구하는 소송을 제기할 수 있지만, 자신에 대한 거부처분의 취소를 직접 소송으로 구할 수는 없다.

㉱ 헌법 제32조 제1항상의 근로의 권리는 사회적 기본권으로서 국가에 대하여 직접 일자리를 청구하거나 일자리에 갈음하는 생계비의 지급청구권을 의미한다.

㉲ 「석탄산업법 시행령」상 재해위로금청구권은 재해위로금의 법적 성질에 비추어 볼 때, 개인의 공권으로서 당사자의 합의에 의하여 미리 포기할 수 없다.

① ㉮, ㉯
② ㉯, ㉰
③ ㉰, ㉱
④ ㉱, ㉲

✓ 기출체크

㉮ **관련기출**

1. 소극적 방어권인 헌법상의 자유권적 기본권은 법률의 규정이 없다고 하더라도 직접 공권이 성립될 수도 있다. 2017 지방직 9급 (○ | ×)

㉯ **관련기출**

2. 당사자 사이에 「석탄산업법 시행령」 제41조 제4항 제5호 소정의 재해위로금에 대한 지급청구권에 관한 부제소합의가 있는 경우 그러한 합의는 효력이 인정된다. 2021 군무원 9급 (○ | ×)

3. 제3자와 소권(訴權)의 포기에 관한 계약을 체결하더라도 그 계약은 무효이다. 2011 사회복지직 9급 (○ | ×)

㉰ **관련기출**

4. 대법원은 경업자(競業者)에게는 개인적 공권을 인정하면서도, 경원자(競願者)에게는 이를 부인하였다. 2018 교육행정직 9급 (○ | ×)

5. 인·허가 등 수익적 처분을 신청한 여러 사람이 상호 경쟁관계에 있다면, 그 처분이 타방에 대한 불허가 등으로 될 수밖에 없는 때에도 수익적 처분을 받지 못한 사람은 처분의 직접상대방이 아니므로 원칙적으로 당해 수익적 처분의 취소를 구할 수 없다. 2017 지방직 9급 (○ | ×)

6. 경원관계에서 허가처분을 받지 못한 사람은 자신에 대한 거부처분이 취소되더라도, 그 판결의 직접적 효과로 경원자에 대한 허가처분이 취소되거나 효력이 소멸하는 것은 아니므로 자신에 대한 거부처분의 취소를 구할 소의 이익이 없다. 2016 지방직 7급 (○ | ×)

7. 경원자소송(競願者訴訟)에서는 법적 자격의 흠결로 신청이 인용될 가능성이 없는 경우를 제외하고는 경원관계의 존재만으로 거부된 처분의 취소를 구할 법률상 이익이 있다. 2008 국회직 8급 (○ | ×)

㉱ **관련기출**

8. 헌법 제32조 제1항이 규정하는 근로의 권리는 사회적 기본권으로서 국가에 대하여 직접 일자리를 청구하거나 일자리에 갈음하는 생계비의 지급청구권을 의미하는 것이 아니라 고용증진을 위한 사회적·경제적 정책을 요구할 수 있는 권리에 그치며, 근로의 권리로부터 국가에 대한 직접적인 직장존속청구권이 도출되는 것도 아니다. 2017 경행경채 (○ | ×)

9. 근로자가 퇴직급여를 청구할 수 있는 권리와 같은 이른바 사회적 기본권은 헌법규정에 의하여 바로 도출되는 개인적 공권이라 할 수 없다. 2012 국가직 9급 (○ | ×)

㉲ **관련기출**

10. 「석탄산업법 시행령」상 재해위로금청구권은 개인의 공권으로서 그 공익적 성격에 비추어 당사자의 합의에 의하여 이를 미리 포기할 수 없다. 2025 지방직·서울시 7급 (○ | ×)

정답
1. ○ 2. × 3. ○ 4. × 5. × 6. × 7. ○ 8. ○ 9. ○ 10. ○

15 □□□

개인적 공권과 공의무에 관한 설명으로 옳지 않은 것만을 <보기>에서 모두 고른 것은? (다툼이 있는 경우 판례에 의함)

─┤ 보기 ├─

㉮ 공무원연금수급권과 같은 사회보장수급권은 헌법규정만으로는 이를 실현할 수 없어 법률에 의한 형성이 필요하고 그 구체적인 내용, 즉 수급요건 등은 법률에 의하여 비로소 확정된다.

㉯ 일반적으로 면허 등의 수익적 행정처분의 근거가 되는 법률이 해당 업자들 사이의 과당경쟁으로 인한 경영의 불합리를 방지하는 것도 목적으로 하는 경우 이미 같은 종류의 면허 등을 받아 영업을 하고 있는 기존의 업자는 경업자에 대하여 이루어진 면허 등 행정처분의 상대방이 아니라 하더라도 당해 행정처분의 취소를 구할 법률상 이익이 있다.

㉰ 기존 시내버스업자로서는 다른 운송사업자가 운행하고 있는 기존 시외버스를 시내버스로 전환함을 허용하는 사업계획변경인가처분의 취소를 구할 법률상 이익이 있다.

㉱ 일반적인 시민생활에 있어 도로를 이용만 하는 사람은 그 용도의 폐지를 다툴 법률상 이익이 있다.

㉲ 개인적 공권의 성립요건 가운데 사익보호성은 무하자재량행사청구권이나 행정개입청구권에 적용되지 않는다.

① ㉮, ㉯
② ㉯, ㉱
③ ㉰, ㉲
④ ㉱, ㉲

✓ 기출체크

㉮ 관련기출

1. 사회적 기본권의 성격을 가지는 연금수급권은 국가에 대하여 적극적으로 급부를 요하는 것이므로 헌법규정만으로는 이를 실현할 수 없고, 법률에 의한 형성을 필요로 한다. 2023 군무원 9급 (O | X)
2. 헌법상의 모든 기본권은 법률에 의해 구체화되지 않더라도 재판상 주장될 수 있는 구체적 공권이다. 2022 해경간부 (O | X)
3. 공무원연금수급권은 법률에 의하여 비로소 확정된다. 2021 군무원 7급 (O | X)
4. 사회권적 기본권의 성격을 가지는 연금수급권은 헌법에 근거한 개인적 공권이므로 헌법규정만으로도 실현할 수 있다. 2017 지방직 9급 (O | X)

㉯ 관련기출

5. 일반적으로 인·허가 등의 수익적 행정처분의 근거가 되는 법률이 해당 업자들 사이의 과당경쟁으로 인한 경영의 불합리를 방지하는 것도 그 목적으로 하고 있는 경우, 기존의 업자는 경업자에 대하여 이루어진 인·허가 등 행정처분의 상대방이 아니라 하더라도 당해 행정처분의 취소를 구할 당사자적격이 있다. 2022 서울시 지적 7급 (O | X)
6. 수익적 행정처분의 근거가 되는 법률이 해당 업자들 사이의 과당경쟁으로 인한 경영의 불합리를 방지하는 목적도 가지고 있는 경우, 기존 업자가 경업자에 대한 면허나 인·허가 등의 수익적 행정처분의 취소를 구할 원고적격이 있다. 2013 국가직 9급 (O | X)
7. 면허나 인·허가 등의 수익적 행정처분의 근거가 되는 법률이 해당 업자들 사이의 과당경쟁으로 인한 경영의 불합리를 방지하는 것도 그 목적으로 하고 있는 경우 기존의 업자는 경업자에 대하여 이루어진 면허나 인·허가 등 행정처분의 상대방이 아니라 하더라도 당해 행정처분의 취소를 구할 원고적격이 있다. 2013 국회직 8급 (O | X)
8. 허가 등 수익적 행정처분의 근거가 되는 법률이 해당 업자들 사이의 과당경쟁으로 인한 경영의 불합리를 방지하는 것을 목적으로 하는 경우, 기존의 업자는 타인에 대한 허가의 취소를 구할 법률상 이익이 있다. 2012 국회(속기·경위직) 9급 (O | X)

㉰ 관련기출

9. 직행형 시외버스운송사업자에 대한 사업계획변경인가처분으로 인하여 기존의 고속형 시외버스운송사업자의 노선 및 운행계통과 일부 중복되고 기존업자의 수익감소가 예상된다면, 기존의 고속형 시외버스운송사업자는 직행형 시외버스운송사업자에 대한 사업계획변경인가처분의 취소를 구할 법률상 이익이 있다. 2022 소방간부 (O | X)
10. 기존 시내버스업자는 시외버스사업을 하는 자에 대해 시내버스로 전환함을 허용하는 사업계획변경인가처분의 취소를 구할 법률상 이익이 있다. 2015 국회직 8급 (O | X)

㉱ 관련기출

11. 일반적인 시민생활에 있어 공물인 도로를 이용만 하는 사람은 그 용도폐지를 다툴 법률상 이익이 있다. 2012 지방직 7급 (O | X)

㉲ 관련기출

12. 일반적인 개인적 공권의 성립요건인 사익보호성은 무하자재량행사청구권이나 행정개입청구권에는 적용되지 않는다. 2015 국가직 9급 (O | X)

정답
1. O 2. X 3. O 4. X 5. O 6. O 7. O 8. O 9. O 10. O
11. X 12. X

---

16 □□□

다음 설명 중 옳지 않은 것은? (다툼이 있는 경우 판례에 의함)

① 육군3사관학교의 사관생도는 일반국민보다 상대적으로 기본권이 더 제한될 수 있으나, 그러한 경우에도 기본권 제한의 헌법상 원칙들을 지켜야 한다.
② 조세법률주의의 원칙상 과세·비과세·조세감면요건을 막론하고 조세법규의 해석은 특별한 사정이 없는 한 법문대로 해석해야 할 것이고, 합리적 이유 없이 확장해석하거나 유추해석하는 것은 허용되지 않는다.
③ 군인의 복무에 관한 사항을 규율할 권한을 대통령령에 위임하는 경우에는 대통령령으로 규정될 내용 및 범위에 관한 기본적인 사항을 다소 광범위하게 위임하였다 하더라도 포괄위임금지의 원칙에 위배된다고 볼 수 없다.
④ 오늘날 특별권력관계의 특수성은 여전히 인정되므로, 특별권력관계의 목적 달성을 위하여는 법률의 근거가 없는 경우에도 기본권 제한이 가능하다.

✓ 기출체크

① 관련기출

1. 육군3사관학교 사관생도는 특수한 신분관계에 있으며 사관학교의 존립목적을 달성하기 위하여 필요한 한도 내에서 일반국민보다 상대적으로 기본권이 더 제한될 수 있다. 2025 지방직·서울시 7급 (O | X)
2. 육군3사관학교의 구성원인 사관생도는 학교 입학일부터 특수한 신분관계에 놓이게 되므로 법률유보원칙은 적용되지 아니한다. 2024 변호사 (O | X)
3. 육군3사관학교 생도는 일반국민보다 상대적으로 기본권이 더 제한될 수 있으나, 그러한 경우에도 법률유보원칙, 과잉금지원칙 등 기본권 제한의 헌법상 원칙들이 지켜져야 한다. 2021 군무원 7급 (O | X)

② 관련기출

4. 조세법규의 해석에 있어서 유추나 확장해석에 의하여 납세의무를 확대하는 것은 허용되지 아니하지만, 조세의 감면 또는 징수유예의 경우에는 그러하지 아니하다. 2008 국가직 7급 (O | X)

③ 관련기출

5. 구 「군인사법」 제47조의2가 군인의 복무에 관한 사항에 관한 규율권한을 대통령령에 위임하면서 다소 개괄적으로 위임하였다고 하여 헌법 제75조의 포괄위임금지원칙에 어긋난다고 보기 어렵다. 2023 국회직 9급 (O | X)

④ 관련기출

6. 교도소장의 서신검열행위는 법률에 근거함이 없이 행하여졌다면 위법하다. 2011 지방직 9급 (O | X)
7. 특별권력관계에서도 헌법 제37조 제2항의 기본권 제한의 원칙에 따라 법률의 근거하에 기본권 제한이 인정된다. 2009 국회속기직 9급 (O | X)

정답
1. O 2. X 3. O 4. X 5. O 6. O 7. O

17

특별권력관계에 관한 설명으로 옳은 것만을 <보기>에서 모두 고른 것은? (다툼이 있는 경우 판례에 의함)

┌─ 보기 ─────────────────────────────────────┐
㉮ 상급자의 하급자에 대한 서류작성명령은 울레(Ule)의 견해에 따르면 사법심사의 대상이 된다고 본다.
㉯ 현행 헌법은 이른바 특별한 신분을 가진 자, 예컨대 일반직 공무원, 군인 등에 대해 기본권 제한에 대한 특례를 인정하고 있다.
㉰ 동장과 구청장의 관계는 이른바 행정상의 특별권력관계에 해당되며, 이러한 특별권력관계에 있어서도 위법한 특별권력의 발동으로 말미암아 권리를 침해당한 자는 「행정소송법」의 규정에 따라 그 위법한 처분의 취소를 구할 수 있다.
㉱ 서울특별시지하철공사의 임원과 직원의 근무관계는 공법상의 특별권력관계에 해당한다.
└───┘

① ㉮, ㉯ ② ㉮, ㉱ ③ ㉯, ㉰ ④ ㉰, ㉱

✓ 기출체크

㉮ 관련기출
1. 특별권력관계를 기본관계와 경영수행관계로 나누는 견해에 따르면, 공무원에 대한 직무상 명령에 대해서 사법심사가 가능하게 된다. 2011 국회(속기·경위직) 9급 (○ | ×)

㉯ 관련기출
2. 특별권력관계에서도 헌법 제37조 제2항의 기본권 제한의 원칙에 따라 법률의 근거하에 기본권 제한이 인정된다. 2009 국회속기직 9급 (○ | ×)

㉰ 관련기출
3. 특별행정법관계에서의 행위도 「행정소송법」상 처분 개념에 해당하면 사법심사의 대상이 된다. 2013 지방직(하) 7급 (○ | ×)
4. 특별권력관계에 있어서 권리를 침해당한 자는 행정소송을 제기할 수 있다. 2011 사회복지직 9급 (○ | ×)
5. 우리 판례에 의하면 동장과 구청장과의 관계는 공법상 특별권력관계로 인정될 수 없기 때문에 위법·부당한 처분에 대하여 행정소송을 제기할 수 없다고 한다. 2005 국회직 8급 (○ | ×)

㉱ 관련기출
6. 서울특별시지하철공사 임원 및 직원에 대한 징계처분은 위 공사 사장이 공권력 발동주체로서 행정처분을 행한 것이 아니므로 이에 대한 불복절차는 민사소송에 의하여야 한다. 2023 서울시 연구사 (○ | ×)
7. 서울특별시지하철공사의 사장이 소속 직원에게 한 징계처분에 대한 불복절차는 민사소송에 의하여야 한다. 2023 군무원 9급 (○ | ×)
8. 서울특별시지하철공사 임직원을 징계하는 행위(는 항고소송의 대상이 되는 행정처분에 해당한다) 2019 국회직 8급 (○ | ×)

정답
1. × 2. ○ 3. ○ 4. ○ 5. × 6. ○ 7. ○ 8. ×

18

행정법관계에 관한 설명으로 옳지 <u>않은</u> 것은? (다툼이 있는 경우 판례에 의함)

① 행정에 관한 기간의 계산에 관하여는 「행정기본법」 또는 다른 법령 등에 특별한 규정이 있는 경우를 제외하고는 「민법」을 준용하여 원칙적으로 초일은 산입하지 아니한다.
② 법령 등에서 국민의 권익을 제한하는 경우, 권익이 제한되거나 의무가 지속되는 기간의 말일이 토요일 또는 공휴일인 경우에는 국민에게 불리한 경우가 아니라면 기간은 그 날로 만료한다.
③ 「국가재정법」의 소멸시효 규정은 금전급부의 발생원인에 관하여는 아무런 제한을 두지 않으므로, 국가의 사법상 행위에서 발생한 금전채권에도 5년의 소멸시효가 적용된다.
④ 제3자가 체납자가 납부하여야 할 체납액을 체납자의 명의로 납부한 경우, 국가가 체납액을 납부받은 것에는 법률상 원인이 없다고 할 수 있으므로 제3자는 국가에 대하여 부당이득반환을 청구할 수 있다.

✓ 기출체크

① 관련기출
1. 행정에 관한 기간의 계산에 관하여는 「행정기본법」 또는 다른 법령 등에 특별한 규정이 있는 경우를 제외하고는 「민법」을 준용한다. 2025 경찰간부 (○ | ×)
2. 행정에 대한 기간의 계산에 관하여는 「민법」 또는 다른 법령 등에 특별한 규정이 있는 경우를 제외하고는 「행정기본법」에 따른다. 2023 소방직 9급 (○ | ×)
3. (행정법관계에서) 기간의 계산에 있어서 기간의 초일(初日)은 원칙상 산입하여 계산한다. 2016 교육행정직 9급 (○ | ×)

② 관련기출
4. 자가용으로 출퇴근하던 갑(甲)은 「도로교통법」을 위반하였다는 이유로 20일의 면허정지처분과 아울러 10만원의 과태료처분을 받았으나, 별도의 이의제기 없이 각각의 처분에 따르고자 한다. 위 처분에 의한 면허정지기간의 만료일과 과태료 납부의 만료일은 모두 해당 연도의 △△월 15일(토요일)로 되어 있다. 참고로, 16일(일요일)이 법정공휴일에 속하는 관계로 그 다음 날인 17일(월요일)은 대체공휴일로 되었다. 사정이 이와 같을 때 「행정기본법」과의 관계에서 가장 적절한 것은? 2024 군무원 7급
① 갑(甲)의 운전정지기간의 만료일과 과태료 납부의 만료일은 모두 해당 연도의 △△월 15일(토요일)로 된다.
② 갑(甲)의 운전정지기간의 만료일과 과태료 납부의 만료일은 모두 해당 연도의 △△월 18일(화요일)로 된다.
③ 갑(甲)의 운전정지기간의 만료일은 해당 연도의 △△월 15일(토요일)로 되고, 과태료 납부의 만료일은 해당 연도의 △△월 18일(화요일)로 된다.
④ 갑(甲)의 운전정지기간의 만료일은 해당 연도의 △△월 18일(화요일)로 되고, 과태료 납부의 만료일은 해당 연도의 △△월 15일(토요일)로 된다.

③ 관련기출

5. 금전의 급부를 목적으로 하는 국가의 권리로서 시효에 관하여 다른 법률에 규정이 없는 것은 10년 동안 행사하지 아니하면 소멸한다. 2016 교육행정직 9급 (O | X)
6. 「국가재정법」상 5년의 소멸시효가 적용되는 '금전의 급부를 목적으로 하는 국가의 권리'에는 국가의 사법(私法)상 행위에서 발생한 국가에 대한 금전채무도 포함된다. 2016 지방직 9급 (O | X)
7. 국가에 대한 금전채권은 다른 법률에 특별한 규정이 없는 한 5년간 행사하지 않으면 소멸된다. 2009 지방직 9급 (O | X)

④ 관련기출

8. 제3자가 체납자가 납부해야 할 체납액을 체납자 명의로 완납한 경우, 제3자는 국가에 대하여 부당이득반환을 청구할 수 없다. 2022 소방간부 (O | X)

정답
1. O 2. X 3. X 4. ③ 5. X 6. O 7. O 8. O

19 □□□

행정법관계에 관한 설명으로 옳지 않은 것은? (다툼이 있는 경우 판례에 의함)

① 사무처리의 긴급성으로 인하여 사인이 해양경찰의 직접적인 지휘를 받아 방제작업을 하였다면, 그 사인은 국가에 대하여 사무를 처리하며 지출한 필요비 내지 유익비의 상환을 민사소송으로 청구할 수 있다.
② 국립대학의 기성회가 기성회비를 납부받은 것은 법률상 원인 없이 타인의 재산으로 이익을 얻은 경우에 해당한다.
③ 행정재산이 본래의 용도에 제공되지 않는 상태에 있다는 사정만으로 묵시적 공용폐지의 의사표시가 있다고 볼 수 없다. 또한 공용폐지의 의사표시는 적법한 것이어야 하는 바, 관재당국이 착오로 행정재산을 다른 재산과 교환하였다는 사정만으로 적법한 공용폐지의 의사표시가 있다고 볼 수 없다.
④ 원래의 행정재산이 공용폐지되어 취득시효의 대상이 된다는 입증책임은 시효취득을 주장하는 자에게 있다.

✓ 기출체크

① 관련기출

1. 甲주식회사 소유의 유조선에서 원유가 유출되는 사고가 발생하자 乙주식회사가 피해방지를 위해 해양경찰의 직접적인 지휘를 받아 방제작업을 보조한 사안에서, 乙회사는 사무관리에 근거하여 국가에 방제비용을 청구할 수 있다. 2025 지방직·서울시 7급 (O | X)
2. 사무처리의 긴급성으로 인하여 해양경찰의 직접적인 지휘를 받아 보조로 방제작업을 한 경우, 사인은 그 사무를 처리하며 지출한 필요비 내지 유익비의 상환을 국가에 대하여 민사소송으로 청구할 수 있다. 2022 국가직 9급 (O | X)

③ 관련기출

3. 행정재산이 본래의 용도에 제공되지 않는 상태에 있다는 사정만으로는 묵시적인 공용폐지의 의사표시가 있다고 볼 수 없으며, 또한 공용폐지의 의사표시는 적법한 것이어야 하므로 관재당국이 착오로 행정재산을 다른 재산과 교환하였다 하여 그러한 사정만으로 적법한 공용폐지의 의사표시가 있다고 볼 수 없다. 2025 소방간부 (O | X)
4. 공용폐지의 의사표시는 명시적이든 묵시적이든 상관없으나 적법한 의사표시가 있어야 하며, 행정재산이 사실상 본래의 용도에 사용되고 있지 않다는 사실만으로 공용폐지의 의사표시가 있었다고 볼 수 없다. 2023 경찰간부 (O | X)
5. 행정재산이 본래의 용도에 제공되지 않는 상태에 놓여 있다는 사실만으로도 관리청의 이에 대한 공용폐지의 의사표시가 있었다고 볼 수 있다. 2021 국가직 7급 (O | X)

④ 관련기출

6. 행정재산이 공용폐지되어 시효취득의 대상이 된다는 점에 대한 증명책임은 시효취득을 주장하는 자에게 있다. 2022 지방직·서울시 7급 (O | X)

정답
1. O 2. O 3. O 4. O 5. X 6. O

20 □□□

「행정기본법」상 기간 등에 관한 설명으로 옳지 않은 것은?

① 행정에 관한 기간의 계산에 관하여는 이 법 또는 다른 법령 등에 특별한 규정이 있는 경우를 제외하고는 「민법」을 준용한다.
② 법령 등 또는 처분에서 국민의 권익을 제한하거나 의무를 부과하는 경우 권익이 제한되거나 의무가 지속되는 기간의 계산은 기간을 일, 주, 월 또는 연으로 정한 경우에는 기간의 첫날을 산입하지만 국민에게 불리한 경우에는 그러하지 아니하다.
③ 행정에 관한 나이는 다른 법령 등에 특별한 규정이 있는 경우를 제외하고는 출생일을 산입하여 만(滿) 나이로 계산하고 연수(年數)로 표시하여야 하지만, 1세에 이르지 아니한 경우에는 월수(月數)로 표시할 수 있다.
④ 법령 등에서 국민의 권익을 제한하는 경우, 권익이 제한되는 기간의 계산에 있어 기간의 말일이 토요일 또는 공휴일인 경우에는 기간은 그 익일로 만료한다.

✓ 기출체크

① 관련기출

1. 행정에 대한 기간의 계산에 관하여는 「민법」 또는 다른 법령 등에 특별한 규정이 있는 경우를 제외하고는 「행정기본법」에 따른다. 2023 소방직 9급 (O | X)

② 관련기출

2. 법령 등 또는 처분에서 국민의 권익을 제한하거나 의무를 부과하는 경우 권익이 제한되거나 의무가 지속되는 기간을 계산할 때에 기간을 일, 주, 월 또는 연으로 정한 경우에는 기간의 첫날을 산입한다. 다만, 그러한 기준을 따르는 것이 국민에게 불리한 경우에는 그러하지 아니하다. 2024 국가직 9급 (O | X)

3. 법령 등 또는 처분에서 국민의 권익을 제한하거나 의무를 부과하는 경우 권익이 제한되거나 의무가 지속되는 기간을 일, 주, 월 또는 연으로 정한 경우에는 국민에게 불리한 경우가 아니라면 기간의 첫날을 산입한다. 2023 소방간부 (O | X)

③ 관련기출

4. 행정에 관한 나이는 다른 법령 등에 특별한 규정이 있는 경우를 제외하고는 출생일을 산입하여 만(滿) 나이로 계산하고, 연수(年數)로 표시한다. 다만, 1세에 이르지 아니한 경우에는 월수(月數)로 표시할 수 있다. 2025 소방직 9급 (O | X)

④ 관련기출

5. 국민의 권익을 제한하거나 의무를 부과하는 경우, 국민에게 불리하지 않는 한, 그 기간의 말일이 토요일 또는 공휴일인 경우에 기간은 그 날로 만료한다. 2025 경찰간부 (O | X)

6. 100일간 운전면허정지처분을 받은 사람의 경우, 100일째 되는 날이 공휴일인 경우에도 면허정지기간은 그 날(공휴일 당일)로 만료한다. 2021 경행경채 (O | X)

정답
1. × 2. O 3. O 4. O 5. O 6. O

21 □□□

시효에 관한 설명으로 옳지 않은 것은? (다툼이 있는 경우 판례에 의함)

① 변상금 부과처분이 당연무효인 경우 그 변상금 부과처분에 의하여 납부자가 납부한 오납금은 지방자치단체가 법률상 원인 없이 취득한 부당이득에 해당하고, 그러한 오납금에 대한 납부자의 부당이득반환청구권의 소멸시효는 변상금의 납부 또는 징수시부터 진행한다.

② 행정행위의 위법 여부에 대하여 취소소송이 이미 진행 중인 경우 처분청은 위법을 이유로 그 행정행위를 직권취소할 수 없으므로, 변상금 부과처분에 대한 취소소송이 진행되는 동안에는 그 부과권의 소멸시효는 진행하지 아니한다.

③ 구 「예산회계법」 제98조에 의한 납입고지가 있으면 시효중단의 효력이 발생하고, 이러한 납입고지에 의한 시효중단의 효력은 그 납입고지에 의한 부과처분이 취소되더라도 상실되지 않는다.

④ 세무공무원이 「국세징수법」에 따라 체납자의 가옥・선박・창고 및 기타의 장소를 수색하였으나 압류할 목적물을 찾아내지 못하여 압류를 실행하지 못하고 수색조서를 작성하는 데 그친 경우에도 소멸시효중단의 효력이 있다.

✓ 기출체크

① 관련기출

1. 변상금 부과처분이 당연무효인 경우에 이 변상금 부과처분에 의하여 납부자가 납부하거나 징수당한 오납금은 지방자치단체가 법률상 원인 없이 취득한 부당이득에 해당하고, 이러한 오납금에 대한 납부자의 부당이득반환청구권의 소멸시효는 변상금 부과처분의 부과시부터 진행한다. 2025 군무원 7급 (O | X)

2. 당연무효인 변상금 부과처분에 의하여 납부한 오납금에 대한 납부자의 부당이득반환청구권은 처음부터 법률상 원인이 없이 납부된 것이므로 납부시에 발생하여 확정된다. 2025 국가직 9급 (O | X)

3. 구 「지방재정법」에 의한 변상금 부과처분이 당연무효인 경우, 이 변상금 부과처분에 의하여 납부자가 납부한 오납금은 지방자치단체가 법률상 원인 없이 취득한 부당이득에 해당한다. 2021 국가직 7급 (O | X)

4. 변상금 부과처분이 당연무효인 경우, 당해 변상금 부과처분에 의하여 납부한 오납금에 대한 납부자의 부당이득반환청구권의 소멸시효는 변상금 부과처분의 부과시부터 진행한다. 2020 국가직 9급 (O | X)

② 관련기출

5. 변상금 부과처분에 대한 취소소송이 진행 중이라도 그 부과권자로서는 위법한 처분을 스스로 취소하고 그 하자를 보완하여 다시 적법한 부과처분을 할 수도 있는 것이어서 그 권리 행사에 법률상의 장애사유가 있는 경우에 해당한다고 할 수 없으므로, 그 처분에 대한 취소소송이 진행되는 동안에도 그 부과권의 소멸시효가 진행된다. 2025 군무원 7급 (O | X)

6. 변상금 부과처분에 대한 취소소송이 진행 중이라도 그 부과권자로서는 위법한 처분을 스스로 취소하고 그 하자를 보완하여 다시 적법한 부과처분을 할 수도 있다. 2024 소방직 9급 (O | X)

7. 변상금 부과처분에 대한 취소소송이 진행 중인 경우 부과권자는 위법한 처분을 스스로 취소하고 그 하자를 보완하여 다시 적법한 부과처분을 할 수 없다. 2024 지방직・서울시 9급 (O | X)

8. 「국유재산법」상 변상금 부과처분에 대한 취소소송이 진행되는 동안에는 그 부과권의 소멸시효는 진행하지 아니한다. 2022 소방간부 변형 (O | X)

9. 행정행위의 위법 여부에 대하여 취소소송이 이미 진행 중인 경우 처분청은 위법을 이유로 그 행정행위를 직권취소할 수 없다. 2019 국가직 7급 (O | X)

③ 관련기출

10. 법령의 규정에 의한 납입고지(현 납부고지)에 의한 시효중단의 효력은 그 납입고지에 의한 부과처분이 취소되면 상실된다. 2011 국가직 7급 (O | X)

11. 구 「예산회계법」에 따른 소정의 납입고지(현 납부고지)에 의한 부과처분이 추후 취소되면 그 납입고지의 시효중단의 효력은 상실된다. 2008 지방직 7급 (O | X)

④ 관련기출

12. 「국세징수법」상 세무공무원이 체납자의 재산을 압류하기 위해 수색을 하였으나 압류할 목적물이 없어 압류를 실행하지 못한 경우에도 시효중단의 효력은 발생한다. 2008 지방직 7급 (O | X)

정답
1. × 2. O 3. O 4. × 5. O 6. O 7. × 8. × 9. × 10. × 11. × 12. O

22 □□□

행정상 법률관계에 있어 소멸시효와 제척기간에 관한 설명으로 옳지 않은 것만을 <보기>에서 모두 고른 것은? (다툼이 있는 경우 판례에 의함)

┤ 보기 ├

㉮ 소멸시효완성 후에 부과된 부과처분은 납세의무 없는 자에 대하여 부과처분을 한 것으로서 위법하나 당연무효라고 볼 수는 없다.
㉯ 제척기간은 권리관계를 조속히 확정시키기 위하여 권리 행사에 중대한 제한을 가하는 것이므로, 모법인 법률에 의한 위임이 없는 한 시행령이 함부로 제척기간을 규정할 수는 없다.
㉰ 제척기간은 그 성질상 소멸시효와 같은 기간의 중단이나 정지를 상정하기 어렵다.
㉱ 소멸시효는 권리가 발생한 때를 기산점으로 하는 반면, 제척기간은 권리를 행사할 수 있는 때를 기산점으로 한다.

① ㉮, ㉯　　② ㉮, ㉱
③ ㉯, ㉰　　④ ㉰, ㉱

✓ 기출체크

㉮ 관련기출
1. 조세에 관한 소멸시효가 완성된 후에 부과된 조세 부과처분은 위법한 처분이지만 당연무효라고 볼 수는 없다. 2016 지방직 9급 (O | X)
2. 소멸시효완성 후에 부과된 조세 부과처분은 납세의무 없는 자에 대하여 부과처분을 한 것으로서 그와 같은 하자는 중대하고 명백하여 그 처분의 효력은 당연무효이다. 2016 경행경채 (O | X)
3. 조세채권의 소멸시효기간이 완성된 후에 부과된 과세처분은 무효이다. 2011 국가직 7급 (O | X)

㉯ 관련기출
4. 제척기간은 권리관계를 조속히 확정시키기 위하여 권리의 행사에 중대한 제한을 가하는 것이므로, 모법인 법률에 의한 위임이 없는 한 시행령이 함부로 제척기간을 규정할 수는 없다고 할 것이다. 2024 국회직 8급 (O | X)
5. 일정한 권리에 관하여 법률이 규정한 존속기간을 뜻하는 제척기간은 권리관계를 조속히 확정시키기 위하여 권리의 행사에 중대한 제한을 가하는 것이므로 모법인 법률에 의한 위임이 없는 한 시행령이 함부로 제척기간을 규정할 수는 없다. 2016 변호사 (O | X)

㉰ 관련기출
6. 제척기간에 있어서는 그 성질에 비추어 소멸시효와 같은 기간의 중단이나 정지는 있을 수 있다. 2024 국회직 8급 (O | X)
7. 추상적 권리 행사에 관한 제척기간은 권리자의 권리 행사 태만 여부를 고려하지 않으며, 또 당사자의 신청만으로 추상적 권리가 실현되므로 기간 진행의 중단·정지를 상정하기 어렵다. 2011 국가직 7급 (O | X)

㉱ 관련기출
8. 소멸시효는 권리가 발생한 때를 기산점으로 하지만, 제척기간은 권리를 행사할 수 있는 때를 기산점으로 한다. 2024 국회직 8급 (O | X)

정답
1. X　2. O　3. O　4. O　5. O　6. O　7. O　8. X

23 □□□

사인의 공법행위에 관한 설명으로 옳은 것만을 <보기>에서 모두 고른 것은? (다툼이 있는 경우 판례에 의함)

┤ 보기 ├

㉮ 자기완결적 신고의 경우 적법한 신고가 있었지만 행정청이 수리를 하지 아니한 경우에 신고의 대상이 되는 행위를 하였다면 행정벌의 대상이 된다.
㉯ 신청에 형식적 요건의 하자가 있는 경우 그 하자의 보완이 가능함에도 보완을 요구하지 않고 바로 거부하였다면 그 거부는 위법하다.
㉰ 건축신고는 자기완결적 신고이지만, 「건축법」에 따른 건축신고를 반려하는 행위는 장차 있을지도 모르는 위험에서 미리 벗어날 수 있도록 길을 열어주고 위법한 건축물의 양산과 그 철거를 둘러싼 분쟁을 조기에 근본적으로 해결할 수 있게 하여야 한다는 점에서 항고소송의 대상이 된다.
㉱ 법령 등으로 정하는 바에 따라 행정청에 일정한 사항을 통지하여야 하는 신고로서 법률에 신고의 수리가 필요하다고 명시되어 있는 경우에는 행정청이 수리하여야 효력이 발생하고, 이는 법률에 행정기관의 내부업무처리절차로서 수리를 규정한 경우에도 마찬가지이다.

① ㉮, ㉯　　② ㉮, ㉱
③ ㉯, ㉰　　④ ㉰, ㉱

✓ 기출체크

㉮ 관련기출
1. 자기완결적 신고의 경우 적법한 요건을 갖춘 신고를 하면 신고의 대상이 되는 행위를 적법하게 할 수 있고, 별도로 행정청의 수리를 기다릴 필요가 없다. 2025 해경승진 (O | X)
2. 자기완결적 신고의 경우 사인이 적법한 요건을 갖춘 신고를 하였다면 행정청의 수리처분 등 별단의 조처를 기다릴 필요 없이 그 접수시에 신고로서의 효력이 발생하는 것이므로, 그 수리가 거부되었다고 하여 무신고영업이 되는 것은 아니다. 2024 소방직 9급 (O | X)
3. 「건축법」상 수리를 요하지 않는 건축신고에 있어서는 원칙적으로 적법한 요건을 갖춰 신고하면 행정청의 수리 등 별도의 조치를 기다릴 필요 없이 건축행위를 할 수 있다고 보아야 한다. 2024 국가직 7급 (O | X)

4. 수리를 요하지 아니한 신고에 있어서 적법한 요건을 갖춘 신고의 경우에는 행정청의 수리처분 등 별단의 조치를 기다릴 필요 없이 그 접수시에 신고로서의 효력이 발생하는 것이므로 그 수리가 거부되었다고 하여 무신고영업이 되는 것은 아니다. 2022 국회직 8급 (○ | ×)

5. 자기완결적 신고가 「행정절차법」상 요건을 갖춘 경우에는 신고서가 접수기관에 도달된 때에 신고의무가 이행된 것으로 본다.
2014 경행특채 2차 (○ | ×)

ⓑ 관련기출

6. (자영업에 종사하는 甲은 일정 요건의 자영업자에게는 보조금을 지급하도록 한 법령에 근거하여 관할 행정청에 보조금 지급을 신청하였으나 1차 거부되었고, 이후 다시 동일한 보조금을 신청하였다) 甲의 신청에 형식적 요건의 하자가 있었다면 그 하자의 보완이 가능함에도 보완을 요구하지 않고 바로 거부하였다고 하여 그 거부가 위법한 것은 아니다. 2020 지방직·서울시 7급 (○ | ×)

ⓒ 관련기출

7. 건축신고 반려행위가 이루어진 단계에서 당사자로 하여금 반려행위의 적법성을 다투어 그 법적 불안을 해소한 다음 건축행위에 나아가도록 함으로써 장차 있을지도 모르는 위험에서 벗어날 수 있도록 길을 열어주기 위하여 건축신고 반려행위는 항고소송의 대상이 된다.
2024 국가직 7급 (○ | ×)

8. 건축주 등은 건축신고가 반려될 경우 건축물의 건축을 개시하면 시정명령, 이행강제금, 벌금의 대상이 되거나 당해 건축물을 사용하여 행할 행위의 허가가 거부될 우려가 있어 불안정한 지위에 놓이게 되므로, 건축신고에 대한 반려처분은 항고소송의 대상이 된다.
2023 군무원 7급 (○ | ×)

9. 「건축법」상 신고는 자기완결적 신고로 적법한 신고행위가 있는 경우 그 효력이 발생하게 되므로, 비록 해당 신고에 대해 반려행위가 있더라도 침해되는 법률상 이익이 없어 항고소송의 대상이 되지 않는다.
2022 서울시 지적 7급 (○ | ×)

10. 다른 법령에 의한 인·허가가 의제되지 않는 일반적인 건축신고는 자기완결적 신고이므로 이에 대한 수리거부행위는 항고소송의 대상이 되는 처분이 아니다. 2020 지방직·서울시 9급 (○ | ×)

11. 건축신고는 자기완결적 신고이므로 신고반려행위 또는 수리거부행위는 항고소송의 대상이 되지 않는다. 2019 서울시 1회 7급 (○ | ×)

ⓓ 관련기출

12. 법률에 행정기관의 내부업무처리절차로서 수리를 규정한 경우에도 수리를 요하는 신고로 보아야 한다. 2023 군무원 7급 (○ | ×)

13. 「행정절차법」에서는 수리를 요하는 신고를 규정하고 있고, 「행정기본법」에서는 수리를 요하지 않는 신고를 규정하고 있다.
2023 소방직 9급 (○ | ×)

14. 법령 등으로 정하는 바에 따라 행정청에 일정한 사항을 통지하여야 하는 신고로서 법률에 신고의 수리가 필요하다고 명시되어 있는 경우에는 행정청이 수리하여야 효력이 발생한다. 2023 소방직 9급
(○ | ×)

정답
1. ○ 2. ○ 3. ○ 4. ○ 5. ○ 6. × 7. ○ 8. ○ 9. × 10. ×
11. × 12. × 13. × 14. ○

24 □□□

사인의 공법행위에 관한 설명으로 옳지 않은 것은? (다툼이 있는 경우 판례에 의함)

① 사직원 제출자의 내심의 의사가 사직할 뜻이 없었더라도 사인의 공법행위에는 「민법」상 비진의의사표시의 무효에 관한 규정이 적용되지 않으므로, 그 사직원을 받아들인 의원면직처분을 당연무효라고 볼 수는 없다.

② 공무원에 의해 제출된 사직원은 그에 터 잡은 의원면직처분이 있을 때까지 철회될 수 있을 뿐만 아니라 일단 면직처분이 있고 난 이후에도 취소 및 철회될 수 있다.

③ 권고사직의 형식을 취하더라도 사직의 권고가 공무원의 의사결정의 자유를 박탈할 정도의 강박에 해당하는 경우에는 해당 권고사직은 무효가 된다.

④ 영업장 면적이 일반음식점영업신고 당시에는 식품위생법령상 신고사항이 아니었다가 2003년 시행령 개정으로 변경신고사항이 된 경우, 2016년에 변경행위를 한 후 변경신고를 하지 않은 채 영업을 계속하면 처벌대상이 된다.

✓ 기출체크

① 관련기출

1. 「민법」상 비진의의사표시의 무효에 관한 규정은 그 성질상 공무원이 한 사직(일괄사직)의 의사표시와 같은 사인의 공법행위에 적용되지 않는다. 2022 지방직·서울시 7급 (○ | ×)

2. 사인의 공법행위에 적용되는 일반규정은 없으며, 특별한 규정이 없는 한 「민법」상 비진의의사표시의 무효에 관한 규정은 사인의 공법행위에 적용된다. 2021 지방직·서울시 7급 (○ | ×)

3. 1980년의 공직자숙정계획의 일환으로 일괄사표의 제출과 선별수리의 형식으로 공무원에 대한 의원면직처분이 이루어진 경우, 비진의의사표시의 무효에 관한 「민법」 제107조 제1항 단서 규정을 적용하여 그 의원면직처분을 당연무효라고 주장할 수 있다. 2019 경행경채 2차 (○ | ×)

4. 판례에 의하면 「민법」상 비진의의사표시의 무효에 관한 규정은 그 성질상 영업재개신고나 사직의 의사표시와 같은 사인의 공법행위에 적용된다. 2016 서울시 9급 (○ | ×)

5. 사직원 제출자의 내심의 의사가 사직할 뜻이 없었더라도 「민법」상 비진의의사표시의 무효에 관한 규정이 적용되지 않으므로 그 사직원을 받아들인 의원면직처분을 당연무효라 볼 수는 없다.
2016 지방직 7급 (○ | ×)

② 관련기출

6. 공무원에 의해 제출된 사직원은 그에 터 잡은 의원면직처분이 있을 때까지 철회될 수 있고, 일단 면직처분이 있고 난 이후에도 자유로이 취소 및 철회될 수 있다. 2024 해경승진 (○ | ×)

7. 공무원이 한 사직 의사표시는 그에 터 잡은 의원면직처분이 있고 난 이후라도 철회나 취소할 수 있다. 2023 국가직 7급 (○ | ×)

8. 공무원의 사직의 의사표시는 상대방에게 도달한 후에는 철회할 수 없다.
2022 해경간부 (○ | ×)

9. 공무원이 한 사직 의사표시의 철회나 취소는 그에 터 잡은 의원면직처분이 있을 때까지 할 수 있는 것이고, 일단 면직처분이 있고 난 이후에는 철회나 취소할 여지가 없다. 2022 소방간부 (○ | ×)

10. 사인의 공법상 행위는 명문으로 금지되거나 성질상 불가능한 경우가 아닌 한, 그에 따른 행정행위가 행하여질 때까지 자유로이 철회할 수 있다. 2021 지방직·서울시 7급 (O | X)

③ 관련기출

11. 권고사직의 형식을 취하고 있더라도 사직의 권고가 공무원의 의사결정의 자유를 박탈할 정도의 강박에 해당하는 경우에는 당해 권고사직은 무효이다. 2014 국가직 7급 (O | X)

정답
1. O 2. X 3. X 4. X 5. O 6. X 7. X 8. X 9. O 10. O
11. O

25 □□□

사인의 공법행위에 관한 설명으로 옳지 않은 것만을 <보기>에서 모두 고른 것은? (다툼이 있는 경우 판례에 의함)

―보기―

㉮ 납골당설치신고는 '수리를 요하는 신고'라 할 것이므로 이에 대한 행정청의 수리처분이 있어야 신고한 대로 납골당을 설치할 수 있으며 수리행위에는 신고필증 교부 등 행위가 필요하다.

㉯ 「의료법」에 따른 정신과의원 개설신고는 수리를 요하는 신고로서 「의료법」에 따라 정신과의원을 개설하려는 자가 법령에 규정되어 있는 요건을 갖추어 개설신고를 한 경우 행정청은 법령에서 정한 요건 이외의 사유를 들어 의원급 의료기관 개설신고의 수리를 거부할 수는 없다.

㉰ 구 「수산업법」 제44조 소정의 어업신고는 수리를 요하는 신고로서 적법한 신고가 있는 경우에도 관할 행정청이 수리를 거부한 경우에는 신고의 효과가 발생하지 않는다.

㉱ 구 「체육시설의 설치·이용에 관한 법률」 제18조에 의한 골프장이용료 변경신고는 도지사의 수리행위가 있어야만 신고의 효과가 발생한다.

① ㉮, ㉯
② ㉮, ㉱
③ ㉯, ㉰
④ ㉰, ㉱

✔ 기출체크

㉮ 관련기출

1. 수리를 요하는 신고에서 수리란 신고를 유효한 것으로 판단하고 법령에 의하여 처리할 의사로 이를 수령하는 수동적 행위이므로 수리행위가 효력을 발생하기 위하여 신고필증 교부가 꼭 필요한 것은 아니다. 2025 소방간부 (O | X)

2. 자기완결적 신고는 수리를 요하지 않기 때문에 행정청이 신고를 수리하거나 신고필증을 교부하였다고 하더라도 이는 신고사실을 확인하는 의미의 사실행위에 불과하다. 2024 소방직 9급 (O | X)
3. 수리를 요하는 신고에서 행정청의 수리행위에 신고필증 교부의 행위가 반드시 필요하다. 2024 해경승진 (O | X)
4. 수리란 신고를 유효한 것으로 판단하고 법령에 의하여 처리할 의사로 이를 수령하는 적극적 행위이므로 수리행위에는 신고필증의 교부와 같은 행정청의 행위가 수반되어야 한다. 2019 사회복지직 9급 (O | X)
5. 수리를 요하는 신고의 경우, 수리행위에 신고필증의 교부가 필수적이므로 신고필증 교부의 거부는 「행정소송법」상 처분으로 볼 수 있다. 2017 국가직(하) 9급 (O | X)

㉯ 관련기출

6. 「의료법」에 따라 정신과의원을 개설하려는 자가 법령에 규정되어 있는 요건을 갖추어 개설신고를 한 경우 행정청은 원칙적으로 이를 수리하여 신고필증을 교부하여야 하고, 법령에서 정한 요건 이외의 사유를 들어 의원급 의료기관 개설신고의 수리를 거부할 수는 없다. 2022 소방직 9급 (O | X)
7. 「의료법」에 따라 정신과의원을 개설하려는 자가 법령에 규정되어 있는 요건을 갖추어 개설신고를 한 경우라도 관할 시장·군수·구청장은 법령에서 정한 요건 이외의 사유를 들어 의원급 의료기관 개설신고의 수리를 거부할 수 있다. 2019 지방직 7급 (O | X)

㉰ 관련기출

8. 「수산업법」 소정의 어업의 신고는 이른바 자기완결적 신고라 할 것이므로 관할 관청의 적법한 수리가 없었다 하더라도 적법한 어업신고가 있는 것으로 볼 수 있다. 2023 소방간부 (O | X)
9. 「수산업법」상 신고어업을 하려면 법령이 정한 바에 따라 관할 행정청에 신고하여야 하고, 행정청의 수리가 있을 때에 비로소 법적 효과가 발생하게 된다. 2022 지방직·서울시 7급 (O | X)
10. 「수산업법」 제44조 소정의 어업신고(는 수리를 요하는 신고에 해당한다) 2020 경행경채 (O | X)
11. 「수산업법」상의 어업의 신고는 행정청의 수리에 의하여 비로소 그 효과가 발생하는 이른바 '수리를 요하는 신고'에 해당한다. 2019 사회복지직 9급 (O | X)
12. 「수산업법」상 어업신고를 적법하게 하였으나, 관할 행정청이 수리를 거부한 경우(에 신고의 효과가 발생한다) 2017 국가직(하) 7급 (O | X)

㉱ 관련기출

13. 골프장이용료 변경신고와 같은 구 「체육시설의 설치·이용에 관한 법률」 제18조에 의한 신고는 행정청의 수리를 요한다. 2018 경행경채 3차 (O | X)
14. 「체육시설의 설치·이용에 관한 법률」상 신고체육시설업에 대한 변경신고를 적법하게 하였으나, 관할 행정청이 수리를 거부한 경우(에는 신고의 효과가 발생하지 않는다) 2017 국가직(하) 7급 (O | X)
15. 구 「체육시설의 설치·이용에 관한 법률」에 의한 골프장이용료 변경신고서는 행정청에 제출하여 접수된 때에 신고가 있었다고 볼 것이고, 행정청의 수리행위가 있어야만 하는 것은 아니다. 2014 국가직 9급 (O | X)

정답
1. O 2. O 3. X 4. X 5. X 6. O 7. X 8. X 9. O 10. O
11. O 12. X 13. X 14. X 15. O

제3회 | 소방 단원별 모의고사

제한시간 /25분
나의 점수 /100점

출제 범위: 제9강 사인의 공법행위~제11강 행정규칙

정답과 해설 p.28
옳은 지문 워크북 p.209

01 □□□

사인의 공법행위에 관한 설명으로 옳은 것만을 <보기>에서 모두 고른 것은? (다툼이 있는 경우 판례에 의함)

┌─ 보기 ─────────────────────────────┐

㉮ '체육시설업자 등이 제출한 회원모집계획서에 대한 시·도지사의 검토결과 통보'는 항고소송의 대상이 되는 처분이 아니다.

㉯ 통신매체를 이용하여 학습비를 받고 불특정 다수인에게 원격평생교육을 실시하기 위해 구「평생교육법」제22조 등에서 정한 형식적 요건을 모두 갖추어 신고한 경우, 행정청은 신고대상이 된 교육이나 학습이 공익적 기준에 적합하지 않는다는 등의 실체적 사유를 들어 신고수리를 거부할 수 없다.

㉰ 장기요양기관의 폐업신고와 노인의료복지시설의 폐지신고는 수리를 필요로 하는 신고로서 행정청이 일단 그 신고를 수리하였다면 위조 등의 사유가 있어 신고행위 자체가 효력이 없는 경우에도 그 수리행위가 당연히 무효가 되는 것은 아니다.

㉱ 신청에 대한 보완요구의 대상이 되는 흠은 원칙적으로 형식적·절차적 요건상의 흠을 의미하나, 민원인의 단순한 착오나 일시적인 사정에 의한 실질적인 요건의 흠도 포함된다. 따라서 건축불허가처분을 하면서 그 사유의 하나로 실체적 요건인 소방시설과 관련된 소방서장의 건축부동의 의견을 들고 있으나 그 보완이 가능한 경우에 보완을 요구하지 아니한 채 곧바로 건축허가신청을 거부하였다면 위법하다.

└──────────────────────────────┘

① ㉮, ㉯　　② ㉮, ㉰
③ ㉯, ㉱　　④ ㉰, ㉱

✓ 기출체크

㉮ 관련기출

1. 시·도지사 등에 대한 체육시설인 골프장회원모집계획서 제출은 자기완결적 신고이다. 2023 군무원 7급 (○ | ×)
2. 체육시설의 회원을 모집하고자 하는 자의 시·도지사 등에 대한 회원모집계획서 제출(은 수리를 요하는 신고에 해당한다) 2020 경행경채 (○ | ×)
3. 구「체육시설의 설치·이용에 관한 법률」의 규정에 따라 체육시설의 회원을 모집하고자 하는 자의 '회원모집계획서 제출'은 수리를 요하는 신고이며, 이에 대하여 회원모집계획을 승인하는 시·도지사 등의 검토결과 통보는 수리행위로서 행정처분에 해당한다. 2020 국가직 7급 (○ | ×)
4. 타인의 행위를 유효한 행위로 받아들이는 행정행위를 수리라 하며, 이러한 수리 중 '체육시설업자 등이 제출한 회원모집계획서에 대한 시·도지사의 검토결과 통보'의 경우 대법원은 법적 효과를 발생하지 아니하는 수리행위로서 처분성이 인정되지 않는다고 보았다. 2012 경행특채 (○ | ×)

㉯ 관련기출

5. 불특정 다수인을 대상으로 학습비를 받고 정보통신매체를 이용하여 원격평생교육을 실시하고자 하는 경우에는 누구든지 관계 법령에 따라 이를 신고하여야 하나 신고서의 기재사항에 흠결이 없고 소정의 서류가 구비된 때에는 이를 수리하여야 한다. 2019 국회직 8급 (○ | ×)
6. 정보통신매체를 이용하여 원격평생교육을 불특정 다수인에 학습비를 받고 실시하기 위해 인터넷 침·뜸 학습센터를 평생교육시설로 신고한 경우, 관할 행정청은 신고서 기재사항에 흠결이 없고 형식적 요건을 모두 갖추었더라도 신고대상이 된 교육이나 학습이 공익적 기준에 적합하지 않는다는 등의 실체적 사유를 들어 신고수리를 거부할 수 있다. 2016 지방직 9급 (○ | ×)

㉰ 관련기출

7. 장기요양기관의 폐업신고와 노인의료복지시설의 폐지신고는 행정청이 그 신고를 수리한 경우, 신고서 위조 등의 사유가 있더라도 그대로 유효하다. 2022 소방직 9급 (○ | ×)
8. 노인의료복지시설의 폐지신고는 수리를 필요로 하는 신고로서 행정청이 그 신고를 수리하였더라도 위조 등의 사유가 있어 신고행위 자체가 효력이 없다면, 그 수리행위는 수리행위 자체에 중대·명백한 하자가 있는지를 따질 것도 없이 당연히 무효이다. 2022 소방간부 (○ | ×)
9. 장기요양기관의 폐업신고 자체가 효력이 없음에도 행정청이 이를 수리한 경우, 그 수리행위가 당연무효 되는 것은 아니다. 2020 국가직 7급 (○ | ×)

㉱ 관련기출

10. 행정청은 신청에 구비서류의 미비 등 흠이 있는 경우 원칙상 형식적·절차적인 요건만을 보완요구하여야 하므로 실질적인 요건에 관한 흠이 민원인의 단순한 착오나 일시적인 사정 등에 기인한 경우에도 보완을 요구할 수 없다. 2023 지방직·서울시 9급 (○ | ×)
11. 행정청은 사인의 신청에 구비서류의 미비와 같은 흠이 있는 경우 신청인에게 보완을 요구하여야 하는바, 이때 보완의 대상이 되는 흠은 원칙상 형식적·절차적 요건뿐만 아니라 실체적 발급요건상의 흠을 포함한다. 2022 지방직·서울시 7급 (○ | ×)

> **정답**
> 1. × 2. ○ 3. ○ 4. × 5. ○ 6. × 7. × 8. ○ 9. × 10. ×
> 11. ×

02

사인의 공법행위로서의 신고에 관한 설명으로 옳은 것만을 <보기>에서 모두 고른 것은? (다툼이 있는 경우 판례에 의함)

─ 보기 ─

㉮ 「식품위생법」에 따른 일반음식점영업신고의 요건을 갖춘 신고라고 하더라도, 그 영업신고를 한 당해 건축물이 「건축법」 소정의 허가를 받지 아니한 무허가건물이라면 적법한 신고라고 할 수 없다.

㉯ 건축신고의 수리는 기속행위이므로 건축허가권자는 건축신고가 관계 법령에서 정하는 명시적인 제한에 배치되지 않는 경우에는 건축을 허용하지 않아야 할 중대한 공익상 필요가 있다는 이유로 건축신고의 수리를 거부할 수 없다.

㉰ 「국토의 계획 및 이용에 관한 법률」상의 개발행위허가로 의제되는 건축신고가 동법상의 개발행위허가기준을 갖추지 못한 경우라면 행정청으로서는 이를 이유로 그 수리를 거부할 수 있다.

㉱ 「주민등록법」상 전입신고는 수리를 요하는 신고로서, 행정청은 전입신고자가 거주의 목적 이외에 다른 이해관계를 가지고 있는지 여부를 심사하여 「주민등록법」상 주민등록전입신고의 수리를 거부할 수 있다.

① ㉮, ㉯
② ㉮, ㉰
③ ㉯, ㉱
④ ㉰, ㉱

✓ 기출체크

㉮ 관련기출

1. 「식품위생법」에 따른 식품접객업(일반음식점영업)의 영업신고의 요건을 갖춘 자라고 하더라도, 그 영업신고를 한 당해 건축물이 「건축법」 소정의 허가를 받지 아니한 무허가건물이라면 적법한 신고를 할 수 없다. 2024 국가직 9급 (O | X)

2. 식품접객업 영업신고에 대해서는 「식품위생법」이 「건축법」에 우선 적용되므로, 영업신고가 「식품위생법」상의 신고요건을 갖춘 경우라면 그 영업신고를 한 해당 건축물이 「건축법」상 무허가건축물이라도 적법한 신고에 해당된다. 2016 국가직 9급 (O | X)

3. 자기완결적 신고를 규정한 법률상의 요건 외에 타법상의 요건도 충족하여야 하는 경우, 타법상의 요건을 충족시키지 못하는 한 적법한 신고를 할 수 없다. 2015 지방직 9급 (O | X)

㉯ 관련기출

4. 건축허가권자는 건축신고가 「건축법」, 「국토의 계획 및 이용에 관한 법률」 등 관계 법령에서 정하는 명시적인 제한에 배치되지 않는 경우에도 건축을 허용하지 않아야 할 중대한 공익상 필요가 있는 경우에는 건축신고의 수리를 거부할 수 있다. 2024 소방간부 (O | X)

㉰ 관련기출

5. 인·허가 의제효과를 수반하는 건축신고는 특별한 사정이 없는 한 행정청은 그 실체적 요건에 관한 심사를 한 후 수리하여야 한다. 2025 국가직 7급 (O | X)

6. 인·허가 의제효과를 수반하는 건축신고는 일반적인 건축신고와는 달리 특별한 사정이 없는 한 행정청이 그 실체적 요건에 관한 심사를 한 후 수리하여야 하는 이른바 '수리를 요하는 신고'에 해당한다. 2025 국가직 9급 (O | X)

7. 법률에 의해 다른 법률상 허가가 의제되는 「건축법」상 건축신고에서, 행정청은 그 신고가 다른 법령이 정하는 허가기준을 갖추지 못한 경우에 이를 이유로 수리를 거부할 수 있다. 2025 변호사 (O | X)

8. 개발행위허가가 의제되는 건축신고는 수리를 요하는 신고이다. 2023 소방승진 (O | X)

9. 「국토의 계획 및 이용에 관한 법률」상의 개발행위허가가 의제되는 건축신고는 특별한 사정이 없는 한 행정청이 그 실체적 요건에 관한 심사를 한 후 수리하여야 하는 이른바 '수리를 요하는 신고'로 보아야 한다. 2020 지방직·서울시 9급 (O | X)

㉱ 관련기출

10. 주민등록의 신고는 행정청에 도달하기만 하면 신고로서의 효력이 발생하는 것이 아니라 행정청이 수리한 경우에 비로소 신고의 효력이 발생한다. 2025 국회직 8급 (O | X)

11. 행정청은 주민등록전입신고의 수리 여부를 심사하는 단계에서 전입신고자가 거주의 목적 이외에 다른 이해관계에 관한 의도를 가지고 있는지 여부 및 전입신고를 수리함으로써 해당 지방자치단체에 미치는 영향이 있는지 등과 같은 사유를 고려하여야 한다. 2025 국회직 8급 (O | X)

12. 시장 등의 주민등록전입신고 수리 여부에 대한 심사는 「주민등록법」의 입법목적의 범위 내에서 제한적으로 이루어져야 하는바, 전입신고자가 30일 이상 생활의 근거로서 거주할 목적으로 거주지를 옮기는지 여부가 심사대상으로 되어야 한다. 2023 지방직·서울시 9급 (O | X)

13. 주민등록전입신고자가 30일 이상 생활의 근거로 거주할 목적 이외에 다른 이해관계에 관한 의도를 가지고 있는지 여부, 무허가건축물의 관리, 전입신고를 수리함으로써 당해 지방자치단체에 미치는 영향 등과 같은 사유는 「주민등록법」이 아닌 다른 법률에 의하여 규율되어야 하고, 주민등록전입신고의 수리 여부를 심사하는 단계에서는 고려 대상이 될 수 없다. 2022 국회직 8급 (O | X)

14. 주민등록신고는 행정청이 수리한 경우에 비로소 신고의 효력이 발생한다. 2022 소방직 9급 (O | X)

정답

1. O 2. X 3. O 4. O 5. O 6. O 7. O 8. O 9. O 10. O
11. X 12. O 13. O 14. O

03 □□□

사인의 공법행위에 관한 설명으로 옳은 것은? (다툼이 있는 경우 판례에 의함)

① 「건축법」상 착공신고는 자기완결적 신고로서 적법한 신고행위가 있는 경우 그 효력이 발생하게 되므로, 비록 해당 신고에 대해 반려행위가 있더라도 침해되는 법률상 이익이 없어 항고소송의 대상이 되지 않는다.
② 기존에 다른 사람이 숙박업 신고를 한 적이 있던 시설에 새로 숙박업을 하려는 자가 그 시설 등의 소유권 등 정당한 사용권한을 취득하여 법령에서 정한 요건을 갖추어 신고한 경우라도, 행정청으로서는 해당 시설 등에 관한 기존의 숙박업 신고가 외관상 남아 있다는 이유로 이를 거부할 수 있다.
③ 구 「유통산업발전법」상 대형마트로 등록된 대규모점포의 개설 등록은 이른바 '수리를 요하는 신고'로서 행정처분에 해당한다.
④ 「체육시설의 설치·이용에 관한 법률」 제20조 및 제27조에 의한 영업양수신고나 문화체육관광부령으로 정하는 체육시설업의 시설기준에 따른 필수시설인수신고를 수리하는 관계 행정청의 행위는 항고소송의 대상이 되는 행정처분이 아니다.

✓ 기출체크

① 관련기출

1. 허가를 받거나 신고를 한 건축물의 공사를 착수하려는 건축주가 법령으로 정하는 바에 따라 공사계획의 신고(착공신고)를 하였는데 행정청이 이를 반려한 경우, 건축주는 이 반려를 항고소송으로 다툴 수 있다. 2025 변호사 (O | X)
2. 「건축법」상의 착공신고의 경우에는 신고 그 자체로서 법적 절차가 완료되어 행정청의 처분이 개입될 여지가 없으므로, 행정청의 착공신고 반려행위는 항고소송의 대상인 처분에 해당하지 않는다. 2020 국가직 9급 (O | X)
3. 「건축법」상 착공신고가 반려될 경우 당사자에게 그 반려행위를 다툴 실익이 없는 것이므로 착공신고 반려행위의 처분성이 인정되지 않는다. 2017 지방직 9급 (O | X)

② 관련기출

4. 숙박업을 하고자 하는 자가 법령이 정하는 시설과 설비를 갖추고 행정청에 신고를 하면 행정청은 공중위생관리법령의 규정에 따라 원칙적으로 이를 수리하여야 하므로, 새로 숙박업을 하려는 자가 기존에 다른 사람이 숙박업 신고를 한 적이 있는 시설 등의 소유권 등 정당한 사용권한을 취득하여 법령에서 정한 요건을 갖추어 신고하였다면, 행정청으로서는 특별한 사정이 없는 한 이를 수리하여야 하고, 기존의 숙박업 신고가 외관상 남아 있다는 이유로 이를 거부할 수 없다. 2018 국가직 9급 (O | X)

③ 관련기출

5. 대규모점포의 개설 등록은 자기완결적 신고이다. 2023 군무원 7급 (O | X)
6. 「유통산업발전법」상 대규모점포의 개설 등록은 수리를 요하는 신고로서 행정처분에 해당한다. 2023 소방직 9급 (O | X)
7. 구 「유통산업발전법」은 기존의 대규모점포의 등록된 유형 구분을 전제로 '대형마트로 등록된 대규모점포' 일체를 규제대상으로 삼고자 하는 것이 그 입법취지이므로 대규모점포의 개설 등록은 이른바 '수리를 요하는 신고'로서 행정처분에 해당한다. 2019 국회직 8급 (O | X)

정답
1. O 2. X 3. X 4. O 5. X 6. O 7. O

04 □□□

사인의 공법행위에 관한 설명으로 옳지 <u>않은</u> 것만을 <보기>에서 모두 고른 것은? (다툼이 있는 경우 판례에 의함)

― 보기 ―
㉮ 법령 등에서 행정청에 대하여 일정한 사항을 통지함으로써 의무가 끝나는 신고는 그 기재사항에 흠이 없고 필요한 구비서류가 첨부되어 있으며, 기타 법령 등에 규정된 형식상의 요건에 적합할 때에는 신고서가 접수기관에 도달된 때에 신고의무가 이행된 것으로 본다.
㉯ 「행정절차법」상 신고의 경우 부적법한 신고가 있더라도 행정청이 이를 수리하면 신고의 법적 효과가 발생함이 원칙이다.
㉰ 구 「관광진흥법」에 따른 지위승계신고를 수리하는 허가관청의 행위는 단순히 사실적인 행위에 그치므로 항고소송의 대상이 되지 않는다.
㉱ 납세의무자가 특별소비세를 자진납부하였다면 과세관청이 이를 수령한 행위는 단순한 사실행위에 불과하고 확인적 과세처분으로 볼 수 없다.

① ㉮, ㉯
② ㉮, ㉱
③ ㉯, ㉰
④ ㉰, ㉱

✓ 기출체크

㉮ 관련기출

1. 법령 등에서 행정청에 일정한 사항을 통지함으로써 의무가 끝나는 자기완결적 신고의 경우, 신고서의 기재사항에 흠이 없고, 필요한 구비서류가 첨부되어 있고, 그 밖에 법령 등에 규정된 형식상의 요건에 적합하면 신고서가 접수기관에 도달된 때에 신고의무가 이행된 것으로 본다. 2024 군무원 5급 (O | X)
2. 법령 등에서 행정청에 일정한 사항을 통지함으로써 의무가 끝나는 신고를 규정하고 있는 경우, 신고가 법령 등에 규정된 형식상의 요건에 적합하면 신고서가 접수기관에 도달된 때에 신고의무가 이행된 것으로 본다. 2023 소방직 9급 (O | X)

3. 「행정절차법」은 '법령 등에서 행정청에 일정한 사항을 통지함으로써 의무가 끝나는 신고'에 대하여 '그 밖에 법령 등에 규정된 형식상의 요건에 적합할 것'을 그 신고의무 이행요건의 하나로 정하고 있다. 2020 지방직·서울시 9급 (O | X)

4. 법령 등에서 행정청에 일정한 사항을 통지함으로써 의무가 끝나는 신고를 규정하고 있는 경우 신고가 본법(「행정절차법」) 제40조 제2항 각 호의 요건을 갖춘 경우에는 신고서가 접수기관에 발송된 때에 신고의무가 이행된 것으로 본다. 2017 국가직 9급 (O | X)

④ **관련기출**

5. 판례는 자기완결적 신고에서 부적법한 신고에 대하여 행정청이 일단 수리하였다면, 그 후의 영업행위는 무신고영업행위에는 해당하지 않는다고 한다. 2013 국회속기직 9급 (O | X)

6. 수리를 요하지 않는 신고의 경우 신고의 적법 여부나 수리 여부와는 관계없이 신고서가 접수기관에 도달하면 신고의무가 이행된 것으로 본다. 2013 국회직 8급 (O | X)

7. (수리를 요하지 않는 신고의 경우) 요건을 갖추지 못한 부적법한 신고라도 행정청이 이를 수리한 경우에는 신고의 법적 효력이 발생한다. 2008 국회직 8급 (O | X)

④ **관련기출**

8. 구 「관광진흥법」에 의한 지위승계신고를 수리하는 허가관청의 행위는 사실적인 행위에 불과하여 항고소송의 대상이 되지 않는다. 2021 지방직·서울시 9급 (O | X)

9. 영업양도에 따른 지위승계신고를 수리하는 허가관청의 행위는 영업허가자의 변경이라는 법률효과를 발생시키는 행위로서 항고소송의 대상이 될 수 있다. 2013 국가직 7급 (O | X)

정답
1. O 2. O 3. O 4. × 5. × 6. × 7. × 8. × 9. O

05 □□□

사인의 공법행위에 관한 설명으로 옳지 <u>않은</u> 것은? (다툼이 있는 경우 판례에 의함)

① 일반적인 건축신고와는 달리, 인·허가 의제효과를 수반하는 건축신고는 특별한 사정이 없는 한 행정청이 그 실체적 요건에 관한 심사를 한 후 수리하여야 한다.

② 구 「의료법 시행규칙」에 따르면 의원개설 신고서를 수리한 행정관청이 소정의 신고필증을 교부하도록 되어 있으므로 신고필증의 교부가 없으면 개설신고의 효력이 부정된다.

③ 「부가가치세법」상의 사업자등록은 단순한 사업사실의 신고로서, 과세관청이 직권으로 그 등록을 말소한 행위는 항고소송의 대상이 되는 행정처분이 아니다.

④ 구 「노인복지법」에 의한 유료노인복지주택의 설치신고를 받은 행정관청은 유료노인복지주택의 시설 및 운영기준이 법령에 부합하는지와 그 유료노인복지주택이 적법한 입소대상자에게 분양되었는지 등을 심사하여 그 신고의 수리 여부를 결정할 수 있다.

✓ 기출체크

① **관련기출**

1. 인·허가 의제효과를 수반하는 건축신고는 특별한 사정이 없는 한 행정청은 그 실체적 요건에 관한 심사를 한 후 수리하여야 한다. 2025 국가직 7급 (O | X)

2. 인·허가 의제효과를 수반하는 건축신고는 일반적인 건축신고와는 달리, 특별한 사정이 없는 한 행정청이 그 실체적 요건에 관한 심사를 한 후 수리하여야 하는 이른바 '수리를 요하는 신고'로 보는 것이 옳다. 2025 소방직 9급 (O | X)

3. 인·허가 의제효과를 수반하는 건축신고는 일반적인 건축신고와는 달리 특별한 사정이 없는 한 행정청이 그 실체적 요건에 관한 심사를 한 후 수리하여야 하는 이른바 '수리를 요하는 신고'에 해당한다. 2025 국가직 9급 (O | X)

4. 법률에 의해 다른 법률상 허가가 의제되는 「건축법」상 건축신고에서, 행정청은 그 신고가 다른 법령이 정하는 허가기준을 갖추지 못한 경우에 이를 이유로 수리를 거부할 수 있다. 2025 변호사 (O | X)

5. 「건축법」상 건축신고가 다른 법률에서 정한 인·허가 등의 의제효과를 수반하는 경우에는 일반적인 건축신고와는 달리 특별한 사정이 없는 한 수리를 요하는 신고에 해당한다. 2024 국가직 7급 (O | X)

② **관련기출**

6. 자기완결적 신고는 수리를 요하지 않기 때문에 행정청이 신고를 수리하거나 신고필증을 교부하였다고 하더라도 이는 신고사실을 확인하는 의미의 사실행위에 불과하다. 2024 소방직 9급 (O | X)

7. 구 「의료법 시행규칙」 제22조 제3항에 의하면 의원개설 신고서를 수리한 행정관청이 소정의 신고필증을 교부하도록 되어 있기 때문에 이와 같은 신고필증의 교부가 없으면 개설신고의 효력이 없다. 2019 지방직·교육행정직 9급 (O | X)

③ 관련기출

8. 「부가가치세법」상 사업자등록은 단순한 사업사실의 신고에 해당하므로, 과세관청이 직권으로 등록을 말소한 행위는 항고소송의 대상인 행정처분에 해당하지 않는다. 2020 국가직 7급 (O | X)

9. 「부가가치세법」상의 사업자등록은 과세관청으로 하여금 부가가치세의 납세의무자를 파악하고 그 과세자료를 확보케 하려는 데 입법취지가 있는 것으로서, 이는 단순한 사업사실의 신고로 사업자가 소관 세무서장에게 소정의 사업자등록신청서를 제출함으로써 성립되는 것이다. 2013 국가직 7급 (O | X)

④ 관련기출

10. 유료노인복지주택의 설치신고를 받은 행정관청은 그 유료노인복지주택의 시설 및 운용기준이 법령에 부합하는지와 설치신고 당시 부적격자들이 입소하고 있는지 여부를 심사할 수 있다. 2014 국가직 9급 (O | X)

정답
1. O 2. O 3. O 4. O 5. O 6. O 7. × 8. O 9. O 10. O

06 □□□

사인의 공법행위에 관한 설명으로 옳은 것은? (다툼이 있는 경우 판례에 의함)

① 구 「장사 등에 관한 법률」상 납골당설치신고는 '수리를 요하지 않는 신고'라 할 것이므로, 형식적 요건을 갖춘 신고서가 접수기관에 도달하면 곧바로 효력이 발생한다.

② 「축산물위생관리법」상 축산물판매업에 대한 부적법한 신고가 있었으나, 관할 행정청이 이를 수리한 경우라면 신고의 효과가 발생한다.

③ 「악취방지법」상 악취배출시설 설치·운영신고는 자기완결적 신고이므로 관련 법령에서 정한 형식적 요건을 갖춘 신고가 접수된 이상 관할 행정청이 이를 수리하였는지 여부와 관계없이 신고가 접수된 때에 효력이 발생한다.

④ 「건축법」상 신고를 함으로써 건축허가를 받는 것으로 간주되는 경우, 「건축법」에 정해진 적법한 요건을 갖춘 신고만 하면 행정청의 수리처분 등 별다른 조치를 기다릴 필요 없이 건축할 수 있다.

✓ 기출체크

① 관련기출

1. 구 「장사 등에 관한 법률」상 납골당설치신고는 수리를 요하지 않는 자기완결적 신고에 해당하므로, 형식적 요건을 갖춘 신고서가 접수기관에 도달한 때 곧바로 효력이 발생한다. 2025 국가직 9급 (O | X)

2. 봉안시설 설치신고가 「장사 등에 관한 법률」 관련 규정의 모든 요건에 맞는 신고라 하더라도 신고인은 봉안시설을 곧바로 설치할 수는 없고 행정청의 수리행위가 있어야 하며 신고필증 교부행위가 필요하다. 2023 소방간부 (O | X)

3. 납골당설치신고는 이른바 '수리를 요하는 신고'이므로 납골당설치신고가 관련 법령 규정의 모든 요건을 충족하는 신고라 하더라도 행정청의 수리처분이 있어야만 그 신고한 대로 납골당을 설치할 수 있다. 2019 국회직 8급 (O | X)

② 관련기출

4. 「축산물위생관리법」상 축산물판매업에 대한 부적법한 신고가 있었으나, 관할 행정청이 이를 수리한 경우(에는 신고의 효과가 발생하지 않는다) 2017 국가직(하) 7급 (O | X)

5. 판례는 자기완결적 신고에서 부적법한 신고에 대하여 행정청이 일단 수리하였다면, 그 후의 영업행위는 무신고영업행위에는 해당하지 않는다고 한다. 2013 국회속기직 9급 (O | X)

6. 수리를 요하지 않는 신고의 경우 신고의 적법 여부나 수리 여부와는 관계없이 신고서가 접수기관에 도달하면 신고의무가 이행된 것으로 본다. 2013 국회직 8급 (O | X)

7. (수리를 요하지 않는 신고의 경우) 요건을 갖추지 못한 부적법한 신고라도 행정청이 이를 수리한 경우에는 신고의 법적 효력이 발생한다. 2008 국회직 8급 (O | X)

④ 관련기출

8. 「건축법」상 수리를 요하지 않는 건축신고에 있어서는 원칙적으로 적법한 요건을 갖춰 신고하면 행정청의 수리 등 별도의 조치를 기다릴 필요 없이 건축행위를 할 수 있다고 보아야 한다. 2024 국가직 7급 (O | X)

9. 신고대상인 건축물의 건축행위를 하고자 할 경우에는 관계 법령에 정해진 적법한 요건을 갖춘 신고만을 하면 그와 같은 건축행위를 할 수 있고, 행정청의 수리처분 등 별도의 조치를 기다릴 필요가 없다. 2019 서울시 1회 7급 (O | X)

정답
1. × 2. × 3. O 4. O 5. × 6. × 7. × 8. O 9. O

07

사례에 관한 설명으로 옳은 것만을 <보기>에서 모두 고른 것은? (다툼이 있는 경우 판례에 의함)

> 乙은 2025년 4월 7일 경기도 화성시에 위치한 무봉산에서 건축에 필요한 석재를 채취하기 위해 화성시장으로부터 토석채취허가를 받아 채석장을 운영하고 있었는데, 그 후 2025년 8월 3일 乙은 자신의 사업을 甲에게 양도하였다.
>
> <사례 1>
> 「산림법」에 따르면 양수인은 양도사실을 관할 행정청에 신고하도록 되어 있으나 甲은 아직 사업양도사실을 신고하지 않고 있었다.
>
> <사례 2>
> 「산림법」에 따르면 양수인은 양도사실을 관할 행정청에 신고하도록 되어 있는데 甲이 8월 7일 양도사실을 신고하였다.

── 보기 ──

<사례 1>
㉮ 만약 8월 3일 이후에 甲이 토석채취과정에서 허가취소사유에 해당하는 위법행위를 하였다면, 취소처분의 상대방은 乙이다.
㉯ 한편, 화성시장이 乙에게 토석채취허가를 발령하면서 1,000만원의 산림복구비용을 예치하도록 하였는데 乙이 산림복구비용을 납부하지 않자 乙에 대해 10월 8일 토석채취허가를 취소한 경우, 甲은 10월 8일자 허가취소처분을 다툴 원고적격이 없다.

<사례 2>
㉰ 8월 7일자 신고가 적법한 요건을 갖춘 경우라도 관할 행정청이 수리를 하지 않은 이상 신고로서의 효력은 발생하지 않으며, 이러한 신고에는 행정행위와 같은 공정력, 자력집행력이 인정되지 않는다.
㉱ 「행정절차법」제40조 제1항·제2항상의 신고는 이러한 유형의 신고를 규정하고 있다는 것이 일반적 견해이다.

① ㉮, ㉯
② ㉮, ㉰
③ ㉯, ㉱
④ ㉰, ㉱

✓ 기출체크

㉮ 관련기출

1. 사실상 영업이 양도·양수되었지만 승계신고 및 그 수리처분이 있기 이전에 양도인이 양수인으로 하여금 영업을 하도록 허락하였다면 양수인의 영업 중 발생한 위반행위에 대한 행정적인 책임은 양도인에게 귀속된다. 2025 국가직 9급 (O | X)

2. (A구청장으로부터 허가를 받아 유흥주점영업을 해오던 甲은 해당 영업을 乙에게 양도하기로 하였다. 甲과 乙은 사업을 양도하기로 하는 계약을 체결하였고, 법령에 따라 乙은 A구청장에게 영업자지위승계신고를 하였다) A구청장이 영업자지위승계신고를 수리하기 전이라면 허가취소처분의 상대방은 甲이다. 2023 서울시 지적 7급 (O | X)

3. 양도인이 자신의 의사에 따라 양수인에게 영업을 양도하면서 양수인으로 하여금 영업을 하도록 허락하였다면 영업승계신고 및 수리처분이 있기 전에 발생한 양수인의 위반행위에 대한 행정적 책임은 양도인에게 귀속된다. 2014 국가직 9급 (O | X)

4. 甲은 「식품위생법」상 영업허가를 받아 영업을 하는 자로서 자신의 영업을 乙에게 양도하였고, 乙은 관련 법령에 따라 관할 행정청에 영업자지위승계신고를 하였다. 이에 대한 설명으로 옳지 않은 것은? (다툼이 있는 경우 판례에 의함) 2014 사회복지직 9급
   ① 관할 행정청이 乙의 신고를 수리하려면 「행정절차법」에 따라 甲에 대해 처분의 사전통지를 하고 의견제출의 기회를 주어야 한다.
   ② 관할 행정청은 乙의 신고가 수리된 후에는 위해식품판매를 이유로 甲에 대해 진행 중이던 제재처분절차를 乙에 대해 계속할 수 없다.
   ③ 영업양도계약이 적법하게 이루어졌더라도 아직 乙의 신고가 수리되기 전이라면 관할 행정청의 영업허가취소처분의 상대방은 甲이 된다.
   ④ 영업양도계약이 무효임에도 불구하고 관할 행정청이 乙의 신고를 수리하였다면 甲은 영업양도의 무효를 이유로 신고수리에 대해 무효확인소송을 제기할 수 있다.

㉯ 관련기출

5. 구 「산림법」상 채석허가자의 지위가 양도·양수된 경우, 양도·양수에 따른 명의변경신고가 수리되기 전에 행정청이 양도인에 대하여 채석허가를 취소하는 처분을 하였다면 양수인은 처분의 직접상대방에 해당하지 아니하므로 채석허가취소처분의 취소를 구할 법률상 이익이 없다. 2025 소방간부 (O | X)

6. (A구청장으로부터 허가를 받아 유흥주점영업을 해오던 甲은 해당 영업을 乙에게 양도하기로 하였다. 甲과 乙은 사업을 양도하기로 하는 계약을 체결하였고, 법령에 따라 乙은 A구청장에게 영업자지위승계신고를 하였다) A구청장이 영업자지위승계신고를 수리하기 전에 甲의 영업허가를 취소하였다면 乙은 이를 다툴 원고적격이 없다. 2023 서울시 지적 7급 (O | X)

7. (甲은 영업허가를 받아 영업을 하던 중 자신의 영업을 乙에게 양도하고자 乙과 사업양도·양수계약을 체결하고 관련 법령에 따라 관할 행정청 A에게 지위승계신고를 하였다) 甲과 乙이 사업양도·양수계약을 체결하였으나 지위승계신고 이전에 甲에 대해 영업허가가 취소되었다면, 乙은 이를 다툴 법률상 이익이 있다. 2019 서울시 9급 (O | X)

8. 채석허가를 받은 자로부터 영업양수 후 명의변경신고 이전에 양도인의 법 위반사유를 이유로 채석허가가 취소된 경우, 양수인은 수허가자의 지위를 사실상 양수받았다고 하더라도 그 처분의 취소를 구할 법률상 이익을 가지지 않는다. 2017 국가직(하) 7급 (O | X)

9. 갑(甲)은 「식품위생법」상 식품접객업 영업허가를 받아 영업을 하던 중, 자신의 영업을 을(乙)에게 양도하기로 계약을 체결하였고, 을(乙)은 같은 법이 정한 바에 따라 영업자지위승계신고를 하였다. 이에 대한 설명으로 옳은 것은? (다툼이 있는 경우 판례에 의함)
   2015 국가직 7급
   ① 관할 행정청이 신고를 수리하기 위해서는 갑(甲)에 대해 「행정절차법」상 불이익처분절차를 거쳐야 한다.
   ② 법령상 신고요건을 갖춘 적법한 신고가 있었다면, 관할 행정청의 수리 여부와 관계없이 영업양도는 효력을 발생한다.
   ③ 관할 행정청에 의해 신고가 수리되었다면, 갑(甲)과 을(乙) 사이의 양도계약이 무효이더라도 신고는 효력을 발생한다.
   ④ 관할 행정청이 을(乙)의 신고를 수리하기 전에 갑(甲)의 영업허가가 취소되었을 경우, 을(乙)은 갑(甲)에 대한 영업허가취소에 대하여는 취소소송을 제기할 수 있는 원고적격이 없다.

ⓒ 관련기출
10. 사인의 공법행위에는 행정행위에 인정되는 공정력, 존속력, 집행력 등이 인정되지 않는다. 2022 해경간부 (O | X)
11. 수리를 요하는 신고는 행정청이 수리함으로써 비로소 신고의 법적 효과가 발생한다. 2022 서울시 지적 7급 (O | X)
12. 사인의 공법행위도 공정력과 집행력을 갖는다. 2010 국가직 7급 (O | X)
13. (사인의 공법행위는) 행정행위와 마찬가지로 구속력·공정력·집행력 등과 같은 행정우월적 효력을 가진다. 2009 관세사 (O | X)

ⓓ 관련기출
14. 신고는 사인이 행하는 공법행위로 행정기관의 행위가 아니므로 「행정절차법」에는 신고에 관한 규정을 두고 있지 않다. 2018 국가직 9급 (O | X)
15. 「행정절차법」은 수리를 요하는 신고와 수리를 요하지 않는 신고를 구분하여 별도로 규정하고 있다. 2015 교육행정직 9급 (O | X)
16. 「행정절차법」은 수리를 요하는 신고를 규정하고 있다. 2011 지방직 9급 (O | X)

정답
1. ○ 2. ○ 3. ○ 4. ② 5. × 6. × 7. ○ 8. × 9. ① 10. ○
11. ○ 12. × 13. × 14. × 15. × 16. ×

08 □□□

사인의 공법행위에 관한 설명으로 옳은 것만을 <보기>에서 모두 고른 것은? (다툼이 있는 경우 판례에 의함)

─ 보기 ─
㉮ 「고용보험법」상 육아휴직급여 신청기간은 '소멸시효기간'이고 해당 신청기간을 정한 규정은 이른바 훈시규정이라고 볼 수 있다.
㉯ 「행정절차법」 제17조 제5항은 행정청이 신청에 대하여 거부처분을 하기 전에 반드시 신청인에게 신청의 내용이나 처분의 실체적 발급요건에 관한 사항까지 보완할 기회를 부여하여야 할 의무를 정한 것은 아니다.
㉰ 행정청은 신청에 구비서류의 미비 등 흠이 있으면 접수를 거부하여야 한다.
㉱ 행정청에 처분을 구하는 신청은 원칙적으로 문서로 하여야 하고, 전자문서로 하는 경우에는 행정청의 컴퓨터 등에 입력된 때에 신청한 것으로 본다.

① ㉮, ㉯   ② ㉮, ㉰
③ ㉯, ㉱   ④ ㉰, ㉱

✔ 기출체크

ⓐ 관련기출
1. 「고용보험법」에서 정하는 육아휴직급여청구권의 행사에 관한 신청기간은 '소멸시효기간'으로서 해당 신청기간규정은 '훈시규정'이다. 2024 국가직 7급 (O | X)

ⓑ 관련기출
2. 「행정절차법」 제17조 제5항은 행정청으로 하여금 신청에 대하여 거부처분을 하기 전에 반드시 신청인에게 신청의 내용이나 처분의 실체적 발급요건에 관한 사항까지 보완할 기회를 부여하여야 할 의무를 정한 것은 아니라고 보아야 한다. 2023 서울시 연구사 (O | X)
3. 행정청은 사인의 신청에 구비서류의 미비와 같은 흠이 있는 경우 신청인에게 보완을 요구하여야 하는바, 이때 보완의 대상이 되는 흠은 원칙상 형식적·절차적 요건뿐만 아니라 실체적 발급요건상의 흠을 포함한다. 2022 지방직·서울시 7급 (O | X)

ⓒ 관련기출
4. 행정청은 신청에 구비서류의 미비 등 흠이 있는 경우 접수를 거부하여야 한다. 2023 국가직 9급 (O | X)

ⓓ 관련기출
5. 행정청에 처분을 구하는 신청을 전자문서로 하는 경우에는 행정청의 컴퓨터 등에 입력된 때에 신청한 것으로 본다. 2018 서울시 9급 변형 (O | X)
6. 행정청에 대하여 처분을 구하는 신청은 원칙으로 문서로 하여야 하며, 특히 전자문서로 하는 경우에는 행정청의 컴퓨터 등에 입력된 때에 신청한 것으로 본다. 2009 관세사 (O | X)

정답
1. × 2. ○ 3. × 4. × 5. ○ 6. ○

09

행정입법에 관한 설명으로 옳은 것은? (다툼이 있는 경우 판례에 의함)

① 법규명령과 행정규칙은 양자 모두 그 제정에 법률의 근거가 필요하다는 점에서는 공통점이 있지만 법규명령과 달리 행정규칙은 공포가 효력발생의 요건은 아니다.

② 위임명령과 집행명령은 법규명령이므로 양자 모두 그 제정을 위해서는 개별법률에 수권규정이 있어야 한다는 점에서는 공통점이 있지만, 위임명령은 새로운 법규사항을 정할 수 있는 반면 집행명령은 새로운 법규사항을 규정할 수 없다.

③ 헌법이 인정하고 있는 위임입법의 형식은 예시적인 것으로 보아야 할 것이므로 고시와 같은 형식으로 입법위임을 하는 것도 가능하며, 이 경우 위임의 대상이 전문적·기술적 사항이나 경미한 사항으로서 업무의 성질상 위임이 불가피한 사항에 한정된다고 볼 수는 없다.

④ 포괄위임금지와 관련하여 위임의 구체성의 정도는 규율 대상의 성격에 따라 달라질 수 있는바, 기본권 침해영역에서는 구체성이 강화되고 급부영역에서는 구체성이 완화될 수 있다.

✓ 기출체크

① 관련기출

1. 행정기관 내부의 사무처리준칙에 불과한 행정규칙은 공포되어야 하는 것은 아니므로 특별한 규정이 없는 한, 수명기관에 도달된 때부터 효력이 발생한다. 2022 지방직·서울시 7급 (O | X)
2. 행정규칙은 법적 근거를 요한다. 2014 경행특채 1차 (O | X)
3. 행정규칙의 제정을 위해서는 행정의 법률적합성의 원칙상 위임입법금지의 원칙에 따라 법률적 근거가 필요하다. 2008 지방직 9급 (O | X)
4. 행정규칙은 하급기관의 권한 행사를 지휘하는 것이므로 상급기관이 갖는 포괄적인 감독권에 근거하여 발할 수 있다. 2005 대구시 9급 (O | X)

② 관련기출

5. 상위법령의 집행을 위하여 필요한 경우에는 상위법령의 위임이 없더라도 집행명령으로 새로운 국민의 의무를 정할 수 있다. 2023 행정사 (O | X)
6. 집행명령은 상위법령의 집행을 위해 필요한 사항을 규정한 것으로 법규명령에 해당하지만 법률의 수권 없이 제정할 수 있다. 2020 국가직 7급 (O | X)
7. 집행명령은 상위법령의 집행에 필요한 세칙을 정하는 범위 내에서만 가능하고 새로운 국민의 권리·의무를 정할 수 없다. 2019 지방직·교육행정직 9급 (O | X)
8. 상위법령의 시행에 관하여 필요한 절차 및 형식에 관한 사항을 규정하는 집행명령은 상위법령의 명시적 수권이 없는 경우에도 발할 수 있다. 2015 서울시 9급 (O | X)
9. 집행명령은 새로운 법규사항을 규정하지 않으므로 법령의 수권 없이 제정될 수 있다. 2012 사회복지직 9급 (O | X)

③ 관련기출

10. 헌법이 인정하고 있는 위임입법의 형식은 예시적인 것으로 보아야 할 것이고, 법률이 일정한 사항을 행정규칙에 위임하더라도 그 행정규칙은 위임된 사항만을 규율할 수 있으므로, 국회입법의 원칙과 상치되지 않는다. 2025 변호사 (O | X)
11. 헌법 제40조와 헌법 제75조, 제95조의 의미를 살펴보면, 국회입법에 의한 수권이 행정기관에게 법률 등으로 구체적인 범위를 정하여 위임하더라도 당해 행정기관이 독자적인 법정립의 권한을 갖는 것은 아니므로 헌법이 인정하고 있는 위임입법의 형식은 한정적인 것으로 보아야 한다. 2024 변호사 (O | X)
12. 헌법이 규정하고 있는 위임입법의 형식은 예시적인 것으로 보아야 한다. 2024 국회직 9급 (O | X)
13. 법률이 일정한 사항을 고시와 같은 행정규칙에 하는 것은 전문적·기술적 사항이나 경미한 사항으로서 업무의 성질상 위임이 불가피한 사항에 한정된다. 2023 지방직·서울시 7급 (O | X)
14. 위임입법의 형태로 대통령령, 총리령 또는 부령 등을 열거하고 있는 헌법규정은 예시규정이다. 2018 교육행정직 9급 (O | X)

④ 관련기출

15. 처벌법규나 조세법규는 다른 법규보다 구체성과 명확성의 요구가 강화되어야 한다. 2014 국가직 9급 (O | X)
16. 일반적인 급부행정법규는 처벌법규나 조세법규의 경우보다 그 위임의 요건과 범위가 더 엄격하게 제한적으로 규정되어야 한다. 2011 사회복지직 9급 (O | X)
17. 급부행정영역상의 위임입법에 있어서는 기본권 침해영역보다 구체성의 요구가 다소 약화되어도 무방하다. 2011 지방직(상) 9급 (O | X)

정답
1. O 2. X 3. X 4. O 5. X 6. O 7. O 8. O 9. O 10. O
11. X 12. O 13. O 14. O 15. O 16. X 17. O

10

행정입법에 관한 설명으로 옳지 않은 것은? (다툼이 있는 경우 판례에 의함)

① 법규명령이 법률에서 위임받은 사항에 관하여 대강을 정하고 그중의 특정 사항에 대하여 범위를 정하여 하위법령에 다시 위임하는 것은 허용된다.

② 위임명령이 수권규정에서 사용하고 있는 용어의 의미를 넘어 위임내용을 구체화하는 단계를 벗어나 새로운 입법을 한 것으로 평가할 수 있는 경우라면, 이는 위임의 한계를 일탈한 것으로서 허용되지 않는다.

③ 법률조항의 위임에 따라 대통령령으로 규정한 내용이 헌법에 위반되는 경우에는 그로 인해 수권법률조항까지 위헌으로 된다고 보아야 한다.

④ 대통령령을 제정하려는 경우에는 법제처의 심사와 국무회의의 심의를 거쳐야 한다.

✓ 기출체크

① 관련기출
1. 법률에서 위임받은 사항을 전혀 규정하지 않고 재위임하는 것은 재위임금지원칙에 반할 뿐 아니라 위임명령의 제정 형식에 관한 수권법의 내용을 변경하는 것이 되므로 허용되지 않으나 위임받은 사항에 관하여 대강을 정하고 그중의 특정 사항을 범위를 정하여 하위법령에 다시 위임하는 경우에는 재위임이 허용된다. 2025 군무원 7급 (○ | ×)
2. 법률에서 위임받은 사항을 전혀 규정하지 아니하고 그대로 재위임하는 것은 허용되지 않으며 위임받은 사항에 관하여 대강을 정하고 그중의 특정 사항을 범위를 정하여 하위법령에 다시 위임하는 경우에만 재위임이 허용된다. 2024 군무원 9급 (○ | ×)
3. 법률에서 위임받은 사항에 관하여 대강을 정하고 그중의 특정 사항을 범위를 정하여 하위법령에 다시 위임하는 경우에는 재위임이 허용된다. 이러한 법리는 조례가 「지방자치법」에 따라 주민의 권리 제한 또는 의무 부과에 관한 사항을 법률로부터 위임받은 후, 이를 다시 지방자치단체장이 정하는 '규칙'이나 '고시' 등에 재위임하는 경우에도 마찬가지이다. 2021 국가직 9급 (○ | ×)
4. 위임명령이 법률에서 위임받은 사항에 관하여 대강을 정하고 그중 특정 사항을 범위를 정하여 하위법령에 다시 위임하는 것은 허용된다. 2021 변호사 (○ | ×)
5. 법률에서 위임받은 사항을 전혀 규정하지 않고 재위임하는 것은 허용되지 않는다. 2017 경행경채 (○ | ×)

② 관련기출
6. 위임명령이 위임내용을 구체화하는 단계를 벗어나 새로운 입법을 한 것으로 평가할 수 있다면, 이는 위임의 한계를 일탈한 것으로서 허용되지 않는다. 2024 지방직·서울시 9급 (○ | ×)
7. 수권규정에서 사용하고 있는 용어의 의미를 넘어 위임내용을 구체화하는 단계를 벗어나 새로운 입법을 한 것으로 볼 수 있다면 위임의 한계를 넘은 것이다. 2022 경찰간부 (○ | ×)
8. 법률의 위임규정 자체가 그 의미내용을 정확하게 알 수 있는 용어를 사용하여 위임의 한계를 분명히 하고 있는데도 시행령이 위임규정에서 사용하고 있는 용어의 의미를 넘어 그 범위를 확장하거나 축소함으로써 위임내용을 구체화하는 단계를 벗어나 새로운 입법을 한 것으로 평가할 수 있는 경우라도 이를 위임의 한계를 일탈한 것으로 보기는 어렵다. 2017 국가직(하) 7급 (○ | ×)
9. 위임명령이 위임내용을 구체화하는 단계를 벗어나 새로운 입법을 한 것으로 평가할 수 있다고 하더라도 이는 위임의 한계를 일탈한 것이 아니다. 2016 국가직 7급 (○ | ×)

③ 관련기출
10. 법률조항의 위임에 따라 대통령령으로 규정한 내용이 헌법에 위반되는 경우에는 그로 인하여 모법인 해당 수권(授權)법률조항도 위헌이 된다. 2024 국가직 7급 (○ | ×)

④ 관련기출
11. 총리령·부령의 제정절차는 대통령령의 경우와는 달리 국무회의 심의는 거치지 않아도 된다. 2023 국가직 9급 (○ | ×)
12. 대통령령을 제정하려면 국무회의의 심의와 법제처의 심사를 거쳐야 한다. 2017 국가직(하) 9급 (○ | ×)

정답
1. ○ 2. ○ 3. ○ 4. ○ 5. ○ 6. ○ 7. ○ 8. × 9. × 10. ×
11. ○ 12. ○

11 □□□

행정입법에 관한 설명으로 옳은 것만을 <보기>에서 모두 고른 것은? (다툼이 있는 경우 판례에 의함)

| 보기 |

㉮ 다양한 사실관계를 규율하거나 사실관계가 수시로 변화될 것이 예상될 때에는 위임의 명확성의 요건이 완화된다.

㉯ 고시가 법령에 근거를 둔 것이라면 비록 규정내용이 법령의 위임범위를 벗어난 것이라 할지라도 법규명령으로서의 대외적 구속력을 인정할 수 있다.

㉰ 법률의 시행령이나 시행규칙의 내용이 모법의 입법취지와 관련 조항 전체를 유기적·체계적으로 살펴보아 모법의 해석상 가능한 것을 명시한 것에 지나지 않거나 모법 조항의 취지에 근거하여 이를 구체화하기 위한 것인 경우라도, 모법에 직접 위임하는 규정을 두지 않았다면 법률유보의 원칙에 반하여 무효가 된다.

㉱ 「도시 및 주거환경정비법」 제28조 제4항 본문이 사업시행인가 신청시의 동의요건을 조합의 정관에 포괄적으로 위임하고 있다고 하더라도 헌법 제75조가 정하는 포괄위임입법금지의 원칙이 적용되지 아니하므로 이에 위배된다고 할 수 없다.

① ㉮, ㉯
② ㉮, ㉱
③ ㉯, ㉰
④ ㉰, ㉱

✓ 기출체크

㉮ 관련기출
1. 위임입법의 구체성, 명확성의 요구 정도는 규율대상이 지극히 다양하거나 수시로 변화하는 성질의 것일 때에는 위임의 구체성, 명확성의 요건이 완화되어야 할 것이다. 2024 군무원 9급 (○ | ×)
2. 위임입법에 있어 급부행정영역에서는 기본권 침해영역보다는 위임의 구체성의 요구가 다소 약화되어도 무방하며, 다양한 사실관계를 규율하거나 사실관계가 수시로 변화될 것이 예상될 때에는 위임의 명확성의 요건이 완화된다. 2021 변호사 (○ | ×)
3. 다양한 사실관계를 규율하거나 사실관계가 수시로 변화될 것이 예상되는 분야에서는 다른 분야에 비하여 상대적으로 입법위임의 명확성·구체성이 완화된다. 2017 지방직 9급 (○ | ×)

㉯ 관련기출
4. 행정각부의 장이 정하는 특정 고시가 법령에 근거를 둔 것이라면, 설령 그 규정내용이 법령의 위임범위를 벗어난 것이더라도 법규명령으로서의 대외적 구속력을 인정할 수 있다. 2025 소방간부 (○ | ×)
5. 행정각부의 장이 정하는 고시가 법령에 근거를 둔 것이라면, 그 규정내용이 법령의 위임범위를 벗어난 것이라도 법규명령으로서의 대외적 구속력이 인정된다. 2023 지방직·서울시 7급 (○ | ×)

6. 법령의 규정이 특정 행정기관에게 법령내용의 구체적 사항을 정하도록 권한을 부여하여 특정 행정기관이 행정규칙을 정하였으나 그 행정규칙이 상위법령의 위임범위를 벗어났다면, 그러한 행정규칙은 대외적 구속력을 가지는 법규명령으로서의 효력이 인정되지 않는다. 2022 소방직 9급 (O | X)

7. 고시가 비록 법령에 근거를 둔 것이더라도 규정내용이 법령의 위임범위를 벗어난 것일 경우에는 법규명령으로서의 대외적 구속력을 인정할 여지는 없다. 2021 국가직 7급 (O | X)

8. 행정각부의 장이 정하는 특정 고시가 비록 법령에 근거를 둔 것이더라도 규정내용이 법령의 위임범위를 벗어난 것일 경우 대외적 구속력을 인정할 수 있다. 2020 지방직·서울시 9급 (O | X)

㈐ 관련기출

9. 법률의 시행령이나 시행규칙의 내용이 모법의 입법취지와 관련 조항 전체를 유기적·체계적으로 살펴보아 모법의 해석상 가능한 것을 명시한 것에 지나지 아니하거나 모법 조항의 취지에 근거하여 이를 구체화하기 위한 것인 때에는 모법의 규율범위를 벗어난 것으로 볼 수 없으므로, 모법에 이에 관하여 직접 위임하는 규정을 두지 아니하였다고 하더라도 이를 무효라고 볼 수는 없다. 2025 국가직 7급 (O | X)

10. 시행령의 내용이 모법의 입법취지와 전체를 유기적·체계적으로 보아 모법 조항의 취지에 근거하여 이를 구체화하는 것이라도 모법에 직접 위임하는 규정이 없다면 무효이다. 2022 경찰간부 (O | X)

11. 법률의 시행령이나 시행규칙은 법률의 위임이 없으면 개인의 권리·의무에 관한 내용을 변경·보충하거나 법률이 규정하지 아니한 새로운 내용을 정할 수는 없으므로, 모법에 이에 관하여 직접 위임하는 규정을 두지 아니하였다면 당연히 이를 무효라고 보아야 한다. 2022 소방직 9급 (O | X)

12. 법률의 시행령 내용이 모법 조항의 취지에 근거하여 이를 구체화하기 위한 것인 때에는 모법에 직접 위임하는 규정을 두지 않았더라도 이를 무효라고 볼 수 없다. 2021 지방직·서울시 9급 (O | X)

㈑ 관련기출

13. 법률이 공법적 단체 등의 정관에 자치적인 사항을 위임한 경우, 포괄적 위임입법금지가 적용되지 않는다. 2025 해경승진 (O | X)

14. 법률이 공법적 단체 등의 정관에 자치법적 사항을 위임한 경우에도 원칙적으로 헌법 제75조가 정하는 포괄적인 위임입법금지원칙이 적용되므로 이와 별도로 법률유보 내지 의회유보의 원칙을 적용할 필요는 없다. 2022 지방직·서울시 7급 (O | X)

15. 구 「도시 및 주거환경정비법」에서 주택재개발사업시행인가 신청시 토지 등 소유자의 동의요건을 재개발조합의 정관에 포괄적으로 위임하고 있는 것은 헌법 제75조에서 정하고 있는 포괄위임입법금지원칙에 위배된다. 2022 소방간부 (O | X)

16. 법률이 공법적 단체 등의 정관에 자치법적 사항을 위임한 경우에는 헌법 제75조가 정하는 포괄적인 위임입법의 금지는 원칙적으로 적용되지 않지만, 그 사항이 국민의 권리·의무에 관련되는 것일 경우에는 적어도 국민의 권리·의무에 관한 기본적이고 본질적인 사항은 국회가 정하여야 한다. 2021 국가직 9급 (O | X)

17. 법률이 행정부가 아니거나 행정부에 속하지 않는 공법적 기관의 정관에 자치법적 사항을 위임한 경우에는 포괄적인 위임입법의 금지는 원칙적으로 적용되지 않는다. 2021 변호사 (O | X)

정답
1. O 2. O 3. O 4. X 5. X 6. O 7. O 8. X 9. O 10. X
11. X 12. O 13. O 14. X 15. X 16. O 17. O

12 ☐☐☐

행정입법부작위에 관한 설명으로 옳은 것은? (다툼이 있는 경우 판례에 의함)

① 입법부가 법률로써 행정부에게 특정한 사항을 위임하였음에도 불구하고 행정부가 정당한 이유 없이 이를 이행하지 않더라도 그것만으로 권력분립의 원칙과 법치국가 내지 법치행정의 원칙에 위배된다고 볼 수는 없다.

② 상위법령이 행정입법에 위임하고 있는 이상, 하위행정입법의 제정 없이 상위법령의 규정만으로도 법률의 집행이 이루어질 수 있는 경우라도 하위행정입법을 하여야 할 작위의무가 인정되지 않는다고 해석할 수는 없다.

③ 행정입법부작위도 헌법소원의 대상이 될 수 있다.

④ 법률에서 군법무관의 보수의 구체적 내용을 시행령에 위임했음에도 불구하고 행정부가 정당한 이유 없이 시행령을 제정하지 않았더라도 이는 헌법소원을 통한 구제의 대상이 될 뿐이고 국가배상의 대상이 되는 것은 아니다.

✓ 기출체크

① 관련기출

1. 입법부가 법률로써 행정부에게 특정한 사항을 위임했음에도 불구하고 행정부가 정당한 이유 없이 이를 이행하지 않는다면 권력분립의 원칙과 법치국가 내지 법치행정의 원칙에 위배되는 것으로서 위법함과 동시에 위헌인 것이 된다. 2024 군무원 7급 (O | X)

2. 입법부가 법률로써 행정부에게 특정한 사항을 위임했음에도 불구하고 행정부가 정당한 이유 없이 이를 이행하지 않는다면 권력분립의 원칙과 법치국가 내지 법치행정의 원칙에 위배된다. 2017 국가직(하) 9급 (O | X)

② 관련기출

3. 행정권의 행정입법 등 법집행의무는 헌법적 의무라고 보아야 할 것이므로, 하위행정입법의 제정 없이 상위법령의 규정만으로 집행이 이루어질 수 있는 경우라도 하위행정입법을 하여야 할 헌법적 작위의무는 인정된다. 2024 국가직 7급 (O | X)

4. 하위행정입법의 제정 없이 상위법령의 규정만으로도 집행이 이루어질 수 있는 경우라면 하위행정입법을 하여야 할 헌법적 작위의무는 인정되지 아니한다. 2024 군무원 7급 (O | X)

5. (A법률이 해당 법률의 집행에 관한 특정한 사항을 부령에 위임하고 있음에도 관계 행정기관은 그에 따른 B부령을 제정하고 있지 않다) B부령의 제정이 없더라도 상위법령의 규정만으로 A법률의 집행이 이루어질 수 있는 경우라면 B부령을 제정하여야 할 작위의무는 인정되지 않는다. 2023 변호사 (O | X)

6. 하위행정입법의 제정 없이 상위법령의 규정만으로도 집행이 이루어질 수 있는 경우라면 하위행정입법을 제정하여야 할 작위의무는 인정되지 아니한다. 2022 경찰간부 (O | X)

③ 관련기출

7. 행정입법부작위는 헌법소원심판청구로 다툴 수 없고 부작위위법확인소송으로 다투어야 한다. 2026 경찰간부 (O | X)

8. 헌법재판소는 적극적 행정입법은 물론 행정입법의 부작위에 대하여서도 헌법소원심판의 대상성을 인정한다. 2016 국회직 8급 (O | X)

9. 행정입법에 대해서 헌법재판소는 헌법소원을 통하여 통제할 수 있으나 시행명령을 제정할 의무가 있음에도 명령제정을 거부하거나 입법부작위가 있는 경우에는 헌법소원의 대상이 되지 않는다. 2012 경행특채
(O | X)

10. 판례는 행정입법부작위에 대하여 헌법소원을 인정하고 있지 않다. 2010 지방직 9급
(O | X)

④ 관련기출

11. (A법률이 해당 법률의 집행에 관한 특정한 사항을 부령에 위임하고 있음에도 관계 행정기관은 그에 따른 B부령을 제정하고 있지 않다) B부령을 제정하지 않은 입법부작위는 「국가배상법」상 국가배상청구의 요건인 공무원의 '직무'에 포함되지 않는다. 2023 변호사
(O | X)

12. 법률에서 군법무관의 보수의 구체적 내용을 시행령에 위임했음에도 불구하고 행정부가 정당한 이유 없이 시행령을 제정하지 않은 것은 불법행위이므로 이에 대하여 국가배상청구를 할 수 있다. 2022 소방직 9급
(O | X)

13. 입법자가 법률로써 특정한 사항을 시행령으로 정하도록 위임함에도 불구하고 행정부가 정당한 이유 없이 이를 이행하지 않는다면 권력분립의 원칙과 법치국가 내지 법치행정의 원칙에 위배되는 것으로서 위헌성이 인정되나 이는 헌법소원을 통한 구제의 대상이 될 뿐이고 국가배상의 대상이 되는 것은 아니다. 2021 국회직 8급
(O | X)

14. 대통령령의 입법부작위에 대한 국가배상책임은 인정되지 않는다. 2021 지방직·서울시 9급
(O | X)

정답
1. O 2. O 3. X 4. O 5. O 6. O 7. X 8. O 9. X 10. X
11. X 12. O 13. X 14. X

13

행정입법부작위에 관한 설명으로 옳지 않은 것만을 <보기>에서 모두 고른 것은? (다툼이 있는 경우 판례에 의함)

보기

㉮ 법률이 해당 법률의 집행에 관한 특정한 사항을 부령에 위임하고 있음에도 관계 행정기관이 그에 따른 부령을 제정하지 않는 경우, 관계 행정기관의 입법부작위에 대해 「행정소송법」상 부작위위법확인소송으로 다툴 수 있다.

㉯ 부진정입법부작위를 대상으로 헌법소원을 제기하려면 헌법 위반을 내세워 적극적인 헌법소원을 제기하여야 하며, 이 경우에는 「헌법재판소법」 소정의 제소기간의 제한은 적용되지 않는다.

㉰ 행정청이 법률에서 대통령령으로 정하도록 위임받은 사항을 불충분하게 규정함으로써 법률이 위임한 행정입법의무를 제대로 이행하지 않은 경우라도 「국가배상법」 제2조 제1항에서 정한 요건이 인정되면 국가배상책임이 인정될 수 있다.

㉱ 입법부가 행정부에 시행령의 제·개정을 위임하면서 광범위한 재량을 부여한 경우 행정부가 법의 위임기준에 따른 행정입법을 이행하려고 노력하였으나 이를 이행하는 것이 헌법상 평등원칙 위반 등의 문제를 야기할 수밖에 없어 행정입법을 지체하였다면, 행정부가 위임입법에 따른 시행명령을 제정하지 못한 것에 정당한 이유가 있어 행정입법부작위가 있다고 볼 수 없다.

① ㉮, ㉯
② ㉮, ㉱
③ ㉯, ㉰
④ ㉰, ㉱

✓ 기출체크

㉮ 관련기출

1. 행정입법부작위는 부작위위법확인소송의 대상이 된다. 2023 지방직·서울시 9급
(O | X)

2. 「특정다목적댐법」에서 댐 건설로 손실을 입으면 국가가 보상해야 하고 그 절차와 방법은 대통령령으로 제정토록 명시되어 있음에도 미제정된 경우, 법령제정의 여부는 「행정소송법」상 부작위위법확인소송의 대상이 될 수 없다. 2023 국가직 9급
(O | X)

3. 부작위위법확인소송의 대상이 될 수 있는 것은 구체적 권리·의무에 관한 분쟁이어야 하고 추상적인 법령에 관하여 제정의 여부 등은 그 자체로서 국민의 구체적인 권리·의무에 직접적 변동을 초래하는 것이 아니어서 그 소송의 대상이 될 수 없다. 2022 군무원 9급
(O | X)

4. 행정청이 행정입법 등 추상적인 법령을 제정하지 아니하는 행위는 법률이 시행되지 못하게 됨으로써 행정입법을 통해 구체화되는 개인의 권리를 침해하는 것으로, 항고소송의 대상이 된다. 2022 소방직 9급
(O | X)

④ 관련기출

5. 입법자가 불충분하게 규율한 이른바 부진정입법부작위에 대하여 헌법소원을 제기하려면 그것이 평등의 원칙에 위배된다는 등 헌법 위반을 내세워 적극적인 헌법소원을 제기하여야 하며, 이 경우에는 기본권 침해상태가 계속되고 있으므로 「헌법재판소법」 소정의 제소기간을 준수할 필요는 없다. 2020 변호사 (○ | ×)

6. 입법의 내용·범위·절차 등의 결함을 이유로 헌법소원을 제기하려면 결함이 있는 당해 입법규정 그 자체를 대상으로 하여 그것이 평등의 원칙에 위배된다는 등 헌법 위반을 내세워 적극적인 헌법소원을 제기하여야 하며, 이 경우에는 「헌법재판소법」 소정의 제소기간을 준수하여야 한다. 2017 서울시 7급 (○ | ×)

㉰ 관련기출

7. 국회가 법률로 행정청에 특정한 사항을 위임했음에도 불구하고 행정청이 정당한 이유 없이 이를 이행하지 않는다면 권력분립의 원칙과 법치국가 또는 법치행정의 원칙에 위배되는 것으로서 위법함과 동시에 위헌적인 것이 되고, 이는 행정청이 법률에서 대통령령으로 정하도록 위임받은 사항을 전혀 입법하지 않은 경우는 물론 그 법률이 위임한 사항을 불충분하게 규정함으로써 법률이 위임한 행정입법의무를 제대로 이행하지 않은 경우도 마찬가지이다. 2025 국가직 7급 (○ | ×)

8. 행정입법의무의 불이행으로 인해 수퍼마켓 등의 소매점에 대한 장애인의 접근권이 침해된 경우, 그로 인하여 장애인이 입게 되는 정신적 손해는 추상적인 수준에 머물게 되므로 국가의 위자료 지급의무가 배제된다. 2025 국가직 7급 (○ | ×)

정답
1. × 2. ○ 3. ○ 4. × 5. × 6. ○ 7. ○ 8. ×

14 □□□

행정입법에 관한 설명으로 옳은 것은? (다툼이 있는 경우 판례에 의함)

① 전결(專決)과 같은 행정권한의 내부위임은 행정권한의 위임과 마찬가지로 법률의 근거를 요한다.

② 행정관청 내부의 사무처리규정에 위반하여 원래의 전결권자가 아닌 보조기관 등이 처분권자인 행정관청의 이름으로 행정처분을 하였다면 그 처분은 하자가 중대하고 명백하여 무효라고 보아야 한다.

③ 구 「청소년 보호법」 제49조 제1항·제2항의 위임에 따른 같은 법 시행령 제40조 [별표 6]의 위반행위의 종별에 따른 과징금처분기준은 법규명령으로서, 처분기준에 규정된 금액은 최고한도액이 아닌 정액이라고 할 것이므로 행정청은 그 한도 내에서 다른 과징금액을 결정할 재량권이 없다.

④ 시행령이 헌법이나 법률에 위반된다는 사정은 그 시행령의 규정을 위헌 또는 위법하여 무효라고 선언한 대법원의 판결이 선고되지 아니한 상태에서는 이러한 시행령에 근거한 행정처분의 하자가 중대하고 명백한 것이라 할 수 없어 원칙적으로 무효사유가 되지 않는다.

✓ **기출체크**

① 관련기출

1. 행정권한의 위임과 내부위임은 법률의 위임을 허용하고 있는 경우에 한하여 인정된다고 할 것이다. 2025 군무원 7급 (○ | ×)

2. 행정권한의 내부위임은 법률이 위임을 허용하지 않는 경우에도 인정된다. 2025 국회직 8급 (○ | ×)

3. 행정권한의 내부위임은 법률이 위임을 허용하고 있지 아니한 경우에도 행정관청의 내부적인 사무처리의 편의를 도모하기 위하여 그의 보조기관 또는 하급행정관청으로 하여금 그의 권한을 사실상 행사하게 하는 것이다. 2024 군무원 7급 (○ | ×)

4. 행정권한의 내부위임은 법률의 근거가 없이도 가능하나 행정권한의 위임은 법률의 근거를 요한다. 2022 국회직 8급 (○ | ×)

5. 전결(專決)과 같은 행정권한의 내부위임은 법령상 처분권자인 행정관청이 내부적인 사무처리의 편의를 도모하기 위하여 그의 보조기관 또는 하급행정관청으로 하여금 그의 권한을 사실상 행사하게 하는 것으로서 법률의 위임이 있어야 허용된다. 2021 경행경채 (○ | ×)

② 관련기출

6. 행정관청 내부의 사무처리규정인 전결규정을 위반하여 원래의 전결권자가 아닌 보조기관 등이 처분권자인 행정관청의 이름으로 처분을 하였다면 그 처분은 무효로 보아야 한다. 2025 지방직·서울시 7급 (○ | ×)

7. 행정관청 내부의 사무처리규정에 불과한 전결규정에 위반하여 원래의 전결권자 아닌 보조기관 등이 처분권자인 행정관청의 이름으로 행정처분을 하였다면 그 처분은 권한 없는 자에 의하여 행하여진 무효의 처분이다. 2025 국가직 9급 (○ | ×)

8. 행정관청 내부의 사무처리규정인 전결규정에 위반하여 원래의 전결권자가 아닌 보조기관이 처분권자인 행정관청의 이름으로 처분을 하였더라도 무효의 처분이라고 할 수는 없다. 2025 경찰간부 (○ | ×)

9. 행정관청 내부의 사무처리규정에 불과한 전결규정에 위반하여 원래의 전결권자 아닌 보조기관 등이 처분권자인 행정관청의 이름으로 행정처분을 한 경우, 그 처분은 권한 없는 자에 의하여 행하여진 것으로 무효이다. 2020 국가직 9급 (○ | ×)

③ 관련기출

10. 「청소년 보호법 시행령」상 과징금처분기준은 대외적으로 국민이나 법원을 구속하는 힘이 있는 법규명령에 해당할 뿐더러 사안에 따라 공평하게 정해져야 하므로 그 수액은 정액이 된다. 2024 군무원 5급 (○ | ×)

11. 구 「청소년 보호법 시행령」 제40조 [별표 6]의 위반행위의 종별에 따른 과징금처분기준에서 정한 과징금 수액은 정액이 아니고 최고한도액이다. 2019 지방직·교육행정직 9급 (○ | ×)

12. 과징금 부과처분의 기준을 규정하고 있는 구 「청소년 보호법 시행령」 제40조 [별표 6]은 행정규칙의 성질을 갖는다. 2018 지방직 9급 (○ | ×)

13. 구 「청소년 보호법」의 위임에 따른 동법 시행령상의 위반행위의 종별에 따른 과징금처분기준은 법규명령이다. 2017 지방직(하) 9급 (○ | ×)

④ 관련기출

14. 조례가 법률 등 상위법령에 위배된다는 사정은 그 조례의 규정을 위법하여 무효라고 선언한 대법원의 판결이 선고되지 아니한 상태에서는 그 조례 규정의 위법 여부가 해석상 다툼의 여지가 없을 정도로 명백하였다고 인정되지 아니하는 이상 객관적으로 명백한 것이라 할 수 없으므로, 이러한 조례에 근거한 행정처분의 하자는 취소사유에 해당한다. 2025 경찰간부 (○ | ×)

15. 일반적으로 시행령이 헌법이나 법률에 위반된다는 사정은 그 시행령 규정을 위헌 또는 위법하여 무효라고 선언한 대법원의 판결이 선고되지 아니한 상태에서는 그 시행령 규정의 위헌 내지 위법 여부가 해석상 다툼의 여지가 없을 정도로 명백하였다고 인정되지 아니하는 이상 객관적으로 명백한 것이라 할 수 없으므로 이러한 시행령에 근거한 행정처분의 하자는 취소사유에 해당할 뿐 무효사유가 된다고 볼 수는 없다. 2023 국회직 8급 (O | X)

16. 일반적으로 조례가 법률 등 상위법령에 위배된다는 사정은 그 조례의 규정을 위법하여 무효라고 선언한 대법원의 판결이 선고되지 아니한 상태에서는 그 조례규정의 위법 여부가 해석상 다툼의 여지가 없을 정도로 명백하였다고 인정되지 아니하는 이상 객관적으로 명백한 것이라 할 수 없으므로, 이러한 조례에 근거한 행정처분의 하자는 취소사유에 해당할 뿐 무효사유가 된다고 볼 수는 없다. 2022 군무원 7급 (O | X)

17. 일반적으로 시행령이 헌법이나 법률에 위반된다는 사정은 그 시행령의 규정을 위헌 또는 위법하여 무효라고 선언한 대법원의 판결이 선고되지 않은 상태에서도 그 시행령 규정의 위헌 내지 위법 여부가 객관적으로 명백하다고 할 수 있으므로, 이러한 시행령에 근거한 행정처분의 하자는 무효사유에 해당한다. 2018 국가직 9급 (O | X)

18. 조례가 법률 등 상위법령에 위배되면 비록 그 조례를 무효라고 선언한 대법원의 판결이 선고되지 않았더라도 그 조례에 근거한 행정처분은 당연무효가 된다. 2018 국회직 8급 (O | X)

정답
1. × 2. ○ 3. ○ 4. ○ 5. × 6. × 7. × 8. ○ 9. × 10. ×
11. ○ 12. × 13. ○ 14. ○ 15. ○ 16. ○ 17. × 18. ×

15

행정입법에 관한 설명으로 옳은 것은? (다툼이 있는 경우 판례에 의함)

① 특정 사안과 관련하여 법률에서 하위법령에 위임을 한 경우에 하위법령이 위임의 한계를 준수하고 있는지 여부를 판단할 때에는, 하위법령이 규정한 내용이 입법자가 형식적 법률로 스스로 규율하여야 하는 본질적 사항으로서 의회유보의 원칙이 지켜져야 할 영역인지를 고려할 필요는 없다.

② 위임명령이 위법한 경우, 그 위법성이 중대·명백한 경우에는 당연무효이지만, 그렇지 않은 경우에는 위임명령이 취소할 수 있는 명령에 불과하므로 취소되기 전까지는 유효한 법령이 된다는 것이 일반적 견해이다.

③ 구 노인복지법령에서 노령수당의 지급대상자를 '65세 이상'의 자로 규정하였으나 그 지급대상자를 '70세 이상'의 자로 규정한 보건사회부장관(현 보건복지부장관)의 노인복지사업지침은 당초 법령이 예정한 노령수당의 지급대상자를 부당하게 축소한 것으로 볼 수 없으므로 법령의 위임한계를 벗어나지 않는다.

④ 「산업재해보상보험법 시행령」[별표 3] '업무상 질병에 대한 구체적인 인정기준'이 예시적 규정에 불과한 이상 그 위임에 따른 고용노동부 고시는 행정내부적으로 업무처리지침이나 법령의 해석·적용기준을 정해주는 '행정규칙'이라고 보아야 한다.

✔기출체크

① 관련기출
1. 법률에서 하위법령에 위임을 한 경우에 하위법령이 위임의 한계를 준수하고 있는지 여부의 판단은 일반적으로 의회유보의 원칙과 무관하다. 2019 사회복지직 9급 (O | X)

② 관련기출
2. 위법한 법규명령은 무효가 된다. 2016 교육행정직 9급 (O | X)
3. "국민의 권리를 제한하는 내용의 법규명령(X)이 법률의 위임 없이 위법하게 제정되었다. 장차 X법령의 적용을 받게 될 A는 당해 법령의 집행을 통한 자신의 권리 침해를 우려하고 있다." 이 경우, X법령의 위법성이 중대·명백한 경우에는 X법령은 당연무효이지만, 그렇지 않은 경우 X법령은 취소되기 전까지는 유효한 법령이다. 2008 국회직 8급 (O | X)

③ 관련기출
4. 보건사회부장관이 정한 1994년도 노인복지사업지침은 노령수당의 지급대상자를 '70세 이상'의 생활보호대상자로 규정함으로써 구 「노인복지법」 제13조 제2항과 구 「노인복지법 시행령」 제20조 제1항에서 '65세 이상'의 자로 규정한 노령수당의 지급대상자를 부당하게 축소·조정하였으므로 그 부분은 법령의 위임한계를 벗어난 것이다. 2018 경행경채 3차 (O | X)

④ 관련기출
5. 위임근거인 「산업재해보상보험법 시행령」 [별표 3] '업무상 질병에 대한 구체적인 인정기준'이 예시적 규정에 불과한 이상, 그 위임에 따른 고용노동부 고시는 대외적으로 국민과 법원을 구속하는 효력이 있는 규범이라고 볼 수 없다. 2025 변호사 (○ | ×)

정답
1. × 2. ○ 3. × 4. ○ 5. ○

16 □□□

사례에 관한 설명으로 옳지 않은 것만을 <보기>에서 모두 고른 것은? (다툼이 있는 경우 판례에 의함)

甲은 부동산을 양도하고 통상의 경우처럼 기준시가에 의한 양도차익을 신고하고 그에 따른 소득세를 납부하였다. 그런데 「소득세법 시행령」 제170조는 국세청장이 정하는 투기거래에 해당하는 경우에는 기준시가가 아닌 실거래가를 기준으로 양도차익을 계산하고 양도소득세를 부과하도록 규정하고 있었고 국세청장은 훈령으로 「재산제세조사사무처리규정」을 정하여 투기거래의 유형을 열거하고 있었다. 이에 동작세무서장은 시행령과 「재산제세조사사무처리규정」을 근거로 甲의 거래가 투기거래에 해당한다고 보아 실거래가를 기준으로 양도소득세를 중과세하였다.

─ 보기 ─
㉮ 법령의 규정이 특정 행정기관에게 법령내용의 구체적 사항을 정할 수 있는 권한을 부여하면서 권한 행사의 절차나 방법을 특정하지 아니한 경우에는 수임행정기관은 행정규칙으로 법령내용이 될 사항을 구체적으로 정할 수 있다.
㉯ 법령의 직접적인 위임에 따라 수임행정기관이 그 법령을 시행하는 데 필요한 구체적인 사항을 정한 것이라면, 그 제정 형식이 고시, 훈령, 예규 등과 같은 행정규칙이더라도 그것이 상위법령의 위임한계를 벗어나지 아니하는 한, 그 자체로 직접적인 대외적 구속력을 가진다.
㉰ 위 사례의 국세청장이 정한 「재산제세조사사무처리규정」은 훈령의 형식이지만 대외적 구속력이 있다.
㉱ 이른바 법령보충규칙도 포괄적 위임금지 등 위임명령으로서의 한계를 준수하여야 한다.
㉲ 이른바 법령보충규칙은 법규성을 가지므로 관보에 게재하여 공포할 것이 그 효력발생요건이 된다.

① ㉮, ㉰
② ㉯, ㉱
③ ㉯, ㉲
④ ㉱, ㉲

✓ 기출체크

㉮ 관련기출
1. 법령의 규정이 특정 행정기관에게 법령내용의 구체적 사항을 정할 수 있는 권한을 부여하면서 권한 행사의 절차나 방법을 특정하지 아니하였다면, 수임행정기관은 행정규칙이나 규정형식으로 법령내용이 될 사항을 구체적으로 정할 수 없다. 2017 국가직 9급 (○ | ×)

㉯ 관련기출
2. 법령보충적 행정규칙은 상위법령과 결합하여 대외적 구속력이 있는 법규명령으로서의 효력을 가진다. 2025 행정사 (○ | ×)
3. 고시가 법령의 수권에 의하여 법령을 보충하는 사항을 정하는 경우 위임의 한계를 벗어나지 않는 한 그 근거법령과 결합하여 대외적으로 구속력이 있는 법규명령으로서의 효력을 가진다. 2022 지방직·서울시 9급 (○ | ×)
4. 상위법령의 위임에 의하여 정하여진 행정규칙은 위임한계를 벗어나지 아니하는 한 그 상위법령의 규정과 결합하여 대외적인 구속력이 있는 법규명령으로서의 효력을 갖게 된다. 2020 군무원 9급 (○ | ×)
5. 법령의 규정이 특정 행정기관에 그 법령내용의 구체적 사항을 정할 수 있는 권한을 부여하면서 그 권한 행사의 절차나 방법을 특정하고 있지 아니한 관계로 수임행정기관이 행정규칙의 형식으로 그 법령의 내용이 될 사항을 구체적으로 정하고 있다면 그와 같은 행정규칙은 행정기관에 법령의 구체적 내용을 보충할 권한을 부여한 법령규정의 효력에 의하여 그 내용을 보충하는 기능을 갖게 된다. 2019 서울시 1회 7급 (○ | ×)
6. 이른바 법령보충적 행정규칙은 그 자체로서 직접적으로 대외적인 구속력을 갖는다. 2018 경행경채 (○ | ×)

㉰ 관련기출
7. 국세청장의 훈령 형식으로 되어 있는 「재산제세사무처리규정」은 「소득세법 시행령」의 위임에 따라 「소득세법 시행령」의 내용을 보충하는 기능을 가지므로 「소득세법 시행령」과 결합하여 대외적 효력을 갖는다. 2013 국가직 9급 (○ | ×)

㉱ 관련기출
8. 법률이 행정규칙 형식으로 입법위임을 하는 경우에는 행정규칙의 특성상 포괄위임금지의 원칙은 인정되지 않는다. 2020 군무원 9급 (○ | ×)
9. 법령보충적 행정규칙은 법령의 수권에 의하여 인정되고, 그 수권은 포괄위임금지의 원칙상 구체적·개별적으로 한정된 사항에 대하여 행해져야 한다. 2019 국가직 7급 (○ | ×)
10. 행정규칙 형식의 법규명령은 통상적인 법규명령과는 달리 포괄적 위임금지의 원칙에 구속받지 아니한다. 2009 지방직 9급 (○ | ×)

㉲ 관련기출
11. 고시가 법령의 규정을 보충하는 기능을 가지면서 그와 결합하여 대외적인 구속력이 있는 법규명령으로서의 효력을 가지는 경우에도 그 자체가 법령은 아니고 행정규칙에 지나지 않으므로 적당한 방법으로 이를 일반인 또는 관계인에게 표시 또는 통보함으로써 그 효력이 발생한다. 2019 서울시 1회 7급 (○ | ×)
12. 법령보충적 행정규칙이 법규명령의 효력을 갖기 위해서는 공포되어야 한다. 2008 관세사 (○ | ×)

정답
1. × 2. ○ 3. ○ 4. ○ 5. ○ 6. × 7. ○ 8. × 9. ○ 10. ×
11. ○ 12. ×

17 □□□

행정입법에 관한 설명으로 옳은 것만을 <보기>에서 모두 고른 것은? (다툼이 있는 경우 판례에 의함)

― 보기 ―

㉮ 법원이 법률 하위의 법규명령이 위헌·위법인지를 심사하려면 '재판의 전제'를 요소로 하는데, 이는 구체적 사건이 법원에 계속 중이고, 위헌·위법인지가 문제된 조항이 해당 소송 사건의 재판에 적용되는 것이어야 하지만, 그 조항이 위헌·위법인지에 따라 그 사건을 담당하는 법원이 다른 판단을 하게 될 것까지는 필요로 하지 않는다.

㉯ 헌법재판소는 헌법재판소에 의한 위헌심사의 대상이 되는 법률이란 그 제정 형식이나 명칭이 아니라 규범의 효력을 기준으로 판단하여야 하므로, 유신헌법상 긴급조치의 위헌 여부 심사권은 대법원에 전속한다고 보았다.

㉰ 조례가 집행행위의 개입 없이도 그 자체로서 직접 국민의 구체적인 권리·의무나 법적 이익에 영향을 미치는 등의 법률상 효과를 발생하는 경우 그 조례는 처분성을 가지게 된다.

㉱ 헌법재판소에 따르면, 대법원규칙인 구「법무사법 시행규칙」은 그것이 별도의 집행행위를 기다리지 않고 직접 기본권을 침해하는 것일 때에는 헌법소원심판의 대상이 된다.

① ㉮, ㉯
② ㉮, ㉱
③ ㉯, ㉰
④ ㉰, ㉱

✓ 기출체크

㉮ 관련기출

1. 법원이 법규명령이 위헌·위법인지를 심사하려면 '재판의 전제'를 요소로 하는데, 이는 구체적 사건이 법원에 계속 중이고, 위헌·위법인지가 문제된 조항이 해당 소송 사건의 재판에 적용되는 것으로, 그 조항이 위헌·위법인지에 따라 그 사건을 담당하는 법원이 다른 판단을 하게 될 것까지는 요하지 않는다. 2025 경찰간부 (○ | ×)

2. 법원이 법률 하위의 법규명령이 위헌·위법인지를 심사하려면 그것이 재판의 전제가 되어야 하는데, 여기에서 재판의 전제란 구체적 사건이 법원에 계속 중이어야 하고, 위헌·위법인지가 문제된 경우에는 그 법규명령의 특정 조항이 해당 소송 사건의 재판에 적용되는 것이어야 하며, 그 조항이 위헌·위법인지에 따라 그 사건을 담당하는 법원이 다른 판단을 하게 되는 경우를 말한다. 2023 국가직 7급 (○ | ×)

3. 법원이 구체적 규범통제를 통해 위헌·위법으로 선언할 심판대상은, 해당 규정의 전부가 불가분적으로 결합되어 있어 일부를 무효로 하는 경우 나머지 부분이 유지될 수 없는 결과를 가져오는 특별한 사정이 없는 한, 원칙적으로 해당 규정 중 재판의 전제성이 인정되는 조항에 한정된다. 2020 지방직·서울시 7급 (○ | ×)

㉯ 관련기출

4. 헌법재판소 판례에 따르면, 헌법재판소에 의한 위헌심사의 대상이 되는 법률이란 그 제정 형식이나 명칭이 아니라 규범의 효력을 기준으로 판단하여야 한다고 보면서, 1972년 유신헌법상 긴급조치의 위헌 여부에 대한 심사권은 최종적으로 대법원에 속한다고 하였다. 2023 변호사 (○ | ×)

5. 대법원은 유신헌법상 긴급조치가 법률이 아니므로 대법원이 심사권을 가진다고 판시하였다. 2018 소방직 9급 (○ | ×)

㉰ 관련기출

6. 조례는 집행행위의 개입 없이도 그 자체로서 직접 국민의 구체적인 권리·의무에 영향을 미치는 등의 법률상 효과를 발생하는 경우에도 항고소송의 대상이 될 수 없다. 2025 행정사 (○ | ×)

7. 조례가 집행행위의 개입 없이도 그 자체로서 직접 국민의 구체적인 권리·의무나 법적 이익에 영향을 미치는 등의 법률상 효과를 발생하는 경우 그 조례는 항고소송의 대상이 되는 행정처분에 해당한다. 2021 소방직 9급 (○ | ×)

8. 조례가 집행행위의 개입 없이 직접 국민의 구체적 권리·의무에 영향을 미치는 등의 효과를 발생하면 그 조례는 항고소송의 대상이 된다. 2018 서울시 2회 7급 (○ | ×)

㉱ 관련기출

9. 헌법 제107조 제2항은 명령·규칙의 위헌·위법성 여부에 대한 최종심사권을 대법원에 부여하고 있으나 헌법재판소는 헌법소원심판을 통하여 법규명령에 대한 위헌심사권을 인정하고 있다. 2026 경찰간부 (○ | ×)

10. 헌법재판소는 대법원규칙인 구「법무사법 시행규칙」에 대해, 법규명령이 별도의 집행행위를 기다리지 않고 직접 기본권을 침해하는 것일 때에는 헌법 제107조 제2항의 명령·규칙에 대한 대법원의 최종심사권에도 불구하고 헌법소원심판의 대상이 된다고 한다. 2017 국가직 9급 (○ | ×)

11. 헌법재판소는 법규명령이 재판의 전제가 됨이 없이 직접 개인의 기본권을 침해하는 경우에는 헌법소원의 대상이 된다고 하였다. 2011 사회복지직 9급 (○ | ×)

12. 집행행위의 매개 없이 직접 개인의 기본권을 침해하는 법규명령은 헌법소원의 대상이 된다. 2009 서울시 9급 (○ | ×)

13. 헌법재판소는 구「법무사법 시행규칙」제3조 제1항에 대한 헌법소원심판 사건에서 명령·규칙에 대한 헌법재판소의 심사권을 인정하였다. 2008 지방직 7급 (○ | ×)

정답

1. ○ 2. ○ 3. ○ 4. × 5. ○ 6. × 7. ○ 8. ○ 9. ○ 10. ○
11. ○ 12. ○ 13. ○

18 □□□

법규명령의 효력에 관한 설명으로 옳은 것은? (다툼이 있는 경우 판례에 의함)

① 일단 법률에 근거하여 유효하게 성립한 법규명령은 나중에 위임법률이 개정되어 그 근거가 없어지면 소급하여 무효가 된다.
② 법규명령의 위임근거가 되는 법률에 대해 위헌결정이 선고된 경우라도 법적 안정성의 요청상 그 위임에 근거하여 제정된 법규명령이 당연히 효력을 상실하는 것이라고는 볼 수 없고 별도의 폐지행위가 있어야 한다.
③ 법률의 시행령이 형사처벌에 관한 사항을 규정하면서 법률의 명시적인 위임범위를 벗어나 처벌의 대상을 확장하였다면 그 시행령은 무효이다.
④ 상위법령의 시행에 필요한 세부적 사항을 정한 집행명령은 근거법령인 상위법령이 개정되면 특별한 규정이 없는 한 실효된다.

기출체크

① 관련기출
1. 법률의 위임에 의해 유효하게 성립된 법규명령은 이후 법개정으로 위임의 근거가 없어지더라도 법규명령의 효력에 영향이 없다. 2024 국가직 7급 (O | X)
2. 법률의 위임에 의하여 효력을 갖는 법규명령이 법개정으로 위임의 근거가 없어지게 되더라도 효력을 상실하지 않는다. 2022 국가직 9급 (O | X)

② 관련기출
3. 법규명령의 위임근거가 되는 법률에 대하여 위헌결정이 선고되더라도 그 위임에 근거하여 제정된 법규명령은 별도의 폐지행위가 있어야 효력을 상실한다. 2021 지방직·서울시 9급 (O | X)
4. 법규명령의 위임의 근거가 되는 법률에 대하여 위헌결정이 선고되면 그 위임규정에 근거하여 제정된 법규명령도 원칙적으로 효력을 상실한다. 2020 군무원 7급 (O | X)
5. 법규명령의 위임근거가 되는 법률에 대하여 위헌결정이 선고되더라도 그 법규명령은 특별한 규정이 없는 한 별도의 폐지행위가 있어야 효력을 상실한다. 2008 지방직(하) 7급 (O | X)

③ 관련기출
6. 법률의 시행령이 형사처벌에 관한 사항을 규정하면서 법률의 명시적인 위임범위를 벗어나 처벌대상을 확장하는 경우 그 하자는 취소사유에 해당한다. 2024 국회직 9급 (O | X)
7. 법률의 시행령이 형사처벌에 관한 사항을 규정하면서 법률의 명시적인 위임범위를 벗어나 처벌의 대상을 확장하는 것은 위임입법의 한계를 벗어난 것으로 그 시행령은 무효이다. 2022 지방직·서울시 9급 (O | X)

④ 관련기출
8. 집행명령의 경우 상위법령이 폐지된 것이 아니라 단순히 개정됨에 그친 경우에는 그 개정법령과 성질상 모순·저촉되지 아니하고 개정된 상위법령의 시행에 필요한 사항을 규정하고 있는 이상 그 집행명령은 개정법령의 시행을 위한 집행명령이 제정·발효될 때까지는 그 효력을 유지한다. 2024 국회직 8급 (O | X)
9. 집행명령은 근거법령인 상위법령이 폐지 또는 개정될 경우, 특별한 규정이 없는 이상 실효된다. 2023 소방승진 (O | X)
10. 집행명령은 상위법령이 개정되더라도 개정법령과 성질상 모순·저촉되지 아니하고 개정된 상위법령의 시행에 필요한 사항을 규정하고 있는 이상, 개정법령의 시행을 위한 집행명령이 제정·발효될 때까지는 여전히 그 효력을 유지한다. 2019 지방직·교육행정직 9급 (O | X)
11. 상위법령의 시행을 위하여 제정한 집행명령은 그 상위법령이 개정되더라도 개정법령과 성질상 모순·저촉되지 않는 이상 여전히 그 효력을 가진다. 2017 국회직 8급 (O | X)
12. 상위법령의 시행에 필요한 세부적 사항을 정하기 위하여 행정관청이 일반적 직권에 의하여 제정하는 이른바 집행명령은 근거법령인 상위법령이 폐지되면 특별한 규정이 없는 이상 실효된다. 2011 국회직 8급 (O | X)

정답
1. X 2. X 3. X 4. O 5. X 6. X 7. O 8. O 9. X 10. O
11. O 12. O

19 □□□

행정입법에 관한 설명으로 옳지 않은 것은? (다툼이 있는 경우 판례에 의함)

① 법령의 위임이 없음에도 법령에 규정된 처분요건에 해당하는 사항을 부령에서 변경하여 규정한 경우에는, 그 부령의 규정은 행정청 내부의 사무처리기준 등을 정한 것으로서 행정조직 내에서 적용되는 행정명령의 성격을 지닐 뿐 국민에 대한 대외적 구속력은 없다.
② 하위법령의 규정이 상위법령의 규정에 저촉되는지 명백하지 않지만 하위법령의 의미를 상위법령에 합치되는 것으로 해석하는 것이 가능한 경우라면, 그 규정을 상위법령에 위반된다는 이유로 단순히 무효를 선언할 것은 아니다.
③ 형벌법규의 위임은 특히 긴급한 필요가 있거나 미리 법률로써 자세히 정할 수 없는 부득이한 사정이 있는 경우에 한하여 수권법률이 처벌대상인 행위를 예측할 수 있을 정도로 구체적으로 정하고, 형벌의 종류 및 그 상한과 폭을 명확히 규정하는 것을 조건으로 허용된다.
④ 법률이 공법적 단체 등의 정관에 자치법적 사항을 위임한 경우 포괄위임입법금지의 원칙이 적용되므로 법률유보 내지 의회유보의 원칙이 지켜져야 하는 것은 아니다.

✓ 기출체크

① 관련기출

1. 법령의 위임이 없음에도 법령에 규정된 처분요건에 해당하는 사항을 부령에서 변경하여 규정한 경우에는 그 부령의 규정은 행정청 내부의 사무처리기준 등을 정한 것으로서 행정조직 내에서 적용되는 행정명령의 성격을 지닐 뿐 국민에 대한 대외적 구속력은 없다고 보아야 한다. 2025 국가직 7급 (O | X)

2. 법령에서 행정처분의 요건 중 일부 사항을 부령으로 정할 것을 위임한 데 따라 시행규칙 등 부령에서 이를 정한 경우에 그 부령의 규정은 국민에 대해서도 구속력이 있는 법규명령에 해당한다고 할 것이지만, 법령의 위임이 없음에도 법령에 규정된 처분요건에 해당하는 사항을 부령에서 변경하여 규정한 경우에는 그 부령의 규정은 무효로서 행정청 내부의 사무처리기준의 효력도 인정되지 않는다. 2024 군무원 5급 (O | X)

3. 상위법령의 위임이 없음에도 상위법령에 규정된 처분요건에 해당하는 사항을 부령에서 변경하여 규정한 경우 그 부령의 규정은 국민에 대한 대외적 구속력이 있다. 2023 국가직 9급 (O | X)

4. 법령의 위임이 없음에도 법령에 규정된 처분요건에 해당하는 사항을 부령에서 변경하여 규정한 경우에 처분의 적법 여부는 그러한 부령에서 정한 요건을 기준으로 판단하여야 한다. 2021 지방직·서울시 7급 (O | X)

② 관련기출

5. 어느 시행령의 규정이 모법에 저촉되는지가 명백하지 않은 경우에는 모법과 시행령의 다른 규정들과 그 입법취지, 연혁 등을 종합적으로 살펴 모법에 합치된다는 해석도 가능한 경우라면 그 규정을 모법 위반이라고 선언해서는 안 된다. 2021 지방직·서울시 7급 (O | X)

③ 관련기출

6. 형사처벌에 관한 위임입법의 경우, 수권법률이 구성요건의 점에서는 처벌대상인 행위가 어떠한 것인지 이를 예측할 수 있을 정도로 구체적으로 정하고, 형벌의 점에서는 형벌의 종류 및 그 상한과 폭을 명확히 규정하는 것을 전제로 한다. 2013 지방직(하) 7급 (O | X)

7. 처벌규정의 위임은 죄형법정주의로 인하여 어떠한 경우에도 허용되지 않는다. 2011 지방직(하) 7급 (O | X)

④ 관련기출

8. 법률이 공법적 단체 등의 정관에 자치적인 사항을 위임한 경우, 포괄적 위임입법금지가 적용되지 않는다. 2025 해경승진 (O | X)

9. 법률이 공법적 단체 등의 정관에 자치법적 사항을 위임한 경우에도 원칙적으로 헌법 제75조가 정하는 포괄적인 위임입법금지원칙이 적용되므로 이와 별도로 법률유보 내지 의회유보의 원칙을 적용할 필요는 없다. 2022 지방직·서울시 7급 (O | X)

10. 구 「도시 및 주거환경정비법」에서 주택재개발사업시행인가 신청시 토지 등 소유자의 동의요건을 재개발조합의 정관에 포괄적으로 위임하고 있는 것은 헌법 제75조에서 정하고 있는 포괄위임입법금지원칙에 위배된다. 2022 소방간부 (O | X)

11. 법률이 공법적 단체 등의 정관에 자치법적 사항을 위임한 경우에는 헌법 제75조가 정하는 포괄적인 위임입법의 금지는 원칙적으로 적용되지 않지만, 그 사항이 국민의 권리·의무에 관련되는 것일 경우에는 적어도 국민의 권리·의무에 관한 기본적이고 본질적인 사항은 국회가 정하여야 한다. 2021 국가직 9급 (O | X)

12. 법률이 행정부가 아니거나 행정부에 속하지 않는 공법적 기관의 정관에 자치법적 사항을 위임한 경우에는 포괄적인 위임입법의 금지는 원칙적으로 적용되지 않는다. 2021 변호사 (O | X)

정답
1. O 2. × 3. × 4. × 5. O 6. O 7. × 8. O 9. × 10. ×
11. O 12. O

20 □□□

행정입법에 관한 설명으로 옳지 <u>않은</u> 것만을 <보기>에서 모두 고른 것은? (다툼이 있는 경우 판례에 의함)

─| 보기 |─

㉮ 법외노조 통보는 국민의 대표자인 입법자가 스스로 형식적 법률로써 규정하여야 할 사항이고, 행정입법으로 규정하기 위해서는 반드시 법률의 명시적·구체적 위임이 있어야 한다.

㉯ 일반적으로 법률의 위임에 따라 효력을 갖는 법규명령의 경우에 그 위임의 근거가 없어 무효였더라도 나중에 법개정으로 위임의 근거가 부여되면 그때부터는 유효한 법규명령으로 볼 수 있다.

㉰ 자치조례에 대한 법률의 위임은 법규명령에 대한 법률의 위임과 같이 반드시 구체적으로 범위를 정하여 하여야 한다.

㉱ 법률의 시행령은 모법인 법률에 의하여 위임받은 사항이나 법률이 규정한 범위 내에서 법률을 현실적으로 집행하는 데 필요한 세부적인 사항을 규정할 수 있으나, 법률에 의한 위임 없이도 법률이 규정한 개인의 권리·의무에 관한 내용을 변경·보충하거나 법률에 규정되지 아니한 새로운 내용을 규정할 수 있다.

① ㉮, ㉯
② ㉮, ㉱
③ ㉯, ㉰
④ ㉰, ㉱

✓ 기출체크

㉮ 관련기출

1. 법외노조 통보는 적법하게 설립된 노동조합의 법적 지위를 박탈하는 중대한 침익적 처분으로서 원칙적으로 국민의 대표자인 입법자가 스스로 형식적 법률로써 규정하여야 할 사항이고, 행정입법으로 이를 규정하기 위하여는 반드시 법률의 명시적이고 구체적인 위임이 있어야 한다. 2024 변호사 (O | X)

㉯ 관련기출

2. 일반적으로 법률의 위임에 따라 효력을 갖는 법규명령의 경우에 위임의 근거가 없어 무효였더라도 나중에 법개정으로 위임의 근거가 부여되면, 그 법규명령이 법률의 위임의 한계를 벗어나지 않는 한, 그때부터는 유효한 법규명령으로 볼 수 있다. 2025 경찰간부 (O | X)

3. 법규명령이 법률상 위임의 근거가 없어 무효였더라도 사후에 법개정으로 위임의 근거가 부여되면 그때부터는 유효한 법규명령이 된다. 2024 지방직·서울시 9급 (O | X)

제3회 63

4. 위임의 근거가 없어 무효였던 법규명령은 사후적인 법률에 의해 유효가 될 수 있다. 2024 군무원 9급 (O | X)
5. 일반적으로 법률의 위임에 따라 효력을 갖는 법규명령의 경우에 위임의 근거가 없어 무효였다면 나중에 법개정으로 위임의 근거가 부여되었다고 하여 그때부터 유효한 법규명령이 되는 것은 아니다. 2024 국가직 9급 (O | X)
6. 법률의 위임에 따라 효력을 갖는 법규명령의 경우에 위임의 근거가 없어 무효였더라도 나중에 법개정으로 위임의 근거가 다시 부여된 경우에는 이전부터 소급하여 유효한 법규명령이 있었던 것으로 본다. 2021 국가직 7급 (O | X)

ⓓ 관련기출
7. 자치조례에 대한 법률의 위임은 법규명령에 대한 법률의 위임과 같이 반드시 구체적으로 범위를 정하여 할 필요가 없으며 포괄적인 것으로 족하다. 2025 지방직·서울시 9급 (O | X)
8. 조례에 대한 법률의 위임은 반드시 구체적으로 범위를 정하여 해야 한다. 2018 서울시 2회 7급 (O | X)
9. 조례에 대한 법률의 위임은 구체적으로 범위를 정하여 위임하여야 하며 포괄적 위임은 금지된다. 2018 교육행정직 9급 (O | X)
10. 법률이 주민의 권리·의무에 관한 사항에 관하여 구체적으로 범위를 정하지 않은 채 조례로 정하도록 포괄적으로 위임한 경우에도 지방자치단체는 법령에 위반되지 않는 범위 내에서 주민의 권리·의무에 관한 사항을 조례로 제정할 수 있다. 2018 국회직 8급 (O | X)

ⓔ 관련기출
11. 법률의 시행령은 모법인 법률에 의하여 위임받은 사항이나 법률이 규정한 범위 내에서 법률을 현실적으로 집행하는 데 필요한 세부적인 사항만을 규정할 수 있을 뿐, 법률에 의한 위임이 없는 한 법률이 규정한 개인의 권리·의무에 관한 내용을 변경·보충하거나 법률에 규정되지 아니한 새로운 내용을 규정할 수는 없다. 2025 지방직·서울시 9급 (O | X)
12. 법률의 시행령은 법률에 의한 위임 없이도 법률이 규정한 개인의 권리·의무에 관한 내용을 변경·보충하거나 법률에 규정되지 아니한 새로운 내용을 규정할 수 있다. 2024 해경승진 (O | X)
13. 법률의 시행령은 법률에 의한 위임이 없는 한 법률이 규정한 개인의 권리·의무에 관한 내용을 변경·보충하거나 법률에 규정되지 아니한 새로운 내용을 규정할 수는 없다. 2022 경찰간부 (O | X)

정답
1. O 2. O 3. O 4. × 5. × 6. × 7. O 8. × 9. × 10. O
11. O 12. × 13. O

21 ☐☐☐

사례에 관한 설명으로 옳은 것만을 <보기>에서 모두 고른 것은? (다툼이 있는 경우 판례에 의함)

주택건설사업자인 甲건설주식회사는 1,000세대분의 A아파트를 신축하여 일반인들에게 분양하였다. 그런데 이 아파트의 80세대분에 하자가 있어 입주자대표회의에서 하자보수를 요구하였으나 보수가 이루어지지 않자 입주자대표회의는 甲을 관할 행정청에 고발하였고 이에 관할 행정청은 4개월의 기간을 정하여 하자보수를 명하였으나 일부에 대해서만 보수가 되었을 뿐 하자보수가 되지 않고 있었다. 이에 관할 행정청은 甲에 대해「주택건설촉진법 시행령」에 의거하여 3개월의 영업정지처분을 하였다(「주택건설촉진법」에 따르면 행정청의 명령에 위반한 자에 대해서는 주택건설사업의 등록을 말소하거나 1년 이내의 기간을 정하여 영업의 정지를 명할 수 있으며,「주택건설촉진법 시행령」상의 처분기준에 따르면 하자보수명령에 따르지 아니한 경우에는 3개월의 영업정지를 하도록 규정하고 있다).

보기
㉮ 판례의 취지에 따르면「주택건설촉진법 시행령」상의 처분기준은 대외적 구속력이 없으므로 만약 행정청이 甲에 대해 6개월의 영업정지처분을 내린 경우에도 곧바로 위법하다고 볼 수는 없다.
㉯ 甲은 3개월 영업정지처분 취소소송을 제기하면서 동 시행령의 처분기준을 다툴 수 있는바, 이 경우 제1심 수소법원도 시행령의 위헌·위법 여부를 심사할 수 있다.
㉰ 한편, 헌법 제107조 제2항의 구체적 규범통제를 통해 위헌·위법으로 선언할 심판대상은 원칙적으로 해당 규정 전체이고, 재판의 전제성이 인정되는 조항에 한정되지 않는다.
㉱ 甲은 3개월 영업정지처분 취소소송을 제기하면서「주택건설촉진법 시행령」의 처분기준을 다툴 수 있는바, 이 경우 대법원이 동 시행령을 위헌·위법이라고 판단한 경우에도 동 시행령은 일반적으로 효력을 상실하는 것이 아니라 당해 사건에 한하여 적용되지 않을 뿐이라는 것이 통설의 입장이다.
㉲ 만약, 대법원 판결에 의하여「주택건설촉진법 시행령」이 헌법 또는 법률에 위반된다는 것이 확정된 경우에 대법원은 그 사유를 지체 없이 법무부장관에게 통보하여야 한다.

① ㉮, ㉰
② ㉯, ㉱
③ ㉯, ㉲
④ ㉱, ㉲

기출체크

㉮ **관련기출**

1. 「주택건설촉진법 시행령」 제10조의3 제1항 [별표 1]은 「주택건설촉진법」 제7조 제2항의 위임규정에 터 잡은 규정 형식상 대통령령이므로 대외적으로 국민이나 법원을 구속하는 힘이 있다. 2013 국가직 9급
(O | X)

㉯ **관련기출**

2. 대법원 이외의 각급 법원도 구체적 규범통제의 방법으로 법규명령 조항에 대한 위헌·위법 판단을 할 수 있다. 2023 지방직·서울시 9급
(O | X)

3. 명령·규칙 또는 처분이 헌법이나 법률에 위반되는 여부가 재판의 전제가 된 경우에는 헌법재판소가 이를 최종적으로 심사할 권한을 가진다. 2020 지방직·서울시 7급
(O | X)

4. 명령·규칙 또는 처분이 헌법이나 법률에 위반되는 여부가 재판의 전제가 된 경우에는 대법원은 이를 최종적으로 심사할 권한을 가진다. 2014 경행특채 2차
(O | X)

㉰ **관련기출**

5. 법원이 구체적 규범통제를 통해 위헌·위법으로 선언할 심판대상은, 해당 규정의 전부가 불가분적으로 결합되어 있어 일부를 무효로 하는 경우 나머지 부분이 유지될 수 없는 결과를 가져오는 특별한 사정이 없는 한, 원칙적으로 해당 규정 중 재판의 전제성이 인정되는 조항에 한정된다. 2025 군무원 9급
(O | X)

6. 법원이 법률 하위의 법규명령이 위헌·위법인지를 심사하려면 그것이 재판의 전제가 되어야 하는데, 여기에서 재판의 전제란 구체적 사건이 법원에 계속 중이어야 하고, 위헌·위법인지가 문제된 경우에는 그 법규명령의 특정 조항이 해당 소송 사건의 재판에 적용되는 것이어야 하며, 그 조항이 위헌·위법인지에 따라 그 사건을 담당하는 법원이 다른 판단을 하게 되는 경우를 말한다. 2023 국가직 7급
(O | X)

7. 법원이 구체적 규범통제를 통해 위헌·위법으로 선언할 심판대상은 원칙적으로 재판의 전제성이 인정되는 조항에 한정된다. 2023 행정사
(O | X)

㉱ **관련기출**

8. 헌법 제107조에 따른 구체적 규범통제의 결과 처분의 근거가 된 명령이 위법하다는 대법원의 판결이 난 경우, 그 명령은 당해 사건에 한하여 적용되지 않는 것이 아니라 일반적으로 효력이 상실된다. 2019 경행경채 2차
(O | X)

9. 법원의 위헌·위법결정을 받은 법규명령은 원칙적으로 당해 사건에 한하여 그 적용이 거부된다. 2008 지방직 7급
(O | X)

㉲ **관련기출**

10. 행정소송에 대한 대법원 판결에 의하여 명령·규칙이 헌법 또는 법률에 위반된다는 것이 확정된 경우에는 대법원은 지체 없이 그 사유를 행정안전부장관에게 통보하여야 한다. 2025 국가직 9급 (O | X)

11. 행정소송에 대한 대법원 판결에 의하여 명령·규칙이 헌법 또는 법률에 위반된다는 것이 확정된 경우에는 대법원은 지체 없이 그 사유를 국무총리에게 통보하여야 한다. 2023 군무원 7급
(O | X)

12. 명령 등이 헌법이나 법률에 위반되어 대법원에서 무효라고 선언하여도 당해 사건에만 적용이 배제될 뿐 형식적으로는 존재하므로 판결확정 후 대법원은 행정안전부장관에게 통보하도록 하고 있다. 2018 소방직 9급
(O | X)

13. 「행정소송법」 제6조에 의하면 행정소송에 대한 대법원 판결에 의하여 명령·규칙이 헌법 또는 법률에 위반된다는 것이 확정된 경우에는 대법원은 지체 없이 그 사유를 법무부장관에게 통보하여야 한다. 2017 경행경채
(O | X)

14. 행정소송에 대한 대법원 판결에 의하여 명령·규칙이 헌법 또는 법률에 위반된다는 것이 확정된 경우에는 대법원은 지체 없이 그 사유를 행정안전부장관에게 통보하여야 하고, 그 통보를 받은 행정안전부장관은 지체 없이 이를 관보에 게재하여야 한다. 2014 지방직 7급
(O | X)

정답

1. O 2. O 3. X 4. O 5. O 6. O 7. O 8. X 9. O 10. O
11. X 12. O 13. X 14. O

22 □□□

행정규칙에 관한 설명으로 옳지 <u>않은</u> 것은? (다툼이 있는 경우 판례에 의함)

① 재량권이 인정되는 영역에서 재량권 행사의 기준이 되는 지침을 제정하는 것은 행정청이 법률의 근거규정 없이도 할 수 있다.

② 상급행정기관이 하급행정기관에 대하여 업무처리지침이나 법령의 해석·적용에 관한 기준을 정하여 발하는 행정규칙은 대내적 구속력뿐만 아니라 대외적 구속력도 갖는다.

③ 「국토의 계획 및 이용에 관한 법률 시행령」에 따라 국토교통부훈령으로 정한 '개발행위허가운영지침'은 세부적인 검토기준으로서 대외적 구속력도 없다.

④ 행정기관 내부의 사무처리준칙에 불과한 행정규칙은 공포되어야 하는 것은 아니므로 특별한 규정이 없는 한, 수명기관에 도달된 때부터 효력이 발생한다.

기출체크

① **관련기출**

1. 재량권이 인정되는 영역에서 재량권 행사의 기준이 되는 지침을 제정하는 것은 행정청이 법률의 근거규정 없이도 할 수 있는 조치이다. 2018 국가직 9급
(O | X)

② **관련기출**

2. 상급행정기관이 소속 공무원이나 하급행정기관에 대하여 세부적인 업무처리절차나 법령의 해석·적용기준을 정해주는 행정규칙은 상위법령에 반하지 않는다고 하더라도 상위법령의 구체적 위임이 있지 않는 한, 행정조직 내부적으로도 효력을 가지지 못하고 대외적으로도 국민이나 법원을 구속하는 효력이 없다. 2023 소방직 9급 (O | X)

3. 상급행정기관이 하급행정기관에 대하여 업무처리지침이나 법령의 해석·적용에 관한 기준을 정하여 발하는 이른바 행정규칙은 일반적으로 대외적 구속력을 갖는다. 2020 소방직 9급
(O | X)

4. 상급행정기관이 하급행정기관에 대하여 업무처리지침이나 법령의 해석적용에 관한 기준을 정하여 발하는 행정규칙은 일반적으로 행정조직 내부에서만 효력을 가질 뿐 대외적인 구속력을 갖는 것은 아니다. 2018 서울시 1회 7급
(O | X)

③ **관련기출**

5. 국토교통부훈령 '개발행위허가운영지침'은 「국토의 계획 및 이용에 관한 법률 시행령」에 따라 정한 개발행위허가기준에 대한 세부적인 검토기준으로서 대외적 구속력을 가진다. 2025 변호사
(O | X)

④ 관련기출
6. 행정규칙은 적당한 방법으로 통보되고 도달하면 효력을 가지며, 반드시 국민에게 공포되어야만 하는 것은 아니다. 2021 군무원 7급
(O | X)

정답
1. O   2. X   3. X   4. O   5. X   6. O

23 □□□

행정입법에 관한 설명으로 옳지 않은 것만을 <보기>에서 모두 고른 것은? (다툼이 있는 경우 판례에 의함)

┤ 보기 ├

㉮ 국토의 계획 및 이용에 관한 법령이 정한 이행강제금의 부과기준은 단지 상한을 정한 것에 불과하므로 행정청에 이와 다른 이행강제금액을 결정할 재량권이 있다고 보아야 한다.
㉯ 재량준칙이 그 정한 바에 따라 되풀이 시행되어 행정관행이 이루어지게 되어 행정기관이 그 상대방에 대한 관계에서 그 규칙에 따라야 할 자기구속을 당하게 되는 경우라고 하더라도 이러한 재량준칙이 헌법소원의 대상이 된다고 볼 수는 없다.
㉰ 법령의 위임을 받아 부령으로 정한 제재적 행정처분의 기준을 행정규칙으로 보는 한편, 대통령령으로 정한 제재적 행정처분의 기준은 법규명령으로 보는 것이 판례의 입장이다.
㉱ 「여객자동차 운수사업법」에 따라 시외버스운송사업의 사업계획변경기준 등을 구체적으로 정한 같은 법 시행규칙은 대외적인 구속력이 있는 법규명령이라고 할 것이다.

① ㉮, ㉯
② ㉮, ㉰
③ ㉯, ㉰
④ ㉯, ㉱

✓ 기출체크

㉮ 관련기출
1. 「국토의 계획 및 이용에 관한 법률」 및 같은 법 시행령이 정한 이행강제금의 부과기준은 단지 상한을 정한 것에 불과한 것이므로 행정청에 이와 다른 이행강제금액을 결정할 재량권이 있다. 2015 지방직 7급
(O | X)

㉯ 관련기출
2. 재량권 행사의 준칙인 규칙이 그 정한 바에 따라 되풀이 시행됨으로써 행정관행이 이루어지게 되어 행정기관이 그 상대방에 대한 관계에서 그 규칙에 따라야 할 자기구속을 당하게 되는 경우에는 당해 규칙은 헌법소원의 대상이 될 수도 있다. 2025 소방간부
(O | X)

3. 법령보충적 행정규칙은 물론이고 재량권 행사의 준칙이 되는 행정규칙이 행정의 자기구속원리에 따라 대외적 구속력을 가지는 경우에는 헌법소원의 대상이 될 수 있다. 2023 국가직 9급
(O | X)
4. 법령보충적 행정규칙은 물론이고, 재량권 행사의 준칙이 되는 행정규칙이 그 정한 바에 따라 되풀이 시행되어 행정관행이 이루어지고 행정의 자기구속원리에 따라 대외적 구속력을 가지는 경우에는 헌법소원의 대상이 될 수 있다. 2023 소방직 9급
(O | X)
5. 고시가 상위법령과 결합하여 대외적 구속력을 갖고 국민의 기본권을 침해하는 법규명령으로 기능하는 경우 헌법소원의 대상이 된다. 2020 국가직 7급
(O | X)
6. 법령보충규칙에 해당하는 고시의 관계 규정에 의하여 직접 기본권 침해를 받는다고 하여도 이에 대하여 바로 「헌법재판소법」 제68조 제1항에 의한 헌법소원심판을 청구할 수 없다. 2018 지방직 7급
(O | X)

㉰ 관련기출
7. 판례는 종래부터 법령의 위임을 받아 부령으로 정한 제재적 행정처분의 기준을 행정규칙으로 보고, 대통령령으로 정한 제재적 행정처분의 기준은 법규명령으로 보는 경향이 있다. 2017 사회복지직 9급
(O | X)
8. 제재적 처분기준의 형식이 부령으로 정립된 경우에는 행정조직 내부에 있어서의 행정명령에 지나지 않는 것과는 달리, 대통령령의 경우에는 대외적으로 국민이나 법원을 구속한다. 2016 국회직 8급
(O | X)
9. 판례는 대통령령의 형식으로 정해진 제재적 처분기준을 법규명령으로 본다. 2015 교육행정직 9급
(O | X)
10. 대통령령이나 부령의 형식으로 발령된 제재적 처분기준에 대해서 판례는 그 법규성을 부인하고 있다. 2015 경행특채 2차
(O | X)

㉱ 관련기출
11. 시외버스운송사업의 사업계획변경기준 등에 관한 구 「여객자동차 운수사업법 시행규칙」은 대외적 구속력이 있는 법규명령에 해당한다. 2024 소방간부
(O | X)
12. 「여객자동차 운수사업법」의 위임에 따라 동법 시행규칙(부령)에서 정한 시외버스운송사업의 사업계획변경에 관한 절차, 인가기준은 대외적으로 구속력이 있는 법규명령에 해당한다. 2024 군무원 5급
(O | X)
13. 「여객자동차 운수사업법」의 위임에 따른 시외버스운송사업의 사업계획변경기준 등에 관한 「여객자동차 운수사업법 시행규칙」의 관련 규정은 대외적인 구속력이 있는 법규명령이라고 할 것이다. 2023 지방직·서울시 7급
(O | X)
14. 대법원은 구 「여객자동차 운수사업법 시행규칙」 제31조 제2항 제1호, 제2호, 제6호는 구 「여객자동차 운수사업법」 제11조 제4항의 위임에 따라 시외버스운송사업의 사업계획변경에 관한 절차, 인가기준 등을 구체적으로 규정한 것으로서 행정청 내부의 사무처리준칙을 규정한 행정규칙에 불과하다고 할 수는 없다고 한다. 2017 국가직 9급
(O | X)
15. 구 「여객자동차 운수사업법」 제11조 제4항의 위임에 따라 시외버스운송사업의 사업계획변경에 관한 절차, 인가기준 등을 구체적으로 규정한 구 「여객자동차 운수사업법 시행규칙」 제31조 제2항 제1호, 제2호, 제6호는 행정청 내부의 사무처리준칙을 규정한 행정규칙에 불과하여 대외적 구속력이 없다. 2014 지방직 9급
(O | X)

정답
1. X   2. O   3. O   4. O   5. O   6. X   7. O   8. O   9. O   10. X
11. O   12. O   13. O   14. O   15. X

24 ☐☐☐

행정입법에 관한 설명으로 옳지 <u>않은</u> 것은? (다툼이 있는 경우 판례에 의함)

① 행정처분이 법규성이 없는 내부지침 등의 규정에 위배된다고 하더라도 그 이유만으로 처분이 위법하게 되는 것은 아니고, 내부지침 등에서 정한 요건에 부합한다고 하여 반드시 그 처분이 적법한 것이 되는 것도 아니며, 처분의 적법 여부는 일반국민에 대하여 구속력을 가지는 법률 등 법규성이 있는 관계 법령을 기준으로 판단하여야 한다.

② 상위법령에서 세부사항 등을 시행규칙으로 정하도록 위임하였음에도 이를 고시 등 행정규칙으로 정한 경우 그 행정규칙은 대외적 구속력을 가지는 법규명령으로서 효력이 인정된다.

③ 이른바 법령보충규칙은 상위법령과 결합하여 법규성을 가지는 것이지 법규명령은 아니므로, 적당한 방법으로 일반인에게 표시 또는 통보함으로써 효력이 발생한다.

④ 행정규칙의 내용이 상위법령에 반하는 것일 경우 법질서의 통일성과 모순금지의 원칙에 따라 그것은 당연무효이며, 행정내부적으로도 효력이 없다.

✓ 기출체크

① 관련기출

1. 행정처분이 법규성이 없는 내부지침 등의 규정에 위배된다고 하더라도 그 이유만으로 처분이 위법하게 되는 것은 아니고, 또 내부지침 등에서 정한 요건에 부합한다고 하여 반드시 그 처분이 적법한 것이라고 할 수도 없다. 2025 국가직 9급 (O | X)
2. 행정처분이 법규성이 없는 내부지침 등의 규정에 위배된다고 한다면 그 이유만으로 처분은 위법하게 된다. 2023 경찰간부 (O | X)
3. 행정처분이 법규성이 없는 내부지침 등의 규정에 위배된다고 하더라도 그 이유만으로 처분이 위법하게 되는 것은 아니며, 내부지침 등에서 정한 요건에 부합한다고 하여 반드시 그 처분이 적법한 것이라고 할 수도 없다. 2022 소방직 9급 (O | X)

② 관련기출

4. 상위법령에서 세부사항 등을 시행규칙에 정하도록 위임하였으나 이를 고시의 형식으로 정하였더라도 규정내용이 위임의 범위를 벗어나지 않았다면 그 고시는 대외적 구속력을 가지는 법규명령으로서 효력이 인정된다. 2025 해경승진 (O | X)
5. 상위법령에서 수익적 행정행위의 세부사항을 부령으로 정하도록 위임하였음에도 이를 고시로 정하였다면 이는 대외적 구속력을 갖는 법규명령으로서의 효력이 인정되지 않는다. 2025 경찰간부 (O | X)
6. 상위법령에서 세부사항 등을 시행규칙으로 정하도록 위임하였음에도 이를 고시 등 행정규칙으로 정하였다면, 그 역시 대외적 구속력을 가지는 법규명령으로서 효력이 인정될 수 없다. 2023 소방승진 (O | X)

③ 관련기출

7. 고시가 법령의 규정을 보충하는 기능을 가지면서 그와 결합하여 대외적인 구속력이 있는 법규명령으로서의 효력을 가지는 경우에도 그 자체가 법령은 아니고 행정규칙에 지나지 않으므로 적당한 방법으로 이를 일반인 또는 관계인에게 표시 또는 통보함으로써 그 효력이 발생한다. 2019 서울시 1회 7급 (O | X)
8. 법령보충적 행정규칙이 법규명령의 효력을 갖기 위해서는 공포되어야 한다. 2008 관세사 (O | X)

④ 관련기출

9. 행정규칙의 내용이 상위법령에 반하는 것이라면 법치국가원리에서 파생되는 법질서의 통일성과 모순금지원칙에 따라 그것은 법질서상 당연무효이고, 행정내부적 효력도 인정될 수 없다. 2025 국가직 9급 (O | X)
10. 행정규칙의 내용이 상위법령에 반하는 것이라면 법질서의 통일성과 모순금지원칙에 따라 상위법령의 위임이 있는 경우에도 행정규칙의 법규적 성질을 인정할 수 없고, 단지 행정내부적 효력만을 인정할 수 있다. 2023 군무원 5급 (O | X)
11. 행정규칙의 내용이 상위법령에 반하는 것이라면 법원은 해당 행정규칙이 법질서상 부존재하는 것으로 취급하여 행정기관이 한 조치의 당부를 상위법령의 규정과 입법목적 등에 따라서 판단하여야 한다. 2022 소방간부 (O | X)

정답
1. O 2. X 3. O 4. X 5. O 6. O 7. O 8. X 9. O 10. X 10. O

25

사례에 관한 설명으로 <보기>에서 옳은 것(○)과 옳지 않은 것(×)을 올바르게 조합한 것은? (다툼이 있는 경우 판례에 의함)

> 동작구청장 乙은 甲이 유흥주점 영업허가를 받아 업소를 경영하던 중 청소년을 출입시켜 주류를 제공하였음을 이유로 「식품위생법 시행규칙」 [별표 23]의 기준에 따라 2개월 영업정지처분을 부과하였다. 이에 甲은 乙을 상대로 취소소송을 제기하였다.

「식품위생법」 제44조 【영업자 등의 준수사항】 ② 식품접객영업자는 「청소년 보호법」 제2조에 따른 청소년(이하 이 항에서 '청소년'이라 한다)에게 다음 각 호의 어느 하나에 해당하는 행위를 하여서는 아니 된다.
4. 청소년에게 주류(酒類)를 제공하는 행위

제75조 【허가취소 등】 ① 식품의약품안전처장 또는 특별자치시장·특별자치도지사·시장·군수·구청장은 영업자가 다음 각 호의 어느 하나에 해당하는 경우에는 대통령령으로 정하는 바에 따라 영업허가 또는 등록을 취소하거나 6개월 이내의 기간을 정하여 그 영업의 전부 또는 일부를 정지하거나 영업소 폐쇄(제37조 제4항에 따라 신고한 영업만 해당한다. 이하 이 조에서 같다)를 명할 수 있다.
13. 제44조 제1항·제2항 및 제4항을 위반한 경우
⑤ 제1항 및 제2항에 따른 행정처분의 세부기준은 그 위반행위의 유형과 위반 정도 등을 고려하여 <u>총리령</u>으로 정한다.

「식품위생법 시행규칙」(총리령) 제89조 【행정처분의 기준】 법 제71조, 법 제72조, 법 제74조부터 법 제76조까지 및 법 제80조에 따른 행정처분의 기준은 [별표 23]과 같다.

시행규칙 [별표 23] 행정처분기준(제89조 관련)

위반사항	근거 법령	행정처분기준		
		1차 위반	2차 위반	3차 위반
11. 법 제44조 제2항을 위반한 경우 라. 청소년에게 주류를 제공하는 행위(출입하여 주류를 제공한 경우 포함)를 한 경우	법 제75조	영업 정지 2개월	영업 정지 3개월	영업허가취소 또는 영업소폐쇄

─ 보기 ─

㉮ 위 「식품위생법 시행규칙」 [별표 23] 행정처분기준은 행정기관 내부의 사무처리준칙을 정한 것에 불과한 것으로 강학상 행정규칙의 성질을 가진다.

㉯ 甲이 2개월의 영업정지처분에 대한 취소소송을 제기한 경우, 법원은 「식품위생법 시행규칙」 [별표 23]상의 '행정처분기준'을 그 규정내용이 객관적 합리성을 결여하였다는 등의 특별한 사정이 없는 한 존중하여야 한다.

㉰ 취소소송 계속 중 2개월의 영업정지처분기간이 도과한 경우라면 취소소송의 소의 이익이 소멸하여 부적법하게 된다.

㉱ 담당공무원은 위와 같은 행정처분기준을 준수할 의무가 있으며 이를 위반할 경우 징계의 문제가 발생한다.

㉲ 사안과 달리, 「식품위생법」에서 총리령이 아니라 대통령령에 위임하여 「식품위생법 시행령」에서 제재처분의 기준을 정하고 있다면, 그와 같은 처분의 기준은 대외적으로 국민이나 법원을 구속한다.

① ㉮(○) ㉯(○) ㉰(○) ㉱(×) ㉲(○)
② ㉮(○) ㉯(○) ㉰(×) ㉱(○) ㉲(○)
③ ㉮(○) ㉯(×) ㉰(×) ㉱(○) ㉲(×)
④ ㉮(×) ㉯(○) ㉰(×) ㉱(○) ㉲(×)

✓ 기출체크

㉮ 관련기출

1. 제재적 행정처분의 기준이 부령 형식으로 규정되어 있더라도 그것은 행정청 내부의 사무처리준칙을 규정한 것에 지나지 않아 대외적으로 국민이나 법원을 기속하는 효력이 없다. 2025 소방간부 (○ | ×)

2. 부령 형식으로 정해진 제재적 행정처분의 기준은 법규성이 있어서 대외적으로 국민이나 법원을 기속하는 효력이 있다.
2022 지방직·서울시 9급 (○ | ×)

3. 부령의 형식으로 정해진 제재적 행정처분의 기준은 그 규정의 성질과 내용이 행정청 내부의 사무처리준칙을 정한 것에 불과하므로 대외적으로 국민이나 법원을 구속하는 것은 아니다. 2022 국가직 9급 (○ | ×)

4. (A시 시장은 식품접객업주 甲에게 청소년고용금지업소에 청소년을 고용하였다는 사유로 식품위생법령에 근거하여 영업정지 2개월 처분에 갈음하는 과징금 부과처분을 하였고, 甲은 부과된 과징금을 납부하였다. 그러나 甲은 이후 과징금 부과처분에 하자가 있음을 알게 되었다) 「식품위생법」이 청소년을 고용한 행위에 대하여 영업허가를 취소하거나 6개월 이내의 기간을 정하여 그 영업의 전부 또는 일부를 정지하거나 영업소폐쇄를 명할 수 있다고 하면서 행정처분의 세부기준은 총리령으로 위임한다고 정하고 있는 경우에, 총리령에서 정하고 있는 행정처분의 기준은 재판규범이 되지 못한다. 2022 국가직 9급 (○ | ×)

5. 구 「식품위생법 시행규칙」에서 정한 제재적 처분기준은 법규명령의 성질을 가진다. 2017 교육행정직 9급 (○ | ×)

㉯ 관련기출

6. 행정규칙이 이를 정한 행정기관의 재량에 속하는 사항에 관한 것인 때에는 그 규정내용이 객관적 합리성을 결여하였다는 등의 특별한 사정이 없는 한 법원은 이를 존중하는 것이 바람직하다. 2025 소방간부
(O | X)

㉰ 관련기출

7. 부령인 시행규칙 형식으로 정한 처분기준에서 제재적 행정처분을 받은 것을 가중사유나 전제요건으로 삼아 장래의 제재적 행정처분을 하도록 정하고 있는 경우, 선행처분인 제재적 행정처분을 받은 상대방이 그 처분에서 정한 제재기간이 경과하였다 하더라도 그 처분의 취소를 구할 법률상 이익이 있다. 2024 군무원 9급 (O | X)

8. 제재적 행정처분의 효력이 제재기간 경과로 소멸하였더라도 관련 법규에서 제재적 행정처분을 받은 사실을 가중사유나 전제요건으로 삼아 장래의 제재적 행정처분을 하도록 정하고 있다면, 선행처분의 취소를 구할 법률상 이익이 있다. 2022 군무원 9급 (O | X)

9. 시행규칙에 법 위반 횟수에 따라 가중처분하게 되어 있는 제재적 처분기준이 규정되어 있다 하더라도, 기간의 경과로 효력이 소멸한 제재적 처분을 취소소송으로 다툴 법률상 이익은 없다. 2017 사회복지직 9급
(O | X)

10. 甲은 값싼 외국산 수입재료를 국내산 유기농 재료로 속여 상품을 제조·판매하였음을 이유로 식품위생법령에 따라 관할 행정청으로부터 영업정지 3개월 처분을 받았다. 한편, 위 영업정지의 처분기준에는 1차 위반의 경우 영업정지 3개월, 2차 위반의 경우 영업정지 6개월, 3차 위반의 경우 영업허가취소처분을 하도록 규정되어 있다. 甲은 영업정지 3개월 처분의 취소를 구하는 소송을 제기하였다. 이에 대한 설명으로 옳지 <u>않은</u> 것은? (다툼이 있는 경우 판례에 의함)
2017 지방직 7급

① 위와 같은 처분기준이 없는 경우라면, 영업정지처분에 정하여진 기간이 경과되어 효력이 소멸한 경우에는 그 영업정지처분의 취소를 구할 법률상 이익은 부정된다.
② 위 처분기준이 「식품위생법」이나 동법 시행령에 규정되어 있는 경우에는 대외적 구속력이 인정되나, 동법 시행규칙에 규정되어 있는 경우에는 대외적 구속력은 부정된다.
③ 甲에 대하여 법령상 임의적 감경사유가 있음에도, 관할 행정청이 이를 전혀 고려하지 않았거나 감경사유에 해당하지 않는다고 오인하여 영업정지 3개월 처분을 한 경우에는 재량권을 일탈·남용한 위법한 처분이 된다.
④ 甲에 대한 영업정지 3개월의 기간이 경과되어 효력이 소멸한 경우에 위 처분기준이 「식품위생법」이나 동법 시행령에 규정되어 있다면 甲은 영업정지 3개월 처분의 취소를 구할 소의 이익이 있지만, 동법 시행규칙에 규정되어 있다면 소의 이익이 인정되지 않는다.

11. 장래의 제재적 가중처분기준을 대통령령이 아닌 부령의 형식으로 정한 경우에는 이미 제재기간이 경과한 제재적 처분의 취소를 구할 법률상 이익이 인정되지 않는다. 2016 국가직 9급 (O | X)

12. 제재적 행정처분의 효력이 소멸한 경우에도 행정규칙에 의해 당해 처분의 존재가 가중처분의 전제가 되는 경우 처분의 취소를 구할 이익이 있다. 2010 지방직 9급 (O | X)

㉱ 관련기출

13. 제재적 행정처분의 가중사유나 전제요건에 관한 규정이 법령이 아닌 행정규칙의 형식으로 되어 있다면 이는 행정청 내부의 재량준칙을 규정한 것에 불과하므로 관할 행정청이나 담당공무원은 이를 준수할 의무가 없다. 2016 국가직 7급 (O | X)

㉲ 관련기출

14. 판례는 종래부터 법령의 위임을 받아 부령으로 정한 제재적 행정처분의 기준을 행정규칙으로 보고, 대통령령으로 정한 제재적 행정처분의 기준은 법규명령으로 보는 경향이 있다. 2017 사회복지직 9급
(O | X)

15. 제재적 처분기준의 형식이 부령으로 정립된 경우에는 행정조직 내부에 있어서의 행정명령에 지나지 않는 것과는 달리, 대통령령의 경우에는 대외적으로 국민이나 법원을 구속한다. 2016 국회직 8급
(O | X)

16. 판례는 대통령령의 형식으로 정해진 제재적 처분기준을 법규명령으로 본다. 2015 교육행정직 9급 (O | X)

정답
1. O 2. X 3. O 4. O 5. X 6. O 7. O 8. O 9. X 10. ④
11. X 12. O 13. X 14. O 15. O 16. O

제 4 회 | 소방 단원별 모의고사

제한시간 /25분
나의 점수 /100점

출제 범위: 제12강 행정행위의 기초개념~제13강 행정행위의 내용

정답과 해설 p.40
옳은 지문 워크북 p.215

01 □□□

행정행위에 관한 설명으로 옳은 것만을 <보기>에서 모두 고른 것은? (다툼이 있는 경우 판례에 의함)

┌─ 보기 ─────────────────────────────┐
㉮ 상급기관이 하급기관에 대해 직무명령을 발령한 것은 행정행위가 아니다.
㉯ 서울지방경찰청장(현 서울경찰청장)이 횡단보도를 설치하여 보행자의 통행방법을 규제한 것은 불특정 다수를 대상으로 하지만 행정행위라고 볼 수 있다.
㉰ 국토교통부장관의 국립공원지정처분에 따라 공원관리청이 경계측량 및 표지를 설치한 행위는 구체적 사실에 관한 행위로서 행정행위이다.
㉱ 시(市)에서 파손된 도로의 보수공사를 한 것은 구체적 사실에 관한 행위로서 행정행위이다.
└────────────────────────────────┘

① ㉮, ㉯　　② ㉮, ㉱
③ ㉯, ㉰　　④ ㉰, ㉱

✓ 기출체크

㉮ 관련기출
1. 부하 공무원에 대한 상관의 개별적인 직무명령은 행정행위가 아니다. 2015 서울시 9급 (○ | ×)

㉯ 관련기출
2. 시·도경찰청장이 횡단보도를 설치하여 보행자 통행방법 등을 규제하는 것은 국민의 권리·의무에 직접 관계가 있는 행위로서 행정처분이다. 2022 지방직·서울시 9급 (○ | ×)
3. 횡단보도를 설치하여 보행자 통행방법 등을 규제하는 것은 특정 사항에 대하여 의무의 부담을 명하는 행위이고, 이는 국민의 권리·의무에 직접 관계가 있는 행위로서 행정처분이다. 2021 경행경채 (○ | ×)
4. 지방경찰청장(현 시·도경찰청장)의 횡단보도설치행위는 국민의 구체적인 권리·의무에 직접적인 변동을 초래하지 않으므로 「행정소송법」상 처분에 해당하지 않는다. 2017 사회복지직 9급 (○ | ×)
5. 구체적 사실을 규율하는 경우라도 불특정 다수인을 상대방으로 하는 처분이라면 행정행위가 아니다. 2016 서울시 9급 (○ | ×)
6. 특정 장소에의 통행금지와 같은 불특정 다수인에 대한 규율행위는 행정행위에 해당한다. 2009 관세사 (○ | ×)

㉰ 관련기출
7. 건설부장관(현 국토교통부장관)이 행한 국립공원지정처분에 따른 경계측량 및 표지의 설치 등은 처분이 아니다. 2021 소방직 9급 (○ | ×)
8. 구 공무원법에 의해 건설부장관(현 국토교통부장관)이 행한 국립공원지정처분에 따라 공원관리청이 행한 경계측량 및 표지의 설치(는 항고소송의 대상이 되는 처분에 해당하는 사실행위이다) 2017 지방직(하) 9급 (○ | ×)
9. 권한 있는 장관이 행한 국립공원지정처분에 따라 공원관리청이 행한 경계측량 및 표지의 설치는 행정처분이다. 2014 국가직 9급 (○ | ×)

㉱ 관련기출
10. 행정행위는 법적 행위이므로, 행정청이 도로를 보수하는 행위는 행정행위가 아니다. 2015 교육행정직 9급 (○ | ×)

정답
1. ○　2. ○　3. ○　4. ×　5. ×　6. ○　7. ○　8. ×　9. ×　10. ○

02 □□□

행정행위에 관한 설명으로 옳지 <u>않은</u> 것은? (다툼이 있는 경우 판례에 의함)

① 법률행위적 행정행위란 행정청의 의사표시(효과의사) 이외의 정신작용(판단, 인식 등)을 구성요소로 하고 행위자의 의사와는 무관하게 법규가 정한 바에 따라 법적 효과가 발생하는 행위를 의미한다.
② 세무당국이 주류제조회사에 대하여 특정 업체와의 주류거래를 일정 기간 중지하여 줄 것을 요청한 행위는 법률상 지위에 직접적인 변동을 가져오는 행정처분에 해당한다고 볼 수 없다.
③ 행정행위가 공법상의 행위라는 것은 그 행위의 근거가 공법적이라는 것일 뿐, 행위의 효과까지 공법적이라는 것을 의미하는 것은 아니므로 행정청이 특정인에게 어업권과 같은 사권의 성질을 가지는 권리를 설정하는 행위 역시 행정행위에 해당한다.
④ 교도소장이 수형자의 서신을 검열하는 행위는 행정행위로는 볼 수 없지만 항고소송의 대상이 될 수 있다.

기출체크

② 관련기출
1. 세무당국이 소외 회사에 대하여 원고와의 주류거래를 일정 기간 중지하여 줄 것을 요청한 행위는 법률상의 지위에 직접적인 법률상의 변동을 가져오는 행정처분이라 볼 수 없다. 2022 경찰간부 (O | X)
2. 지도, 권고, 조언 등의 행정지도는 법령의 근거를 요하고 항고소송의 대상이 된다. 2022 국가직 9급 (O | X)
3. 세무당국이 주류제조회사에 대하여 특정 업체와의 주류거래를 일정 기간 중지하여 줄 것을 요청한 행위는 권고적 성격의 행위로서 행정처분이라고 볼 수 없다. 2019 국가직 9급 (O | X)
4. 행정지도는 법적 효과의 발생을 목적으로 하는 의사표시이다. 2018 교육행정직 9급 (O | X)
5. 행정지도는 다음의 어느 것에 해당하는가? 2013 서울시 9급
   ① 사실행위 ② 행정입법 ③ 행정행위
   ④ 법적 행위 ⑤ 실력 행사

③ 관련기출
6. 행정행위는 공법상의 행위이므로, 행정청이 특정인에게 어업권과 같이 사권의 성질을 가지는 권리를 설정하는 행위는 행정행위가 아니다. 2015 교육행정직 9급 (O | X)
7. 행정행위가 공법상의 행위라는 것은 그 행위의 근거가 공법적이라는 것이지, 행위의 효과까지 공법적이라는 것을 의미하는 것은 아니다. 2014 국회직 8급 (O | X)

④ 관련기출
8. 수형자의 서신을 교도소장이 검열하는 행위(는 항고소송의 대상이 되는 처분에 해당하는 사실행위이다) 2017 지방직(하) 9급 (O | X)
9. 교도소장 X의 서신검열행위는 강학상 행정행위에 해당한다. 2011 지방직 9급 (O | X)

정답
1. O 2. X 3. O 4. X 5. ① 6. X 7. O 8. O 9. X

03 ☐☐☐

행정행위에 관한 설명으로 옳지 않은 것은? (다툼이 있는 경우 판례에 의함)

① 주류판매업면허는 강학상 허가로 해석되므로 「주세법」에 열거된 면허제한사유에 해당하지 않는 이상 면허관청으로서는 임의로 그 면허를 거부할 수 없다.

② 주된 인·허가가 기속행위인 경우에도 의제되는 인·허가가 재량행위인 경우에는 인·허가가 의제되는 한도 내에서 재량행위로 보아야 한다.

③ 처분의 근거법령이 행정청에 처분의 요건과 효과 판단에 일정한 재량을 부여하였으나, 행정청이 자신에게 재량권이 없다고 오인하여 처분으로 달성하려는 공익과 그로써 처분상대방이 입게 되는 불이익의 내용과 정도를 전혀 비교·형량하지 않은 채 처분을 하였다고 하더라도, 그 자체로 재량권 일탈·남용으로 해당 처분을 취소하여야 할 위법사유가 되지는 않는다.

④ 구 「국민건강보험법」에 따라 받게 되는 요양기관업무정지처분은 대물적 처분의 성격을 가지므로 속임수나 그 밖의 부당한 방법으로 보험자에게 요양급여비용을 부담하게 한 요양기관이 폐업한 때에는 새로 개설한 요양기관에 대하여 업무정지처분을 할 수는 없다.

기출체크

① 관련기출
1. 주류판매업면허는 강학상의 허가로 해석되므로 「주세법」에 열거된 면허제한사유에 해당하지 아니하는 한 면허관청으로서는 임의로 그 면허를 거부할 수 없다. 2014 지방직 9급 (O | X)

② 관련기출
2. 의제되는 인·허가가 재량행위인 경우에는 주된 인·허가가 기속행위인 경우에도 인·허가가 의제되는 한도 내에서 재량행위로 보아야 한다. 2020 국가직 7급 (O | X)

③ 관련기출
3. 처분의 근거법령이 처분의 요건과 효과 판단에 일정한 재량을 부여하였는데도, 행정청이 자신에게 재량권이 없다고 오인한 나머지 처분으로 인하여 달성하려는 공익과 그로써 처분상대방이 입게 되는 불이익의 내용과 정도를 전혀 비교·형량하지 않은 채 처분을 하였다면, 이는 재량권 불행사로서 그 자체로 재량권 일탈·남용으로 위법사유가 된다. 2025 경찰간부 (O | X)
4. 처분의 근거법령이 행정청에 처분의 요건과 효과 판단에 관하여 일정한 재량을 부여하였는데도, 행정청이 자신에게 재량권이 없다고 오인하여 전혀 비교·형량하지 않은 채 처분을 하였다면, 이는 재량권 불행사로서 그 자체로 재량권 일탈·남용에 해당한다. 2023 지방직·서울시 7급 (O | X)
5. 처분의 근거법령이 행정청에 재량을 부여하였으나 행정청이 처분으로 달성하려는 공익과 처분상대방이 입게 되는 불이익을 전혀 비교·형량하지 않은 채 처분을 하였더라도 재량권 일탈·남용으로 해당 처분을 취소해야 할 위법사유가 되지는 않는다. 2023 군무원 9급 (O | X)

④ **관련기출**
6. 요양기관이 속임수나 그 밖의 부당한 방법으로 보험자에게 요양급여비용을 부담하게 한 것을 이유로 「국민건강보험법」에 따라 받게 되는 요양기관 업무정지처분은 대물적 처분의 성격을 가진다.
2025 변호사 (O | X)

정답
1. O 2. O 3. O 4. O 5. × 6. O

04 □□□

행정행위에 관한 설명으로 옳지 않은 것은? (다툼이 있는 경우 판례에 의함)

① 「출입국관리법」상 체류자격 변경허가의 허가권자는 신청인이 관계 법령에서 정한 요건을 충족하였더라도, 신청인의 적격성, 체류목적, 공익상의 영향 등을 참작하여 허가 여부를 결정할 수 있는 재량을 가진다.

② 「야생동·식물보호법」상 곰의 웅지를 추출하여 비누, 화장품 등의 재료를 사용할 목적으로 곰의 용도를 '사육곰'에서 '식·가공품 및 약용 재료'로 변경하겠다는 내용의 국제적 멸종위기종의 용도변경승인행위는 기속행위이다.

③ 난민인정에 관한 신청을 받은 행정청은 원칙적으로 법령이 정한 난민요건에 해당하는지를 심사하여 난민인정 여부를 결정할 수 있을 뿐, 이와 무관한 다른 사유를 들어 난민인정을 거부할 수는 없다.

④ 복합민원에 있어서 필요한 인·허가를 일괄하여 신청하지 아니하고 그중 어느 하나의 인·허가만을 신청한 경우에도 그 '근거법령에서 다른 법령상의 인·허가에 관한 규정을 원용'하고 있거나 그 대상행위가 '다른 법령에 의하여 절대적으로 금지'되고 있어 그 실현이 객관적으로 불가능한 것이 명백한 경우에는 이를 고려하여 그 인·허가 여부를 결정할 수 있다.

✓ 기출체크

① **관련기출**
1. 체류자격 변경허가는 신청인에게 당초의 체류자격과 다른 체류자격에 해당하는 활동을 할 수 있는 권한을 부여하는 일종의 설권적 처분의 성격을 가지므로, 허가권자는 신청인이 관계 법령에서 정한 요건을 충족하였다고 하더라도, 신청인의 적격성, 체류목적, 공익상의 영향 등을 참작하여 허가 여부를 결정할 수 있는 재량을 가진다.
2025 군무원 7급 (O | X)

2. 「출입국관리법」상 체류자격 변경허가는 신청인에게 당초의 체류자격과 다른 체류자격에 해당하는 활동을 할 수 있는 권한을 부여하는 일종의 설권적 처분의 성격을 가진다. 2025 소방직 9급 (O | X)

3. "대한민국에 체류하는 외국인이 그 체류자격과 다른 체류자격에 해당하는 활동을 하려면 미리 법무부장관의 체류자격 변경허가를 받아야 한다."라는 규정에 따라 변경신청을 받은 법무부장관은 변경허가를 해주어야 한다. 2022 서울시 지적 7급 (O | X)

4. 「출입국관리법」상 체류자격 변경허가는 기속행위이므로 신청인이 관계 법령에서 정한 요건을 충족하면 허가권자는 신청을 받아들여 허가해야 한다. 2022 소방직 9급 (O | X)

5. 「출입국관리법」상 체류자격 변경허가는 강학상 특허에 해당한다.
2017 교육행정직 9급 (O | X)

② **관련기출**
6. 「야생동·식물보호법」에 의한 용도변경승인은 특정인에게만 용도 외의 사용을 허용해 주는 권리나 이익을 부여하는 이른바 수익적 행정행위로서 법령에 특별한 규정이 없는 한 재량행위이다. 2024 국회직 9급 (O | X)

7. 야생동·식물보호법령에 따른 용도변경승인의 경우 용도변경이 불가피한 경우에만 용도변경을 할 수 있도록 제한하는 규정을 두고 있으므로 환경부장관의 용도변경승인처분은 기속행위이다.
2019 서울시 2회 7급 (O | X)

③ **관련기출**
8. 난민인정에 관한 신청을 받은 행정청은 원칙적으로 법령이 정한 난민요건에 해당하는지를 심사하여 난민인정 여부를 결정할 수 있을 뿐이고, 법령이 정한 난민요건과 무관한 다른 사유만을 들어 난민인정을 거부할 수는 없다. 2024 국가직 9급 (O | X)

④ **관련기출**
9. 입법목적 등을 달리하는 법률들이 일정한 행위에 관한 요건을 각기 정하고 있는 경우 어느 법률이 다른 법률에 우선하여 배타적으로 적용된다고 풀이되지 아니하는 한 그 행위에 관하여 각 법률의 규정에 따른 허가를 받아야 할 것인바, 이러한 경우 그중 하나의 허가에 관한 관계 법령 등에서 다른 법령상의 허가에 관한 규정을 원용하고 있는 경우나 그 행위가 다른 법령에 의하여 절대적으로 금지되고 있어 그것이 객관적으로 불가능한 것이 명백한 경우 등에는 그러한 요건을 고려하여 허가 여부를 결정할 수 있다. 2017 경행경채 (O | X)

정답
1. O 2. O 3. × 4. × 5. O 6. O 7. × 8. O 9. O

05 □□□

재량행위와 기속행위에 관한 설명으로 옳은 것은? (다툼이 있는 경우 판례에 의함)

① 판례는 재량행위와 기속행위의 구분은 당해 행위의 근거가 된 법규의 체재·형식과 그 문언, 당해 행위가 속하는 행정 분야의 주된 목적과 특성, 당해 행위 자체의 개별적 성질과 유형 등을 모두 고려하여 판단하여야 한다는 전제 하에, 「대기환경보전법」상 배출시설설치허가를 성질상 재량행위라고 본다.

② 재량행위의 경우 법원이 일정한 결론을 도출한 후 그 결론에 비추어 행정청이 한 판단의 적법 여부를 독자의 입장에서 판정하는 방식에 의하지만 기속행위의 경우는 그러하지 아니하다.

③ 「가축분뇨의 관리 및 이용에 관한 법률」에 따른 가축분뇨 처리방법 변경허가는 기속행위에 해당한다.

④ 재외동포에 대한 사증발급은 행정청의 재량행위에 속하는 것으로, 재외동포가 사증발급을 신청한 경우에 「출입국관리법 시행령」[별표 1의2]에서 정한 재외동포체류자격의 요건을 갖추었다고 해서 무조건 사증을 발급하여야 하는 것은 아니다.

✓ 기출체크

① 관련기출

1. 기속행위와 재량행위의 구분은 당해 행위의 근거가 된 법규의 체재·형식과 그 문언, 당해 행위가 속하는 행정 분야의 주된 목적과 특성, 당해 행위 자체의 개별적 성질과 유형 등을 모두 고려하여 판단하여야 한다. 2023 군무원 9급 (○ | ×)
2. 배출시설설치허가의 신청이 구 「대기환경보전법」에서 정한 허가기준에 부합하고 동 법령상 허가제한사유에 해당하지 아니하는 한 환경부장관은 원칙적으로 허가를 하여야 한다. 2019 서울시 2회 7급 (○ | ×)
3. 어느 행정행위가 기속행위인지 재량행위인지 나아가 재량행위라고 할지라도 기속재량행위인지 또는 자유재량에 속하는 것인지의 여부는 이를 일률적으로 규정지을 수는 없는 것이고, 당해 처분의 근거가 된 규정의 형식이나 체재 또는 문언에 따라 개별적으로 판단하여야 한다. 2017 경행경채 (○ | ×)

② 관련기출

4. 기속행위에 대한 사법심사의 경우 법원은 사실인정과 관련 법규의 해석·적용을 통하여 일정한 결론을 도출한 후 그 결론에 비추어 행정청이 한 판단의 적법 여부를 독자의 입장에서 판정하는 방식에 의하게 된다. 2025 국가직 7급 (○ | ×)
5. 재량행위에 대한 사법심사가 이루어지는 경우, 법원은 독자의 결론을 도출하고, 그 결론에 비추어 행정청이 한 판단의 적법 여부를 독자의 입장에서 판정하는 방식에 의해야 한다. 2024 소방직 9급 (○ | ×)
6. 재량행위의 경우 법원은 독자의 결론을 도출함이 없이 당해 행위에 재량권의 일탈·남용이 있는지 여부만을 심사한다. 2023 군무원 9급 (○ | ×)
7. 행정청의 재량에 기한 공익판단의 여지를 감안하여 법원은 독자의 결론을 도출함이 없이 당해 행위에 재량권의 일탈·남용이 있는지 여부만을 심사한다. 2023 소방직 9급 (○ | ×)
8. 기속행위의 경우 법원이 사실인정과 관련 법규의 해석·적용을 통하여 일정한 결론을 도출한 후 그 결론에 비추어 행정청이 한 판단의 적법 여부를 독자의 입장에서 판정한다. 2020 국가직 7급 (○ | ×)

③ 관련기출

9. 「가축분뇨의 관리 및 이용에 관한 법률」에 따른 가축분뇨 처리방법 변경허가는 허가권자의 재량행위에 해당한다. 2023 지방직·서울시 7급 (○ | ×)

④ 관련기출

10. 재외동포에 대한 사증발급은 행정청의 재량행위에 속하는 것으로서, 재외동포가 사증발급을 신청한 경우에 「출입국관리법 시행령」[별표 1의2]에서 정한 재외동포체류자격의 요건을 갖추었다고 해서 무조건 사증을 발급해야 하는 것은 아니다. 2025 소방직 9급 (○ | ×)
11. 재외동포가 사증발급을 신청한 경우에 「출입국관리법 시행령」[별표 1의2]에서 정한 재외동포체류자격의 요건을 갖추었다고 해서 무조건 사증을 발급해야 하는 것은 아니다. 2023 해경간부 (○ | ×)
12. 재외동포에 대한 사증발급은 행정청의 기속행위에 속하는 것으로서, 재외동포가 사증발급을 신청한 경우에 구 「출입국관리법 시행령」[별표 1의2]에서 정한 재외동포체류자격의 요건을 갖추었다면 사증을 발급해야 한다. 2023 국가직 7급 (○ | ×)

> **정답**
> 1. ○ 2. ○ 3. ○ 4. ○ 5. × 6. ○ 7. ○ 8. ○ 9. ○ 10. ○
> 11. ○ 12. ×

06 ☐☐☐

행정행위에 관한 설명으로 옳지 않은 것은? (다툼이 있는 경우 판례에 의함)

① 「국가공무원법」상 복직명령은 기속행위이므로, 국가공무원이 휴직사유가 소멸하였음을 이유로 복직신청을 한 경우 임용권자는 지체 없이 복직명령을 하여야 한다.

② 민원사무를 처리하는 행정기관이 민원1회방문처리제를 시행하는 절차의 일환으로 민원사항의 심의·조정 등을 위한 민원조정위원회를 개최하면서 민원인에게 회의일정 등을 사전에 통지하지 아니하였다는 사정이 있다고 하여, 곧바로 민원사항에 대한 행정기관의 장의 거부처분에 취소사유에 이를 정도의 흠이 존재한다고 볼 수 없다.

③ 행정청이 제재처분 양정을 하면서 처분상대방에게 법령에서 정한 임의적 감경사유가 있는 경우에, 감경사유를 전혀 고려하지 않았거나 감경사유에 해당하지 않는다고 오인하여 개별처분기준에서 정한 상한으로 처분을 한 경우는 물론, 감경사유를 고려하고도 감경하지 않은 채 개별처분기준에서 정한 상한으로 처분을 하였다면 재량권 일탈·남용에 해당된다.

④ 「여객자동차 운수사업법」에 의한 마을버스운송사업면허와 개인택시운송사업의 면허는 재량행위이므로 마을버스 한정면허시 확정되는 마을버스노선을 정함에 있어서 기존 일반노선버스의 노선과의 중복 허용 정도에 대한 판단과 개인택시운송사업면허의 면허기준 설정행위는 모두 행정청의 재량에 속한다.

✓ 기출체크

① 관련기출

1. 육아휴직과 관련하여 「국가공무원법」 제73조 제2항에 따른 복직명령은 재량행위이므로 국가공무원이 휴직의 사유가 소멸하였음을 이유로 복직을 신청하는 경우 임용권자가 지체 없이 복직명령을 하여야 하는 것은 아니다. 2025 소방직 9급 (O | X)

2. 「국가공무원법」상 휴직사유 소멸을 이유로 한 신청에 대한 복직명령은 기속행위이다. 2025 해경승진 (O | X)

3. 육아휴직 중 「국가공무원법」 제73조 제2항에서 정한 복직요건인 '휴직사유가 없어진 때'에 하는 복직명령은 기속행위이므로 휴직사유가 소멸하였음을 이유로 복직을 신청하는 경우 임용권자는 지체 없이 복직명령을 하여야 한다. 2023 국가직 7급 (O | X)

4. 「국가공무원법」상 복직명령은 재량행위이므로, 국가공무원이 휴직사유가 소멸하였음을 이유로 복직신청을 한 경우 임용권자는 지체 없이 복직명령을 하여야 하는 것은 아니다. 2023 경찰간부 (O | X)

② 관련기출

5. 민원사무를 처리하는 행정기관이 민원조정위원회를 개최하면서 민원인에게 그 회의일정 등을 사전에 통지하여야 함에도 불구하고 그러하지 아니한 경우에 이러한 사정만으로 곧바로 그 민원사항에 대한 행정기관의 장의 거부처분이 위법하다고 볼 수는 없다. 2019 사회복지직 9급 (O | X)

6. 민원사무를 처리하는 행정기관이 민원1회방문처리제를 시행하는 절차의 일환으로 민원사항의 심의·조정 등을 위한 민원조정위원회를 개최하면서 사전통지의 흠결로 민원인에게 의견진술의 기회를 주지 아니한 결과 민원조정위원회의 심의과정에서 고려대상에 마땅히 포함시켜야 할 사항을 누락하는 등 재량권의 불행사 또는 해태로 볼 수 있는 구체적 사정이 있다면, 그 거부처분은 재량권을 일탈·남용한 것으로서 위법하다. 2018 경행경채 (O | X)

③ 관련기출

7. 행정청이 감경사유를 전혀 고려하지 않았거나 감경사유에 해당하지 않는다고 오인하여 개별처분기준에서 정한 상한으로 처분을 한 경우, 마땅히 고려대상에 포함하여야 할 사항을 누락하였거나 고려대상에 관한 사실을 오인한 경우에 해당하여 재량권을 일탈·남용한 것이라고 보아야 한다. 2023 소방승진 (O | X)

8. 행정청이 제재처분 양정을 하면서 처분상대방에게 법령에서 정한 임의적 감경사유가 있는 경우, 그 감경사유까지 고려하고도 감경하지 않은 채 개별처분기준에서 정한 상한으로 처분을 한 경우에는 재량권을 일탈·남용하였다고 보아야 한다. 2022 소방직 9급 (O | X)

9. 행정청이 제재처분의 양정을 하면서 공익과 사익의 형량을 전혀 하지 않았거나 이익형량의 고려대상에 마땅히 포함되어야 할 사항을 누락한 경우 또는 이익형량을 하였으나 정당성·객관성이 결여된 경우에는 제재처분은 재량권을 일탈·남용한 것이라고 보아야 한다. 2021 군무원 7급 (O | X)

10. 제재처분에 대한 임의적 감경규정이 있는 경우 감경 여부는 행정청의 재량에 속하므로 존재하는 감경사유를 고려하지 않았거나 일부 누락시켰다 하더라도 이를 위법하다고 할 수 없다. 2015 국회직 8급 (O | X)

④ 관련기출

11. 구 「여객자동차 운수사업법」에 의한 개인택시운송사업면허는 특정인에게 권리나 이익을 부여하는 이른바 수익적 행정행위로서 법령에 특별한 규정이 없는 한 재량행위이다. 2025 소방직 9급 (O | X)

12. 「여객자동차 운수사업법」에 따른 개인택시운송사업면허는 특정인에게 권리나 이익을 부여하는 재량행위이다. 2024 지방직·서울시 9급 (O | X)

13. 「여객자동차 운수사업법」상 개인택시운송사업면허(는 재량행위이다) 2022 지방직·서울시 9급 (O | X)

14. 「자동차운수사업법」에 의한 개인택시운송사업면허는 법령에 특별한 규정이 없는 한 재량행위이고, 그 면허를 위하여 필요한 기준을 정하는 것도 행정청의 재량에 속한다. 2019 서울시 1회 7급 (O | X)

15. 행정청이 개인택시운송사업의 면허를 발급함에 있어 '개인택시운송사업면허 사무처리지침'에 따라 택시운전경력자를 일정 부분 우대하는 처분을 한 경우, 택시 이외의 운전경력자에게 반사적인 불이익이 초래되는 결과가 되므로 그러한 내용의 지침에 따른 처분은 재량권을 일탈·남용한 처분에 해당된다. 2015 사회복지직 9급 (O | X)

정답
1. × 2. ○ 3. ○ 4. × 5. ○ 6. ○ 7. ○ 8. × 9. ○ 10. ×
11. ○ 12. ○ 13. ○ 14. ○ 15. ×

07

재량행위와 기속행위에 관한 설명으로 옳지 않은 것은? (다툼이 있는 경우 판례에 의함)

① 법원이 재량행위에 대하여 심사할 경우에는 재량권의 일탈 또는 남용 및 재량권의 한계 내에서의 행정청의 판단, 즉 합목적성 내지 공익성의 판단 등을 대상으로 한다.
② 「건설기술 진흥법」에서 규정한 벌점 부과처분은 부과 여부에 관한 한 행정청의 재량이 인정되지 않는 기속행위이다.
③ 여객자동차 운수사업자가 거짓이나 부정한 방법으로 지급받은 보조금에 대한 환수처분은 국토해양부장관 또는 시·도지사가 지급받은 보조금을 반환할 것을 명하여야 하는 기속행위이다.
④ 귀화신청인이 구 「국적법」에서 정한 귀화요건을 갖추지 못한 경우에는 법무부장관은 귀화 여부에 관한 재량권을 행사할 여지없이 귀화를 불허하는 처분을 하여야 한다.

✓ 기출체크

① 관련기출
1. 재량행위에 대한 법원의 심사는 재량권의 일탈 또는 남용 및 재량권의 한계 내에서의 행정청의 판단, 즉 합목적성 내지 공익성의 판단 등을 대상으로 한다. 2023 국가직 7급 (O | X)

③ 관련기출
2. 「여객자동차 운수사업법」에 따르면, 여객자동차 운수사업자가 거짓이나 부정한 방법으로 지급받은 보조금에 대한 국토교통부장관 또는 시·도지사의 환수처분은 기속행위에 해당한다. 2024 국가직 9급 (O | X)

④ 관련기출
3. 귀화신청인이 구 「국적법」에서 정한 귀화요건을 갖추지 못한 경우 관할 행정청은 귀화 허부에 관한 재량권을 행사할 여지없이 귀화불허처분을 하여야 한다. 2026 경찰간부 (O | X)
4. 귀화신청인이 구 「국적법」에서 정한 귀화요건을 갖추지 못한 경우에도 법무부장관은 귀화 허부에 관한 재량권을 행사할 수 있고, 재량권 행사결과에 따라 귀화불허처분을 할 수 있다. 2024 국회직 9급 (O | X)
5. 귀화신청인이 귀화요건을 갖추지 못한 경우 법무부장관은 재량권을 행사할 여지없이 귀화불허처분을 하여야 한다. 2022 경찰간부 (O | X)

정답
1. X 2. O 3. O 4. X 5. O

08

재량과 판단여지에 관한 설명으로 옳지 않은 것만을 <보기>에서 모두 고른 것은? (다툼이 있는 경우 판례에 의함)

<보기>
㉮ 재량과 판단여지를 구별하는 견해에 따르면 판단여지는 법률효과의 결정 및 선택에서, 재량은 법률요건의 포섭단계에 존재하는 것으로 재량과 판단여지는 구별된다고 본다.
㉯ 재량과 판단여지를 구별하는 견해에 따르면 요건 부분에 불확정개념이 사용된 경우에도 행정청에게 재량권이 인정된 것은 아니다.
㉰ 대법원은 재량과 판단여지를 구별하는 입장에서 교과서검정을 재량이 아닌 판단여지가 인정되는 영역으로 본다.
㉱ 대법원은 공무원임용을 위한 면접전형에서 임용신청자의 능력이나 적격성 등에 관한 판단은 면접위원의 자유재량에 속한다고 보고 있다.

① ㉮, ㉯
② ㉮, ㉰
③ ㉯, ㉱
④ ㉰, ㉱

✓ 기출체크

㉮㉯ 관련기출
1. 법규정의 일체성에 의해 요건 판단과 효과 선택의 문제를 구별하기 어렵다고 보는 견해는 재량과 판단여지의 구분을 인정한다. 2022 해경간부 (O | X)
2. 판단여지를 긍정하는 학설은 판단여지는 법률효과 선택의 문제이고 재량은 법률요건에 대한 인식의 문제라는 점, 양자는 그 인정근거와 내용 등을 달리하는 점에서 구별하는 것이 타당하다고 한다. 2017 국가직 9급 (O | X)
3. 판단여지와 재량을 구별하는 입장에서 재량에 대한 설명으로 옳지 않은 것은? 2015 국가직 7급
   ① 재량은 법률효과에서 인정된다.
   ② 재량의 존재 여부가 법해석으로 도출되기도 한다.
   ③ 재량행위에 법효과를 제한하는 부관을 붙일 수 없다.
   ④ 재량행위와 기속행위의 구분은 법규의 규정양식에 따라 개별적으로 판단된다.

㉰ 관련기출
4. 판례는 재량행위와 판단여지를 구분하지 않고, 판단여지가 인정될 수 있는 경우에도 재량권이 인정되는 것으로 본다. 2024 소방직 9급 (O | X)
5. 판례는 교과서검정의 위법성을 재량심사에 의하여 판단하고 있다. 2010 지방직 9급 (O | X)

관련기출

6. 공무원임용을 위한 면접전형에서 임용신청자의 능력이나 적격성 등에 관한 판단은 면접위원의 고도의 교양과 학식, 경험에 기초한 자율적 판단에 의존하는 것으로서 오로지 면접위원의 자유재량에 속한다. 2024 군무원 7급 (O | X)
7. 공무원임용을 위한 면접전형에서 임용신청자의 능력이나 적격성 등에 관한 판단은 면접위원의 고도의 교양과 학식, 경험에 기초한 자율적 판단에 의존하는 것으로서 면접위원의 자유재량에 속하고, 그와 같은 판단이 현저하게 재량권을 일탈·남용하지 않은 한 이를 위법하다고 할 수 없다. 2023 지방직·서울시 7급 (O | X)
8. 공무원임용을 위한 면접전형에 있어서 임용신청자의 능력이나 적격성 등에 관한 판단은 현저하게 재량권을 일탈 내지 남용한 것이 아니라면 이를 위법하다고 할 수 없다. 2023 군무원 7급 (O | X)
9. 판례는 공무원임용을 위한 면접전형에서 임용신청자의 능력이나 적격성 등에 관한 판단이 면접위원의 자유재량에 속한다고 보고 있다. 2013 지방직(하) 7급 (O | X)

정답
1. × 2. × 3. ③ 4. ○ 5. ○ 6. ○ 7. ○ 8. ○ 9. ○

---

09 □□□

행정행위에 관한 설명으로 옳은 것은? (다툼이 있는 경우 판례에 의함)

① 하천점용허가는 일반적 금지를 해제하여 하천이용권이라는 권리를 설정하여 주는 강학상 허가에 해당하므로, 행정청으로서는 요건을 갖춘 경우 점용허가를 발급해야 한다.
② 상업지역에서의 유흥주점영업허가는 학교환경위생정화구역 내에서의 유흥주점영업허가와 마찬가지로 재량행위이다.
③ 토사채취허가는 강학상 허가에 해당하므로 법령상 토사채취가 제한되지 않는 산림 내에서의 토사채취에 대하여 국토와 자연의 유지, 환경보전 등 중대한 공익상 필요를 이유로 그 허가를 거부하는 것은 위법하다.
④ 「도로교통법」에 따르면, 술에 취한 상태에 있다고 인정할 만한 상당한 이유가 있음에도 불구하고 경찰공무원의 측정에 응하지 아니한 때에는 필요적으로 운전면허를 취소하도록 되어 있어 처분행정청에게 취소 여부를 선택할 재량의 여지가 없으므로, 해당 법조의 요건에 해당하였음을 이유로 한 운전면허취소처분에 있어서 재량권의 일탈·남용의 문제는 생기지 않는다.

✓ 기출체크

① 관련기출

1. 「하천법」에 의한 하천의 점용허가는 강학상 허가에 해당한다. 2022 소방직 9급 (O | X)
2. 「하천법」상 하천의 점용허가는 일반인에게 하천이용권이라는 권리를 설정하여 주는 허가에 해당한다. 2020 경행경채 (O | X)
3. 하천점용허가는 성질상 일반적 금지의 해제에 불과하여 허가의 일정한 요건을 갖춘 경우 기속적으로 판단하여야 한다. 2018 지방직 9급 (O | X)

② 관련기출

4. 다음 (가) 그룹과 (나) 그룹에 대한 설명으로 옳지 않은 것은? (다툼이 있는 경우 판례에 의함) 2012 국가직 9급

(가)	• 주거지역 내의 건축허가 • 상가지역 내의 유흥주점업 허가
(나)	• 개발제한구역 내의 건축허가 • 학교환경위생정화구역 내의 유흥주점업 허가

	(가) 그룹	(나) 그룹
①	예방적 금지의 해제	억제적 금지의 해제
②	허가	예외적 승인
③	법률행위적 행정행위	준법률행위적 행정행위
④	기속행위	재량행위

③ 관련기출

5. 법령상 토사채취가 제한되지 않는 산림 내에서의 토사채취에 대하여 국토와 자연의 유지, 환경보전 등 중대한 공익상 필요를 이유로 그 허가를 거부하는 것은 재량권을 일탈·남용하여 위법한 처분이라 할 수 있다. 2023 군무원 9급 (O | X)

④ 관련기출

6. 「도로교통법」상 술에 취한 상태에 있다고 인정할 만한 상당한 이유가 있음에도 불구하고 경찰공무원의 측정에 응하지 아니한 때에는 운전면허를 취소하도록 되어 있으므로 해당 법조의 요건에 해당하였음을 이유로 한 운전면허취소처분에 있어서 재량권의 일탈 또는 남용의 문제는 생길 수 없다. 2025 지방직·서울시 7급 (O | X)
7. 「도로교통법」상 술에 취한 상태에 있다고 인정할 만한 상당한 이유가 있음에도 불구하고 경찰공무원의 측정에 응하지 아니한 때에는 필요적으로 운전면허를 취소하도록 되어 있으므로 해당 법조의 요건에 해당하였음을 이유로 한 운전면허취소처분에 있어서 재량권의 일탈 또는 남용의 문제는 생길 수 없다. 2025 국가직 7급 (O | X)

정답
1. × 2. × 3. × 4. ③ 5. × 6. ○ 7. ○

10 ☐☐☐

허가에 관한 설명으로 옳은 것은? (다툼이 있는 경우 판례에 의함)

① 한의사면허는 상대방에게 일정한 지위를 부여하는 특허로서 형성적 행위에 해당하므로 한약조제시험을 통하여 약사에게 한약조제권을 인정함으로써 한의사들의 영업상 이익이 감소된다면 이는 법률상의 이익 침해에 해당한다고 볼 수 있다.

② 개발제한구역 내의 건축허가와 같은 허가는 이른바 예방적 금지의 해제에 해당하는 것으로, 금지의 해제라는 점에서는 「도로교통법」상 운전면허와 같은 행위와 동일하다고 볼 수 있다.

③ 신청과 다른 내용의 허가는 그 효력을 인정할 수 없으므로 개축허가신청에 대하여 행정청이 착오로 대수선 및 용도변경허가를 하였다면 그 효력을 인정할 수 없다.

④ 허가의 효과는 허가를 한 행정청의 관할 구역 내에서만 미치는 것이 원칙이지만 허가의 성질상 관할 구역 외에까지 그 효과가 미치는 경우도 있다.

✓ 기출체크

① 관련기출
1. 한의사면허는 강학상 특허에 해당하고, 한약조제시험을 통하여 약사에게 한약조제권을 인정함으로써 한의사들의 영업상 이익이 감소되었다면 이러한 이익은 「약사법」이나 「의료법」 등의 법률에 의하여 보호되는 법률상 이익이라 볼 수 있다. 2024 소방간부 (O | X)
2. 한의사면허는 허가에 해당하고, 한약조제시험을 통해 약사에게 한약조제권을 인정함으로써 한의사들의 영업이익이 감소되었다고 하더라도 이는 법률상 이익 침해라고 할 수 없다. 2022 군무원 9급 (O | X)
3. 한의사들이 가지는 한약조제권을 한약조제시험을 통하여 약사에게도 인정함으로써 감소하게 되는 한의사들의 영업상 이익은 법률에 의하여 보호되는 이익이라 볼 수 없다. 2021 군무원 9급 (O | X)
4. 한의사면허는 경찰금지를 해제하는 명령적 행위인 강학상 허가에 해당한다. 2020 경행경채 (O | X)
5. 행정행위와 이에 대한 분류 또는 설명으로 가장 옳지 <u>않은</u> 것은? 2018 서울시 9급
   ① 한의사면허 : 진료행위를 할 수 있는 능력을 설정하는 설권행위
   ② 행정재산에 대한 사용허가 : 특정인에게 행정재산을 사용할 권리를 설정하여 주는 행위
   ③ 재개발조합설립에 대한 인가 : 공법인의 지위를 부여하는 설권적 처분
   ④ 재개발조합의 사업시행계획인가 : 조합의 행위에 대한 보충행위

② 관련기출
6. 개발제한구역 내의 건축물의 용도변경에 대한 예외적 허가는 그 상대방에게 제한적이므로 기속행위에 속하는 것이다. 2021 소방직 9급 (O | X)
7. (甲은 개발제한구역 내의 토지에 건축물을 건축하기 위하여 건축허가를 신청하였다) 甲의 허가신청이 관련 법령의 요건을 모두 충족한 경우에는 관할 행정청은 허가를 하여야 하며, 관련 법령상 제한사유 이외의 사유를 들어 허가를 거부할 수 없다. 2019 국가직 7급 (O | X)
8. 지방경찰청장(현 시·도경찰청장)이 운전면허시험에 합격한 사람에게 발급하는 운전면허(는 강학상 특허이다) 2019 서울시 9급 (O | X)
9. (예외적 허가) 금지의 해제라는 점에서 허가와 차이가 없다. 2010 국가직 7급 (O | X)

③ 관련기출
10. 개축허가신청에 대해 착오로 행한 용도변경허가는 무효가 아니다. 2011 국가직 7급 (O | X)
11. 대법원 판례에 의하면 허가신청과 다른 내용의 허가는 효력이 없다. 2005 관세사 (O | X)

④ 관련기출
12. 허가의 효과는 당해 허가행정청의 관할 구역 내에서만 미치는 것이 원칙이지만 법령의 규정이 있거나 허가의 성질상 관할 구역에 국한시킬 것이 아닌 경우에는 관할 구역 외까지 그 효과가 미치게 된다. 2007 국회직 8급 (O | X)

정답
1. ✕ 2. O 3. O 4. O 5. ① 6. ✕ 7. ✕ 8. ✕ 9. O 10. O
11. ✕ 12. O

11 ☐☐☐

건축허가에 관한 설명으로 옳지 <u>않은</u> 것은? (다툼이 있는 경우 판례에 의함)

① 건축허가권자는 건축허가신청이 「건축법」 등 관계 법규에서 정하는 어떠한 제한에 배치되지 않는 한 당연히 같은 법조에서 정하는 건축허가를 하여야 하며, 중대한 공익상의 필요가 없음에도 불구하고 요건을 갖춘 자에 대한 허가를 관계 법령에서 정하는 제한사유 이외의 사유를 들어 거부할 수는 없다.

② 건축허가는 대물적 성질뿐만 아니라 일부 대인적 성질도 갖는 것이어서 행정청으로서는 허가를 할 때 건축주 또는 토지소유자가 누구인지 등과 같은 인적 요소에 관하여 실질적으로 심사하여야 한다.

③ 구 「도로법」 제50조 제1항에 의하여 접도구역으로 지정된 지역 안에 있는 건물에 관하여 같은 법조 제4항·제5항에 의하여 도로관리청으로부터 개축허가를 받았다 해도 「건축법」 제5조 제1항에 의한 건축허가를 다시 받아야 한다.

④ 자기 비용과 노력으로 건물을 신축한 자는 그 건축허가가 타인의 명의로 된 여부에 관계없이 그 소유권을 취득한다.

✓ 기출체크

① 관련기출

1. 건축허가권자는 건축허가신청이 「건축법」 등 관계 법규에서 정하는 어떠한 제한에 배치되지 않는 이상 당연히 같은 법조에서 정하는 건축허가를 하여야 하고, 중대한 공익상의 필요가 없는데도 관계 법령에서 정하는 제한사유 이외의 사유를 들어 요건을 갖춘 자에 대한 허가를 거부할 수는 없다. 2024 소방직 9급 (O | ×)
2. 건축허가는 기속행위이므로 「건축법」상 허가요건이 충족된 경우에는 항상 허가하여야 한다. 2022 군무원 9급 (O | ×)
3. 건축허가권자는 중대한 공익상의 필요가 없음에도 관계 법령에서 정하는 제한사유 이외의 사유를 들어 건축허가요건을 갖춘 자에 대한 허가를 거부할 수 있다. 2019 국가직 9급 (O | ×)
4. 건축허가는 원칙상 기속행위이지만 중대한 공익상 필요가 있는 경우 예외적으로 건축허가를 거부할 수 있다. 2019 서울시 1회 7급 (O | ×)

② 관련기출

5. 건축허가는 대물적 성질을 갖는 것이어서 행정청으로서는 허가를 할 때에 건축주 또는 토지소유자가 누구인지 등 인적 요소에 관하여는 심사의 대상으로 삼지 않는다. 2025 지방직·서울시 7급 (O | ×)
6. 건축허가는 대물적 성질을 갖는 것이어서 행정청은 그 허가를 할 때 건축주가 누구인가 등 인적 요소에 관하여는 형식적 심사만을 행한다. 2025 변호사 (O | ×)
7. 건축허가는 대물적 성질을 갖는 것이어서 행정청으로서는 허가를 할 때에 건축주 또는 토지소유자가 누구인지 등 인적 요소에 관하여는 형식적 심사만 한다. 2022 지방직·서울시 9급 (O | ×)

③ 관련기출

8. (허가의 경우) 특별한 규정이 없는 한 관계법상의 금지가 해제될 뿐이고, 타법상의 제한까지 해제되는 것은 아니다. 2015 경행특채 2차 (O | ×)
9. 「도로법」과 「건축법」에서 각 규정하고 있는 건축허가는 그 허가권자의 허가를 받도록 한 목적, 허가의 기준, 허가 후의 감독에 있어서 동일하므로 「도로법」에 의하여 도로관리청인 도지사로부터 개축허가를 받았다면 「건축법」에 의하여 시장 또는 군수의 허가를 다시 받을 필요는 없다. 2012 국회(속기·경위직) 9급 (O | ×)
10. 접도구역 안에서 건축을 하기 위해서는 건축허가청으로부터 「건축법」상 건축허가를 받는 것으로 충분하다. 2006 국가직 7급 (O | ×)

④ 관련기출

11. 건축허가는 수허가자에게 어떤 새로운 권리나 능력을 부여하는 것이 아니다. 2019 사회복지직 9급 (O | ×)
12. 건축허가시 건축허가서에 건축주로 기재된 자는 당연히 그 건물의 소유권을 취득하며, 건축 중인 건물의 소유자와 건축허가의 건축주는 일치하여야 한다. 2014 지방직 9급 (O | ×)

정답
1. O 2. × 3. × 4. O 5. × 6. O 7. O 8. O 9. × 10. × 11. O 12. ×

12

허가에 관한 설명으로 옳지 않은 것만을 <보기>에서 모두 고른 것은? (다툼이 있는 경우 판례에 의함)

| 보기 |

㉮ 허가 등의 행정처분은 원칙적으로 처분시의 법령과 허가기준에 의하여 처리되어야 하지만 건축허가신청 후 건축허가기준에 관한 관계 법령이 신청인에게 불리하게 개정된 경우는 당사자의 신뢰를 보호하기 위해 신청시 법령에서 정한 기준에 의하여 건축허가 여부를 결정한다.
㉯ 「식품위생법」상 일반음식점영업허가는 성질상 일반적 금지의 해제에 불과하므로 허가권자는 허가신청이 법에서 정한 요건을 구비한 때에는 원칙적으로 허가하여야 하지만, 예외적으로 관계 법령에서 정하는 제한사유 외에도 공공복리 등과 같은 사유를 들어 허가신청을 거부할 수 있다.
㉰ 건축허가는 일반적으로 기속행위이나 토지의 형질변경행위를 수반하는 건축허가처럼 기속행위인 허가가 재량행위인 허가를 포함하는 경우에는 그 한도 내에서 재량행위가 된다.
㉱ 담배 일반소매인으로 지정되어 영업을 하고 있는 기존업자의 신규 구내소매인에 대한 이익은 반사적 이익으로서 기존업자는 신규 구내소매인 지정처분의 취소를 구할 원고적격이 없다.

① ㉮, ㉯
② ㉮, ㉰
③ ㉯, ㉱
④ ㉰, ㉱

✓ 기출체크

㉮ 관련기출

1. 허가 등의 행정처분은 원칙적으로 허가신청 당시의 기준에 따라야 하며, 처분시의 법령과 허가기준에 의하여 처리하는 것이 아니다. 2023 해경간부 (O | ×)
2. 허가신청 후 허가기준이 변경되었다 하더라도 그 허가관청이 허가신청을 수리하고도 정당한 이유 없이 그 처리를 늦추어 그 사이에 허가기준이 변경된 것이 아닌 이상 변경되기 이전의 허가기준에 따라서 처분을 하여야 한다. 2023 소방간부 (O | ×)
3. 허가신청 후 허가기준이 변경된 경우에는 원칙적으로 처분시의 기준인 변경된 허가기준에 따라서 처분하여야 한다. 2022 소방직 9급 (O | ×)
4. 허가의 신청 후 법령의 개정으로 허가기준이 변경된 경우에는 신청할 당시의 법령이 아닌 행정행위 발령 당시의 법령을 기준으로 허가 여부를 판단하는 것이 원칙이다. 2021 소방직 9급 (O | ×)
5. (甲은 강학상 허가에 해당하는 「식품위생법」상 영업허가를 신청하였다) 甲이 허가를 신청한 이후 관계 법령이 개정되어 허가요건을 충족하지 못하게 된 경우, 행정청이 허가신청을 수리하고도 정당한 이유 없이 그 처리를 늦추어 그 사이에 허가기준이 변경된 것이 아닌 이상 甲에게는 불허가처분을 하여야 한다. 2019 지방직·교육행정직 9급 (O | ×)

㉯ 관련기출

6. 「식품위생법」상 일반음식점영업허가는 성질상 일반적 금지의 해제에 불과하므로 허가권자는 허가신청이 법에서 정한 요건을 구비한 때에는 원칙적으로 허가를 하여야 하나, 다만 예외적으로 관계 법령에서 정하는 제한사유 외에 공공복리 등의 사유를 들어 허가신청을 거부할 수 있다. 2018 경행경채 (O | X)

㉰ 관련기출

7. 「국토의 계획 및 이용에 관한 법률」상 토지의 형질변경허가는 그 금지요건이 불확정개념으로 규정되어 있으므로, 동법상 지정된 도시지역 안에서 토지의 형질변경행위를 수반하는 「건축법」상의 건축허가는 재량행위이다. 2021 국가직 7급 (O | X)
8. 「국토의 계획 및 이용에 관한 법률」상 용도지역 안에서 토지의 형질변경행위를 수반하는 건축허가는 재량행위에 속한다. 2020 경행경채 (O | X)
9. 「국토의 계획 및 이용에 관한 법률」에 의해 지정된 도시지역 안에서 토지의 형질변경행위를 수반하는 건축허가는 재량행위에 속한다. 2019 국가직 9급 (O | X)
10. 토지의 형질변경행위를 수반하는 건축허가는 「건축법」에 의한 건축허가와 「국토의 계획 및 이용에 관한 법률」에 의한 개발행위허가의 성질을 아울러 갖게 되므로 재량행위에 해당한다. 2019 사회복지직 9급 (O | X)

㉱ 관련기출

11. 담배소매인 중에서 구내소매인 지정처분의 취소를 구하는 일반소매인(은 판례상 취소소송에서 원고적격이 인정된다) 2023 군무원 7급 (O | X)
12. 영업소 간 거리제한규정을 위배하여 한 담배 일반소매인 지정처분에 대한 취소소송에서 기존의 일반소매인(은 판례가 원고적격이 있다고 본 경우이다) 2020 해경승진 (O | X)
13. 일반소매인으로 지정되어 영업을 하고 있는 기존업자의 신규 일반소매인에 대한 이익은 법률상 보호되는 이익이다. 2016 사회복지직 9급 (O | X)
14. 담배 일반소매인으로 지정되어 있는 기존업자가 신규 담배 구내소매인 지정처분을 다투는 경우 원고적격이 있다. 2014 서울시 9급 (O | X)

정답
1. ✕ 2. ✕ 3. ○ 4. ○ 5. ○ 6. ✕ 7. ○ 8. ○ 9. ○ 10. ○
11. ✕ 12. ○ 13. ○ 14. ✕

13

맨 처음에 나오는 것은 행정행위의 대표적인 예에 해당하며 그 이후에 나오는 것은 그러한 행정행위의 특성을 설명하고 있다. 이 중 옳은 것은? (다툼이 있는 경우 판례에 의함)

① 기부금품모집허가 — 행정행위가 있으면 그 근거가 된 법에 의한 금지뿐만 아니라 다른 법에 의한 금지까지 해제됨이 원칙 — 반드시 기속행위인 것은 아니며 재량행위일 수도 있는데 그 예로는 숙박시설에 해당하는 건축허가를 들 수 있음. — 일반적으로 법률의 근거 없이 독자적으로 요건을 추가할 수는 없음.

② 공유수면의 점용허가 — 일반적으로 재량행위로 볼 수 있음. — 불특정 다수인을 대상으로도 행해질 수 있음. — 신청이 있어야 함. — 양립할 수 없는 이중의 행정행위가 있으면 특별한 사정이 없는 한 후행의 행정행위는 무효가 됨.

③ '조합설립추진위원회' 구성승인처분 — 그 대상이 되는 행위는 사실행위는 될 수 없고 법률행위이어야만 하며, 사법(私法)상 행위뿐만 아니라 공법(公法)상 행위도 그 대상이 될 수 있음. — 행정행위를 받아야 하는 행위임에도 행정행위를 받지 않은 경우 기본행위는 아무런 효력이 발생하지 않음. — 행정행위는 기본행위의 하자를 치유하지 않음.

④ 불법광고물의 철거명령 — 반드시 법령의 근거가 있어야 함. — 대상은 사실행위인 경우가 일반적이나 법률행위인 경우도 있음. — 이를 위반한 사법(私法)상 행위는 원칙적으로 무효가 됨. — 상대방이 불특정 다수인이 될 수도 있음.

✓ 기출체크

① 관련기출

1. 구 「기부금품모집규제법」상의 기부금품모집허가는 공익목적을 위하여 일반적·상대적으로 제한된 기본권적 자유를 다시 회복시켜주는 강학상의 허가에 해당한다. 2023 경찰간부 (O | X)
2. (甲은 강학상 허가에 해당하는 「식품위생법」상 영업허가를 신청하였다) 甲이 공무원인 경우 허가를 받으면 이는 「식품위생법」상의 금지를 해제할 뿐 아니라 「국가공무원법」상의 영리업무금지까지 해제하여 주는 효과가 있다. 2019 지방직·교육행정직 9급 (O | X)
3. 숙박용 건물의 건축허가는 기속행위이므로 중대한 공익상의 이유가 있다 할지라도 그 허가를 거부할 수 없다. 2016 교육행정직 9급 (O | X)
4. 허가의 요건은 법령으로 규정되어야 하며, 법령의 근거 없이 행정권이 독자적으로 허가요건을 추가하는 것은 허용되지 아니한다. 2015 경행특채 2차 (O | X)
5. 허가의 대상은 사실행위뿐만 아니라 법률행위일 경우도 있다. 2005 관세사 (O | X)

② 관련기출

6. 구 「공유수면관리법」에 따른 공유수면의 점용허가는 특정인에게 공유수면의 제한적 이용을 허용하는 것이므로 강학상의 허가에 해당한다. 2025 경찰간부 (O | X)
7. 공유수면의 점용·사용허가는 허가상대방에게 제한을 해제하여 공유수면이용권을 부여하는 처분으로 강학상 허가에 해당한다. 2025 해경승진 (O | X)
8. 공유수면의 점용·사용허가는 특정인에게 공유수면이용권이라는 독점적 권리를 설정하여 주는 처분이 아니라 일반적인 상대적 금지를 해제하는 처분이다. 2022 지방직·서울시 9급 (O | X)
9. 공유수면점용허가는 특정인에게 공유수면이용권이라는 독점적 권리를 설정하여 주는 처분으로서 그 처분의 여부 및 내용의 결정은 원칙적으로 행정청의 재량에 속한다. 2021 국가직 7급 (O | X)
10. (공유수면사용에 대한 허가)행위는 법률관계의 존부를 확인하는 행위이다. 2019 소방직 9급 (O | X)

③ 관련기출

11. 구 「도시 및 주거환경정비법」상 조합설립추진위원회 구성승인처분은 조합의 설립을 위한 주체인 추진위원회의 구성행위를 보충하여 그 효력을 부여하는 처분이다. 2023 지방직·서울시 9급 (O | X)
12. 기본행위가 무효이면 (사립학교법인 임원의 선임에 대한 승인)행위는 무효가 된다. 2019 소방직 9급 (O | X)
13. 인가의 전제가 되는 기본행위에 하자가 있다고 하더라도 행정청의 적법한 인가가 있으면 그 하자는 치유가 된다. 2014 서울시 9급 (O | X)
14. 인가의 대상인 기본행위가 무효라 하더라도 인가 자체에 하자가 없다면 그 인가는 유효하다. 2012 서울시 9급 (O | X)
15. 일반적으로 인가의 기본행위는 공법적 성질을 갖는 것에 한한다. 2008 지방직 7급 (O | X)

④ 관련기출

16. 하명의 대상은 불법광고물의 철거와 같은 사실행위에 한정된다. 2017 국가직 7급 (O | X)
17. 하명은 법령의 근거를 요하므로 법령이 정한 요건이 갖추어졌을 때에 행하여진다. 2008 지방직 9급 (O | X)
18. 하명의 대상은 법률행위뿐만 아니라 사실행위일 수도 있다. 2008 지방직 9급 (O | X)
19. 하명은 대부분 개별적·구체적 규율로서 행하여지나 일반처분으로도 행하여진다. 2008 지방직 9급 (O | X)
20. 하명에 위반한 법률행위의 효과는 무효이다. 2008 지방직 9급 (O | X)

정답
1. O 2. X 3. X 4. O 5. O 6. X 7. X 8. O 9. O 10. X
11. O 12. O 13. X 14. X 15. X 16. X 17. O 18. O 19. O 20. X

14 □□□

행정행위에 관한 설명으로 옳은 것만을 <보기>에서 모두 고른 것은? (다툼이 있는 경우 판례에 의함)

— 보기 —
㉮ 법무부장관의 귀화허가가 외국인에게 대한민국 국적을 부여함으로써 국민으로서의 법적 지위를 포괄적으로 설정하는 강학상 특허에 해당할지라도 귀화신청인이 법률이 정하는 귀화요건을 갖추어서 귀화허가를 신청한 경우에 법무부장관은 관계 법령에서 정하는 제한사유 외에 공익상의 이유로 귀화허가를 거부할 수 없다.
㉯ 토지거래허가는 토지거래허가구역 내의 토지거래를 일반적으로 금지시키고 특정한 경우에 예외적으로 토지거래계약을 체결할 수 있는 자격을 부여하는 점에서 강학상 예외적 허가에 해당한다.
㉰ 「관세법」상 보세구역의 설영특허는 보세구역의 설치, 경영에 관한 권리를 설정하는 이른바 공기업의 특허로서 그 특허의 부여 여부는 행정청의 자유재량에 속한다.
㉱ 법령이 규정하는 산림훼손 금지 또는 제한지역에 해당하는 경우는 물론 금지 또는 제한지역에 해당하지 않더라도 허가관청은 산림훼손허가신청 대상토지의 현상과 위치 및 주위의 상황 등을 고려하여 국토 및 자연의 유지와 환경의 보전 등 중대한 공익상 필요가 있다고 인정될 때에는 허가를 거부할 수 있다.

① ㉮, ㉯ ② ㉮, ㉱
③ ㉯, ㉰ ④ ㉰, ㉱

✓ 기출체크

㉮ 관련기출

1. 귀화허가는 외국인에게 대한민국 국적을 부여함으로써 국민으로서의 법적 지위를 포괄적으로 설정하는 행위에 해당한다. 2024 지방직·서울시 9급 (O | X)
2. 귀화허가는 강학상 허가에 해당하므로, 귀화신청인이 귀화요건을 갖추어서 귀화허가를 신청한 경우에 법무부장관은 귀화허가를 해 주어야 한다. 2021 국가직 7급 (O | X)
3. 귀화허가는 외국인에게 대한민국 국적을 부여함으로써 국민으로서의 법적 지위를 포괄적으로 설정하는 행위에 해당하므로 법무부장관은 귀화신청인이 「국적법」 소정의 귀화요건을 모두 갖춘 경우에는 관계 법령에서 정하는 제한사유 외에 공익상의 이유로 귀화허가를 거부할 수 없다. 2017 국가직(하) 9급 (O | X)
4. 법률에서 정한 귀화요건을 갖춘 신청에 대한 법무부장관의 귀화허가는 재량행위로 볼 수 있다. 2014 경행특채 1차 (O | X)
5. 법률에서 정한 귀화요건을 갖춘 귀화신청인에 대한 법무부장관의 귀화허가는 기속행위로 본다. 2012 지방직 9급 (O | X)

㈏ 관련기출

6. 「부동산 거래신고 등에 관한 법률」상 토지거래계약허가는 토지거래허가구역 내의 모든 국민에게 전반적으로 토지거래의 자유를 금지하고 일정한 요건을 갖춘 경우에만 금지를 해제하여 계약체결의 기회를 부여하는 것으로서 강학상 특허에 해당한다고 보는 것이 타당하다. 2025 지방직·서울시 7급 (○ | ×)

7. 토지거래허가는 규제지역 내의 모든 국민에게 전반적으로 토지거래의 자유를 금지하고 일정한 요건을 갖춘 경우에만 금지를 해제하여 계약체결의 자유를 회복시켜 주는 성질을 갖는다. 2025 소방직 9급 (○ | ×)

8. 토지거래허가는 토지거래허가구역 내의 토지거래를 전면적으로 금지시키고 특정한 경우에 예외적으로 토지거래계약을 체결할 수 있는 자격을 부여하는 점에서 강학상 특허에 해당한다. 2025 해경승진 (○ | ×)

9. 토지거래허가제에서의 토지거래허가는 유동적 무효상태에 있는 법률행위의 효력을 완성시켜 주는 인가적 성질을 띤 것이라고 보는 것이 타당하다. 2019 경행경채 2차 (○ | ×)

10. 토지거래허가구역 내에 있는 토지에 관한 토지거래계약허가는 학문상 인가의 성질을 갖는다. 2013 국가직 7급 (○ | ×)

㈐ 관련기출

11. 「관세법」 소정의 보세구역 설영특허는 공기업의 특허로서 그 특허의 부여 여부는 행정청의 자유재량에 속하고, 설영특허에 특허기간이 부가된 경우 그 기간의 갱신 여부도 행정청의 자유재량에 속한다. 2015 사회복지직 9급 (○ | ×)

12. 특허보세구역을 설치하고자 하는 자는 「관세법」에 의하여 세관장의 특허를 받아야 한다. 세관장의 특허행위는 행정법학상 형성적 행위로 분류된다. 2009 관세사 (○ | ×)

㈑ 관련기출

13. 산림훼손의 금지 또는 제한지역에 해당하지 않더라도 허가관청은 중대한 공익상 필요가 있다고 인정될 때에는 허가를 거부할 수 있고 그 경우 법규에 명문의 규정이 없더라도 거부처분을 할 수 있다. 2026 경찰간부 (○ | ×)

14. 법령상의 산림훼손 금지 또는 제한지역에 해당하지 아니하더라도 중대한 공익상의 필요가 있다고 인정되는 경우, 산림훼손허가신청을 거부할 수 있다. 2022 군무원 9급 (○ | ×)

15. 환경의 보전 등 중대한 공익상 필요가 있다고 인정되더라도 법규에 명문의 근거가 없다면 산림훼손기간연장허가를 거부할 수 없다. 2019 사회복지직 9급 (○ | ×)

16. 법규에 명문의 근거가 없음에도 환경보전이라는 중대한 공익상의 이유로 산림훼손허가를 거부하는 것은 법률유보의 원칙에 비추어 허용되지 않는다. 2017 국가직 7급 (○ | ×)

17. 산림형질변경허가의 경우 중대한 공익상 필요가 있다고 인정되는 때에는 그 허가를 거부할 수 있으며, 다만 그 경우 별도로 명문의 근거가 있어야 한다. 2015 국회직 8급 (○ | ×)

정답
1. ○ 2. × 3. × 4. ○ 5. × 6. × 7. × 8. × 9. ○ 10. ○
11. ○ 12. ○ 13. ○ 14. ○ 15. × 16. × 17. ×

15 □□□

사례에 관한 설명으로 옳지 않은 것만을 <보기>에서 모두 고른 것은? (다툼이 있는 경우 판례에 의함)

> 甲은 관할 A행정청에 주택건설사업계획의 승인을 신청하였다. A행정청은 관계 행정기관의 장과 협의 후 甲의 주택건설사업계획을 승인하였다.

> 「주택법」 제19조 【다른 법률에 따른 인가·허가 등의 의제 등】 ① 사업계획승인권자가 제15조에 따라 <u>사업계획을 승인 또는 변경승인할 때 다음 각 호의 허가·인가·결정·승인 또는 신고 등</u>(이하 '인·허가 등'이라 한다)에 관하여 제3항에 따른 관계 행정기관의 장과 협의한 사항에 대하여는 해당 인·허가 등을 받은 것으로 보며, 사업계획의 승인고시가 있은 때에는 다음 각 호의 관계 법률에 따른 고시가 있은 것으로 본다.
> 14. <u>「산지관리법」</u> 제14조·제15조에 따른 <u>산지전용허가 및 산지전용신고</u>, 같은 법 제15조의2에 따른 <u>산지일시사용허가·신고</u>

보기

㉮ 「행정기본법」에 따르면 주된 인·허가 행정청은 주된 인·허가를 하기 전에 관련 인·허가에 관하여 미리 관련 인·허가 행정청과 협의하여야 하며, 협의가 된 사항에 대해서는 주된 인·허가를 받았을 때 관련 인·허가를 받은 것으로 본다.

㉯ 주택건설사업계획의 승인신청을 받은 A행정청은 「주택법」상 허가요건뿐만 아니라 「산지관리법」상 산지전용허가요건도 충족하는 경우에 한하여 주택건설사업계획을 승인할 수 있다.

㉰ A행정청이 甲의 주택건설사업계획을 승인하였으므로, 산지전용허가를 받았음을 전제로 하는 「산지관리법」상의 다른 모든 규정들까지 적용된다.

㉱ 만약 A행정청이 산지전용불허가사유가 존재함을 이유로 甲의 주택건설사업계획승인신청을 거부하였다면, 주택건설사업계획불승인처분과는 별개로 산지전용불허가처분이 존재하는 것으로 보아야 한다.

㉲ 만약 A행정청이 「산지관리법」상 산지전용허가요건을 구비하지 못하였다는 이유로 甲의 주택건설사업계획승인신청을 거부하였다면, 甲은 「산지관리법」상 산지전용허가거부처분에 대하여 취소소송을 제기하여 다툴 수 있다.

① ㉮, ㉯
② ㉰, ㉲
③ ㉯, ㉱, ㉲
④ ㉰, ㉱, ㉲

㉮ 관련기출

1. 다음 <사례>에 관한 설명으로 옳지 않은 것을 모두 고른 것은? (다툼이 있는 경우 판례에 의함) 2024 변호사

   > 甲창업기업은 「중소기업창업 지원법」에 따라 A시장에게 공장설립계획의 승인을 신청하고자 한다. 동법 제47조는 A시장이 공장설립계획의 승인을 할 때 「하천법」 제33조에 따른 하천의 점용허가에 관하여 A시장이 하천점용허가청과 협의를 한 사항에 대하여는 그 허가를 받은 것으로 본다고 규정하고 있다.

   > ㉠ 甲이 하천점용허가를 의제받으려면 위 공장설립계획 승인을 신청할 때 하천점용허가에 필요한 서류를 하천점용허가청이 별도로 정하는 기한까지 제출하여야 한다.
   > ㉡ A시장과 하천점용허가청 간에 협의가 된 사항에 대해서는 협의 성립시점에 하천점용허가를 받은 것으로 의제된다.
   > ㉢ A시장으로부터 협의를 요청받은 하천점용허가청은 하천법령을 위반하여 협의에 응해서는 아니 되며, 하천점용허가에 필요한 심의, 의견청취 등 절차에 관하여는 법률에 인·허가의 제시에도 해당 절차를 거친다는 명시적인 규정이 있는 경우에만 이를 거친다.
   > ㉣ 하천점용허가가 의제되면 하천점용허가청은 하천점용허가를 직접 한 것으로 보아 관계 법령에 따른 관리·감독 등 필요한 조치를 하여야 한다.

   ① ㉠, ㉡   ② ㉠, ㉢   ③ ㉠, ㉣
   ④ ㉡, ㉢   ⑤ ㉢, ㉣

2. 주된 인·허가 행정청은 주된 인·허가를 하기 전에 관련 인·허가에 관하여 미리 인·허가 행정청과 협의하여야 한다. 2024 소방간부
   (○ | ×)

3. 관련 인·허가 행정청과 협의된 사항에 대해서는 주된 인·허가를 받았을 때 관련 인·허가를 받은 것으로 본다. 2023 서울시 지적 7급
   (○ | ×)

㉯ 관련기출

4. 「국토의 계획 및 이용에 관한 법률」상 건축물의 건축에 관한 개발행위허가가 의제되는 건축허가신청이 국토의 계획 및 이용에 관한 법령이 정한 개발행위허가기준에 부합하지 아니하면 허가권자로서는 이를 거부할 수 있다. 2025 국가직 9급
   (○ | ×)

5. 건축물의 건축이 「국토의 계획 및 이용에 관한 법률」상 개발행위에 해당할 경우 그 건축의 허가권자는 개발행위허가가 의제되는 건축허가신청이 국토계획법령이 정한 개발행위허가기준에 부합하지 아니하면 이를 거부할 수 있다. 2022 소방직 9급
   (○ | ×)

6. 도시계획시설인 주차장에 대한 건축허가신청을 받은 행정청으로서는 「건축법」상 허가요건뿐 아니라 그에 의해 의제되는 국토의 계획 및 이용에 관한 법령이 정한 도시계획시설사업에 관한 실시계획인가요건도 충족하는 경우에 한하여 이를 허가해야 한다.
   2022 지방직·서울시 7급
   (○ | ×)

㉰ 관련기출

7. 주된 인·허가에 관한 사항을 규정하고 있는 어떤 법률에서 주된 인·허가가 있으면 다른 법률에 의한 인·허가를 받은 것으로 의제한다는 규정을 둔 경우, 다른 법률에 의하여 인·허가를 받았음을 전제로 하는 그 다른 법률의 모든 규정들까지 적용되는 것은 아니다.
   2025 지방직·서울시 7급
   (○ | ×)

8. 주된 인·허가가 있으면 다른 법률에 의한 인·허가가 있는 것으로 보는 데 그치는 것이고, 거기에서 더 나아가 다른 법률에 의하여 인·허가를 받았음을 전제로 한 다른 법률의 모든 규정들까지 적용되는 것은 아니다. 2024 국회직 9급
   (○ | ×)

9. 주된 인·허가에 관한 사항을 규정하고 있는 법률에서 주된 인·허가가 있으면 다른 법률에 의한 인·허가를 받은 것으로 의제한다는 규정을 둔 경우, 주된 인·허가가 있으면 다른 법률에 의하여 인·허가를 받았음을 전제로 하는 그 다른 법률의 모든 규정들까지 적용되는 것은 아니다. 2018 국가직 7급
   (○ | ×)

㉱㉲ 관련기출

10. 행정청이 건축불허가처분을 하면서 그 처분사유로 건축불허가사유뿐만 아니라 그 의제의 대상이 되는 형질변경불허가사유나 농지전용불허가사유를 들고 있다고 하여 그 건축불허가처분 외에 별개로 형질변경불허가처분이나 농지전용불허가처분이 존재하는 것은 아니다.
    2022 지방직·서울시 7급
    (○ | ×)

11. A허가에 대해 B허가가 의제되는 것으로 규정된 경우, A불허가처분을 하면서 B불허가사유를 들고 있으면 A불허가처분과 별개로 B불허가처분도 존재한다. 2018 국가직 7급
    (○ | ×)

12. 주된 인·허가인 건축불허가처분을 하면서 그 처분사유로 의제되는 인·허가에 해당하는 형질변경불허가사유를 들고 있다면, 그 건축불허가처분을 받은 자는 형질변경불허가처분에 관해서도 쟁송을 제기하여 다툴 수 있다. 2016 서울시 7급
    (○ | ×)

13. 주된 인·허가 거부처분을 하면서 의제되는 인·허가 거부사유를 제시한 경우, 의제되는 인·허가 거부를 다투려는 자는 주된 인·허가 거부 외에 별도로 의제되는 인·허가 거부에 대한 쟁송을 제기해야 한다. 2016 지방직 7급
    (○ | ×)

14. 「건축법」에는 건축허가를 받으면 「국토의 계획 및 이용에 관한 법률」에 의한 토지의 형질변경허가도 받은 것으로 보는 조항이 있다. 이 조항의 적용을 받는 甲이 토지의 형질을 변경하여 건축물을 건축하고자 건축허가신청을 하였다. 이에 대한 설명으로 옳은 것은? (다툼이 있는 경우 판례에 의함) 2015 국가직 9급
    ① 甲은 건축허가절차 외에 형질변경허가 절차를 별도로 거쳐야 한다.
    ② 건축불허가처분을 하면서 건축불허가사유 외에 형질변경불허가사유를 들고 있는 경우, 甲은 건축불허가처분 취소청구소송에서 형질변경불허가사유에 대하여도 다툴 수 있다.
    ③ 건축불허가처분을 하면서 건축불허가사유 외에 형질변경불허가사유를 들고 있는 경우, 그 건축불허가처분 외에 별개로 형질변경불허가처분이 존재한다.
    ④ 甲이 건축불허가처분에 관한 쟁송과는 별개로 형질변경불허가처분취소소송을 제기하지 아니한 경우 형질변경불허가사유에 관하여 불가쟁력이 발생한다.

> **정답**
> 1. ① 2. ○ 3. ○ 4. ○ 5. ○ 6. ○ 7. ○ 8. ○ 9. ○ 10. ○
> 11. × 12. × 13. × 14. ②

16

인·허가 의제에 관한 설명으로 옳지 않은 것만을 <보기>에서 모두 고른 것은? (다툼이 있는 경우 판례에 의함)

─┤ 보기 ├─

㉮ 인·허가 의제는 절차를 간소화하며 비용과 시간을 절감함으로써 국민의 권익을 보호하기 위한 것이므로 법률에 명시적인 근거가 없어도 허용된다.

㉯ 주된 인·허가는 그대로 유지하면서 하자 있는 의제된 인·허가의 효력을 소멸시킬 수도 있다.

㉰ 주택건설사업계획 승인처분에 따라 의제된 인·허가가 위법함을 다투고자 하는 이해관계인은, 주택건설사업계획 승인처분의 취소를 구할 것이 아니라 의제된 인·허가의 취소를 구하여야 한다.

㉱ 행정청이 「주택법」상 주택건설사업계획을 승인하면 「국토의 계획 및 이용에 관한 법률」상의 도시·군관리계획결정이 이루어진 것으로 의제되는데, 이 경우에도 도시·군관리계획 결정권자와의 협의절차와 별도로 「국토의 계획 및 이용에 관한 법률」에서 정한 도시·군관리계획 입안을 위한 주민의견청취절차를 거쳐야 한다.

① ㉮, ㉯
② ㉮, ㉱
③ ㉯, ㉰
④ ㉰, ㉱

✓ 기출체크

㉮ 관련기출

1. 인·허가 의제제도는 관련 인·허가 행정청의 권한을 제한하거나 박탈하는 효과를 가진다는 점에서 법률 또는 법률의 위임에 따른 법규명령의 근거가 있어야 한다. 2023 경찰간부 (○ | ×)

2. 인·허가 의제는 관계 기관의 권한 행사에 제약을 가할 수 있으므로 법령상 명문의 근거규정을 필요로 한다. 2018 교육행정직 9급 (○ | ×)

3. 인·허가 의제는 행정청의 소관 사항과 관련하여 권한 행사의 변경을 가져오므로 법령의 근거를 필요로 한다. 2018 국가직 7급 (○ | ×)

4. (인·허가 의제는) 반드시 법률에 명시적인 근거가 있어야 하는 것은 아니다. 2016 서울시 7급 (○ | ×)

5. 인·허가 의제는 의제되는 행위에 대하여 본래적으로 권한을 갖는 행정기관의 권한 행사를 보충하는 것이므로 법령의 근거가 없는 경우에도 인정된다. 2014 지방직 9급 (○ | ×)

㉯ 관련기출

6. 주된 인·허가인 사업계획승인은 그대로 유지하면서 하자 있는 의제된 인·허가의 효력을 소멸시킬 수는 없다. 2023 서울시 지적 7급 (○ | ×)

7. (A군수는 甲에게 「중소기업창업지원법」 관련 규정에 따라 농지의 전용허가 등이 의제되는 사업계획을 승인하는 처분을 하였다) 사업계획의 승인을 받은 甲이 농지의 전용허가와 관련한 명령을 불이행하는 경우, 甲에 대해 사업계획에 대한 승인의 효력은 유지하면서 의제된 농지의 전용허가만을 철회할 수 있다. 2020 변호사 (○ | ×)

㉰ 관련기출

8. 주택건설사업계획 승인처분에 따라 의제된 인·허가가 위법함을 다투고자 하는 이해관계인은 의제된 인·허가의 취소를 구할 것이 아니라 주택건설사업계획 승인처분의 취소를 구하여야 한다. 2025 국가직 9급 (○ | ×)

9. 부분 인·허가 의제가 허용되는 경우 그 효력을 제거하기 위한 법적 수단으로 의제된 인·허가의 취소나 철회가 허용될 수 있지만, 그 의제된 인·허가에 대한 쟁송취소는 허용되지 않는다. 2023 군무원 5급 (○ | ×)

10. 다음 <사례>에 관한 설명으로 옳지 않은 것을 모두 고른 것은? (다툼이 있는 경우 판례에 의함) 2023 변호사

「주택법」상 주택건설사업계획의 승인이 있으면, 관계 행정기관의 장과 협의한 사항에 대하여 「국토의 계획 및 이용에 관한 법률」(이하 '국토계획법'이라 함)에 따른 도시·군관리계획의 결정을 비롯하여 「주택법」 제19조 제1항 각 호에서 열거하는 인·허가를 받은 것으로 의제된다. 甲은 관할 A행정청에 「주택법」에 따른 주택건설사업계획승인을 신청하였고, A행정청은 관계 행정기관의 장과 협의를 거쳐 주택건설사업계획을 승인·고시하였다.

㉠ 주택건설사업계획의 승인이 있으면 「주택법」 제19조 제1항 각 호에서 열거하는 모든 인·허가가 의제되므로, 모든 인·허가 사항에 대해 사전에 관계 행정기관과 일괄하여 협의를 거쳐야 한다.

㉡ A행정청은 도시·군관리계획 결정권자와 협의를 거쳐 주택건설사업계획을 승인하면서 이와는 별도로 국토계획법에서 정한 도시·군관리계획 입안을 위한 주민의견청취절차를 거칠 필요가 없다.

㉢ 의제되는 국토계획법상 도시·군관리계획의 결정에 하자가 있다면, 주택건설사업계획 승인처분 자체가 위법하게 된다.

㉣ 의제되는 인·허가는 주택건설사업계획 승인처분과 별도로 항고소송의 대상이 되는 처분에 해당하지 않는다.

① ㉠, ㉢
② ㉠, ㉣
③ ㉡, ㉢
④ ㉠, ㉢, ㉣
⑤ ㉡, ㉢, ㉣

11. 주된 인·허가에 의해 의제된 인·허가는 통상적인 인·허가와 동일한 효력을 가지나, '부분 인·허가 의제'가 허용되는 경우 의제된 인·허가의 취소나 철회는 허용되지 않으므로 이해관계인이 의제된 인·허가의 위법함을 다투고자 하는 경우에는 주된 인·허가처분을 항고소송의 대상으로 삼아야 한다. 2022 지방직·서울시 7급 (○ | ×)

12. 주택건설사업계획 승인처분에 따라 의제된 인·허가가 위법함을 다투고자 하는 이해관계인은, 주택건설사업계획 승인처분의 취소를 구해야지 의제된 인·허가의 취소를 구해서는 아니 되며, 의제된 인·허가는 주택건설사업계획 승인처분과 별도로 항고소송의 대상이 되는 처분에 해당하지 않는다. 2021 국가직 9급 (○ | ×)

㉱ 관련기출

13. 주택건설사업계획 승인권자가 도시·군관리계획 결정권자와 협의를 거쳐 관계 주택건설사업계획을 승인하면 도시·군관리계획결정이 이루어진 것으로 의제되고, 이러한 협의절차와 별도로 「국토의 계획 및 이용에 관한 법률」 제28조 등에서 정한 도시·군관리계획 입안을 위한 주민의견청취절차를 거쳐야 한다. 2025 지방직·서울시 7급 (○ | ×)

14. 주택건설사업계획 승인권자가 도시·군관리계획 결정권자와 협의를 거쳐 주택건설사업계획을 승인함으로써 도시·군관리계획결정이 이루어진 것으로 의제되기 위해서는 협의절차와 별도로 「국토의 계획 및 이용에 관한 법률」에 따른 주민의견청취절차를 거쳐야만 한다. 2024 소방간부 (○ | ×)

15. 행정청이 「주택법」상 주택건설사업계획을 승인하면 「국토의 계획 및 이용에 관한 법률」상의 도시·군관리계획결정이 이루어진 것으로 의제되는데, 이 경우 도시·군관리계획 결정권자와의 협의절차와 별도로 「국토의 계획 및 이용에 관한 법률」에서 정한 도시·군관리계획 입안을 위한 주민의견청취절차를 거칠 필요는 없다.
2022 지방직·서울시 7급 (O | X)

16. 주택건설사업계획 승인권자가 구 「주택법」에 따라 도시·군관리계획 결정권자와 협의를 거쳐 관계 주택건설사업계획을 승인하면 도시·군관리계획결정이 이루어진 것으로 의제되고, 이러한 협의절차와 별도로 「국토의 계획 및 이용에 관한 법률」 등에서 정한 도시·군관리계획 입안을 위한 주민의견청취절차를 거칠 필요는 없다.
2021 국가직 9급 (O | X)

정답
1. O 2. O 3. O 4. X 5. X 6. X 7. O 8. X 9. X 10. ④
11. X 12. X 13. X 14. X 15. O 16. O

17 □□□

인·허가 의제에 관한 설명으로 옳은 것만을 <보기>에서 모두 고른 것은? (다툼이 있는 경우 판례에 의함)

― 보기 ―

㉮ 주된 인·허가에 의해 의제되는 인·허가는 원칙적으로 주된 인·허가로 인한 사업을 시행하는 데 필요한 범위 내에서만 그 효력이 유지되는 것이므로, 주된 인·허가로 인한 사업이 완료된 이후에는 효력이 없다.

㉯ 인·허가의 근거법령인 건축법령에서 절차간소화를 위하여 관련 인·허가를 의제 처리할 수 있는 근거규정을 둔 경우, 주된 인·허가를 신청하려는 사업시행자는 반드시 관련 인·허가 의제 처리를 동시에 신청하여야 하는 것은 아니다.

㉰ 인·허가 의제를 받으려면 주된 인·허가를 신청할 때, 불가피한 사유로 함께 제출할 수 없는 경우가 아니라면 관련 인·허가에 필요한 서류를 함께 제출하여야 한다.

㉱ 인·허가 의제는 주된 인·허가가 있으면 다른 법률에 의한 인·허가가 있는 것으로 보는 데 그치고, 거기에서 더 나아가 다른 법률에 의하여 인·허가를 받았음을 전제로 하는 그 다른 법률의 모든 규정들까지 적용되는 것은 아니다.

① ㉮, ㉯
② ㉯, ㉱
③ ㉮, ㉰, ㉱
④ ㉮, ㉯, ㉰, ㉱

✓ 기출체크

㉮ 관련기출
1. 주된 인·허가에 의해 의제되는 인·허가는 원칙적으로 주된 인·허가로 인한 사업을 시행하는 데 필요한 범위 내에서만 그 효력이 유지되는 것은 아니므로, 주된 인·허가로 인한 사업이 완료된 이후에도 효력이 있다. 2016 지방직 7급 (O | X)

㉯ 관련기출
2. 인·허가 의제제도는 사업시행자의 이익을 위하여 만들어진 것이므로, 사업시행자가 반드시 관련 인·허가 의제 처리를 신청할 의무가 있는 것은 아니다. 2025 지방직·서울시 7급 (O | X)
3. 인·허가의 근거법령인 건축법령에서 절차간소화를 위하여 관련 인·허가를 의제 처리할 수 있는 근거규정을 둔 경우, 주된 인·허가를 신청하려는 사업시행자는 반드시 관련 인·허가 의제 처리를 동시에 신청해야 한다. 2024 국가직 7급 (O | X)

㉰ 관련기출
4. 인·허가 의제를 받으려면 주된 인·허가를 신청할 때 관련 인·허가에 필요한 서류를 함께 제출하여야 한다. 다만, 불가피한 사유로 함께 제출할 수 없는 경우에는 주된 인·허가 행정청이 별도로 정하는 기한까지 제출할 수 있다. 2025 군무원 7급 (O | X)
5. 인·허가 의제가 인정되는 경우 민원인은 하나의 인·허가 신청과 더불어 의제를 원하는 인·허가 신청을 각각의 해당 기관에 제출하여야 한다. 2013 서울시 9급 (O | X)

㉱ 관련기출
6. 주된 인·허가에 관한 사항을 규정하고 있는 어떤 법률에서 주된 인·허가가 있으면 다른 법률에 의한 인·허가를 받은 것으로 의제한다는 규정을 둔 경우, 다른 법률에 의하여 인·허가를 받았음을 전제로 하는 그 다른 법률의 모든 규정들까지 적용되는 것은 아니다. 2025 지방직·서울시 7급 (O | X)
7. 주된 인·허가가 있으면 다른 법률에 의한 인·허가가 있는 것으로 보는 데 그치는 것이고, 거기에서 더 나아가 다른 법률에 의하여 인·허가를 받았음을 전제로 한 다른 법률의 모든 규정들까지 적용되는 것은 아니다. 2024 국회직 9급 (O | X)

정답
1. X 2. O 3. X 4. O 5. X 6. O 7. O

18

영업양도에 관한 설명으로 옳은 것만을 <보기>에서 모두 고른 것은? (다툼이 있는 경우 판례에 의함)

― 보기 ―

㉮ 양도인의 위법행위로 양도인에게 이미 제재처분이 내려진 경우에 영업정지 등 그 제재처분의 효력은, 제재사유의 승계 여부와는 달리 양수인에게 당연히 이전되는 것은 아니다.

㉯ 개인택시운송사업의 양도·양수가 있고 그에 대한 인가가 있은 후라도 행정청은 그 양도·양수 이전에 있었던 양도인에 대한 운송사업면허취소사유를 들어 양수인의 운송사업면허를 취소할 수 있다.

㉰ 위 ㉯의 경우, 만일 양도인의 운송사업면허취소사유가 양도 이후에 현실적으로 발생하였다고 하여도 그 원인되는 사실이 양도 당시 이미 존재하였다면 이를 이유로 양수인의 운송사업면허를 취소할 수 있다.

㉱ 회사가 분할된 경우에도 영업양도와 마찬가지로 기존회사의 책임은 신설회사에 승계되므로 원칙적으로 신설회사에 대하여 분할하는 회사의 분할 전 법 위반행위를 이유로 과징금을 부과할 수 있다.

㉲ 석유판매업허가는 소위 대인적 허가의 성질을 갖는 것이어서 양수인이 석유판매업의 양수 후 허가관청으로부터 석유판매업허가를 다시 받았다면 양도인의 지위승계가 부정되므로 양도인의 귀책사유를 이유로 양수인에게 제재조치를 취할 수 없다.

㉳ 불법증차된 차량을 양수한 경우 양수인은 불법증차 차량이라는 물적 자산과 그에 대한 운송사업자로서의 책임까지 포괄적으로 승계하므로 관할 행정청은 양수인의 선의·악의를 불문하고 양수인에 대하여 불법증차 차량에 관하여 지급된 유가보조금의 반환을 명할 수 있으며 그에 따른 양수인의 책임범위는 지위승계 후 발생한 유가보조금 부정수급액에 한정되는 것이 아니라 지위승계 전에 발생한 유가보조금 부정수급액을 포함한다.

① ㉮, ㉱
② ㉯, ㉰
③ ㉮, ㉱, ㉲
④ ㉯, ㉰, ㉳

기출체크

㉮ 관련기출

1. 양도인의 위법행위로 양도인에게 이미 제재처분이 내려진 경우에 영업정지 등 그 제재처분의 효력은 양수인에게 당연히 이전된다. 2017 서울시 9급 (O | X)

㉯㉰ 관련기출

2. 행정청은 개인택시운송사업의 양도·양수에 대한 인가를 한 후, 그 양도·양수 이전에 있었던 양도인에 대한 운송사업면허취소사유를 들어 양수인의 사업면허를 취소할 수 있다. 2025 지방직·서울시 9급 (O | X)

3. 개인택시운송사업의 양도·양수가 있고 그에 대한 인가가 있은 후 그 양도·양수 이전에 있었던 양도인에 대한 운송사업면허취소사유(음주운전 등으로 인한 자동차운전면허의 취소)를 들어 양수인의 운송사업면허를 취소한 것은 위법하다. 2023 지방직·서울시 7급 (O | X)

4. 관할 행정청은 여객자동차운송사업의 양도·양수에 대한 인가를 한 후에도 그 양도·양수 이전에 있었던 양도인에 대한 운송사업면허취소사유를 들어 양수인의 사업면허를 취소할 수 있다. 2022 지방직·서울시 9급 (O | X)

5. (甲은 관할 행정청에「여객자동차 운수사업법」에 따른 개인택시운송사업면허를 신청하였다) 甲이 개인택시운송사업면허를 받았다가 이를 乙에게 양도하였고 운송사업의 양도·양수에 대한 인가를 받은 이후에는 양도·양수 이전에 있었던 甲의 운송사업면허취소사유를 이유로 乙의 운송사업면허를 취소할 수 없다. 2017 지방직 9급 (O | X)

6. 행정청은 개인택시운송사업의 양도·양수에 대한 인가가 있은 후에는 그 양도·양수 이전에 있었던 양도인에 대한 운송사업면허취소사유를 들어 양수인의 운송사업면허를 취소할 수 없다. 2014 국가직 7급 (O | X)

㉱ 관련기출

7. 회사 분할시 특별한 규정이 없는 한 신설회사에 대하여 분할하는 회사의 분할 전 법 위반행위를 이유로 과징금을 부과하는 것은 허용되지 않는다. 2023 군무원 7급 (O | X)

8. 회사 분할시 분할 전 회사에 대한 제재사유가 신설회사에 대하여 승계되지 않으므로 회사의 분할 전 법 위반행위를 이유로 과징금을 부과하는 것은 허용되지 않는다. 2017 서울시 9급 (O | X)

㉲ 관련기출

9. 사업정지 등의 제재처분이 사업의 전부나 일부에 대한 것으로서 대물적 처분의 성격을 갖고 있는 경우, 종전 석유판매업자가 유사석유제품을 판매함으로써 받게 되는 사업정지 등 제재처분의 승계가 포함되어 그 지위를 승계한 자에 대하여 사업정지 등의 제재처분을 취할 수 있다. 2024 군무원 7급 (O | X)

10. 석유판매업 등록은 대물적 허가의 성질을 가지고 있으므로, 종전 석유판매업자가 유사석유제품을 판매한 행위에 대해 승계인에게 사업정지 등 제재처분을 할 수 있다. 2022 군무원 9급 (O | X)

11. 석유판매업허가는 소위 대물적 허가의 성질을 갖는 것이어서 양수인이 그 양수 후 허가관청으로부터 석유판매업허가를 다시 받았다 하더라도 이는 석유판매업의 양수·도를 전제로 한 것이어서 이로써 양도인의 지위승계가 부정되는 것은 아니므로 양도인의 귀책사유는 양수인에게 그 효력이 미친다. 2021 군무원 9급 (O | X)

12. 주유소허가의 양수인은 양도인의 지위를 승계하므로 양도인에게 그 허가를 취소할 법적 사유가 있는 경우 이를 이유로 양수인에게 응분의 제재조치를 할 수 있다. 2019 서울시 1회 7급 (O | X)

ⓑ 관련기출

13. 불법증차를 실행하고 유가보조금을 받은 운송사업자로부터 운송사업 영업을 양수하고 구 「화물자동차 운수사업법」에 따라 신고를 하여 운송사업자의 지위를 승계한 양수인에게, 행정청은 불법증차 차량에 관하여 지급된 유가보조금의 반환을 명할 수 있다. 다만, 그에 따른 양수인의 책임범위는 지위승계 후 유가보조금 부정수급액에 한정된다. 2025 지방직·서울시 9급 (○ | ×)

14. 불법증차를 실행한 운송사업의 양수인에 대하여는 양수인의 지위승계 전에 불법증차에 관하여 발생한 유가보조금 부정수급액에 대해서까지 양수인을 상대로 반환명령을 할 수 있다. 2024 군무원 7급 (○ | ×)

정답
1. ○ 2. ○ 3. × 4. ○ 5. × 6. × 7. ○ 8. ○ 9. ○ 10. ○
11. ○ 12. ○ 13. ○ 14. ×

19 ☐☐☐

사례에 관한 설명으로 옳지 않은 것은? (다툼이 있는 경우 판례에 의함)

> 甲은 「식품위생법」상 유흥주점영업허가를 받아 영업을 하다가 17세의 가출여학생을 고용하던 중, 「식품위생법」 제44조 제2항 제1호의 '청소년을 유흥접객원으로 고용하여 유흥행위를 하게 하는 행위'를 한 것으로 적발되었다. 한편, 관할 행정청이 제재처분을 하기에 앞서 甲은 乙에게 영업관리권만을 위임하였는데 乙은 甲의 인장과 계약서류를 위조하여 관할 행정청에 지위승계신고를 하였고 신고가 수리되었다.

① 위 사례에서의 신고는 행정청이 수리하여야 효력이 발생하는 이른바 행위요건적 신고로서 「행정기본법」 제34조가 규정하고 있는 신고에 해당한다.
② 위 사례에서의 신고의 수리 또는 그 거부는 항고소송의 대상인 행정처분이다.
③ 위 사례에서 기본행위인 甲과 乙의 계약이 무효라면 수리도 당연히 무효이다.
④ 위 사례에서 기본행위인 계약이 무효라면 甲은 먼저 계약무효확인소송을 제기하여야 할 것이고 곧바로 수리처분무효확인소송을 제기할 수는 없다.

✓ 기출체크

① 관련기출

1. 「식품위생법」에 의하여 허가영업의 양도에 따른 지위승계신고를 수리하는 허가관청의 행위는 사업허가자의 변경이라는 법률효과를 발생시키는 행위이다. 2021 지방직·서울시 7급 (○ | ×)

2. 「식품위생법」에 의한 영업양도에 따른 지위승계신고를 수리하는 허가관청의 행위는 단순히 양도·양수인 사이에 이미 발생한 사법상의 사업양도의 법률효과에 의하여 양수인이 그 영업을 승계하였다는 사실의 신고를 접수하는 행위에 그치는 것이 아니라, 영업허가자의 변경이라는 법률효과를 발생시키는 행위이다. 2019 지방직·교육행정직 9급 (○ | ×)

3. 구 「식품위생법」 제25조 제1항, 제3항에 의한 영업양도에 따른 지위승계신고는 허가관청의 수리를 요하는 신고에 해당한다. 2018 경행경채 3차 (○ | ×)

② 관련기출

4. 사업양수에 의한 지위승계신고를 수리하는 허가관청의 행위는 그 실질에 있어서 사업허가자의 변경이라는 법률효과를 발생시키므로 수리의 거부는 항고소송으로 다툴 수 있다. 2022 서울시 지적 7급 (○ | ×)

5. 수리를 요하는 신고에서 수리는 행정소송의 대상인 처분에 해당한다. 2015 지방직 9급 (○ | ×)

6. 수리를 요하는 신고의 경우 그 신고에 대한 거부행위는 행정소송의 대상이 되는 처분에 해당한다. 2014 국가직 7급 (○ | ×)

7. 수리를 요하는 신고에서 수리는 준법률행위적 행정행위의 하나로서 「행정소송법」상 처분에 해당한다. 2014 경행특채 2차 (○ | ×)

③ 관련기출

8. [A구청장으로부터 허가를 받아 유흥주점영업을 해오던 갑(甲)은 해당 영업을 을(乙)에게 양도하기로 하였다. 갑(甲)과 을(乙)은 사업을 양도하기로 하는 계약을 체결하였고, 법령에 따라 을(乙)은 A구청장에게 영업자지위승계신고를 하였다] 갑(甲)과 을(乙)의 사업양도계약이 무효라면 A구청장이 영업자지위승계신고를 수리하였더라도 그 수리는 당연무효이다. 2023 서울시 지적 7급 (○ | ×)

9. (甲은 영업허가를 받아 영업을 하던 중 자신의 영업을 乙에게 양도하고자 乙과 사업양도·양수계약을 체결하고 관련 법령에 따라 관할 행정청 A에게 지위승계신고를 하였다) 甲과 乙 사이의 사업양도·양수계약이 무효이더라도 A가 지위승계신고를 수리하였다면 그 수리는 취소되기 전까지 유효하다. 2019 서울시 9급 (○ | ×)

10. (甲은 「식품위생법」상 식품접객업영업허가를 받아 영업을 하던 중, 자신의 영업을 乙에게 양도하기로 계약을 체결하였고, 乙은 같은 법이 정한 바에 따라 영업자지위승계신고를 하였다) 관할 행정청에 의해 신고가 수리되었다면, 甲과 乙 사이의 양도계약이 무효이더라도 신고는 효력을 발생한다. 2015 국가직 7급 (○ | ×)

11. 사업양도·양수에 따른 허가관청의 지위승계신고의 수리에 있어, 그 수리대상인 사업양도·양수가 무효인 때에는 수리를 하였다 하더라도 그 수리는 유효한 대상이 없는 것으로서 당연히 무효이다. 2013 경행특채 (○ | ×)

12. 판례는 수리행위의 대상인 기본행위가 존재하지 않거나 무효인 때에는 그 수리행위는 당연무효가 된다고 한다. 2011 국회직 8급 (○ | ×)

④ 관련기출

13. 사업양도·양수에 따른 허가관청의 지위승계신고의 수리는 적법한 사업의 양도·양수가 있었음을 전제로 하는 것이므로 그 수리대상인 사업양도·양수가 존재하지 아니하거나 무효인 때에는 수리를 하였다 하더라도 그 수리는 유효한 대상이 없는 것으로서 당연히 무효라 할 것이고, 사업의 양도행위가 무효라고 주장하는 양도자는 민사쟁송으로 양도·양수행위의 무효를 구함이 없이 막바로 허가관청을 상대로 하여 행정소송으로 위 신고수리처분의 무효확인을 구할 법률상 이익이 있다. 2025 국가직 7급 (O | X)

14. 사업양도·양수에 따른 허가관청의 지위승계신고의 수리가 있는 경우 사업의 양도행위가 무효라고 주장하는 양도자는 민사쟁송으로 양도·양수행위의 무효를 구하여야 하고 막바로 허가관청을 상대로 하여 행정소송으로 신고수리처분의 무효확인을 구할 법률상 이익이 없다. 2025 소방간부 (O | X)

15. 사업양도·양수에 따른 허가관청의 지위승계신고의 수리에서 수리대상인 사업양도·양수가 존재하지 않거나 무효라 하더라도 수리행위가 당연무효는 아니라 할 것이므로 양도자는 허가관청을 상대로 위 신고수리처분의 무효확인소송을 제기할 수 없다. 2023 소방간부 (O | X)

16. 기본행위인 사업의 양도·양수계약이 무효인 경우, 기본행위의 무효를 구함이 없이 곧바로 영업자지위승계신고수리처분에 대한 무효확인소송을 제기할 법률상 이익이 없다. 2022 국회직 8급 (O | X)

17. 甲은 「식품위생법」상 영업허가를 받아 영업을 하는 자로서 자신의 영업을 乙에게 양도하였고, 乙은 관련 법령에 따라 관할 행정청에 영업자지위승계신고를 하였다. 이에 대한 설명으로 옳지 않은 것은? (다툼이 있는 경우 판례에 의함) 2014 사회복지직 9급

① 관할 행정청이 乙의 신고를 수리하려면 「행정절차법」에 따라 甲에 대해 처분의 사전통지를 하고 의견제출의 기회를 주어야 한다.
② 관할 행정청은 乙의 신고가 수리된 후에는 위해식품판매를 이유로 甲에 대해 진행 중이던 제재처분절차를 乙에 대해 계속할 수 없다.
③ 영업양도계약이 적법하게 이루어졌더라도 아직 乙의 신고가 수리되기 전이라면 관할 행정청의 영업허가취소처분의 상대방은 甲이 된다.
④ 영업양도계약이 무효임에도 불구하고 관할 행정청이 乙의 신고를 수리하였다면 甲은 영업양도의 무효를 이유로 신고수리에 대해 무효확인소송을 제기할 수 있다.

정답

1. O 2. O 3. O 4. O 5. O 6. O 7. O 8. O 9. × 10. ×
11. O 12. O 13. O 14. × 15. × 16. × 17. ②

20 □□□

사례에 관한 설명으로 옳지 <u>않은</u> 것만을 <보기>에서 모두 고른 것은? (다툼이 있는 경우 판례에 의함)

> 甲은 채석허가를 받은 후 그 허가를 乙에게 양도하고자 乙과 양도·양수계약을 체결하였고, 乙은 관련법에 따라 관할 행정청에 지위승계신고를 하고 행정청은 이를 수리하였다(채석허가가 대물적 허가임을 전제로 할 것).

─ 보기 ─

㉮ 위 사례에서 乙이 행정청에 양도사실을 신고한 것에 대해 행정청이 수리를 하는 경우에도 처분의 상대방은 乙이 되므로 甲에 대해 사전통지 등을 하여야 하는 것은 아니다.
㉯ 위 사례에서 乙이 적법한 지위승계신고를 하였다면 행정청이 수리를 거부하더라도 乙에게 허가권 양수의 효과가 발생한다.
㉰ 위 사례에서 양도 전 甲의 법 위반행위를 이유로 乙에 대하여 제재처분을 할 수 있다.

① ㉮, ㉯   ② ㉮, ㉰   ③ ㉯, ㉰   ④ ㉮, ㉯, ㉰

✓ 기출체크

㉮ 관련기출

1. 행정청이 구 「식품위생법」 규정에 의하여 영업자지위승계신고를 수리하는 처분을 함에 있어서는 「행정절차법」 규정 소정의 당사자에 해당하는 종전의 영업자에 대하여 「행정절차법」 규정 소정의 행정절차를 실시하고 처분을 하여야 한다. 2025 소방직 9급 (O | X)

2. (A구청장으로부터 허가를 받아 유흥주점영업을 해오던 갑(甲)은 해당 영업을 을(乙)에게 양도하기로 하였다. 갑(甲)과 을(乙)은 사업을 양도하기로 하는 계약을 체결하였고, 법령에 따라 을(乙)은 A구청장에게 영업자지위승계신고를 하였다) A구청장이 영업자지위승계신고를 수리할 경우 그 법적 성격은 처분이므로 「행정절차법」이 적용된다. 2023 서울시 지적 7급 (O | X)

3. 행정청은 영업자지위승계의 신고의 수리를 하기 전에 양수인에게 사전통지를 해야 한다. 2023 군무원 7급 (O | X)

4. 행정청이 근거법률에 의하여 영업자지위승계신고를 수리하는 처분은 종전 영업자의 권익을 제한하는 처분이라 할 것이고 행정청은 종전의 영업자에 대하여 근거법률 소정의 행정절차를 실시하고 처분을 하여야 한다. 2023 소방간부 (O | X)

5. 허가영업의 양도에 따른 영업자지위승계신고를 수리하는 처분을 할 경우에는 행정청은 종전의 영업자에 대하여 의견청취절차를 거친 후 처분을 하여야 한다. 2022 국회직 8급 (O | X)

㉯ 관련기출

6. (甲은 영업허가를 받아 영업을 하던 중 자신의 영업을 乙에게 양도하고자 乙과 사업양도·양수계약을 체결하고 관련 법령에 따라 관할 행정청 A에게 지위승계신고를 하였다) 甲과 乙이 관련 법령상 요건을 갖춘 적법한 신고를 하였더라도 A가 이를 수리하지 않았다면 지위승계의 효력이 발생하지 않는다. 2019 서울시 9급 (O | X)

관련기출

7. 구 「석유사업법」상 석유판매업허가는 소위 대물적 허가의 성질을 갖는 것이어서 양도인에게 그 허가를 취소할 위법사유가 있다면 허가관청은 이를 이유로 양수인에게 제재조치를 취할 수 있다. 2023 경찰간부 (O | X)

8. 판례는 대물적 영업의 양도의 경우 명시적인 규정이 없는 경우에도 양도 전에 존재하는 영업정지사유를 이유로 양수인에 대해서도 영업정지처분을 할 수 있다고 보고 있다. 2018 소방직 9급 (O | X)

9. 대물적 허가의 성질을 갖는 석유판매업이 양도된 경우, 양도인에게 허가를 취소할 위법사유가 있다면 이를 이유로 양수인에게 제재조치를 취할 수 있다. 2015 경행특채 2차 (O | X)

정답
1. O 2. O 3. X 4. O 5. O 6. O 7. O 8. O 9. O

21 □□□

행정행위에 관한 설명으로 옳지 않은 것만을 <보기>에서 모두 고른 것은? (다툼이 있는 경우 판례에 의함)

― 보기 ―

㉮ 기한의 도래로 실효한 종전의 허가에 대한 기간연장신청은 종전의 허가처분을 전제로 하여 단순히 그 유효기간을 연장하여 주는 행정처분을 구하는 것이어서 허가권자는 허가요건의 적합 여부를 새로 판단할 것 없이 유효기간을 연장해 주어야 한다.

㉯ 허가의 갱신은 허가취득자에게 종전의 지위를 계속 유지시키는 효과를 갖는 것이므로 갱신이 있은 후에도 갱신 전의 법 위반사실을 이유로 하여 허가를 취소할 수 있다.

㉰ 허가에 붙은 기한이 그 허가된 사업의 성질상 부당하게 짧은 경우에는 이를 허가조건의 존속기간으로 보아 그 기한이 도래함으로써 그 조건의 개정을 고려한다는 뜻으로 해석할 수 있다.

㉱ 허가에 붙은 기한이 그 허가된 사업의 성질상 부당하게 짧은 경우 허가기간이 연장되기 위해서는 원칙적으로 종기가 도래하기 전에 허가기간의 연장신청이 있어야 하지만, 그러한 연장신청 없이 허가기간이 만료되었더라도 이후 허가기간의 연장신청이 있었다면 그 허가의 효력은 상실되지 않는다.

㉲ 당초에 붙은 기한을 허가조건의 존속기간으로 보더라도 그 후 당초의 기한이 상당 기간 연장되어 더 이상 허가된 사업의 성질상 부당하게 짧은 경우에 해당하지 않게 된 경우에는 재량권을 가진 행정청이 기간연장을 허가하지 않을 수 있다.

① ㉮, ㉰   ② ㉮, ㉱   ③ ㉯, ㉰   ④ ㉱, ㉲

✓ 기출체크

㉮ 관련기출

1. 종전 허가의 유효기간이 지나서 신청한 옥외광고물표시허가 기간연장신청은 종전의 허가처분과는 별도의 새로운 허가를 내용으로 하는 행정처분을 구하는 것으로 보아야 한다. 2026 경찰간부 (O | X)

2. 기한의 도래로 실효한 종전의 허가에 대한 기간연장신청은 새로운 허가를 내용으로 하는 행정처분을 구하는 것이 아니라, 종전의 허가처분을 전제로 하여 단순히 그 유효기간을 연장하여 주는 행정처분을 구하는 것으로 보아야 한다. 2022 국가직 7급 (O | X)

3. 허가의 유효기간이 지난 후에 그 허가의 기간연장이 신청된 경우, 허가권자는 특별한 사정이 없는 한 유효기간을 연장해 주어야 한다. 2016 지방직 9급 (O | X)

4. 갱신신청 없이 유효기간이 지나면 주된 행정행위는 효력이 상실되므로 갱신기간이 지나 신청한 경우에는 기간연장신청이 아니라 새로운 허가신청으로 보아야 하며 허가요건의 충족 여부를 새로이 판단하여야 한다. 2015 국회직 8급 (O | X)

5. 허가기간이 연장되기 위하여는 그 종기가 도래하기 전에 그 허가기간의 연장에 관한 신청이 있어야 하며, 만일 그러한 연장신청이 없는 상태에서 허가기간이 만료하였다면 그 허가의 효력은 상실된다. 2014 경행특채 1차 (O | X)

㉯ 관련기출

6. 유료직업소개사업의 허가갱신이 있은 후에도 갱신 전 법 위반사실을 근거로 허가를 취소할 수 없다. 2026 경찰간부 (O | X)

7. 허가가 갱신된 이후라고 하더라도, 갱신 전의 법 위반사실을 이유로 허가를 취소할 수 있다. 2022 해경간부 (O | X)

8. 유료직업소개사업의 허가갱신은 허가취득자에게 종전의 지위를 계속 유지시키는 효과를 갖는 것에 불과하고 갱신 후에는 갱신 전의 법 위반사항을 불문에 부치는 효과를 발생하는 것이 아니므로 일단 갱신이 있은 후에도 갱신 전의 법 위반사실을 근거로 허가를 취소할 수 있다. 2020 군무원 7급 (O | X)

9. 유료직업소개사업의 허가갱신은 허가취득자에게 종전의 지위를 계속 유지시키는 효과를 갖는 것이며 갱신 후에는 갱신 전의 법 위반사항을 불문에 부치는 효과를 발생하는 것이므로, 갱신이 있은 후에는 갱신 전의 법 위반사실을 근거로 허가를 취소할 수 없다. 2017 경행경채 (O | X)

10. 허가의 갱신은 허가취득자에게 종전의 지위를 계속 유지시키는 효과를 갖게 하는 것으로 갱신 후라도 갱신 전 법 위반사실을 근거로 허가를 취소할 수 있다. 2017 국가직 7급 (O | X)

㉰㉱ 관련기출

11. 허가에 붙은 기한이 그 허가된 사업의 성질상 부당하게 짧은 경우에는 그 허가 자체의 존속기간이 아니라 그 허가조건의 존속기간으로 보아 그 기한이 도래함으로써 그 조건의 개정을 고려한다는 뜻으로 해석할 수 있다. 2026 경찰간부 (O | X)

12. 허가에 붙은 기한이 그 허가된 사업의 성질상 부당하게 짧은 경우에는 이를 그 허가 자체의 존속기간이 아니라 그 허가조건의 존속기간으로 보아야 하며, 이때 그 허가기간이 연장되기 위하여 그 종기가 도래하기 전에 그 허가기간의 연장에 관한 신청이 있어야 하는 것은 아니다. 2023 군무원 5급 (O | X)

13. 허가에 붙은 기한이 그 허가된 사업의 성질상 부당하게 짧아 그 기한을 허가조건의 존속기간으로 볼 수 있는 경우에 허가기간이 연장되기 위하여는 그 종기가 도래하기 전에 그 허가기간의 연장에 관한 신청이 있어야 한다. 2020 국가직 9급 (O | X)

14. 허가에 붙은 기한이 그 허가된 사업의 성질상 부당하게 짧은 경우에는 이를 그 허가조건의 존속기간으로 보아야 한다. 2019 서울시 2회 7급
(O | X)

15. 허가에 붙은 기한이 부당하게 짧은 경우에는 허가기간의 연장신청이 없는 상태에서 허가기간이 만료하였더라도 그 후에 허가기간연장신청을 하였다면 허가의 효력은 상실되지 않는다. 2017 사회복지직 9급
(O | X)

관련기출

16. 허가에 붙은 기한이 그 허가된 사업의 성질상 부당하게 짧아서 이 기한을 허가의 존속기간으로 해석할 수 있더라도, 그 후 당초의 기한이 상당 기간 연장되어 연장된 기간을 포함한 존속기간 전체를 기준으로 볼 경우 더 이상 허가된 사업의 성질상 부당하게 짧은 경우에 해당하지 않게 된 때에는, 관계 법령상 허가 여부의 재량권을 가진 행정청은 허가조건의 개정만을 고려하여야 하는 것은 아니고, 재량권의 행사로서 더 이상의 기간 연장을 불허가하여 허가의 효력을 상실시킬 수 있다. 2025 군무원 7급
(O | X)

17. 당초에 붙은 기한을 허가 자체의 존속기간이 아니라 허가조건의 존속기간으로 보더라도 그 후 당초의 기한이 상당 기간 연장되어 연장된 기간을 포함한 존속기간 전체를 기준으로 볼 경우 더 이상 허가된 사업의 성질상 부당하게 짧은 경우에 해당하지 않게 된 때에는 재량권의 행사로서 더 이상의 기간연장을 불허가할 수도 있다. 2022 군무원 9급
(O | X)

18. 허가에 붙은 기한이 그 허가된 사업의 성질상 부당하게 짧아서 이 기한이 허가 자체의 존속기간이 아니라 허가조건의 존속기간으로 해석되는 경우에는 허가 여부의 재량권을 가진 행정청은 허가조건의 개정만 고려할 수 있고, 그 후 당초의 기한이 상당 기간 연장되어 그 기한이 부당하게 짧은 경우에 해당하지 않게 된 때라도 더 이상의 기간연장을 불허가할 수는 없다. 2021 국가직 9급
(O | X)

정답
1. O 2. X 3. X 4. O 5. O 6. X 7. O 8. O 9. X 10. O
11. O 12. X 13. O 14. O 15. X 16. O 17. O 18. X

22 ☐☐☐

사례에 관한 설명으로 옳은 것만을 <보기>에서 모두 고른 것은? (다툼이 있는 경우 판례에 의함)

> 노량진1동의 A재건축정비사업조합은 노량진1동 일대에 아파트 건립을 목적으로 동작구청장으로부터 조합설립인가를 받았다. 그 후 동 조합은 사업시행계획안을 작성하여 조합총회의 의결을 받은 후 관할 행정청으로부터 사업시행계획인가를 받았다. 사업시행계획에 따른 분양신청결과를 토대로 관리처분계획안을 수립하여, 조합총회에 상정하였고 조합총회에서는 관리처분계획안에 대해 원안대로 의결을 하였다.

― 보기 ―

㉮ 「도시 및 주거환경정비법」상의 주택재건축조합설립인가는 사인들의 조합설립행위를 보충하는 행위로서의 성질을 갖는 것에 그치는 것이 아니라 일종의 설권적 처분의 성격을 갖는다.

㉯ 관할 행정청의 사업시행계획인가는 조합의 사업시행계획에 대한 법률상의 효력을 완성시키는 보충행위로 볼 수 있다.

㉰ 행정청의 조합설립인가처분이 있은 후에 조합설립결의의 하자를 이유로 그 결의 부분만을 따로 떼어 내어 소를 제기하는 경우라면 당사자소송으로 무효등확인의 소를 제기하여야 한다.

㉱ 사업시행계획이 무효인 경우 그에 대한 인가처분이 있다고 하여 하자가 치유될 수는 없다.

㉲ 인가처분에는 고유한 하자가 없는데 사업시행계획에 하자가 있다면 사업시행계획의 무효를 주장하면서 곧바로 그에 대한 인가처분의 무효확인이나 취소를 구하여야 한다.

㉳ 행정청의 관리처분계획안에 대한 인가가 있기 전에 관리처분계획안에 대한 조합총회결의에 대해 절차상의 하자가 있다고 하여 소송을 제기하는 경우, 이는 항고소송이다.

㉴ 만약 관리처분계획안에 대한 관할 행정청의 인가처분이 있은 후라면 총회의결의 하자를 이유로 관리처분계획의 무효확인소송을 제기할 수는 없으며, 총회결의에 대한 무효확인소송을 제기하여야 한다.

① ㉮, ㉯, ㉱
② ㉮, ㉱, ㉴
③ ㉮, ㉯, ㉲
④ ㉰, ㉲, ㉳

㉮ 관련기출

1. 행정청이 「도시 및 주거환경정비법」 등 관련 법령에 근거하여 행하는 주택재건축조합설립인가처분은 법령상 요건을 갖출 경우 주택재건축사업을 시행할 수 있는 권한을 갖는 행정주체로서의 지위를 부여하는 일종의 설권적 처분의 성격을 가진다. 2025 변호사 (O | X)

2. 행정청이 「도시 및 주거환경정비법」 등 관련 법령에 근거하여 행하는 조합설립인가처분은 설권적 처분의 성격을 가진다. 2025 경찰간부 (O | X)

3. 행정청이 「도시 및 주거환경정비법」 등 관련 법령에 근거하여 행하는 조합설립인가처분은 사인들의 조합설립행위에 대한 보충행위로서의 성질을 갖는 것에 그친다. 2024 지방직·서울시 9급 (O | X)

4. (「도시 및 주거환경정비법」상) 조합설립인가처분은 단순히 사인들의 조합설립행위에 대한 보충행위로서의 성질을 갖는 것에 그치지 않는다. 2023 소방직 9급 (O | X)

5. 「도시 및 주거환경정비법」에 따른 주택재건축사업조합의 설립인가(는 행정행위 중 강학상 특허에 해당한다) 2018 경행경채 (O | X)

㉯ 관련기출

6. 구 「도시 및 주거환경정비법」상 도시환경정비사업조합이 수립한 사업시행계획을 인가하는 행정청의 행위는 인가에 해당한다. 2026 경찰간부 (O | X)

7. 구 「도시 및 주거환경정비법」에 기초하여 주택재개발정비사업조합이 수립한 사업시행계획에 대한 관할 행정청의 인가처분은 사업시행계획의 법률상 효력을 완성시키는 보충행위에 해당한다. 2024 소방직 9급 (O | X)

8. 「도시 및 주거환경정비법」상 도시환경정비사업조합이 수립한 사업시행계획인가(는 행정청이 타자의 법률행위를 동의로써 보충하여 그 행위의 효력을 완성시켜 주는 행위이다) 2017 국가직 7급 (O | X)

9. 다음 중 강학상 인가에 해당하는 것을 모두 고른 것은? (다툼이 있는 경우 판례에 의함) 2016 지방직 9급

    ㉠ 재단법인 정관변경허가
    ㉡ 주택재건축정비사업조합 설립인가
    ㉢ 건축물 준공검사처분
    ㉣ 주택재건축정비사업조합의 사업시행인가

    ① ㉠, ㉡   ② ㉠, ㉣   ③ ㉡, ㉣   ④ ㉢, ㉣

10. 도시환경정비사업조합이 수립한 사업시행계획을 인가하는 행정청의 행위는 사업시행계획에 대한 법률상의 효력을 완성시키는 보충행위에 해당한다. 2016 국회직 8급 (O | X)

㉰ 관련기출

11. 주택재건축정비사업조합이 수립한 관리처분계획에 대하여 관할 행정청의 인가·고시까지 있게 되면, 조합총회결의의 하자를 이유로 조합설립의 효력을 다투는 것은 조합설립결의만을 대상으로 그 효력 유무를 다투는 확인의 소를 제기해야 한다. 2025 군무원 9급 (O | X)

12. 「도시 및 주거환경정비법」에 근거한 조합설립인가처분은 행정주체로서의 지위를 부여하는 설권적 처분이고, 조합설립결의는 조합설립인가처분의 요건이므로, 조합설립결의에 하자가 있다면 그 하자를 이유로 직접 항고소송의 방법으로 조합설립인가처분의 취소 또는 무효확인을 구하여야 한다. 2023 국가직 9급 (O | X)

13. 「도시 및 주거환경정비법」상 주택재건축조합에 대해 조합설립인가처분이 행하여진 후에는, 조합설립결의의 하자를 이유로 조합설립의 무효를 주장하려면 조합설립인가처분의 취소 또는 무효확인을 구하는 소송으로 다투어야 하며, 따로 조합설립결의의 하자를 다투는 확인의 소를 제기할 수 없다. 2021 국가직 9급 (O | X)

14. 행정청이 「도시 및 주거환경정비법」 등 관련 법령에 근거하여 행하는 조합설립인가처분은 강학상 인가처분으로서 그 조합설립결의에 하자가 있다면 조합설립결의에 대한 무효확인을 구하여야 한다. 2017 국가직 9급 (O | X)

15. 주택재건축조합설립인가 후 주택재건축조합설립결의의 하자를 이유로 조합설립인가처분의 무효확인을 구하기 위해서는 직접 항고소송의 방법으로 확인을 구할 수 없으며, 조합설립결의 부분에 대한 효력유무를 민사소송으로 다툰 후 인가의 무효확인을 구해야 한다. 2017 서울시 7급 (O | X)

㉱ 관련기출

16. 기본행위가 무효인 경우 그에 대한 인가처분이 있더라도 그 기본행위가 유효한 것으로 될 수 없다. 2024 소방직 9급 (O | X)

17. 인가는 기본행위의 효력을 완성시켜 주는 보충적 행위이므로 기본행위가 무효인 경우에는 이에 대한 인가가 내려지더라도 그 인가는 무효이다. 2023 국가직 7급 (O | X)

18. 사업시행계획이 무효인 경우 그에 대한 인가처분이 있다고 하더라도 사업시행계획이 유효한 것으로 될 수 없다. 2023 소방직 9급 (O | X)

㉲ 관련기출

19. 「도시 및 주거환경정비법」상 주택재개발정비사업조합이 받은 사업시행계획 인가처분에는 고유한 하자가 없는데 사업시행계획에 하자가 있는 경우, 사업시행계획의 무효를 주장하면서 곧바로 그에 대한 인가처분의 무효확인이나 취소를 구하여서는 아니 된다. 2025 국회직 8급 (O | X)

20. 인가처분에 하자가 없더라도 기본행위에 하자가 있다면, 기본행위의 하자를 내세워 바로 그에 대한 행정청의 인가처분의 취소를 구할 수 있다. 2025 국가직 9급 (O | X)

21. 인가처분에 고유한 하자가 없는데 기본행위에 하자가 있다면 기본행위의 무효를 주장하면서 곧바로 인가처분의 무효확인이나 취소를 구할 수 있다. 2024 소방직 9급 (O | X)

22. 주택재개발정비사업조합이 수립한 사업시행계획에 하자가 있는데 관할 행정청의 사업시행계획 인가처분에는 고유한 하자가 없는 경우에도 사업시행계획의 무효를 주장하는 경우에는 곧바로 그에 대한 인가처분의 무효확인이나 취소를 구할 수 있다. 2023 서울시 지적 7급 (O | X)

23. 주택재개발정비사업조합이 수립한 사업시행계획에 하자가 있음에도 불구하고 관할 행정청이 해당 사업시행계획에 대한 인가처분을 하였다면, 그 인가처분에는 고유한 하자가 없더라도 사업시행계획의 무효를 주장하면서 곧바로 그에 대한 인가처분의 무효확인이나 취소를 구하여야 한다. 2023 지방직·서울시 9급 (O | X)

㉳ 관련기출

24. 「도시 및 주거환경정비법」상의 주택재건축정비사업조합을 상대로 관리처분계획안 또는 사업시행계획안에 대한 조합총회결의의 효력 등을 다투는 소송은 「행정소송법」상 당사자소송이다. 2024 군무원 7급 (O | X)

25. 「도시 및 주거환경정비법」상 관리처분계획안에 대한 조합총회결의의 효력을 다투려는 조합원이 관리처분계획 인가 전에 주택재건축정비사업조합을 상대로 소송을 제기하는 경우 이는 당사자소송이다. 2024 변호사 (O | X)

26. 관리처분계획안의 인가 전 조합총회결의의 하자를 다투고자 하는 경우 조합총회결의의 무효확인을 구하는 당사자소송을 제기할 수 있다. 2023 서울시 지적 7급 (O | X)

27. 「도시 및 주거환경정비법」상의 주택재건축정비사업조합을 상대로 관리처분계획안에 대한 조합총회결의의 무효확인을 구하는 소는 공법관계이므로 당사자소송을 제기하여야 한다. 2021 소방직 9급 (O | X)

28. 주택재개발정비사업을 위한 관리처분계획이 조합원 총회에서 승인되었으나 아직 관할 행정청의 인가 전이라면 조합원은 해당 총회의결에 대해서 당사자소송으로 다툴 수 있다. 2020 국회직 8급 (O | X)

🛆 관련기출

29. 「도시 및 주거환경정비법」에 따라 인가·고시된 관리처분계획은 구속적 행정계획으로서 처분성이 인정된다. 2024 지방직·서울시 9급 (O | X)

30. 관리처분계획 그 자체를 다투고자 하는 경우 관리처분계획에 대한 조합총회결의에 대해 민사소송을 제기할 수 있다. 2023 서울시 지적 7급 (O | X)

31. 관리처분계획안의 인가 후 조합총회결의의 하자를 다투고자 하는 경우 관리처분계획을 대상으로 항고소송을 제기할 수 있다. 2023 서울시 지적 7급 (O | X)

32. 관리처분계획에 대하여 인가·고시가 있는 경우에 총회결의의 하자를 이유로 그 효력 유무를 다투는 확인의 소를 제기하는 것은 특별한 사정이 없는 한 허용된다. 2023 소방직 9급 (O | X)

33. 「도시 및 주거환경정비법」상 관리처분계획에 대한 인가는 강학상 인가의 성격을 갖고 있으므로 관리처분계획에 대한 인가가 있더라도 관리처분계획안에 대한 총회결의에 하자가 있다면 민사소송으로 총회결의의 하자를 다투어야 한다. 2020 지방직·서울시 9급 (O | X)

정답

1. O 2. O 3. X 4. O 5. O 6. O 7. O 8. O 9. ② 10. O
11. X 12. O 13. O 14. X 15. X 16. O 17. O 18. O 19. O 20. X
21. X 22. X 23. X 24. O 25. O 26. O 27. O 28. O 29. O 30. X
31. O 32. X 33. X

23 □□□

행정행위에 관한 설명으로 옳은 것만을 <보기>에서 모두 고른 것은? (다툼이 있는 경우 판례에 의함)

보기

㉮ 특허청장의 상표사용권설정등록행위는 상표권의 배타적 사용권을 설정해 주는 강학상 특허에 해당한다.
㉯ 선거에서의 당선인결정은 준법률적 행정행위인 통지행위에 해당한다.
㉰ 소득세 부과를 위한 소득금액결정은 준법률행위적 행정행위인 확인행위에 해당한다.
㉱ 건설업면허증 및 건설업면허수첩의 재교부는 건설업의 면허를 받았다고 하는 특정 사실에 대하여 형식적으로 그것을 증명하고 공적인 증거력을 부여하는 강학상 공증행위이다.

① ㉮, ㉯
② ㉮, ㉰
③ ㉯, ㉱
④ ㉰, ㉱

✓기출체크

㉮ 관련기출

1. 상표사용권설정등록행위(는 강학상 공증행위에 해당한다) 2017 지방직(하) 9급 (O | X)

㉯ 관련기출

2. 선거에 있어 당선인결정(은 준법률적 행정행위 중 통지행위에 해당한다) 2020 경행경채 (O | X)
3. 선거 당선인결정은 확인에 해당한다. 2016 서울시 7급 변형 (O | X)

㉰ 관련기출

4. 조세 부과를 위한 소득금액의 결정(은 행정행위의 효과가 행정청의 의사와 무관하게 직접 법규범에 의하여 발생하는 행정행위에 해당한다) 2009 관세사 (O | X)

㉱ 관련기출

5. 건설업등록증 및 건설업등록수첩의 재발급은 건설업 등록을 하였다고 하는 사실을 특정인이나 불특정인에게 알리는 준법률행위적 행정행위인 통지행위에 해당한다. 2021 경행경채 (O | X)
6. 건설업면허증 및 건설업면허수첩의 재교부는 건설업의 면허를 받았다고 하는 특정 사실에 대하여 형식적으로 그것을 증명하고 공적인 증거력을 부여하는 행정행위이다. 2015 국회직 8급 (O | X)

정답

1. O 2. X 3. O 4. O 5. X 6. O

24 □□□

다음 중 모두 동일한 행정행위로만 연결된 것은? (다툼이 있는 경우 판례에 의함)

① 광업허가 ─ 건축허가 ─ 구「수도권 대기환경개선에 관한 특별법」제14조 제1항에서 정한 대기오염물질 총량관리사업장 설치의 허가 또는 변경허가
② 행정재산에 대한 사용허가 ─ 토지 등 소유자들이 조합을 따로 설립하지 않고 직접 시행하는 도시환경정비사업에서 사업시행인가 ─ 어업면허
③ 행정심판의 재결 ─ 주류판매업면허 ─ 발명특허
④ 「자동차관리법」상 사업자단체조합의 설립인가 ─ 행려병자의 유류품처분 ─ 강제징수절차에서 압류재산의 공매처분

기출체크

① 관련기출

1. 구「수도권 대기환경개선에 관한 특별법」에서 정한 대기오염물질총량관리사업장 설치의 허가는 부작위의무를 해제해 주는 행위로서 그 처분의 여부 및 내용의 결정은 기속행위에 해당한다. 2025 국가직 9급 (○ | ×)
2. 구「수도권대기환경특별법」상 대기오염물질 총량관리사업장 설치허가(는 판례상 재량행위에 해당한다) 2024 해경승진 (○ | ×)
3. 구「수도권대기환경특별법」상 대기오염물질 총량관리사업장 설치허가(는 재량행위이다) 2022 지방직·서울시 9급 (○ | ×)
4. 구「수도권 대기환경개선에 관한 특별법」상 대기오염물질 총량관리사업장 설치의 허가(는 강학상 특허이다) 2019 서울시 9급 (○ | ×)

② 관련기출

5. 토지 등 소유자들이 조합을 설립하지 아니하고 직접 시행하는 도시환경정비사업에서 토지 등 소유자에 대한 사업시행인가처분은 사업시행계획에 대한 보충행위로서의 성질을 가진다. 2025 국가직 7급 (○ | ×)
6. 「국유재산법」상 행정재산의 사용·수익에 대한 허가는 특정인에게 행정재산을 사용할 수 있는 권리를 설정하여 주는 강학상 특허에 해당한다. 2025 경찰간부 (○ | ×)
7. 구「도시 및 주거환경정비법」상 토지소유자들이 조합을 설립하지 아니하고 직접 도시환경정비사업을 시행하고자 하는 경우에 내려진 사업시행인가처분은 설권적 처분의 성격을 가진다. 2023 지방직·서울시 9급 (○ | ×)
8. 행정재산에 대한 사용허가는 특정인에게 행정재산을 사용할 권리를 설정하여 주는 행위이다. 2018 서울시 9급 (○ | ×)
9. 같은 성질의 행정행위끼리 연결되지 아니한 것은? 2009 국가직 9급
   ① 어업면허 – 하천점용허가
   ② 교과서의 검정 – 국가시험합격자 결정
   ③ 발명의 특허 – 광업허가
   ④ 귀화허가 – 공유수면매립면허

③ 관련기출

10. 특정의 사실 또는 법률관계의 존재를 공적으로 증명하여 공적 증거력을 부여하는 행정행위는 확인행위로서 당선인결정, 장애등급결정, 행정심판의 재결 등이 그 예이다. 2023 국가직 7급 (○ | ×)
11. 행정심판의 재결(은 강학상 공증행위에 해당한다) 2017 지방직(하) 9급 (○ | ×)
12. 주류판매업면허는 강학상의 허가로 해석되므로 「주세법」에 열거된 면허제한사유에 해당하지 아니하는 한 면허관청으로서는 임의로 그 면허를 거부할 수 없다. 2014 지방직 9급 (○ | ×)
13. 공증행위는 특정한 사실 또는 법률관계의 존재를 공적으로 증명하는 행위로서 발명특허가 이에 해당한다. 2011 국회직 8급 (○ | ×)
14. 행정심판의 재결(은 행정행위의 효과가 행정청의 의사와 무관하게 직접 법규범에 의하여 발생하는 행정행위에 해당하지 않는다) 2009 관세사 (○ | ×)

④ 관련기출

15. 구「자동차관리법」상 자동차관리사업자로 구성하는 사업자단체인 조합 또는 협회 설립인가처분은 강학상 특허에 해당한다. 2024 국회직 8급 (○ | ×)
16. 「자동차관리법」상 자동차관리사업자로 구성하는 사업자단체인 조합 또는 협회의 설립인가처분은 자동차관리사업자들의 단체결성행위를 보충하여 효력을 완성시키는 처분에 해당한다. 2023 지방직·서울시 9급 (○ | ×)
17. 준법률행위적 행정행위가 아닌 것은? 2014 사회복지직 9급
   ① 발명특허   ② 교과서의 검정
   ③ 도로구역의 결정   ④ 행려병자의 유류품처분

정답
1. × 2. ○ 3. ○ 4. ○ 5. × 6. ○ 7. ○ 8. ○ 9. ③ 10. ×
11. × 12. ○ 13. × 14. × 15. × 16. ○ 17. ④

25

행정행위에 관한 설명으로 옳은 것은? (다툼이 있는 경우 판례에 의함)

① 허가대상건축물의 양수인이 건축법령에 규정되어 있는 형식적 요건을 갖추어 행정청에 적법하게 건축주명의변경신고를 한 경우, 행정청은 실체적인 이유를 들어 신고의 수리를 거부할 수 없으므로 건축물의 소유권을 둘러싸고 소송이 계속 중이어서 판결로 소유권의 귀속이 확정될 때까지 건축주명의변경신고의 수리를 거부한 것은 위법하다.

② 가설건축물 존치기간을 연장하려는 건축주 등이 법령에 규정되어 있는 제반 서류와 요건을 갖추어 행정청에 연장신고를 한 때에는 행정청은 원칙적으로 이를 수리하여 신고필증을 교부하여야 하고, 법령에서 요구하고 있지도 아니한 '대지사용승낙서' 등의 서류가 제출되지 아니하였거나, 대지소유권자의 사용승낙이 없다는 등의 사유를 들어 가설건축물 존치기간 연장신고의 수리를 거부할 수 없다.

③ 구 「지역균형개발 및 지방중소기업 육성에 관한 법률」 및 동법 시행령상 개발촉진지구 안에서 시행되는 지역개발사업에서 지정권자의 실시계획승인처분은 단순히 시행자가 작성한 실시계획에 대한 보충행위로서의 성질을 가지는 것이다.

④ 재단법인의 임원취임은 사법인인 재단법인의 정관에 근거한 것이므로 재단법인의 임원취임승인 신청이 있는 경우 주무관청은 이를 당연히 승인(인가)하여야 한다.

✓ 기출체크

① 관련기출

1. 허가대상건축물의 양수인이 구 「건축법 시행규칙」에 규정되어 있는 형식적 요건을 갖추어 시장군수 등 행정관청에 적법하게 건축주의 명의변경을 신고한 때에는 행정관청은 그 신고를 수리하여야지 실체적인 이유를 내세워 신고의 수리를 거부할 수는 없다. 2025 국가직 9급 (O | X)

2. 건축주명의변경신고는 형식적 요건을 갖추어 시장, 군수에게 적법하게 건축주의 명의변경을 신고한 때에는 시장, 군수는 그 신고를 수리하여야지 실체적인 이유를 내세워 그 신고의 수리를 거부할 수는 없다. 2023 군무원 7급 (O | X)

3. 허가대상건축물의 양수인이 형식적 요건을 갖추어 시장, 군수에게 적법하게 건축주의 명의변경을 신고한 때에는 시장, 군수는 그 신고를 수리하여야지 실체적인 이유를 내세워 그 신고의 수리를 거부할 수는 없다. 2022 국회직 8급 (O | X)

4. 허가대상건축물의 양수인이 건축법령에 규정되어 있는 형식적 요건을 갖추어 행정청에 적법하게 건축주명의변경신고를 한 경우, 행정청은 실체적인 이유를 들어 신고의 수리를 거부할 수 없다. 2020 국가직 7급 (O | X)

5. 건축물의 소유권을 둘러싸고 소송이 계속 중이어서 판결로 소유권의 귀속이 확정될 때까지 건축주명의변경신고의 수리를 거부함은 상당하다. 2015 국회직 8급 (O | X)

② 관련기출

6. 가설건축물 존치기간을 연장하려는 건축주 등이 법령에 규정되어 있는 제반 서류와 요건을 갖추어 행정청에 연장신고를 한 때에는 행정청은 원칙적으로 이를 수리하여 신고필증을 교부하여야 하고, 법령에서 정한 요건 이외의 사유를 들어 수리를 거부할 수는 없다. 2022 소방직 9급 (O | X)

7. 가설건축물 존치기간을 연장하려는 건축주 등이 법령에 규정되어 있는 제반 서류와 요건을 갖추어 행정청에 연장신고를 한 경우, 행정청으로서는 법령에서 요구하고 있지도 아니한 '대지사용승낙서' 등의 서류가 제출되지 아니하였거나, 대지소유권자의 사용승낙이 없다는 등의 사유를 들어 가설건축물 존치기간 연장신고의 수리를 거부하여서는 아니 된다. 2019 지방직 7급 (O | X)

③ 관련기출

8. 구 「지역균형개발 및 지방중소기업 육성에 관한 법률」 및 동법 시행령상, 개발촉진지구 안에서 시행되는 지역개발사업(이하 '지구개발사업'이라 함)에서 지정권자의 실시계획승인처분은 단순히 시행자가 작성한 실시계획에 대한 보충행위로서의 성질을 가지는 것이 아니라 시행자에게 지구개발사업을 시행할 수 있는 지위를 부여하는 일종의 설권적 처분의 성격을 가진 독립된 행정처분으로 보아야 한다. 2023 국회직 8급 (O | X)

④ 관련기출

9. 재단법인의 임원취임을 인가할 것인지 여부는 주무관청의 권한에 속하는 사항으로서, 임원취임승인신청에 대하여 주무관청은 이에 기속되어 이를 당연히 승인(인가)하여야 하는 것은 아니다. 2023 경찰간부 (O | X)

정답
1. O 2. O 3. O 4. O 5. O 6. O 7. O 8. O 9. O

제5회 | 소방 단원별 모의고사

제한시간 /25분
나의 점수 /100점

출제 범위 : 제13강 행정행위의 내용~제15강 행정행위의 요건과 효력

정답과 해설 p.53
옳은 지문 워크북 p.221

01 □□□

사례에 관한 설명으로 옳은 것만을 <보기>에서 모두 고른 것은? (다툼이 있는 경우 판례에 의함)

「민법」상 비영리재단법인인 한국예수교전도관부흥협회의 일부 이사들은 위 재단법인의 정관을 변경하는 이사회 결의를 한 후 주무부장관에 대해 정관변경허가신청을 하였고 주무부장관은 허가처분을 발하였다. 그런데 이러한 결의는 그 과정에서 「민법」상의 규정을 위반한 것이었다.

─ 보기 ─
㉮ 재단법인의 정관변경허가는 학문상으로 일반적인 금지를 해제하는 것에 해당하며, 동일한 성질의 것으로는 주류판매업면허, 유흥주점영업허가 등을 들 수 있다.
㉯ 재단법인의 정관변경허가와 같은 성질의 행위는 항상 상대방의 신청을 요건으로 하는 것은 아니다.
㉰ 재단법인의 정관변경허가는 명령적 행정행위로서 국민에게 새로운 권리·능력, 기타 포괄적 법률관계를 발생·변경·소멸시키는 행위에 해당한다.
㉱ 만약 재단법인의 정관변경결의가 적법·유효하고 정관변경허가에만 하자가 있다면 그 허가처분의 무효나 취소를 주장할 수 있다.
㉲ 정관변경허가에 하자가 없다면 정관변경결의에 하자가 있다 하더라도 정관변경결의의 무효를 내세워 바로 정관변경허가의 취소 또는 무효확인을 소구할 법률상의 이익은 없다.

① ㉮, ㉯
② ㉯, ㉰
③ ㉰, ㉱
④ ㉱, ㉲

✔기출체크

㉮ 관련기출
1. 「민법」상 재단법인의 정관변경에 대한 주무관청의 허가는 법률상 표현이 허가로 되어 있기는 하나, 그 성질은 법률행위의 효력을 보충해 주는 것이지 일반적 금지를 해제하는 것은 아니다. 2020 지방직·서울시 9급 (O | X)
2. 「민법」 제45조와 제46조에서 말하는 재단법인의 정관변경 '허가'는 그 성질에 있어 일반적 금지를 해제하는 것으로 허가에 해당한다. 2020 경행경채 (O | X)
3. 재단법인의 정관변경에 대한 행정청의 허가(는 다른 법률행위를 보충하여 그 법적 효력을 완성시키는 행위에 해당한다) 2019 국가직 9급 (O | X)
4. 재단법인의 정관변경허가(는 강학상 예외적 승인에 해당한다) 2015 국가직 9급 (O | X)
5. 재단법인의 정관변경허가는 그 법적 성격을 인가라고 보아야 한다. 2006 국회직 8급 (O | X)

㉯ 관련기출
6. 인가는 보충적 행위이므로 신청을 전제로 한다. 2014 서울시 9급 (O | X)
7. 허가는 원칙적으로 신청을 요하나 신청이 없는 허가 또는 수정허가가 가능한 반면, 인가는 반드시 신청을 요하고 신청이 없는 인가나 수정인가는 불가능하다. 2010 서울시 9급 (O | X)
8. 신청 없는 인가는 인정되지 아니한다. 2009 국회속기직 9급 (O | X)

㉰ 관련기출
9. 형성적 행정행위는 명령적 행정행위와 함께 법률행위적 행정행위에 속하며, 이에는 특허·인가·대리가 속한다. 2015 국가직 7급 (O | X)
10. 허가는 형성적 행정행위의 일종이며, 인가는 명령적 행정행위이다. 2010 서울시 9급 (O | X)
11. 명령적 행정행위는 국민에게 새로운 권리·능력, 기타 포괄적 법률관계를 발생·변경·소멸시키는 행위이다. 2007 국가직 9급 (O | X)

㉱ 관련기출
12. 재단법인의 정관변경결의가 적법·유효하고 보충행위인 인가처분 자체에만 하자가 있다면 그 인가처분의 무효나 취소를 주장할 수 있다. 2021 국가직 7급 (O | X)
13. 기본행위가 적법·유효하고 보충행위인 인가처분 자체에 흠이 있다면 그 인가처분의 무효나 취소를 주장할 수 있다. 2020 군무원 9급 (O | X)

㉲ 관련기출
14. 인가처분에는 하자가 없고 기본행위인 정관변경결의에 하자가 있는 경우 기본행위의 무효를 내세워 인가처분의 취소 또는 무효확인을 구할 법률상 이익은 없다. 2026 경찰간부 (O | X)
15. 보충행위인 인가처분에 하자가 없더라도 기본행위인 재단법인 정관변경결의에 하자가 있다면 기본행위의 무효를 내세워 그 인가처분의 취소 또는 무효확인을 구할 수 있다. 2025 지방직·서울시 7급 (O | X)
16. 인가처분에 하자가 없다면 기본행위에 하자가 있다 하더라도 기본행위의 무효를 내세워 바로 그에 대한 행정청의 인가처분의 취소 또는 무효확인을 소구할 법률상의 이익이 없다. 2022 국가직 7급 (O | X)
17. 강학상 인가에 있어 기본행위에 하자가 있는 경우에는 그 기본행위의 하자를 다투어야 하며, 기본행위의 하자를 이유로 인가처분의 취소 또는 무효확인을 구할 수 없다. 2019 경행경채 2차 (O | X)
18. 인가처분에 하자가 없더라도 기본행위의 하자를 이유로 행정청의 인가처분의 취소 또는 무효확인을 구할 법률상 이익이 인정된다. 2017 국가직 7급 (O | X)

정답
1. ○ 2. × 3. ○ 4. × 5. ○ 6. ○ 7. ○ 8. ○ 9. ○ 10. ×
11. × 12. ○ 13. ○ 14. ○ 15. × 16. ○ 17. ○ 18. ×

02 □□□

사례에 관한 설명으로 옳지 않은 것만을 <보기>에서 모두 고른 것은? (다툼이 있는 경우 판례에 의함)

> 甲은 사립학교법인 이사회에서 이사로 선임되어 관할청의 취임승인을 받았다. 그런데 甲에 대한 학교법인의 이사선임은 법인의 정관에 규정된 의결정족수에 이르지 못한 하자가 있는 것이었다.

── 보기 ──
㉮ 甲에 대한 관할청의 취임승인은 학교법인의 이사선임행위를 보충하여 그 법률상의 효력을 완성시켜 주는 행정행위이다.
㉯ 관할청의 취임승인이 있는 경우 이사선임행위의 하자는 치유된다.
㉰ 관할청은 법률에 특별한 규정이 없더라도 학교법인의 이사선임행위의 내용을 수정하여 승인할 수 있다.

① ㉮, ㉯
② ㉮, ㉰
③ ㉯, ㉰
④ ㉮, ㉯, ㉰

✓ 기출체크

㉮ 관련기출

1. 「사립학교법」에 따른 학교법인의 임원에 대한 감독청의 취임승인은 학교법인의 임원선임행위를 보충하여 그 법률상의 효력을 완성케 하는 보충적 행정행위이다. 2025 소방직 9급 (○ | ×)
2. 행정청의 사립학교법인 임원취임승인행위는 학교법인의 임원선임행위의 법률상 효력을 완성하게 하는 보충적 법률행위로서 강학상 인가에 해당한다. 2025 해경승진 (○ | ×)
3. 다음 중 특허에 해당하지 않는 것은? (다툼이 있는 경우 판례에 의함) 2020 소방직 9급
   ① 귀화허가
   ② 공무원임명
   ③ 개인택시운송사업면허
   ④ 사립학교법인 이사의 선임행위
4. 관할청의 구 「사립학교법」에 따른 학교법인의 이사장 등 임원취임승인행위(는 강학상 특허이다) 2019 서울시 9급 (○ | ×)
5. 「사립학교법」상 학교법인의 이사장, 이사 등 임원에 대한 임원취임승인행위가 강학상 인가의 대표적인 예이다. 2019 국회직 8급 (○ | ×)
6. 「사립학교법」 제20조 제2항에 의한 학교법인의 임원에 대한 감독청의 취임승인은 학교법인의 임원선임행위를 보충하여 그 법률상의 효력을 완성하게 하는 보충적 행정행위로서 성질상 기본행위를 떠나 승인처분 그 자체만으로는 법률상 아무런 효과도 발생할 수 없다. 2018 국회직 8급 (○ | ×)

㉯ 관련기출

7. 기본행위인 학교법인의 임원선임행위가 불성립 또는 무효인 경우에 그에 대한 감독청의 취임승인이 있었다면 이로써 무효인 선임행위가 유효한 것으로 된다. 2026 경찰간부 (○ | ×)
8. 기본행위에는 하자가 없는데 인가처분에 고유한 하자가 있다면 그 인가처분의 무효확인이나 취소를 구하여야 한다. 2024 소방직 9급 (○ | ×)
9. 인가는 기본행위의 효력을 완성시켜주는 보충적 행위이므로 기본행위가 무효인 경우에는 이에 대한 인가가 내려지더라도 그 인가는 무효이다. 2023 국가직 7급 (○ | ×)
10. 강학상 인가는 기본행위에 대한 법률상의 효력을 완성시키는 보충행위로서, 그 기본이 되는 행위에 하자가 있을 때에는 그에 대한 인가가 있었다 하여도 기본행위가 유효한 것으로 될 수 없다. 2020 지방직·서울시 9급 (○ | ×)

㉰ 관련기출

11. 다수설에 의하면 법령에 명문의 규정이 없는 한 수정인가를 할 수 없다. 2011 국가직 7급 (○ | ×)
12. 법규정이 없더라도 행정주체가 출원의 내용을 수정하여 인가할 수 있다고 봄이 일반적이다. 2008 지방직 7급 (○ | ×)

정답
1. ○ 2. ○ 3. ④ 4. × 5. ○ 6. ○ 7. × 8. ○ 9. ○ 10. ○
11. ○ 12. ×

03 □□□

행정행위에 관한 설명으로 옳지 않은 것은? (다툼이 있는 경우 판례에 의함)

① 도로점용허가는 특허행위로서 상대방의 신청 또는 동의를 요하는 쌍방적 행정행위이며, 권리를 설정하여 주는 행위로서 재량행위이다.
② 국립의료원 부설주차장에 관한 위탁관리용역운영계약은 관리청인 국립의료원이 순전히 사경제주체로서 행한 사법상 계약이 아니라 행정행위인 특허에 해당한다.
③ 「여객자동차 운수사업법」에 따른 개인택시운송사업면허는 특정인에게 권리나 이익을 부여하는 재량행위이다.
④ 구 「수도권 대기환경개선에 관한 특별법」에서 정한 대기오염물질 총량관리사업장 설치의 허가는 부작위의무를 해제해 주는 행위로서 그 처분의 여부 및 내용의 결정은 기속행위이다.

✓ 기출체크

① 관련기출

1. 도로점용허가는 일반사용과 별도로 도로의 특정 부분에 대하여 특별사용권을 설정하는 설권행위이다. 도로관리청은 신청인의 적격성, 점용목적, 특별사용의 필요성 및 공익상의 영향 등을 참작하여 점용허가 여부 및 점용허가의 내용인 점용장소, 점용면적, 점용기간을 정할 수 있는 재량권을 갖는다. 2023 군무원 7급 (○ | ×)

2. 「도로법」상 도로점용허가는 특정인에게 일정한 내용의 공물사용권을 설정하는 설권행위로서 공물관리자가 신청인의 적격성, 사용목적 및 공익상의 영향 등을 참작하여 허가를 할 것인지의 여부를 결정하는 재량행위이다. 2022 해경간부 (O | X)
3. 「도로법」에 따른 도로점용허가(는 행정행위 중 강학상 특허에 해당한다) 2018 경행경채 (O | X)

② 관련기출
4. 국립의료원 부설주차장에 관한 위탁관리용역운영계약의 실질은 공법상 계약에 해당한다. 2025 소방직 9급 (O | X)
5. 국립의료원 부설주차장 위탁관리용역운영계약은 공법상 계약에 해당한다. 2018 교육행정직 9급 (O | X)
6. 국립의료원 부설주차장에 관한 위탁관리용역운영계약의 실질은 국립의료원이 원고의 신청에 의하여 공권력을 가진 우월적 지위에서 행한 행정처분으로서 사법상의 계약으로 보기 어렵다고 할 것이다. 2016 경행경채 (O | X)

③ 관련기출
7. 개인택시운송사업면허는 특정인에게 권리나 의무를 부여하는 것이므로 강학상 특허에 해당한다. 2022 국회직 8급 (O | X)
8. 개인택시운송사업면허는 특정인에게 권리나 이익을 부여하는 행정행위로서 법령에 특별한 규정이 없는 한 재량행위이고, 그 면허에 필요한 기준을 정하는 것 역시 행정청의 재량에 속한다. 2020 변호사 (O | X)

④ 관련기출
9. 구 「수도권대기환경특별법」상 대기오염물질 총량관리사업장 설치허가(는 판례상 재량행위에 해당한다) 2024 해경승진 (O | X)
10. 구 「수도권대기환경특별법」상 대기오염물질 총량관리사업장 설치허가(는 재량행위이다) 2022 지방직·서울시 9급 (O | X)
11. 구 「수도권 대기환경개선에 관한 특별법」상 대기오염물질 총량관리사업장 설치의 허가(는 강학상 특허이다) 2019 서울시 9급 (O | X)

정답
1. O 2. O 3. O 4. × 5. × 6. O 7. O 8. O 9. O 10. O
11. O

04

행정행위에 관한 설명으로 옳지 않은 것은? (다툼이 있는 경우 판례에 의함)

① 환경부장관은 배출시설설치허가신청이 구 「대기환경보전법」에서 정한 허가기준에 부합하고, 대기환경보전법령에서 정한 허가제한사유에 해당하지 않는 한 원칙적으로 허가하여야 한다.
② 구 「도시 및 주거환경정비법」상 토지소유자들이 조합을 설립하지 아니하고 직접 도시환경정비사업을 시행하고자 하는 경우에 내려진 사업시행인가처분은 설권적 처분의 성격을 가진다.
③ 「자동차관리법」상 자동차관리사업자로 구성하는 사업자단체인 조합 또는 협회의 설립인가처분은 자동차관리사업자들의 단체결성행위를 보충하여 효력을 완성시키는 처분에 해당한다.
④ 공유수면의 점용·사용허가는 특정인에게 공유수면이용권이라는 독점적 권리를 설정하여 주는 처분이 아니라 일반적인 상대적 금지를 해제하는 처분에 해당한다.

기출체크

① 관련기출
1. 배출시설설치허가의 신청이 구 「대기환경보전법」에서 정한 허가기준에 부합하고 동 법령상 허가제한사유에 해당하지 아니하는 한 환경부장관은 원칙적으로 허가를 하여야 한다. 2019 서울시 2회 7급 (O | X)

② 관련기출
2. 토지 등 소유자들이 조합을 설립하지 아니하고 직접 시행하는 도시환경정비사업에서 토지 등 소유자에 대한 사업시행인가처분은 사업시행계획에 대한 보충행위로서의 성질을 가진다. 2025 국가직 7급 (O | X)
3. 토지 등 소유자들이 직접 시행하는 도시환경정비사업에서 토지 등 소유자에게 대한 사업시행인가처분은 구 「도시 및 주거환경정비법」상 정비사업을 시행할 수 있는 권한을 가지는 행정주체로서의 지위를 부여하는 일종의 설권적 처분의 성격을 가진다. 2025 군무원 9급 (O | X)
4. 토지 등 소유자들이 도시환경정비사업을 위한 조합을 따로 설립하지 아니하고 직접 그 사업을 시행하고자 하는 경우, 사업시행계획인가처분은 일종의 설권적 처분의 성격을 가지므로 토지 등 소유자들이 작성한 사업시행계획은 독립된 행정처분이 아니다. 2022 지방직·서울시 7급 (O | X)
5. 「도시 및 주거환경정비법」상 토지 등 소유자들이 조합을 따로 설립하지 않고 직접 시행하는 도시환경정비사업시행인가(는 특정인에 대하여 새로운 권리·능력 또는 포괄적 법률관계를 설정하는 행위이다) 2017 국가직 7급 (O | X)

③ 관련기출
6. 「자동차관리법」상 사업자단체조합의 설립인가(는 행정청이 타자의 법률행위를 동의로써 보충하여 그 행위의 효력을 완성시켜 주는 행위이다) 2017 국가직 7급 (O | X)

④ 관련기출

7. 구 「공유수면관리법」에 따른 공유수면의 점용허가는 특정인에게 공유수면의 제한적 이용을 허용하는 것이므로 강학상의 허가에 해당한다. 2025 경찰간부 (O | X)

8. 공유수면의 점용·사용허가는 허가상대방에게 제한을 해제하여 공유수면이용권을 부여하는 처분으로 강학상 허가에 해당한다. 2025 해경승진 (O | X)

9. 「공유수면 관리 및 매립에 관한 법률」에 따른 공유수면의 점용·사용허가는 특정인에게 공유수면이용권이라는 독점적 권리를 설정하여 주는 처분으로 원칙적으로 행정청의 재량행위에 속한다. 2021 군무원 7급 (O | X)

10. 공유수면점용허가는 특정인에게 공유수면이용권이라는 독점적 권리를 설정하여 주는 처분으로서 그 처분의 여부 및 내용의 결정은 원칙적으로 행정청의 재량에 속한다. 2021 국가직 7급 (O | X)

11. (공유수면사용에 대한 허가)행위는 법률관계의 존부를 확인하는 행위이다. 2019 소방직 9급 (O | X)

정답

1. O 2. X 3. O 4. O 5. O 6. O 7. X 8. X 9. O 10. O
11. X

05 □□□

준법률행위적 행정행위에 관한 설명으로 옳지 않은 것은? (다툼이 있는 경우 판례에 의함)

① 친일반민족행위자재산조사위원회의 친일재산 국가귀속결정은 해당 재산이 친일재산에 해당한다는 사실을 확인하는 준법률행위적 행정행위에 해당한다.

② 합격증서의 발급과 영수증의 교부는 특정한 사실 또는 법률관계에 관하여 의문이 있는 경우에 행정청이 그 존부 또는 정부를 판단하는 준법률행위적 행정행위로서 확인행위에 해당한다.

③ 「국가공무원법」상 당연퇴직의 결격사유가 있어 행하여진 당연퇴직의 인사발령은 관념의 통지에 불과하여 항고소송의 대상인 행정처분에 해당하지 않는다.

④ 허가대상건축물의 양수인이 구 「건축법 시행규칙」에 규정되어 있는 형식적 요건을 갖추어 시장·군수에게 적법하게 건축주의 명의변경을 신고한 때에는 시장·군수는 그 신고를 수리하여야지 실체적인 이유를 내세워 신고의 수리를 거부할 수 없다.

✓ 기출체크

① 관련기출

1. 구 「친일반민족행위자 재산의 국가귀속에 관한 특별법」에 정한 친일재산은 친일반민족행위자재산조사위원회가 국가귀속결정을 하여야 비로소 국가의 소유로 되는 것이 아니다. 2024 군무원 9급 (O | X)

2. 친일반민족행위자재산조사위원회의 국가귀속결정은 당해 재산이 친일재산에 해당한다는 사실을 확인하는 이른바 준법률행위적 행정행위의 성격을 가진다. 2023 소방직 9급 (O | X)

3. 친일반민족행위자재산조사위원회의 친일재산 국가귀속결정은 문제된 재산이 친일재산에 해당한다는 사실을 확인하는 준법률행위적 행정행위이다. 2019 서울시 2회 7급 (O | X)

4. 친일반민족행위자재산조사위원회의 친일재산 국가귀속결정은 법률행위적 행정행위이다. 2017 교육행정직 9급 (O | X)

② 관련기출

5. 확인은 특정한 사실 또는 법률관계에 관하여 의문이 있는 경우에 행정청이 그 존부 또는 정부를 판단하는 준법률행위적 행정행위이며, 그 예로는 합격증서의 발급 및 영수증의 교부 등을 들 수 있다. 2015 국가직 7급 (O | X)

③ 관련기출

6. 「국가공무원법」상 당연퇴직의 결격사유가 있어 행하여진 당연퇴직의 인사발령은 관념의 통지에 불과하여 항고소송의 대상이 되지 않는다. 2025 경찰간부 (O | X)

7. 공무원에 대한 당연퇴직의 인사발령은 공무원의 신분을 상실시키는 새로운 형성적 행위이므로 행정소송의 대상이 되는 행정처분이다. 2022 국가직 7급 (O | X)

8. 「국가공무원법」상 당연퇴직의 인사발령은 취소소송의 대상이 되는 처분에 해당한다. 2022 군무원 9급 (O | X)

9. 국가공무원 당연퇴직의 인사발령은 판례상 행정처분으로 인정된다. 2019 소방직 9급 (O | X)

10. 「국가공무원법」상 당연퇴직의 인사발령은 법률상 당연히 발생하는 퇴직사유를 공적으로 확인하여 알려주는 관념의 통지에 불과하여 행정처분이 아니다. 2017 국회직 8급 (O | X)

④ 관련기출

11. 허가대상건축물의 양수인이 구 「건축법 시행규칙」에 규정되어 있는 형식적 요건을 갖추어 시장·군수 등 행정관청에 적법하게 건축주의 명의변경을 신고한 때에는 행정관청은 그 신고를 수리하여야지 실체적인 이유를 내세워 신고의 수리를 거부할 수는 없다. 2025 국가직 9급 (O | X)

12. 건축주명의변경신고는 형식적 요건을 갖추어 시장, 군수에게 적법하게 건축주의 명의변경을 신고한 때에는 시장, 군수는 그 신고를 수리하여야지 실체적인 이유를 내세워 그 신고의 수리를 거부할 수는 없다. 2023 군무원 7급 (O | X)

13. 허가대상건축물의 양수인이 형식적 요건을 갖추어 시장, 군수에게 적법하게 건축주의 명의변경을 신고한 때에는 시장, 군수는 그 신고를 수리하여야지 실체적인 이유를 내세워 그 신고의 수리를 거부할 수는 없다. 2022 국회직 8급 (O | X)

14. 허가대상건축물의 양수인이 건축법령에 규정되어 있는 형식적 요건을 갖추어 행정청에 적법하게 건축주명의변경신고를 한 경우, 행정청은 실체적인 이유를 들어 신고의 수리를 거부할 수 없다. 2020 국가직 7급 (O | X)

15. 건축물의 소유권을 둘러싸고 소송이 계속 중이어서 판결로 소유권의 귀속이 확정될 때까지 건축주명의변경신고의 수리를 거부함은 상당하다. 2015 국회직 8급 (O | X)

정답

1. O 2. O 3. O 4. X 5. X 6. O 7. X 8. X 9. X 10. O
11. O 12. O 13. O 14. O 15. O

06 □□□

준법률행위적 행정행위에 관한 설명으로 옳지 않은 것은? (다툼이 있는 경우 판례에 의함)

① 준공검사처분은 건축허가를 받아 건축물이 건축허가사항대로 건축행정목적에 적합한지 여부를 확인하는 행위로서, 건축허가관청은 특단의 사정이 없는 한 그 허가내용대로 완공된 건축물의 준공을 거부할 수 없다.

② 국민건강보험공단에 의한 '직장가입자 자격상실 및 자격변동 안내' 통보 및 '사업장 직권탈퇴에 따른 가입자 자격상실 안내' 통보는 항고소송의 대상이 되는 처분에 해당한다.

③ 판례에 따르면, 수리행위의 대상인 기본행위가 존재하지 아니하거나 무효인 경우에는 수리를 하였더라도 그 수리는 유효한 대상이 없는 것으로서 당연무효이다.

④ 지목은 토지소유자의 실체적 권리관계에 밀접한 관련이 있으므로, 지적공부 소관청의 지목변경신청 반려행위는 국민의 권리관계에 영향을 미치는 것으로서 항고소송의 대상이 되는 처분에 해당한다.

✓ 기출체크

① 관련기출

1. 건축허가관청은 특단의 사정이 없는 한 건축허가내용대로 완공된 건축물의 준공을 거부할 수 없다. 2019 지방직 7급 (O | X)

2. 건축물에 대한 준공검사처분은 허가의 성격을 지닌다. 2011 사회복지직 9급 (O | X)

② 관련기출

3. 국민건강보험공단이 甲 등에게 '직장가입자 자격상실 및 자격변동 안내' 통보 및 '사업장 직권탈퇴에 따른 가입자 자격상실 안내' 통보를 한 경우, 이 각 통보는 甲 등의 가입자 자격의 변동 여부 및 시기를 확인하는 의미에서 한 사실상 통지행위에 불과할 뿐, 처분성이 인정되지 않는다. 2025 국가직 7급 (O | X)

4. 국민건강보험공단이 甲 등에게 한 '직장가입자 자격상실 및 자격변동 안내' 통보 및 '사업장 직권탈퇴에 따른 가입자 자격상실 안내' 통보는 항고소송의 대상이 되는 처분이 아니다. 2024 군무원 9급 (O | X)

5. 국민건강보험공단이 행한 '직장가입자 자격상실 및 자격변동 안내' 통보는 가입자 자격의 변동 여부 및 시기를 확인하는 의미에서 한 사실상 통지행위에 불과할 뿐, 항고소송의 대상이 되는 행정처분에 해당하지 않는다. 2023 국가직 9급 (O | X)

6. 국민건강보험공단에 의한 '직장가입자 자격상실 및 자격변동 안내' 통보 및 '사업장 직권탈퇴에 따른 가입자 자격상실 안내' 통보는 가입자 자격이 변동되는 효력을 가져오므로 항고소송의 대상이 되는 처분에 해당한다. 2020 지방직·서울시 7급 (O | X)

③ 관련기출

7. 판례는 수리행위의 대상인 기본행위가 존재하지 않거나 무효인 때에는 그 수리행위는 당연무효가 된다고 한다. 2025 국회직 8급 (O | X)

8. (A구청장으로부터 허가를 받아 유흥주점영업을 해오던 갑(甲)은 해당 영업을 을(乙)에게 양도하기로 하였다. 갑(甲)과 을(乙)은 사업을 양도하기로 하는 계약을 체결하였고, 법령에 따라 을(乙)은 A구청장에게 영업자지위승계신고를 하였다) 갑(甲)과 을(乙)의 사업양도계약이 무효라면 A구청장이 영업자지위승계신고를 수리하였더라도 그 수리는 당연무효이다. 2023 서울시 지적 7급 (O | X)

9. (甲은 영업허가를 받아 영업을 하던 중 자신의 영업을 乙에게 양도하고자 乙과 사업양도·양수계약을 체결하고 관련 법령에 따라 관할 행정청 A에게 지위승계신고를 하였다) 甲과 乙 사이의 사업양도·양수계약이 무효이더라도 A가 지위승계신고를 수리하였다면 그 수리는 취소되기 전까지 유효하다. 2019 서울시 9급 (O | X)

10. (甲은 「식품위생법」상 식품접객업영업허가를 받아 영업을 하던 중, 자신의 영업을 乙에게 양도하기로 계약을 체결하였고, 乙은 같은 법이 정한 바에 따라 영업자지위승계신고를 하였다) 관할 행정청에 의해 신고가 수리되었다면, 甲과 乙 사이의 양도계약이 무효이더라도 신고는 효력을 발생한다. 2015 국가직 7급 (O | X)

11. 사업양도·양수에 따른 허가관청의 지위승계신고의 수리에 있어, 그 수리대상인 사업양도·양수가 무효인 때에는 수리를 하였다 하더라도 그 수리는 유효한 대상이 없는 것으로서 당연히 무효이다. 2013 경행특채 (O | X)

④ 관련기출

12. 지목변경신청 반려행위는 항고소송의 대상이 되는 행정처분에 해당한다. 2023 행정사 (O | X)

13. 지적공부 소관청의 지목변경신청 반려행위는 국민의 권리관계에 영향을 미치는 것으로서 항고소송의 대상이 되는 행정처분에 해당한다. 2023 소방직 9급 (O | X)

14. 지적공부 소관청의 지목변경신청 반려행위는 국민의 권리관계에 영향을 미친다고 볼 수 없어서 행정처분에 해당하지 않는다. 2022 국가직 7급 (O | X)

15. 지목은 토지소유권을 제대로 행사하기 위한 전제요건이므로 지적공부 소관청의 지목변경신청 반려행위는 항고소송의 대상이 되는 행정처분에 해당한다. 2019 지방직 7급 (O | X)

16. 지적공부 소관청의 지목변경신청 반려행위는 행정사무의 편의와 사실증명의 자료로 삼기 위한 것이지 그 대장에 등재 여부는 어떠한 권리의 변동이나 상실 효력이 생기지 않으므로 이를 항고소송의 대상으로 할 수 없다. 2017 국가직 9급 (O | X)

정답

1. O 2. × 3. O 4. O 5. O 6. × 7. O 8. O 9. × 10. ×
11. O 12. O 13. O 14. × 15. O 16. ×

07

행정행위의 부관에 관한 설명으로 옳지 않은 것은? (다툼이 있는 경우 판례에 의함)

① 주택재건축사업시행의 인가는 행정청의 재량행위에 속하므로 처분청으로서는 공익상 필요 등에 의하여 필요한 범위 내에서 부담을 부과할 수 있다.

② 부담 이외의 부관에 대하여는 부관만을 독립적으로 다툴 수는 없으나, 부관부 행정행위 전체에 대해 취소소송을 제기하면서 그 부관만의 취소를 구할 수 있다.

③ 건축행정청은 신청인의 건축계획상 하나의 대지로 삼으려고 하는 '하나 이상의 필지의 일부'가 관계 법령상 토지분할이 가능한 경우인지를 심사하여 토지분할이 관계 법령상 제한에 해당되어 명백히 불가능하다고 판단되는 경우에는 토지분할 조건부 건축허가를 거부하여야 한다.

④ 기선선망어업의 허가를 하면서 운반선, 등선 등 부속선을 사용할 수 없도록 제한한 부관은 그 어업허가의 목적 달성을 사실상 어렵게 하여 그 본질적 효력을 해하는 것이므로 위법한 것이다.

✓ 기출체크

① 관련기출

1. 주택재건축사업시행의 인가는 행정청의 기속행위에 속하므로 처분청으로서는 공익상 필요 등에 의하여 필요한 범위 내에서 여러 조건(부담)을 부과할 수 없다. 2023 소방간부 (O | X)

2. 행정청은 수익적 행정처분으로서 재량행위인 주택재건축사업시행인가에 대하여 법령상의 제한에 근거한 것이 아니라 하더라도 공익상 필요 등에 의하여 필요한 범위 내에서 조건(부담)을 부과할 수 있다. 2018 지방직 7급 (O | X)

② 관련기출

3. 행정행위의 부관 중 부담은 그 자체를 독립하여 행정쟁송의 대상으로 할 수 있다. 2015 서울시 9급 (O | X)

4. 판례에 의하면 부담 외의 부관에 대한 일부취소소송은 인정되지 않고 부담 외의 부관이 위법한 경우 행정행위 전부를 취소한다. 2013 서울시 7급 (O | X)

5. (판례에 따르면) 부담 이외의 부관에 대하여는 진정일부취소소송을 제기하여 다툴 수 없으나, 부진정일부취소소송의 형식으로는 다툴 수 있다. 2012 지방직 7급 (O | X)

③ 관련기출

6. 관할 행정청은 토지분할이 관계 법령상 제한에 해당되어 명백히 불가능하다고 판단되는 경우에는 토지분할 조건부 건축허가를 거부하여야 한다. 2019 국회직 8급 (O | X)

④ 관련기출

7. 허가의 목적 달성을 사실상 어렵게 하여 그 본질적 효력을 해하는 부관은 적법하지 않다. 2023 소방직 9급 (O | X)

8. 기선선망어업의 허가를 하면서 운반선, 등선 등 부속선을 사용할 수 없도록 제한한 부관은 그 어업허가의 목적 달성을 사실상 어렵게 하여 그 본질적 효력을 해하는 것이다. 2019 지방직·교육행정직 9급 (O | X)

9. 구 「수산업법」 제15조에 의하여 어업의 면허 또는 허가에 붙이는 부관은 그 성질상 허가된 어업의 본질적 효력을 해하지 않는 한도의 것이어야 하고 허가된 어업의 내용 또는 효력 등에 대하여는 행정청이 임의로 제한 또는 조건을 붙일 수 없다. 2018 경행경채 3차 (O | X)

10. 부관은 본체인 행정행위의 본질적 효력을 저해해서는 아니 된다. 2009 관세사 (O | X)

정답
1. × 2. O 3. O 4. O 5. × 6. O 7. O 8. O 9. O 10. O

08

행정행위의 부관에 관한 설명으로 옳은 것은? (다툼이 있는 경우에는 판례에 의함)

① 고시에서 정하여진 허가기준에 따라 보존음료수 제조업의 허가에 부가된 조건과 같은 이른바 법정부관은 본래의 의미에서 행정행위의 부관은 아니지만, 이와 같은 법정부관에 대하여도 행정행위에 부관을 붙일 수 있는 한계에 관한 일반적인 원칙은 적용된다고 보아야 한다.

② 행정청이 종교단체에 대하여 기본재산전환인가를 함에 있어 인가조건을 부가하고 그 불이행시 인가를 취소할 수 있도록 한 경우 그 인가조건은 부관 중 해제조건에 해당한다.

③ 행정처분에 붙인 부담인 부관이 무효가 되더라도 그 부담의 이행으로 한 사법상 법률행위가 당연히 무효가 되는 것은 아니다.

④ 행정처분에 붙인 부담인 부관에 제소기간 도과로 불가쟁력이 생긴 경우라면 그 부담의 이행으로 한 사법상 법률행위의 효력을 다툴 수는 없다.

✓ 기출체크

① 관련기출

1. 법정부관에 대하여는 행정행위에 부관을 붙일 수 있는 한계에 관한 일반적인 원칙이 적용된다. 2023 군무원 7급 (O | X)

2. 법령보충규칙인 고시에 정한 허가기준에 따라 보존음료수 제조업의 허가에 붙여진 전량수출 또는 주한외국인에 대한 판매에 한한다는 내용의 조건은 행정행위의 부관 중에서 부담에 해당한다. 2019 국회직 8급 (O | X)

3. 고시에서 정하여진 허가기준에 따라 보존음료수 제조업의 허가에 부가된 조건은 행정행위에 부관을 부가할 수 있는 한계에 관한 일반적인 원칙이 적용되지 아니한다. 2019 국회직 8급 (O | X)

4. 구 「식품위생법」은 보건사회부장관(현 보건복지부장관)이 지정하여 고시(告示)하는 영업 또는 품목의 경우는 영업허가를 제한할 수 있다고 규정하였고, 이에 따라 보건사회부장관은 "그 전량을 수출하거나 주한 외국인에게만 판매한다는 요건을 갖춘 경우에만 보존음료수 제조업의 허가를 할 수 있다."라는 고시를 발한 바 있었다. 이 고시에 대한 설명으로 옳은 것은? 2010 국가직 9급
   ① 위 고시의 법적 성질을 행정규칙이라고 보는 것이 대법원의 입장이다.
   ② 위 고시에 정한 허가기준에 따라 보존음료수 제조업허가에 붙여진 전량수출 또는 주한외국인에 대한 판매에 한한다는 내용의 조건에 대해서는 행정행위에 부관을 붙일 수 있는 한계에 관한 일반원칙이 적용되지 않는다.
   ③ 위 고시상의 조건을 위반한 행위에 대하여 행정청이 과징금을 부과한 제재적 행정처분은 위법하지 아니하다.
   ④ 대법원은 행정청이 甲에 대하여 보존음료수 제조업허가를 하면서 붙인 위 허가조건이 甲의 영업의 자유의 본질적 내용을 침해한다고 볼 수 없다고 하였다.

② **관련기출**
5. 행정청이 종교단체에 대하여 기본재산전환인가를 함에 있어 인가조건을 부가하고 그 불이행시 인가를 취소할 수 있도록 한 경우, 인가조건의 의미는 철회권을 유보한 것이다. 2025 군무원 7급 (O | X)
6. 행정청이 종교단체에 대하여 기본재산전환인가를 함에 있어 인가조건을 부가하고 그 불이행시 인가를 취소할 수 있도록 하였다면 그 인가조건은 부관으로서 철회권의 유보에 해당한다. 2023 소방간부 (O | X)

③ **관련기출**
7. 행정처분에 붙인 부담이 무효라고 하더라도 특별한 사정이 없는 한 그 처분을 받은 사람이 부담의 이행으로 한 사법상 매매 등의 법률행위 자체까지 당연히 무효가 되는 것은 아니다. 2025 국가직 7급 (O | X)
8. 행정처분에 부담인 부관을 붙인 경우 부관의 무효화에 의하여 본체인 행정처분 자체의 효력에도 영향이 있게 될 수 있으며, 그 처분을 받은 사람이 부담의 이행으로 사법상 매매 등의 법률행위를 한 경우 그 법률행위 자체는 당연무효이다. 2024 국가직 9급 (O | X)
9. 행정처분에 부가한 부담이 무효인 경우에는 그 부담의 이행으로 이루어진 사법상 법률행위도 무효가 된다. 2022 지방직·서울시 9급 (O | X)
10. 무효인 부담이 붙은 행정행위의 상대방이 그 부담의 이행으로 사법상 법률행위를 한 경우에 그 사법상 법률행위 자체가 당연무효로 되는 것은 아니다. 2017 사회복지직 9급 (O | X)
11. 기부채납인 부담이 위법하면 부담의 이행으로 행해진 사법(私法)상 매매 등도 당연히 위법하게 된다. 2016 교육행정직 9급 (O | X)

④ **관련기출**
12. 부담의 이행으로서 하게 된 사법상 매매 등의 법률행위는 부담을 붙인 행정처분과는 어디까지나 별개의 법률행위이므로 그 부담의 불가쟁력의 문제와는 별도로 법률행위가 사회질서 위반이나 강행규정에 위반되는지 여부 등을 따져보아 그 법률행위의 유효 여부를 판단하여야 한다. 2025 소방직 9급 (O | X)
13. 행정처분에 붙은 부담인 부관이 제소기간 도과로 확정되어 이미 불가쟁력이 생긴 경우에도 그 부담의 이행으로서 하게 된 사법상 매매 등의 법률행위의 효력을 다툴 수 있다. 2024 지방직·서울시 9급 (O | X)
14. 행정처분에 부가된 부담이 제소기간의 도과로 불가쟁력이 생긴 경우, 부담의 이행으로 한 사법상 매매 등의 법률행위도 효력이 확정되므로 그 법률행위의 유효 여부를 별도로 다툴 수 없다. 2022 소방간부 (O | X)
15. 행정처분에 붙인 부담인 부관이 제소기간 도과로 불가쟁력이 생긴 경우에는 그 부담의 이행으로 한 사법상 법률행위의 효력을 다툴 수 없다. 2021 국가직 7급 (O | X)
16. 행정처분에 붙은 부담인 부관이 불가쟁력이 생겼다 하더라도, 당해 부담이 당연무효가 아닌 이상 그 부담의 이행으로서 하게 된 매매 등 사법상 법률행위의 효력을 민사소송으로 다툴 수는 없다. 2016 지방직 7급 (O | X)

정답
1. × 2. × 3. ○ 4. ② 5. ○ 6. ○ 7. ○ 8. × 9. × 10. ○
11. × 12. ○ 13. ○ 14. × 15. × 16. ×

09 □□□

행정행위의 부관에 관한 설명으로 옳은 것은? (다툼이 있는 경우에는 판례에 의함)

① 정지조건부 영업허가와 부담부 영업허가의 경우, 조건의 성취 전 또는 부담을 불이행한 상태에서 영업을 하였다면 그러한 영업은 무허가영업행위가 된다.
② 부담부 행정행위에 있어서 처분의 상대방이 부담을 이행하지 아니한 경우에 당해 부담부 행정행위의 효과는 해제조건부 행정행위에 있어서 해제조건이 성취된 경우의 효과와 동일하다.
③ 행정행위의 효력의 발생 또는 소멸을 장래 도래가 확실한 사실에 의존시키는 것을 기한이라고 하며 이러한 기한 중 종기가 도래한 효과는 해제조건이 성취된 경우의 효과와 동일하지 않다.
④ 조건과 부담의 구별과 관련해서, 구별이 쉽지 않을 때는 당사자에게 유리하도록 부담으로 추정한다.

기출체크

① **관련기출**
1. 부담부 행정행위는 부담을 이행하여야 비로소 그 효력이 발생한다. 2023 행정사 (O | X)
2. 부담부 행정행위의 경우 부담에서 부과하고 있는 의무의 이행이 있어야 비로소 주된 행정행위의 효력이 발생한다. 2017 지방직 9급 (O | X)
3. 부담부 행정행위는 부담을 이행하여야 주된 행정행위의 효력이 발생한다. 2015 서울시 9급 (O | X)

② **관련기출**
4. 부담부 행정처분에 있어서 처분의 상대방이 부담(의무)을 이행하지 아니한 경우에 처분행정청으로서는 이를 들어 당해 처분을 취소(철회)할 수 있는 것이다. 2025 소방직 9급 (O | X)
5. 부담을 불이행한 것만으로는 주된 행정행위의 효력이 곧바로 소멸하지 않는다. 2023 행정사 (O | X)
6. 부담부 행정행위에 있어서 처분의 상대방이 부담을 이행하지 아니한 경우에 당해 부담부 행정행위는 당연히 효력을 상실하게 된다. 2019 서울시 1회 7급 (O | X)

7. 부담에 의해 부과된 의무의 불이행으로 부담부 행정행위가 당연히 효력을 상실하는 것은 아니며, 당해 의무불이행은 부담부 행정행위의 취소(철회)사유가 될 뿐이다. 2015 지방직 9급 (O | X)
8. 해제조건부 행정행위는 조건사실의 성취에 의하여 당연히 효력이 소멸된다. 2015 사회복지직 9급 (O | X)

③ 관련기출
9. 행정행위의 부관의 유형 중에서 장래의 불확실한 사실에 의해서 행정행위의 효력을 소멸시키는 것은 해제조건이다. 2020 소방직 9급 (O | X)
10. 기한이란 행정행위 효력의 발생·소멸을 장래에 발생 여부가 확실한 사실에 종속시키는 부관을 말한다. 2020 경행경채 (O | X)
11. '기한'은 행정행위의 시간상의 효력범위를 정하는 점에서 조건과 같으나, 확정기한이든 불확정기한이든 그 도래가 확실하다는 점에서 조건과 구별된다. 2012 국회(속기·경위직) 9급 (O | X)
12. 기한이 도래함으로써 행정행위의 효력이 발생하는 기한을 시기라 하고, 기한이 도래함으로써 행정행위가 효력을 상실하는 기한을 종기라 한다. 2005 서울시 9급 (O | X)

④ 관련기출
13. 부담과 조건의 구별이 명확하지 않은 경우에는 부담으로 보는 것이 행정행위의 상대방에게 유리하다고 본다. 2020 소방직 9급 (O | X)
14. 부담과 조건의 구분이 명확하지 않을 경우, 조건이 당사자에게 부담보다 유리하기 때문에 원칙적으로 조건으로 추정해야 한다. 2015 사회복지직 9급 (O | X)

정답
1. × 2. × 3. × 4. O 5. O 6. × 7. O 8. O 9. O 10. O
11. O 12. O 13. O 14. ×

10 □□□

행정행위의 부관에 관한 설명으로 옳지 않은 것은? (다툼이 있는 경우에는 판례에 의함)

① 부담의 경우, 행정청이 부담을 부가하기 이전에 상대방과 협의하여 부담의 내용을 협약의 형식으로 미리 정한 다음 행정처분을 하면서 이를 부가할 수 있다.
② 부관의 사후변경은 법률에 근거가 있는 경우, 당사자의 동의가 있는 경우 외에 사정변경으로 당초에 부담을 부가한 목적을 달성할 수 없게 된 경우에도 행해질 수 있다.
③ 처분에 재량이 없는 경우, 행정청은 법률에 근거가 있더라도 부관을 붙일 수 없음이 원칙이다.
④ 재량행위에는 그 내용이 적법하고 이행 가능하며 비례의 원칙과 평등의 원칙에 적합하고 행정처분의 본질적 효력을 해하지 아니하는 한도 내에서 법령상 근거가 없더라도 부관을 붙일 수 있다.

✓ 기출체크

① 관련기출
1. 행정청이 부담을 부가하기 이전에 상대방과 협의하여 부담의 내용을 협약의 형식으로 미리 정한 다음 수익적 행정처분을 하면서 이를 부가할 수 있다. 2025 국가직 7급 (O | X)
2. 부담은 행정청이 행정처분을 하면서 일방적으로 부가할 수 있지만, 부담을 부가하기 이전에 상대방과 협의하여 부담의 내용을 협약의 형식으로 미리 정한 다음 행정처분을 하면서 이를 부가할 수는 없다. 2025 경찰간부 (O | X)
3. 수익적 행정처분에 있어서는 법령에 특별한 근거규정이 없다고 하더라도 그 부관으로서 부담을 붙일 수 있고, 그와 같은 부담은 행정청이 행정처분을 하면서 일방적으로 부가할 수 있으나 부담을 부가하기 이전에 상대방과 협의하여 부담의 내용을 협약의 형식으로 미리 정한 다음 행정처분을 하면서 이를 부가할 수는 없다. 2024 지방직·서울시 7급 (O | X)
4. 행정청이 수익적 행정처분을 하면서 부담을 부가하는 경우, 행정청은 부담을 일방적으로 부가할 수도 있지만, 부담을 부가하기 이전에 상대방과 협약의 형식으로 부담의 내용을 미리 정한 다음 행정처분을 하면서 이를 부가할 수도 있다. 2024 소방간부 (O | X)
5. 부담은 행정청이 일방적 의사표시로 붙일 수 있고, 상대방의 동의를 얻거나 상대방과 협의하여 부담의 내용에 대해 협약의 형식으로 미리 정한 다음 행정처분을 하면서 이를 부가할 수도 있다. 2024 국회직 8급 (O | X)

② 관련기출
6. 「행정기본법」상 행정청은 부관을 붙일 수 있는 처분이 사정이 변경되어 종전의 부관을 변경하지 아니하면 해당 처분의 목적을 달성할 수 없다고 인정되는 경우에는 종전의 부관을 변경할 수 있다. 2025 소방직 9급 (O | X)
7. 사정변경이 있어 부관을 새로 붙이거나 종전의 부관을 변경하지 아니하면 해당 행정처분의 목적을 달성할 수 없는 경우라도 당사자의 동의가 없으면 부관을 새로 부가하거나 종전의 부관을 변경하는 것은 허용되지 않는다. 2024 변호사 (O | X)
8. 행정청은 사정이 변경되어 종전의 부관을 변경하지 아니하면 해당 처분의 목적을 달성할 수 없다고 인정되는 경우에도 법률에 근거가 없다면 종전의 부관을 변경할 수 없다. 2023 국가직 7급 (O | X)
9. 행정청은 부관을 붙일 수 있는 처분의 경우 일단 그 처분을 한 후에는 당사자의 동의가 있더라도 부관을 새로 붙일 수 없다. 2023 군무원 9급 (O | X)
10. 부관의 사후변경은 종전의 부관을 변경하지 아니하면 해당 처분의 목적을 달성할 수 없는 경우가 아니라면 인정되지 않는다. 2022 지방직·서울시 9급 (O | X)

③ 관련기출
11. 행정청은 처분에 재량이 없는 경우에는 법률에 근거가 있더라도 조건을 붙일 수 없다. 2024 군무원 7급 (O | X)

④ 관련기출
12. 재량행위에는 법령상 근거가 없더라도 그 내용이 적법하고 이행 가능하며 비례의 원칙 및 평등의 원칙에 적합하고 행정처분의 본질적 효력을 해하지 아니하는 한도 내에서 부관을 붙일 수 있다. 2024 국회직 8급 (O | X)

정답
1. O 2. × 3. × 4. O 5. O 6. O 7. × 8. × 9. × 10. ×
11. × 12. O

11 ☐☐☐

행정행위의 부관에 관한 설명으로 옳지 않은 것은? (다툼이 있는 경우에는 판례에 의함)

① 토지소유자가 토지형질변경행위허가에 붙은 기부채납의 부관에 따라 토지를 국가나 지방자치단체에 기부채납한 경우, 기부채납의 부관이 당연무효이거나 취소되지 않은 상태에서 그 부관으로 인하여 기부채납의 중요 부분에 착오가 있음을 이유로 기부채납을 취소할 수 없다.

② 기부채납은 기부자와 지방자치단체 사이에서 이루어지는 증여계약이 아니라, 기부자의 소유재산을 지방자치단체의 공유재산으로 무상증여하도록 하는 지방자치단체의 일방적 의사표시인 행정처분이다.

③ 공유수면매립준공인가 중 공유수면매립지 일부에 대하여 한 지방국토관리청장의 국가귀속처분은 매립준공인가를 함에 있어서 매립면허를 받은 자의 매립지에 대한 소유권취득을 규정한 구「공유수면매립법」의 법률효과 일부를 배제하는 부관을 붙인 것이다.

④ 행정청이 상대방에게 처분을 하면서 법령에 근거 없이 일정 토지를 기부채납하도록 하는 부담을 붙인 경우, 그 처분이 기속행위라면 상대방은 기부채납의 부담을 이행할 의무가 없다.

✓ 기출체크

① 관련기출

1. 토지소유자가 토지형질변경행위허가에 붙은 기부채납의 부관에 따라 토지를 국가나 지방자치단체에 기부채납(증여)한 경우, 기부채납의 부관이 당연무효이거나 취소되지 아니한 이상 토지소유자는 위 부관으로 인하여 증여계약의 중요 부분에 착오가 있음을 이유로 증여계약을 취소할 수 없다. 2024 국가직 9급 (○ | ×)

2. 토지소유자가 토지형질변경행위허가에 붙은 기부채납의 부관에 따라 토지를 국가나 지방자치단체에 기부채납(증여)한 경우, 토지소유자는 원칙적으로 기부채납(증여)의 중요 부분에 착오가 있음을 이유로 증여계약을 취소할 수 있다. 2022 군무원 9급 (○ | ×)

② 관련기출

3. 기부채납은 기부자의 소유재산을 지방자치단체의 공유재산으로 무상증여하도록 하는 지방자치단체의 일방적 의사표시인 행정처분에 해당한다. 2023 소방간부 (○ | ×)

③ 관련기출

4. 지방국토관리청장이 일부 공유수면매립지에 대하여 한 국가귀속처분은 매립준공인가를 함에 있어서 매립의 면허를 받은 자의 매립지에 대한 소유권취득을 규정한 구「공유수면매립법」의 법률효과를 일부 배제하는 부관을 붙인 것이다. 2024 지방직·서울시 9급 (○ | ×)

5. 지방국토관리청장이 공유수면매립준공인가처분 중에서 일부 공유수면매립지에 대하여 한 국가귀속처분은 법률상 효과의 일부를 배제하는 부관으로 독립하여 행정소송의 대상이 된다. 2023 군무원 7급 (○ | ×)

6. 공유수면매립준공인가 중 매립지 일부에 대하여 한 국가귀속처분은 법률효과의 일부를 배제하는 부관에 해당하고, 이러한 부관에 대하여는 독립하여 행정소송의 대상으로 삼을 수 없다. 2022 소방간부 (○ | ×)

7. 지방국토관리청장이 일부 공유수면매립지에 대하여 한 국가 또는 직할시(현 광역시) 귀속처분은 법률효과의 일부배제에 해당하는 것으로 행정행위의 부관의 유형으로 볼 수 없다는 것이 판례의 태도이다. 2020 소방직 9급 (○ | ×)

8. (판례에 따르면) 법률효과의 일부배제는 행정행위의 내용상의 제한으로서, 행정행위와 독립하여 행정소송의 대상으로 삼을 수 없다. 2008 국가직 7급 (○ | ×)

④ 관련기출

9. (A행정청은 甲에게 처분을 하면서 법령에 근거 없이 일정 토지를 기부채납하도록 하는 부담을 붙였다) 처분이 기속행위라면 甲은 기부채납 부담을 이행할 의무가 없다. 2021 국회직 8급 (○ | ×)

10. 건축허가를 하면서 일정 토지를 기부채납하도록 하는 내용의 허가조건을 붙였다면 원칙상 취소사유로 보아야 한다. 2020 소방직 9급 (○ | ×)

11. 건축허가를 하면서 일정 토지를 기부채납하도록 하는 내용의 허가조건은 부관을 붙일 수 없는 기속행위 내지 기속적 재량행위인 건축허가에 붙인 부담이거나 또는 법령상 아무런 근거가 없는 부관이어서 무효이다. 2012 국회(속기·경위직) 9급 (○ | ×)

> **정답**
> 1. ○ 2. × 3. × 4. ○ 5. × 6. ○ 7. × 8. × 9. ○ 10. ×
> 11. ○

12 ☐☐☐

행정행위의 부관에 관한 설명으로 옳은 것만을 <보기>에서 모두 고른 것은? (다툼이 있는 경우 판례에 의함)

보기

㉮ 행정처분과 부관 사이에 실제적 관련성이 있다고 볼 수 없는 경우, 공무원이 공법상의 제한을 회피할 목적으로 행정처분의 상대방과 사이에 사법상 계약을 체결하는 형식을 취하였더라도 법치행정의 원리에 반하는 것으로서 위법하다고 볼 수 없다.

㉯ 행정행위의 부관으로 철회권의 유보가 되어 있는 경우라 하더라도 그 철회권의 행사에 대해서는 행정행위의 철회의 제한에 관한 일반원리가 적용된다.

㉰ 사도개설허가를 하면서 공사기간을 준수할 것을 명한 경우, 사도개설허가에서 정해진 공사기간 내에 사도로 준공검사를 받지 못한 경우라도 사도개설허가가 당연히 실효되는 것은 아니다.

㉱ 기부채납받은 행정재산에 대한 사용·수익허가에서 공유재산의 관리청이 정한 사용·수익허가의 기간은 그 허가의 효력을 제한하기 위한 행정행위의 부관으로서, 이러한 사용·수익허가의 기간에 대해서는 독립하여 행정소송을 제기할 수 있다고 보아야 한다.

① ㉮, ㉯
② ㉮, ㉰
③ ㉯, ㉰
④ ㉰, ㉱

✓ 기출체크

㉮ 관련기출

1. 수익적 행정처분과 부관 사이에 실제적 관련성이 있다고 볼 수 없는 경우 공무원이 공법상의 제한을 회피할 목적으로 행정처분의 상대방과 체결한 사법상 계약 형식의 부담은 위법하다. 2025 국가직 7급 (O | X)

2. 행정처분과 실제적 관련성이 없어 부관으로 붙일 수 없는 부담은 사법상 계약의 형식으로도 행정처분의 상대방에게 부과할 수 없다. 2025 국가직 9급 (O | X)

3. 행정처분과 실제적 관련성이 없어 부관을 붙일 수 없는 경우에도 사법상 계약의 형식으로 공법상 제한을 회피할 수 있다. 2022 지방직·서울시 9급 (O | X)

4. 행정처분과 부관 사이에 실제적 관련성이 있다고 볼 수 없는 경우 공무원이 공법상의 제한을 회피할 목적으로 행정처분의 상대방과 사이에 사법상 계약을 체결하는 형식을 취하였다면 이는 법치행정의 원리에 반하는 것으로서 위법하다. 2020 경행경채 (O | X)

㉯ 관련기출

5. 철회권유보의 경우 유보된 사유가 발생하였더라도 철회권을 행사함에 있어서는 이익형량에 따른 제한을 받게 된다. 2015 사회복지직 9급 (O | X)

6. 행정청은 철회권이 유보되어 있는 경우에도 행정행위의 철회에 관한 일반원칙을 준수하여야 한다. 2013 서울시 7급 (O | X)

7. 철회권이 유보되어 있다는 사유만으로 철회를 할 수 있다는 것이 판례의 입장이다. 2008 국회직 8급 (O | X)

㉰ 관련기출

8. 사도개설허가에서 정해진 공사기간은 사도개설허가 자체의 존속기간을 정한 것이라 보아야 하므로, 공사기간 내에 사도로 준공검사를 받지 못하였다면 사도개설허가는 당연히 실효된다. 2025 국가직 9급 (O | X)

㉱ 관련기출

9. 기부채납받은 행정재산에 대한 사용·수익허가에서 공유재산의 관리청이 정한 사용·수익허가의 기간은 그 허가의 효력을 제한하기 위한 행정행위의 부관으로서 이러한 사용·수익허가의 기간에 대해서는 독립하여 행정소송을 제기할 수 있다. 2025 소방직 9급 (O | X)

10. 행정행위의 부관은 부담인 경우를 제외하고는 독립하여 행정소송의 대상이 될 수 없는바, 기부채납받은 행정재산에 대한 사용·수익허가에서 공유재산의 관리청이 정한 사용·수익허가의 기간은 그 허가의 효력을 제한하기 위한 행정행위의 부관으로서 이러한 사용·수익허가의 기간에 대해서는 독립하여 행정소송을 제기할 수 없다. 2024 지방직·서울시 7급 (O | X)

11. 기부채납받은 행정재산에 대한 사용·수익허가에서 공유재산의 관리청이 정한 사용·수익허가의 기간은 그 허가의 효력을 제한하기 위한 행정행위의 부관으로서 이러한 사용·수익허가의 기간에 대해서는 독립하여 행정소송을 제기할 수 없다. 2024 국가직 9급 (O | X)

12. 서울지방국토관리청의 행정재산 사용허가에 있어서 해당 행정청이 정한 사용허가기간은 그 허가의 효력을 제한하기 위한 행정행위의 부관이므로 이는 독립하여 행정소송의 대상이 될 수 있다. 2016 서울시 7급 (O | X)

13. 기부채납받은 행정재산에 대한 사용·수익허가서에서 사용·수익허가의 기간에 대하여 독립하여 행정소송을 제기할 수 있다. 2015 국회직 8급 (O | X)

정답

1. O 2. O 3. × 4. O 5. O 6. O 7. × 8. × 9. × 10. O 11. O 12. × 13. ×

13

행정행위의 부관에 관한 설명으로 옳지 않은 것만을 <보기>에서 모두 고른 것은? (다툼이 있는 경우 판례에 의함)

― 보기 ―

㉮ 도로점용허가의 점용기간은 행정행위의 본질적인 요소에 해당하므로 부관인 점용기간을 정함에 있어서 위법사유가 있다면 도로점용허가처분 전부가 위법한 것이 된다.

㉯ 부담은 그 자체로서 행정쟁송의 대상이 될 수 있다.

㉰ 부담이 아닌 부관은 독립하여 행정소송의 대상이 될 수 없으므로 부담이 아닌 부관을 대상으로 취소를 구하는 소송이 제기되면 법원은 각하판결을 하여야 한다.

㉱ 어업면허처분을 함에 있어 그 면허의 유효기간을 1년으로 정한 경우, 해당 면허의 유효기간은 행정행위의 부관이라 할 것이고 이러한 행정행위의 부관은 독립하여 행정소송의 대상이 될 수 없다.

① ㉮
② ㉯, ㉰
③ ㉰, ㉱
④ 없음

✓ 기출체크

㉮ 관련기출

1. 도로점용허가의 점용기간은 행정행위의 본질적인 요소에 해당한다고 볼 것이어서 부관인 점용기간을 정함에 있어서 위법사유가 있다면 이로써 도로점용허가처분 전부가 위법하게 된다. 2025 국가직 9급 (O | X)

2. 부관이 행정행위의 본질적인 요소에 해당하는 경우 부관에 위법한 사유가 있다면 처분 전부가 위법하게 되는 것이 아니라 부관만 위법하게 된다. 2024 국회직 9급 (O | X)

3. 도로점용허가의 점용기간을 정함에 있어 위법사유가 있다면 도로점용허가처분 전부가 위법하게 된다. 2019 국가직 9급 (O | X)

4. 도로점용허가에서 부관인 점용기간을 정함에 있어서 위법사유가 있다 하더라도 도로점용허가 전부가 위법하게 되지는 않는다. 2019 소방간부 (O | X)

㉯ 관련기출

5. 부관 중에서도 부담의 경우에는 다른 부관과는 달리 행정행위의 불가분적인 요소가 아니고 그 존속이 본체인 행정행위의 존재를 전제로 하는 것일 뿐이므로 부담 그 자체로서 행정쟁송의 대상이 될 수 있다. 2025 경찰간부 (O | X)

6. 행정처분에 부수하여 그 처분의 상대방에게 일정한 의무를 부과하는 부담은 주된 행정처분과 독립하여 그 자체만으로 행정쟁송의 대상이 될 수 없다. 2023 소방간부 (O | X)

7. 부관 중에서 부담은 주된 행정행위로부터 분리될 수 있다 할지라도 부담 그 자체는 독립된 행정행위가 아니므로 주된 행정행위로부터 분리하여 쟁송의 대상이 될 수 없다. 2020 지방직·서울시 9급 (O | X)

8. 부담은 그 자체로서 행정쟁송의 대상이 될 수 없다. 2020 경행경채 (O | X)

9. 甲은 개발제한구역 내에서의 건축허가를 관할 행정청인 乙에게 신청하였고, 乙은 甲에게 일정 토지의 기부채납을 조건으로 이를 허가하였다. 건축허가 자체는 적법하고 부담인 기부채납조건만이 취소사유에 해당하는 위법성이 있는 경우, 甲은 기부채납조건부 건축허가처분 전체에 대하여 취소소송을 제기할 수 있을 뿐이고 기부채납조건만을 대상으로 취소소송을 제기할 수 없다. 2019 지방직 7급 (O | X)

㉰ 관련기출

10. 행정행위의 부관은 부담의 경우를 제외하고는 독립하여 행정소송의 대상이 될 수 없다. 2024 국회직 9급 (O | X)

11. 부담이 아닌 부관은 독립하여 행정소송의 대상이 될 수 없으므로 이의 취소를 구하는 소송에 대하여는 각하판결을 하여야 한다. 2017 서울시 9급 (O | X)

12. 부담이 아닌 부관만의 취소를 구하는 소송이 제기된 경우에 법원은 각하판결을 하여야 한다. 2016 지방직 9급 (O | X)

㉱ 관련기출

13. 어업면허처분에서 면허의 유효기간을 1년으로 정하는 경우, 면허의 유효기간은 어업면허처분의 효력을 제한하기 위한 행정행위의 부관이라 할 것이고 이러한 행정행위의 부관은 독립하여 행정소송의 대상이 될 수 없다. 2025 국가직 9급 (O | X)

14. 어업면허처분을 함에 있어 그 면허의 유효기간을 1년으로 정한 경우, 그 유효기간만의 취소를 구하는 행정소송이 허용된다. 2025 해경승진 (O | X)

15. 어업면허처분 중 면허의 유효기간만 취소하여 달라는 소송을 제기하는 것은 허용될 수 없다. 2023 행정사 (O | X)

16. 어업면허처분을 함에 있어 그 면허의 유효기간을 1년으로 정한 경우, 그 유효기간만의 취소를 구하는 행정소송은 허용될 수 없다. 2022 소방간부 (O | X)

정답
1. O 2. × 3. O 4. × 5. O 6. × 7. × 8. × 9. × 10. O
11. O 12. O 13. O 14. × 15. O 16. O

14 ☐☐☐

행정행위의 부관에 관한 설명으로 옳지 않은 것은? (다툼이 있는 경우 판례에 의함)

① 행정청이 특정 개발사업의 시행자를 지정하는 처분을 하면서 상대방에게 지정처분의 취소에 대한 소권을 포기하도록 하는 내용의 부관을 붙이는 것은 허용되지 않는다.

② 건축허가를 하면서 일정 토지를 기부채납하도록 한 허가조건은 기속행위 내지 기속적 재량행위인 건축허가에 붙인 부담이거나 법령상 아무런 근거가 없는 부관으로 위법하지만, 그것만으로 무효라고 볼 수는 없다.

③ 임시이사를 선임하면서 그 임기를 '후임 정식이사가 선임될 때까지'로 기재한 것은 법정부관일 뿐 본래 의미의 행정처분 부관이라고 볼 수 없으므로, 후임 정식이사가 선임되었음을 이유로 임시이사를 해임하는 행정처분을 해야만 비로소 임시이사의 지위가 상실되는 효과가 발생한다.

④ 행정청이 행정처분을 하면서 논리적으로 당연히 수반되어야 하는 의사표시를 명시적으로 하지 않았더라도, 그것이 행정청의 추단적 의사에 부합하고 상대방도 이를 알 수 있는 경우에는 행정처분에 이와 같은 의사표시가 묵시적으로 포함되어 있다고 볼 수 있다.

✔ 기출체크

① 관련기출

1. 부관의 내용 중 사후에 행정소송을 제기하지 않겠다는 내용의 부제소특약에 관한 부분은 계약자유의 원칙에 따라 허용된다. 2024 변호사 (O | X)
2. 처분을 하면서 처분과 관련한 소의 제기를 금지하는 내용의 부제소특약을 부관으로 붙이는 것은 허용되지 않는다. 2019 서울시 9급 (O | X)
3. 개인적 공권은 사권처럼 자유롭게 포기할 수 있는 것이 원칙이다. 2017 교육행정직 9급 (O | X)
4. 행정소송에 있어서의 소권은 개인의 국가에 대한 공권이므로 당사자의 합의로써 이를 포기할 수 없다. 2017 경행경채 (O | X)
5. 행정청이 특정 개발사업의 시행자를 지정하는 처분을 하면서 상대방에게 지정처분의 취소에 대한 소권을 포기하도록 하는 내용의 부관을 붙이는 것은 단지 부제소특약만을 덧붙이는 것이어서 허용된다. 2017 국회직 8급 (O | X)

② 관련기출

6. (甲은 아파트를 건설하고자 乙시장에게 「주택법」상 사업계획승인신청을 하였는데, 乙시장은 아파트단지 인근에 개설되는 자동차전용도로의 부지로 사용할 목적으로 甲 소유 토지의 일부를 아파트 사용검사시까지 기부채납하도록 하는 부담을 붙여 사업계획을 승인하였다) 만일 甲이 「건축법」상 기속행위에 해당하는 건축허가를 신청하였고, 乙시장이 건축허가를 하면서 법률의 근거 없이 기부채납부담을 붙였다면 그 부담은 무효이다. 2022 국회직 8급 (O | X)
7. (A행정청은 甲에게 처분을 하면서 법령에 근거 없이 일정 토지를 기부채납하도록 하는 부담을 붙였다) 처분이 기속행위라면 甲은 기부채납부담을 이행할 의무가 없다. 2021 국회직 8급 (O | X)
8. 건축허가를 하면서 일정 토지를 기부채납하도록 하는 내용의 허가조건을 붙였다면 원칙상 취소사유로 보아야 한다. 2020 소방직 9급 (O | X)
9. 건축허가를 하면서 일정 토지를 기부채납하도록 하는 내용의 허가조건은 부관을 붙일 수 없는 기속행위 내지 기속적 재량행위인 건축허가에 붙인 부담이거나 또는 법령상 아무런 근거가 없는 부관이어서 무효이다. 2012 국회(속기·경위직) 9급 (O | X)

③ 관련기출

10. 후임 정식이사가 선임되었다는 사유만으로도 임시이사의 임기가 자동적으로 만료되어 임시이사의 지위가 상실되는 효과가 발생하므로, 관할 행정청이 후임 정식이사가 선임되었음을 이유로 임시이사를 해임하는 행정처분을 해야만 비로소 임시이사의 지위가 상실되는 효과가 발생한다고 할 수는 없다. 2025 군무원 7급 (O | X)
11. 행정행위의 부관은 법령이 직접 행정행위의 조건이나 기한 등을 정한 경우와 구별되어야 한다. 2018 지방직 9급 (O | X)
12. 법정부관은 엄밀한 의미에서 부관이 아니다. 2006 국회직 8급 (O | X)

④ 관련기출

13. 행정청이 행정처분을 하면서 논리적으로 당연히 수반되어야 하는 의사표시를 명시적으로 하지 않았으면, 그것이 행정청의 추단적 의사에 부합하고 상대방이 이를 알 수 있는 경우에도, 행정처분에 이와 같은 의사표시가 묵시적으로 포함되어 있다고 볼 수 없다. 2025 국가직 9급 (O | X)

> **정답**
> 1. × 2. ○ 3. × 4. ○ 5. × 6. ○ 7. ○ 8. × 9. ○ 10. ×
> 11. ○ 12. ○ 13. ×

15 ☐☐☐

행정행위의 부관에 관한 설명으로 옳은 것은? (다툼이 있는 경우 판례에 의함)

① 부관은 해당 처분과 실질적인 관련이 없더라도 목적을 달성하기 위하여 필요한 최소한의 범위라면 붙일 수 있다.

② 수익적 행정처분의 경우 부관으로서 부담을 붙이기 위해 반드시 법령에 근거규정이 있어야 한다.

③ 甲이 행정청에 대해 A국으로부터의 쇠고기 수입허가를 신청하였는데, 행정청이 甲에 대해 B국으로부터의 쇠고기 수입허가를 부여하는 것과 같은 이른바 수정부담도 부관의 한 종류로 보는 것이 일반적 견해이다.

④ 행정청이 수익적 행정처분을 하면서 사전에 상대방과 체결한 협약상의 의무를 부담으로 부가하였는데 부담의 전제가 된 주된 행정처분의 근거법령이 개정되어 부관을 붙일 수 없게 된 경우라 하더라도 곧바로 부담의 효력이 소멸하게 되는 것은 아니다.

✓ 기출체크

① 관련기출
1. 부관은 해당 처분의 목적에 위배되지 아니하여야 하며, 그 처분과 실질적인 관련이 있어야 하고 또한 그 처분의 목적을 달성하기 위하여 필요한 최소한의 범위 내에서 붙여야 한다. 2023 국가직 7급
(O | X)
2. 철회권의 유보는 해당 처분의 목적을 달성하기 위하여 필요한 최소한의 범위여야 한다. 2023 군무원 9급 (O | X)
3. 부관이 해당 처분과 실질적인 관련이 없더라도 목적을 달성하기 위하여 필요한 최소한의 범위이면 붙일 수 있다. 2022 경찰간부 (O | X)

② 관련기출
4. 수익적 행정처분에 있어서는 법령에 특별한 근거규정이 있는 경우에만 그 부관으로서 부담을 붙일 수 있다. 2023 국가직 9급 (O | X)
5. 수익적 행정처분인 재량행위를 하면서 침익적 성격의 부관을 부가하는 행위(는 행정청이 별도의 법령상의 근거 없이도 할 수 있다) 2019 지방직 7급 (O | X)
6. 수익적 행정행위에 있어서는 법령에 특별한 근거규정이 없다고 하더라도 그 부관으로서 부담을 붙일 수 있다. 2015 경행특채 2차
(O | X)
7. 수익적 행정처분에 있어서도 원칙적으로 법령에 특별한 근거규정이 있어야만 그 부관으로서 부담을 붙일 수 있다. 2014 서울시 7급
(O | X)

③ 관련기출
8. 학설의 다수견해는 수정부담의 성격을 부관으로 이해한다. 2017 지방직 9급 (O | X)

④ 관련기출
9. 행정청이 수익적 행정처분을 하면서 부가한 부담의 위법 여부는 처분 당시 법령을 기준으로 판단하여야 하고, 부담이 처분 당시 법령을 기준으로 적법하다면 처분 후 부담의 전제가 된 주된 행정처분의 근거 법령이 개정됨으로써 행정청이 더 이상 부관을 붙일 수 없게 되었다 하더라도 곧바로 위법하게 되거나 그 효력이 소멸하게 되는 것은 아니다. 2024 지방직·서울시 7급 (O | X)
10. 부담이 처분 당시 법령을 기준으로 적법하다면 처분 후 부담의 전제가 된 주된 행정처분의 근거법령이 개정됨으로써 행정청이 더 이상 부관을 붙일 수 없게 되었다 하더라도 곧바로 위법하게 되거나 그 효력이 소멸되는 것은 아니다. 2024 변호사 (O | X)
11. 부담의 전제가 된 주된 처분의 근거법령이 개정됨으로써 행정청이 더 이상 부관을 붙일 수 없게 되었다면, 특별한 사정이 없는 한 그 부담의 효력은 소멸하게 된다. 2023 소방직 9급 (O | X)
12. 주된 행정처분의 근거법령이 개정됨으로써 행정청이 더 이상 그 부담을 붙일 수 없게 되었다면 그 부담은 당연무효가 된다. 2023 소방간부
(O | X)
13. 다음 사례에 대한 판례의 입장으로 옳지 않은 것은?
2017 국가직 9급

> 고속국도 관리청이 고속도로 부지와 접도구역에 송유관 매설을 허가하면서 상대방인 甲과 체결한 협약에 따라 송유관 시설을 이전하게 될 경우 그 비용을 甲이 부담하도록 하였는데, 그 후 「도로법 시행규칙」이 개정되어 접도구역에는 관리청의 허가 없이도 송유관을 매설할 수 있게 되었다.

① 협약에 따라 송유관 시설을 이전하게 될 경우 그 비용을 甲이 부담하도록 한 것은 행정행위의 부관 중 부담에 해당한다.
② 甲과의 협약이 없더라도 고속국도 관리청은 송유관 매설허가를 하면서 일방적으로 송유관 이전시 그 비용을 甲이 부담한다는 내용의 부관을 부가할 수 있다.
③ 「도로법 시행규칙」의 개정 이후에도 위 협약에 포함된 부관은 부당결부금지의 원칙에 반하지 않는다.
④ 「도로법 시행규칙」의 개정으로 접도구역에는 관리청의 허가 없이도 송유관을 매설할 수 있게 되었기 때문에 위 협약 중 접도구역에 대한 부분은 효력이 소멸한다.

> **정답**
> 1. O 2. O 3. X 4. X 5. O 6. O 7. X 8. X 9. O 10. O
> 11. X 12. X 13. ④

16 □□□

부관에 관한 설명으로 옳지 않은 것은? (다툼이 있는 경우 판례에 의함)

① 행정청은 일반적으로 보조금 교부결정에 관하여 광범위한 재량을 가지므로, 법령과 예산에서 정하는 보조금의 교부목적을 달성하기 위해 필요한 조건을 붙일 수 있다.
② 공익법인의 기본재산처분에 대한 행정청의 허가는 형성적 행정행위로서의 인가에 해당하고, 인가에는 조건으로서의 부관을 붙일 수 없다.
③ 기부채납받은 공원시설의 사용·수익허가에서 그 허가기간은 행정행위의 본질적 요소에 해당하므로 허가기간에 위법사유가 있을 경우에는 허가 전부가 위법하게 된다.
④ 무효인 건축허가조건을 유효한 것으로 믿고 토지에 대한 증여계약을 체결하고 소유권이전등기를 마쳤더라도 이는 동기의 착오에 불과할 뿐, 이를 이유로 소유권이전등기의 말소를 청구할 수 없다.

✓ 기출체크

① 관련기출
1. 일반적으로 행정청은 보조금 교부결정을 할 때 법령과 예산에서 정하는 보조금의 교부목적을 달성하는 데에 필요하더라도 보조금 교부결정에 조건을 붙일 수 없다. 2026 경찰간부 (O | X)
2. 일반적으로 보조금 교부결정에 관해서는 행정청에 광범위한 재량이 부여되어 있고, 행정청은 보조금 교부결정을 할 때 법령과 예산에서 정하는 보조금의 교부목적을 달성하는 데에 필요한 조건을 붙일 수 있다. 2023 소방승진 (O | X)
3. 일반적으로 보조금 교부결정은 법령과 예산에서 정하는 바에 엄격히 기속되므로, 행정청은 보조금 교부결정을 할 때 조건을 붙일 수 없다. 2022 지방직·서울시 7급 (O | X)

② 관련기출
4. 공익법인의 기본재산의 처분허가에 부관을 붙인 경우 그 처분허가의 법적 성질이 인가에 해당한다고 하여 조건으로서의 부관의 부과가 허용되지 아니한다고 볼 수는 없다. 2026 경찰간부 (O | X)

5. 공익법인의 기본재산처분허가에 부관을 붙인 경우, 그 처분허가의 법적 성질은 명령적 행정행위인 허가에 해당하며 조건으로서 부관의 부과가 허용되지 아니한다. 2024 국가직 9급 (O | X)
6. 공익법인의 기본재산처분에 대하여 행정청이 허가하는 경우 그 성질이 형성적 행정행위로서의 인가에 해당한다고 하여 조건으로서의 부관을 붙이지 못하는 것은 아니다. 2023 국회직 8급 (O | X)
7. 판례는 인가에 해당하면 부관의 부과가 허용되지 않는다고 본다. 2011 국가직 7급 (O | X)

③ 관련기출
8. 부관이 행정행위의 본질적인 요소에 해당하는 경우 부관에 위법한 사유가 있다면 처분 전부가 위법하게 되는 것이 아니라 부관만 위법하게 된다. 2024 국회직 8급 (O | X)
9. 기부채납받은 공원시설의 사용·수익허가에서 그 허가기간은 행정행위의 본질적 요소에 해당하므로, 부관인 허가기간에 위법사유가 있다면 이로써 공원시설의 사용·수익허가 전부가 위법하게 된다. 2016 사회복지직 9급 (O | X)

④ 관련기출
10. 건축허가를 하면서 일정 토지를 기부채납하도록 한 허가조건의 효력이 무효라고 하더라도, 무효인 허가조건을 유효한 것으로 믿고 토지를 증여하였다면 이는 동기의 착오에 불과하여 그 소유권이전등기의 말소를 청구할 수는 없다. 2024 국회직 8급 (O | X)

정답
1. ✕ 2. ○ 3. ✕ 4. ○ 5. ✕ 6. ○ 7. ✕ 8. ✕ 9. ○ 10. ○

17 □□□

사례에 관한 설명으로 옳지 <u>않은</u> 것은? (다툼이 있는 경우 판례에 의함)

> 甲은 자기소유 임야에 병원을 건립하기 위해 강릉시장으로부터 2025년 5월 11일 산림형질변경허가를 받았다. 그런데 강릉시장은 허가를 하면서 병원으로부터 나오는 오·폐수로 주변이 오염되는 것을 막기 위해 "㉠ <u>형질변경 후 일정 기간 내에 정화시설을 설치하여야 한다. ㉡ 허가받은 구역 외의 지역을 훼손할 경우 형질변경허가를 취소할 수 있다. ㉢ 허가기간은 10년으로 한다.</u>"라는 부관을 부가하였다.

① 위 사례의 경우 개별법률에 부관을 붙일 수 있다는 근거규정이 없어도 강릉시장은 부관을 붙일 수 있다.
② 위 ㉠의 부관을 甲이 불이행할 경우라도 형질변경허가가 행정청의 별도의 의사표시 없이 소멸하는 것은 아니다.
③ 강릉시장이 甲이 허가받은 구역 외의 지역을 훼손하였음을 이유로 산림형질변경허가를 철회하는 경우, 甲은 신뢰보호의 원칙을 주장하여 손실보상을 청구할 수 있다.
④ 강릉시장은 甲이 허가받은 구역 외의 지역을 훼손한 경우에도 철회를 할 만한 공익상의 필요가 없다면 철회권을 행사할 수 없다.

✓ 기출체크

① 관련기출
1. 재량행위에는 법령상 근거가 없더라도 그 내용이 적법하고 이행 가능하며 비례의 원칙 및 평등의 원칙에 적합하고 행정처분의 본질적 효력을 해하지 아니하는 한도 내에서 부관을 붙일 수 있다. 2024 국회직 8급 (O | X)
2. 행정청은 처분에 재량이 있는 경우에도 법률에 근거가 있어야만 부관을 붙일 수 있다. 2023 군무원 9급 (O | X)
3. 행정청은 처분에 재량이 있는 경우에는 부관을 붙일 수 있다. 2023 국가직 7급 (O | X)
4. 재량행위에 있어서는 관계 법령에 명시적인 금지규정이 없는 한 행정목적을 달성하기 위하여 조건이나 기한, 부담 등의 부관을 붙일 수 있다. 2022 군무원 9급 (O | X)
5. (「행정기본법」에 의하면) 행정청은 처분에 재량이 있는 경우에는 부관(조건, 기한, 부담, 철회권의 유보 등을 말한다)을 붙일 수 있다. 2021 군무원 9급 (O | X)

② 관련기출
6. 부담부 행정처분에 있어서 처분의 상대방이 부담(의무)을 이행하지 아니한 경우에 처분행정청으로서는 이를 들어 당해 처분을 취소(철회)할 수 있는 것이다. 2025 소방직 9급 (O | X)
7. 부담부 행정처분에 있어서 처분의 상대방이 부담을 이행하지 아니한 경우에 처분청이 이를 들어 당해 처분을 철회할 수 없다. 2024 지방직·서울시 9급 (O | X)
8. 부담부 행정처분에 있어서 처분의 상대방이 부담을 이행하지 아니한 경우에 처분행정청으로서는 이를 들어 당해 처분을 철회할 수 있다. 2022 군무원 9급 (O | X)
9. 부담부 행정행위에 있어서 처분의 상대방이 부담을 이행하지 아니한 경우에 당해 부담부 행정행위는 당연히 효력을 상실하게 된다. 2019 서울시 1회 7급 (O | X)
10. 부담에 의해 부과된 의무의 불이행으로 부담부 행정행위가 당연히 효력을 상실하는 것은 아니며, 당해 의무불이행은 부담부 행정행위의 취소(철회)사유가 될 뿐이다. 2015 지방직 9급 (O | X)

③ 관련기출
11. 철회권이 유보된 경우에도 철회의 제한이론인 이익형량의 원칙이 적용되나, 행정행위의 계속성에 대한 상대방의 신뢰는 유보된 철회사유에 대해서는 인정되지 않는다. 2017 지방직(하) 9급 (O | X)
12. 수익적 행정행위에 대한 철회권 유보의 부관은 그 유보된 사유가 발생하여 철회권이 행사된 경우 상대방이 신뢰보호원칙을 원용하는 것을 제한한다는 데 실익이 있다. 2016 서울시 9급 (O | X)
13. 철회권이 유보된 경우일지라도 행정행위의 상대방은 당해 행정행위 철회시 신뢰보호의 원칙을 원용하여 손실보상을 청구할 수 있다. 2011 국가직 9급 (O | X)
14. 철회권이 유보된 경우 상대방은 이후의 철회가능성을 예견하고 있으므로 원칙적으로 신뢰보호원칙에 근거하여 철회의 제한을 주장할 수 없다. 2007 국가직 7급 (O | X)

④ 관련기출
15. 철회권이 유보된 경우의 철회에는 이익형량의 원칙이 적용되지 않는다. 2019 소방직 9급 (O | X)
16. 철회권 유보의 경우 유보된 사유가 발생하였더라도 철회권을 행사함에 있어서는 이익형량에 따른 제한을 받게 된다. 2015 사회복지직 9급 (O | X)

17. 행정행위의 부관으로 철회권의 유보가 되어 있는 경우라 하더라도 그 철회권의 행사에 대해서는 행정행위의 철회의 제한에 관한 일반원리가 적용된다. 2013 국가직 9급 (O | X)
18. 행정청은 철회권이 유보되어 있는 경우에도 행정행위의 철회에 관한 일반원칙을 준수하여야 한다. 2013 서울시 7급 (O | X)
19. 철회권이 유보된 경우라도 철회권의 행사는 그 자체만으로는 정당화되지 않고 그 외에 철회의 일반적 요건이 충족되어야 한다. 2012 사회복지직 9급 (O | X)

정답
1. O 2. × 3. O 4. O 5. O 6. O 7. × 8. O 9. × 10. O
11. O 12. O 13. × 14. O 15. × 16. O 17. O 18. O 19. O

18 □□□

행정행위의 성립과 효력에 관한 설명으로 옳지 않은 것은? (다툼이 있는 경우 판례에 의함)

① 행정의사가 외부에 표시되어 행정청이 자유롭게 취소·철회할 수 없는 구속을 받게 되는 시점에 처분이 성립하고, 그 성립 여부는 행정청이 행정의사를 공식적인 방법으로 외부에 표시하였는지를 기준으로 판단하여야 한다.

② 「우편법」 등 관계 규정의 취지에 비추어 볼 때 우편물이 보통우편 또는 등기취급의 방법으로 발송된 경우 반송되는 등의 특별한 사정이 없는 한 그 무렵 수취인에게 배달되었다고 추정된다.

③ 등기에 의한 우편송달의 경우 수취인이 주민등록지에 실제로 거주하지 않는 등의 특별한 사정이 있다면 우편물의 도달사실을 처분청이 입증하여야 한다.

④ 망인에게 수여한 서훈을 취소하는 경우, 그 서훈의 취소는 유족에 대한 것이 아니므로 유족에 대한 통지에 의해서만 성립하여 효력이 발생한다고 볼 수 없고, 그 결정이 처분권자의 의사에 따라 상당한 방법으로 대외적으로 표시됨으로써 행정행위로서 성립하여 효력이 발생한다고 보아야 한다.

✓ 기출체크

① 관련기출
1. 행정처분의 외부적 성립은 행정의사가 외부에 표시되어 행정청이 자유롭게 취소·철회할 수 없는 구속을 받게 되는 시점을 확정하는 의미를 가진다. 2023 군무원 9급 (O | X)
2. 행정청의 의사가 외부에 표시되어 행정청이 자유롭게 취소·철회할 수 없는 구속을 받게 되는 시점에 행정행위가 성립하는 것은 아니며, 행정행위의 성립 여부는 행정청의 의사를 공식적인 방법으로 외부에 표시하였는지 여부를 기준으로 판단해야 한다. 2021 소방직 9급 (O | X)

② 관련기출
3. 보통우편의 방법으로 발송되었다는 사실만으로는 그 우편물이 상당기간 내에 도달하였다고 추정할 수 없고 송달의 효력을 주장하는 측에서 증거에 의하여 도달사실을 입증하여야 한다. 2026 경찰간부 (O | X)
4. 우편물이 등기취급의 방법으로 발송된 경우 그것이 도중에 유실되었거나 반송되었다는 등의 특별한 사정에 대한 반증이 없는 한 그 무렵 수취인에게 배달되었다고 추정할 수 있다. 2025 국회직 8급 (O | X)
5. 내용증명우편이나 등기우편과는 달리, 보통우편의 방법으로 발송되었다는 사실만으로는 그 우편물이 상당한 기간 내에 도달하였다고 추정할 수 없고, 송달의 효력을 주장하는 측에서 증거에 의하여 이를 입증하여야 한다. 2025 소방직 9급 (O | X)
6. 내용증명우편이나 등기우편과는 달리, 보통우편의 방법으로 발송된 경우 송달의 효력을 주장하는 측에서 증거에 의하여 이를 입증하여야 한다. 2020 경행경채 (O | X)
7. 보통우편에 의한 송달과 달리 등기우편에 의한 송달은 반송 등 기타 특별한 사유가 없는 한 배달된 것으로 추정된다. 2020 국회직 8급 (O | X)

③ 관련기출
8. 등기에 의한 우편송달의 경우라도 수취인이 주민등록지에 실제로 거주하지 않는 경우에는 우편물의 도달사실을 처분청이 입증해야 한다. 2018 국가직 9급 (O | X)

④ 관련기출
9. 서훈은 서훈대상자의 특별한 공적에 의하여 수여되는 고도의 일신전속적 성격을 가지는 것이므로 유족이라고 하더라도 처분의 상대방이 될 수 없다. 2023 국가직 9급 (O | X)
10. 망인(亡人)에게 수여된 서훈을 취소하는 경우, 그 유족은 서훈취소처분의 상대방이 되지 않는다. 2019 서울시 2회 7급 (O | X)
11. 서훈은 서훈대상자의 특별한 공적에 의하여 수여되는 고도의 일신전속적 성격을 가지는 것이므로, 망인에게 수여된 서훈이 취소된 경우 그 유족은 서훈취소처분의 상대방이 되지 아니한다. 2018 지방직 7급 (O | X)
12. 망인에 대한 서훈취소는 유족에 대한 것이 아니므로 유족에 대한 통지에 의해서만 성립하여 효력이 발생한다고 볼 수 없고, 그 결정이 처분권자의 의사에 따라 상당한 방법으로 대외적으로 표시됨으로써 행정행위로서 성립하여 효력이 발생한다고 봄이 타당하다. 2017 지방직(하) 9급 (O | X)

정답
1. O 2. × 3. O 4. O 5. O 6. O 7. O 8. O 9. O 10. O
11. O 12. O

19 ☐☐☐

행정행위의 성립과 효력에 관한 설명으로 옳은 것만을 <보기>에서 모두 고른 것은? (다툼이 있는 경우 판례에 의함)

─┤ 보기 ├─

㉮ 행정처분의 효력발생요건으로서의 도달이란 상대방이 그 내용을 현실적으로 알 필요까지는 없고 알 수 있는 상태에 놓여지는 것으로 충분하다.

㉯ 방송통신심의위원회와 여성가족부장관이 특정 인터넷 웹사이트에 대하여 청소년유해매체물 결정 및 고시처분이 있었음을 해당 웹사이트 운영자에게 통지하지 않았다면 위 처분의 효력은 발생하지 아니한다.

㉰ 상대방 있는 행정처분이 상대방에게 고지되지 아니한 경우에도 상대방이 다른 경로를 통해 행정처분의 내용을 알게 되었다면 행정처분의 효력은 발생한다.

㉱ 법무부장관의 입국금지결정에 관한 의사가 공식적인 방법으로 외부에 표시된 것이 아니라 단지 그 정보를 내부전산망인 출입국관리정보시스템에 입력하여 관리한 것에 지나지 않으면, 그 입국금지결정은 항고소송의 대상이 될 수 있는 처분에 해당하지 않는다.

① ㉮, ㉯
② ㉮, ㉱
③ ㉯, ㉰
④ ㉰, ㉱

✓ 기출체크

㉮ 관련기출

1. 행정행위의 도달이란 상대방이 그 내용을 현실적으로 알 필요까지는 없고 알 수 있는 상태에 놓여짐으로써 충분하다. 2026 경찰간부 (○ | ×)
2. 행정처분의 효력발생요건으로서의 도달이란 처분상대방이 처분서의 내용을 현실적으로 알았을 필요까지는 없고 처분상대방이 알 수 있는 상태에 놓임으로써 충분하며, 처분서가 처분상대방의 주민등록상 주소지로 송달되어 처분상대방의 사무원 등 또는 그 밖에 우편물 수령 권한을 위임받은 사람이 수령하면 처분상대방이 알 수 있는 상태가 되었다고 할 것이다. 2025 지방직·서울시 7급 (○ | ×)
3. 행정처분의 효력발생요건으로서의 도달이란 처분상대방이 처분서의 내용을 현실적으로 알았을 필요까지는 없고 처분상대방이 알 수 있는 상태에 놓임으로써 충분하다. 2025 소방간부 (○ | ×)
4. 처분의 통지는 행정처분을 상대방에게 표시하는 것으로서 상대방이 인식할 수 있는 상태에 둠으로써 족하고, 객관적으로 보아 행정처분으로 인식할 수 있도록 고지하면 된다. 2018 국가직 9급 (○ | ×)
5. 대법원 판례에 의하면 도달의 효력은 송달받을 자가 현실적으로 그 내용을 알 것을 요건으로 한다. 2005 관세사 (○ | ×)

㉯ 관련기출

6. 구 정보통신윤리위원회가 A인터넷 웹사이트를 청소년유해매체물로 결정하고 구 청소년보호위원회가 효력발생시기를 명시하여 고시하였으나 구 정보통신윤리위원회와 구 청소년보호위원회가 청소년유해매체물 결정 및 고시처분이 있었음을 A인터넷 웹사이트 운영자에게 제대로 통지하지 않았다면 위 처분의 효력이 발생하지 않는다. 2026 경찰간부 (○ | ×)
7. 구 「청소년 보호법」에 따른 청소년유해매체물 결정 및 고시처분은 정보통신윤리위원회와 청소년보호위원회가 이 결정 및 고시처분이 있었음을 관련 웹사이트 운영자에게 제대로 통지하지 아니하였다면 그 효력 자체가 발생하지 아니한다. 2025 국가직 7급 (○ | ×)
8. 청소년유해매체물 결정 및 고시처분은 일반불특정 다수인에 대하여 청소년에 대한 판매·대여 등의 금지의무 등 각종 의무를 발생시키는 행정처분으로서, 방송통신심의위원회와 여성가족부장관이 특정 인터넷 웹사이트에 대하여 청소년유해매체물 결정 및 고시처분이 있었음을 해당 웹사이트 운영자에게 통지하지 않았더라도 위 처분의 효력이 발생하지 아니한 것으로 볼 수 없다. 2023 변호사 (○ | ×)

㉰ 관련기출

9. 상대방 있는 행정처분은 특별한 규정이 없는 한 의사표시에 관한 일반법리에 따라 상대방에게 고지되어야 효력이 발생하고, 상대방 있는 행정처분이 상대방에게 고지되지 아니한 경우에는 상대방이 다른 경로를 통해 행정처분의 내용을 알게 되었다고 하더라도 행정처분의 효력이 발생한다고 볼 수 없다. 2025 지방직·서울시 7급 (○ | ×)
10. 상대방 있는 행정처분은 특별한 규정이 없는 한 의사표시에 관한 일반법리에 따라 그 행정처분이 상대방에게 고지되지 아니한 경우라도 상대방이 다른 경로를 통해 행정처분의 내용을 알게 되었다면 행정처분의 효력이 발생한다. 2025 군무원 7급 (○ | ×)
11. 상대방이 있는 행정처분이 상대방에게 고지되지 않았으나 상대방이 다른 경로를 통해 행정처분의 내용을 알게 된 경우라도, 행정처분의 효력이 발생하는 것은 아니다. 2025 해경승진 (○ | ×)
12. 상대방 있는 행정처분이 상대방에게 고지되지 아니한 경우에는 상대방이 다른 경로를 통해 행정처분의 내용을 알게 되었다고 하더라도 행정처분의 효력이 발생한다고 볼 수 없다. 2024 국회직 9급 (○ | ×)
13. 처분의 상대방인 원고가 피고인 행정청의 홈페이지에 접속하여 이 사건 처분의 결정내용을 확인하여 알게 되었다면, 피고가 인터넷 홈페이지에 이 사건 처분의 결정내용을 게시한 것만으로도 「행정절차법」 제14조에서 정한 바에 따라 송달이 이루어졌다고 볼 수 있다. 2023 해경간부 (○ | ×)

㉱ 관련기출

14. 법무부장관이 입국금지에 관한 정보를 내부전산망인 출입국관리정보시스템에 입력한 것만으로는 법무부장관의 의사가 공식적인 방법으로 외부에 표시된 것이 아니어서 위 입국금지결정은 항고소송의 대상인 처분에 해당되지 않는다. 2023 군무원 9급 (○ | ×)
15. 병무청장의 요청에 따른 법무부장관의 입국금지결정은 법무부장관의 의사가 공식적인 방법으로 외부에 표시되어 입국 자체를 금지하는 것으로서 그 입국금지결정은 항고소송의 대상이 될 수 있는 처분에 해당한다. 2022 소방직 9급 (○ | ×)

정답
1. ○ 2. ○ 3. ○ 4. ○ 5. × 6. × 7. × 8. ○ 9. ○ 10. × 11. ○ 12. ○ 13. × 14. ○ 15. ×

20

행정행위의 효력발생요건으로서 송달에 관한 설명으로 옳지 않은 것은? (다툼이 있는 경우 판례에 의함)

① 정보통신망을 이용한 송달은 송달받을 자가 동의하는 경우에 한하며, 이 경우 송달받을 자는 송달받을 전자우편주소 등을 지정하여야 한다.
② 교부에 의한 송달은 수령확인서를 받고 문서를 교부함으로써 하므로 문서를 송달받을 자 또는 그 사무원 등이 정당한 사유 없이 송달받기를 거부하더라도 문서를 송달할 장소에 놓아두는 이른바 유치송달은 허용되지 않는다.
③ 송달받을 자의 주소 등을 통상의 방법으로 확인할 수 없는 경우에는 송달받을 자가 알기 쉽도록 관보·공보·게시판·일간신문 중 하나 이상에 공고하고 인터넷에도 공고하여야 한다.
④ 행정청은 국내에 주소 등이 없는 외국사업자에 대하여도 우편송달의 방법으로 문서를 송달할 수 있다.

기출체크

① 관련기출
1. 정보통신망을 이용한 송달은 송달받을 자가 동의하는 경우에만 한다. 2026 경찰간부 (○ | ×)
2. 「행정절차법」에 따르면 정보통신망을 이용한 송달은 송달받을 자가 동의하는 경우에만 한다. 이 경우 송달받을 자는 송달받을 전자우편주소 등을 지정하여야 한다. 2025 소방직 9급 (○ | ×)
3. 정보통신망을 이용한 송달은 송달받을 자의 동의 여부와 상관없이 언제든지 가능하다. 2023 행정사 (○ | ×)
4. 정보통신망을 이용한 송달을 할 경우 행정청은 송달받을 자의 동의를 얻어 송달받을 전자우편주소 등을 지정하여야 한다. 2022 해경간부 (○ | ×)

② 관련기출
5. 교부에 의한 송달을 할 때 문서를 송달받을 자 또는 그 사무원 등이 정당한 사유 없이 송달받기를 거부하는 경우에는 그 사실을 수령확인서에 적고, 문서를 송달할 장소에 놓아둘 수 있다. 2023 경찰간부 (○ | ×)
6. (「행정절차법」상) 교부에 의한 송달은 수령확인서를 받고 문서를 교부함으로써 하며, 송달하는 장소에서 송달받을 자를 만나지 못한 경우에는 그 사무원·피용자 또는 동거인으로서 사리를 분별할 지능이 있는 사람에게 문서를 교부할 수 있다. 2022 해경간부 (○ | ×)
7. 송달하는 장소에서 송달받을 자를 만나지 못한 경우에는 그 사무원·피용자(被傭者) 또는 동거인으로서 사리를 분별할 지능이 있는 사람에게 문서를 교부할 수 있다. 2014 서울시 9급 (○ | ×)

③ 관련기출
8. 처분의 송달이 불가능한 경우에는 송달받을 자가 알기 쉽도록 관보, 공보, 게시판, 일간신문 또는 인터넷 홈페이지 중 하나에 공고하여야 한다. 2025 지방직·서울시 7급 (○ | ×)
9. 「행정절차법」상 송달받을 자의 주소 등을 통상적인 방법으로 확인할 수 없는 경우에는 송달받을 자가 알기 쉽도록 관보, 공보, 게시판, 일간신문 중 하나 이상에 공고하고 인터넷에도 공고하여야 한다. 2025 소방직 9급 (○ | ×)
10. 송달이 불가능한 경우에는 송달받을 자가 알기 쉽도록 관보, 공보, 게시판, 일간신문 중 하나 이상에 공고하고 인터넷에도 공고하여야 한다. 2023 국가직 9급 (○ | ×)
11. 「행정절차법」은 행정행위상대방에 대한 송달받을 자의 주소 등을 통상적인 방법으로 확인할 수 없는 경우에 한하여, 공고의 방법에 의한 송달이 가능하도록 규정하고 있다. 2021 소방직 9급 (○ | ×)
12. 송달받을 자의 주소 등을 통상의 방법으로 확인할 수 없을 때에는 공시송달절차에 의해 송달할 수 있다. 2020 국회직 8급 (○ | ×)

④ 관련기출
13. 행정청은 국내에 주소·거소·영업소 또는 사무소가 없는 외국사업자에 대하여 우편송달의 방법으로 문서를 송달할 수 있다. 2018 경행경채 (○ | ×)

정답
1. ○ 2. ○ 3. × 4. × 5. ○ 6. ○ 7. ○ 8. × 9. ○ 10. ○
11. × 12. ○ 13. ○

21

행정행위의 효력발생요건에 관한 설명으로 옳지 않은 것만을 <보기>에서 모두 고른 것은? (다툼이 있는 경우 판례에 의함)

― 보기 ―
㉮ 송달은 다른 법령 등에 특별한 규정이 있는 경우를 제외하고는 해당 문서가 송달받을 자에게 도달됨으로써 그 효력이 발생한다.
㉯ 정보통신망 등 전자적 방식에 의한 송달의 경우에는 송달하는 자가 지정한 컴퓨터에 입력된 때에 도달된 것으로 본다.
㉰ 납세자가 과세처분의 내용을 미리 알고 있는 경우라면 납세고지서의 송달은 불필요하다.
㉱ 상대방이 부당하게 등기취급 우편물의 수취를 거부함으로써 우편물의 내용을 알 수 있는 객관적 상태의 형성을 방해한 경우, 우편물을 발송한 행정청의 의사표시의 효력발생시기는 수취거부시이다.

① ㉮, ㉯
② ㉮, ㉱
③ ㉯, ㉰
④ ㉰, ㉱

기출체크

㉮ 관련기출
1. 송달은 다른 법령 등에 특별한 규정이 있는 경우를 제외하고는 해당 문서를 발신한 때 그 효력이 발생한다. 2023 행정사 (○ | ×)
2. 송달은 다른 법령 등에 특별한 규정이 있는 경우를 제외하고는 해당 문서가 송달받을 자에게 도달됨으로써 그 효력이 발생한다. 2015 서울시 7급 (○ | ×)
3. 행정처분의 송달은 「민법」상 도달주의가 아니라 「행정절차법」 제15조에 의한 발신주의를 취한다. 2012 지방직 9급 (○ | ×)

④ 관련기출

4. 정보통신망을 이용하여 전자문서로 송달하는 경우에는 송달받을 자가 지정한 컴퓨터 등에 입력된 때에 도달된 것으로 본다. 2023 국가직 9급 (○ | ×)

5. 정보통신망을 이용한 송달의 경우 전자문서가 송달받을 자가 지정한 컴퓨터 등에 입력된 때에 도달된 것으로 본다. 2020 국회직 8급 (○ | ×)

6. 정보통신망을 이용하여 전자문서로 송달하는 경우에는 송달받은 자가 지정한 컴퓨터에서 확인한 때에 도달된 것으로 본다. 2008 국가직 9급 (○ | ×)

㉰ 관련기출

7. 납세고지서의 교부송달 및 우편송달에 있어서는 반드시 납세의무자 또는 그와 일정한 관계가 있는 사람의 현실적인 수령행위를 전제로 하는 것이고 납세자가 과세처분의 내용을 이미 알고 있는 경우에도 납세고지서의 송달이 필요하다. 2026 경찰간부 (○ | ×)

8. 납세자가 과세처분의 내용을 미리 알고 있는 경우 납세고지서의 송달은 불필요하다. 2017 교육행정직 9급 (○ | ×)

9. 납세자가 과세처분의 내용을 이미 알고 있는 경우에도 납세고지서의 송달이 필요하다. 2014 지방직 7급 (○ | ×)

㉱ 관련기출

10. 부당한 수취거부가 없었더라면 상대방이 우편물의 내용을 알 수 있는 객관적 상태에 놓일 수 있었던 때, 즉 수취거부시에 의사표시의 효력이 생긴 것으로 보아야 한다. 2025 해경승진 (○ | ×)

11. 상대방이 부당하게 등기취급 우편물의 수취를 거부함으로써 우편물의 내용을 알 수 있는 객관적 상태의 형성을 방해한 경우에는 그 수취거부시에 행정청의 의사표시의 효력이 생긴 것으로 보아야 한다. 2025 국회직 8급 (○ | ×)

정답
1. × 2. ○ 3. × 4. ○ 5. ○ 6. × 7. ○ 8. × 9. ○ 10. ○
11. ○

22 □□□

행정법령의 적용문제에 관한 설명으로 옳지 않은 것만을 <보기>에서 모두 고른 것은? (다툼이 있는 경우 판례에 의함)

── 보기 ──

㉮ 새로운 법령 등은 법령 등에 특별한 규정이 있는 경우를 제외하고는 그 법령 등의 효력발생 전에 완성되거나 종결된 사실관계 또는 법률관계에 대해서는 적용되지 아니한다.

㉯ 당사자의 신청에 따른 처분은 법령 등에 특별한 규정이 있거나 신청 당시의 법령 등을 적용하기 곤란한 특별한 사정이 있는 경우를 제외하고는 신청 당시의 법령 등에 따른다.

㉰ 법령 등을 위반한 행위의 성립과 이에 대한 제재처분은 처분 당시의 법령 등을 적용하기 곤란한 특별한 사정이 있는 경우를 제외하고는 처분 당시의 법령 등에 따른다.

㉱ 법령 등을 위반한 행위 후 법령 등의 변경에 의하여 제재처분기준이 가벼워진 경우에는 해당 법령 등에 특별한 규정이 없는 한, 행위 당시의 법령이 아니라 변경된 법령을 적용한다.

㉲ 장해급여청구권을 취득한 근로자의 장해등급을 결정함에 있어서 행정청은 원칙적으로 지급사유 발생 당시가 아니라 처분 당시의 법령을 적용하여야 한다.

① ㉮, ㉯, ㉰
② ㉮, ㉯, ㉲
③ ㉯, ㉰, ㉲
④ ㉰, ㉱, ㉲

✓ 기출체크

㉯ 관련기출

1. 당사자의 신청에 따른 처분은 법령 등에 특별한 규정이 있거나 처분 당시의 법령 등을 적용하기 곤란한 특별한 사정이 있는 경우를 제외하고는 처분 당시의 법령 등에 따른다. 2025 군무원 9급 (○ | ×)

2. 당사자의 신청에 따른 처분은 법령 등에 특별한 규정이 있는 경우를 제외하고는 신청 당시의 법령 등에 따른다. 2024 지방직·서울시 7급 (○ | ×)

3. "당사자의 신청에 따른 처분은 법령 등에 특별한 규정이 있거나 (㉠) 당시의 법령 등을 적용하기 곤란한 특별한 사정이 있는 경우를 제외하고는 (㉠) 당시의 법령 등에 따른다."는 「행정기본법」상 법적용의 기준에 관한 내용이다. ㉠에 들어갈 말은 '처분'이다. 2023 행정사 (○ | ×)

㉰ 관련기출

4. 법령 등을 위반한 행위의 성립과 이에 대한 제재처분은 법령 등에 특별한 규정이 있는 경우를 제외하고는 법령 등을 위반한 행위 당시의 법령 등에 따른다. 2024 군무원 7급 (○ | ×)

㈘ 관련기출

5. 법령 등을 위반한 행위 후 법령 등의 변경에 의하여 그 행위가 법령 등을 위반한 행위에 해당하지 아니하거나 제재처분기준이 가벼워진 경우로서 해당 법령 등에 특별한 규정이 없는 경우에는 변경된 법령 등을 적용한다. 2025 해경승진 (○ | ×)

6. 법령 위반행위가 2022년 3월 23일 있은 후 법령이 개정되어 그 위반행위에 대한 제재처분기준이 감경된 경우, 특별한 규정이 없다면 해당 제재처분에 대해서는 개정된 법령을 적용한다. 2022 국가직 7급 (○ | ×)

7. 법령을 위반한 행위 후 법령의 변경에 의하여 그 행위가 법령을 위반한 행위에 해당하지 아니하는 경우에도 해당 법령에 특별한 규정이 없는 경우 변경 이전의 법령을 적용한다. 2021 군무원 7급 (○ | ×)

㈙ 관련기출

8. 「국민연금법」상 장애연금지급을 위한 장애등급결정을 하는 경우에는 원칙상 장애연금지급청구권을 취득할 당시가 아니라 장애연금지급을 결정할 당시의 법령을 적용한다. 2017 국가직(하) 7급 (○ | ×)

9. 장해급여지급을 위한 장해등급결정과 같이 행정청이 확정된 법률관계를 확인하는 처분을 하는 경우에는 처분시 법령을 적용하여야 한다. 2014 지방직 7급 (○ | ×)

정답
1. ○ 2. × 3. ○ 4. ○ 5. ○ 6. ○ 7. × 8. × 9. ×

23 □□□

행정행위의 효력에 관한 설명으로 옳지 않은 것은? (다툼이 있는 경우 판례에 의함)

① 조세 부과처분을 취소하는 행정소송판결이 확정된 경우, 그 조세 부과처분의 효력은 처분시에 소급하여 효력을 잃게 되므로 확정된 행정소송판결은 조세포탈에 대한 무죄 내지 원판결이 인정한 죄보다 경한 죄를 인정할 명백한 증거에 해당한다.

② 조세포탈에 관하여 유죄의 확정판결이 있은 후에 그 조세 부과처분을 취소하는 행정소송판결이 확정된 경우에는 「형사소송법」 제420조 제5호 소정의 재심사유에 해당한다.

③ 통설에 따르면 행정행위의 위법성 여부가 다투어지는 경우, 행정행위의 공정력으로 인해 그 입증책임은 원고에게 있다고 한다.

④ 어떤 법률에 의하여 행정청으로부터 시정명령을 받은 사람이 시정명령을 위반한 경우, 이를 이유로 그 법률에서 정한 처벌을 하기 위하여는 그 시정명령이 적법한 것이어야 한다.

✓ 기출체크

① 관련기출

1. 조세 부과처분을 취소하는 행정판결이 확정된 경우 부과처분의 효력은 처분시에 소급하여 효력을 잃게 되므로 확정된 행정판결은 조세포탈에 대한 무죄를 인정할 명백한 증거에 해당한다. 2024 해경승진 (○ | ×)

③ 관련기출

2. 항고소송에서 행정처분이 적법하다고 주장하는 피고가 그 적법사유에 대한 입증책임을 부담하는 것은, 처분의 공정력을 부정하는 것이 아니며 입증책임과 공정력은 별개의 문제이다. 2025 국가직 7급 (○ | ×)

3. 통설은 공정력의 근거를 적법성의 추정으로 보아 행정행위의 적법성은 피고인 행정청이 아니라 원고 측에 입증책임이 있다고 한다. 2021 군무원 7급 (○ | ×)

4. 공정력은 입증책임의 분배와 직접적인 관련이 있다. 2012 사회복지직 9급 (○ | ×)

④ 관련기출

5. 「개발제한구역의 지정 및 관리에 관한 특별조치법」 제30조 제1항에 의하여 행정청으로부터 시정명령을 받은 자가 이를 위반한 경우, 그 시정명령이 당연무효가 아니더라도 위법한 것으로 인정되는 한 같은 법상 시정명령 위반죄가 성립될 수 없다. 2025 국가직 7급 (○ | ×)

6. 「개발제한구역의 지정 및 관리에 관한 특별조치법」에 의하여 행정청으로부터 시정명령을 받은 자가 이를 위반한 경우, 그로 인하여 같은 법에서 정한 처벌을 하기 위하여는 시정명령이 적법한 것이어야 한다. 2025 소방간부 (○ | ×)

7. 개발행위허가를 받지 않고 무단으로 토지의 형질을 변경하였다는 이유로 관할 행정청으로부터 원상복구조치명령을 받았으나, 위 조치명령에 취소사유에 해당하는 위법이 있는 경우 이를 이행하지 않더라도 처벌할 수는 없다고 할 것이다. 2024 국회직 8급 (○ | ×)

8. 구 「도시계획법」상 원상회복 등의 조치명령을 받고도 이를 따르지 않은 자에 대해 형사처벌을 하기 위해서는 적법한 조치명령이 전제되어야 하며, 이때 형사법원은 그 적법 여부를 심사할 수 있다. 2024 해경승진 (○ | ×)

9. 행정청으로부터 시정명령을 받은 사람이 이를 위반한 경우, 그로 인하여 같은 법에서 정한 처벌을 하기 위해서는 그 시정명령이 적법해야 하는 것이 원칙이나, 시정명령의 하자가 당연무효가 아닌 취소사유에 불과하다면 시정명령 위반죄가 성립될 수 있다. 2023 소방승진 (○ | ×)

정답
1. ○ 2. ○ 3. × 4. × 5. ○ 6. ○ 7. ○ 8. ○ 9. ×

24

공정력에 관한 설명으로 옳지 않은 것만을 <보기>에서 모두 고른 것은? (다툼이 있는 경우 판례에 의함)

─ 보기 ─

㉮ 국세 등의 부과 및 징수처분 등과 같은 행정처분이 당연무효임을 전제로 하여 부당이득반환소송을 제기한 경우, 법원은 행정소송에서 처분의 무효가 확정되기 전에는 이를 전제로 하여 판단할 수 없다.

㉯ 행정청의 위법한 시정명령을 이행하지 아니한 자에 대하여 행정청이 시정명령 위반죄로 형사재판을 청구한 경우, 형사법원은 행정행위에 관해 선결문제로 심사하여 무죄판결을 할 수 있다.

㉰ 「소하천정비법」에 따라 행정청으로부터 시정명령을 받은 사람이 이를 위반한 경우, 그로 인하여 같은 법에서 정한 처벌을 하기 위해서는 그 시정명령이 반드시 적법해야 하는 것은 아니고, 시정명령이 당연무효가 아니라면 그 위반죄가 성립될 수 있다.

㉱ 연령미달의 결격자 甲이 자신의 형의 이름으로 운전면허시험에 응시, 합격하여 교부받은 운전면허로 운전을 하다 적발된 경우 甲의 운전행위는 무면허운전죄에 해당한다.

㉲ 자동차운전면허취소처분을 받은 사람이 자동차를 운전하였으나 운전면허취소처분의 원인이 된 교통사고 또는 법규 위반에 대하여 범죄사실의 증명이 없는 때에 해당한다는 이유로 무죄판결이 확정된 경우, 아직 운전면허취소처분이 취소되지 않았다면 행정행위의 공정력에 의해 취소처분은 유효하므로 「도로교통법」에 규정된 무면허운전의 죄로 처벌할 수 있다.

① ㉮, ㉯, ㉱
② ㉮, ㉰, ㉱
③ ㉯, ㉰, ㉲
④ ㉮, ㉰, ㉱, ㉲

기출체크

㉮ 관련기출

1. 민사소송에 있어서 어느 행정처분의 당연무효 여부가 선결문제로 되는 때에는 이를 판단하여 당연무효임을 전제로 판결할 수 있고 반드시 행정소송 등의 절차에 의하여 그 취소나 무효확인을 받아야 하는 것은 아니다. 2026 경찰간부 (O | X)
2. 민사소송에서 어느 행정처분의 당연무효 여부가 선결문제로 되는 경우 행정소송 등의 절차에 의하여 그 취소나 무효확인을 받아야 한다. 2025 군무원 9급 (O | X)
3. 민사법원은 행정처분의 당연무효 여부가 재판의 선결문제로 되는 때에는 이를 판단하여 당연무효임을 전제로 판결할 수 있다. 2025 해경승진 (O | X)
4. 과·오납세금반환청구소송에서 민사법원은 그 선결문제로서 과세처분의 무효 여부를 판단할 수 있다. 2019 국가직 9급 (O | X)

㉯ 관련기출

5. 행정행위의 위법 여부가 범죄구성요건의 문제로 된 경우에는 형사법원이 행정행위의 위법성을 인정할 수 있다. 2022 군무원 7급 (O | X)

㉰ 관련기출

6. 「소하천정비법」에 따라 행정청으로부터 시정명령을 받은 사람이 이를 위반한 경우, 그로 인하여 같은 법에서 정한 처벌을 하기 위해서는 그 시정명령이 적법해야 하고, 시정명령이 당연무효가 아니더라도 위법하다고 인정되는 한 그 위반죄가 성립될 수 없다. 2022 소방간부 (O | X)

㉱ 관련기출

7. 연령미달의 결격자인 피고인이 소외인의 이름으로 운전면허시험에 응시, 합격하여 교부받은 운전면허는 당연무효이므로, 그 경우 피고인의 운전행위는 무면허운전에 해당한다. 2025 지방직·서울시 9급 (O | X)
8. 연령미달의 결격자인 피고인이 소외인의 이름으로 운전면허시험에 응시·합격하여 운전면허를 취득한 후 차를 운전하였다가 무면허운전죄로 기소되었더라도 무면허운전죄가 성립하지 않는다. 2024 국회직 8급 (O | X)
9. 연령미달의 결격자인 피고인이 형의 이름으로 운전면허시험에 응시하여 교부받은 운전면허는 당연무효가 아니고 취소되지 않는 한 유효하므로 피고인의 운전행위는 무면허운전에 해당하지 아니한다. 2023 소방간부 (O | X)
10. 연령미달 결격자가 다른 사람 이름으로 교부받은 운전면허는 당연무효가 아니고 취소되지 않는 한 유효하므로 그 연령미달 결격자의 운전행위는 무면허운전에 해당하지 아니한다. 2022 국가직 9급 (O | X)

㉲ 관련기출

11. 취소처분의 원인이 된 교통사고나 법규 위반에 관하여 범죄사실이 증명되지 않아 운전면허취소처분을 받은 사람의 무죄판결이 확정되었다 하더라도, 해당 취소처분이 여전히 취소되지 않은 상태에서 계속 운전하였다면 「도로교통법」상 무면허운전죄로 처벌하여야 한다. 2025 국가직 7급 (O | X)
12. 자동차운전면허취소처분을 받은 사람이 자동차를 운전하였으나 운전면허 취소처분의 원인이 된 법규 위반에 대하여 범죄사실의 증명이 없음을 이유로 무죄판결이 확정된 경우에는 그 취소처분이 취소되지 않았더라도 「도로교통법」에 규정된 무면허운전의 죄로 처벌할 수 없다. 2025 소방간부 (O | X)
13. 자동차운전면허취소처분을 받은 사람이 자동차를 운전하였으나 운전면허취소처분의 원인이 된 교통사고 또는 법규 위반에 대하여 범죄사실의 증명이 없는 때에 해당한다는 이유로 무죄판결이 확정되었더라도 그 운전면허취소처분이 취소되지 않고 있다면 「도로교통법」에 규정된 무면허운전의 죄로 처벌할 수 있다. 2022 경찰간부 (O | X)

정답

1. O 2. X 3. O 4. O 5. O 6. O 7. X 8. O 9. O 10. O
11. X 12. O 13. X

25

행정행위의 효력 중 불가쟁력에 관한 설명으로 옳은 것은? (다툼이 있는 경우 판례에 의함)

① 위법한 영업허가취소처분에 대한 제소기간이 경과한 후에는 처분청은 그 취소처분을 다시 직권취소할 수 없다.
② 이미 불가쟁력이 발생한 행정행위로 인하여 손해를 입은 국민은 그 행정행위의 위법성을 들어 국가배상청구를 할 수는 없다.
③ 재결에 대하여 불복절차를 취하지 아니함으로써 그 재결에 대하여 더 이상 다툴 수 없게 된 경우에도, 기업자는 이미 보상금을 지급받은 자에 대하여 민사소송으로 부당이득의 반환을 구할 수 있다.
④ 산업재해요양보상급여취소처분이 쟁송기간의 경과로 더 이상 다툴 수 없게 된 경우라 하더라도 요양급여청구권의 부존재가 확정된 것은 아니므로 다시 요양급여청구를 할 수 있다.

✓ 기출체크

① 관련기출

1. 위법한 행정행위에 대하여 불가쟁력이 발생한 이후에도 당해 행정행위의 위법을 이유로 직권취소할 수 있다. 2016 국가직 9급 (○ | ×)
2. 위법한 처분에 대해 불가쟁력이 발생한 이후에도 불가변력이 발생하지 않은 이상, 당해 처분은 처분의 위법성을 이유로 직권취소될 수 있다. 2014 지방직 9급 (○ | ×)

② 관련기출

3. 불가쟁력이 발생하면 행정행위의 효력과 위법성을 다툴 수 없으므로 불가쟁력이 발생한 행정행위로 손해를 입은 국민은 국가배상을 청구할 수 없다. 2026 경찰간부 (○ | ×)
4. 불가쟁력이 발생한 행정행위로 손해를 입은 국민은 그 위법성을 들어 국가배상청구를 할 수 있다. 2021 지방직·서울시 9급 (○ | ×)
5. 취소사유 있는 영업정지처분에 대한 취소소송의 제소기간이 도과한 경우 처분의 상대방은 국가배상청구소송을 제기하여 재산상 손해의 배상을 구할 수 있다. 2019 서울시 9급 (○ | ×)
6. 불가쟁력이 발생한 행정행위에서 해당 처분이 취소되지 않아도 국가는 손해를 배상할 책임이 있다. 2008 지방직 9급 (○ | ×)

③ 관련기출

7. 구 「토지수용법」 및 관계 법령에 따라 행해진 재결에 대하여 불복절차를 취하지 아니함으로써 그 재결에 대하여 더 이상 다툴 수 없게 된 경우, 기업자(사업시행자)는 그 재결이 당연무효이거나 취소되지 않는 한 이미 보상금을 지급받은 자에 대하여 민사소송으로 그 보상금을 부당이득이라 하여 반환청구할 수 없다. 2014 지방직 7급 (○ | ×)
8. 기업자가 불복절차를 취하지 않아 재결에 대하여 더 이상 다툴 수 없게 된 경우 그 재결이 당연무효이거나 취소되지 않는 한 이미 보상금을 지급받은 자에 대하여 민사소송을 통하여 부당이득반환청구를 할 수 있다. 2012 국가직 7급 (○ | ×)

④ 관련기출

9. 행정처분이 불복기간의 경과로 인하여 확정될 경우 그 처분의 기초가 된 사실관계나 법률적 판단이 확정되고 당사자들이나 법원이 이에 기속되어 모순되는 주장이나 판단을 할 수 없게 된다. 2024 국가직 7급 (○ | ×)
10. 행정처분이나 행정심판재결이 불복기간의 경과로 확정될 경우 그 확정력은 처분으로 법률상 이익을 침해받은 자가 당해 처분이나 재결의 효력을 더 이상 다툴 수 없다는 의미일 뿐 판결과 같은 기판력이 인정되는 것은 아니다. 2024 국가직 9급 (○ | ×)
11. 행정처분이 불복기간의 경과로 인하여 불가쟁력이 발생하면 그 처분의 기초가 된 사실관계나 법률적 판단이 확정되는 것이므로 당사자는 이와 모순되는 주장을 할 수 없다. 2024 소방간부 (○ | ×)
12. 행정처분이나 행정심판재결이 불복기간의 경과로 확정될 경우 그 처분의 기초가 된 사실관계나 법률적 판단이 확정되고 당사자들이나 법원은 이에 기속되어 모순되는 주장이나 판단을 할 수 없다. 2023 서울시 지적 7급 (○ | ×)
13. 산업재해요양보상급여취소처분이 불복기간의 경과로 인해 확정되면 요양급여청구권 없음이 확정되므로 다시 요양급여를 청구할 수 없다. 2017 국가직(하) 7급 (○ | ×)

정답

1. ○ 2. ○ 3. × 4. ○ 5. ○ 6. ○ 7. ○ 8. × 9. × 10. ○
11. × 12. × 13. ×

제 6 회 | 소방 단원별 모의고사

제한시간 /25분
나의 점수 /100점

출제 범위: 제15강 행정행위의 요건과 효력~제17강 행정행위의 폐지(취소·철회) 및 실효

정답과 해설 p.64
옳은 지문 워크북 p.226

01 □□□

행정행위의 효력에 관한 설명으로 옳지 <u>않은</u> 것은? (다툼이 있는 경우 판례에 의함)

① 행정심판재결이 불복기간의 경과로 확정될 경우 그 확정력은 그 처분으로 법률상 이익을 침해받은 자가 재결의 효력을 더 이상 다툴 수 없다는 의미일 뿐 판결에 있어서와 같은 기판력이 인정되는 것은 아니다.

② 제소기간이 지나 처분에 불가쟁력이 발생하였더라도 실권의 법리에 해당하지 않는다면 행정청은 직권으로 처분을 취소할 수 있다.

③ 불가변력이라 함은 행정행위를 한 행정청이 당해 행정행위를 직권으로 취소 또는 변경할 수 없게 하는 힘으로 형식적 확정력 또는 형식적 존속력이라고도 한다.

④ 불가쟁력은 상대방 및 이해관계인이 대상이고 불가변력은 처분청 등 행정기관이 대상이라는 점, 불가쟁력은 절차법적 효력이고 불가변력은 실체법적 효력이라는 점에서 양자는 구별된다고 할 수 있다.

✓ 기출체크

① **관련기출**

1. 행정처분이 불복기간의 경과로 인하여 확정될 경우 그 확정력은, 처분으로 인하여 법률상 이익을 침해받은 자가 해당 처분이나 재결의 효력을 더 이상 다툴 수 없다는 의미일 뿐, 판결에 있어서와 같은 기판력이 인정되는 것은 아니어서 처분의 기초가 된 사실관계나 법률적 판단이 확정되고 당사자들이나 법원이 이에 기속되어 모순되는 주장이나 판단을 할 수 없게 되는 것은 아니다. 2025 지방직·서울시 7급 (○ | ×)

2. 행정처분이나 행정심판재결이 불복기간의 경과로 확정될 경우 그 확정력은 처분으로 법률상 이익을 침해받은 자가 당해 처분이나 재결의 효력을 더 이상 다툴 수 없다는 의미일 뿐 판결과 같은 기판력이 인정되는 것은 아니다. 2024 국가직 9급 (○ | ×)

② **관련기출**

3. 제소기간의 경과 등으로 처분에 불가쟁력이 발생하였다 하여도 행정청은 실권의 법리에 해당하지 않는다면 직권으로 처분을 취소할 수 있다. 2024 국가직 9급 (○ | ×)

4. 위법한 행정행위에 대하여 불가쟁력이 발생한 이후에도 당해 행정행위의 위법을 이유로 직권취소할 수 있다. 2016 국가직 9급 (○ | ×)

5. 위법한 처분에 대해 불가쟁력이 발생한 이후에도 불가변력이 발생하지 않은 이상, 당해 처분은 처분의 위법성을 이유로 직권취소될 수 있다. 2014 지방직 9급 (○ | ×)

③ **관련기출**

6. 불가변력이라 함은 행정행위를 한 행정청이 당해 행정행위를 직권으로 취소 또는 변경할 수 없게 하는 힘으로 실질적 확정력 또는 실체적 존속력이라고도 한다. 2022 군무원 9급 (○ | ×)

④ **관련기출**

7. 불가쟁력은 행정행위의 상대방이나 이해관계인에 대하여 발생하는 효력이다. 2026 경찰간부 (○ | ×)

8. 불가쟁력은 행정행위의 상대방이나 이해관계인을 구속하는 효력이고 불가변력은 행정청을 구속하는 효력이다. 2023 행정사 (○ | ×)

9. 불가변력은 처분청에 미치는 효력이고, 불가쟁력은 상대방 및 이해관계인에게 미치는 효력이다. 2021 소방직 9급 (○ | ×)

10. 불가변력이 있는 행위가 당연히 불가쟁력을 발생시키는 것은 아니다. 2021 소방직 9급 (○ | ×)

11. 불가쟁력은 실체법적 효력만 있고, 절차법적 효력은 전혀 가지고 있지 않다. 2021 소방직 9급 (○ | ×)

정답
1.○ 2.○ 3.○ 4.○ 5.○ 6.○ 7.○ 8.× 9.○ 10.○ 11.×

02 ☐☐☐

행정행위의 효력 중 불가변력과 불가쟁력에 관한 설명으로 옳지 않은 것만을 <보기>에서 모두 고른 것은? (다툼이 있는 경우 판례에 의함)

—┤ 보기 ├—

㉮ 행정처분이 불복기간의 경과로 인하여 불가쟁력이 발생하면 그 처분의 기초가 된 사실관계나 법률적 판단이 확정되는 것이므로 당사자는 이와 모순되는 주장을 할 수 없게 된다.

㉯ 불가변력은 당해 행정행위에 대하여서만 인정되는 것이고, 동종의 행정행위라 하더라도 그 대상을 달리할 때에는 인정되지 않는다.

㉰ 서울특별시행정심판위원회는 비록 그 재결이 위법하다고 인정되더라도 스스로 이를 취소할 수 없다는 효력은 형식적 존속력이라고도 한다.

㉱ 불가쟁력은 무효인 행정행위에는 발생하지 않는다.

① ㉮, ㉯
② ㉮, ㉰
③ ㉯, ㉱
④ ㉰, ㉱

✓ 기출체크

㉮ 관련기출

1. 행정처분이 불복기간의 경과로 인하여 확정될 경우 그 확정력은, 처분으로 인하여 법률상 이익을 침해받은 자가 해당 처분이나 재결의 효력을 더 이상 다툴 수 없다는 의미일 뿐, 판결에 있어서와 같은 기판력이 인정되는 것은 아니어서 처분의 기초가 된 사실관계나 법률적 판단이 확정되고 당사자들이나 법원이 이에 기속되어 모순되는 주장이나 판단을 할 수 없게 되는 것은 아니다. 2025 지방직·서울시 7급 (O | X)

2. 행정처분이 불복기간의 경과로 인하여 확정될 경우 그 처분의 기초가 된 사실관계나 법률적 판단이 확정되고 당사자들이나 법원이 이에 기속되어 모순되는 주장이나 판단을 할 수 없게 된다. 2024 국가직 7급 (O | X)

3. 행정처분이 불복기간의 경과로 인하여 불가쟁력이 발생하면 그 처분의 기초가 된 사실관계나 법률적 판단이 확정되는 것이므로 당사자는 이와 모순되는 주장을 할 수 없다. 2024 소방간부 (O | X)

4. 행정처분이나 행정심판재결이 불복기간의 경과로 확정될 경우 그 처분의 기초가 된 사실관계나 법률적 판단이 확정되고 당사자들이나 법원은 이에 기속되어 모순되는 주장이나 판단을 할 수 없다. 2023 서울시 지적 7급 (O | X)

5. 재결이 확정된 경우에는 처분의 기초가 된 사실관계나 법률적 판단이 확정되고 당사자들이나 법원이 이에 기속되어 모순되는 주장이나 판단을 할 수 없게 된다. 2023 군무원 9급 (O | X)

㉯ 관련기출

6. 행정행위의 불가변력은 당해 행정행위에 대하여서만 인정되는 것이고, 동종의 행정행위라 하더라도 그 대상을 달리할 때에는 이를 인정할 수 없다. 2026 경찰간부 (O | X)

7. 행정행위의 불가변력은 당해 행정행위에 대하여 인정될 뿐만 아니라, 동종의 행정행위라면 그 대상을 달리하더라도 이를 인정할 수 있다. 2023 경찰간부 (O | X)

8. 행정행위의 불가변력은 당해 행정행위에 대해서는 물론 그 대상을 달리하는 동종의 행정행위에 대해서도 이를 인정할 수 있다. 2023 해경간부 (O | X)

9. 행정행위의 불가변력은 당해 행정행위에 대해서만 인정되는 것이 아니고, 동종의 행정행위라면 그 대상을 달리하더라도 인정된다. 2021 지방직·서울시 9급 (O | X)

㉰ 관련기출

10. 불가변력은 모든 행정행위에 공통되는 것이 아니라 행정심판의 재결 등과 같이 예외적이고 특별한 경우에 처분청 등 행정청에 대한 구속으로 인정되는 실체법적 효력을 의미한다. 2017 국가직(하) 7급 (O | X)

11. 의무이행심판에 관한 재결이 있게 되면 재결기관은 그것이 위법·부당하다고 생각되는 경우에도 스스로 이를 취소 또는 변경할 수 없다. 2008 국회직 8급 (O | X)

12. 판례는 준사법적 절차를 거쳐 행해지는 행정심판재결에 대해서는 불가변력을 인정하지 않는다. 2008 관세사 (O | X)

㉱ 관련기출

13. 당연무효인 처분은 불가쟁력이 발생할 여지가 없다. 2023 소방승진 (O | X)

14. 무효인 행정행위는 쟁송제기기간의 제한을 받지 않으므로 불가쟁력이 발생하지 않는다. 2015 사회복지직 9급 (O | X)

정답
1. O 2. X 3. X 4. X 5. X 6. O 7. X 8. X 9. X 10. O
11. O 12. X 13. O 14. O

03

사례에 관한 설명으로 옳지 않은 것은? (다툼이 있는 경우 판례에 의함)

> 국세를 체납한 甲에 대하여 관할 세무서장은 甲 소유의 가옥에 대한 공매절차를 진행하였고, 그에 따라 낙찰자 乙에게 소유권이전등기가 경료되었다. 그런데 甲은 그로부터 1년이 지난 후에야 위 공매처분에 하자가 있음을 발견하였고 이를 쟁송으로 다투고자 한다.

① 공매처분이 무효인 경우라면 甲이 乙을 상대로 소유권이전등기 말소등기절차의 이행을 청구하는 경우, 민사법원은 원고승소판결을 내릴 수 있다.

② 공매처분의 하자가 취소사유라면 甲이 乙을 상대로 소유권이전등기의 말소등기절차 이행을 청구하는 경우, 민사법원은 甲의 등기말소청구를 인용할 수 없다.

③ 甲이 공매처분의 위법을 이유로 곧바로 국가배상청구소송을 제기하는 경우, 처분의 불가쟁력 발생 여부와 관계없이 민사법원은 甲의 청구를 인용할 수 있다.

④ 부당이득반환청구소송이 직접적인 구제수단이므로 甲이 공매처분이 무효임을 이유로 하여 부당이득반환청구소송을 제기하지 않고 곧바로 항고소송인 무효확인소송을 제기하는 경우, 확인의 이익이 없어 부적법하다.

✔기출체크

① 관련기출

1. 다음 글에 대한 설명으로 옳지 않은 것은? (다툼이 있는 경우 판례에 의함) 2011 지방직(상) 9급

   > 甲이 국세를 체납하자 관할 세무서장은 甲 소유 가옥에 대한 공매절차를 진행하여 낙찰자 乙에게 소유권이전등기가 경료되었다. 그런데 甲은 그로부터 1년이 지난 후에야 위 공매처분에 하자 있음을 발견하였다.
   >
   > (가) 甲이 공매처분의 하자를 이유로 乙을 상대로 하여 소유권이전등기의 말소등기절차의 이행을 구하는 민사소송을 제기하였다.
   > (나) 甲이 가옥의 소유권을 상실하는 손해를 입었음을 이유로 바로 국가를 상대로 민사법원에 손해배상청구소송을 제기하였다.

   ① (가)의 경우 공매처분의 하자가 무효사유라면 민사법원은 공매처분의 효력 유무에 대해서 판단이 가능하며, 甲의 등기말소청구는 인용될 수 있다.
   ② (가)의 경우 공매처분의 하자가 취소사유라면 민사법원은 공매처분의 효력을 부인할 수 없으므로 甲의 등기말소청구는 기각될 것이다.
   ③ (나)의 경우 甲의 소송제기는 관할 위반의 위법이 없고, 민사법원은 공매처분의 하자에 대해 그 위법성을 심사하여 甲의 손해배상청구를 인용할 수 있다.
   ④ (나)의 경우 공매처분에 대한 취소소송의 제기기간인 1년이 지난 후에 제기한 손해배상청구소송이므로 민사법원은 甲의 청구를 각하해야 할 것이다.

② 관련기출

2. 조세과오납에 따른 부당이득반환청구사안에서 민사법원은 사전통지 및 의견제출절차를 거치지 않은 하자를 이유로 행정행위의 효력을 부인할 수 있다. 2020 국회직 8급 (O | X)

3. 과세처분에 취소할 수 있는 위법사유가 있다 하더라도 그 과세처분은 그것이 적법하게 취소되기 전까지는 유효하다 할 것이므로, 민사소송절차에서 그 과세처분의 효력을 부인할 수 없다. 2018 국회직 8급 (O | X)

4. 판례에 의할 때, 무효가 아닌 위법한 조세 부과처분에 의하여 국세를 이미 납부한 개인이 제기한 부당이득반환청구 사건에서 법원은 청구를 인용하여야 한다. 2012 경행특채 (O | X)

5. 국세 등의 부과 및 징수처분에 대한 부당이득반환청구 사건에서 행정처분의 하자가 단순한 취소사유에 그칠 때에는 법원은 그 행정처분의 효력을 부인할 수 없다. 2010 국가직 7급 (O | X)

③ 관련기출

6. 불가쟁력이 발생하면 행정행위의 효력과 위법성을 다툴 수 없으므로 불가쟁력이 발생한 행정행위로 손해를 입은 국민은 국가배상을 청구할 수 없다. 2026 경찰간부 (O | X)

7. 불가쟁력이 발생한 행정행위로 손해를 입은 국민은 국가배상청구를 할 수 있다. 2021 지방직·서울시 9급 (O | X)

8. 불가쟁력이 생긴 경우에도 국가배상청구를 할 수 있다. 2021 소방직 9급 (O | X)

9. 민사법원은 국가배상청구소송에서 선결문제로 행정처분의 위법 여부를 판단할 수 없다. 2014 지방직 9급 (O | X)

10. 불가쟁력이 발생한 행정행위에서 해당 처분이 취소되지 않아도 국가는 손해를 배상할 책임이 있다. 2008 지방직 9급 (O | X)

④ 관련기출

11. 항고소송의 일종인 무효확인소송에서는 행정처분의 근거 법률에 의해 보호되는 직접적이고 구체적인 이익이 있는 경우에 '무효확인을 구할 법률상 이익'이 있고, 별도로 무효확인소송의 보충성이 요구되지 않는다. 2025 지방직·서울시 9급 (O | X)

12. 행정처분의 근거법률에 의하여 보호되는 직접적이고 구체적인 이익이 있는 경우에는 「행정소송법」 제35조에 규정된 '무효확인을 구할 법률상 이익'이 인정되는 것과는 별개로 무효확인소송의 보충성이 요구되므로 행정처분의 무효를 전제로 한 이행소송 등과 같은 직접적인 구제수단이 있는지 여부를 따져 보아야 한다. 2025 국회직 8급 (O | X)

13. 무효확인소송은 즉시확정의 이익이 있는 경우에만 보충적으로 허용된다는 것이 판례의 입장이다. 2015 교육행정직 9급 (O | X)

정답

1. ④ 2. × 3. ○ 4. × 5. ○ 6. × 7. ○ 8. ○ 9. × 10. ○ 11. ○ 12. × 13. ×

04 ☐☐☐

행정행위의 공정력과 선결문제에 관한 설명으로 옳지 않은 것만을 <보기>에서 모두 고른 것은? (다툼이 있는 경우 판례에 의함)

―― 보기 ――

㉮ 행정행위의 공정력이란 행정처분이 위법하더라도 그 하자가 중대하고 명백하여 당연무효라고 보아야 할 사유가 있는 경우가 아니라면, 권한 있는 기관에 의하여 취소될 때까지는 그 하자를 이유로 다른 누구도 그 효과를 부정할 수 없는 힘을 말한다.

㉯ 과세처분에 하자가 있는 경우 그 하자가 취소사유에 불과한 때에는 처분이 당연무효이거나 행정소송을 통해 먼저 취소되기 전에는 그로 인한 이득을 법률상 원인 없는 이득이라고 말할 수 없다.

㉰ 사위(詐僞) 기타 부정한 방법으로 수입면허를 받고 물품을 통관하였다면, 당해 수입면허가 당연무효가 아니라고 하더라도 「관세법」 소정의 무면허수입죄가 성립된다.

㉱ 행정처분이 위법임을 이유로 손해배상청구를 하기 위해서는 행정처분의 취소판결 등으로 처분의 효력이 상실되어야만 한다.

① ㉮, ㉯
② ㉮, ㉱
③ ㉯, ㉰
④ ㉰, ㉱

✓ 기출체크

㉮ 관련기출

1. 행정행위의 공정력은 행정행위가 위법하더라도 취소되지 않는 한 적법한 것으로 통용되는 효력을 의미한다. 2025 경찰간부 (O | X)
2. 공정력이란 행정행위의 위법이 중대·명백하여 당연무효가 아닌 한 권한 있는 기관에 의해 취소되기까지는 행정의 상대방이나 이해관계자에게 적법하게 통용되는 힘을 말한다. 2022 해경간부 (O | X)
3. 「행정기본법」상) 처분은 무효가 아닌 한 권한이 있는 기관이 취소 또는 철회하거나 기간의 경과 등으로 소멸되기 전까지는 유효한 것으로 통용된다. 2022 국가직 7급 (O | X)
4. 행정행위의 공정력이란 행정행위가 위법하더라도 취소되지 않는 한 유효한 것으로 통용되는 효력을 의미하는 것이다. 2022 군무원 7급 (O | X)
5. 행정행위는 비록 흠이 있더라도 중대하고 명백하여 당연무효가 아닌 한 권한 있는 기관에 의해 취소될 때까지 잠정적으로 유효하게 통용되는 힘을 가진다. 2009 국가직 9급 (O | X)

㉯ 관련기출

6. 과세처분의 하자가 단지 취소할 수 있는 정도에 불과할 때에는 과세관청이 이를 스스로 취소하거나 항고소송절차에 의하여 취소되지 않는 한 그로 인한 조세의 납부가 부당이득이 되지 않는다. 2024 국회직 8급 (O | X)
7. 과세처분의 하자가 단지 취소할 수 있는 정도에 불과할 때에는 과세관청이 이를 스스로 취소하거나 항고쟁송절차에 의하여 취소되지 않는 한, 그로 인한 조세의 납부가 부당이득이 된다고 할 수 없다. 2023 지방직·서울시 7급 (O | X)
8. 과세처분에 하자가 있는 경우 하자의 정도와 상관없이 조세를 이미 납부한 자는 부당이득반환청구소송을 제기할 수 있으며 민사법원은 이를 판단할 수 있다. 2023 소방간부 (O | X)
9. 국민이 조세 부과처분의 위법을 이유로 이미 납부한 세금의 반환을 청구하는 민사소송을 제기한 경우, 과세처분의 하자가 단지 취소할 수 있는 정도에 불과하더라도, 당해 민사법원은 위법한 과세처분의 효력을 직접 상실시켜 납부된 세금의 반환을 명할 수 있다. 2019 경행경채 2차 (O | X)

㉰ 관련기출

10. 물품을 수입하고자 하는 자가 세관장에게 수입신고를 하여 그 면허를 받고 물품을 통관한 경우에는, 세관장의 수입면허가 중대하고도 명백한 하자가 있는 행정행위이어서 당연무효가 아닌 한 「관세법」 소정의 무면허수입죄가 성립될 수 없다. 2022 지방직·서울시 9급 (O | X)
11. 하자 있는 수입승인에 기초하여 수입면허를 받고 물품을 통관한 경우, 당해 수입면허가 당연무효가 아닌 이상 무면허수입죄가 성립되지 않는다. 2016 지방직 7급 (O | X)
12. 세관장의 수입면허에 중대하고 명백한 하자가 있는 경우가 아닌 한, 무면허수입죄는 성립되지 않는다. 2010 국가직 7급 (O | X)
13. 부정한 방법으로 받은 수입승인서를 함께 제출하여 수입면허를 받았다고 하더라도, 그 수입면허가 당연무효인 것으로 인정되지 않는 한 「관세법」 소정의 무면허수입죄가 성립될 수 없는 것이다. 2008 국가직 9급 (O | X)

㉱ 관련기출

14. 위법한 행정대집행이 완료되면 그 처분의 무효확인 또는 취소를 구할 소의 이익이 없기 때문에, 미리 그 행정처분의 취소판결이 있어야만 그 행정처분의 위법을 이유로 한 손해배상청구를 할 수 있다. 2025 군무원 9급 (O | X)
15. 영업허가의 취소에 의해 손해를 입은 자가 국가배상을 청구한 경우, 민사법원은 미리 항고소송을 통해 해당 처분의 취소판결이 있어야만 그 행정처분이 위법임을 이유로 한 손해배상청구의 인용 여부를 판단할 수 있는 것은 아니다. 2025 경찰간부 (O | X)
16. 미리 행정처분에 대한 취소판결이 있어야만 그 행정처분이 위법임을 이유로 한 국가배상청구를 할 수 있는 것은 아니다. 2024 국회직 8급 (O | X)
17. 계고처분이 위법한 경우 행정대집행이 완료되면 그 처분의 취소를 구할 소의 이익은 없다 하더라도, 미리 행정처분의 취소판결이 있어야만 그 행정처분의 위법임을 이유로 한 손해배상청구를 할 수 있는 것은 아니다. 2023 지방직·서울시 7급 (O | X)
18. 甲이 영업정지처분이 위법하다고 주장하면서 국가를 상대로 손해배상구소송을 제기한 경우, 법원은 취소사유에 해당하는 것을 인정하더라도 그 처분의 취소판결이 없는 한 손해배상청구를 인용할 수 없다. 2022 군무원 7급 (O | X)

정답
1. × 2. × 3. ○ 4. ○ 5. ○ 6. ○ 7. ○ 8. × 9. × 10. ○ 11. ○ 12. ○ 13. ○ 14. × 15. ○ 16. ○ 17. ○ 18. ×

05

행정행위의 효력에 관한 설명으로 옳지 않은 것은? (다툼이 있는 경우 판례에 의함)

① 민사소송에 있어서 행정처분의 당연무효 여부가 선결문제로 되는 때에는 이를 판단하여 당연무효임을 전제로 판결할 수 있으며, 반드시 행정소송 등의 절차에 의하여 그 취소나 무효확인을 받지 않아도 된다.

② 요양급여비용청구권과 의사소견서 발급비용청구권은 국민건강보험공단의 지급결정에 의하여 구체적인 권리가 발생하므로 요양급여비용 지급결정이 취소되지 않았다면 공단의 요양기관에 대한 요양급여비용 상당 부당이득반환청구권이 성립하지 않는다.

③ 제소기간이 이미 도과하여 불가쟁력이 생긴 행정처분에 대하여는 개별법규에서 그 변경을 요구할 신청권을 규정하고 있거나 관계 법령의 해석상 그러한 신청권이 인정될 수 있는 등 특별한 사정이 없는 이상, 국민에게 그 행정처분의 변경을 구할 신청권이 없다.

④ 행정행위의 집행력은 상대방에게 의무를 부과하는 경우에 인정되는데, 이에 대하여 별도의 법적 근거를 요하지는 않는다.

✓ 기출체크

① 관련기출

1. 민사소송에 있어서 어느 행정처분의 당연무효 여부가 선결문제로 되는 때에는 이를 판단하여 당연무효임을 전제로 판결할 수 있고 반드시 행정소송 등의 절차에 의하여 그 취소나 무효확인을 받아야 하는 것은 아니다. 2026 경찰간부 (O | X)

2. 민사소송에 있어서 어느 행정처분의 당연무효 여부가 선결문제로 되는 때에는 이를 반드시 행정소송 등의 절차에 의하여 그 취소나 무효확인을 받아야 한다. 2025 군무원 9급 (O | X)

3. 민사법원은 행정처분의 당연무효 여부가 재판의 선결문제로 되는 때에는 이를 판단하여 당연무효임을 전제로 판결할 수 있다. 2025 해경승진 (O | X)

③ 관련기출

4. 제소기간이 이미 도과하여 불가쟁력이 생긴 행정처분에 대하여는 개별법규에서 그 변경을 요구할 신청권을 규정하고 있거나 관계 법령의 해석상 그러한 신청권이 인정될 수 있는 등 특별한 사정이 없는 한 국민에게 그 행정처분의 변경을 구할 신청권이 있다 할 수 없다. 2022 군무원 9급 (O | X)

5. 영업허가를 취소하는 처분에 대해 불가쟁력이 발생하였더라도 이후 사정변경을 이유로 그 허가취소의 변경을 요구하였으나 행정청이 이를 거부한 경우라면, 그 거부는 원칙적으로 항고소송의 대상이 되는 처분이다. 2019 지방직 7급 (O | X)

6. 제소기간이 이미 도과하여 불가쟁력이 생긴 행정처분에 대하여는, 관계 법령의 해석상 그 변경을 요구할 신청권이 인정될 수 있는 경우라 하더라도 국민에게 그 행정처분의 변경을 구할 신청권이 없다. 2017 국가직 7급 (O | X)

④ 관련기출

7. 부작위하명에는 행정행위의 강제력의 효력이 있으므로 당해 하명에 따른 부작위의무의 불이행에 대하여는 별도의 법적 근거 없이 대집행이 가능하다. 2017 국가직 9급 (O | X)

8. 판례에 따르면 행정행위의 집행력은 행정행위의 성질상 당연히 내재하는 효력으로서 별도의 법적 근거를 요하지 않는다. 2015 서울시 9급 (O | X)

9. 상대방에게 일정한 의무를 부과하는 하명은 집행력을 가진다. 2015 교육행정직 9급 (O | X)

10. 행정법상의 의무를 명할 수 있는 명령권의 근거가 되는 법은 동시에 행정강제의 근거가 될 수 있다. 2009 지방직 9급 (O | X)

11. 의무를 부과하는 하명의 법적 근거만으로 행정청에게 자력집행력이 인정된다. 2006 관세사 (O | X)

> **정답**
> 1. O 2. × 3. O 4. O 5. × 6. × 7. × 8. × 9. O 10. ×
> 11. ×

06

판례상 취소사유가 있는 처분에 해당하지 않는 것은?

① 행정청이 사전환경성검토협의를 거쳐야 할 대상사업에 관하여 법의 해석을 잘못한 나머지 세부용도지역이 지정되지 않은 개발사업부지에 대하여 사전환경성검토협의를 할지 여부를 결정하는 절차를 생략한 채 행한 승인 등의 처분

② 구 「학교보건법」상 학교환경위생정화구역의 금지행위 및 시설의 해제 여부에 관한 행정처분을 함에 있어 학교환경위생정화위원회의 심의를 누락한 행정처분

③ 「국방·군사시설 사업에 관한 법률」 및 구 「산림법」에서 보전임지를 다른 용도로 이용하기 위한 사업에 대하여 승인 등 처분을 하기 전에 미리 산림청장과 협의를 하라고 규정한 경우 이러한 협의를 거치지 아니한 승인처분

④ 국토의 계획 및 이용에 관한 법령이 정한 도시계획시설사업의 대상토지의 소유와 동의요건을 갖추지 못하였음에도 행한 도시계획시설사업의 사업시행자 지정처분

✓ 기출체크

① 관련기출

1. 행정청이 사전환경성검토협의를 거쳐야 할 대상사업에 관하여 법의 해석을 잘못한 나머지 세부용도지역이 지정되지 않은 개발사업부지에 대하여 사전환경성검토협의를 할지 여부를 결정하는 절차를 생략한 채 승인 등의 처분을 하였다면, 그 행정처분은 당연무효이다. 2022 소방직 9급 (O | X)

② 관련기출

2. 행정청이 구 「학교보건법」상 학교환경위생정화구역 내에서 금지행위 및 시설의 해제 여부에 관한 행정처분을 하면서 학교환경위생정화위원회의 심의를 누락한 흠이 있다면, 특별한 사정이 없는 한 이는 행정처분을 위법하게 하는 취소사유가 된다. 2025 소방직 9급 (O | X)

3. 구 「학교보건법」상 학교환경위생정화구역에서의 금지행위 및 시설의 해제 여부에 관한 행정처분을 함에 있어 학교환경위생정화위원회 심의절차를 누락하였다면, 특별한 사정이 없는 한 이는 행정처분을 위법하게 하는 취소사유가 된다. 2024 지방직·서울시 9급 (O | X)
4. 구 「학교보건법」상 학교환경위생정화구역에서의 금지행위 및 시설의 해제 여부에 관한 행정처분을 함에 있어 학교환경위생정화위원회의 심의절차를 누락한 것은 취소사유가 된다. 2023 소방간부 (O | X)
5. 학교환경위생정화위원회의 심의절차를 누락한 채 학교환경위생정화구역에서의 금지행위 및 시설해제 여부에 관한 행정처분을 한 경우(는 무효사유에 해당한다) 2022 소방직 9급 (O | X)
6. 구 「학교보건법」상 학교환경위생정화구역에서의 금지행위 및 시설의 해제 여부에 관한 행정처분을 함에 있어 학교환경위생정화위원회의 심의절차를 누락한 행정처분은 무효이다. 2017 지방직(하) 9급 (O | X)

③ 관련기출
7. 「국방·군사시설 사업에 관한 법률」 및 구 「산림법」에서 보전임지를 다른 용도로 이용하기 위한 사업에 대하여 승인 등 처분을 하기 전에 미리 산림청장과 협의를 하라고 규정한 의미는 그 의견에 따라 처분을 하라는 것이므로, 이러한 협의를 거치지 아니하고서 행해진 승인처분은 당연무효이다. 2015 지방직 7급 (O | X)

④ 관련기출
8. 선행처분인 도시계획시설사업시행자 지정처분이 처분요건을 충족하지 못하여 당연무효라면, 후행처분인 도시계획시설사업의 시행자가 작성한 실시계획의 인가처분도 무효로 보아야 한다. 2025 군무원 7급 (O | X)
9. 국토계획법령이 정한 도시계획시설사업의 대상토지의 소유와 동의요건을 갖추지 못하였는데도 행정청이 사업시행자로 지정하였다면, 이는 국토계획법령이 정한 법규의 중요한 부분을 위반한 것으로서 특별한 사정이 없는 한 그 하자가 중대하다고 보아야 한다. 2023 국회직 8급 (O | X)
10. 도시계획시설사업시행자 지정처분이 처분요건을 충족하지 못하여 당연무효인 경우, 도시계획시설사업의 시행자가 작성한 실시계획을 인가하는 처분도 무효이다. 2022 국가직 9급 (O | X)
11. 선행 도시계획시설사업시행자 지정처분이 당연무효이면 후행처분인 실시계획 인가처분도 당연무효이다. 2018 서울시 2회 7급 (O | X)

정답
1. X 2. O 3. O 4. O 5. X 6. X 7. X 8. O 9. O 10. O
11. O

07 □□□
판례상 무효인 처분에 해당하는 것만을 <보기>에서 모두 고른 것은?

┌─ 보기 ─────────────────────────────┐
㉮ 부동산을 양도한 사실이 없음에도 세무당국이 부동산을 양도한 것으로 오인하여 행한 양도소득세 부과처분
㉯ 적법한 권한위임 없이 세관출장소장에 의하여 행하여진 관세 부과처분
㉰ 행정청이 어느 법률관계나 사실관계에 대하여 그 법률의 규정을 적용할 수 없다는 법리가 명백히 밝혀지지 아니하여 그 해석에 다툼의 여지가 있는 때에 행정관청이 이를 잘못 해석하여 행한 행정처분
㉱ 내부위임을 받은 행정기관이 자신의 이름으로 행한 행정처분
└─────────────────────────────────┘

① ㉮, ㉯　　② ㉮, ㉱
③ ㉯, ㉰　　④ ㉰, ㉱

기출체크

㉮ 관련기출
1. 부동산을 양도한 사실이 없음에도 세무당국이 부동산을 양도한 것으로 오인하여 양도소득세를 부과하였다면 그 부과처분은 착오에 의한 행정처분으로서 그 표시된 내용에 중대하고 명백한 하자가 있어 당연무효이다. 2015 경행특채 2차 (O | X)
2. 부동산을 양도한 사실이 없음에도 세무당국이 부동산을 양도한 것으로 오인한 양도소득세 부과처분은 착오에 의한 행정처분으로서 취소할 수 있는 행정행위에 해당한다. 2011 지방직(상) 9급 (O | X)

㉯ 관련기출
3. 적법한 권한위임 없이 세관출장소장에 의하여 행하여진 관세 부과처분은 그 하자가 중대하고 객관적으로 명백한 것으로서 당연무효이다. 2025 국회직 8급 (O | X)
4. 적법한 권한위임 없이 세관출장소장에 의하여 행하여진 관세 부과처분은 그 하자가 중대하기는 하지만 객관적으로 명백하다고 할 수 없어 당연무효는 아니다. 2023 경찰간부 (O | X)
5. 적법한 권한위임 없이 세관출장소장이 한 관세 부과처분은 당연무효이다. 2017 교육행정직 9급 (O | X)
6. 적법한 권한위임 없이 세관출장소장에 의하여 행하여진 관세 부과처분(은 무효사유에 해당한다) 2015 지방직 9급 (O | X)
7. 무권한은 중대·명백한 하자이므로 항상 무효사유라는 것이 판례의 입장이다. 2015 서울시 9급 (O | X)

㉰ 관련기출
8. 행정청이 법률의 규정을 적용하여 행정처분을 한 경우에, 해당 법률관계에 대하여는 그 법률의 규정을 적용할 수 없다는 법리가 명백히 밝혀지지 아니하여 그 해석에 다툼의 여지가 있다면 행정청이 이를 잘못 해석하여 행정처분을 하였더라도 그 하자가 명백하다고 할 수 없다. 2025 국회직 8급 (O | X)

9. 어느 법률관계나 사실관계에 대하여 어느 법령의 규정을 적용할 수 없다는 법리가 명백히 밝혀지지 않아 해석에 다툼의 여지가 있는 상태에서 과세관청이 이를 잘못 해석하여 과세처분을 한 경우, 그 하자가 명백하다고 할 수 없다. 2023 해경간부 (○ | ×)

10. 행정청이 어느 법률관계나 사실관계에 대하여 어느 법률의 규정을 적용하여 행정처분을 한 경우에, 그 법률관계나 사실관계에 대하여는 그 법률의 규정을 적용할 수 없다는 법리가 명백히 밝혀져 해석에 다툼의 여지가 없음에도 행정청이 그 규정을 적용하여 처분을 한 때에는 하자가 중대하고 명백하다. 2022 지방직·서울시 7급 (○ | ×)

11. 행정처분의 대상이 되는 법률관계나 사실관계가 있는 것으로 오인할 만한 객관적인 사정이 있고 사실관계를 정확히 조사하여야만 그 대상이 되는지 여부가 밝혀질 수 있는 경우에는 비록 그 하자가 중대하더라도 명백하지 않아 무효로 볼 수 없다. 2021 소방직 9급 (○ | ×)

㉣ 관련기출

12. 체납취득세에 대한 압류처분권한은 도지사로부터 시장에게 권한위임된 것이고 시장으로부터 압류처분권한을 내부위임받은 데 불과한 구청장이 자신의 명의로 한 압류처분은 권한 없는 자에 의하여 행하여진 위법·무효의 처분이다. 2023 군무원 7급 (○ | ×)

13. 내부위임의 경우 수임자가 자기의 이름으로 한 처분은 권한 없는 자에 의하여 이루어진 것으로 위법·무효이다. 2023 서울시 연구사 (○ | ×)

14. 내부위임을 받은 데 불과하여 자신의 명의로 처분을 할 권한이 없는 행정청이 권한 없이 자신의 명의로 한 처분은 무효이다. 2022 지방직·서울시 7급 (○ | ×)

15. 대법원은 내부위임을 받은 수임기관이 자신의 이름으로 처분을 한 경우 당해 처분을 무권한의 행위로서 무효로 보고 있다. 2013 국회직 8급 (○ | ×)

정답
1. ○ 2. × 3. × 4. ○ 5. × 6. × 7. × 8. ○ 9. ○ 10. ○
11. ○ 12. ○ 13. ○ 14. ○ 15. ○

08 □□□

판례상 취소사유에 해당하는 것만을 <보기>에서 모두 고른 것은?

― 보기 ―
㉮ 구 「개발이익환수에 관한 법률」 시행 당시, 납부의무자가 아닌 조합원에 대하여 행한 개발부담금 부과처분
㉯ 법률상 청문을 요함에도 청문절차를 결여한 행정처분
㉰ 체납자 등에 대한 공매통지 없이 한 공매처분
㉱ 구 「주민등록법」 제17조의2에 규정한 최고·공고의 절차를 거치지 아니하고 행한 주민등록말소처분

① ㉮, ㉯
② ㉰, ㉱
③ ㉮, ㉯, ㉰
④ ㉯, ㉰, ㉱

✓ 기출체크

㉮ 관련기출
1. 구 「개발이익환수에 관한 법률」 시행 당시, 납부의무자가 아닌 조합원에 대하여 행한 개발부담금 부과처분은 무효이다. 2011 국회직 8급 (○ | ×)

㉯ 관련기출
2. 행정처분의 근거법령 등에서 청문을 실시하도록 규정하고 있다면 「행정절차법」 등 관련 법령상 청문을 실시하지 않아도 되는 예외적인 경우에 해당하지 않는 한 청문절차를 결여한 처분은 취소사유에 해당한다. 2026 경찰간부 (○ | ×)
3. 법령상 요구되는 청문절차가 의무적 절차인 경우, 그 청문절차를 거치지 않은 처분은 무효이다. 2025 지방직·서울시 9급 (○ | ×)
4. 행정청이 침해적 행정처분을 할 때 그 처분의 근거법령 등에서 청문을 실시하도록 규정하고 있다면, 「행정절차법」 등 관련 법령상 청문을 실시하지 않아도 되는 예외적인 경우에 해당하지 않는 한, 반드시 청문을 실시하여야 하며, 그러한 절차를 결여한 처분은 위법한 처분으로서 취소사유에 해당한다. 2025 소방간부 (○ | ×)
5. 법률상 청문을 요하는 행정처분의 경우 청문절차를 결여한 하자는 취소사유에 해당한다. 2016 교육행정직 9급 (○ | ×)

㉰ 관련기출
6. 공매처분을 하면서 체납자에게 공매통지를 하지 않았거나 공매통지를 하였지만 그것이 적법하지 아니하다 하더라도 공매처분 자체는 위법하지 않다. 2023 지방직·서울시 9급 (○ | ×)
7. 「국세징수법」상 공매통지는 국가의 강제력에 의하여 진행되는 공매절차에서 체납자 등의 권리 내지 재산상 이익을 보호하기 위하여 법률로 규정한 절차적 요건에 해당하기 때문에 그 통지를 하지 아니한 채 공매처분을 한 경우에는 그 공매처분은 당연무효이다. 2020 경행경채 (○ | ×)
8. 「국세징수법」상 체납자에 대한 공매통지는 국가의 강제력에 의하여 진행되는 공매에서 체납자의 권리 내지 재산상의 이익을 보호하기 위하여 법률로 규정한 절차적 요건으로, 이를 이행하지 않은 경우 그 공매처분은 위법하다. 2017 국가직 7급 (○ | ×)
9. 과세관청의 체납자 등에 대한 공매통지는 국가의 강제력에 의하여 진행되는 공매절차에서 체납자 등의 권리 내지 재산상 이익을 보호하기 위하여 법률로 규정한 절차적 요건에 해당하지만, 그 통지를 하지 아니한 채 공매처분을 하였다 하여도 그 공매처분이 당연무효 되는 것은 아니다. 2016 지방직 9급 (○ | ×)

㉱ 관련기출
10. 「주민등록법」상 최고·공고절차가 생략된 주민등록말소처분(은 무효인 행정처분에 해당된다) 2014 사회복지직 9급 (○ | ×)
11. 주민등록말소처분이 「주민등록법」에 규정한 최고·공고의 절차를 거치지 아니하였다 하더라도 그러한 하자는 중대하고 명백한 것이라고 할 수 없어 처분의 당연무효사유에 해당하지 않는다. 2011 지방직(상) 9급 (○ | ×)

정답
1. ○ 2. ○ 3. × 4. ○ 5. ○ 6. × 7. × 8. ○ 9. ○ 10. ×
11. ○

09

판례상 무효인 처분에 해당하지 않는 것은?

① 조세채권의 소멸시효기간이 완성된 후에 부과한 과세처분
② 구 「환경영향평가법」상 환경영향평가를 실시하여야 할 사업에 대하여 환경영향평가를 거치지 않고 행한 승인처분
③ 음주운전을 단속한 경찰관이 자신의 명의로 운전면허정지처분통지서를 작성·교부하여 행한 운전면허정지처분
④ 임면권자가 아닌 국가정보원장이 5급 이상의 국가정보원 직원에 대하여 한 의원면직처분

✔기출체크

① 관련기출
1. 조세채권의 소멸시효기간이 완성된 후에 부과된 과세처분은 당연무효이다. 2022 소방간부 (O | X)
2. 소멸시효완성 후에 부과된 조세 부과처분은 납세의무 없는 자에 대하여 부과처분을 한 것으로서 그와 같은 하자는 중대하고 명백하여 그 처분의 효력은 당연무효이다. 2016 경행경채 (O | X)

② 관련기출
3. 환경영향평가를 거쳐야 할 대상사업에 대하여 환경영향평가를 거치지 아니하였음에도 불구하고 승인 등 처분이 이루어진다면, 이러한 행정처분의 하자는 법규의 중요한 부분을 위반한 중대한 것이고 객관적으로도 명백한 것으로서 당연무효이다. 2025 국가직 7급 (O | X)
4. 환경영향평가를 거쳐야 할 대상사업에 대하여 환경영향평가를 거치지 아니하였음에도 불구하고 승인 등 처분이 이루어진다면, 이러한 행정처분의 하자는 중대한 것이고 객관적으로도 명백한 것이다. 2025 소방간부 (O | X)
5. 「환경영향평가법」상 환경영향평가를 실시하여야 할 사업에 대하여 환경영향평가를 거치지 아니하였음에도 승인 등 처분을 한 경우, 그 처분의 하자는 행정처분의 당연무효사유에 해당한다. 2025 군무원 9급 (O | X)
6. 환경영향평가를 거쳐야 하는 대상사업에 대하여 환경영향평가를 거치지 아니하였음에도 불구하고 승인 등 처분이 행해진 경우, 그 행정처분은 당연무효이다. 2022 소방직 9급 (O | X)
7. 환경영향평가법령의 규정상 환경영향평가를 거쳐야 할 사업인 경우에, 환경영향평가를 거치지 아니하고 행한 사업승인처분을 당연무효라 볼 수는 없다. 2016 지방직 7급 (O | X)

③ 관련기출
8. 운전면허효력정지처분을 할 권한이 없는 음주운전 단속경찰관이 자신의 명의로 처분통지서를 작성·교부하여 행한 운전면허효력정지처분은 무효의 처분이다. 2025 소방간부 (O | X)
9. 단속경찰관이 자신의 명의로 운전면허정지처분통지서를 작성·교부하였다면 권한 없는 자에 의하여 행하여진 점에서 무효의 처분에 해당한다. 2023 소방간부 (O | X)
10. 음주운전을 단속한 경찰관 명의로 행한 운전면허정지처분은 무효이다. 2015 경행특채 2차 (O | X)
11. 음주운전을 단속한 경찰관 명의로 행한 운전면허정지처분은 취소사유에 해당한다. 2012 경행특채 (O | X)
12. 음주운전 단속경찰관이 자신의 명의로 운전면허행정처분통지서를 작성·교부하여 행한 운전면허정지처분은 위법하며, 취소의 원인이 된다. 2012 지방직(하) 7급 (O | X)

④ 관련기출
13. 무권한의 행위는 원칙적으로 무효라고 할 것이므로, 5급 이상의 국가정보원 직원에 대해 임면권자인 대통령이 아닌 국가정보원장이 행한 의원면직처분은 당연무효에 해당한다. 2018 지방직 9급 (O | X)
14. 임면권자가 아닌 행정청이 소속 공무원에 대하여 한 의원면직처분은 권한유월의 행위로서 무권한의 행위이므로 당연무효이다. 2015 지방직 7급 (O | X)

> **정답**
> 1. O 2. O 3. O 4. O 5. O 6. O 7. X 8. O 9. O 10. O
> 11. X 12. X 13. X 14. X

10

행정행위의 하자에 관한 설명으로 옳지 않은 것은? (다툼이 있는 경우 판례에 의함)

① 입지선정위원회의 구성방법과 절차가 주민대표나 주민대표 추천에 의한 전문가의 참여 없이 이루어지는 등 위법한 경우, 입지선정위원회의 의결에 터 잡아 이루어진 폐기물처리시설 입지결정처분의 하자는 중대한 것이고 객관적으로도 명백하므로 그러한 하자는 무효사유에 해당한다.
② 신청에 대하여 거부처분을 한 후에 그 거부처분이 적법한 절차에 의하여 취소되기 전에 사유를 추가하여 거부처분을 반복하는 것은 당연무효이다.
③ 과세관청이 법령규정의 문언상 과세처분요건의 의미가 분명함에도 합리적인 근거 없이 그 의미를 잘못 해석한 결과, 과세처분요건이 충족되지 아니한 상태에서 해당 처분을 한 경우 그 하자는 중대하고도 명백하다.
④ 환경영향평가를 거쳐야 할 대상사업에 대해 환경영향평가절차를 거쳤으나 그 내용이 다소 부실한 경우라면, 그 부실의 정도가 환경영향평가를 하지 아니한 것과 같은 정도에 미치지 않는다 하더라도 당해 승인 등 처분은 위법하다고 볼 수 있다.

✔기출체크

① 관련기출
1. 구 「폐기물처리시설 설치촉진 및 주변지역 지원 등에 관한 법률」상 입지선정위원회가 동법 시행령의 규정에 위배하여 군수와 주민대표가 선정·추천한 전문가를 포함시키지 않은 채 임의로 구성되어 의결을 한 경우에, 이에 터 잡아 이루어진 폐기물처리시설 입지결정처분은 당연무효가 된다. 2019 국가직 7급 (O | X)
2. (판례는) 위법하게 구성된 폐기물처리시설 입지선정위원회가 의결을 한 경우, 그에 터 잡아 이루어진 폐기물처리시설 입지결정처분의 하자는 무효사유로 본다. 2018 지방직 9급 (O | X)

② **관련기출**
3. 신청에 의한 처분의 경우에는 신청에 대하여 일단 거부처분이 행해지면 그 거부처분이 적법한 절차에 의하여 취소되지 않는 한, 사유를 추가하여 거부처분을 반복하는 것은 존재하지도 않는 신청에 대한 거부처분으로서 당연무효이다. 2023 서울시 지적 7급 (O | ×)

③ **관련기출**
4. 과세관청이 법령규정의 문언상 과세처분요건의 의미가 분명함에도 합리적인 근거 없이 그 의미를 잘못 해석한 결과, 과세처분요건이 충족되지 아니한 상태에서 해당 처분을 한 경우에는 과세요건사실을 오인한 것에 불과하여 그 하자가 명백하다고 할 수 없다. 2022 군무원 7급 (O | ×)

④ **관련기출**
5. 환경영향평가절차를 거쳤다면, 비록 그 환경영향평가의 내용이 다소 부실하다 하더라도, 그 부실의 정도가 환경영향평가제도를 둔 입법취지를 달성할 수 없을 정도이어서 환경영향평가를 하지 아니한 것과 다를 바 없는 정도의 것이 아닌 이상 그 부실은 당해 승인 등 처분에 재량권 일탈·남용의 위법이 있는지 여부를 판단하는 하나의 요소로 됨에 그칠 뿐, 그 부실로 인하여 당연히 당해 승인 등 처분이 위법하게 되는 것이 아니다. 2025 국가직 7급 (O | ×)
6. 구 「환경정책기본법」 제25조의2에 따라 사전환경성검토를 거쳐야 하는 행정계획이나 개발사업에 대하여 사전환경성검토를 거친 경우, 그 부실의 정도가 사전환경성검토제도를 둔 입법취지를 달성할 수 없을 정도가 아니더라도 그 부실로 인하여 행정계획은 위법하게 된다. 2023 소방직 9급 (O | ×)
7. 환경영향평가를 거쳐야 할 대상사업에 대해 환경영향평가절차를 거쳤으나 그 내용이 다소 부실한 경우, 그 부실의 정도가 환경영향평가를 하지 아니한 것과 같은 정도가 아닌 한 당해 승인 등 처분이 위법하게 되는 것은 아니다. 2022 소방직 9급 (O | ×)

정답
1. O 2. O 3. O 4. × 5. O 6. × 7. O

11 ☐☐☐

행정행위의 하자에 관한 설명으로 옳지 않은 것은? (다툼이 있는 경우 판례에 의함)

① 행정청이 사전에 교통영향평가를 거치지 아니한 채 '건축허가 전까지 교통영향평가 심의필증을 교부받을 것'을 부관으로 붙여서 한 '실시계획변경 승인 및 공사시행변경 인가처분'은 무효로 보기 어렵다.

② 경찰공무원에 대한 징계위원회의 심의과정에 감경사유에 해당하는 공적 사항이 제시되지 아니한 경우 그 징계양정이 결과적으로 적정한지와 상관없이 이는 관계 법령이 정한 징계절차를 지키지 않은 것으로서 위법하다.

③ 귀속재산을 불하받은 자가 사망한 후에 한 불하취소처분은 사망자에 대한 행정처분으로서 무효이므로, 그 취소처분을 수불하자의 상속인에게 송달한 때라도 그 송달시에 그 상속인에 대하여 다시 그 불하처분을 취소한다는 새로운 행정처분을 한 것으로 볼 수는 없다.

④ 담당소방공무원이 행정처분인 소방시설 불량사항에 관한 시정보완명령을 구술로 고지한 것은 「행정절차법」 제24조를 위반한 것으로 하자가 중대하고 명백하여 당연무효이다.

✓ 기출체크

① **관련기출**
1. 행정청이 사전에 교통영향평가를 거치지 아니한 채 '건축허가 전까지 교통영향평가 심의필증을 교부받을 것'을 부관으로 붙여서 한 '실시계획변경승인 및 공사시행변경 인가처분'은 중대하고 명백한 흠이 있는 것으로서 무효로 보아야 한다. 2026 경찰간부 (O | ×)
2. 행정청이 사전에 교통영향평가를 거치지 아니한 채 '건축허가 전까지 교통영향평가 심의필증을 교부받을 것'을 부관으로 붙여서 한 '실시계획변경 승인 및 공사시행변경 인가처분'은 그 하자가 중대하고 객관적으로 명백하여 당연무효이다. 2019 지방직·교육행정직 9급 (O | ×)

② **관련기출**
3. 경찰공무원에 대한 징계위원회의 심의과정에서 감경사유에 해당하는 공적 사항이 제시되지 아니한 경우라도 그 징계양정이 결과적으로 적정하였다면 해당 징계처분은 위법한 것은 아니다. 2025 경찰간부 (O | ×)
4. 징계위원회의 심의과정에 반드시 제출되어야 하는 공적 사항이 제시되지 않은 상태에서 결정한 징계처분은 징계양정이 결과적으로 적정한 경우에는 법령이 정한 징계절차를 지키지 않은 것으로서 위법하다고 할 수 없다. 2018 서울시 1회 7급 (O | ×)

③ **관련기출**
5. 귀속재산을 불하받은 자가 사망한 후에 불하처분 취소처분을 수불하자의 상속인에게 송달한 때에는 그 상속인에 대하여 다시 그 불하처분을 취소한다는 새로운 행정처분을 한 것으로 본다. 2018 서울시 2회 7급 (O | ×)

④ 관련기출

6. 다른 법령 등에 특별한 규정이 없음에도 「행정절차법」상의 문서주의에 위반하여 행하여진 행정청의 처분은 하자가 중대하고 명백하여 원칙적으로 무효이다. 2023 서울시 지적 7급 (O | X)
7. 건물소유자에게 소방시설 불량사항을 시정·보완하라는 명령을 구두로 고지한 것은 「행정절차법」에 위반한 것으로 하자가 중대하나 명백하지는 않아 취소사유에 해당한다. 2023 국회직 8급 (O | X)
8. 구 「소방시설 설치유지 및 안전관리에 관한 법률」에 따른 소방공무원의 시정보완명령 고지가 구두로 행하여졌다면 그 내용이 적법하다 하더라도 해당 처분은 취소사유에 해당한다. 2023 소방간부 (O | X)
9. 관할 소방서장으로부터 소방시설 불량사항에 관한 시정보완명령을 받고도 따르지 아니하였다는 내용으로 기소된 사안에서, 담당소방공무원이 시정보완명령을 구술로 고지하였다면, 이러한 행정처분은 당연무효이고 행정형벌을 부과할 수 없다. 2022 소방간부 (O | X)
10. 집합건물 중 일부 구분건물의 소유자에 대하여 관할 소방서장이 소방시설 불량사항에 관한 시정보완명령을 구술로 고지한 것은 신속을 요하거나 경미한 경우가 아닌 한 「행정절차법」을 위반한 것으로 하자가 중대하고 명백하여 당연무효이다. 2021 변호사 (O | X)

정답
1. X 2. X 3. X 4. X 5. O 6. O 7. X 8. X 9. X 10. O

12 □□□

행정행위의 하자에 관한 설명으로 옳은 것만을 <보기>에서 모두 고른 것은? (다툼이 있는 경우 판례에 의함)

― 보기 ―

㉮ 국가재정법령에 규정된 예비타당성조사를 실시하지 않은 하자는 예산 자체의 하자일 뿐만 아니라 그로써 곧바로 예산을 집행하는 처분의 하자가 된다.

㉯ 「지방공무원법」상의 도지사의 인사교류안 작성과 그에 따른 인사교류의 권고가 전혀 이루어지지 않은 상태에서, 관할 구역 내 A시의 시장이 인사교류로서 소속 지방공무원인 甲에게 B시 지방공무원으로 전출을 명한 처분은 그 하자가 중대한 것이나 객관적으로 명백하지 않으므로 당연무효라고 할 수는 없다.

㉰ 과세관청이 과세예고통지 후 과세전적부심사청구나 그에 대한 결정이 있기 전에 과세처분을 한 경우, 원칙적으로 절차상 하자가 중대·명백하여 과세처분은 무효가 된다.

㉱ 소청심사위원회가 소청 사건을 심사할 때에는 소청인 또는 대리인에게 진술 기회를 주어야 하고, 진술 기회를 주지 않은 결정은 당연무효이다.

① ㉮, ㉯   ② ㉮, ㉱
③ ㉯, ㉰   ④ ㉰, ㉱

✔ **기출체크**

㉮ 관련기출

1. '4대강 살리기 사업' 각 하천 중 한강 부분에 관한 공사시행계획 및 각 실시계획승인처분에 보의 설치와 준설 등에 대한 예비타당성조사를 실시하지 아니한 하자는 예산 자체의 하자가 되며 이에 따라 해당 하천 부분에 관한 각 하천공사시행계획 및 각 실시계획승인처분의 하자도 인정된다. 2023 소방간부 (O | X)
2. 예산의 편성에 절차적 하자가 있으면 그 예산을 집행하는 처분은 위법하게 된다. 2016 국회직 8급 (O | X)

㉯ 관련기출

3. 도지사의 인사교류안 작성과 그에 따른 인사교류의 권고가 전혀 이루어지지 않은 상태에서, 관할 구역 내 A시의 시장이 인사교류로서 소속 지방공무원인 甲에게 B시 지방공무원으로 전출을 명한 처분은 당연무효이다. 2020 지방직·서울시 7급 (O | X)

㉰ 관련기출

4. 과세관청이 과세예고통지 후 과세전적부심사청구나 그에 대한 결정이 있기 전에 과세처분을 한 경우, 절차상 하자가 중대·명백하여 원칙적으로 당해 처분은 무효이다. 2025 군무원 9급 (O | X)
5. 과세예고통지 후 과세전적부심사청구나 그에 대한 결정이 있기도 전에 과세처분을 하는 것은 절차상 하자가 중대하고도 명백하여 무효이다. 2024 소방직 9급 (O | X)
6. 과세예고통지 후 과세전적부심사청구를 한 경우 그에 대한 결정이 있기도 전에 과세처분을 하는 것은 특별한 사정이 없는 한 그 절차상 하자가 중대하고도 명백하여 무효이다. 2023 서울시 연구사 (O | X)
7. 과세관청이 과세예고통지 후 과세전적부심사청구나 그에 대한 결정이 있기 전에 과세처분을 한 경우, 특별한 사정이 없는 한 그 과세처분은 절차상 하자가 중대·명백하여 당연무효이다. 2019 국가직 7급 (O | X)
8. 과세관청이 과세예고통지 후 과세전적부심사청구나 그에 대한 결정이 있기 전에 국세 부과처분을 한 경우, 특별한 사정이 없는 한 그 하자가 중대·명백하다고 볼 수 없어 당연무효가 아닌 취소사유에 해당한다. 2018 국가직 7급 (O | X)

㉱ 관련기출

9. 소청심사위원회가 소청 사건을 심사할 때 소청인 또는 그 대리인에게 진술의 기회를 주지 아니하고 한 결정은 절차를 지키지 아니한 것으로서 당연무효가 된다고 할 수 없다. 2022 경찰간부 (O | X)

정답
1. X 2. X 3. O 4. O 5. O 6. O 7. O 8. X 9. X

13

행정행위의 하자치유에 관한 설명으로 옳은 것은? (다툼이 있는 경우 판례에 의함)

① 하자 있는 행정행위의 치유는 원칙적으로 허용될 수 없는 것이고, 행정행위의 무용한 반복을 피하고 당사자의 법적 안정성을 위해 예외적으로 허용되는 때에도 국민의 권리나 이익을 침해하지 않는 범위 내에서 인정된다.

② 행정행위에 하자가 있다면 하자가 이미 치유되었거나 다른 적법한 행위로 전환된 경우에도 원칙적으로 취소의 대상이 된다.

③ 하자의 치유는 늦어도 행정처분에 대한 불복신청이 가능한 기간 내에 하여야 하므로, 사실심변론종결시까지 가능하고 더 이상 불복을 할 수 없는 상고심에서는 인정되지 않는다.

④ 면허의 취소처분에 있어 취소처분의 근거와 위반사실의 적시를 빠뜨린 하자는 피처분자가 처분 당시 그 취지를 알고 있었거나 그 후 알게 되었다면 치유된 것으로 보아야 한다.

✓ 기출체크

① 관련기출

1. 흠이 있는 행정행위의 치유는 행정행위의 성질이나 법치주의 관점에서 볼 때 원칙적으로 허용될 수 없는 것이고, 예외적으로 이를 허용하는 때에도 국민의 권리나 이익을 침해하지 않는 범위에서 구체적 사정에 따라 합목적적으로 인정하여야 할 것이다. 2025 지방직·서울시 9급
(O | X)

2. 하자 있는 행정행위의 치유는 행정행위의 성질이나 법치주의의 관점에서 볼 때 원칙적으로 허용될 수 없으며, 예외적으로 행정행위의 무용한 반복을 피하고 당사자의 법적 안정성을 위해 이를 허용하는 때에도 국민의 권리나 이익을 침해하지 않는 범위에서 구체적 사정에 따라 합목적적으로 인정할 필요가 있다. 2024 소방직 9급 (O | X)

3. 하자 있는 행정행위의 치유는 원칙적으로 허용되나, 국민의 권리나 이익을 침해하지 않는 범위 내에서 인정된다. 2020 소방직 9급
(O | X)

4. 다음은 하자의 치유에 대한 대법원의 판결(1992. 5. 8, 91누13274)이다. ( )에 들어갈 문구로 가장 적절한 것은? 2013 경행특채

> 하자 있는 행정행위의 치유는 행정행위의 성질이나 법치주의의 관점에서 볼 때 원칙적으로 허용될 수 없는 것이고, 예외적으로 행정행위의 무용한 반복을 피하고 ( )을/를 위해 이를 허용하는 때에도 국민의 권리나 이익을 침해하지 않는 범위에서 구체적 사정에 따라 합목적적으로 인정하여야 할 것이다.

① 당사자의 법적 안정성 ② 공익상 긴급한 필요
③ 행정의 투명성 증진 ④ 국민의 수인가능성 확보

② 관련기출

5. 행정행위의 위법이 치유된 경우에는 그 위법을 이유로 당해 행정행위를 직권취소할 수 없다. 2015 행정사
(O | X)

6. 행정행위에 하자가 있으나 하자가 이미 치유되었거나 다른 적법한 행위로 전환된 경우에는 취소의 대상이 되지 않는다. 2011 사회복지직 9급
(O | X)

③ 관련기출

7. 하자의 치유는 늦어도 처분에 대한 불복 여부의 결정 및 불복신청에 편의를 줄 수 있는 상당한 기간 내에 하여야 한다. 2023 소방승진
(O | X)

8. 세액산출근거가 누락된 납세고지서에 의한 과세처분에 대한 취소소송의 사실심변론종결 직전에 세액산출근거의 통지가 있었다면 이로써 위 과세처분의 하자가 치유되었다고 볼 수 있다. 2023 서울시 지적 7급
(O | X)

9. 하자의 치유는 늦어도 행정처분에 대한 불복 여부의 결정 및 불복신청을 할 수 있는 상당한 기간 내에 해야 하므로, 소가 제기된 이후에는 하자의 치유가 인정될 수 없다. 2014 사회복지직 9급 (O | X)

10. 이유제시 하자의 치유는 늦어도 처분에 대한 불복 여부의 결정 및 불복신청에 편의를 줄 수 있는 상당한 기간 내에 하여야 한다는 것이 판례의 입장이다. 2013 경행특채
(O | X)

④ 관련기출

11. 면허의 취소처분의 경우 그 처분을 받은 자가 어떠한 위반사실에 대하여 당해 처분이 있었는지를 알 수 있을 정도로 사실을 적시할 것을 요하지만, 처분의 상대방이 처분 당시 그 취지를 알고 있었다거나 그 후 알게 되었다면 그 하자는 치유된다. 2023 국회직 9급 (O | X)

12. 면허의 취소처분에는 그 근거가 되는 법령이나 취소권 유보의 부관 등을 명시하여야 함은 물론 처분을 받은 자가 어떠한 위반사실에 대하여 당해 처분이 있었는지를 알 수 있을 정도로 사실을 적시할 것을 요하지만, 이와 같은 취소처분의 근거와 위반사실의 적시를 빠뜨린 하자는 피처분자가 처분 당시 그 취지를 알고 있었거나 그 후 알게 되었다면 그 하자는 치유될 수 있다. 2020 지방직·서울시 7급
(O | X)

정답

1. O 2. O 3. X 4. ① 5. O 6. O 7. O 8. X 9. O 10. O
11. X 12. X

14

행정행위의 하자치유에 관한 설명으로 옳은 것은? (다툼이 있는 경우 판례에 의함)

① 과세관청이 과세처분에 앞서 납세의무자에게 보낸 과세예고통지서 등에 납세고지서의 필요적 기재사항이 제대로 기재되어 있어 납세의무자가 그 처분에 대한 불복 여부의 결정 및 불복신청에 전혀 지장을 받지 않았음이 명백한 경우라도 납세고지서의 하자가 보완되거나 치유된다고 볼 수는 없다.
② 재건축조합설립인가처분 당시 동의율을 충족하지 못한 하자는 후에 추가동의서가 제출되었다는 사정만으로도 치유된다.
③ 행정청이 청문서 도달기간을 어겼다면 당사자가 이에 대하여 이의하지 아니한 채 스스로 청문일에 출석하여 방어의 기회를 충분히 가졌더라도 청문서 도달기간을 준수하지 아니한 하자가 치유되는 것은 아니다.
④ 징계처분의 하자가 중대하고 명백하기 때문에 당연무효라면 징계처분을 받은 자가 이를 용인하였다 하더라도 그 흠은 치유되지 않는다.

✓ 기출체크

① 관련기출
1. 과세관청이 과세처분에 앞서 납세의무자에게 보낸 과세예고통지서 등에 납세고지서의 필요적 기재사항이 제대로 기재되어 있어 납세의무자가 그 처분에 대한 불복 여부의 결정 및 불복신청에 전혀 지장을 받지 않았음이 명백하다면, 이로써 납세고지서의 하자가 보완되거나 치유될 수 있다. 2023 군무원 7급 (O | X)

② 관련기출
2. 주택재건축정비사업조합설립인가처분 당시 토지소유자 등의 동의율을 충족하지 못한 하자는 소제기 이후에 추가동의서가 제출되어 동의율을 충족한다면 치유된다. 2025 지방직·서울시 9급 (O | X)
3. 재건축주택조합설립인가처분 당시 동의율을 충족하지 못한 하자는 후에 추가동의서가 제출되었다는 사정만으로 치유될 수 없다. 2023 국회직 8급 (O | X)
4. 「도시 및 주거환경정비법」상 주택재건축사업의 추진위원회가 조합을 설립하고자 하는 때에는 토지소유자 등이 일정 수 이상 동의하여야 하는데, 조합설립인가처분이 이러한 요건을 충족하지 못한 상태에서 이루어졌다면 그러한 처분은 위법하고, 토지소유자 등의 추가동의서가 추후에 제출되어 법정요건을 갖추었다 할지라도 설립인가처분의 위법성이 치유되는 것은 아니다. 2020 소방직 9급 (O | X)
5. 토지소유자 등의 동의율을 충족하지 못했다는 주택재건축정비사업조합설립인가처분 당시의 하자는 후에 토지소유자 등의 추가동의서가 제출되었다면 치유된다. 2016 지방직 9급 (O | X)

③ 관련기출
6. 행정청이 청문서 도달기간을 다소 어겼다 하더라도 처분상대방이 방어의 기회를 충분히 가졌다면 청문서 도달기간을 준수하지 아니한 하자는 치유되었다고 봄이 상당하다. 2025 지방직·서울시 9급 (O | X)
7. 행정청이 청문서 도달기간을 다소 어겼다 하더라도 당사자가 이에 대하여 이의하지 아니한 채 스스로 청문일에 출석하여 그 의견을 진술하고 변명하는 등 방어의 기회를 충분히 가졌다면 청문서 도달기간을 준수하지 아니한 하자는 치유된다. 2025 소방간부 (O | X)
8. 행정청이 청문절차를 이행하면서 청문서 도달기간을 다소 어겼다면 상대방이 이의하지 아니한 채 스스로 청문일에 출석하여 그 의견을 진술하고 변명하는 등 방어의 기회를 충분히 가졌더라도 청문서 도달기간을 준수하지 아니한 하자는 치유된다고 볼 수 없다. 2021 국회직 8급 (O | X)
9. 행정청이 「식품위생법」상 청문절차를 이행함에 있어 청문서 도달기간을 다소 어겼지만 영업자가 이의하지 아니한 채 청문일에 출석하여 의견을 진술하고 변명하는 등 방어의 기회를 충분히 가진 경우 하자는 치유된 것으로 본다. 2016 사회복지직 9급 (O | X)

④ 관련기출
10. 징계처분이 중대하고 명백한 흠 때문에 당연무효의 것이라면 징계처분을 받은 자가 이를 용인하였다 하여 그 흠이 치유되는 것은 아니다. 2025 지방직·서울시 9급 (O | X)
11. 징계처분이 중대하고 명백한 하자 때문에 당연무효의 것이라면 징계처분을 받은 자가 이를 용인하였다 하여 그 하자가 치유되는 것은 아니다. 2019 지방직·교육행정직 9급 (O | X)
12. 당연무효인 징계처분의 하자는 징계를 받은 자의 용인으로 치유된다. 2017 교육행정직 9급 (O | X)
13. 하자의 치유는 취소할 수 있는 행정행위에 대하여서만 인정된다. 2016 국회직 8급 (O | X)

정답
1. O 2. × 3. O 4. O 5. × 6. O 7. O 8. × 9. O 10. O
11. O 12. × 13. O

15

행정행위의 하자승계에 관한 설명으로 옳지 않은 것은? (다툼이 있는 경우 판례에 의함)

① 이행강제금은 시정명령 자체의 이행을 목적으로 하는 것이어서 시정명령과 이행강제금 부과처분 사이에는 하자가 승계된다.
② 2개 이상의 행정처분이 연속적 또는 단계적으로 이루어지는 경우 선행처분과 후행처분이 서로 합하여 1개의 법률효과를 완성할 때에는, 선행처분에 불가쟁력이 생겨 그 효력을 다툴 수 없게 되더라도 선행처분의 하자는 후행처분에 승계되어 선행처분의 하자를 이유로 후행처분의 효력을 다툴 수 있다.
③ 선행처분과 후행처분이 서로 독립하여 별개의 법률효과를 발생시키는 경우에는 선행처분에 불가쟁력이 생겨 그 효력을 다툴 수 없게 되면, 선행처분이 당연무효인 경우를 제외하고는 선행처분의 하자를 이유로 후행처분의 효력을 다툴 여지가 없다.
④ 무효인 행정처분에 기한 후속 행정처분도 당연무효이므로, 적법한 건축물에 대한 철거명령뿐만 아니라 그 후행행위인 건축물철거 대집행계고처분도 당연히 무효가 된다.

기출체크

② 관련기출

1. 선행처분과 후행처분이 서로 합하여 1개의 법률효과를 완성하는 경우 선행처분에 불가쟁력이 발생하였다면 선행처분의 하자를 이유로 후행처분의 효력을 다툴 수 없다. 2023 서울시 지적 7급 (O | X)
2. 2개 이상의 행정처분이 연속적 또는 단계적으로 이루어지는 경우 선행처분과 후행처분이 서로 합하여 1개의 법률효과를 완성하는 때에는 선행처분에 하자가 있으면 그 하자는 후행처분에 승계된다. 2023 지방직·서울시 9급 (O | X)
3. 선행행위에 대하여 불가쟁력이 발생하지 않았거나 선행행위와 후행행위가 서로 독립하여 각각 별개의 법률효과를 목적으로 하는 때에는 원칙적으로 선행행위의 하자를 이유로 후행행위의 효력을 다툴 수 없다. 2017 지방직 9급 (O | X)
4. 하자의 승계가 인정되기 위해서는 선행행위와 후행행위에 모두 불가쟁력이 발생한 경우이어야 한다. 2016 교육행정직 9급 (O | X)
5. 원칙적으로 선·후의 행정행위가 결합하여 하나의 법적 효과를 완성하는지 여부를 기준으로 하자의 승계 여부를 결정한다. 2016 사회복지직 9급 (O | X)

③ 관련기출

6. 선행처분과 후행처분이 서로 독립하여 별개의 법률효과를 목적으로 하는 때에는 선행처분이 당연무효이더라도 선행처분의 하자를 이유로 후행처분의 효력을 다툴 수 없다. 2025 소방간부 (O | X)
7. 선행처분과 후행처분이 서로 독립하여 별개의 법률효과를 목적으로 하는 때에도 선행처분이 당연무효이면 선행처분의 하자를 이유로 후행처분의 효력을 다툴 수 있다. 2024 국회직 9급 (O | X)
8. 선행처분과 후행처분이 서로 독립하여 별개의 효과를 목적으로 하는 경우에도 선행처분의 불가쟁력이나 구속력이 그로 인하여 불이익을 입게 되는 자에게 수인한도를 넘는 가혹함을 가져오며, 그 결과가 당사자에게 예측 가능한 것이 아닌 경우에는 선행처분의 위법사유가 후행처분에 승계된다. 2024 소방직 9급 (O | X)
9. 선행처분과 후행처분이 서로 독립하여 별개의 법률효과를 발생시키는 경우 선행처분에 취소사유가 있다면 선행처분의 하자를 이유로 후행처분의 효력을 다툴 수 있는 것이 원칙이다. 2023 서울시 지적 7급 (O | X)
10. 선행처분과 후행처분이 서로 독립하여 별개의 법률효과를 발생시키는 경우에는 선행처분에 불가쟁력이 생겨 그 효력을 다툴 수 없게 되면 수인한도를 넘는 가혹함을 가져오며 그 결과가 당사자에게 예측 가능하지 않더라도 하자의 승계가 인정되지 않는다. 2023 지방직·서울시 9급 (O | X)

④ 관련기출

11. 자기완결적 신고에 해당하는 대문설치신고가 형식적 하자가 없는 적법한 신고임에도 불구하고 관할 행정청이 수리를 거부한 후 당해 대문의 철거명령을 하였더라도, 후행행위인 대문철거 대집행계고처분이 당연무효가 되는 것은 아니다. 2024 지방직·서울시 9급 (O | X)
12. 적법한 건축물에 대한 철거명령은 그 하자가 중대하고 명백하여 당연무효라고 할 것이지만, 그 후행행위인 건축물철거 대집행계고처분은 당연무효라고 할 수 없다. 2023 국가직 9급 (O | X)
13. 적법한 건축물에 대한 철거명령은 그 하자가 중대하고 명백하여 당연무효에 해당하면 그 후행행위인 건축물철거 대집행계고처분 역시 당연무효라고 할 것이다. 2023 서울시 지적 7급 (O | X)
14. (단계적으로 진행되는 행정행위에서) 선행행위가 무효인 경우에는 후행행위도 당연히 무효이다. 2019 소방직 9급 (O | X)
15. 적법하게 건축된 건축물에 대한 철거명령을 전제로 행하여진 후행행위인 건축물철거 대집행계고처분은 당연무효라 할 수 없다. 2017 국가직(하) 7급 (O | X)

정답
1. × 2. ○ 3. ○ 4. × 5. ○ 6. × 7. ○ 8. ○ 9. × 10. ×
11. × 12. × 13. ○ 14. ○ 15. ×

16 □□□

행정행위의 하자승계에 관한 설명으로 옳은 것만을 <보기>에서 모두 고른 것은? (다툼이 있는 경우 판례에 의함)

| 보기 |
| ㉮ 개별공시지가결정에 대하여 한 재조사청구에 따른 조정결정을 통지받고서도 더 이상 다투지 않았더라도 개별공시지가결정의 위법을 양도소득세 부과처분의 위법사유로 주장할 수 있다.
㉯ 개별공시지가결정과 이에 근거한 개발부담금 부과처분은 하자의 승계가 인정된다.
㉰ 건물철거명령이 당연무효가 아니라고 하더라도 후행행위인 대집행계고처분에 대한 취소소송에서 건물철거명령의 위법사유를 주장할 수 있다.
㉱ 수용보상금의 증액을 구하는 소송에서 선행처분으로서 그 수용대상 토지가격 산정의 기초가 된 비교표준지공시지가결정의 위법을 독립한 사유로 주장할 수 있다.

① ㉮, ㉯
② ㉮, ㉰
③ ㉯, ㉱
④ ㉰, ㉱

기출체크

㉮ 관련기출

1. 개별공시지가결정에 대한 재조사청구에 따른 감액 조정에 대하여 더 이상 불복하지 아니한 경우에는 선행처분의 불가쟁력이나 구속력이 수인한도를 넘는 가혹한 것이거나 예측 불가능하다고 볼 수 없어 이를 기초로 한 양도소득세 부과처분 취소소송에서 다시 개별공시지가결정의 위법을 당해 과세처분의 위법사유로 주장할 수 없다. 2017 국가직(하) 9급 (O | X)
2. (쟁송제기기간이 경과한 개별공시지가결정에 기초한 양도소득세 부과처분에 대하여 취소소송을 제기할 경우) 양도소득세 산정의 기초가 되는 개별공시지가결정에 대하여 한 재조사청구에 따른 조정결정을 통지받고서도 더 이상 다투지 않았다 하더라도 위 개별공시지가결정의 위법을 양도소득세 부과처분의 위법사유로 주장할 수 있다. 2010 국가직 7급 (O | X)

㉯ 관련기출

3. 개별공시지가결정과 이에 근거한 개발부담금 부과처분(은 하자의 승계가 인정되지 않는다) 2024 해경승진 (O | X)

관련기출
4. 건물철거명령이 당연무효가 아닌 이상 후행행위인 대집행계고처분에 대한 취소소송에서 건물철거명령의 위법사유를 주장할 수 없다. 2024 소방간부 (O | X)
5. 건물철거명령이 당연무효가 아니고 불가쟁력이 발생하였다면 건물철거명령의 하자를 이유로 후행 대집행계고처분의 효력을 다툴 수 없다. 2022 국가직 9급 (O | X)

관련기출
6. 수용보상금의 증액을 구하는 소송에서는 선행처분으로서 그 수용대상 토지가격 산정의 기초가 된 비교표준지공시지가결정의 위법을 독립된 사유로 주장할 수 없다. 2024 국가직 7급 (O | X)
7. 구 「부동산 가격공시 및 감정평가에 관한 법률」상 선행처분인 표준지공시지가의 결정에 하자가 있는 경우에 그 하자는 보상금 산정을 위한 수용재결에 승계된다. 2023 국회직 8급 (O | X)

정답
1. O 2. X 3. X 4. O 5. O 6. X 7. O

17 □□□

행정행위의 하자승계에 관한 설명으로 옳은 것만을 <보기>에서 모두 고른 것은? (다툼이 있는 경우 판례에 의함)

— 보기 —
㉮ 도시계획결정과 수용재결처분 사이에는 하자의 승계가 인정된다.
㉯ 보충역편입처분과 공익근무요원소집처분 사이에는 하자의 승계가 인정된다.
㉰ 선행처분인 소득금액변동통지에 하자가 있더라도 당연무효사유에 해당하지 않는 이상 후행처분인 징수처분에 그대로 승계되지 않는다.
㉱ 「도시 및 주거환경정비법」상 사업시행계획에 관한 취소사유인 하자는 관리처분계획에 승계되지 않는다.
㉲ 「공인중개사법」 위반으로 인하여 공인중개사 업무정지처분을 받은 이후 그 업무정지기간 중에 중개업무를 하여 중개사무소의 개설등록을 취소하는 처분을 받은 경우, 개설등록취소처분은 업무정지처분을 전제로 하는 것으로서 서로 독립된 행정처분으로 볼 수 없으므로 하자가 승계된다고 볼 수 있다.

① ㉮, ㉯
② ㉯, ㉰
③ ㉰, ㉱
④ ㉱, ㉲

✓기출체크

㉮ 관련기출
1. 도시계획결정과 수용재결처분(은 하자의 승계가 인정되는 경우에 해당한다) 2025 국회직 8급 (O | X)
2. 도시계획결정과 수용재결처분 (사이에는 하자의 승계가 인정되지 않는다) 2018 서울시 1회 7급 (O | X)

㉯ 관련기출
3. 「병역법」상 보충역편입처분과 공익근무요원소집처분은 각각 단계적으로 별개의 법률효과를 발생하는 독립된 행정처분이 아니므로, 불가쟁력이 발생한 보충역편입처분의 위법을 이유로 공익근무요원소집처분의 효력을 다툴 수 있다. 2025 소방직 9급 (O | X)
4. 보충역편입처분과 공익근무요원소집처분은 각각 단계적으로 별개의 법률효과를 발생하는 독립된 행정처분이다. 2024 국가직 7급 (O | X)
5. 보충역편입처분이 위법한 경우에 그 자체의 위법 여부를 다툴 수 있음은 물론 불가쟁력이 생긴 후에 후행처분인 공익근무요원소집처분의 취소소송에서도 선행처분인 보충역편입처분의 위법을 이유로 공익근무요원소집처분의 효력을 다툴 수 있다. 2022 서울시 지적 7급 (O | X)
6. 보충역편입처분에 하자가 있다고 할지라도 그것이 중대하고 명백하지 않는 한, 그 하자를 이유로 공익근무요원소집처분의 효력을 다툴 수 없다. 2021 소방직 9급 (O | X)

㉰ 관련기출
7. 선행처분인 소득금액변동통지에 하자가 존재하더라도 당연무효사유에 해당하지 않는 한 후행처분인 징수처분에 그대로 승계되지 아니한다. 2025 소방직 9급 (O | X)
8. 과세청의 소득처분과 그에 따른 소득금액변동통지가 있는 경우 원천징수의무자인 법인은 원천징수하는 소득세의 납세의무에 관하여는 이를 확정하는 소득금액변동통지에 대한 항고소송에서 다툴 수 있고, 소득금액변동통지의 하자는 후행처분인 징수처분에 그대로 승계된다. 2024 소방직 9급 (O | X)
9. 과세청의 소득처분과 그에 따른 소득금액변동통지가 있는 경우 원천징수하는 소득세의 납세의무에 관하여는 이를 확정하는 소득금액변동통지에 대한 항고소송에서 다투어야 하고 소득금액변동통지가 취소사유에 불과한 경우 징수처분에 대한 항고소송에서 이를 다툴 수는 없다. 2019 국회직 8급 (O | X)

㉱ 관련기출
10. 사업시행계획과 관리처분계획은 서로 독립하여 별개의 법적 효과를 발생시키는 것으로서 사업시행계획의 수립에 관한 취소사유인 하자가 관리처분계획에 승계되지 아니한다. 2018 서울시 9급 (O | X)

㉲ 관련기출
11. 공인중개사업무정지와 중개사사무소 개설등록취소 (사이에는 하자의 승계가 인정된다) 2025 해경승진 (O | X)
12. 「공인중개사법」 위반으로 업무정지처분을 받고 그 업무정지기간 중 중개업무를 하였다는 이유로 중개사무소 개설등록취소처분을 받은 경우, 양 처분은 그 내용과 효과를 달리하는 독립 행정처분으로서 서로 결합하여 1개의 법률효과를 완성하는 때에 해당한다고 볼 수 없다. 2024 국가직 7급 (O | X)
13. 공인중개사무소 개설등록취소처분은 공인중개사업무정지처분을 전제로 하고 서로 결합하여 1개의 법률효과를 완성하는 경우이므로 선행처분의 하자가 후행처분에 승계된다. 2023 서울시 연구사 (O | X)

정답

1. × 2. ○ 3. × 4. ○ 5. × 6. ○ 7. ○ 8. × 9. ○ 10. ○ 11. × 12. ○ 13. ×

18 ☐☐☐

행정행위의 하자에 관한 설명으로 옳은 것은? (다툼이 있는 경우 판례에 의함)

① 법률에 근거하여 행정처분이 발하여진 후에 헌법재판소가 그 행정처분의 근거법률을 위헌으로 결정한 경우, 해당 행정처분은 그 하자가 중대·명백하여 당연무효이다.
② 헌법재판소는 행정처분 자체의 효력이 쟁송기간 경과 후에도 존속 중인 경우, 특히 그 행정처분이 위헌법률에 근거하여 내려진 것이고 그 목적 달성을 위해 필요한 후행 행정처분이 아직 이루어지지 않았다면 그 하자가 중대하여 구제가 필요한 경우에는 쟁송기간 경과 후에라도 무효확인을 구할 수 있다고 본다.
③ 헌법재판소가 법률에 대하여 위헌결정을 한 이후, 그 법률을 근거로 행정처분을 하였다면, 그 행정처분은 중대하지만 명백한 하자는 아니므로 당연무효가 되지 않는다.
④ 조세 부과의 근거가 되었던 법률규정이 위헌결정되었다 하더라도, 그에 기한 과세처분이 위헌결정 전에 이루어졌다면 위헌결정 이후에 조세채권의 집행을 위한 새로운 체납처분에 착수하는 것은 허용된다.

✓ 기출체크

① 관련기출

1. 법률에 근거하여 행정처분이 발하여진 후에 헌법재판소가 그 행정처분의 근거가 된 법률을 위헌으로 결정하였다면 결과적으로 행정처분은 법률의 근거가 없이 행하여진 것과 마찬가지가 되어 당연무효라고 할 것이다. 2024 군무원 9급 (○ | ×)
2. 대법원은 행정처분 이후에 처분의 근거법령에 대하여 헌법재판소 또는 대법원이 위헌 또는 위법하다는 결정을 하게 되면, 당해 처분은 법적 근거가 없는 처분으로 하자 있는 처분이고 그 하자는 중대한 것이지만, 위헌 또는 위법하다는 결정이 있기 전에는 객관적으로 명백하다고 보기 어려우므로 취소사유에 그치는 것으로 본다. 2016 사회복지직 9급 (○ | ×)
3. 처분 이후에 처분의 근거가 된 법률이 헌법재판소에 의해 위헌으로 결정되었다면 그 처분은 법률상 근거 없는 처분이 되어 당연무효임이 원칙이다. 2015 지방직 7급 (○ | ×)

② 관련기출

4. 헌법재판소에 따르면 행정처분을 무효로 하더라도 법적 안정성을 크게 해치지 않는 반면에 그 하자가 중대하여 구제가 필요한 경우에도 그 예외를 인정하여 이를 당연무효사유로 볼 수는 없다. 2019 사회복지직 9급 (○ | ×)
5. 행정처분 자체의 효력이 쟁송기간 경과 후에도 존속 중인 경우, 그 행정처분이 위헌인 법률에 근거하여 내려졌고 그 목적 달성을 위해 필요한 후행 행정처분이 아직 이루어지지 않았다면 그 하자가 중대하여 그 구제가 필요한 경우에 대하여서는 쟁송기간 경과 후라도 무효확인을 구할 수 있다. 2018 지방직 9급 (○ | ×)
6. 헌법재판소는 위헌법률에 근거한 행정처분의 효력과 관련하여, 그 행정처분을 무효로 하더라도 법적 안정성을 크게 해치지 않는 반면에 그 하자가 중대하여 그 구제가 필요한 경우에 대해서는 예외적으로 당연무효사유로 보아야 한다는 입장을 취하고 있다. 2015 서울시 7급 (○ | ×)
7. 헌법재판소는 행정처분 자체의 효력이 쟁송기간 경과 후에도 존속 중이고 그 행정처분의 근거가 된 법규가 위헌으로 선고되는 경우, 그 행정처분을 무효로 하더라도 법적 안정성을 크게 해치지 않는 반면에, 그 하자가 중대하여 그 구제가 필요한 경우에는 당연무효사유로 보아 무효확인을 구할 수 있다고 결정하였다. 2014 지방직 9급 (○ | ×)

③ 관련기출

8. 헌법재판소가 법률을 위헌으로 결정하였다면 이러한 결정이 있은 후 그 법률을 근거로 한 행정처분은 중대한 하자이기는 하나 명백한 하자는 아니므로 당연무효는 아니다. 2015 국가직 9급 (○ | ×)

④ 관련기출

9. 과세처분 이후 조세 부과의 근거가 되었던 법률규정에 대하여 위헌결정이 내려진 경우, 그 조세채권의 집행을 위한 체납처분은 당연무효가 된다. 2025 군무원 9급 (○ | ×)
10. 조세 부과의 근거가 되었던 법률규정이 위헌으로 결정된 경우, 그에 기한 과세처분이 위헌결정 전에 이루어졌고, 과세처분에 대한 제소기간이 이미 경과하여 조세채권이 확정되었으며, 조세채권의 집행을 위한 체납처분의 근거규정 자체에 대하여는 따로 위헌결정이 내려진 바 없으므로, 이와 같은 위헌결정 이후에 행해진 체납처분은 무효라고 할 수 없다. 2025 경찰간부 (○ | ×)
11. 조세 부과의 근거가 되었던 법률규정이 위헌으로 선언된 경우, 그 위헌결정의 기속력 때문에 그 위헌결정 이후 조세채권의 집행을 위한 새로운 체납처분에 착수하거나 이를 속행하는 것은 더 이상 허용되지 않는다. 이러한 위헌결정의 효력에 위배하여 이루어진 체납처분은 그 사유만으로 하자가 중대하고 객관적으로 명백하여 당연무효이다. 2024 변호사 (○ | ×)
12. 과세처분 이후에 조세 부과의 근거가 되었던 법률규정에 대하여 위헌결정이 있었으나, 과세처분에 대한 제소기간이 이미 경과하여 조세채권이 확정된 경우에는 그 조세채권의 집행을 위한 새로운 체납처분은 당연무효가 아니다. 2024 해경간부 (○ | ×)
13. 조세 부과의 근거가 되었던 법률규정이 위헌으로 선언된 이후, 조세채권의 집행을 위한 새로운 체납처분에 착수하거나 이를 속행하더라도 위법하지 않다. 2019 사회복지직 9급 (○ | ×)

정답

1. × 2. ○ 3. × 4. × 5. ○ 6. ○ 7. ○ 8. × 9. ○ 10. × 11. ○ 12. × 13. ×

19 □□□

사례에 관한 설명으로 옳은 것만을 <보기>에서 모두 고른 것은? (다툼이 있는 경우 판례에 의함)

> A시장은 甲에게 지방세 부과처분을 하였는데, 과세처분 이후 조세 부과의 근거가 되었던 법률규정에 대하여 헌법재판소의 위헌결정이 내려졌다.

― 보기 ―

㉮ 법적 안정성의 유지나 당사자의 신뢰보호를 위하여 불가피한 경우에는 위헌결정의 소급효를 제한할 수 있다는 것이 대법원의 입장이다.

㉯ 위 과세처분에 대한 취소소송의 제기기간이 경과되어 과세처분에 확정력이 발생한 경우에도 위헌결정의 소급효가 미친다는 것이 대법원의 입장이다.

㉰ 헌법재판소의 위헌결정의 효력은 위헌제청을 한 당해 사건은 물론 위헌제청신청은 하지 않았지만 당해 법률 또는 법률 조항이 재판의 전제가 되어 법원에 계속 중인 사건, 위헌결정 이후에 위와 같은 이유로 제소된 일반사건에도 미친다.

㉱ 위헌결정 이후에 甲에 대하여 강제집행이 이루어진 경우, 강제집행의 근거규정 자체에 대하여 따로 위헌결정이 내려진 경우가 아니라면 그 강제집행은 취소사유일 뿐 당연무효는 아니다.

① ㉮, ㉯
② ㉮, ㉰
③ ㉯, ㉱
④ ㉰, ㉱

✓ 기출체크

㉮ 관련기출

1. 대법원에 따르면, 위헌결정의 효력이 미치는 범위가 무한정일 수는 없고, 다른 법리에 의하여 그 소급효를 제한하는 것까지 부정되는 것은 아니며, 법적 안정성의 유지나 당사자의 신뢰보호를 위하여 불가피한 경우에 위헌결정의 소급효를 제한하는 것은 오히려 법치주의의 원칙상 요청된다. 2023 군무원 5급 (O | X)

2. 당해 처분에 이미 불가쟁력이 발생하였거나 법적 안정성이 요구되는 경우에도 소급효를 인정하고 있다. 2013 서울시 7급 (O | X)

㉯ 관련기출

3. 취소소송의 제기기간을 경과하여 확정력이 발생한 행정처분의 경우에는 위헌결정의 소급효가 미치지 않는다. 2025 경찰간부 (O | X)

4. 위헌결정의 소급효가 인정된다고 해서 위헌인 법률에 근거한 행정처분이 당연무효가 된다고는 할 수 없고, 이미 취소소송의 제기기간을 경과하여 불가쟁력이 발생한 행정처분에도 위헌결정의 소급효가 미친다. 2025 군무원 9급 (O | X)

5. 위헌인 법률에 근거한 행정처분이 당연무효인지의 여부는 위헌결정의 소급효와 밀접한 관련이 있는 문제로서, 이미 취소소송의 제기기간을 경과하여 확정력이 발생한 행정처분에도 위헌결정의 소급효가 미친다. 2023 해경간부 (O | X)

6. 처분이 있은 날로부터 1년이 도과한 처분으로서 당연무효에 해당하는 하자가 없는 경우, 그 처분의 근거법령이 위헌결정되었다면 원칙적으로 소급효가 미친다. 2020 국회직 8급 (O | X)

7. 대법원은 처분이 있은 후에 근거법률이 위헌으로 결정된 경우, 그 처분은 법률의 근거가 없이 행하여진 것과 마찬가지의 하자가 인정되므로 불가쟁력이 발생하였다 하더라도 위헌결정의 소급효가 미친다고 보았다. 2012 국가직 7급 (O | X)

㉰ 관련기출

8. 대법원에 따르면, 헌법재판소의 위헌결정의 효력은 당해 사건, 동종사건과 병행사건뿐만 아니라, 위헌결정 이후 같은 이유로 제소된 일반사건에도 미친다. 2023 군무원 5급 (O | X)

9. 헌법재판소의 위헌결정은 원칙적으로 장래효이지만 위헌결정이 있기 전에 이와 동종의 위헌 여부에 대하여 헌법재판소에 위헌 여부 심판제청을 한 사건에 대해서는 소급효를 인정한다. 2022 서울시 지적 7급 (O | X)

10. 헌법재판소에 별도로 위헌제청신청을 하지는 않았으나 당해 법률 또는 법률조항이 재판의 전제가 되어 법원에 계속 중인 사건의 경우 위헌결정의 예외적 소급효가 인정된다. 2022 서울시 지적 7급 (O | X)

11. [A시 시장은 「학교용지 확보 등에 관한 특례법」 관계 조항에 따라 공동주택을 분양받은 甲, 乙, 丙, 丁 등에게 각각 다른 시기에 학교용지 부담금을 부과하였다. 이후 해당 조항에 대하여 법원의 위헌법률심판제청에 따라 헌법재판소가 위헌결정을 하였다(단, 甲, 乙, 丙, 丁은 모두 위헌법률심판제청신청을 하지 않은 것으로 가정함)]. 乙은 부담금을 납부한 후 부담금 부과처분에 대해 행정소송을 제기하였고 현재 소가 계속 중인 경우에도, 乙이 위헌법률심판제청신청을 하지 않았으므로 乙에게 위헌결정의 소급효는 미치지 않는다. 2022 국가직 9급 (O | X)

12. 헌법재판소의 위헌결정의 효력은 위헌제청을 한 당해 사건은 물론 위헌제청신청은 아니하였지만 당해 법률 또는 법률의 조항이 재판의 전제가 되어 법원에 계속 중인 사건에도 미친다. 2019 사회복지직 9급 (O | X)

㉱ 관련기출

13. 다음 사례에 대한 설명으로 옳지 않은 것만을 모두 고르면? (다툼이 있는 경우 판례에 의함) 2024 국가직 9급

> 세무서장 A가 甲에게 과세처분을 하였는데, 그 후 과세처분의 근거가 되었던 법률규정은 헌법재판소에 의해 위헌으로 선언되었다. 그러나 그 과세처분에 대한 제소기간은 이미 경과하여 확정되었고, A는 甲 명의의 예금에 대한 압류처분을 하였다. 한편, 과세처분의 집행을 위한 위 압류처분의 근거규정 자체는 따로 위헌결정이 내려진 바 없다.

㉠ 甲에 대한 과세처분과 압류처분은 별개의 행정처분이므로 선행처분인 과세처분이 당연무효가 아닌 이상 압류처분을 다툴 수 있는 방법은 존재하지 않는다.

㉡ 압류처분은 과세처분 근거규정이 직접 적용되지 않고 압류처분 관련 규정이 적용될 뿐이므로, 과세처분 근거규정에 대한 위헌결정의 기속력은 압류처분과는 무관하다.

㉢ 과세처분 이후 조세 부과의 근거가 되었던 법률규정에 대하여 위헌결정이 내려진 경우, 과세처분이 당연무효가 아니더라도 위헌결정 이후에 과세처분의 집행을 위한 압류처분을 하는 것은 더 이상 허용되지 않는다.

① ㉠
② ㉠, ㉡
③ ㉠, ㉢
④ ㉡, ㉢

14. 조세 부과처분의 근거가 되었던 법률규정에 대하여 위헌결정이 내려진 후 체납처분을 한 경우, 그 체납처분은 무효이다. 2024 해경승진
(O | X)

15. 조세 부과의 근거가 되었던 법률규정이 위헌으로 선언된 경우, 그 위헌결정의 기속력 때문에 그 위헌결정 이후 조세채권의 집행을 위한 새로운 체납처분에 착수하거나 이를 속행하는 것은 더 이상 허용되지 않는다. 이러한 위헌결정의 효력에 위배하여 이루어진 체납처분은 그 사유만으로 하자가 중대하고 객관적으로 명백하여 당연무효이다. 2024 변호사
(O | X)

정답
1. ○ 2. × 3. ○ 4. × 5. × 6. × 7. × 8. ○ 9. ○ 10. ○
11. × 12. ○ 13. ② 14. ○ 15. ○

20 □□□

행정행위의 취소와 철회에 관한 설명으로 옳지 <u>않은</u> 것만을 <보기>에서 모두 고른 것은? (다툼이 있는 경우 판례에 의함)

― 보기 ―

㉮ 행정청은 중대한 공익을 위하여 필요한 경우 적법한 처분의 전부 또는 일부를 장래를 향하여 철회할 수 있으며, 이 경우 철회로 인하여 처분의 상대방이 입게 될 불이익과 철회로 달성되는 공익을 비교·형량하여야 한다.

㉯ 당사자가 처분의 위법성을 알고 있었거나 중대한 과실로 알지 못한 경우에는 행정청이 그 처분을 취소하기 위하여 취소로 인하여 당사자가 입게 될 불이익을 취소로 달성되는 공익과 비교·형량하지 않아도 된다.

㉰ 수익적 행정처분을 취소 또는 철회하는 경우, 취소 등의 사유가 있더라도 그 처분으로 인하여 공익상의 필요보다 상대방이 받게 되는 불이익 등이 막대한 경우라도 처분 자체가 위법하다고 볼 수는 없다.

㉱ 부담적 행정행위의 철회도 수익적 행정행위의 철회에서와 같은 제한을 받는다.

① ㉮, ㉯   ② ㉮, ㉰
③ ㉯, ㉱   ④ ㉰, ㉱

✓기출체크

㉮ 관련기출

1. 행정청이 중대한 공익상 필요가 있어 적법한 처분의 전부 또는 일부를 철회하려는 경우에는 철회로 인하여 당사자가 입게 될 불이익을 철회로 달성되는 공익과 비교·형량하지 않을 수 있다. 2025 소방간부
(O | X)

2. 행정청은 적법한 처분이 법률에서 정한 철회사유에 해당하게 된 경우 그 처분의 전부 또는 일부를 장래를 향해 철회할 수 있는데, 처분을 철회하는 경우 철회로 인하여 당사자가 입게 될 불이익과 철회로 얻게 되는 공익을 비교·형량할 필요는 없다. 2024 소방직 9급
(O | X)

3. 행정청은 처분을 철회하려는 경우에는 철회로 인하여 처분의 상대방이 입게 될 불이익과 철회로 달성되는 공익을 비교·형량하여야 한다. 2023 국회직 8급
(O | X)

4. 행정청은 중대한 공익을 위하여 필요한 경우 적법한 처분의 전부 또는 일부를 장래를 향하여 철회할 수 있다. 2023 소방직 9급 (O | X)

5. 행정청은 적법한 처분이 중대한 공익을 위하여 필요한 경우에는 그 처분을 장래를 향하여 철회할 수 있다. 2021 지방직·서울시 9급
(O | X)

㉯ 관련기출

6. 행정청은 당사자에게 권리나 이익을 부여하는 처분을 취소하려는 경우에는 취소로 인하여 당사자가 입게 될 불이익을 취소로 달성되는 공익과 비교·형량하여야 하지만, 거짓이나 그 밖의 부정한 방법으로 처분을 받은 경우 또는 당사자가 처분의 위법성을 알고 있었거나 중대한 과실로 알지 못한 경우에는 그러하지 아니하다. 2025 소방간부
(O | X)

7. 행정청은 당사자에게 권리나 이익을 부여하는 처분을 취소하려는 경우, 당사자가 중대한 과실로 처분의 위법성을 알지 못하면 취소로 인하여 입게 될 불이익을 취소로 달성되는 공익과 비교·형량하여야 한다. 2024 해경승진
(O | X)

8. 처분의 상대방이 처분의 위법성을 알고 있었거나 중대한 과실로 알지 못한 경우에는 행정청이 처분의 상대방에게 권리나 이익을 부여하는 처분을 취소하는 경우에도 취소로 인하여 처분의 상대방이 입게 될 불이익과 취소로 달성되는 공익을 비교·형량하지 않아도 된다. 2023 국회직 8급
(O | X)

㉰ 관련기출

9. 양도인의 운전면허취소가 운송사업면허의 취소사유에 해당한다는 이유로 양수인의 운송사업면허를 취소하는 처분을 한 사안에서, 그 처분으로 인하여 공익상의 필요보다 상대방이 받게 되는 불이익 등이 막대한 경우에는 재량한계를 일탈한 것으로서 그 자체가 위법하게 된다. 2024 군무원 7급
(O | X)

10. 행정행위를 한 처분청은 사정변경이 생겼거나 또는 중대한 공익상의 필요가 발생한 경우에는 그 효력을 상실케 하는 별개의 행정행위로 이를 철회할 수 있다고 할 것이나, 기득권을 침해하는 경우에는 기득권의 침해를 정당화할 만한 중대한 공익상의 필요 또는 제3자의 이익 보호의 필요가 있는 때에 한하여 상대방이 받는 불이익과 비교·교량하여 철회하여야 한다. 2017 국가직 9급
(O | X)

11. 수익적 행정처분을 취소 또는 철회하는 경우에는 이미 부여된 그 국민의 기득권을 침해하는 것이 되므로 그 처분으로 인하여 공익상의 필요보다 상대방이 받게 되는 불이익 등이 막대한 경우에는 재량권의 한계를 일탈한 것으로서 그 자체가 위법하다. 2016 서울시 7급
(O | X)

12. 수익적 행정행위를 직권취소하는 경우 그 취소권의 행사로 인하여 공익상의 필요보다 상대방이 받게 되는 불이익 등이 막대한 경우에는 재량권의 한계를 일탈한 것으로서 그 자체가 위법하다.
2015 국가직 9급 (O | X)

㉔ 관련기출

13. 행정행위의 철회가 제한되는 경우에 해당하는 것은? (다툼이 있는 경우 판례에 의함) 2015 서울시 9급
   ① 행정행위에 수반되는 법정의무 또는 부관에 의한 의무 등을 위반하거나 불이행한 경우
   ② 수익적 행정처분의 경우
   ③ 사실관계나 법적 상황의 변경으로 인한 행정행위의 존속이 공익상 중대한 장애가 된 경우
   ④ 당사자의 신청이나 동의가 있는 경우

14. 부담적 행정행위의 철회는 원칙적으로 자유롭지 않다고 본다.
2011 국가직 7급 (O | X)

정답
1. × 2. × 3. ○ 4. ○ 5. ○ 6. ○ 7. × 8. ○ 9. ○ 10. ○
11. ○ 12. ○ 13. ② 14. ×

21 □□□

행정행위의 취소와 철회에 관한 설명으로 옳은 것은? (다툼이 있는 경우 판례에 의함)

① 처분에 대한 취소소송이 진행 중이라면 법적 안정성의 요청상 행정청은 처분을 스스로 취소할 수 없다.
② 처분청이 직권취소를 할 수 있는 사정이 있다면, 원칙적으로 이해관계인은 처분청에 대하여 그 취소를 요구할 신청권을 가진다.
③ 수익적 처분에 대한 취소권 등의 행사는 기득권의 침해를 정당화할 만한 중대한 공익상의 필요 또는 제3자의 이익보호의 필요가 있는 때에 한하여 허용될 수 있다는 법리는 쟁송취소에는 적용되지 않는다.
④ 건축허가를 받은 자가 건축허가가 취소되기 전에 공사에 착수한 경우, 그 착수기간이 지났다면 허가권자는 원칙적으로 건축허가를 취소할 수 있다.

✓기출체크

① 관련기출

1. 변상금 부과처분에 대한 취소소송이 진행 중이라면 그 부과권자는 위법한 처분을 스스로 취소하고 그 하자를 보완하여 다시 적법한 부과처분을 할 수 없다. 2023 경찰간부 (O | X)
2. 행정청은 행정소송이 계속되고 있는 때에는 직권으로 해당 처분을 변경할 수 없다. 2021 행정사 (O | X)
3. 변상금 부과처분에 대한 취소소송이 진행 중이라도 처분청은 위법한 처분을 스스로 취소하고 그 하자를 보완하여 다시 적법한 부과처분을 할 수 있다. 2018 서울시 1회 7급 (O | X)

② 관련기출

4. 승인처분의 근거법률에서 행정청의 승인처분에 대한 취소신청과 관련하여 아무런 규정을 두고 있지 않더라도 직권취소를 할 수 있다는 사정만으로 이해관계인은 처분청에 대하여 승인처분의 하자를 이유로 그 승인처분의 취소를 요구할 신청권을 갖는다.
2024 지방직·서울시 7급 (O | X)
5. 행정처분을 한 처분청은 그 처분에 하자가 있는 경우에는 원칙적으로 별도의 법적 근거가 없더라도 스스로 이를 직권으로 취소할 수 있고, 이러한 경우 이해관계인에게는 처분청에 대하여 그 취소를 요구할 신청권이 부여된 것으로 볼 수 있다. 2017 국가직 9급 (O | X)
6. 행정청이 직권취소를 할 수 있다는 사정만으로 이해관계인인 제3자에게 행정청에 대한 직권취소청구권이 부여된 것으로 볼 수 없다.
2015 국회직 8급 (O | X)
7. 법령에 근거가 없어도 직권취소를 할 수 있다는 사정이 있으면, 이해관계인에게 처분청에 대하여 그 취소를 요구할 신청권이 부여된 것으로 볼 수 있다. 2011 지방직(상) 9급 (O | X)

③ 관련기출

8. 수익적 행정처분에 대한 취소권의 행사는 기득권의 침해를 정당화할 만한 중대한 공익상의 필요 또는 제3자의 이익보호의 필요가 있는 때에 한하여 허용될 수 있다는 법리는 쟁송취소의 경우에는 적용되지 않는다. 2025 국가직 9급 (O | X)
9. 수익적 행정처분의 취소 제한에 관한 법리는 처분청이 수익적 행정처분을 직권으로 취소하는 경우에 적용되는 법리일 뿐 쟁송취소의 경우에는 적용되지 않는다. 2024 지방직·서울시 9급 (O | X)
10. 취소소송에 의한 행정처분 취소의 경우에도 수익적 행정처분의 직권취소제한에 관한 법리가 적용된다. 2023 경찰간부 (O | X)
11. 수익적 행정처분에 대한 취소권 등의 행사는 기득권의 침해를 정당화할 만한 중대한 공익상의 필요 또는 제3자의 이익보호의 필요가 있는 때에 한하여 허용될 수 있다는 법리는 처분청이 수익적 행정처분을 직권으로 취소·철회하는 경우에 적용되는 법리일 뿐 쟁송취소의 경우에는 적용되지 않는다. 2023 국회직 8급 (O | X)

④ 관련기출

12. 건축허가를 받은 자가 법정착수기간이 지나 공사에 착수한 경우, 허가권자는 착수기간이 지났음을 이유로 건축허가를 취소하여야 한다. 2018 국회직 8급 (O | X)

정답
1. × 2. × 3. ○ 4. × 5. × 6. ○ 7. × 8. ○ 9. ○ 10. ×
11. ○ 12. ×

22 ☐☐☐

행정행위의 취소에 관한 설명으로 옳지 <u>않은</u> 것만을 <보기>에서 모두 고른 것은? (다툼이 있는 경우 판례에 의함)

┌─ 보기 ─────────────────────────────────────┐
㉮ 권한 없는 행정기관이 한 당연무효인 행정처분을 취소할 수 있는 권한은 해당 행정처분을 한 처분청이 가진다.
㉯ 「산업재해보상보험법」상 각종 보험급여지급결정을 변경 또는 취소하는 처분이 적법하다면 그에 터 잡은 징수처분도 적법하다고 판단하여야 한다.
㉰ 과세관청은 조세 부과의 취소를 다시 취소함으로써 원 부과처분을 소생시킬 수 있음이 원칙이다.
㉱ 광업권취소처분 후 광업권 설정의 선출원이 있는 경우에는 취소처분을 취소하여 광업권을 복구시키는 조처는 적법하지 않다.
㉲ 운전면허취소처분이 위법한 경우에도 그 처분이 무효가 아니라면 공정력이 인정되므로 운전면허취소처분을 받은 자가 그 취소처분에 대한 취소소송기간 중 자동차를 운전하였다면, 이후 판결에 의해 운전면허취소처분이 취소되었더라도 무면허운전이 성립한다.
└───┘

① ㉮, ㉯, ㉱
② ㉯, ㉰, ㉱
③ ㉯, ㉰, ㉲
④ ㉰, ㉱, ㉲

✔ 기출체크

㉮ 관련기출

1. 권한 없는 행정기관이 한 당연무효의 행정처분을 취소할 수 있는 권한은 당해 행정처분을 한 처분청에 속한다. 2024 소방직 9급 (O | X)

2. 권한 없는 행정청이 한 위법한 행정처분을 취소할 수 있는 권한은 그 행정처분을 한 처분청에게 속하는 것이고, 그 행정처분을 할 수 있는 적법한 권한을 가지는 행정청에게 그 취소권이 귀속되는 것은 아니다. 2022 지방직·서울시 9급 (O | X)

3. 권한 없는 행정기관이 한 당연무효인 행정처분을 취소할 수 있는 권한은 당해 행정처분을 한 처분청에게 속하고, 당해 행정처분을 할 수 있는 적법한 권한을 가지는 행정청에게 그 취소권이 귀속되는 것이 아니다. 2019 지방직·교육행정직 9급 (O | X)

4. 판례는 권한 없는 행정기관이 한 당연무효의 행정처분을 취소할 수 있는 권한은 당해 행정처분을 한 처분청에게 속한다고 하였다. 2008 관세사 (O | X)

㉯ 관련기출

5. 「산업재해보상보험법」상 각종 보험급여 등의 지급결정을 변경 또는 취소하는 처분과 처분에 터 잡아 잘못 지급된 보험급여액에 해당하는 금액을 징수하는 처분이 적법한지를 판단하는 경우, 지급결정을 변경 또는 취소하는 처분이 적법하다면 그에 터 잡은 징수처분도 적법하다고 판단해야 한다. 2019 지방직·교육행정직 9급 (O | X)

㉰ 관련기출

6. 과세관청은 조세 부과처분의 취소를 취소함으로써 원부과처분을 소생시킬 수는 없고 다시 법률에서 정한 부과절차에 좇아 동일한 내용의 새로운 부과처분을 하는 수밖에 없다. 2026 경찰간부 (O | X)

7. 직권취소도 원행정행위와 별개의 행정행위이므로 조세 부과처분을 취소한 후, 취소에 하자가 있다고 하여 이를 취소하면 원부과처분을 소생시킬 수 있다. 2024 국회직 8급 (O | X)

8. 조세 부과처분이 취소되면 그 조세 부과처분은 확정적으로 효력이 상실되므로 나중에 취소처분이 취소되어도 원 조세 부과처분의 효력이 회복되지 않는다. 2023 지방직·서울시 7급 (O | X)

9. 과세관청이 조세 부과처분을 취소하면 해당 처분은 효력이 상실되지만 이후 이를 다시 취소하는 경우에는 그 조세 부과처분의 효력은 당연히 회복된다. 2023 소방간부 (O | X)

10. 과세관청은 과세처분의 취소를 다시 취소함으로써 이미 효력을 상실한 원부과처분을 소생시킬 수 없다. 2022 소방직 9급 (O | X)

㉱ 관련기출

11. 광업권 허가에 대한 취소처분을 한 후 적법한 광업권 설정의 선출원이 있는 경우에는 취소처분을 취소하여 광업권을 복구시키는 조처는 위법하다. 2018 국회직 8급 (O | X)

12. 광업권취소처분 후 광업권 설정의 선출원이 있는 경우에도 취소처분을 취소하여 광업권을 복구시키는 조처는 적법하다. 2014 서울시 7급 (O | X)

㉲ 관련기출

13. 행정청으로부터 자동차운전면허취소처분을 받았으나 나중에 그 취소처분이 행정쟁송절차에 의하여 취소되었다면, 위 운전면허취소처분은 그 처분시에 소급하여 효력을 잃는다. 2026 경찰간부 (O | X)

14. 운전면허취소처분이 위법하더라도 공정력이 인정되는 결과, 운전면허취소처분을 받은 자가 이후 당해 처분에 대한 취소소송기간 중 자동차를 운전하였다면, 그 이후 판결에 의해 운전면허취소처분이 취소되었더라도 무면허운전에 해당한다. 2024 소방간부 (O | X)

15. 운전면허취소처분에 대한 취소소송에서 취소판결이 확정되었다면 운전면허취소처분 이후의 운전행위를 무면허운전이라 할 수는 없다. 2020 국가직 7급 (O | X)

16. 운전면허취소처분을 받은 후 자동차를 운전하였으나 위 취소처분이 행정쟁송절차에 의하여 취소된 경우, 행정행위에 인정되는 공정력에도 불구하고 무면허운전이 성립되지 않는다. 2008 지방직(하) 7급 (O | X)

> **정답**
> 1. O 2. O 3. O 4. O 5. X 6. O 7. X 8. O 9. X 10. O
> 11. O 12. X 13. O 14. X 15. O 16. O

23

행정행위의 폐지에 관한 설명으로 옳지 않은 것은? (다툼이 있는 경우 판례에 의함)

① 처분청은 행정처분에 하자가 있는 경우에는 원칙적으로 별도의 법적 근거가 없더라도 스스로 이를 취소할 수 있고, 이는 수익적 행정처분의 경우에도 마찬가지이다.
② 처분청은 비록 그 처분 당시에 별다른 하자가 없었고, 그 처분 후에 이를 철회할 별도의 법적 근거가 없다 하더라도 원래의 처분을 존속시킬 필요가 없게 된 사정변경이 생긴 경우에는 당해 처분을 철회할 수 있다.
③ 행정행위의 직권취소는 별개의 행정행위에 의하여 원행정행위의 효력을 소멸시키는 것인데 반하여, 행정행위의 실효는 일정한 사유의 발생에 따라 기존의 행정행위의 효력이 당연히 소멸하는 것이다.
④ 행정행위의 철회사유는 행정행위의 성립 당시에 존재하였던 하자를 말하고, 취소사유는 행정행위가 성립된 이후에 새로이 발생한 사유라는 점에서 양자는 구별된다.

✓ 기출체크

① 관련기출

1. 처분청은 그 처분의 성립에 하자가 있는 경우 이를 취소할 별도의 법적 근거가 없다고 하더라도 직권으로 이를 취소할 수 있다. 2025 행정사 (O | X)
2. 행정처분을 한 처분청은 그 행위에 하자가 있는 경우에는 원칙적으로 별도의 법적 근거가 없더라도 스스로 이를 직권으로 취소할 수 있다. 2024 지방직·서울시 7급 (O | X)
3. 행정처분을 한 처분청은 그 처분의 성립에 하자가 있는 경우, 이를 취소할 별도의 법적 근거가 없다고 하더라도 직권으로 이를 취소할 수 있다. 2024 소방직 9급 (O | X)
4. 처분청은 행정처분에 하자가 있는 경우에는 별도의 법적 근거가 있어야만 스스로 이를 취소할 수 있다. 2023 군무원 9급 (O | X)
5. 처분청은 행정처분에 하자가 있는 경우에 별도의 법적 근거가 없더라도 스스로 이를 취소할 수 있는데, 다만 수익적 행정처분의 경우에는 해당 법률에 취소에 관한 별도의 법적 근거가 요구된다. 2021 변호사 (O | X)

② 관련기출

6. 행정행위를 한 처분청은 그 처분 당시에 그 행정처분에 별다른 하자가 없었고 또 그 처분 후에 이를 취소할 별도의 법적 근거가 없다 하더라도 원래의 처분을 그대로 존속시킬 필요가 없게 된 사정변경이 생겼거나 또는 중대한 공익상의 필요가 발생한 경우에는 별개의 행정행위로 이를 철회하거나 변경할 수 있다. 2025 소방직 9급 (O | X)
7. 행정행위를 한 행정청은 비록 발령 당시에는 별다른 하자가 없었고 또 철회할 수 있다는 개별법상 별도의 법적 근거가 없다 하더라도 그 발령 후에 중대한 공익상의 필요가 있는 때에는 공익·사익 간 비교·형량을 거쳐 그 행정행위를 장래를 향하여 철회할 수 있다. 2024 변호사 (O | X)
8. 행정행위를 한 처분청은 비록 그 처분 당시에 별다른 하자가 없었고, 또 그 처분 후에 이를 철회할 별도의 법적 근거가 없다 하더라도 원래의 처분을 존속시킬 필요가 없게 된 사정변경이 생겼거나 또는 중대한 공익상의 필요가 발생한 경우에는 그 효력을 상실케 하는 별개의 행정행위로 이를 철회할 수 있다. 2023 지방직·서울시 7급 (O | X)
9. 「행정기본법」은 직권취소나 철회의 일반적 근거규정을 두고 있고, 직권취소나 철회는 개별법률의 근거가 없어도 가능하다. 2023 국가직 9급 (O | X)
10. 철회권이 유보된 경우라도 수익적 행정행위의 철회에 있어서는 반드시 법적 근거가 필요하다. 2016 서울시 9급 (O | X)

③ 관련기출

11. 다음 ㉠, ㉡, ㉢에 해당하는 용어가 바르게 나열된 것은? 2014 서울시 7급

> ㉠ 하자 없이 성립한 행정행위에 대해 그의 효력을 존속시킬 수 없는 새로운 사정이 발생하였음을 이유로 장래에 향하여 그의 효력을 소멸시키는 행정행위
> ㉡ 일단 유효하게 성립한 행정행위를 하자가 있음을 이유로 또는 부당함을 이유로 행정청이 그 효력을 소멸시키는 행정행위
> ㉢ 하자 없이 적법하게 성립한 행정행위가 일정한 사실의 발생에 의하여 당연히 그 효력이 소멸되는 것

	㉠	㉡	㉢		㉠	㉡	㉢
①	철회	실효	취소	②	철회	취소	실효
③	실효	취소	철회	④	실효	철회	취소
⑤	취소	실효	철회				

12. 행정행위의 직권취소는 별개의 행정행위에 의하여 원행정행위의 효력을 소멸시키는 것인 데 반하여, 행정행위의 실효는 일정한 사유의 발생에 따라 당연히 기존의 행정행위의 효력이 소멸하는 것이다. 2007 국가직 7급 (O | X)

④ 관련기출

13. 행정행위의 취소사유는 행정행위의 성립 당시에 존재하였던 하자를 말하고, 철회사유는 행정행위가 성립된 이후에 새로이 발생한 것으로서 행정행위의 효력을 존속시킬 수 없는 사유를 말한다. 2026 경찰간부 (O | X)
14. 행정행위의 철회사유는 행정행위가 성립되기 이전에 발생한 것으로서 행정행위의 효력을 존속시킬 수 없는 사유를 말한다. 2023 국가직 9급 (O | X)
15. 행정행위의 철회는 적법요건을 구비하여 완전히 효력을 발하고 있는 행정행위를 사후적으로 그 행위의 효력의 전부 또는 일부를 장래에 향해 소멸시키는 행정처분이므로, 철회사유는 행정행위의 성립 당시에 존재하였던 하자를 말한다. 2023 국회직 9급 (O | X)
16. 철회는 적법요건을 구비하여 완전히 효력을 발하고 있는 행정행위를 사후적으로 그 행위의 효력의 전부 또는 일부를 장래에 향해 소멸시키는 행정처분이다. 2013 경행특채 (O | X)

정답
1. O 2. O 3. O 4. × 5. × 6. O 7. O 8. O 9. O 10. ×
11. ② 12. O 13. O 14. × 15. × 16. O

24

사례에 관한 설명으로 옳은 것만을 <보기>에서 모두 고른 것은? (다툼이 있는 경우 판례에 의함)

甲이 A시에 자신이 운영하는 사업체의 사옥을 신축하던 중, A시의 지구단위변경계획에 의하여 신축 중인 건물부지에 접한 차량 통행로의 도로변이 차량출입금지구간으로 설정되었다. 이에 따라 甲은 그 반대편에 위치한 A시 소유의 도로에 지하주차장 진입통로를 건설하기 위하여 A시의 시장 乙에게 위 도로의 지상 및 지하 부분에 대하여 도로점용허가를 신청하였고, 乙은 甲에게 도로점용허가를 하였다. 그 후 乙은 현재까지 甲으로부터 도로점용료를 징수해오고 있다.

─┤ 보기 ├─

㉮ 위 도로점용허가는 甲에게 공물사용권을 설정하는 설권행위로서 기속행위이다.

㉯ 乙의 도로점용허가가 甲의 점용목적에 필요한 범위를 넘어 과도하게 이루어진 경우, 이는 위법한 점용허가로서 乙은 甲에 대한 도로점용허가 중 특별사용의 필요가 없는 부분에 대해서만 직권취소할 수 있다.

㉰ 乙이 도로점용허가 중 특별사용의 필요가 없는 부분을 소급적으로 직권취소하였다면, 이미 징수한 점용료 중 취소된 부분의 점용면적에 해당하는 점용료는 반환하여야 한다.

㉱ 도로관리청이 도로점용허가를 할 때 특별사용의 필요가 없는 부분을 도로점용허가의 점용장소 및 점용면적으로 포함한 흠이 있고 그로 인하여 점용료 부과처분에도 흠이 있게 된 경우, 흠 있는 부분에 해당하는 점용료를 감액하는 처분은 당초 처분 자체를 일부취소하는 변경처분이 아니라 흠의 치유에 해당한다.

㉲ 점용료 부과처분에 취소사유에 해당하는 흠이 있는 경우, 도로관리청은 당초 처분 자체를 취소하고 흠을 보완하여 새로운 부과처분을 하거나 흠 있는 부분에 해당하는 점용료를 감액하는 처분을 할 수 있다.

① ㉮, ㉯, ㉰
② ㉮, ㉰, ㉱
③ ㉯, ㉰, ㉲
④ ㉯, ㉱, ㉲

✓ 기출체크

㉮ 관련기출

1. 도로점용허가는 일반사용과 별도로 도로의 특정 부분에 대하여 특별사용권을 설정하는 설권행위이다. 도로관리청은 신청인의 적격성, 점용목적, 특별사용의 필요성 및 공익상의 영향 등을 참작하여 점용허가 여부 및 점용허가의 내용인 점용장소, 점용면적, 점용기간을 정할 수 있는 재량권을 갖는다. 2023 군무원 7급 (○ | ×)

2. 「도로법」상 도로점용허가는 특정인에게 일정한 내용의 공물사용권을 설정하는 설권행위로서 공물관리자가 신청인의 적격성, 사용목적 및 공익상의 영향 등을 참작하여 허가를 할 것인지의 여부를 결정하는 재량행위이다. 2022 해경간부 (○ | ×)

3. 「도로법」에 따른 도로점용허가(는 행정행위 중 강학상 특허에 해당한다) 2018 경행경채 (○ | ×)

㉯ 관련기출

4. 도로점용허가의 일부분에 위법이 있는 경우, 도로점용허가 전부를 취소하여야 하며 도로점용허가 중 특별사용의 필요가 없는 부분에 대해서만 직권취소할 수 없다. 2023 군무원 7급 (○ | ×)

㉰ 관련기출

5. 도로관리청이 도로점용허가 중 특별사용의 필요가 없는 부분을 소급적으로 직권취소하였더라도, 도로관리청은 이미 징수한 점용료 중 취소된 부분의 점용면적에 해당하는 점용료를 반환하여야 하는 것은 아니다. 2025 국가직 9급 (○ | ×)

6. 도로관리청이 도로점용허가 중 특별사용의 필요가 없는 부분을 소급적으로 직권취소하였다면, 도로관리청은 이미 징수한 점용료 중 취소된 부분의 점용면적에 해당하는 점용료를 반환하여야 한다. 2024 지방직·서울시 7급 (○ | ×)

㉱ 관련기출

7. 도로관리청이 도로점용허가를 함에 있어서 특별사용의 필요가 없는 부분을 도로점용허가의 점용장소 및 점용면적으로 포함한 흠이 있고 그로 인하여 점용료 부과처분에도 흠이 있게 된 경우, 흠 있는 부분에 해당하는 점용료를 감액하는 것은 당초 처분 자체를 일부취소하는 변경처분이 아니라 흠의 치유에 해당한다. 2020 경행경채 (○ | ×)

㉲ 관련기출

8. 점용료 부과처분에 취소사유에 해당하는 흠이 있는 경우 도로관리청으로서는 당초 처분 자체를 취소하고 흠을 보완하여 새로운 부과처분을 하거나, 흠 있는 부분에 해당하는 점용료를 감액하는 처분을 할 수 있다. 2024 국가직 7급 (○ | ×)

정답
1. ○ 2. ○ 3. ○ 4. × 5. × 6. ○ 7. × 8. ○

25 ☐☐☐

행정행위의 취소와 철회에 관한 설명으로 옳지 않은 것은? (다툼이 있는 경우 판례에 의함)

① 건축주가 토지소유자로부터 토지사용승낙서를 받아 그 토지 위에 건축물을 건축하는 건축허가를 받았다가 착공하기 전에 건축주의 귀책사유로 그 토지사용권을 상실한 경우, 토지소유자는 건축허가의 철회를 신청할 수 있고 토지소유자의 건축허가 철회신청을 거부한 행위는 항고소송의 대상이 된다.

② 체육지도자가 금고 이상의 형의 집행유예를 선고받아 구 「국민체육진흥법」이 정한 자격취소사유에 해당하였더라도 집행유예기간이 경과하는 등의 사유로 자격취소처분 이전에 결격사유가 해소된 경우에는 행정청은 체육지도자의 자격을 취소할 수 없다.

③ 행정청이 「영유아보육법」에 따른 평가인증이 이루어진 이후에 새로이 발생한 사유를 들어 평가인증을 철회하는 처분을 하는 경우, 특별한 사정이 없는 한 별도의 법적 근거가 없으면 평가인증의 효력을 과거로 소급하여 상실시킬 수 없다.

④ 토지의 일부를 기부채납하는 부담부 행정처분의 경우, 처분의 상대방이 기부채납을 이행하지 아니한 때에는 처분행정청은 부담 불이행을 이유로 당해 처분을 철회할 수 있다.

✓ 기출체크

① 관련기출

1. 건축주가 토지소유자로부터 토지사용승낙서를 받아 그 토지 위에 건축물을 건축하는 건축허가를 받았다가 그 착공에 앞서 건축주의 귀책사유로 해당 토지를 사용할 권리를 상실한 경우, 토지소유자는 그 건축허가의 철회를 신청할 수 있다. 2025 소방간부 (○ | ×)

2. 건축허가는 대물적 성질을 갖는 것이어서 행정청은 그 허가를 할 때 건축주가 누구인가 등 인적 요소에 관하여는 형식적 심사만을 행한다. 2025 변호사 (○ | ×)

3. 다음 사례에 대한 설명으로 옳지 않은 것을 고르시오. (다툼이 있는 경우 판례에 의함) 2022 국가직 9급

> 건축주 甲은 토지소유자 乙과 매매계약을 체결하고 乙로부터 토지사용승낙서를 받아 乙의 토지 위에 건축물을 건축하는 건축허가를 관할 행정청인 A시장으로부터 받았다. 매매계약서에 의하면 甲이 잔금을 기일 내에 지급하지 못하면 즉시 매매계약이 해제될 수 있고 이 경우 토지사용승낙서는 효력을 잃으며 甲은 건축허가를 포기·철회하기로 甲과 乙이 약정하였다. 乙은 甲이 잔금을 기일 내에 지급하지 않자 甲과의 매매계약을 해제하였다.

① 착공에 앞서 甲의 귀책사유로 해당 토지를 사용할 권리를 상실한 경우, 乙은 A시장에 대하여 건축허가의 철회를 신청할 수 있다.
② 건축허가는 대물적 성질을 갖는 것이어서 행정청으로서는 그 허가를 할 때에 건축주 또는 토지소유자가 누구인지 등 인적 요소에 관하여는 형식적 심사만 한다.
③ A시장은 건축허가 당시 별다른 하자가 없었고 철회의 법적 근거가 없으므로 건축허가를 철회할 수 없다.
④ 철회권의 행사는 기득권의 침해를 정당화할 만한 중대한 공익상의 필요 또는 제3자의 이익을 보호할 필요가 있고, 공익상의 필요 등이 상대방이 입을 불이익을 정당화할 만큼 강한 경우에 한해 허용될 수 있다.

4. 건축주가 토지소유자로부터 토지사용승낙서를 받아 그 토지 위에 건축물을 건축하는 건축허가를 받았다가 착공에 앞서 건축주의 귀책사유로 해당 토지를 사용할 권리를 상실한 경우, 토지소유자의 건축허가 철회신청을 거부한 행위는 항고소송의 대상이 된다. 2019 지방직·교육행정직 9급 (○ | ×)

③ 관련기출

5. 행정청이 평가인증이 이루어진 이후에 새로이 발생한 사유를 들어 구 「영유아보육법」에 따라 평가인증을 철회하는 처분을 하면서도 평가인증의 효력을 과거로 소급하여 상실시키기 위해서는 특별한 사정이 없는 한 별도의 법적 근거가 필요하다. 2026 경찰간부 (○ | ×)

6. 철회의 효과에 관하여 「행정기본법」은 소급효에 대해 명시적으로 규정함이 없으나, 판례는 별도의 법적 근거가 있다면 소급효 또한 인정할 수 있다는 입장이다. 2024 소방직 9급 (○ | ×)

7. 구 「영유아보육법」상 어린이집 평가인증의 취소는 철회에 해당하므로, 평가인증의 효력을 과거로 소급하여 상실시키기 위해서는 특별한 사정이 없는 한 별도의 법적 근거가 필요하다. 2022 소방직 9급 (○ | ×)

8. 보건복지부장관이 어린이집에 대한 평가인증이 이루어진 이후에 새로이 발생한 사유를 들어 「영유아보육법」 제30조 제5항에 따라 평가인증을 철회하는 처분을 하면서도, 그 평가인증의 효력을 과거로 소급하여 상실시키기 위해서는, 특별한 사정이 없는 한 「영유아보육법」 제30조 제5항과는 별도의 법적 근거가 필요하다. 2020 지방직·서울시 7급 (○ | ×)

9. 甲은 「영유아보육법」에 따라 보건복지부장관의 평가인증을 받아 어린이집을 설치·운영하고 있다. 甲은 어린이집을 운영하면서 부정한 방법으로 보조금을 교부받아 사용하였고, 보건복지부장관은 이를 근거로 관련 법령에 따라 평가인증을 취소하였다. 이에 대한 설명으로 옳은 것은? (다툼이 있는 경우 판례에 의함) 2019 국가직 9급
① 평가인증의 취소는 강학상 취소에 해당하며, 행정청이 평가인증 취소처분을 하면서 별도의 법적 근거 없이도 평가인증의 효력을 취소사유발생일로 소급하여 상실시킬 수 있다.
② 평가인증의 취소는 강학상 철회에 해당하며, 행정청이 평가인증 취소처분을 하면서 별도의 법적 근거 없이는 평가인증의 효력을 취소사유발생일로 소급하여 상실시킬 수 없다.
③ 평가인증의 취소는 강학상 취소에 해당하며, 행정청이 평가인증 취소처분을 하면서 별도의 법적 근거 없이는 평가인증의 효력을 취소사유발생일로 소급하여 상실시킬 수 없다.
④ 평가인증의 취소는 강학상 철회에 해당하며, 행정청이 평가인증 취소처분을 하면서 별도의 법적 근거 없이도 평가인증의 효력을 취소사유발생일로 소급하여 상실시킬 수 있다.

④ 관련기출

10. 부담부 행정처분에 있어서 처분의 상대방이 부담을 이행하지 아니한 경우 처분행정청은 부담 불이행을 이유로 당해 처분을 철회할 수 있다. 2010 경행특채 (○ | ×)

정답
1. ○ 2. ○ 3. ③ 4. ○ 5. ○ 6. ○ 7. ○ 8. ○ 9. ② 10. ○

제7회 | 소방 단원별 모의고사

출제 범위 : 제18강 확약 등~제21강 행정절차법(처분 등)

정답과 해설 p.76
옳은 지문 워크북 p.232

01 □□□

확약에 관한 설명으로 옳지 않은 것은? (다툼이 있는 경우 판례에 의함)

① 어업권면허에 선행하는 우선순위결정은 강학상 확약에 불과하여 행정처분으로 볼 수 없으므로 공정력이나 불가쟁력과 같은 효력이 인정되지 않는다.
② 행정청은 확약을 한 후에 확약의 내용을 이행할 수 없을 정도로 법령 등이나 사정이 변경되었거나 확약이 위법하여 확약을 이행할 수 없는 경우에는 지체 없이 당사자에게 그 사실을 통지하여야 한다.
③ 행정청은 다른 행정청과의 협의 등의 절차를 거쳐야 하는 처분에 대하여 확약을 하려는 경우에는 확약을 하기 전에 그 절차를 거쳐야 한다.
④ 확약은 문서가 아닌 방법으로도 할 수 있으나, 당사자가 요청하면 지체 없이 문서를 교부하여야 한다.

✔ 기출체크

① 관련기출
1. 어업권면허에 선행하는 우선순위결정은 행정청이 우선권자로 결정된 자의 신청이 있으면 어업권면허처분을 하겠다는 것을 약속하는 행위로서 강학상 확약에 불과하고 행정처분은 아니다. 2023 국회직 7급 (O | X)
2. 어업권면허에 선행하는 확약인 우선순위결정은 취소소송의 대상이 된다. 2021 지방직·서울시 7급 (O | X)
3. 어업권면허에 선행하는 우선순위결정은 행정청이 우선권자로 결정된 자의 신청이 있으면 어업권면허처분을 하겠다는 것을 약속하는 행위로서 강학상 확약에 불과하다. 2020 군무원 7급 (O | X)
4. 어업권면허에 선행하는 우선순위결정은 강학상 확약에 불과하고 행정처분은 아니므로 우선순위결정에 공정력이나 불가쟁력과 같은 효력은 인정되지 아니한다. 2015 경행특채 1차 (O | X)
5. 판례는 어업면허에 선행하는 우선순위결정은 강학상 확약에 불과하고 행정처분으로 볼 수 없다는 입장이다. 2014 경행특채 1차 (O | X)

② 관련기출
6. 행정청은 확약이 위법함을 이유로 확약을 이행할 수 없는 경우에는 지체 없이 당사자에게 그 사실을 통지하고 의견제출의 기회를 주어야 한다. 2025 국회직 8급 (O | X)
7. 「행정절차법」상 행정청은 확약을 한 후에 확약의 내용을 이행할 수 없을 정도로 법령 등이나 사정이 변경된 경우에는 확약에 기속되지 아니하며, 그 확약을 이행할 수 없는 경우에는 지체 없이 당사자에게 그 사실을 통지하여야 한다. 2023 국가직 7급 (O | X)

④ 관련기출
8. 확약은 서면이나 말로 할 수 있으며, 확약이 말로 이루어지는 경우에는 상대방이 서면의 교부를 요구하면 직무수행에 특별한 지장이 없는 한 이를 교부하여야 한다. 2024 소방직 9급 (O | X)
9. 「행정절차법」은 확약에 대하여 문서 또는 말로써 할 수 있다는 명문의 규정을 두고 있다. 2024 국회직 9급 (O | X)
10. 확약은 문서로 하여야 한다. 2023 국회직 8급 (O | X)
11. 「행정절차법」상 법령 등에서 당사자가 신청할 수 있는 처분을 규정하고 있는 경우 행정청은 당사자의 신청에 따라 장래에 어떤 처분을 하거나 하지 아니할 것을 내용으로 하는 확약을 할 수 있으며, 문서 또는 말에 의한 확약도 가능하다. 2023 국가직 7급 (O | X)

정답
1. O 2. X 3. O 4. O 5. O 6. X 7. O 8. X 9. X 10. O
11. X

02 □□□

사례에 관한 설명으로 옳지 않은 것은? (다툼이 있는 경우 판례에 의함)

> 충청남도지사는 6개의 신 어업권 대상 어장에 대해 2월 1일 A, B, C, D, E, F 등 6명을 제1순위자로, 甲을 제2순위자로 하는 어업권우선순위결정을 하고, 우선순위결정을 기초로 4월 1일 A 등 제1순위자 6명에게 어업면허를 발급하였다. 이에 甲은 A 등이 허위 기타 부정한 방법을 사용하여 충청남도지사의 우선순위결정을 받고 그 후 어업면허를 받았다는 이유로 권리구제를 받으려고 한다.

① 충청남도지사가 어업권우선순위결정을 하기 위해서 어업면허의 근거규정 이외의 별도의 법적 근거는 필요하지 않다는 것이 일반적 견해이다.
② 충청남도지사의 어업권우선순위결정은 강학상 확약으로서 처분성이 인정되지 않으므로 甲은 어업권우선순위결정에 취소소송을 제기할 수 없다.
③ 어업권우선순위결정 후 사실적·법률적 상태가 변경되었더라도 어업권우선순위결정의 효력이 당연히 실효되는 것은 아니다.
④ 우선순위결정이 잘못되었다는 이유로 기존의 어업권면허처분이 취소되면 충청남도지사는 종전의 우선순위결정을 무시하고 다시 우선순위를 결정한 다음 새로운 우선순위결정에 기하여 새로운 어업권면허를 할 수 있다.

✔ 기출체크

① 관련기출
1. 확약을 허용하는 명문의 규정이 없더라도 다수설은 본처분권한에 확약에 대한 권한이 포함되어 있다고 보아 별도의 명문의 규정이 없더라도 확약을 할 수 있다는 입장이다. 2014 경행특채 1차 (○ | ×)

②④ 관련기출
2. 어업권면허에 선행하는 우선순위결정은 행정청이 우선권자로 결정된 자의 신청이 있으면 어업권면허처분을 하겠다는 것을 약속하는 행위로서 행정처분이 아니다. 2024 지방직·서울시 9급 (○ | ×)
3. 어업권면허에 선행하는 우선순위결정은 행정청이 우선권자로 결정된 자의 신청이 있으면 어업권면허처분을 하겠다는 것을 약속하는 행위로서 강학상 확약에 불과하고 행정처분은 아니다. 2023 국가직 7급 (○ | ×)
4. 어업권면허에 선행하는 확약인 우선순위결정(은 취소소송의 대상이 된다) 2021 지방직·서울시 7급 (○ | ×)
5. 어업권면허에 선행하는 우선순위결정은 강학상 확약에 불과하고 행정처분은 아니므로 우선순위결정에 공정력이나 불가쟁력과 같은 효력은 인정되지 아니한다. 2015 경행특채 1차 (○ | ×)
6. 어업권면허에 선행하는 우선순위결정은 강학상 확약으로 행정처분에 해당되어 우선순위결정에 공정력이나 불가쟁력 같은 효력이 인정된다. 2015 경행특채 2차 (○ | ×)

③ 관련기출
7. 행정청이 상대방에게 장차 어떤 처분을 하겠다고 확약을 하였더라도, 그 자체에서 상대방으로 하여금 언제까지 처분의 발령을 신청하도록 유효기간을 두었는데도 그 기간 내에 상대방의 신청이 없었다면, 그 확약은 행정청의 별다른 의사표시를 기다리지 않고 실효된다. 2023 국가직·서울시 7급 (○ | ×)
8. 행정청의 확약 또는 공적인 의사표명 그 자체에서 처분의 발령을 신청하도록 유효기간을 두었을 경우 그 후에 사실적·법률적 상태가 변경되었더라도 직권취소나 철회로 효력이 소멸되고 당연히 실효되는 것은 아니다. 2023 군무원 7급 (○ | ×)
9. 행정청이 어떤 처분을 하겠다는 확약을 하면서 그 자체에서 상대방에게 일정 기간까지 그 처분의 신청을 하도록 유효기간을 둔 경우, 그 기간 내에 상대방의 신청이 없거나 확약이 있은 후에 사실적·법률적 상태가 변경되었다면 그 확약은 행정청의 별다른 의사표시를 기다리지 않고 실효된다. 2023 변호사 (○ | ×)
10. 행정청이 공적인 의사표명을 하였다면 이후 사실적·법률적 상태의 변경이 있더라도 행정청이 이를 취소하지 않는 한 여전히 공적인 의사표명은 유효하다. 2021 지방직·서울시 9급 (○ | ×)
11. 확약에는 공정력이나 불가쟁력과 같은 효력이 인정되는 것은 아니라고 하더라도, 일단 확약이 있은 후에 사실적·법률적 상태가 변경되었다고 하여 행정청의 별다른 의사표시 없이 확약이 실효된다고 할 수 없다. 2019 지방직 7급 (○ | ×)

정답
1. ○ 2. ○ 3. ○ 4. × 5. ○ 6. × 7. ○ 8. × 9. ○ 10. ×
11. ×

03 ☐☐☐

확약에 관한 설명으로 옳은 것은? (다툼이 있는 경우 판례에 의함)

① 확약을 한 후에 확약의 내용을 이행할 수 없을 정도로 법령 등이나 사정이 변경된 경우에도 그 확약이 위법하지 않는 한 행정청은 확약에 기속된다.

② 행정청이 당사자의 신청에 따라 장래에 어떤 처분을 하거나 하지 아니할 것을 내용으로 하는 의사표시인 확약을 한 경우, 그 확약이 위법하더라도 행정청은 이에 기속된다.

③ 행정청이 상대방에게 장차 어떤 처분을 하겠다고 확약을 하였더라도, 그 자체에서 상대방으로 하여금 언제까지 처분의 발령을 신청하도록 유효기간을 두었는데도 그 기간 내에 상대방의 신청이 없었다면, 그 확약은 행정청의 별다른 의사표시를 기다리지 않고 실효된다.

④ 기속행위에는 그 성질상 확약이 허용될 수 없다는 것이 일반적 견해이다.

✔ 기출체크

① 관련기출
1. 확약을 한 후에 확약의 내용을 이행할 수 없을 정도로 사정이 변경된 경우, 행정청은 확약에 기속되지 아니한다. 2024 소방직 9급 (○ | ×)
2. 행정청은 확약을 한 후에 확약의 내용을 이행할 수 없을 정도로 법령 등이나 사정이 변경된 경우에는 확약에 기속되지 아니한다. 2024 소방간부 (○ | ×)
3. 「행정절차법」상 행정청은 확약을 한 후에 확약의 내용을 이행할 수 없을 정도로 법령 등이나 사정이 변경된 경우에는 확약에 기속되지 아니하며, 그 확약을 이행할 수 없는 경우에는 지체 없이 당사자에게 그 사실을 통지하여야 한다. 2023 국가직 7급 (○ | ×)

② 관련기출
4. 행정청이 당사자의 신청에 따라 장래에 어떤 처분을 하거나 하지 아니할 것을 내용으로 하는 의사표시인 확약을 했다면, 그 확약이 위법한 경우라도 행정청은 이에 기속된다. 2023 변호사 (○ | ×)

③ 관련기출
5. 행정청의 확약 또는 공적인 의사표명 그 자체에서 처분의 발령을 신청하도록 유효기간을 두었을 경우 그 후에 사실적·법률적 상태가 변경되었더라도 직권취소나 철회로 효력이 소멸되고 당연히 실효되는 것은 아니다. 2023 군무원 7급 (○ | ×)
6. 행정청이 어떤 처분을 하겠다는 확약을 하면서 그 자체에서 상대방에게 일정 기간까지 그 처분의 신청을 하도록 유효기간을 둔 경우, 그 기간 내에 상대방의 신청이 없거나 확약이 있은 후에 사실적·법률적 상태가 변경되었다면 그 확약은 행정청의 별다른 의사표시를 기다리지 않고 실효된다. 2023 변호사 (○ | ×)
7. 행정청이 공적인 의사표명을 하였다면 이후 사실적·법률적 상태의 변경이 있더라도 행정청이 이를 취소하지 않는 한 여전히 공적인 의사표명은 유효하다. 2021 지방직·서울시 9급 (○ | ×)
8. 확약에는 공정력이나 불가쟁력과 같은 효력이 인정되는 것은 아니라고 하더라도, 일단 확약이 있은 후에 사실적·법률적 상태가 변경되었다고 하여 행정청의 별다른 의사표시 없이 확약이 실효된다고 할 수 없다. 2019 지방직 7급 (○ | ×)

정답
1. ○ 2. ○ 3. ○ 4. × 5. × 6. ○ 7. × 8. ×

04 □□□

단계적 행정작용 등에 관한 설명으로 옳은 것만을 <보기>에서 모두 고른 것은? (다툼이 있는 경우 판례에 의함)

─ 보기 ─

㉮ 가행정행위에도 불가변력이 발생하므로 신뢰보호의 원칙이 적용될 수 있다.

㉯ 「폐기물관리법」상의 사업계획에 대한 적정통보가 있는 경우에 폐기물사업의 허가단계에서는 나머지 허가요건만을 심사한다.

㉰ 사전결정(예비결정)은 단계화된 행정절차에서 최종적인 행정결정을 내리기 전에 이루어지는 행위이지만, 그 자체로 하나의 완결된 행정행위로 볼 수는 없다.

㉱ 주택건설사업계획의 사전결정을 하였다면 사업승인단계에서는 그 사전결정에 기속되므로 다시 사익과 공익을 비교·형량하여 그 승인 여부를 결정할 수는 없다.

㉲ 「원자력안전법」상 원자로 및 관계 시설의 부지사전승인처분은 그 자체로서 건설부지를 확정하고 사전공사를 허용하는 법률효과를 지닌 독립한 행정처분이지만, 건설허가처분이 있게 되면 건설허가처분에 흡수되어 독립된 존재가치를 상실하여 건설허가처분만이 취소소송의 대상이 된다.

① ㉮, ㉯
② ㉯, ㉲
③ ㉰, ㉱
④ ㉱, ㉲

✓ 기출체크

㉮ **관련기출**

1. 가행정행위는 불가변력이 발생하지 않기 때문에 신뢰보호원칙이 적용된다고 보기 어렵다. 2008 지방직 9급 (○ | ×)

㉯ **관련기출**

2. 폐기물처리업허가 전의 사업계획에 대한 부적정통보는 행정처분에 해당한다. 2019 서울시 2회 7급 (○ | ×)

3. (甲이 「폐기물관리법」에 따라 폐기물처리업의 허가를 받기 전에 행정청 乙에게 폐기물처리사업계획서를 작성하여 제출하였고, 乙은 그 사업계획서를 검토하여 적합통보를 한 경우) 사업계획서 적합통보가 있는 경우 폐기물처리업의 허가단계에서는 나머지 허가요건만을 심사한다. 2018 국가직 7급 (○ | ×)

4. 구 「폐기물관리법」 관계 법령상의 폐기물처리업허가를 받기 위한 사업계획에 대한 부적정통보는 허가신청 자체를 제한하는 등 개인의 권리 내지 법률상의 이익을 개별적이고 구체적으로 규제하고 있어 행정처분에 해당한다. 2017 국가직 9급 (○ | ×)

㉰ **관련기출**

5. 사전결정(예비결정)은 단계화된 행정절차에서 최종적인 행정결정을 내리기 전에 이루어지는 행위이지만, 그 자체가 하나의 행정행위이기도 하다. 2016 서울시 9급 (○ | ×)

6. 다음 내용을 근거로 판단할 때, 폐기물처리사업계획의 적합통보에 대한 설명으로 옳지 않은 것은? 2015 국가직 7급

> 「폐기물관리법」 제25조【폐기물처리업】① 폐기물의 수집·운반, 재활용 또는 처분을 업으로 하려는 자는 환경부령으로 정하는 바에 따라 지정폐기물을 대상으로 하는 경우에는 폐기물처리사업계획서를 환경부장관에게 제출하고, 그 밖의 폐기물을 대상으로 하는 경우에는 시·도지사에게 제출하여야 한다.
> ② 환경부장관이나 시·도지사는 제1항에 따라 제출된 폐기물처리사업계획서를 다음 각 호의 사항에 관하여 검토한 후 그 적합 여부를 폐기물처리사업계획서를 제출한 자에게 통보하여야 한다. (각 호 생략)
> ③ 제2항에 따라 적합통보를 받은 자는 그 통보를 받은 날부터 2년 이내에 …… 허가를 받아야 한다. 이 경우 환경부장관 또는 시·도지사는 제2항에 따라 적합통보를 받은 자가 그 적합통보를 받은 사업계획에 따라 시설·장비 및 기술인력 등의 요건을 갖추어 허가신청을 한 때에는 지체 없이 허가하여야 한다.

① 사업계획에 대한 부적합통보는 그 자체로 하나의 완결된 행정행위이다.
② 사업계획에 대한 적합통보가 있는 경우 사업의 허가단계에서는 나머지 허가요건만을 심사하면 된다.
③ 사업계획에 대한 적합통보는 사업허가 전에 신청자의 편의를 위하여 미리 그 사업허가의 일부 요건을 심사하여 행하는 사전결정의 성격이 있는 것이어서 사업허가처분이 있게 되면 그 허가처분에 흡수되어 독립된 존재가치를 상실한다.
④ 사업계획에 대한 적합통보결정은 최종행정행위인 폐기물처리사업허가에 기본적으로 구속력을 미치지 않는다.

㉱ **관련기출**

7. 구 「주택건설촉진법」 제33조에 의한 주택건설사업계획의 승인은 인간이 본래 가지고 있는 자연적 자유의 회복을 내용으로 하는 행정청의 기속행위에 속한다. 2023 국가직 7급 (○ | ×)

8. 구 「주택건설촉진법」에 의한 주택건설사업계획 사전결정이 있는 경우 주택건설계획승인처분은 사전결정에 기속되므로 다시 승인 여부를 결정할 수 없다. 2017 서울시 9급 (○ | ×)

㉲ **관련기출**

9. 구 「원자력법」 제11조 제3항에 따른 부지사전승인처분은 그 자체로서 건설부지를 확정하고 사전공사를 허용하는 법률효과를 지닌 독립한 행정처분이다. 2025 경찰간부 (○ | ×)

10. 「원자력안전법」상 원자로 건설허가에 앞선 부지사전승인처분은 그 자체로서 건설부지를 확정하고 사전공사를 허용하는 독립된 행정처분이므로 나중에 건설허가처분이 있게 되더라도 이와 별개로 독립하여 취소소송으로 다툴 수 있다. 2024 소방간부 (○ | ×)

11. 구 「원자력법」상 원자로 및 관계 시설의 부지사전승인처분 후 건설허가처분까지 내려진 경우, 선행처분은 후행처분에 흡수되어 건설허가처분만이 행정쟁송의 대상이 된다. 2022 국가직 9급 (○ | ×)

12. 구 「원자력법」상 원자로 및 관계 시설의 부지사전승인처분은 그 자체로서 건설부지를 확정하고 사전공사를 허용하는 법률효과를 지닌 독립한 행정처분이다. 2019 서울시 2회 7급 (○ | ×)

13. 원자로 및 관계 시설의 부지사전승인처분은 그 자체로서 독립한 행정처분은 아니므로 이의 위법성을 직접 항고소송으로 다툴 수는 없고 후에 발령되는 건설허가처분에 대한 항고소송에서 다투어야 한다. 2017 국가직 9급 (○ | ×)

정답

1. ○ 2. ○ 3. ○ 4. ○ 5. ○ 6. ④ 7. × 8. × 9. ○ 10. ×
11. ○ 12. ○ 13. ×

05 □□□

행정계획에 관한 설명으로 옳지 않은 것은? (다툼이 있는 경우 판례에 의함)

① 이미 고시된 실시계획에 포함된 상세계획으로 관리되는 토지 위의 건물의 용도를 상세계획승인권자의 변경승인 없이 임의로 판매시설에서 상세계획에 반하는 일반목욕장으로 변경한 경우, 행정청이 해당 영업신고를 수리하지 않고 영업소를 폐쇄한 처분은 위법하지 않다.

② 국·공립대학의 총장직선제 개선을 국·공립대 선진화 지표로 규정하고, 개선규정을 유지하지 않는 경우 지원금 전액을 삭감 또는 환수하도록 규정한 '대학교육역량강화사업 기본계획'은 공권력 행사에 해당하여 헌법소원의 대상이 된다.

③ 환지계획인가 이후 당초의 환지계획에 대한 공람과정에서 토지소유자 등 이해관계인이 제시한 의견에 따라 수정하고자 하는 내용에 대하여 다시 공람절차 등을 밟지 않은 채 수정된 내용에 따라 한 환지예정지지정처분은 당연무효라고 할 것이다.

④ 도시관리계획결정·고시와 그 도면에 특정 토지가 도시관리계획에 포함되지 않았음이 명백함에도 불구하고 도시관리계획을 집행하기 위한 후속 계획 또는 처분에서 그 토지가 도시관리계획에 포함된 것처럼 표시되어 있는 경우에는 「국토의 계획 및 이용에 관한 법률」상 도시관리계획변경절차를 거치지 않는 이상 당연무효사유에 해당한다.

✓ 기출체크

① 관련기출

1. 이미 고시된 실시계획에 포함된 상세계획으로 관리되는 토지 위의 건물의 용도를 상세계획 승인권자의 변경승인 없이 임의로 판매시설에서 상세계획에 반하는 일반목욕장으로 변경한 사안에서, 그 영업신고를 수리하지 않고 영업소를 폐쇄한 처분은 위법하다. 2025 군무원 7급
(○ | ×)

2. 이미 고시된 실시계획에 포함된 상세계획으로 관리되는 토지 위의 건물의 용도를 상세계획 승인권자의 변경승인 없이 임의로 판매시설에서 상세계획에 반하는 일반목욕장으로 변경한 경우, 행정청이 그 영업신고를 수리하지 않고 영업소를 폐쇄한 처분은 적법하다. 2025 지방직·서울시 9급
(○ | ×)

3. 이미 고시된 실시계획에 포함된 상세계획은 대외적 구속력이 있는 행정계획으로서 이에 따라 관리되는 토지 위의 건물의 용도를 상세계획 승인권자의 변경승인 없이 임의로 변경하여 신청한 영업신고를 수리하지 않고 영업소를 폐쇄한 처분은 적법하다. 2022 소방간부
(○ | ×)

② 관련기출

4. 국·공립대학의 총장직선제 개선 여부를 재정지원 평가요소로 반영하고 이를 개선하지 않을 경우 다음 연도에 지원금을 삭감 또는 환수하도록 규정한 교육부장관의 '대학교육역량강화사업 기본계획'은 헌법소원의 대상이 된다. 2017 지방직 9급
(○ | ×)

③ 관련기출

5. 환지계획인가 후에 수정하고자 하는 내용에 대하여 토지소유자 등 이해관계인의 공람절차를 거치지 아니한 채 수정된 내용에 따라 한 환지예정지지정처분은 당연무효이다. 2015 서울시 7급
(○ | ×)

④ 관련기출

6. 도시관리계획결정·고시와 그 도면에 특정 토지가 도시관리계획에 포함되지 않았음이 명백한데도 도시관리계획을 집행하기 위한 후속 계획이나 처분에서 그 토지가 도시관리계획에 포함된 것처럼 표시되어 있는 경우, 이것은 실질적으로 도시관리계획결정을 변경하는 것에 해당하여 구 「국토의 계획 및 이용에 관한 법률」 제30조 제5항에서 정한 도시관리계획변경절차를 거치지 않는 한 당연무효이다. 2024 해경간부
(○ | ×)

7. 도시관리계획결정·고시와 그 도면에 특정 토지가 도시관리계획에 포함되지 않았음이 명백한데도 도시관리계획을 집행하기 위한 후속 계획에서 그 토지가 도시관리계획에 포함된 것처럼 표시되어 있는 경우, 이는 실질적으로 도시관리계획결정을 변경하는 것에 해당하여 「국토의 계획 및 이용에 관한 법률」상 도시관리계획변경절차를 거치지 않는 한 당연무효이다. 2024 군무원 5급
(○ | ×)

8. 도시관리계획결정·고시와 그 도면에 특정 토지가 도시관리계획에 포함되지 않았음이 명백한데도 도시관리계획을 집행하기 위한 후속 계획이나 처분에서 그 토지가 도시관리계획에 포함된 것처럼 표시되어 있는 경우, 이는 원칙적으로 취소사유에 해당한다. 2021 지방직·서울시 7급
(○ | ×)

정답

1. × 2. ○ 3. ○ 4. × 5. ○ 6. ○ 7. ○ 8. ×

06 ☐☐☐

행정계획에 관한 설명으로 옳은 것만을 <보기>에서 모두 고른 것은? (다툼이 있는 경우 판례에 의함)

― 보기 ―

㉮ 환지계획은 환지예정지 지정이나 환지처분의 근거가 되고 그 자체가 직접 토지소유자 등의 법률상 지위를 변동시키거나 환지예정지 지정이나 환지처분과는 다른 고유한 법률효과를 수반하는 것이어서 항고소송의 대상이 되는 처분에 해당한다.

㉯ 구 「도시 및 주거환경정비법」에 따른 주택재건축정비사업조합이 행정주체의 지위에서 수립한 사업시행계획은 인가·고시를 통해 확정되면 이해관계인에 대한 구속적 행정계획으로서 독립된 행정처분에 해당한다.

㉰ 구 「도시계획법」 및 지방자치단체의 도시계획조례상 규정된 도시기본계획은 장기적·종합적인 개발계획으로서 행정청에 대한 직접적 구속력이 없다.

㉱ 구 도시계획법령에 따르면 도시계획의 입안에 있어 해당 도시계획안의 내용을 공고 및 공람하여야 하는데, 이러한 공고 및 공람절차에 하자가 있다고 하여 도시계획결정이 곧바로 위법하다고 볼 수 없다.

① ㉮, ㉯
② ㉮, ㉰
③ ㉯, ㉰
④ ㉰, ㉱

✓ 기출체크

㉮ 관련기출

1. 구 「토지구획정리사업법」상 환지계획은 그 자체가 직접 토지소유자 등의 법률상 지위를 변동시키는 것이 아니어서 항고소송의 대상이 되는 행정처분에 해당한다고 할 수 없다. 2026 경찰간부 (O | X)
2. 환지계획은 환지예정지 지정이나 환지처분의 근거가 되고 그 자체가 직접 토지소유자 등의 법률상 지위를 변동시키거나 다른 고유한 법률효과를 수반하는 것이어서 항고소송의 대상이 되는 처분에 해당한다. 2025 국가직 9급 (O | X)
3. 구 「토지구획정리사업법」상 환지계획은 행정쟁송의 대상이 되는 행정처분에 해당한다. 2025 군무원 9급 (O | X)
4. 환지계획은 환지예정지 지정이나 환지처분의 근거가 될 뿐 그 자체가 직접 토지소유자 등의 법률상 지위를 변동시키거나 또는 환지예정지 지정이나 환지처분과는 다른 고유한 법률효과를 수반하는 것이 아니어서 이를 항고소송의 대상이 되는 처분에 해당한다고 할 수가 없다. 2025 군무원 7급 (O | X)
5. 환지계획은 환지예정지 지정이나 환지처분의 근거가 될 뿐, 고유한 법률효과를 수반하는 것이 아니어서 항고소송의 대상이 되는 처분에 해당한다고 할 수가 없다. 2016 국회직 8급 (O | X)

㉯ 관련기출

6. 구 「도시 및 주거환경정비법」에 따른 주택재건축정비 사업조합이 수립한 사업시행계획은 인가·고시를 통해 확정되면 구속적 행정계획으로서 행정처분에 해당한다. 2025 국가직 9급 (O | X)
7. 「도시 및 주거환경정비법」에 기초하여 주택재건축정비사업조합이 수립한 사업시행계획은 인가·고시를 통해 확정되어도 이해관계인에 대한 직접적인 구속력이 없는 행정계획으로서 독립된 행정처분에 해당하지 아니한다. 2020 군무원 9급 (O | X)

㉰ 관련기출

8. 구 도시계획법령에 의한 도시기본계획(은 항고소송의 대상이 되는 행정처분에 해당한다) 2025 소방직 9급 (O | X)
9. 도시기본계획은 도시의 기본적인 공간구조와 장기발전방향을 제시하는 종합계획으로서 그 계획에는 토지이용계획, 환경계획, 공원녹지계획 등 장래의 도시개발의 일반적인 방향이 제시되므로 일반국민에 대한 직접적인 구속력이 있다. 2025 소방간부 (O | X)
10. 구 「도시계획법」상 도시기본계획은 도시의 기본적인 공간구조와 장기발전방향을 제시하는 종합계획으로서 도시계획입안의 지침이 되지만 일반국민에 대한 직접적인 구속력은 없다. 2024 지방직·서울시 7급 (O | X)
11. 도시계획법령상 도시기본계획은 도시의 장기적 개발방향과 미래상을 제시하는 도시계획입안의 지침이 되는 장기적·종합적인 개발계획으로서 행정청뿐만 아니라 대외적으로도 구속력을 갖는다. 2019 서울시 1회 7급 (O | X)
12. 「국토의 계획 및 이용에 관한 법률」에 따른 도시기본계획은 일반국민에 대한 직접적인 구속력은 인정되지 않지만, 도시의 장기적 개발방향과 미래상을 제시하는 도시계획입안의 지침이 되기에 행정청에 대한 직접적인 구속력은 인정된다. 2018 국가직 7급 (O | X)

㉱ 관련기출

13. 도시계획의 입안에 있어 해당 도시계획안의 내용을 공고 및 공람하게 한 것은 다수 이해관계자의 이익을 합리적으로 조정하여 국민의 권리 자유에 대한 부당한 침해를 방지하고 행정의 민주화와 신뢰를 확보하기 위하여 국민의 의사를 그 과정에 반영시키는 데 있는 것이므로 이러한 공고 및 공람절차에 하자가 있는 도시계획결정은 위법하다. 2024 국회직 9급 (O | X)
14. 구 도시계획법령에 따르면 도시계획의 입안에 있어 해당 도시계획안의 내용을 공고 및 공람하여야 하는데, 이러한 공고 및 공람절차에 하자가 있으면 도시계획결정은 위법하다. 2023 소방직 9급 (O | X)
15. 도시계획의 입안에 있어 공고 및 공람절차에 하자가 있는 도시계획결정은 위법하다. 2023 소방간부 (O | X)
16. 구 도시계획법령상 도시계획안의 내용에 대한 공고 및 공람절차에 하자가 있는 도시계획결정은 위법하다. 2022 국가직 7급 (O | X)
17. 도시계획안의 공고 및 공람절차에 하자가 있는 도시계획결정은 내용에 하자가 있는 것이 아니라 단지 절차의 하자에 불과하므로 위법하지 않다. 2011 지방직 7급 (O | X)

정답
1. O 2. X 3. X 4. O 5. O 6. O 7. X 8. X 9. X 10. O 11. X 12. X 13. O 14. O 15. O 16. O 17. X

07 □□□

행정계획에 관한 설명으로 옳지 않은 것만을 <보기>에서 모두 고른 것은? (다툼이 있는 경우 판례에 의함)

─ 보기 ─

㉮ 국토이용계획변경신청을 거부하는 것이 실질적으로 당해 행정처분 자체를 거부하는 결과가 되는 경우라도 주민이 국토이용계획의 변경에 대하여 신청을 할 수 있다는 규정이 없으므로 그 변경신청을 거부하는 행위가 취소소송의 대상이 된다고 볼 수 없다.

㉯ 도시계획시설결정의 장기미집행으로 인해 재산권이 침해된 경우, 도시계획시설결정의 실효를 주장할 수 있고, 이는 헌법상 재산권으로부터 당연히 직접 도출되는 권리이다.

㉰ 산업단지개발계획상 산업단지 안의 토지소유자로서 산업단지개발계획에 적합한 시설을 설치하여 입주하려는 자는 산업단지지정권자 또는 그로부터 권한을 위임받은 기관에 대하여 산업단지개발계획의 변경을 요청할 수 있는 법규상 또는 조리상 신청권이 있다.

㉱ 권한 있는 행정청이 수립한 후행 도시계획에 선행 도시계획과 서로 양립할 수 없는 내용이 포함되어 있다면, 특별한 사정이 없는 한 선행 도시계획은 후행 도시계획과 같은 내용으로 변경된 것으로 볼 수 있다.

① ㉮, ㉯ ② ㉮, ㉰ ③ ㉯, ㉱ ④ ㉮, ㉯, ㉰

기출체크

㉮ 관련기출

1. 구 「국토이용관리법」상 장래 일정한 기간 내에 관계 법령이 규정하는 시설 등을 갖추어 일정한 행정처분을 구하는 신청을 할 수 있는 법률상 지위에 있는 자의 국토이용계획변경신청을 거부하는 것이 실질적으로 당해 행정처분 자체를 거부하는 결과가 되는 경우 그 신청인에게 국토이용계획변경을 신청할 권리가 인정된다. 2024 변호사 (O | X)

2. 국토이용계획변경신청을 거부하는 것이 실질적으로 해당 행정처분 자체를 거부하는 결과가 되는 경우에는 항고소송의 대상이 되는 행정처분에 해당한다. 2023 소방간부 (O | X)

3. 장래 일정한 기간 내에 관계 법령이 규정하는 시설 등을 갖추어 일정한 행정처분을 구하는 신청을 할 수 있는 법률상 지위에 있는 자의 국토이용계획변경신청을 거부하는 것이 실질적으로 당해 행정처분 자체를 거부하는 결과가 되는 경우에는 예외적으로 그 신청인에게 국토이용계획변경을 신청할 권리가 인정된다. 2022 소방간부 (O | X)

4. 장래 일정한 기간 내에 관계 법령이 규정하는 시설 등을 갖추어 일정한 행정처분을 구하는 신청을 할 수 있는 법률상 지위에 있는 자의 국토이용계획변경신청을 거부하는 것이 실질적으로 당해 행정처분 자체를 거부하는 결과가 되는 경우라도, 구 「국토이용관리법」상 주민이 국토이용계획의 변경에 대하여 신청을 할 수 있다는 규정이 없으므로 그 신청인에게 국토이용계획변경을 신청할 권리가 인정된다고 볼 수 없다. 2021 국가직 9급 (O | X)

㉯ 관련기출

5. 장기미집행 도시계획시설결정의 실효제도는 도시계획시설부지로 하여금 도시계획시설결정으로 인한 사회적 제약으로부터 벗어나게 하는 것으로서 이와 같은 보호제도는 헌법상 재산권으로부터 당연히 도출되는 권리이다. 2024 군무원 7급 (O | X)

6. 장기미집행 도시계획시설결정의 실효제도는 헌법상 재산권으로부터 당연히 도출되는 권리이다. 2012 국회(속기·경위직) 9급 (O | X)

7. 장기미집행 도시계획시설결정의 실효는 헌법상 재산권으로부터 당연히 도출되는 것은 아니며, 법률의 근거가 필요하다. 2008 국회직 8급 (O | X)

㉰ 관련기출

8. 산업단지개발계획상 산업단지 안의 토지소유자로서 산업단지개발계획에 적합한 시설을 설치하여 입주하려는 자는 산업단지지정권자 또는 그로부터 권한을 위임받은 기관에 대하여 산업단지개발계획의 변경을 요청할 수 있는 법규상 또는 조리상 신청권이 있고, 이러한 신청에 대한 거부행위는 항고소송의 대상이 되는 행정처분에 해당한다. 2024 국가직 7급 (O | X)

9. 「산업입지 및 개발에 관한 법률」에 따른 산업단지개발계획상 산업단지 안의 토지소유자로서 산업단지개발계획에 적합한 시설을 설치하여 입주하려는 자는 산업단지지정권자에 대하여 산업단지개발계획의 변경을 요청할 수 있는 법규상 또는 조리상 신청권이 없다. 2024 변호사 (O | X)

10. 산업단지개발계획상 산업단지 안의 토지소유자로 산업단지개발계획에 적합한 시설을 설치하여 입주하려는 자라고 하더라도 산업단지개발계획의 변경을 요청할 수 있는 법규상 또는 조리상 신청권은 인정되지 않는다. 2023 서울시 연구사 (O | X)

㉱ 관련기출

11. 후행 도시계획결정을 하는 행정청이 선행 도시계획의 결정·변경 등에 관한 권한을 가지고 있지 아니한 경우 선행 도시계획과 양립할 수 없는 내용이 포함된 후행 도시계획결정은 다른 특별한 사정이 없는 한 무효이다. 2024 지방직·서울시 9급 (O | X)

12. 도시계획의 결정·변경 등에 관한 권한을 가진 행정청은 이미 도시계획이 결정·고시된 지역에 대하여도 다른 내용의 도시계획을 결정·고시할 수 있고, 이때에 후행 도시계획에 선행 도시계획과 서로 양립할 수 없는 내용이 포함되어 있다면, 특별한 사정이 없는 한 선행 도시계획은 후행 도시계획과 같은 내용으로 변경된다. 2024 국가직 9급 (O | X)

13. 도시계획의 결정·변경 등에 관한 권한을 가진 행정청은 이미 도시계획이 결정·고시된 지역에 대하여는 다른 내용의 도시계획을 결정·고시할 수 없다. 2024 해경간부 (O | X)

14. 후행 도시계획의 결정을 하는 행정청이 선행 도시계획의 결정·변경 등에 관한 권한을 가지고 있지 아니한 경우, 선행 도시계획과 양립할 수 없는 내용이 포함된 후행 도시계획결정은 무효이다. 2020 소방간부 (O | X)

15. 선행 도시계획의 결정·변경 등의 권한이 없는 행정청이 행한 선행 도시계획과 양립할 수 없는 새로운 내용의 후행 도시계획결정은 무효이다. 2016 지방직 9급 (O | X)

정답

1. O 2. O 3. O 4. X 5. X 6. X 7. O 8. O 9. X 10. X
11. O 12. O 13. X 14. O 15. O

08

행정계획에 관한 설명으로 옳지 않은 것은? (다툼이 있는 경우 판례에 의함)

① 구 「도시계획법」상 도시기본계획은 도시의 기본적인 공간구조와 장기발전방향을 제시하는 종합계획으로서 도시계획입안의 지침이 되므로 일반국민에 대한 직접적인 구속력은 없다.
② 위법한 도시기본계획에 대하여 제기되는 취소소송은 법원에 의하여 허용되지 아니한다.
③ '4대강 살리기 마스터플랜'은 4대강 정비사업지역 인근에 거주하는 주민의 권리·의무에 직접 영향을 미치는 것으로, 행정처분에 해당한다.
④ 행정주체가 구체적인 행정계획을 입안·결정할 때 가지는 형성의 자유의 한계에 관한 법리는 주민의 입안제안 또는 변경신청을 받아들여 도시관리계획결정을 하거나 도시계획시설을 변경할 것인지를 결정할 때에도 동일하게 적용된다.

기출체크

① 관련기출
1. 「국토의 계획 및 이용에 관한 법률」상 도시·군기본계획은 도시계획입안의 지침이 되는 것에 불과하여 일반국민에 대한 직접적 구속력은 없다. 2025 경찰간부 (O | X)
2. 도시기본계획은 도시의 기본적인 공간구조와 장기발전방향을 제시하는 종합계획으로서 그 계획에는 토지이용계획, 환경계획, 공원녹지계획 등 장래의 도시개발의 일반적인 방향이 제시되므로 일반국민에 대한 직접적인 구속력이 있다. 2025 소방간부 (O | X)
3. 구 「도시계획법」상 도시기본계획은 도시의 기본적인 공간구조와 장기발전방향을 제시하는 종합계획으로서 도시계획입안의 지침이 되지만 일반국민에 대한 직접적인 구속력은 없다. 2024 지방직·서울시 7급 (O | X)
4. 구 「도시계획법」 및 지방자치단체의 도시계획조례상 규정된 도시기본계획은 장기적·종합적인 개발계획으로서 행정청에 대한 직접적 구속력을 가지지 않는다. 2022 소방직 9급 (O | X)
5. 도시계획법령상 도시기본계획은 도시의 장기적 개발방향과 미래상을 제시하는 도시계획입안의 지침이 되는 장기적·종합적인 개발계획으로서 행정청뿐만 아니라 대외적으로도 구속력을 갖는다. 2019 서울시 1회 7급 (O | X)

② 관련기출
6. 구 도시계획법령에 의한 도시기본계획(은 항고소송의 대상이 되는 행정처분에 해당한다) 2025 소방직 9급 (O | X)
7. 구체적인 계획을 입안함에 있어 지침이 되거나 특정 사업의 기본방향을 제시하는 내용의 행정계획은 항고소송의 대상인 행정처분에 해당하지 않는다. 2022 국가직 9급 (O | X)
8. 도시계획법령상의 도시기본계획은 토지형질변경, 건축물의 신축, 개축 또는 증축 등 권리 행사에 제한을 가져오므로 일반국민에 대한 직접적인 구속력을 가지는 처분에 해당하여 행정소송의 대상이 된다. 2009 지방직 9급 (O | X)

③ 관련기출
9. 정부가 발표한 '4대강 살리기 마스터플랜'은 4대강 정비사업과 그 주변 지역의 관련 사업을 체계적으로 추진하기 위하여 수립된 종합계획으로서 인근에 거주하는 주민의 권리·의무에 직접 영향을 미치는 행정처분이다. 2025 소방간부 (O | X)
10. 국토해양부, 환경부, 문화체육관광부, 농림수산식품부가 합동으로 2009. 6. 8. 발표한 '4대강 살리기 마스터플랜'은 행정기관 내부에서 사업의 기본방향을 제시하는 것일 뿐, 국민의 권리·의무에 직접 영향을 미치는 것은 아니라고 할 것이어서 행정처분에 해당하지 아니한다. 2023 소방직 9급 (O | X)
11. '4대강 살리기 마스터플랜'은 행정처분에 해당한다. 2017 교육행정직 9급 (O | X)

④ 관련기출
12. 행정주체가 구체적인 행정계획을 입안·결정할 때 가지는 형성의 자유의 한계에 관한 법리는 주민의 입안제안 또는 변경신청을 받아들여 도시관리계획결정을 하거나 도시계획시설을 변경할 것인지를 결정할 때에는 동일하게 적용되지 않는다. 2026 경찰간부 (O | X)
13. 도시관리계획변경신청에 따른 도시관리계획시설변경결정에는 형량명령이 적용되지 않는다. 2018 교육행정직 9급 (O | X)

정답
1. O 2. X 3. O 4. O 5. X 6. X 7. O 8. X 9. X 10. O
11. X 12. X 13. X

09

행정계획에 관한 설명으로 옳지 않은 것만을 <보기>에서 모두 고른 것은? (다툼이 있는 경우 판례에 의함)

―보기―
㉮ 구 「도시계획법」상 행정청이 적법한 절차를 거쳐 도시계획결정의 처분을 하였더라도 이를 관보에 게재하여 고시하지 않는 한 대외적으로는 아무런 효력이 발생하지 않는다.
㉯ 도시계획구역 내 토지 등을 소유하고 있는 주민은 입안권자에게 도시계획입안을 요구할 수 있는 법규상 또는 조리상 신청권이 없다.
㉰ 행정주체가 행정계획을 입안·결정하면서 이익형량을 전혀 하지 않았다면 위법하다고 볼 수 있지만, 이익형량의 고려대상에 마땅히 포함시켜야 할 사항을 누락하거나 이익형량을 함에 있어 정당성과 객관성이 결여된 것만으로는 위법하다고 보기 어렵다.
㉱ 비구속적 행정계획안이나 행정지침이 국민의 기본권에 직접 영향을 끼치고, 앞으로 법령을 통해 그대로 실시될 것이 틀림없을 것으로 예상된다면 이는 헌법소원의 대상이 될 수 있다.

① ㉮, ㉯
② ㉮, ㉱
③ ㉯, ㉰
④ ㉰, ㉱

✓ 기출체크

㉮ 관련기출

1. 구「도시계획법」상 행정청이 정당하게 도시계획결정의 처분을 하였다고 하더라도 이를 관보에 게재하여 고시하지 아니한 이상 대외적으로는 아무런 효력이 발생하지 않는다. 2021 지방직·서울시 7급 (○ | ×)

2. 권한 있는 행정청이 정당하게 도시계획결정 등의 처분을 하였다면 이를 관보에 게재하여 고시하지 아니하였다 하더라도 대외적으로 효력을 발생한다. 2012 지방직(상) 9급 (○ | ×)

3. 적법한 절차를 거쳐 도시계획결정 등의 처분을 하였다고 하더라도 이를 관보에 게재하여 고시하지 아니한 이상 대외적으로는 아무런 효력도 발생하지 아니한다. 2012 국회(속기·경위직) 9급 (○ | ×)

㉯ 관련기출

4. 도시계획구역 내 토지 등을 소유하고 있는 주민으로서는 도시시설계획의 입안권자 내지 결정권자에게 도시시설계획의 입안 내지 변경을 요구할 수 있는 법규상 또는 조리상 신청권이 있다. 2025 지방직·서울시 9급 (○ | ×)

5. 도시계획구역 내 토지 등을 소유하고 있는 주민은 도시시설계획의 입안 내지 변경을 요구할 수 있는 법규상 또는 조리상의 신청권이 있다. 2024 지방직·서울시 7급 (○ | ×)

6. 행정계획은 행정기관 내부의 행동지침에 불과하므로, 도시계획구역 내 토지 등을 소유하고 있는 주민은 입안권자에게 도시계획입안을 요구할 수 있는 법규상 또는 조리상의 신청권이 없다. 2024 지방직·서울시 9급 (○ | ×)

7. 도시계획구역 내 토지 등을 소유하고 있는 주민에게 도시계획입안을 요구할 수 있는 법규상 또는 조리상의 신청권이 있는 경우 그 신청에 대한 거부행위는 항고소송의 대상이 된다. 2023 소방간부 (○ | ×)

8. 도시계획구역 내에 토지 등을 소유하고 있는 주민이면 도시시설계획의 입안 내지 변경을 신청할 권리가 인정된다. 2023 서울시 지적 7급 (○ | ×)

㉰ 관련기출

9. 행정청이 행정계획을 입안·결정할 때 이익형량을 하였으나 정당성과 객관성이 결여된 경우에는 그 행정계획결정은 위법하게 될 수 있다. 2024 국가직 9급 (○ | ×)

10. 행정주체가 행정계획을 입안·결정하면서 이익형량을 전혀 행하지 않거나 이익형량의 고려대상에 마땅히 포함시켜야 할 사항을 빠뜨린 경우 또는 이익형량을 하였으나 정당성과 객관성이 결여된 경우에는 행정계획결정은 형량에 하자가 있어 위법하게 된다. 2023 군무원 9급 (○ | ×)

11. 행정주체가 행정계획을 입안·결정함에 있어서 이익형량의 고려대상에 마땅히 포함시켜야 할 사항을 누락한 경우 그 행정계획결정은 재량권을 일탈·남용한 것으로서 위법하다. 2022 국가직 7급 (○ | ×)

12. 행정주체가 가지는 이와 같은 형성의 자유는 무제한적인 것이 아니라 그 행정계획에 관련되는 자들의 이익을 공익과 사익 사이에서는 물론이고 공익 상호 간과 사익 상호 간에도 정당하게 비교·교량하여야 한다는 제한이 있다. 2022 군무원 9급 (○ | ×)

13. 행정청이 행정계획을 입안·결정할 때 이익형량을 전혀 행하지 아니하였다면, 그 행정계획결정은 재량권을 일탈·남용한 것으로 위법하다. 2022 소방직 9급 (○ | ×)

㉱ 관련기출

14. 비구속적 행정계획안이나 행정지침이라도 국민의 기본권에 직접적으로 영향을 끼치고, 앞으로 법령의 뒷받침에 의하여 그대로 실시될 것이 틀림없을 것으로 예상될 수 있을 때에는, 공권력행위로서 예외적으로 헌법소원의 대상이 될 수 있다. 2025 국가직 7급 (○ | ×)

15. 행정계획안이 국민의 기본권에 직접적으로 영향을 끼치고 법령의 뒷받침에 의하여 그대로 실시될 것이 틀림없을 것으로 예상되는 때에도 그것이 구속력 없는 행정계획안이라면 헌법소원의 대상이 될 수 없다. 2023 경찰간부 (○ | ×)

16. 구속력 없는 행정계획안이나 행정지침이라도 국민의 기본권에 직접적으로 영향을 끼치고 법령의 뒷받침에 의하여 그대로 실시될 것이 틀림없을 것으로 예상되는 때에는 예외적으로 헌법소원의 대상이 된다. 2021 국가직 9급 (○ | ×)

> **정답**
> 1. ○ 2. × 3. ○ 4. ○ 5. ○ 6. × 7. ○ 8. ○ 9. ○ 10. ○
> 11. ○ 12. ○ 13. ○ 14. ○ 15. × 16. ○

10 ☐☐☐

행정상 계약에 관한 설명으로 옳지 않은 것만을 <보기>에서 모두 고른 것은? (다툼이 있는 경우 판례에 의함)

보기

㉮ 「행정기본법」에 따르면 신속히 처리할 필요가 있거나 사안이 경미한 경우에는 말 또는 서면으로 공법상 계약을 체결할 수 있다.

㉯ 공법상 계약은 행정주체와 사인 간에 체결하는 것이 일반적이지만, 행정주체 상호 간에도 특정 행정사무의 처리를 위하여 체결할 수 있다.

㉰ 국가 산하 중앙행정기관인 방위사업청과 개발협약을 체결한 상대방이 협약을 이행하는 과정에서 환율변동 및 물가상승 등 외부적 요인으로 발생한 초과비용 지급에 대한 소송은 민사소송에 의한다.

㉱ 지방자치단체가 A주식회사를 자원회수시설과 부대시설의 운영·유지관리 등을 위탁할 민간사업자로 선정하고 A주식회사와 체결한 위 시설에 관한 위·수탁운영협약은 사법상 계약에 해당한다.

---

① ㉮, ㉯
② ㉮, ㉰
③ ㉯, ㉰
④ ㉯, ㉱

✓ 기출체크

㉮ 관련기출

1. 「행정기본법」에 따를 때 행정청은 법령 등을 위반하지 아니하는 범위에서 행정목적을 달성하기 위하여 필요한 경우에는 공법상 계약을 체결할 수 있고, 이때 계약의 목적 및 내용을 명확하게 적은 계약서를 작성하여야 한다. 2025 변호사 (○ | ×)

2. 행정청은 법령 등을 위반하지 아니하는 범위에서 행정목적을 달성하기 위하여 필요한 경우에는 공법상 법률관계에 관한 계약을 체결할 수 있고, 이 경우 계약의 목적 및 내용을 명확하게 적은 계약서를 작성하여야 한다. 2024 국가직 7급 (○ | ×)

🔴 **관련기출**

3. 공법상 계약은 행정주체와 사인 간에만 체결 가능하며, 행정주체 상호 간에는 공법상 계약이 성립할 수 없다. 2017 국가직 9급 (○ | ×)
4. 지방자치단체 간의 교육사무위탁은 공법상 계약이다.
   2011 사회복지직 9급 (○ | ×)

🔴 **관련기출**

5. 甲주식회사가 국책사업인 '한국형 헬기 개발사업'에 개발주관사업자 중 하나로 참여하여 국가 산하 중앙행정기관인 방위사업청과 체결한 '한국형 헬기 민군 겸용 핵심구성품 개발협약'의 법률관계는 공법관계에 해당한다. 2025 국가직 9급 (○ | ×)
6. 중앙행정기관인 방위사업청과 부품개발협약을 체결한 기업이 협약을 이행하는 과정에서 환율변동 및 물가상승 등 외부적 요인으로 발생한 초과비용 지급에 대한 소송은 민사소송에 의한다. 2023 소방간부 (○ | ×)
7. 국가 산하 중앙행정기관인 방위사업청과 개발협약을 체결한 상대방이 협약을 이행하는 과정에서 환율변동 등 외부적 요인으로 발생한 초과비용을 청구하는 소송은 행정소송에 해당한다. 2021 경행경채 (○ | ×)

🔴 **관련기출**

8. 지방자치단체가 사기업과 체결한 자원회수시설에 대한 위탁운영협약 (은 공법상 계약에 해당한다) 2026 경찰간부 (○ | ×)
9. 지방자치단체가 사인과 체결한 자원회수시설에 대한 위탁운영협약은 사법상 계약에 해당하므로 그에 관한 다툼은 민사소송의 대상이 된다. 2023 국회직 8급 (○ | ×)
10. 지방자치단체가 자원회수시설과 부대시설의 운영·관리 등을 위탁하고 그 위탁운영비용을 지급하는 것을 내용으로 하는 용역계약을 사인과 체결한 경우, 이러한 위탁운영에 관한 협약의 법적 성질은 공법상 계약에 해당한다. 2021 경행경채 (○ | ×)

정답
1. ○ 2. ○ 3. × 4. ○ 5. ○ 6. × 7. ○ 8. × 9. ○ 10. ×

11 □□□

행정상 계약에 관한 설명으로 옳은 것만을 <보기>에서 모두 고른 것은? (다툼이 있는 경우 판례에 의함)

┤ 보기 ├

㉮ 행정청이 자신과 상대방 사이의 법률관계를 일방적인 의사표시로 종료시켰다고 하더라도 곧바로 그 의사표시가 행정청으로서 공권력을 행사하여 행하는 행정처분이라고 단정할 수는 없다.

㉯ 중소기업기술정보진흥원장이 甲주식회사와 체결한 중소기업 정보화지원사업 지원대상인 사업의 지원협약을 甲주식회사의 책임 있는 사유로 해지하고 협약에서 정한 대로 지급받은 정부지원금을 반환할 것을 통보한 경우, 협약의 해지 및 그에 따른 환수통보는 행정처분에 해당하지 않는다.

㉰ 지방계약직 공무원에게는 계약상의 권리·의무가 발생하며, 징계에 관한 「지방공무원법」 규정이 적용되지 않으므로 굳이 징계절차에 의하지 않고도 보수를 삭감할 수 있다.

㉱ 「사회기반시설에 대한 민간투자법」에 따라 지방자치단체와 유한회사 간 체결한 터널 민간투자사업 실시협약은 지방자치단체가 사경제주체로서 민간업체와 체결한 사법상 계약에 해당한다.

① ㉮, ㉯   ② ㉮, ㉰
③ ㉯, ㉱   ④ ㉰, ㉱

✓ **기출체크**

🔴 **관련기출**

1. 공법상 계약의 해지 및 그에 따른 환수통보에 있어서 행정청이 일방적인 의사표시로 자신과 상대방 사이의 법률관계를 종료시킨 경우, 이를 행정청이 우월한 지위에서 행하는 공권력의 행사로서 행정처분에 해당한다고 단정할 수 없다. 2024 군무원 9급 (○ | ×)
2. 행정청이 자신과 상대방 사이의 법률관계를 일방적인 의사표시로 종료시켰다고 하더라도 곧바로 그 의사표시가 행정청으로서 공권력을 행사하여 행하는 행정처분이라고 단정할 수는 없고, 관계 법령이 상대방의 법률관계에 관하여 구체적으로 어떻게 규정하고 있는지에 따라 개별적으로 판단하여야 한다. 2021 국가직 9급 (○ | ×)
3. 행정청이 자신과 상대방 사이의 법률관계를 일방적인 의사표시로 종료시켰다면 그 의사표시는 공법상 계약관계의 일방당사자로서 대등한 지위에서 행하는 의사표시가 아니라 공권력 행사로서 행정처분에 해당한다. 2021 지방직·서울시 7급 (○ | ×)

🔴 **관련기출**

4. 중소기업기술정보진흥원장이 갑(甲) 주식회사와 중소기업 정보화지원사업 지원대상인 사업의 지원에 관하여 체결한 협약을 갑(甲) 주식회사에 책임이 있는 사유로 해지하는 경우 그 협약의 해지 및 그에 따른 환수통보는 공법상 계약에 따라 행정청이 대등한 당사자의 지위에서 하는 의사표시로 보아야 한다. 2025 소방직 9급 (○ | ×)

5. 중소기업 정보화지원사업에 따른 지원금 출연을 위하여 중소기업청장이 체결하는 협약은 공법상 계약에 해당한다. 2024 국회직 8급
(O | X)

6. 중소기업기술정보진흥원장이 甲주식회사와 체결한 중소기업 정보화지원사업 지원대상인 사업의 지원에 관한 협약의 해지는 상대방의 권리·의무를 변경시키는 처분에 해당하므로 항고소송의 대상이 된다. 2023 지방직·서울시 7급
(O | X)

7. 중소기업 정보화지원사업에 따른 지원금 출연을 위하여 중소기업청장이 체결하는 협약은 공법상 대등한 당사자 사이의 의사표시의 합치로 성립하는 공법상 계약에 해당한다. 2023 국회직 8급 (O | X)

8. 구「중소기업기술혁신촉진법」상 중소기업 정보화지원사업에 따른 지원금 출연을 위하여 중소기업청장(현 중소벤처기업부장관)이 체결하는 협약은 공법상 계약에 해당하지만 그 협약의 해지 및 그에 따른 환수통보는 행정처분에 해당한다. 2023 경찰간부 (O | X)

다 관련기출

9. 지방계약직 공무원에 대하여는 채용계약상 특별한 약정이 없는 한 「지방공무원법」, 「지방공무원 징계 및 소청 규정」에 정한 징계절차에 의하지 않고서는 보수를 삭감할 수 없다. 2022 소방간부 (O | X)

라 관련기출

10. 「사회기반시설에 대한 민간투자법」에 따라 지방자치단체와 유한회사 간 체결한 민간투자사업 실시협약(은 공법상 계약에 해당한다) 2025 해경승진
(O | X)

11. 민간투자사업 실시협약을 체결한 당사자가 공법상 당사자소송에 의하여 그 실시협약에 따른 재정지원금의 지급을 구하는 경우에, 수소법원은 주무관청이 재정지원금액을 신청한 절차 등에 위법이 있는지 여부를 심사할 수는 있지만 실시협약에 따른 적정한 재정지원금액이 얼마인지를 구체적으로 심리·판단할 수 없다. 2024 군무원 9급 (O | X)

정답
1. O 2. O 3. × 4. O 5. O 6. × 7. O 8. × 9. O 10. O
11. ×

12 □□□

사례에 관한 설명으로 옳은 것만을 <보기>에서 모두 고른 것은? (다툼이 있는 경우 판례에 의함)

> 甲은 A시(市)의 시립무용단원 선발시험에 합격하여, A시와 채용계약을 체결하였다. 그러나 甲과 A시 사이의 채용계약 중 임금 및 수당 부분에 있어서 같은 무용단원에 지급되고 있는 급식보조비 부분이 누락되어 있었고, 이후 甲과 A시 사이에 분쟁이 발생하였다(채용계약의 법적 성질은 판례에 의한다).

― 보기 ―
㉮ 甲과 A시의 채용계약과 같은 행정작용에 관한 절차적 규정으로 「행정절차법」을 들 수 있다.
㉯ A시가 甲을 해촉하였다면, 甲은 항고소송의 방법으로 무효확인을 청구할 수 있다.
㉰ 위 사례와 같은 계약에는 법률유보의 원칙은 적용되지 않으나, 법률우위의 원칙은 적용된다는 것이 일반적 견해이다.
㉱ 甲과 A시의 채용계약과 같은 행정작용은 적어도 당사자의 일방은 행정주체이어야 한다.
㉲ 행정청이 위 사례와 같은 계약의 상대방을 선정하고 계약내용을 정할 때 계약의 공공성과 제3자의 이해관계를 고려하여야 한다.

① ㉮, ㉯
② ㉯, ㉲
③ ㉮, ㉰, ㉱
④ ㉰, ㉱, ㉲

✓기출체크

㉮ 관련기출

1. 「행정절차법」은 공법상 계약에 관한 규정을 두고 있다. 2025 소방직 9급
(O | X)

2. 「행정절차법」은 공법상 계약의 체결절차에 대해서는 규율하고 있지 않다. 2019 서울시 1회 7급 (O | X)

3. 공법상 계약의 일반적 절차는 「행정절차법」상 공법상 계약의 규정에 따른다. 2018 교육행정직 9급 (O | X)

4. 공법상 계약에 대해서도 「행정절차법」이 적용된다. 2016 국가직 9급
(O | X)

5. 행정법상 계약에는 「행정절차법」이 적용되지 아니한다. 2012 지방직(하) 7급
(O | X)

㉯ 관련기출

6. 시립합창단원의 위촉계약은 공법상 계약이지만, 재위촉신청을 거부하는 것은 항고소송의 대상이 되는 행정처분이다. 2024 군무원 9급
(O | X)

7. 서울특별시립무용단원의 해촉의 무효확인은 당사자소송의 대상이다. 2024 소방간부 (O | X)

8. 서울특별시립무용단 단원의 위촉은 공법상 계약에 해당하므로 그 단원의 해촉에 대하여는 공법상 당사자소송으로 그 무효확인을 청구할 수 있다. 2023 서울시 연구사 (O | X)
9. 공법상 계약해지의 의사표시에 대한 다툼은 공법상의 당사자소송으로 무효확인을 청구할 수 있다. 2018 교육행정직 9급 (O | X)
10. 시립무용단원의 채용계약과 공중보건의사 채용계약은 공법상 계약에 해당한다. 2017 서울시 7급 (O | X)

⒟ 관련기출
11. 행정청은 법령 등을 위반하지 아니하는 범위에서 행정목적을 달성하기 위하여 필요한 경우에는 공법상 법률관계에 관한 계약을 체결할 수 있다. 2023 지방직·서울시 7급 (O | X)
12. 공법상 계약은 법령 등에 위배되지 않는 범위 내에서 체결할 수 있으며, 「행정기본법」은 이를 명시적으로 규정하고 있다. 2023 군무원 5급 (O | X)
13. 공법상 계약에는 법률우위의 원칙이 적용되지 않는다. 2023 행정사 (O | X)
14. 공법상 계약에는 법률우위의 원칙이 적용된다. 2021 지방직·서울시 9급 (O | X)
15. 일반적으로 공법상 계약은 법규에 저촉되지 않는 한 자유로이 체결할 수 있으며 법률의 근거도 필요하지 않다. 2017 서울시 7급 (O | X)

⒠ 관련기출
16. 공법상 계약의 경우 계약당사자의 일방은 행정주체이어야 하며, 행정주체에는 공무를 수탁받은 사인도 포함된다. 2012 사회복지직 9급 (O | X)
17. 행정주체인 사인은 공법상 계약의 일방당사자가 될 수 없다. 2011 사회복지직 9급 (O | X)

⒡ 관련기출
18. 행정청은 공법상 계약의 상대방을 선정하고 계약내용을 정할 때 공법상 계약의 공공성과 제3자의 이해관계를 고려하여야 한다. 2024 국회직 8급 (O | X)
19. (「행정절차법」에 의하면) 행정청은 공법상 계약의 상대방을 선정하고 계약내용을 정할 때 공법상 계약의 공공성과 제3자의 이해관계를 고려하여야 한다. 2023 국회직 8급 (O | X)
20. 행정청은 공법상 계약의 상대방을 선정하고 계약내용을 정할 때 공법상 계약의 공공성만을 고려하여야 하고 제3자의 이해관계를 고려하여서는 아니 된다. 2023 행정사 (O | X)

정답
1. ✕ 2. O 3. ✕ 4. ✕ 5. O 6. ✕ 7. O 8. O 9. O 10. O
11. O 12. O 13. ✕ 14. O 15. O 16. O 17. ✕ 18. O 19. ✕ 20. ✕

13 □□□

사례에 관한 설명으로 옳은 것만을 <보기>에서 모두 고른 것은? (다툼이 있는 경우 판례에 의함)

> K대학 의대를 졸업한 甲은 병역근무 대신에 병역특례법에 의해 보건지소장으로 근무하던 중 5월 11일 A군의 군수와 채용계약을 맺고 A군 지방보건소장으로 근무하고 있었다. 그러던 중 근무지 이탈 등의 귀책사유를 이유로 관할 군수로부터 10월 5일 계약해지통보를 받았다.

―보기―
㉮ 군수의 계약과 같은 행위의 경우, 채용기간의 만료시 채용계약을 갱신할 것인지 여부는 군수의 재량이다.
㉯ 甲과 A군수의 채용계약에 하자가 있는 경우, 하자가 중대하고 명백하다면 이 계약은 무효가 되며, 만약 하자가 그 정도에 이르지 않으면 취소의 대상이 된다는 것이 일반적 견해이다.
㉰ 군수가 해지통보를 함에 있어 「행정절차법」상의 이유제시가 없었다면 군수의 행위는 절차상 하자가 있는 위법한 행위이다.
㉱ 5월 11일자 행위와 같은 작용에 대해서는 특별한 사정이 없는 한 자력집행력이 인정되지 않으므로 의무불이행에 대해서 「행정대집행법」에 의한 강제집행을 할 수 없다.

① ㉮, ㉯ ② ㉮, ㉱ ③ ㉯, ㉰ ④ ㉰, ㉱

기출체크

㉮ 관련기출
1. 「지방공무원법」상 지방전문직 공무원 채용계약에서 정한 채용기간이 만료된 경우에는 채용계약의 갱신이나 기간연장 여부는 기본적으로 지방자치단체장의 재량이다. 2018 국가직 9급 (O | X)

㉯ 관련기출
2. 공법상 계약이 법령 위반 등의 내용상 하자가 있는 경우에도 그 하자가 중대·명백한 것이 아니면 취소할 수 있는 하자에 불과하고 이에 대한 다툼은 당사자소송에 의하여야 한다. 2022 국가직 9급 (O | X)
3. 중대한 하자 있는 공법상 계약은 무효이다. 2013 국회직 8급 (O | X)
4. 위법한 공법상 계약은 무효이므로 공법상 계약에는 원칙적으로 공정력이 인정되지 않는다. 2010 지방직 9급 (O | X)
5. 위법한 공법상 계약은 「민법」에서와 같이 원칙상 무효이다. 2006 국가직 9급 (O | X)

㉰ 관련기출
6. 계약직 공무원의 채용계약해지는 국가 또는 지방자치단체가 채용계약관계의 한쪽 당사자로서 대등한 지위에서 행하는 의사표시이므로, 행정처분과 같이 「행정절차법」에 의하여 근거와 이유를 제시하여야 하는 것은 아니다. 2025 변호사 (O | X)

7. 구「국가공무원법」등에 의한 계약직 공무원 채용계약해지의 의사표시는 항고소송의 대상이 되는 처분 등의 성격을 가진 것으로 행정처분과 같이「행정절차법」에 의하여 근거와 이유를 제시하여야 한다. 2025 경찰간부 (O | X)

8. 계약직 공무원 채용계약해지의 의사표시는 일반공무원에 대한 징계처분과는 달라서 일정한 사유가 있을 때에 국가 또는 지방자치단체가 채용계약관계의 한쪽 당사자로서 대등한 지위에서 행하는 의사표시로 취급되는 것으로 이해되므로「행정절차법」에 의하여 근거와 이유를 제시하여야 하는 것은 아니다. 2024 국가직 7급 (O | X)

9. 계약직 공무원 채용계약해지의 의사표시는「행정절차법」에 의하여 근거와 이유를 제시하여야 하는 것은 아니다. 2022 소방간부 (O | X)

10. 계약직 공무원 채용계약해지는 국가 또는 지방자치단체가 대등한 지위에서 행하는 의사표시로서 처분이 아니므로「행정절차법」에 의하여 근거와 이유를 제시하여야 하는 것은 아니다. 2021 국가직 9급 (O | X)

㉔ 관련기출

11. 공법상 계약에는 공정력이 인정되지 않는다. 2013 국가직 7급 (O | X)

12. (공법상 계약의 경우) 상대방의 의무불이행에 대한 강제적 실행이 용이하다. 2013 서울시 9급 (O | X)

13. 공법상 계약에 따른 의무를 이행하지 않는 경우 법원의 판결을 받아 강제집행을 하여야 하고, 특별한 규정이 없는 한 자력집행을 할 수는 없다. 2010 서울시 9급 변형 (O | X)

정답
1. O 2. X 3. O 4. O 5. O 6. O 7. X 8. O 9. O 10. O
11. O 12. X 13. O

14 □□□

행정작용에 관한 설명으로 옳지 않은 것은? (다툼이 있는 경우 판례에 의함)

① 행정청은 처분에 재량이 있는 경우에는 법률로 정하는 바에 따라 완전히 자동화된 시스템(인공지능기술을 적용한 시스템을 포함한다)으로 처분을 할 수 없다.

② 종전의 결혼예식장영업을 자진폐업한 경우 다시 예식장영업허가신청을 하였다면, 그 허가신청은 새로운 영업허가신청으로 보아야 한다.

③ 교도소 내 마약류 관련 수형자에 대한 교도소장의 소변강제채취는 권력적 사실행위로서 헌법소원의 대상이 되는 공권력의 행사이다.

④ 공정거래위원회가 부당한 공동행위를 한 사업자에게 과징금 부과처분(선행처분)을 한 뒤, 다시 자진신고 등을 이유로 과징금 감면처분(후행처분)을 한 경우, 취소를 구하여야 할 처분은 선행처분이다.

✔ 기출체크

① 관련기출

1. 처분에 재량이 있는 경우 행정청은 법률로 정하는 바에 따라 완전히 자동화된 시스템으로 처분을 할 수 있다. 2026 경찰간부 (O | X)

2. 행정청은 처분에 재량이 있는 경우에도 법률로 정하는 바에 따라 완전히 자동화된 시스템으로 처분을 할 수 있다. 2025 군무원 9급 (O | X)

3. 행정청은 재량이 있는 경우에도 완전히 자동화된 시스템으로 처분을 할 수 있다. 2024 지방직·서울시 7급 (O | X)

4. 「행정기본법」은 재량행위에 대해서 자동적 처분을 허용하지 않고 있다. 2023 지방직·서울시 9급 (O | X)

5. 「행정기본법」상 자동적 처분을 할 수 있는 '완전히 자동화된 시스템'에는 '인공지능기술을 적용한 시스템'이 포함되지 않는다. 2023 지방직·서울시 9급 (O | X)

② 관련기출

6. 다음 사례 상황에 대한 설명으로 옳은 것은? (다툼이 있는 경우 판례에 의함) 2016 국가직 9급

> 甲은「식품위생법」상 유흥주점영업허가를 받아 영업을 하던 중 경기부진을 이유로 2015. 8. 3. 자진폐업하고 관련 법령에 따라 폐업신고를 하였다. 이에 관할 시장은 자진폐업을 이유로 2015. 9. 10. 甲에 대한 위 영업허가를 취소하는 처분을 하였으나 이를 甲에게 통지하지 아니하였다. 이후 甲은 경기가 활성화되자 유흥주점영업을 재개하려고 관할 시장에게 2016. 2. 3. 재개업신고를 하였으나, 영업허가가 이미 취소되었다는 회신을 받았다. 허가취소사실을 비로소 알게 된 甲은 2016. 3. 10.에 위 2015. 9. 10.자 영업허가취소처분의 취소를 구하는 소송을 제기하였다.

① 甲에 대한 유흥주점영업허가의 효력은 2015. 9. 10.자 영업허가취소처분에 의해서 소멸된다.
② 위 2015. 9. 10.자 영업허가취소처분은 甲에게 통지되지 않아 효력이 발생하지 아니하였으므로 甲의 영업허가는 여전히 유효하다.
③ 甲이 2015. 9. 10.자 영업허가취소처분에 대하여 제기한 위 취소소송은 부적법한 소송으로서 각하된다.
④ 甲에 대한 유흥주점영업허가는 2016. 2. 3. 행한 甲의 재개업신고를 통하여 다시 효력을 회복한다.

③ 관련기출

7. 교도소 내 마약류 관련 수형자에 대한 교도소장의 소변강제채취는 권력적 사실행위이나 헌법소원의 대상은 아니다. 2023 지방직·서울시 9급 (O | X)

8. 교도소 수형자에게 소변을 받아 제출하게 한 것은, 형을 집행하는 우월적인 지위에서 외부와 격리된 채 형의 집행에 관한 지시, 명령을 복종하여야 할 관계에 있는 자에게 행해진 것으로서 권력적 사실행위이다. 2020 군무원 9급 (O | X)

④ 관련기출

9. 공정거래위원회가 부당한 공동행위를 한 사업자에게 과징금 부과처분을 한 뒤 다시 자진신고 등을 이유로 과징금 감면처분을 한 경우, 선행처분은 후행처분에 흡수되어 소멸하므로 선행처분의 취소를 구하는 소는 부적법하다. 2022 국가직 9급 (O | X)

10. 공정거래위원회가 부당한 공동행위를 한 사업자들 중 자진신고자에 대하여 구 독점규제 및 공정거래에 관한 법령에 따라 과징금 부과처분(선행처분)을 한 뒤, 다시 자진신고자에 대한 사건을 분리하여 자진신고를 이유로 과징금 감면처분(후행처분)을 한 경우라도 선행처분의 취소를 구하는 소는 적법하다. 2021 국가직 9급 (O | X)

11. 가행정행위인 선행처분이 후행처분으로 흡수되어 소멸하는 경우에도 선행처분의 취소를 구하는 소는 가능하다. 2019 서울시 2회 7급
(O | X)
12. 공정거래위원회가 부당한 공동행위를 한 사업자에게 과징금 부과처분을 한 뒤 다시 자진신고 등을 이유로 과징금 감면처분을 하였다면, 선행 과징금 부과처분은 일종의 잠정적 처분으로서 후행 과징금 감면처분에 흡수되어 소멸한다. 2019 변호사
(O | X)

정답

1. X 2. X 3. X 4. O 5. X 6. ③ 7. X 8. O 9. O 10. X
11. X 12. O

15 □□□

사례에 관한 설명으로 옳은 것만을 <보기>에서 모두 고른 것은? (다툼이 있는 경우 판례에 의함)

> 甲은 공중목욕장영업허가를 받아 영업을 하던 중 이익이 나지 않는다는 이유로 요금을 종전보다 10% 인상하였다. 이에 대해 동작구청장이 4월 30일 甲에게 종전 요금으로 환원할 것을 권고하였으나 甲이 불응하자 동작구청장은 권고에 따르지 않았다는 이유로 甲에게 5월 11일 3개월의 영업정지처분을 하였다.

─ 보기 ─

㉮ 동작구청장은 甲에게 권고의 취지 및 그 내용을 밝혀야 하지만 신분은 생략할 수 있다.
㉯ 동작구청장의 권고가 말로 이루어진 경우 甲이 권고의 취지, 내용 및 신분에 관한 사항을 적은 서면의 교부를 요구하면 직무수행에 특별한 지장이 없는 한 이를 교부하여야 한다.
㉰ 甲은 권고의 내용뿐만 아니라 방식에 관하여도 동작구청장에게 의견제출을 할 수 있다.
㉱ 4월 30일자 행위는 내용의 명확화를 위해 문서로 하여야 함이 원칙이다.
㉲ 만약 甲이 4월 30일자 권고에 대해 취소소송을 제기한 경우 법원은 각하하여야 한다.
㉳ 5월 11일자 처분은 다른 사정이 없다면 위법한 처분이다.

① ㉮, ㉯, ㉰ ② ㉮, ㉰, ㉱, ㉳
③ ㉯, ㉰, ㉲, ㉳ ④ ㉯, ㉱, ㉲, ㉳

✓ 기출체크

㉮ 관련기출

1. 행정지도를 하는 자는 그 상대방에게 그 행정지도의 취지 및 내용과 신분을 밝혀야 한다. 2025 행정사
(O | X)
2. 행정지도를 하는 자는 그 상대방에게 그 행정지도의 취지 및 내용을 밝혀야 하지만 신분은 생략할 수 있다. 2020 소방직 9급 (O | X)

㉯ 관련기출

3. 「행정절차법」상 행정지도가 말로 이루어지는 경우에 상대방이 행정지도의 취지, 내용, 신분 사항을 적은 서면의 교부를 요구하면 그 행정지도를 하는 자는 직무수행에 특별한 지장이 없으면 이를 교부하여야 한다. 2025 소방직 9급
(O | X)
4. 「행정절차법」상 행정지도를 하는 자는 상대방이 서면의 교부를 요구하는 경우 그 행정지도의 내용과 신분을 적으면 되고 취지를 적을 필요는 없다. 2020 경행경채 (O | X)
5. 행정지도가 말로 이루어지는 경우에 상대방이 서면의 교부를 요구하면 그 행정지도를 하는 자는 반드시 이를 교부하여야 한다. 2018 경행경채
(O | X)
6. 행정지도가 말로 이루어지는 경우에 상대방이 행정지도의 취지 및 내용, 행정지도를 하는 자의 신분에 관한 사항을 적은 서면의 교부를 요구하면 그 행정지도를 하는 자는 직무수행에 특별한 지장이 없으면 이를 교부하여야 한다. 2017 국가직 9급 (O | X)
7. 「행정절차법」은 행정지도는 반드시 서면으로 하여야 하고 그 서면에는 행정지도의 취지·내용을 기재하도록 규정함으로써 행정지도의 명확성을 요구하고 있다. 2017 국회직 8급 (O | X)

㉰ 관련기출

8. 행정지도의 상대방은 해당 행정지도의 방식에 관하여 행정기관에 의견제출을 할 수 있다. 2025 행정사 (O | X)
9. 행정지도의 상대방은 해당 행정지도의 내용뿐만 아니라 행정지도의 방식에 관해서도 행정기관에 의견제출을 할 수 있다. 2023 행정사
(O | X)
10. 행정지도의 상대방은 당해 행정지도의 방식·내용 등에 관하여 행정기관에 의견을 제출할 수 없다. 2020 소방직 9급 (O | X)
11. 「행정절차법」상 행정지도는 의견제출과 사전통지절차에 대해 규정하고 있다. 2020 경행경채 (O | X)
12. 행정지도의 상대방은 행정지도의 내용에 동의하지 않는 경우 이를 따르지 않을 수 있으므로, 행정지도의 내용이나 방식에 대해 의견제출권을 갖지 않는다. 2017 국가직 9급 (O | X)

㉱ 관련기출

13. 「행정절차법」상 행정지도는 문서뿐만 아니라, 말로써 하는 것도 허용된다. 2024 국회직 8급 (O | X)
14. 행정지도는 말로 이루어질 수 있다. 2017 교육행정직 9급 (O | X)
15. 행정지도는 반드시 문서로 하여야 한다. 2017 교육행정직 9급
(O | X)
16. 「행정절차법」에서는 행정지도는 반드시 서면의 형식으로 행하도록 규정하고 있다. 2010 국회속기직 9급 (O | X)
17. 행정지도를 하는 경우에는 관련된 국민의 권리나 의무에 간접적으로나마 영향을 미칠 수 있으므로 직무수행에 특별한 지장이 없는 한 서면으로 행하여야 한다. 2008 지방직 9급 (O | X)

(마) 관련기출

18. 일정한 행정목적을 실현하기 위하여 상대방인 국민에게 임의적인 협력을 요청하는 비권력적 사실행위를 행정지도라 한다.
    2020 소방직 9급 (O | X)
19. 행정지도는 법적 효과의 발생을 목적으로 하는 의사표시이다.
    2018 교육행정직 9급 (O | X)
20. 판례에 따르면 세무당국이 주류거래를 일정 기간 중지하여 줄 것을 요청한 행위는 항고소송의 대상이다. 2016 교육행정직 9급 (O | X)
21. 행정지도는 행정기관이 그 소관 사무의 범위에서 일정한 행정목적을 실현하기 위하여 특정인에게 일정한 행위를 하거나 하지 아니하도록 지도, 권고, 조언 등을 하는 행정작용을 말한다. 2014 경행특채 1차 (O | X)
22. 행정지도는 사실상 강제력으로 인하여 권력적 행정활동임이 원칙이다.
    2011 지방직 9급 (O | X)

(바) 관련기출

23. 「행정절차법」상 행정기관은 행정지도의 상대방이 행정지도에 따르지 아니하였다는 것을 이유로 불이익한 조치를 하여서는 아니 된다.
    2025 소방직 9급 (O | X)
24. 행정기관은 행정지도의 상대방이 행정지도에 따르지 아니하였다는 것을 이유로 불이익한 조치를 하여서는 아니 된다. 2025 군무원 7급 (O | X)
25. 행정기관은 행정지도의 상대방이 행정지도에 따르지 아니할 경우 그에 상응하는 불이익조치를 할 수 있다. 2023 군무원 9급 (O | X)
26. 상대방이 행정지도에 따르지 아니하였다는 것을 직접적인 이유로 하는 불이익한 조치는 위법한 행위가 된다. 2021 군무원 9급 (O | X)
27. 행정기관은 행정지도의 상대방이 행정지도에 따르지 아니할 경우 그 행정지도에 따르지 아니하였다는 것을 이유로 목적 달성에 필요최소한의 범위 내에서 불이익한 조치를 취할 수 있다. 2014 경행특채 2차 (O | X)

정답
1. O 2. × 3. O 4. × 5. × 6. O 7. × 8. O 9. O 10. ×
11. × 12. × 13. O 14. O 15. O 16. × 17. × 18. O 19. × 20. ×
21. O 22. × 23. O 24. O 25. × 26. O 27. ×

16 □□□

행정지도에 관한 설명으로 옳은 것만을 <보기>에서 모두 고른 것은? (다툼이 있는 경우 판례에 의함)

보기

㉮ 행정지도에 관해서 「행정절차법」과 「행정기본법」에 명문규정을 두고 있다.
㉯ 행정기관이 같은 행정목적을 실현하기 위해 다수인을 대상으로 행정지도를 하려는 경우에는 특별한 사정이 없으면, 행정지도에 공통적인 내용이 되는 사항을 공표하여야 한다.
㉰ 행정지도와 같은 비권력적 작용은 「국가배상법」이 정한 국가배상요건인 '공무원의 직무행위'에 포함되지 않는다.
㉱ 금융위원회 위원장이 시중은행을 상대로 투기지역·투기과열지구 내 초고가아파트에 대한 주택구입용 주택담보대출을 금지한 조치는 행정지도로서 공권력 행사에 해당하여 헌법소원의 대상이 된다.

① ㉮, ㉯ ② ㉮, ㉰
③ ㉯, ㉱ ④ ㉰, ㉱

✓ 기출체크

㉮ 관련기출

1. 「행정절차법」은 행정지도에 대해 비례원칙을 준수할 것을 규정하고 있다. 2025 소방직 9급 (O | X)
2. 「행정기본법」은 임의성의 원칙 등 행정지도의 원칙에 관하여 규정하고 있다. 2023 행정사 (O | X)
3. 행정지도는 의무를 부과하거나 권익을 제한하는 것이 아니므로 「행정절차법」의 적용을 받지 않는다. 2023 국회직 8급 (O | X)
4. 행정지도는 그 목적 달성에 필요한 최소한도에 그쳐야 한다.
   2020 소방직 9급 (O | X)
5. 「행정절차법」은 행정지도에 관한 규정을 두고 있지 않다.
   2015 교육행정직 9급 (O | X)

㉯ 관련기출

6. 행정기관이 같은 행정목적을 실현하기 위하여 많은 상대방에게 행정지도를 하려는 경우에는 특별한 사정이 없으면 행정지도에 공통적인 내용이 되는 사항을 공표하여야 한다. 2023 지방직·서울시 9급 (O | X)
7. 행정지도가 다수인을 대상으로 할 경우에도 명령·강제작용이 아니기 때문에 「행정절차법」은 특별한 사정이 없으면 공표할 필요가 없다고 규정한다. 2011 지방직(상) 9급 (O | X)

㉰ 관련기출

8. 「국가배상법」이 정한 배상청구의 요건인 '공무원의 직무'에는 행정지도와 같은 비권력적 작용은 포함되지 않는다. 2025 행정사 (O | X)
9. 「국가배상법」이 정한 배상청구의 요건인 '공무원의 직무'에는 권력적 작용만이 아니라 행정지도와 같은 비권력적 작용도 포함된다.
   2025 변호사 (O | X)

10. 행정지도와 같은 비권력적 사실행위는 공무원의 직무행위의 범위에 속하지 아니한다. 2024 군무원 9급 (O | X)
11. 국가의 비권력적 작용은 국가배상청구의 요건인 직무에 포함되지 않는다. 2024 해경승진 (O | X)
12. 「국가배상법」 제2조의 직무행위에는 국가나 지방자치단체의 권력적 작용만이 포함되며 비권력적 작용은 포함되지 않는다. 2019 서울시 1회 7급 (O | X)

㉔ 관련기출
13. 금융위원회 위원장이 시중은행을 상대로 투기지역·투기과열지구 내 초고가아파트에 대한 주택구입용 주택담보대출을 금지한 조치는 규제적·구속적 성격을 갖는 행정지도로서 헌법소원의 대상이 되는 공권력 행사에 해당된다. 2025 변호사 (O | X)

정답
1. O 2. X 3. X 4. O 5. X 6. O 7. X 8. X 9. O 10. X
11. X 12. X 13. O

17 □□□

행정지도에 관한 설명으로 옳지 <u>않은</u> 것은? (다툼이 있는 경우 판례에 의함)

① 적법한 행정지도로 인정되기 위해서는 그 목적이 적법한 것이어야 하므로, 행정청의 주식매각 종용행위가 정당한 법률적 근거 없이 자의적으로 주주에게 제재를 가하는 것이라면 행정지도의 영역을 벗어난 것이다.

② 교육부장관의 국·공립대학총장에 대한 학칙시정요구는 행정지도의 일종이지만, 그것이 규제적·구속적 성격을 상당히 강하게 갖는다면 헌법소원의 대상이 되는 공권력 행사라고 볼 수 있다.

③ 위법한 관행에 따른 허위신고행위가 행정청의 행정지도에 따른 것이라면 그 허위신고행위는 사회상규에 위배되지 않는 정당한 행위라고 볼 수 있다.

④ 행정지도가 강제성을 띠지 않은 비권력적 작용으로서 행정지도의 한계를 일탈하지 아니하였다면, 그로 인하여 상대방에게 어떤 손해가 발생하였다고 하더라도 행정기관은 그에 대한 손해배상책임이 없다.

✔기출체크

① 관련기출
1. 적법한 행정지도로 인정되기 위해서는 우선 그 목적이 적법한 것으로 인정될 수 있어야 할 것이므로, 행정청이 행한 주식매각의 종용이 정당한 법률적 근거 없이 자의적으로 주주에게 제재를 가하는 것이라면 행정지도의 영역을 벗어난 것이라고 보아야 할 것이다. 2020 군무원 9급 (O | X)

② 관련기출
2. 대학총장들에 대한 교육부장관의 학칙시정요구는 규제적 성격의 행정지도에 해당하며, 이는 헌법소원의 대상이 된다. 2025 군무원 7급 (O | X)
3. 고등교육법령에 근거한 교육인적자원부장관의 대학총장들에 대한 학칙시정요구는 단순한 행정지도로서의 한계를 넘어 규제적·구속적 성격을 상당히 강하게 갖는 것으로서 헌법소원의 대상이 되는 공권력의 행사이다. 2022 경찰간부 (O | X)
4. 교육인적자원부장관(현 교육부장관)의 구 공립대학총장들에 대한 학칙시정요구는 고등교육법령에 따른 것으로, 그 법적 성격은 대학총장의 임의적인 협력을 통하여 사실상의 효과를 발생시키는 행정지도의 일종으로 헌법소원의 대상이 되는 공권력의 행사로 볼 수 없다. 2021 소방직 9급 (O | X)
5. 구 교육인적자원부장관(현 교육부장관)의 국·공립대학총장들에 대한 학칙시정요구는 행정지도이므로 헌법소원의 대상인 공권력의 행사로 볼 수 없다. 2017 교육행정직 9급 (O | X)

③ 관련기출
6. 위법한 행정지도에 따라 사인의 신고행위가 허위신고행위에 이르렀다면 원칙적으로 그 사인의 행위는 위법성이 조각된다. 2024 국회직 8급 (O | X)
7. 위법한 행정지도에 따라 행한 사인의 행위는 위법성이 조각되어 범법행위가 되지 않는다. 2023 지방직·서울시 9급 (O | X)
8. 행정관청이 토지거래계약신고에 관하여 공시된 기준지가를 기준으로 매매가격을 신고하도록 행정지도하여 왔고 그 기준가격 이상으로 매매가격을 신고한 경우에는 거래신고서를 접수하지 않고 반려하는 것이 관행화되어 있다면 이는 사회상규에 위배되지 않는 정당한 행위라고 할 수 있다. 2022 경찰간부 (O | X)
9. 위법한 행정지도에 따라 행한 사인의 행위는 법령에 명시적으로 정함이 없는 한 위법성이 조각된다고 할 수 없다. 2018 서울시 1회 7급 (O | X)
10. 토지거래계약신고에 관한 행정관청의 위법한 관행에 따라 토지의 매매가격을 허위로 신고한 행위라 하더라도 사회상규에 위배되지 않는 정당행위라고 볼 수 없다. 2014 경행특채 1차 (O | X)

④ 관련기출
11. 행정지도가 강제성을 띠지 않은 비권력적 작용으로서 행정지도의 한계를 일탈하지 아니하였더라도, 그로 인하여 상대방에게 어떤 손해가 발생하였다면 행정기관은 그에 대한 손해배상책임이 있다. 2025 군무원 7급 (O | X)
12. 행정지도가 그의 한계를 일탈하지 아니하였다면, 그로 인하여 상대방에게 어떤 손해가 발생하였다 하더라도 행정기관은 그에 대한 손해배상책임이 없다. 2021 군무원 9급 (O | X)
13. 행정지도의 한계 일탈로 인해 상대방에게 손해가 발생한 경우 행정기관은 손해배상책임이 없다. 2018 교육행정직 9급 (O | X)

정답
1. O 2. O 3. O 4. X 5. X 6. X 7. X 8. X 9. O 10. O
11. X 12. O 13. X

18

「행정절차법」상 처분절차에 관한 설명으로 옳지 않은 것만을 <보기>에서 모두 고른 것은? (다툼이 있는 경우 판례에 의함)

┌─ 보기 ─────────────────────────────────┐
㉮ 행정청은 신청인의 편의를 위하여 처분의 처리기간을 종류별로 미리 정하여 공표하여야 하는데 행정청이 공표한 처분의 처리기간을 지나 처분을 하였다면 이는 처분을 취소할 절차상 하자로 볼 수 있다.

㉯ 공공의 안전 또는 복리를 위하여 긴급히 처분을 할 필요가 있는 경우에는 말, 전화, 휴대전화를 이용한 문자전송, 팩스 또는 전자우편 등 문서가 아닌 방법으로 처분을 할 수 있다. 이 경우 당사자가 요청하면 지체 없이 처분에 관한 문서를 주어야 한다.

㉰ 행정청이 문서에 의하여 처분을 한 경우 그 처분서의 문언에 따라 어떤 처분을 하였는지를 확정하여야 하며 그 처분서의 문언만으로 행정청이 어떤 처분을 하였는지 불분명한 경우라도 다른 사정을 고려하여 처분서의 문언과 달리 그 처분의 내용을 해석할 수는 없다.

㉱ 행정청이 처분을 할 때에는 당사자에게 그 처분에 관하여 행정심판 및 행정소송을 제기할 수 있는지의 여부, 그 밖에 불복을 할 수 있는지의 여부, 청구절차 및 청구기간, 그 밖에 필요한 사항을 알려야 한다.
└─────────────────────────────────────┘

① ㉮, ㉯ ② ㉮, ㉰
③ ㉯, ㉱ ④ ㉰, ㉱

✓ 기출체크

㉮ 관련기출
1. 행정청이 미리 공표한 처분의 처리기간을 지나 처분을 하였더라도 이를 처분을 취소할 절차상 하자로 볼 수 없다. 2023 지방직·서울시 7급 (○ | ×)
2. (「행정절차법」상) 처분의 처리기간에 관한 규정은 강행규정이므로 행정청이 처리기간이 지나 처분을 하였다면 이는 처분을 취소할 절차상 하자로 볼 수 있다. 2023 국가직 7급 (○ | ×)

㉯ 관련기출
3. 행정청은 공공의 안전 또는 복리를 위하여 긴급히 처분을 할 필요가 있는 경우에는 말, 전화, 휴대전화를 이용한 문자전송, 팩스 또는 전자우편 등 문서가 아닌 방법으로 처분을 할 수 있다. 2024 군무원 5급 변형 (○ | ×)
4. 행정청은 공공의 안전 또는 복리를 위하여 긴급히 처분을 할 필요가 있거나 사안이 경미한 경우에는 말, 전화, 휴대전화를 이용한 문자전송, 팩스 또는 전자우편 등 문서가 아닌 방법으로 처분을 할 수 있다. 2021 행정사 변형 (○ | ×)
5. 「행정절차법」은 국민의 권익을 보호하기 위하여 모든 행정처분을 문서로 하도록 규정하고 있다. 2014 국가직 9급 (○ | ×)
6. 행정청이 처분을 할 때에는 다른 법령 등에 특별한 규정이 있는 경우를 제외하고는 문서로 하여야 하며, 당사자 등의 동의가 있거나, 당사자가 전자문서로 처분을 신청한 경우에는 전자문서로 할 수 있다. 다만, 공공의 안전 또는 복리를 위하여 긴급히 처분을 할 필요가 있거나 사안이 경미한 경우에는 문서가 아닌 방법으로 처분을 할 수 있다. 2013 지방직 9급 변형 (○ | ×)

㉰ 관련기출
7. 「행정절차법」상 문서주의원칙에도 불구하고, 행정청의 처분서의 문언만으로는 행정청이 어떤 처분을 하였는지 불분명하다는 등 특별한 사정이 있는 때에는 처분경위나 처분 이후의 상대방의 태도 등 다른 사정을 고려하여 처분서의 문언과 달리 그 처분의 내용을 해석할 수도 있다. 2022 지방직·서울시 7급 (○ | ×)

㉱ 관련기출
8. 「행정절차법」에 따르면 행정청이 처분을 할 때에는 당사자에게 그 처분에 관하여 행정심판 및 행정소송을 제기할 수 있는지 여부, 그 밖에 불복을 할 수 있는지 여부, 청구절차 및 청구기간, 그 밖에 필요한 사항을 알려야 한다. 2014 경행특채 2차 (○ | ×)

정답
1. ○ 2. × 3. ○ 4. ○ 5. × 6. ○ 7. ○ 8. ○

19

「행정절차법」의 적용제외대상에 해당하지 않는 것만을 <보기>에서 모두 고른 것은?

┌─ 보기 ─────────────────────────────────┐
㉮ 국회 또는 지방의회의 의결을 거치거나 동의 또는 승인을 얻어 행하는 사항

㉯ 헌법재판소의 심판, 감사원이 감사위원회의의 결정 또는 각급 선거관리위원회의 의결을 거쳐 행하는 사항

㉰ 심사청구, 해양안전심판, 조세심판, 특허심판, 행정심판, 그 밖의 불복절차에 따른 사항

㉱ 「병역법」에 따른 징집·소집
└─────────────────────────────────────┘

① ㉱ ② ㉮, ㉰
③ ㉯, ㉰ ④ 없음

✓ 기출체크

㉮ 관련기출
1. 「행정절차법」은 행정절차에 관한 일반법이지만, '국회 또는 지방의회의 의결을 거치거나 동의 또는 승인을 얻어 행하는 사항'에 대하여는 「행정절차법」의 적용이 배제된다. 2025 해경승진 (○ | ×)
2. 행정절차에 관한 사항이라도 국회 또는 지방의회의 의결을 거치거나 동의 또는 승인을 받아 행하는 사항의 경우에는 「행정절차법」의 적용이 배제된다. 2024 국회직 8급 (○ | ×)
3. 지방의회의 의결을 거치거나 동의 또는 승인을 받아 행하는 사항에 대해서는 「행정절차법」이 적용되지 않는다. 2019 서울시 9급 (○ | ×)

4. 지방의회의 동의를 얻어 행하는 처분에 대해서는 「행정절차법」이 적용되지 아니한다. 2018 국회직 8급 (○ | ×)

ⓘ 관련기출
5. 헌법재판소의 심판을 거쳐 행하는 사항(은 「행정절차법」의 적용대상이다) 2025 해경승진 (○ | ×)
6. 감사원이 감사위원회의 결정을 거쳐 행하는 사항(은 「행정절차법」이 정하고 있는 적용제외대상이다) 2021 행정사 (○ | ×)
7. 헌법재판소의 심판을 거쳐 행하는 사항(은 「행정절차법」이 정하고 있는 적용제외대상이다) 2020 지방직·서울시 7급 (○ | ×)
8. 각급 선거관리위원회의 의결을 거쳐 행하는 사항(은 처분·신고·행정상 입법예고·행정예고 및 행정지도의 절차에 관한 사항이라도 「행정절차법」의 적용이 배제되는 경우에 해당한다) 2011 국가직 9급 (○ | ×)

ⓘ 관련기출
9. 해양안전심판에 관한 사항에 대해서 「행정절차법」을 적용할 수 있다. 2026 경찰간부 (○ | ×)
10. 「행정절차법」이 적용되는 사항은? (다툼이 있는 경우 판례에 의함) 2024 군무원 7급
    ① 각급 선거관리위원회의 의결을 거쳐 행하는 사항
    ② 행정기관이 그 소관 사무의 범위에서 일정한 행정목적을 실현하기 위하여 특정인에게 일정한 행위를 하도록 조언 등을 하는 사항
    ③ 감사원이 감사위원회의 결정을 거쳐 행하는 사항
    ④ 심사청구, 해양안전심판, 조세심판, 특허심판, 행정심판, 그 밖의 불복절차에 따른 사항
11. 심사청구, 해양안전심판, 조세심판, 특허심판, 행정심판, 그 밖의 불복절차에 따른 사항(은 「행정절차법」의 적용이 배제되는 경우에 해당한다) 2011 국가직 9급 (○ | ×)

ⓘ 관련기출
12. 「병역법」에 따른 징집·소집(은 「행정절차법」의 적용대상이 되지 않는다) 2025 해경승진 (○ | ×)

정답
1. ○ 2. ○ 3. ○ 4. ○ 5. × 6. ○ 7. ○ 8. ○ 9. × 10. ②
11. ○ 12. ○

20 □□□

「행정절차법」의 적용범위에 관한 설명으로 옳은 것만을 <보기>에서 모두 고른 것은? (다툼이 있는 경우 판례에 의함)

─ 보기 ─

㉮ 「행정절차법」상 군인사법령에 의하여 진급예정자명단에 포함된 자에 대하여 의견제출의 기회를 부여하지 아니한 채 진급선발을 취소하는 처분을 한 것은 절차상 하자가 있어 위법하다.

㉯ 「행정절차법 시행령」 제2조 제8호는 '학교·연수원 등에서 교육·훈련의 목적을 달성하기 위하여 학생·연수생들을 대상으로 하는 사항'을 「행정절차법」의 적용이 제외되는 경우로 규정하고 있지만 육군3사관학교의 사관생도에 대한 퇴학처분을 하는 경우 「행정절차법」의 적용이 배제된다고 볼 수 없다.

㉰ 공정거래위원회의 시정조치 및 과징금 납부명령에 「행정절차법」 소정의 의견청취절차 생략사유가 존재한다면, 공정거래위원회는 「행정절차법」을 적용하여 의견청취절차를 생략할 수 있다.

㉱ 「병역법」에 따른 산업기능요원 편입취소처분은 「행정절차법」의 적용대상이다.

㉲ 구 「공무원 징계령」에 따른 대통령기록관장에 대한 직권면직처분은 「행정절차법」이 적용되는 사항이다.

㉳ 구 「국적법」에 따른 귀화는 처분의 이유제시를 규정한 「행정절차법」이 적용된다.

① ㉮, ㉯, ㉰
② ㉰, ㉱, ㉳
③ ㉮, ㉯, ㉱, ㉲
④ ㉰, ㉱, ㉲, ㉳

✓ 기출체크

㉮ 관련기출
1. 「군인사법」에 따른 진급예정자명단에 포함된 자의 진급선발을 취소하는 처분(은 「행정절차법」이 적용되는 사항에 해당한다) 2025 국회직 8급 (○ | ×)
2. 군인사법령에 따라 진급예정자명단에 포함된 자에게 의견제출의 기회를 주지 않고 진급선발을 취소하더라도 「행정절차법」이 적용되지 않으므로 위법하지 않다. 2025 해경승진 (○ | ×)
3. '공무원 인사 관계 법령에 의한 처분에 관한 사항' 전부에 대하여 「행정절차법」의 적용이 배제된다. 2024 지방직·서울시 7급 (○ | ×)
4. 공무원 인사 관계 법령에 의한 처분에 관한 사항 전부에 대하여 「행정절차법」의 적용이 배제되는 것이 아니라 성질상 행정절차를 거치기 곤란하거나 불필요하다고 인정되는 처분이나 행정절차에 준하는 절차를 거치도록 하고 있는 처분의 경우에만 「행정절차법」의 적용이 배제된다. 2024 지방직·서울시 9급 (○ | ×)

5. 공무원 인사 관계 법령에 따른 처분에 관하여는 「행정절차법」 적용을 배제하고 있으므로, 군인사법령에 의하여 진급예정자명단에 포함된 자에 대하여 의견제출의 기회를 부여하지 아니하고 진급선발취소처분을 한 것이 절차상 하자가 있어 위법하다고 할 수 없다. 2024 국가직 9급 (O | X)

⊙ 관련기출
6. 육군3사관학교 생도에 대한 퇴학처분(은 「행정절차법」이 적용되는 사항에 해당한다) 2025 국회직 8급 (O | X)
7. 「행정절차법 시행령」 제2조 제8호는 '학교·연수원 등에서 교육·훈련의 목적을 달성하기 위하여 학생·연수생들을 대상으로 하는 사항'을 「행정절차법」이 적용되지 않는 경우로 규정하고 있으나 생도의 퇴학처분과 같이 신분을 박탈하는 징계처분은 여기에 해당한다고 할 수 없다. 2020 국회직 8급 (O | X)
8. 육군3사관학교의 사관생도에 대한 퇴학처분(은 「행정절차법」의 적용이 배제되는 경우이다) 2019 소방직 9급 (O | X)

⊙ 관련기출
9. 공정거래위원회의 시정조치 및 과징금 납부명령에 「행정절차법」 소정의 의견청취절차 생략사유가 존재한다고 하더라도 공정거래위원회는 「행정절차법」을 적용하여 의견청취절차를 생략할 수는 없다. 2023 해경간부 (O | X)
10. 공정거래위원회의 시정조치 및 과징금 납부명령에 「행정절차법」 소정의 의견청취절차 생략사유가 존재하면 공정거래위원회는 「행정절차법」을 적용하여 의견청취절차를 생략할 수 있다. 2019 지방직·교육행정직 9급 (O | X)
11. 대법원에 따르면 「행정절차법」 적용이 제외되는 의결·결정에 대해서는 「행정절차법」을 적용하여 의견청취절차를 생략할 수는 없다. 2017 서울시 9급 (O | X)

⊙ 관련기출
12. 「병역법」에 따른 산업기능요원 편입취소처분(은 「행정절차법」이 적용되는 사항에 해당한다) 2025 국회직 8급 (O | X)
13. 산업기능요원 편입취소처분(은 「행정절차법」의 적용대상이다) 2025 해경승진 (O | X)
14. 「병역법」에 따라 지방병무청장이 산업기능요원에 대하여 산업기능요원 편입취소처분을 할 때에는 「행정절차법」에 따라 처분의 사전통지를 하고 의견제출의 기회를 부여하여야 한다. 2020 국가직 7급 (O | X)
15. 「병역법」에 의한 소집에 관한 사항에는 「행정절차법」이 적용되지 않으나 「병역법」상의 산업기능요원의 편입취소처분에 대해서는 「행정절차법」이 적용된다. 2020 국회직 8급 (O | X)

⊙ 관련기출
16. 구 「공무원 징계령」에 따른 대통령기록관장에 대한 직권면직처분(은 「행정절차법」이 적용되는 사항에 해당한다) 2025 국회직 8급 (O | X)
17. '공무원 인사 관계 법령에 의한 처분에 관한 사항' 전부에 대하여 「행정절차법」의 적용이 배제된다. 2024 지방직·서울시 7급 (O | X)
18. 임기가 정해진 별정직 공무원인 대통령기록관장을 직권면직하면서 당사자에게 사전통지를 하지 않고 의견제출의 기회를 주지 않았다고 하여 「행정절차법」을 위반하였다고 볼 것은 아니다. 2021 경행경채 (O | X)
19. 공무원 인사 관계 법령에 따른 징계는 모두 「행정절차법」의 적용이 배제되는 것이 아니라 성질상 행정절차를 거치기 곤란하거나 불필요하다고 인정되는 처분이나 행정절차에 준하는 절차를 거치도록 하고 있는 처분의 경우에만 그 적용이 배제된다. 2019 국회직 8급 (O | X)

20. 「행정절차법」의 적용이 제외되는 공무원 인사 관계 법령에 의한 처분에 관한 사항이란 성질상 행정절차를 거치기 곤란하거나 불필요하다고 인정되는 처분이나 행정절차에 준하는 절차를 거치도록 하고 있는 처분에 관한 사항만을 말하는 것으로 보아야 한다. 2019 사회복지직 9급 (O | X)

⊙ 관련기출
21. 구 「국적법」에 따른 귀화는 성질상 행정절차를 거치기 곤란하거나 거칠 필요가 없다고 인정되는 사항이 아니므로, 처분의 이유제시를 규정한 「행정절차법」이 적용된다. 2025 국가직 9급 (O | X)

정답
1. O 2. X 3. X 4. O 5. X 6. O 7. O 8. X 9. O 10. X
11. O 12. O 13. O 14. O 15. O 16. O 17. X 18. X 19. O 20. O
21. X

21

사례에 관한 설명으로 옳은 것은? (다툼이 있는 경우 판례에 의함)

> 병무청장이 법무부장관에게 "가수 甲이 공연을 위하여 국외여행허가를 받고 출국한 후 미국시민권을 취득함으로써 사실상 병역의무를 면탈하였으므로 재외동포 자격으로 재입국하고자 하는 경우 국내에서 취업, 가수활동 등 영리활동을 할 수 없도록 하고, 불가능할 경우 입국 자체를 금지해 달라."라고 요청함에 따라 <u>법무부장관이 甲의 입국을 금지하는 결정을 하고, 그 정보를 내부전산망인 '출입국관리정보시스템'에 입력하였으나, 甲에게는 통보하지 않았다.</u> 이후 13년이 지난 시점에 甲이 재외공관장 乙에게 재외동포(F-4) 체류자격의 사증발급을 신청하자 乙은 처분이유를 기재한 사증발급거부처분서를 작성해 주지 않은 채 <u>甲의 아버지에게 전화로 사증발급이 불허되었다고 통보하였다.</u>

① 일반적으로 행정의사가 외부에 표시되어 행정청이 자유롭게 취소·철회할 수 없는 구속을 받게 되는 시점에 처분이 성립한다.
② 위 사례에서 법무부장관의 입국금지결정은 항고소송의 대상이 될 수 있는 처분에 해당한다.
③ 乙이 처분서를 작성해 주지 않고 전화로 사증발급이 불허되었다고 통보한 것은 「행정절차법」상 처분의 방식에 관한 규정을 위반한 것으로서 취소사유의 위법이 있다.
④ 만약 乙이 甲에게 문서로 사증발급거부처분을 하였더라도, 「행정절차법」상 사전통지를 하지 않은 위법이 있으므로 사증발급거부처분은 취소되어야 한다.

✓ 기출체크

①② 관련기출

1. 행정의사가 외부에 표시되어 행정청이 자유롭게 취소·철회할 수 없는 구속을 받게 되는 시점에 처분이 성립하고, 그 성립 여부는 행정청이 행정의사를 공식적인 방법으로 외부에 표시하였는지를 기준으로 판단해야 한다. 2025 지방직·서울시 7급 (○ | ×)

2. 법무부장관의 입국금지결정에 관한 의사가 공식적인 방법으로 외부에 표시된 것이 아니라 단지 그 정보를 내부전산망인 출입국관리정보시스템에 입력하여 관리한 것에 지나지 않으면, 그 입국금지결정은 항고소송의 대상이 될 수 있는 처분에 해당하지 않는다. 2025 소방간부 (○ | ×)

3. 병무청장의 요청에 따른 법무부장관의 입국금지결정은 법무부장관의 의사가 공식적인 방법으로 외부에 표시되어 입국 자체를 금지하는 것으로서 그 입국금지결정은 항고소송의 대상이 될 수 있는 처분에 해당한다. 2022 소방직 9급 (○ | ×)

4. 일반적으로 행정행위가 주체·내용·절차와 형식의 요건을 모두 갖추고 외부에 표시된 경우에 행정행위의 존재가 인정된다. 2021 소방직 9급 (○ | ×)

5. 행정청의 의사가 외부에 표시되어 행정청이 자유롭게 취소·철회할 수 없는 구속을 받게 되는 시점에 행정행위가 성립하는 것은 아니며, 행정행위의 성립 여부는 행정청의 의사를 공식적인 방법으로 외부에 표시하였는지 여부를 기준으로 판단해야 한다. 2021 소방직 9급 (○ | ×)

③ 관련기출

6. 건물소유자에게 소방시설 불량사항을 시정·보완하라는 명령을 구두로 고지한 것은 「행정절차법」에 위반한 것으로 하자가 중대하나 명백하지는 않아 취소사유에 해당한다. 2023 국회직 8급 (○ | ×)

7. 외국인의 출입국에 관한 사항은 「행정절차법」이 적용되지 않으므로, 미국 국적을 가진 교민에 대한 사증거부처분에 대해서도 처분의 방식에 관한 「행정절차법」 제24조는 적용되지 않는다. 2020 국회직 8급 (○ | ×)

8. 행정청이 처분을 할 때에는 다른 법령 등에 특별한 규정이 없는 한 문서로 하여야 하며, 이에 위반하여 행하여진 행정처분은 원칙적으로 무효사유에 해당한다. 2014 지방직 7급 (○ | ×)

④ 관련기출

9. 신청에 대한 거부처분은 직접 당사자의 권익을 제한하는 것이어서 처분의 사전통지대상이 된다. 2026 경찰간부 (○ | ×)

10. 「행정절차법」상 신청에 따른 처분이 이루어지지 아니한 경우에는 아직 당사자에게 권익이 부과되지 아니하였으므로 특별한 사정이 없는 한 신청에 대한 거부처분이라고 하더라도 직접 당사자의 권익을 제한하는 것은 아니어서 처분의 사전통지대상이 된다고 할 수 없다. 2025 국가직 7급 (○ | ×)

11. 수익적 처분의 신청에 대한 거부처분은 실질적으로 침익적 처분에 해당하므로 사전통지대상이 된다. 2022 군무원 9급 (○ | ×)

12. 특별한 사정이 없는 한, 신청에 대한 거부처분은 사전통지 및 의견제출의 대상이 된다. 2021 국가직 7급 (○ | ×)

13. 수익적 행정행위의 신청에 대한 거부처분은 직접 당사자의 권익을 제한하는 처분에 해당하므로, 그 거부처분은 「행정절차법」상 처분의 사전통지대상이 된다. 2020 국가직 9급 (○ | ×)

정답
1. ○ 2. ○ 3. × 4. ○ 5. × 6. × 7. × 8. ○ 9. × 10. ○
11. × 12. × 13. ×

22 □□□

「행정절차법」상 당사자와 대표자에 관한 설명으로 옳지 않은 것만을 <보기>에서 모두 고른 것은?

─ 보기 ─

㉮ 다수의 당사자 등이 공동으로 행정절차에 관한 행위를 할 때에는 대표자를 선정할 수 있으며, 대표자는 행정절차를 끝맺는 행위 등 각자 그를 대표자로 선정한 당사자 등을 위하여 행정절차에 관한 모든 행위를 당사자 등의 동의 없이 단독으로 할 수 있다.

㉯ 대표자가 있는 경우에도 당사자는 직접 행정절차에 관한 모든 행위를 할 수 있다.

㉰ 다수의 당사자 등이 공동으로 행정절차에 관한 행위를 하는 경우 행정청의 대표자 선정요청에 당사자 등이 응하지 아니한 때에는 행정청이 직접 대표자를 선정할 수 있다.

㉱ 다수의 대표자가 있는 경우 그중 1인에 대한 행정청의 행위는 모든 당사자 등에게 효력이 있지만, 행정청의 통지는 대표자 모두에게 하여야 그 효력이 있다.

㉲ 당사자 등은 배우자, 직계존·비속, 형제자매를 대리인으로 선임할 수 있다.

① ㉮, ㉯
② ㉮, ㉰
③ ㉯, ㉱
④ ㉰, ㉲

✓ 기출체크

㉮ 관련기출

1. 대표자는 각자 그를 대표자로 선정한 당사자 등을 위하여 행정절차에 관한 모든 행위를 할 수 있다. 다만, 행정절차를 끝맺는 행위에 대하여는 당사자 등의 동의를 받아야 한다. 2020 군무원 9급 (○ | ×)

㉯ 관련기출

2. 다수의 당사자 등에 의해 선정된 대표자가 있는 경우에는 당사자 등은 직접 또는 그 대표자를 통하여 행정절차에 관한 행위를 할 수 있다. 2025 국가직 9급 (○ | ×)

3. 대표자가 있는 경우에는 당사자 등은 그 대표자를 통하여서만 행정절차에 관한 행위를 할 수 있다. 2020 군무원 9급 (○ | ×)

㉱ 관련기출

4. 다수의 당사자 등이 공동으로 행정절차에 관한 행위를 할 때에는 대표자를 선정할 수 있고, 다수의 대표자가 있는 경우 그중 1인에 대한 행정청의 행위는 모든 당사자 등에게 효력이 있지만, 행정청의 통지는 대표자 모두에게 하여야 그 효력이 있다. 2023 국가직 7급 (○ | ×)

5. 다수의 대표자가 있는 경우 그중 1인에 대한 행정청의 행위는 모든 당사자 등에게 효력이 있다. 다만, 행정청의 통지는 대표자 1인에게 하여도 그 효력이 있다. 2020 군무원 9급 (○ | ×)

6. 다수의 대표자가 있는 경우 그중 1인에 대한 행정청의 통지는 모든 당사자 등에게 효력이 있다. 2018 서울시 2회 7급 (○ | ×)

🅜 관련기출

7. 당사자 등은 배우자, 직계존속·비속, 형제자매, 당사자 등이 법인 등인 경우 그 임원 또는 직원, 변호사, 행정청 또는 청문 주재자의 허가를 받은 자 등을 대리인으로 선임할 수 있다. 2020 소방간부 (○ | ×)

8. (「행정절차법」상) 당사자 등은 당사자 등의 형제자매를 대리인으로 선임할 수 있다. 2018 서울시 2회 7급 (○ | ×)

정답
1. ○ 2. × 3. ○ 4. ○ 5. × 6. × 7. ○ 8. ○

23 ☐☐☐

「행정절차법」상 처분기준의 설정·공표에 관한 설명으로 옳은 것만을 <보기>에서 모두 고른 것은?

─ 보기 ─

㉮ 행정청은 필요한 처분기준을 해당 처분의 성질에 비추어 되도록 구체적으로 정하여 공표하여야 하나, 다만 처분기준을 공표하는 것이 해당 처분의 성질상 현저히 곤란하거나 공공의 안전 또는 복리를 현저히 해치는 것으로 인정될 만한 상당한 이유가 있는 경우에는 처분기준을 공표하지 아니할 수 있다.

㉯ 처분기준의 설정·공표의 규정은 권익을 제한하거나 의무를 부과하는 처분에 적용되므로 수익적 처분의 경우에는 적용되지 않는다.

㉰ 이미 공표된 '종전 처분기준'을 다시 변경하는 경우에는, '변경된 처분기준'을 다시 공표할 의무는 없다.

㉱ 「행정절차법」에 따라 공표된 처분기준이 명확하지 않은 경우 당사자 등은 해당 행정청에 그 해석 또는 설명을 요청할 수 있고, 해당 행정청은 특별한 사정이 없으면 그 요청에 따라야 한다.

① ㉮, ㉯
② ㉮, ㉱
③ ㉯, ㉱
④ ㉰, ㉱

✔기출체크

🅐 관련기출

1. 처분기준을 공표하는 것이 해당 처분의 성질상 현저히 곤란하거나 공공의 안전 또는 복리를 현저히 해치는 것으로 인정될 만한 상당한 이유가 있는 경우에는 처분기준을 공표하지 아니할 수 있다. 2023 지방직·서울시 9급 (○ | ×)

2. 행정규칙의 공표는 행정규칙의 성립요건이나 효력요건은 아니나, 「행정절차법」에서는 행정청은 필요한 처분기준을 당해 처분의 성질에 비추어 될 수 있는 한 구체적으로 공표하도록 하고 있다. 2018 국가직 9급 (○ | ×)

3. 행정청은 필요한 처분기준을 해당 처분의 성질에 비추어 되도록 구체적으로 정하여 공표하여야 한다. 다만, 처분기준을 공표하는 것이 해당 처분의 성질상 현저히 곤란하거나 공공의 안전 또는 복리를 현저히 해치는 것으로 인정될 만한 상당한 이유가 있는 경우에는 처분기준을 공표하지 아니할 수 있다. 2016 경행경채 (○ | ×)

🅑 관련기출

4. 「행정절차법」상 처분기준의 설정·공표의 규정은 침익적 처분뿐만 아니라 수익적 처분의 경우에도 적용된다. 2023 국가직 9급 (○ | ×)

🅒 관련기출

5. 행정청은 필요한 처분기준을 해당 처분의 성질에 비추어 되도록 구체적으로 정하여 공표하여야 한다. 그러나 처분기준을 변경하는 경우에는 그러하지 아니하다. 2024 소방직 9급 (○ | ×)

6. 이미 공표된 '종전 처분기준'을 다시 변경하는 경우에도 공공의 안전 또는 복리를 현저히 해치는 등 예외적인 사유에 해당하지 않는 한, '변경된 처분기준'을 다시 공표하여야 한다. 2023 변호사 (○ | ×)

🅓 관련기출

7. 당사자 등은 공표된 처분기준이 명확하지 아니한 경우 해당 행정청에 그 해석 또는 설명을 요청할 수 있으며, 이 경우 해당 행정청은 특별한 사정이 없으면 그 요청에 따라야 한다. 2015 서울시 9급 (○ | ×)

8. 「행정절차법」에 따라 공표된 처분기준이 명확하지 않은 경우 당사자 등은 해당 행정청에 그 해석 또는 설명을 요청할 수 있고, 해당 행정청은 특별한 사정이 없으면 그 요청에 따라야 한다. 2015 국회직 8급 (○ | ×)

정답
1. ○ 2. ○ 3. ○ 4. ○ 5. × 6. ○ 7. ○ 8. ○

24 ☐☐☐

「행정절차법」상 처분기준의 설정·공표에 관한 설명으로 옳지 않은 것만을 <보기>에서 모두 고른 것은? (다툼이 있는 경우 판례에 의함)

| 보기 |

㉮ 처분의 성질상 처분기준을 미리 공표하는 경우 행정목적을 달성할 수 없게 되거나 행정청에 일정한 범위 내에서 재량권을 부여함으로써 구체적인 사안에서 개별적인 사정을 고려하여 탄력적으로 처분이 이루어지도록 하는 것이 오히려 공공의 안전 또는 복리에 더 적합한 경우에는 처분기준을 따로 공표하지 않거나 개략적으로 공표할 수 있다.

㉯ 공표한 처분기준은 그것이 해당 처분의 근거법령에서 구체적 위임을 받아 제정·공포되었다는 특별한 사정이 없는 한, 원칙적으로 대외적 구속력이 없는 행정규칙에 해당한다.

㉰ 행정청이 「행정절차법」 제20조 제1항의 처분기준 사전공표의무를 위반하여 미리 공표하지 아니한 기준을 적용하여 처분을 하였다면 동 처분에는 원칙적으로 취소사유의 흠이 존재한다고 보아야 한다.

㉱ 공표한 처분기준은 대외적 구속력이 없으므로 사전에 공표한 갱신기준을 심사대상기간이 이미 경과하였거나 상당 부분 경과한 시점에서 처분상대방의 갱신 여부를 좌우할 정도로 중대하게 변경하는 것도 특별한 사정이 없는 한 허용되어야 한다.

① ㉮, ㉯ ② ㉮, ㉱
③ ㉯, ㉰ ④ ㉰, ㉱

✓ 기출체크

㉯ 관련기출
1. '변경된 처분기준'은 근거법령에서 구체적 위임을 받아 제정·공포되었다는 특별한 사정이 없는 한, 원칙적으로 대외적 구속력이 없는 행정규칙에 해당한다. 2023 변호사 (○ | ×)

㉰ 관련기출
2. 행정청이 「행정절차법」 제20조 제1항의 처분기준 사전공표의무를 위반하여 미리 공표하지 아니한 기준을 적용하여 처분을 하였다면, 그러한 사정만으로 곧바로 해당 처분에 취소사유가 존재한다. 2024 변호사 (○ | ×)

3. 행정청이 처분기준 사전공표의무를 위반하여 미리 공표하지 아니한 기준을 적용하여 처분을 하였다고 하더라도, 그러한 사정만으로 곧바로 해당 처분에 취소사유에 이를 정도의 흠이 존재한다고 볼 수는 없다. 2023 국가직 7급 (○ | ×)

4. 행정청이 '변경된 처분기준'을 미리 공표하지 않은 채 갱신심사에 적용하였다면 그 자체로 처분에 취소사유에 해당하는 흠이 있다고 볼 수 있다. 2023 변호사 변형 (○ | ×)

㉱ 관련기출
5. 다음 사례에 관한 설명으로 옳은 것을 모두 고른 것은? (다툼이 있는 경우 판례에 의함) 2023 변호사

문화체육관광부장관 甲은 A국과의 관광 협상 결과에 따른 세부사항을 시행하기 위하여 「전담여행사 업무 시행지침」(이하 '이 사건 지침'이라 한다)을 제정하였다. 甲은 이 사건 지침에 근거하여 2013. 5.경 재심사를 통해 전담여행사 지위를 갱신하는 갱신기준('종전 처분기준')을 정하여 이를 공표하였다. 甲은 2016. 3. 23. 무자격 가이드 고용으로 감점을 받은 경우 전담여행사 지위를 갱신하지 않기로 하는 내용의 '변경된 처분기준'을 마련하였으나 이를 공표하지 않았다. 한편, 전담여행사 지정을 받은 乙은 2015. 1.경 무자격 가이드를 고용하였고 이를 이유로 2016. 4. 2. '변경된 처분기준'에 따라 재지정 탈락기준을 상회하는 감점을 받았다. 이를 근거로 甲은 2016. 11. 4. 乙에 대한 전담여행사 지정을 취소하였다(이하 '이 사건 처분'이라 한다).

㉠ 이미 공표된 '종전 처분기준'을 다시 변경하는 경우에도 공공의 안전 또는 복리를 현저히 해치는 등 예외적인 사유에 해당하지 않는 한, '변경된 처분기준'을 다시 공표하여야 한다.

㉡ '변경된 처분기준'은 근거법령에서 구체적 위임을 받아 제정·공포되었다는 특별한 사정이 없는 한, 원칙적으로 대외적 구속력이 없는 행정규칙에 해당한다.

㉢ 甲이 '변경된 처분기준'을 미리 공표하지 않은 채 갱신심사에 적용하였다면 그 자체로 '이 사건 처분'에 취소사유에 해당하는 흠이 있다고 볼 수 있다.

㉣ 사전에 공표한 갱신기준을 심사대상기간이 이미 경과하였거나 상당 부분 경과한 시점에서 처분상대방의 갱신 여부를 좌우할 정도로 중대하게 변경하는 것은 특별한 사정이 없는 한 허용되지 않는다.

① ㉠ ② ㉠, ㉡ ③ ㉡, ㉣
④ ㉢, ㉣ ⑤ ㉠, ㉡, ㉣

정답
1. ○ 2. × 3. ○ 4. × 5. ⑤

25

행정절차에 관한 설명으로 옳은 것만을 <보기>에서 모두 고른 것은? (다툼이 있는 경우 판례에 의함)

―| 보기 |―

㉮ 「행정절차법」은 행정의 절차에 관한 일반법이므로 실체적 규정은 포함되어 있지 않다.
㉯ 「행정절차법」은 처분절차 외에도 신고, 확약, 위반사실의 공표, 행정계획, 행정상 입법예고, 행정예고 및 행정지도의 절차에 관하여 명문규정을 두고 있다.
㉰ 행정에서 적법절차원리의 헌법적 근거는 형사절차에서의 적법절차를 규정한 헌법 제12조 제3항에 있다.
㉱ 「행정절차법」의 적용이 제외되는 공무원 인사 관계 법령에 의한 처분에 관한 사항이란 성질상 행정절차를 거치기 곤란하거나 불필요하다고 인정되는 처분이나 행정절차에 준하는 절차를 거치도록 하고 있는 처분에 관한 사항만을 말하는 것으로 보아야 한다.

① ㉮, ㉰
② ㉯, ㉰
③ ㉯, ㉱
④ ㉯, ㉰, ㉱

✓기출체크

㉮ 관련기출

1. 「행정절차법」은 절차적 규정뿐만 아니라 신뢰보호원칙과 같이 실체적 규정을 포함하고 있다. 2018 경행경채 (O | ×)
2. 「행정절차법」은 절차법이지만, 실체적 규정도 포함하고 있다. 2012 사회복지직 9급 (O | ×)
3. 「행정절차법」은 순수한 절차규정만으로 이루어져 있다. 2011 경행특채 (O | ×)

㉯ 관련기출

4. (공법상) 계약에 관하여는 「행정절차법」에 명문의 규정을 두고 있다. 2020 소방직 9급 (O | ×)
5. 「행정절차법」은 공법상 계약에 관해서는 별도의 규정이 없다. 2018 경행경채 변형 (O | ×)
6. 「행정절차법」은 행정예고와 공법상 계약에 관하여 규정하고 있다. 2017 교육행정직 9급 (O | ×)
7. 「행정절차법」은 처분절차 이외에도 신고, 행정예고, 행정상 입법예고 및 행정지도 절차에 관한 규정을 두고 있다. 2015 사회복지직 9급 (O | ×)

㉰ 관련기출

8. 행정에서 적법절차원리의 헌법적 근거는 형사절차에서의 적법절차를 규정한 헌법 제12조 제3항에 있다. 2020 국회직 8급 (O | ×)
9. 헌법재판소는 행정절차의 헌법적 근거를 민주국가원리라는 헌법원리에서 찾고 있다. 2015 사회복지직 9급 (O | ×)
10. 헌법 제12조 제1항과 제3항은 형사 사건의 적법절차에 관한 규정이므로 행정절차에는 적용되지 아니한다. 2014 사회복지직 9급 (O | ×)
11. 헌법 제12조 제1항 후단의 적법절차주의는 절차의 적법성뿐만 아니라 절차의 적정성까지 보장되어야 한다는 뜻으로 이해된다. 2007 국가직 7급 (O | ×)

㉱ 관련기출

12. '공무원 인사 관계 법령에 의한 처분에 관한 사항' 전부에 대하여 「행정절차법」의 적용이 배제된다. 2024 지방직·서울시 7급 (O | ×)
13. 「행정절차법」의 적용이 제외되는 공무원 인사 관계 법령에 의한 처분에 관한 사항이란 성질상 행정절차를 거치기 곤란하거나 불필요하다고 인정되는 처분이나 행정절차에 준하는 절차를 거치도록 하고 있는 처분에 관한 사항만을 말하는 것으로 보아야 한다. 2019 사회복지직 9급 (O | ×)
14. 공무원 인사 관계 법령에 따른 징계는 모두 「행정절차법」의 적용이 배제되는 것이 아니라 성질상 행정절차를 거치기 곤란하거나 불필요하다고 인정되는 처분이나 행정절차에 준하는 절차를 거치도록 하고 있는 처분의 경우에만 그 적용이 배제된다. 2019 국회직 8급 (O | ×)
15. 행정절차법령이 '공무원 인사 관계 법령에 의한 처분에 관한 사항'에 대하여 「행정절차법」의 적용이 배제되는 것으로 규정하고 있는 이상, '공무원 인사 관계 법령에 의한 처분에 관한 사항' 전부에 대해 「행정절차법」의 적용이 배제되는 것으로 보아야 한다. 2016 국가직 9급 (O | ×)

> **정답**
> 1. O 2. O 3. × 4. × 5. O 6. × 7. O 8. O 9. × 10. ×
> 11. O 12. × 13. O 14. O 15. ×

제 8 회 | 소방 단원별 모의고사

제한시간 /25분
나의 점수 /100점

출제 범위 : 제21강 행정절차법(처분 등)~제22강 정보공개법

정답과 해설 p.87
옳은 지문 워크북 p.237

01 □□□

「행정절차법」에 관한 설명으로 옳지 않은 것만을 <보기>에서 모두 고른 것은?

┌─ 보기 ─────────────────────────┐
㉮ 행정청에 처분을 구하는 신청은 문서로 함이 원칙이며, 전자문서로 하는 경우에는 행정청의 컴퓨터 등에 입력된 때에 신청한 것으로 본다.
㉯ 행정청은 신청에 구비서류의 미비 등 흠이 있는 경우에는 그 이유를 구체적으로 밝혀 접수된 신청을 되돌려 보내야 한다.
㉰ 행정청은 신청인의 편의를 위하여 다른 행정청에 신청을 접수하게 할 수는 없다.
㉱ 신청인은 신청서가 접수된 후에도 처분이 있기 전까지는 신청한 내용을 보완하거나 변경 또는 취하할 수 있다.
└───────────────────────────────┘

① ㉮, ㉰
② ㉯, ㉰
③ ㉯, ㉱
④ ㉯, ㉰, ㉱

✓ 기출체크

㉮ 관련기출
1. 행정청에 대하여 처분을 구하는 신청을 할 때 전자문서로 하는 경우에는 행정청의 컴퓨터 등에 입력된 때에 신청한 것으로 본다. 2023 경찰간부 (O | X)
2. 행정청에 처분을 구하는 신청은 문서로 하여야 한다. 다만, 다른 법령 등에 특별한 규정이 있는 경우와 행정청이 미리 다른 방법을 정하여 공시한 경우에는 그러하지 아니하다. 2020 군무원 9급 (O | X)
3. 행정청에 처분을 구하는 신청은 문서로 함이 원칙이며, 행정청은 신청에 필요한 구비서류, 접수기관, 처리기간, 그 밖에 필요한 사항을 게시하거나 이에 대한 편람을 갖추어 두고 누구나 열람할 수 있도록 하여야 한다. 2017 지방직 9급 (O | X)
4. 행정청에 처분을 구하는 신청은 문서로만 가능하다. 2016 서울시 9급 (O | X)

㉯ 관련기출
5. 행정청은 신청에 구비서류의 미비 등 흠이 있는 경우 접수를 거부하여야 한다. 2024 해경승진 (O | X)
6. 신청에 대해 서류 등이 미비할 경우, 바로 접수를 거부할 수 있다. 2018 소방직 9급 (O | X)
7. 행정청은 신청에 구비서류의 미비 등 흠이 있는 경우에는 보완에 필요한 상당한 기간을 정하여 지체 없이 신청인에게 보완을 요구하여야 한다. 2015 서울시 9급 (O | X)

㉰ 관련기출
8. 행정청은 신청인의 편의를 위하여 다른 행정청에 신청을 접수하게 할 수 있다. 2025 군무원 9급 (O | X)

㉱ 관련기출
9. 처분의 신청인은 처분이 있기 전에는 그 신청의 내용을 보완·변경하거나 취하할 수 있다. 다만, 다른 법령 등에 특별한 규정이 있거나 그 신청의 성질상 보완·변경하거나 취하할 수 없는 경우에는 그러하지 아니하다. 2024 소방직 9급 (O | X)
10. 신청인은 신청서가 일단 접수되면, 신청한 내용을 보완하거나 변경 또는 취하할 수 없다. 2018 소방직 9급 (O | X)

정답
1. O 2. O 3. O 4. X 5. X 6. X 7. O 8. O 9. O 10. X

02 □□□

행정절차에 관한 설명으로 옳지 않은 것은? (다툼이 있는 경우 판례에 의함)

① 신청인이 신청에 앞서 행정청의 허가업무담당자에게 신청서의 내용에 대한 검토를 요청하였다면 명시적이고 확정적인 신청의 의사표시가 있었다고 볼 수 있다.
② 영업허가신청에 대해 사전통지를 하지 않고 영업허가를 발급하였다고 하여 절차상 하자가 있는 것으로 볼 수 없다.
③ 행정청이 당사자와 사이에 도시계획사업의 시행과 관련한 협약을 체결하면서 관계 법령 및 「행정절차법」에 규정된 청문의 실시 등 의견청취절차를 배제하는 조항을 둔 경우, 청문을 실시하지 않아도 되는 예외적인 경우에 해당한다고 볼 수 없다.
④ 행정청이 구 「관광진흥법」 또는 구 「체육시설의 설치·이용에 관한 법률」의 규정에 의하여 유원시설업자 또는 체육시설업자 지위승계신고를 수리하는 처분을 하는 경우, 종전 유원시설업자 또는 체육시설업자에 대하여 「행정절차법」 제21조 제1항 등에서 정한 처분의 사전통지 등 절차를 거쳐야 한다.

기출체크

① 관련기출

1. 신청인이 신청에 앞서 행정청의 허가업무담당자에게 신청서의 내용에 대한 검토를 요청한 것만으로는 다른 특별한 사정이 없는 한 명시적이고 확정적인 신청의 의사표시가 있었다고 하기 어렵다. 2021 지방직·서울시 7급 (○ | ×)
2. 허가처분의 신청인이 신청에 앞서 행정청의 허가업무담당자에게 신청서의 내용에 대한 검토를 요청한 것은 다른 특별한 사정이 없는 한 신청의 의사표시로 볼 수 없다. 2016 지방직 7급 (○ | ×)

② 관련기출

3. 행정청은 당사자 등에게 의무를 면제하거나 권익을 부여하는 처분을 하는 경우에도 사전통지의무를 진다. 2010 지방직 7급 (○ | ×)
4. 처분의 사전통지는 의무를 부과하거나 권익을 침해하는 처분에 한정된다. 2008 지방직 7급 (○ | ×)

③ 관련기출

5. 행정청이 당사자와 사이에 도시계획사업의 시행과 관련한 협약을 체결하면서 청문의 실시를 배제하는 조항을 둔 경우, 청문의 실시에 관한 규정의 적용이 배제되거나 청문을 실시하지 않아도 되는 예외적인 경우에 해당하지 않는다. 2024 군무원 9급 (○ | ×)
6. 행정청이 당사자와 도시계획사업의 시행과 관련한 협약을 체결하면서 관계 법령 및 「행정절차법」에 규정된 청문의 실시 등 의견청취절차를 배제하는 조항을 두었다면, 이는 청문을 실시하지 않아도 되는 예외적인 경우에 해당한다. 2022 지방직·서울시 7급 (○ | ×)
7. 행정청이 당사자와 도시계획사업의 시행과 관련한 협약을 체결하면서 관계 법령 및 「행정절차법」에 규정된 청문의 실시 등 의견청취절차를 배제하는 조항을 두었다고 하더라도, 청문의 실시에 관한 규정의 적용을 배제할 수 있다고 볼 만한 법령상의 규정이 없는 한, 청문의 실시에 관한 규정의 적용이 배제된다거나 청문을 실시하지 않아도 되는 예외적인 경우에 해당한다고 할 수 없다. 2022 국가직 7급 (○ | ×)
8. 행정청과 당사자 사이에 청문의 실시 등 의견청취절차를 배제하는 협약이 있었다 하더라도, 이와 같은 협약의 체결로 청문의 실시에 관한 규정의 적용을 배제할 수 있다고 볼 만한 법령상의 규정이 없는 한, 청문의 실시에 관한 규정의 적용이 배제되지 않으며 청문을 실시하지 않아도 되는 예외적인 경우에 해당하지 아니한다. 2019 지방직 7급 (○ | ×)

④ 관련기출

9. 공매를 통하여 체육시설을 인수한 자의 체육시설업자 지위승계신고를 수리하는 경우, 종전 체육시설업자에게 사전에 통지하여 의견제출 기회를 주어야 한다. 2019 국가직 9급 (○ | ×)
10. 행정청이 구 「체육시설의 설치·이용에 관한 법률」의 규정에 의하여 체육시설업자 지위승계신고를 수리하는 처분을 하는 경우, 종전 체육시설업자에 대하여 「행정절차법」상 사전통지 등 절차를 거칠 필요는 없다. 2017 지방직(하) 9급 (○ | ×)
11. 행정청이 구 「관광진흥법」의 규정에 의하여 유원시설업자 지위승계신고를 수리하는 처분을 하는 경우, 종전 유원시설업자에 대하여는 「행정절차법」상 처분의 사전통지절차를 거칠 필요가 없다. 2014 지방직 9급 (○ | ×)

정답
1. ○ 2. ○ 3. × 4. ○ 5. ○ 6. × 7. ○ 8. ○ 9. ○ 10. × 11. ×

03 □□□

행정절차에 관한 설명으로 옳은 것만을 <보기>에서 모두 고른 것은? (다툼이 있는 경우 판례에 의함)

┤ 보기 ├
㉮ 영업시간 제한 등 처분의 대상인 대규모점포 중 개설자의 직영매장 이외에 개설자로부터 임차하여 운영하는 임대매장이 병존하는 경우에는, 점포 개설자뿐만 아니라 임대매장의 임차인에게도 사전통지, 의견청취 절차를 거쳐야 한다.
㉯ 대통령의 한국방송공사 사장의 해임절차에 관하여 「방송법」이나 관련 법령에도 별도의 규정을 두고 있지 않으므로 대통령의 한국방송공사 사장 해임처분에는 「행정절차법」이 적용되지 않는다.
㉰ 처분에 행정절차상 하자가 있을 경우 기속행위인지 재량행위인지를 불문하고 독자적 위법사유성이 인정되어 법원에 의한 취소의 대상이 된다.
㉱ 교도소장이 아닌 일반교도관 또는 중간관리자에 의하여 징벌내용이 고지되었다는 사유만으로는 해당 징벌처분이 국가배상책임을 인정할 만큼 객관적 정당성을 상실하였다고 볼 수 없다.

① ㉮, ㉯
② ㉮, ㉱
③ ㉯, ㉰
④ ㉰, ㉱

기출체크

㉮ 관련기출

1. 대형마트로 등록된 대규모점포에 대하여 영업시간 제한처분을 하는 경우, 사전통지는 대형마트의 개설자를 상대로 하면 충분하고, 대규모점포 중 개설자에게서 임차하여 운영하고 있는 임대매장의 임차인들을 상대로 별도의 사전통지를 거칠 필요가 없다. 2017 국가직 5급 승진 (○ | ×)

㉯ 관련기출

2. 대통령의 한국방송공사 사장 해임처분(은 「행정절차법」의 적용대상이다) 2025 해경승진 (○ | ×)
3. 대통령의 한국방송공사 사장의 해임절차에 관하여 「방송법」이나 관련 법령에도 별도의 규정을 두고 있지 않으므로 이 사건 해임처분에는 「행정절차법」이 적용되지 않는다. 2023 해경간부 (○ | ×)
4. 대통령이 한국방송공사 사장을 해임하면서 사전통지절차를 거치지 않은 경우에는 그 해임처분은 위법하다. 2022 국가직 9급 (○ | ×)
5. 공기업 사장에 대한 해임처분과정에서 처분내용을 사전에 통지받지 못했고 해임처분시 법적 근거 및 구체적 해임사유를 제시받지 못하였다면, 그 해임처분은 위법하지만 당연무효는 아니다. 2017 국가직 7급 (○ | ×)
6. 행정청이 침해적 행정처분을 하면서 당사자에게 「행정절차법」상의 사전통지를 하지 않거나 의견제출의 기회를 주지 아니한 경우, 그 처분은 당연무효이다. 2016 사회복지직 9급 (○ | ×)

㉯ 관련기출

7. 기속행위의 경우에도 행정처분의 절차상 하자만으로 독자적인 취소 사유가 된다. 2017 국회직 8급 (○ | ×)

정답
1. ○ 2. ○ 3. × 4. ○ 5. ○ 6. × 7. ○

04 □□□

행정절차에 관한 설명으로 옳지 않은 것만을 <보기>에서 모두 고른 것은? (다툼이 있는 경우 판례에 의함)

─ 보기 ─

㉮ 여러 종류의 가산세를 함께 부과하면서 납세고지서에 산출근거는 물론 종류조차 따로 밝히지 않고 단지 가산세의 합계액만을 기재하였다면 그러한 부과처분은 위법하다.

㉯ 「행정절차법」은 행정절차에 관한 일반법적 성격을 갖지만, 모든 행정작용에 적용되는 것은 아니다.

㉰ 산업단지관리공단이 「산업집적활성화 및 공장설립에 관한 법률」에 따른 입주계약을 해지하는 경우, 그 법률에 특별한 규정이 없다면 「행정절차법」의 적용을 받지 않는다.

㉱ '공무원 인사 관계 법령에 의한 처분에 관한 사항' 전부에 대하여 「행정절차법」의 적용이 배제된다.

① ㉮, ㉯ ② ㉮, ㉱ ③ ㉯, ㉰ ④ ㉰, ㉱

✓ 기출체크

㉮ 관련기출

1. 하나의 납세고지서로 본세와 여러 종류의 가산세를 함께 부과하는 경우에 납세고지서에 가산세의 종류와 세액의 산출근거 등을 따로 구별하지 않고 가산세의 합계액만을 기재하였다면 그 부과처분은 위법하다. 2018 국가직 7급 (○ | ×)

2. 가산세 부과처분에 관해서는 「국세기본법」이나 개별세법 어디에도 그 납세고지의 방식 등에 관하여 따로 정한 규정이 없으므로, 가산세의 종류와 세액의 산출근거 등을 전혀 밝히지 않고 가산세의 합계액만을 기재한 경우 그 부과처분은 위법하지 않다. 2017 지방직 7급 (○ | ×)

㉯ 관련기출

3. 적법절차의 원칙은 헌법의 기본원리이고 「행정절차법」은 행정절차에 관한 일반법적 성격을 가지기는 하지만 「행정절차법」이 모든 행정작용에 적용되는 것은 아니다. 2013 국회직 8급 (○ | ×)

㉰ 관련기출

4. 산업단지관리공단이 구 「산업집적활성화 및 공장설립에 관한 법률」에 따른 입주변경계약을 취소한 것은 행정청인 관리권자로부터 관리업무를 위탁받은 산업단지관리공단이 우월적 지위에서 입주기업체들에게 일정한 법률상 효과를 발생하게 하는 것으로서 항고소송의 대상이 되는 행정처분이다. 2025 변호사 (○ | ×)

5. 한국산업단지공단의 산업단지 입주자에 대한 입주계약해지는 항고소송의 대상인 행정처분이다. 2024 군무원 9급 (○ | ×)

6. 구 「산업집적활성화 및 공장설립에 관한 법률」에 따른 산업단지입주계약의 해지통보는 대등한 당사자의 지위에서 형성된 공법상 계약을 계약당사자의 지위에서 종료시키는 의사표시이므로 당사자소송의 대상이 된다. 2024 국회직 8급 (○ | ×)

㉱ 관련기출

7. 공무원 인사 관계 법령에 따른 징계는 모두 「행정절차법」의 적용이 배제되는 것이 아니라 성질상 행정절차를 거치기 곤란하거나 불필요하다고 인정되는 처분이나 행정절차에 준하는 절차를 거치도록 하고 있는 처분의 경우에만 그 적용이 배제된다. 2019 국회직 8급 (○ | ×)

8. 「행정절차법」의 적용이 제외되는 공무원 인사 관계 법령에 의한 처분에 관한 사항이란 성질상 행정절차를 거치기 곤란하거나 불필요하다고 인정되는 처분이나 행정절차에 준하는 절차를 거치도록 하고 있는 처분에 관한 사항만을 말하는 것으로 보아야 한다. 2019 사회복지직 9급 (○ | ×)

9. 행정절차법령이 '공무원 인사 관계 법령에 의한 처분에 관한 사항'에 대하여 「행정절차법」의 적용이 배제되는 것으로 규정하고 있는 이상, '공무원 인사 관계 법령에 의한 처분에 관한 사항' 전부에 대해 「행정절차법」의 적용이 배제되는 것으로 보아야 한다. 2016 국가직 9급 (○ | ×)

정답
1. ○ 2. × 3. ○ 4. ○ 5. ○ 6. × 7. ○ 8. ○ 9. ×

05 □□□

행정절차에 관한 설명으로 옳지 않은 것은? (다툼이 있는 경우 판례에 의함)

① 행정청의 관할이 분명하지 아니한 경우에는 해당 행정청을 공통으로 감독하는 상급행정청이 그 관할을 결정하며, 공통으로 감독하는 상급행정청이 없는 경우에는 각 상급행정청이 협의하여 그 관할을 결정한다.

② 행정응원에 드는 비용은 응원을 요청한 행정청이 부담하며, 그 부담금액 및 부담방법은 응원을 하는 행정청이 결정한다.

③ 행정청은 신청에 구비서류의 미비 등 흠이 있는 경우에는 보완에 필요한 상당한 기간을 정하여 지체 없이 신청인에게 보완을 요구하여야 한다.

④ 처분청이 「행정절차법」상 고지절차에 관한 규정에 따른 고지의무를 이행하지 아니하였다고 하더라도 경우에 따라 행정심판의 제기기간이 연장될 수 있음에 그칠 뿐, 그 때문에 심판의 대상이 되는 행정처분이 위법하다고 할 수는 없다.

✓ 기출체크

① 관련기출

1. 행정청의 관할이 분명하지 아니한 경우이지만 공통으로 감독하는 상급행정청이 없는 경우에는 각 상급행정청이 협의하여 그 관할을 결정한다. 2023 행정사 (○ | ×)
2. 행정청의 관할이 분명하지 아니한 경우에는 해당 행정청을 공통으로 감독하는 상급행정청이 그 관할을 결정한다. 2010 경북교행 (○ | ×)

② 관련기출

3. 행정응원에 드는 비용은 응원을 하는 행정청이 부담한다. 2023 행정사 (○ | ×)
4. 행정응원에 소요되는 비용은 응원을 요청한 행정청이 부담하며, 그 부담금액 및 부담방법은 응원을 행하는 행정청의 결정에 의한다. 2021 소방직 9급 (○ | ×)
5. 행정청이 다른 행정청에 행정응원을 요청하는 경우 행정응원에 소요되는 비용은 응원을 요청한 행정청이 부담한다. 2011 국회(속기·경위직) 9급 (○ | ×)

③ 관련기출

6. 행정청은 신청에 구비서류의 미비 등 흠이 있는 경우 접수를 거부하여야 한다. 2024 해경승진 (○ | ×)
7. 신청에 대해 서류 등이 미비할 경우, 바로 접수를 거부할 수 있다. 2018 소방직 9급 (○ | ×)

④ 관련기출

8. 고지절차에 관한 규정은 행정처분의 상대방이 그 처분에 대한 행정심판의 절차를 밟는 데 있어 편의를 제공하려는 데 있으며 처분청이 위 규정에 따른 고지의무를 이행하지 아니하였다고 하더라도 경우에 따라서는 행정심판의 제기기간이 연장될 수 있는 것에 그치고 이로 인하여 심판의 대상이 되는 행정처분에 어떤 하자가 수반된다고 할 수 없다. 2025 소방직 9급 (○ | ×)
9. 행정청이 행정처분을 하면서 상대방에게 불복절차에 관한 고지의무를 이행하지 않았다면 이는 절차적 하자로서 그 행정처분은 위법하게 된다. 2022 지방직·서울시 9급 (○ | ×)
10. 행정청이 처분을 하면서 고지의무를 이행하지 않은 경우 또는 잘못 고지한 경우 당해 처분은 위법하다. 2012 국회직 8급 (○ | ×)
11. 불고지나 오고지는 처분 자체의 효력에 직접 영향을 미치지 않는다. 2011 국회직 8급 (○ | ×)

정답
1. ○ 2. ○ 3. × 4. × 5. ○ 6. × 7. × 8. ○ 9. × 10. ×
11. ○

06 □□□

행정절차에 관한 설명으로 <보기>에서 옳은 것(○)과 옳지 않은 것(×)을 올바르게 조합한 것은? (다툼이 있는 경우 판례에 의함)

보기

㉮ 대표자는 각자 그를 대표자로 선정한 당사자 등을 위하여 행정절차에 관한 모든 행위를 할 수 있다. 다만, 행정절차를 끝맺는 행위에 대하여는 당사자 등의 동의를 받아야 한다.

㉯ 육군3사관학교의 사관생도에 대한 징계절차에서 징계심의대상자가 대리인으로 선임한 변호사가 징계위원회의 심의에 출석하여 진술하려고 하였음에도, 징계권자나 그 소속 직원이 변호사가 징계위원회의 심의에 출석하는 것을 막은 후 내린 징계위원회의 징계의결에 따른 징계처분은 특별한 사정이 없는 한 위법하여 원칙적으로 취소되어야 한다.

㉰ 상위법령 등의 단순한 집행을 위한 법령을 제정하려는 경우에는 입법예고를 하지 않을 수 있다.

㉱ 행정상 입법예고기간은 예고할 때 정하되, 특별한 사정이 없으면 40일(자치법규는 20일) 이상으로 한다.

① ㉮(○) ㉯(○) ㉰(○) ㉱(○)
② ㉮(○) ㉯(○) ㉰(○) ㉱(×)
③ ㉮(○) ㉯(×) ㉰(○) ㉱(○)
④ ㉮(×) ㉯(○) ㉰(×) ㉱(○)

✓ 기출체크

㉯ 관련기출

1. 징계와 같은 불이익처분절차에서 징계심의대상자에게 변호사를 통한 방어권의 행사를 보장하는 것이 필요하고, 징계심의대상자가 선임한 변호사가 징계위원회에 출석하여 징계심의대상자를 위하여 필요한 의견을 진술하는 것은 방어권 행사의 본질적 내용에 해당하므로, 행정청은 특별한 사정이 없는 한 이를 거부할 수 없다. 2021 경행경채 (○ | ×)
2. 징계심의대상자가 선임한 변호사가 징계위원회에 출석하여 징계심의대상자를 위하여 필요한 의견을 진술하는 것은 방어권 행사의 본질적 내용에 해당하므로, 행정청은 특별한 사정이 없는 한 이를 거부할 수 없다. 2019 사회복지직 9급 (○ | ×)

㉰ 관련기출

3. 상위법령 등의 단순한 집행을 위해 총리령을 제정하려는 경우, 행정상 입법예고를 하지 아니할 수 있다. 2019 국가직 9급 (○ | ×)
4. 「행정절차법」상 행정상 입법예고를 하지 않아도 되는 사유에 해당하지 않는 것은? 2018 소방직 9급
   ① 법령 등을 제정·개정 또는 폐지하려는 경우
   ② 상위법령 등의 단순한 집행을 위한 경우
   ③ 입법내용이 국민의 권리·의무 또는 일상생활과 관련이 없는 경우
   ④ 신속한 국민의 권리보호 또는 예측곤란한 특별한 사정의 발생 등으로 입법이 긴급을 요하는 경우

관련기출

5. 자치법규의 행정상 입법예고기간은 예고할 때 정할 수 있으나, 특별한 사정이 없으면 20일 이상으로 하여야 한다. 2021 군무원 5급
(O | X)

6. 「행정절차법」상 입법예고기간은 예고할 때 정하되, 특별한 사정이 없으면 (㉠)일(자치법규는 (㉡)일) 이상으로 한다.
2017 지방직(하) 9급 (O | X)

7. 입법예고기간은 예고할 때 정하되, 특별한 사정이 없으면 자치법규의 입법예고기간은 15일 이상으로 한다. 2012 서울시 7급 (O | X)

정답
1. ○ 2. ○ 3. ○ 4. ① 5. ○ 6. ㉠ 40, ㉡ 20 7. ×

07 □□□

「행정절차법」상 행정절차에 관한 설명으로 옳지 않은 것만을 <보기>에서 모두 고른 것은? (다툼이 있는 경우 판례에 의함)

─ 보기 ─

㉮ 행정청은 당사자에게 의무를 부과하거나 권익을 제한하는 처분을 할 때 청문이나 공청회를 개최하는 경우 외에는 특별한 사정이 없는 한 의견제출의 기회를 주어야 하는데, 이 경우 의견제출에 필요한 기간은 10일 이상으로 정하여야 한다.

㉯ 당사자에게 의무를 과하거나 권익을 제한하는 처분을 하는 경우에도 법령 등에서 요구된 자격이 없거나 없어지게 되면 반드시 일정한 처분을 하여야 하는 경우에 그 자격이 없거나 없어지게 된 사실이 법원의 재판 등에 의하여 객관적으로 증명된 때에는 사전통지를 하지 않을 수 있다.

㉰ 처분의 전제가 되는 '일부' 사실만 증명된 경우이거나 의견청취에 따라 행정청의 처분 여부나 처분 수위가 달라질 수 있는 경우도 「행정절차법 시행령」에서 정한 '법원의 재판 또는 준사법적 절차를 거치는 행정기관의 결정 등에 따라 처분의 전제가 되는 사실이 객관적으로 증명되어 처분에 따른 의견청취가 불필요하다고 인정되는 경우'에 해당하므로 사전통지를 하지 않을 수 있다.

㉱ 「건축법」상의 공사중지명령에 대한 사전통지를 하고 의견제출의 기회를 준다면 많은 액수의 손실보상금을 기대하여 공사를 강행할 우려가 있다는 사정은, 사전통지의 예외사유에 해당한다고 볼 수 있다.

① ㉮, ㉯
② ㉯, ㉱
③ ㉰, ㉱
④ ㉮, ㉰, ㉱

✓기출체크

㉮ 관련기출

1. 행정청이 당사자에게 의무를 부과하거나 권익을 제한하는 처분을 할 때 청문 또는 공청회의 경우 외에는 당사자 등에게 의견제출의 기회를 주어야 한다. 2025 국회직 8급 (O | X)

2. 행정청은 당사자에게 사전통지를 하면서 의견제출에 필요한 기간을 10일 이상으로 고려하여 정하여 통지하여야 한다. 2022 군무원 7급 (O | X)

3. 행정청이 당사자에게 의무를 과하거나 권익을 제한하는 처분을 하는 경우, 이에 대해 청문을 실시하거나 공청회를 개최하는 경우에는 당사자에게 별도의 의견제출의 기회를 주지 않을 수도 있다.
2009 국회속기직 9급 (O | X)

4. 행정청이 상대방에게 의무 부과처분을 하는 경우에 청문 등을 실시하지 않는 경우에는 의견제출의 기회를 주어야 한다. 2007 국회직 8급 (O | X)

㉯㉰ 관련기출

5. 당사자에게 의무를 부과하거나 당사자의 권익을 제한하는 처분을 함에 있어서, 행정청은 법령 등에서 요구된 자격이 없어지게 되면 반드시 일정한 처분을 하여야 하는 경우에 그 자격이 없어지게 된 사실이 법원의 재판 등에 의하여 객관적으로 증명된 경우에도 「행정절차법」상의 사전통지를 하여야 한다. 2024 지방직·서울시 7급 (O | X)

6. 「행정절차법 시행령」 제13조 제2호에서 정한 '법원의 재판 또는 준사법적 절차를 거치는 행정기관의 결정 등에 따라 처분의 전제가 되는 사실이 객관적으로 증명되어 처분에 따른 의견청취가 불필요하다고 인정되는 경우'는 법원의 재판 등에 따라 처분의 전제가 되는 사실이 객관적으로 증명되면 행정청이 반드시 일정한 처분을 해야 하는 경우 등 의견청취가 행정청의 처분 여부나 그 수위 결정에 영향을 미치지 못하는 경우를 의미하고, 처분의 전제가 되는 일부 사실만 증명된 경우이거나 의견청취에 따라 행정청의 처분 여부나 처분 수위가 달라질 수 있는 경우라면 위 예외사유에 해당하지 않는다.
2023 서울시 연구사 (O | X)

7. 법령 등에서 요구된 자격이 없거나 없어지게 되면 반드시 일정한 처분을 하여야 하는 경우에 그 자격이 없거나 없어지게 된 사실이 법원의 재판에 의하여 객관적으로 증명된 경우에는 사전통지를 생략할 수 있다. 2022 국가직 9급 (O | X)

8. 처분의 전제가 되는 사실이 법원의 재판 등에 의하여 객관적으로 증명된 경우에는 행정청이 당사자에게 의무를 부과하거나 권익을 제한하는 처분을 하는 경우에도 사전통지를 하지 아니할 수 있다.
2018 서울시 9급 (O | X)

9. 행정청은 당사자에게 의무를 부과하거나 권익을 제한하는 처분을 하는 경우에는 미리 처분의 제목, 당사자의 성명 또는 명칭과 주소 등의 일정한 사항을 당사자 등에게 통지하여야 함이 원칙이지만, 예외적으로 이러한 사전통지가 생략될 수 있다. 다음 중 「행정절차법」이 규정하고 있는 사전통지생략사유가 아닌 것은? 2015 서울시 9급
① 공공의 안전 또는 복리를 위하여 긴급히 처분을 할 필요가 있는 경우
② 단순·반복적인 처분 또는 경미한 처분으로서 당사자가 그 이유를 명백히 알 수 있는 경우
③ 해당 처분의 성질상 의견청취가 현저히 곤란하거나 명백히 불필요하다고 인정될 만한 상당한 이유가 있는 경우
④ 법령 등에서 요구된 자격이 없거나 없어지게 되면 반드시 일정한 처분을 하여야 하는 경우에 그 자격이 없거나 없어지게 된 사실이 법원의 재판 등에 의하여 객관적으로 증명된 경우

㉣ 관련기출

10. 공사중지명령을 하기 전에 사전통지를 하게 되면 많은 액수의 보상금을 기대하여 공사를 강행할 우려가 있는 경우(는 「행정절차법」상 처분의 사전통지 혹은 의견제출의 기회를 부여할 사항에 해당한다)
2018 서울시 9급 (O | X)

11. 「건축법」의 공사중지명령에 대한 사전통지를 하고 의견제출의 기회를 준다면 많은 액수의 손실보상금을 기대하여 공사를 강행할 우려가 있다는 사정은 사전통지 및 의견제출절차의 예외사유에 해당하지 아니한다. 2010 지방직 7급 (O | X)

정답
1. O 2. O 3. O 4. O 5. X 6. O 7. O 8. O 9. ② 10. O
11. O

08 □□□

「행정절차법」상 이유제시에 관한 설명으로 옳은 것만을 <보기>에서 모두 고른 것은? (다툼이 있는 경우 판례에 의함)

― 보기 ―
㉮ 중대한 처분이라면 당사자가 그 이유를 명백히 알 수 있는 경우에도 처분의 이유제시를 생략할 수 없다.
㉯ 긴급을 요하는 처분이나 신청내용을 모두 그대로 인정하는 처분인 경우 이유제시의무가 면제되지만 처분 후 당사자가 요청하는 경우에는 그 근거와 이유를 제시하여야 한다.
㉰ 처분 당시 당사자가 어떠한 근거와 이유로 처분이 이루어진 것인지 충분히 알 수 있어서 그에 불복하여 행정구제절차로 나아가는 데에 별다른 지장이 없었던 것으로 인정되는 경우에는 처분서에 처분의 근거와 이유가 구체적으로 명시되어 있지 않았더라도, 그 처분이 위법하다고 볼 수 없다.
㉱ 영업허가의 철회 당시 상대방이 그 취지를 알고 있었다거나 그 후 알게 되었다면 이유제시를 생략할 수 있다.

① ㉮, ㉯
② ㉮, ㉰
③ ㉯, ㉱
④ ㉰, ㉱

✔ 기출체크

㉮ 관련기출

1. 단순·반복적인 처분 또는 경미한 처분으로서 당사자가 그 이유를 명백히 알 수 있는 경우, 처분 후 당사자가 요청하더라도 행정청은 그 근거와 이유를 제시하지 않아도 된다. 2025 지방직·서울시 9급 (O | X)

2. 「행정절차법」상 행정청은 처분을 할 때에 단순·반복적인 처분 또는 경미한 처분으로서 당사자가 그 이유를 명백히 알 수 있는 경우에는 처분 후 당사자가 요청하더라도 당사자에게 그 근거와 이유를 제시하지 않아도 된다. 2024 지방직·서울시 9급 (O | X)

3. 단순·반복적인 처분 또는 경미한 처분으로서 당사자가 그 이유를 명백히 알 수 있는 경우라 하더라도 처분 후 당사자가 요청하는 경우에는 행정청은 그 근거와 이유를 제시하여야 한다. 2022 해경간부 (O | X)

4. 단순·반복적인 처분 또는 중대한 처분이지만 당사자가 그 이유를 명백히 알 수 있는 경우 처분의 이유제시를 생략할 수 있다. 2014 서울시 7급 (O | X)

5. 단순·반복적인 처분 또는 경미한 처분으로서 당사자가 그 이유를 명백히 알 수 있는 경우에는 이유제시의무가 면제된다. 2012 국가직 9급 (O | X)

㉯ 관련기출

6. 신청내용을 모두 그대로 인정하는 처분인 경우, 처분 후 당사자가 요청하더라도 행정청은 그 근거와 이유를 제시하지 않아도 된다. 2025 지방직·서울시 9급 (O | X)

7. 행정청은 당사자가 신청내용을 모두 그대로 인정하는 처분인 경우 처분 후 당사자가 요청하는 경우에는 그 근거와 이유를 제시하여야 한다. 2023 국회직 9급 (O | X)

8. 행정청은 긴급히 처분을 할 필요가 있는 경우 당사자에게 처분의 근거와 이유를 제시하지 않아도 되지만, 처분 후 당사자가 요청하는 경우에는 그 근거와 이유를 제시하여야 한다. 2022 국회직 8급 (O | X)

9. 신청내용을 모두 그대로 인정하는 처분인 경우 이유제시의무가 면제되지만 처분 후 당사자가 요청하는 경우에는 그 근거와 이유를 제시하여야 한다. 2012 국가직 9급 (O | X)

㉰ 관련기출

10. 처분 당시 당사자가 어떠한 근거와 이유로 처분이 이루어진 것인지를 충분히 알 수 있어 그에 불복하여 행정구제절차로 나아가는 데 별다른 지장이 없었던 것으로 인정되는 경우에도 처분서에 처분의 근거와 이유가 구체적으로 명시되지 않았다면 그 처분은 위법하다. 2025 지방직·서울시 9급 (O | X)

11. 처분서에 기재된 내용과 관계 법령 및 해당 처분에 이르기까지의 전체적인 과정 등을 종합적으로 고려하여 처분 당시 당사자가 어떠한 근거와 이유로 처분이 이루어진 것인지를 충분히 알 수 있어서 그에 불복하여 행정구제절차로 나아가는 데에 별다른 지장이 없었더라도, 처분서에 처분의 근거와 이유가 구체적으로 명시되어 있지 않았다면 그 처분은 위법하다. 2025 변호사 (O | X)

12. 행정청의 자의적 결정을 배제하고 당사자로 하여금 행정구제절차에서 적절히 대처할 수 있도록 하는 처분의 근거 및 이유제시제도의 취지에 비추어, 처분을 하면서 당사자가 그 근거를 알 수 있을 정도로 이유를 제시한 경우에는 처분의 근거와 이유를 구체적으로 명시하지 않았더라도 그로 말미암아 그 처분이 위법하다고 볼 수는 없다. 2024 지방직·서울시 7급 (O | X)

13. 처분서에 기재된 내용과 관계 법령 및 당해 처분에 이르기까지 전체적인 과정 등을 종합적으로 고려하여, 처분 당시 당사자가 어떠한 근거와 이유로 처분이 이루어진 것인지를 충분히 알 수 있어서 행정구제절차로 나아가는 데에 별다른 지장이 없는 경우라면 처분서에 처분의 근거와 이유가 구체적으로 명시되어 있지 않았더라도 절차상 위법하지 않다. 2024 소방간부 (O | X)

14. 행정청이 처분을 하면서 당사자가 그 근거를 알 수 있을 정도로 이유를 제시한 경우에는 처분의 근거와 이유를 구체적으로 명시하지 않았더라도 그로 말미암아 그 처분이 위법하다고 볼 수는 없다. 2023 지방직·서울시 9급 (O | X)

㉱ 관련기출

15. 영업허가의 철회 당시 상대방이 그 취지를 알고 있었다거나 그 후 알게 되었다는 사정은 이유제시의 생략사유가 아니다. 2022 소방간부 (O | X)

정답

1. × 2. × 3. ○ 4. × 5. ○ 6. ○ 7. × 8. ○ 9. × 10. ×
11. × 12. ○ 13. ○ 14. ○ 15. ○

09 □□□

「행정절차법」상 이유제시에 관한 설명으로 옳은 것은? (다툼이 있는 경우 판례에 의함)

① 교육부장관이 개별심사항목이나 총장임용적격성에 대한 정성적 평가결과를 구체적으로 밝히지 않고 부적격사유가 없는 후보자들 사이에서 어떤 후보자를 상대적으로 더욱 적합하다고 판단하여 국립대학교의 총장으로 임용제청을 한 것만으로는 이유제시의무를 다한 것으로 볼 수 없다.

② 「행정절차법」은 행정청이 처분을 하는 때에는 당사자에게 그 근거와 이유를 제시하도록 이유제시원칙을 규정하고 있는바, 이러한 이유제시의 원칙은 수익적 행정행위의 거부에는 적용되지 않는다.

③ 일반적으로 당사자가 근거규정 등을 명시하여 신청하는 인·허가 등을 거부하는 처분을 함에 있어 당사자가 그 근거를 알 수 있을 정도로 상당한 이유를 제시한 경우에는 당해 처분의 근거 및 이유를 구체적 조항 및 내용까지 명시하지 않았더라도 그로 말미암아 그 처분이 위법한 것이 된다고 할 수 없다.

④ 행정청이 토지형질변경허가신청을 불허하는 근거규정으로 '「도시계획법 시행령」 제20조'를 명시하지 아니하고 '「도시계획법」'이라고만 기재하였다면, 신청인이 구 「도시계획법 시행령」 제20조 제1항 제2호에 따라 불허된 것임을 알 수 있었던 경우라도 그 불허처분은 위법하다.

✓ 기출체크

① 관련기출

1. 교육부장관이 어떤 후보자를 상대적으로 총장 임용에 더 적합하다고 판단하여 임용제청하는 경우, 임용제청행위 자체로서 「행정절차법」상 이유제시의무를 다한 것이라 할 수 있다. 2023 국회직 9급 (○ | ×)

2. 교육부장관이 부적격사유가 없는 후보자들 사이에서 어떤 후보자를 상대적으로 더욱 적합하다고 판단하여 국립대학교의 총장으로 임용제청을 하였다면, 그러한 임용제청행위 자체로서 이유제시의무를 다한 것이다. 2022 지방직·서울시 9급 (○ | ×)

3. 교육부장관이 관련 법령에 따른 부적격사유가 없는 A와 B 총장후보자 가운데 A후보자가 상대적으로 더욱 적합하다고 판단하여 대통령에게 총장으로 A후보자를 임용제청한 경우, 교육부장관은 B후보자에게 개별심사항목이나 총장임용적격성에 대한 정성적 평가결과를 구체적으로 밝힐 의무가 있다. 2021 변호사 (○ | ×)

② 관련기출

4. 행정청은 침익적 행정처분의 경우에만 이유를 제시하여야 하고 수익적 행정처분의 경우에는 이유제시를 하지 않아도 무방하다. 2023 국회직 9급 (○ | ×)

5. 「행정절차법」은 당사자에게 의무를 부과하거나 당사자의 권익을 제한하는 처분을 하는 경우에 대해서만 그 근거와 이유를 제시하도록 규정하고 있다. 2018 지방직 7급 (○ | ×)

6. 처분의 이유제시에 관한 「행정절차법」의 규정은 침익처분 및 수익처분 모두에 적용된다. 2015 사회복지직 9급 (○ | ×)

7. 「행정절차법」은 행정청이 처분을 하는 때에는 당사자에게 그 근거와 이유를 제시하도록 이유제시원칙을 규정하고 있는바, 이러한 이유제시의 원칙은 상대방에게 부담을 주는 행정처분의 경우뿐만 아니라 수익적 행정행위의 거부에도 적용된다. 2012 지방직 9급 (○ | ×)

8. 행정처분의 이유제시는 침해적 행정행위뿐만 아니라 수익적 행정행위에도 요구된다. 2009 국회속기직 9급 (○ | ×)

③ 관련기출

9. 행정청이 허가를 거부하는 처분을 함에 있어 당사자가 그 근거를 알 수 있을 정도로 상당한 이유를 제시하였다면, 구체적 조항 및 내용까지 명시하지 않았더라도 그로 말미암아 그 처분이 위법하게 되지는 않는다. 2023 소방직 9급 (○ | ×)

10. 행정청이 허가를 거부하는 처분을 하면서 처분의 근거와 이유를 구체적으로 명시하지 않은 이상, 당사자가 그 근거를 알 수 있을 정도로 이유를 제시하였다 하더라도 그 처분은 위법하다. 2021 변호사 (○ | ×)

11. 판례는 당사자가 신청하는 허가 등을 거부하는 처분을 하면서 당사자가 그 근거를 알 수 있을 정도로 이유를 제시한 경우에는 처분의 근거와 이유를 구체적으로 명시하지 않았더라도 그로 인해 처분이 위법하게 되는 것은 아니라고 보았다. 2020 군무원 7급 (○ | ×)

12. 당사자가 근거규정 등을 명시하여 신청하는 인·허가 등을 거부하는 처분의 경우 당사자가 처분의 근거를 알 수 있을 정도로 상당한 이유를 제시할 뿐 그 구체적 조항 및 내용까지 명시하지 않으면, 해당 처분은 위법하다. 2018 서울시 2회 7급 (○ | ×)

13. 판례는 당사자가 근거규정 등을 명시하여 신청하는 인·허가 등에 대하여 행정청이 거부처분을 하면서 당사자가 그 근거를 알 수 있을 정도로 상당한 이유를 제시한 경우에는, 당해 처분의 근거 및 이유를 구체적 조항 및 내용까지 명시하지 않았더라도 그로 말미암아 그 처분을 위법한 것으로 볼 수 없다는 입장이다. 2013 국가직 7급 (○ | ×)

④ 관련기출

14. 행정청이 토지형질변경허가신청을 불허하는 근거규정으로 '「도시계획법 시행령」 제20조'를 명시하지 아니하고 '「도시계획법」'이라고만 기재하였으나, 신청인이 자신의 신청이 개발제한구역의 지정목적에 현저히 지장을 초래하는 것이라는 이유로 구 「도시계획법 시행령」 제20조 제1항 제2호에 따라 불허된 것임을 알 수 있었던 경우에는 그 불허처분이 위법하지 않다. 2017 지방직 7급 (○ | ×)

정답

1. × 2. ○ 3. × 4. × 5. × 6. ○ 7. ○ 8. ○ 9. ○ 10. ×
11. ○ 12. × 13. ○ 14. ○

10 ☐☐☐

행정절차에 관한 설명으로 옳지 않은 것은? (다툼이 있는 경우 판례에 의함)

① 고시의 방법으로 불특정 다수인을 상대로 의무를 부과하거나 권익을 제한하는 처분은 성질상 의견제출의 기회를 주어야 하는 상대방을 특정할 수 없으므로, 이 처분에 있어 그 상대방에게 「행정절차법」상 의견제출의 기회를 주어야 하는 것은 아니다.

② 처분의 사전통지의무가 면제되는 경우라도 의견청취의무는 면제되지 않는다.

③ 행정청이 침해적 행정처분을 하면서 당사자에게 사전통지를 하거나 의견제출의 기회를 주지 아니하였다면, 사전통지나 의견제출의 예외적인 경우에 해당하지 아니하는 한, 그 처분은 위법하여 취소를 면할 수 없다.

④ 행정지도방식에 의한 사전고지나 그에 따른 당사자의 자진폐공의 약속 등의 사유가 있었던 경우라도 행정청이 온천지구임을 간과하여 지하수 개발·이용신고를 수리하였다가 「행정절차법」상의 사전통지를 하거나 의견제출의 기회를 주지 아니한 채 그 신고수리처분을 취소하고 원상복구명령의 처분을 한 것은 위법하다.

✓ 기출체크

① 관련기출

1. 고시의 방법으로 불특정 다수인을 상대로 의무를 부과하거나 권익을 제한하는 처분에 있어서까지 그 상대방에게 의견제출의 기회를 주어야 한다고 해석할 것은 아니다. 2023 서울시 지적 7급 (O | X)

2. 고시의 방법으로 불특정 다수인을 상대로 의무를 부과하거나 권익을 제한하는 처분의 경우도 그 상대방에게 의견제출의 기회를 주어야 한다. 2023 소방직 9급 (O | X)

3. '고시'의 방법으로 불특정 다수인을 상대로 의무를 부과하거나 권익을 제한하는 처분은 성질상 의견제출의 기회를 주어야 하는 상대방을 특정할 수 없으므로, 이와 같은 처분에 있어서까지 그 상대방에게 의견제출의 기회를 주어야 하는 것은 아니다. 2022 지방직·서울시 7급 (O | X)

4. 고시 등에 의한 불특정 다수를 상대로 한 권익 제한이나 의무 부과의 경우 사전통지대상이 아니다. 2022 군무원 9급 (O | X)

5. 보건복지부장관은 국민건강보험법령상 요양급여의 상대가치 점수 변경 또는 조정 고시에 의한 처분을 하는 경우 상대방에게 의견제출의 기회를 주어야 한다. 2022 소방간부 (O | X)

② 관련기출

6. 사전통지의무가 면제되는 경우에도 의견청취의무가 면제되는 것은 아니다. 2010 지방직 7급 (O | X)

7. 사전통지의무가 면제되는 경우라도 의견청취는 반드시 실시해야 한다. 2008 관세사 (O | X)

③ 관련기출

8. (甲은 토지 위에 컨테이너를 설치하여 사무실로 사용하였다. 관할 행정청인 乙은 甲에게 이 컨테이너는 「건축법」상 건축허가를 받아야 하는 건축물인데 건축허가를 받지 않고 건축하였다는 이유로 甲에게 원상복구명령을 하면서, 만약 기한 내에 원상복구를 하지 않을 경우에는 행정대집행을 통하여 컨테이너를 철거할 것임을 계고하였다. 이후 甲은 乙에게 이 컨테이너에 대하여 가설건축물 축조신고를 하였으나 乙은 이 컨테이너는 건축허가대상이라는 이유로 가설건축물 축조신고를 반려하였다) 「건축법」에 특별한 규정이 없더라도 「행정절차법」상 예외에 해당하지 않는 한 乙은 원상복구명령을 하면서 甲에게 원상복구명령을 사전통지하고 의견제출의 기회를 주어야 한다. 2023 국가직 7급 (O | X)

9. 행정청이 침해적 행정처분을 하면서 당사자에게 「행정절차법」상의 사전통지를 하거나 의견제출의 기회를 주지 않았다면, 사전통지를 하지 않거나 의견제출의 기회를 주지 않아도 되는 예외적인 경우에 해당하지 않는 한, 그 처분은 위법하여 취소를 면할 수 없다. 2023 군무원 9급 (O | X)

10. 행정청이 침익적 처분을 함에 있어 「행정절차법」상 예외에 속하는 경우가 아닌 한 당사자에게 사전통지를 하지 않고 의견제출절차를 거치지 않았다면 독립적 취소사유가 된다. 2023 소방간부 (O | X)

11. 행정청이 침해적 행정처분을 함에 있어서 당사자에게 의견제출의 기회를 주지 아니하였다면, 의견제출의 기회를 주지 아니하여도 되는 예외적인 경우에 해당하지 않는 한 그 처분은 위법하다. 2007 국가직 7급 (O | X)

④ 관련기출

12. 행정청이 온천지구임을 간과하여 지하수 개발·이용신고를 수리하였다가 의견제출기회를 주지 아니한 채 그 신고수리처분을 취소하고 원상복구명령의 처분을 한 경우, 행정지도방식에 의한 사전고지나 그에 따른 당사자의 자진폐공의 약속 등 사유가 있으면 의견청취절차에 해당하여 위법하지 않다. 2022 소방간부 (O | X)

13. 다음 중 「행정절차법」상 사전통지 및 의견제출기회 제공의 대상이 되는 것을 모두 고른 것은? (다툼이 있는 경우 판례에 의함) 2012 국가직 7급

> ㉠ 교원임용신청에 대한 거부처분
> ㉡ 업자로부터의 금품수수를 이유로 한 징계에 기한 진급예정자의 진급선발취소
> ㉢ 행정지도의 방식에 의한 사전고지가 이루어진 지하수 개발·이용신고수리취소
> ㉣ 관련 법령에 따라 금액이 정해져 있는 퇴직연금환수결정

① ㉠, ㉡ ② ㉠, ㉣
③ ㉡, ㉢ ④ ㉢, ㉣

정답
1. O 2. X 3. O 4. O 5. X 6. X 7. X 8. O 9. O 10. O
11. O 12. X 13. ③

11

「행정절차법」상 의견청취에 관한 설명으로 옳지 않은 것은? (다툼이 있는 경우 판례에 의함)

① 「도로법」상 도로구역을 결정하거나 변경할 경우 이를 고시에 의하도록 하면서 그 도면을 일반인이 열람할 수 있도록 한 경우, 그 도로구역 변경결정은 「행정절차법」 제21조 제1항의 사전통지나 제22조 제3항의 의견청취의 대상이 되는 처분이다.

② 보조금 반환명령 당시 사전통지 및 의견제출의 기회가 부여되었다 하더라도 그 사정만으로 평가인증취소처분이 「행정절차법」에서 정하고 있는 사전통지 등을 하지 아니하여도 되는 예외사유에 해당한다고 볼 수 없다.

③ 국가에 대한 행정처분을 함에 있어서도 사전통지, 의견청취, 이유제시와 관련한 「행정절차법」이 그대로 적용된다.

④ 구 「군인사법」상 보직해임처분은 구 「행정절차법」 제3조 제2항 제9호, 구 「행정절차법 시행령」 제2조 제3호에 따라 처분의 근거와 이유제시 등에 관한 구 「행정절차법」의 규정이 적용되지 아니한다.

✓ 기출체크

① 관련기출

1. 「도로법」에 의한 도로구역변경고시는 의견청취의 대상이 되는 처분이다. 2022 소방간부 (○ | ×)
2. 「도로법」상 도로구역을 변경할 경우, 이를 고시하고 그 도면을 일반인이 열람할 수 있도록 하고 있는바, 도로구역을 변경한 처분은 「행정절차법」상 사전통지나 의견청취의 대상이 되는 처분이 아니다. 2021 국가직 7급 (○ | ×)
3. 「도로법」상 도로구역의 결정·변경고시는 행정처분으로서 「행정절차법」 제21조 제1항의 사전통지나 제22조 제3항의 의견청취의 절차를 거쳐야 한다. 2017 사회복지직 9급 (○ | ×)
4. 「도로법」상 도로구역을 결정하거나 변경할 경우 이를 고시에 의하도록 하면서 그 도면을 일반인이 열람할 수 있도록 한 경우, 판례는 그 도로구역 변경결정을 「행정절차법」 제21조 제1항의 사전통지나 제22조 제3항의 의견청취의 대상이 되는 처분으로 본다. 2010 국가직 7급 (○ | ×)

③ 관련기출

5. 국가에 대해 행정처분을 할 때에도 사전통지, 의견청취, 이유제시와 관련한 「행정절차법」이 그대로 적용된다고 보아야 한다. 2025 국가직 9급 (○ | ×)

④ 관련기출

6. 구 「군인사법」상 보직해임처분은 일반적으로 장교가 심신장애로 인하여 직무를 수행하지 못하게 되었을 경우, 당해 직무를 수행할 능력이 없다고 인정되었을 경우 등에 있어서 당해 장교에게 직위를 부여하지 아니함으로써 직무에 종사하지 못하도록 하는 조치로서, 처분의 근거와 이유제시 등에 관한 구 「행정절차법」의 규정이 별도로 적용되지 아니한다. 2025 지방직·서울시 7급 (○ | ×)
7. 「군인사법」에 따라 당해 직무를 수행할 능력이 없다고 인정하여 장교를 보직해임하는 경우, 처분의 근거와 이유제시 등에 관하여 「행정절차법」의 규정이 적용된다. 2021 국가직 7급 (○ | ×)
8. 구 「군인사법」상 보직해임처분에는 처분의 근거와 이유제시 등에 관한 구 「행정절차법」의 규정이 별도로 적용되지 아니한다. 2019 국회직 8급 (○ | ×)

정답
1. × 2. ○ 3. × 4. × 5. ○ 6. ○ 7. × 8. ○

12

행정절차에 관한 설명으로 옳은 것은? (다툼이 있는 경우 판례에 의함)

① 현장조사에서 원고가 위반사실을 시인하였거나 위반경위를 진술하였다면 이는 「행정절차법」 소정의 '의견청취가 현저히 곤란하거나 명백히 불필요하다고 인정될 만한 상당한 이유가 있는 경우'에 해당하므로 무단으로 용도변경된 건물에 대해 원상복구를 명하는 시정명령 및 계고처분을 하는 경우 사전에 통지할 필요가 없다.

② 구 「광업법」에서 처분청이 광업용 토지수용을 위한 사업인정을 하고자 할 때 토지소유자와 토지에 관한 권리를 가진 자의 의견을 들어야 한다고 한 것은 처분청이 그 의견에 기속되는 것을 의미한다.

③ 공무원시보임용이 무효임을 이유로 정규임용을 취소하는 경우에도, 「행정절차법」상의 사전통지나 의견제출의 기회를 부여하지 않았다면 정규임용취소처분은 위법하다.

④ 「행정절차법」상 의견청취절차와 관련하여 당사자 등은 청문의 경우에만 해당 사안의 조사결과에 관한 문서와 그 밖에 해당 처분과 관련되는 문서의 열람 또는 복사를 요청할 수 있다.

✓ 기출체크

① 관련기출

1. 「행정절차법」 제21조 제4항에서 규정한 '의견청취가 현저히 곤란하거나 명백히 불필요하다고 인정될 만한 상당한 이유가 있는 경우'에 해당하는지는 해당 행정처분의 성질에 비추어 판단하여야 하며, 처분상대방이 이미 행정청에 위반사실을 시인하였다거나 처분의 사전통지 이전에 의견을 진술할 기회가 있었다는 사정을 고려하여 판단할 것은 아니다. 2024 소방간부 (○ | ×)
2. (A구 구청장은 관내에서 음식점을 운영하고 있는 甲이 청소년에게 주류를 판매하였다는 이유로, 甲에게 영업정지처분을 할 것을 고려하고 있다) 甲이 적발 당시 위반사실을 시인하였다면, 이는 「행정절차법」 소정의 '의견청취가 현저히 곤란하거나 명백히 불필요하다고 인정될 만한 상당한 이유가 있는 경우'에 해당한다. 2023 변호사 (○ | ×)

3. 현장조사에서 처분상대방이 위반사실을 시인하였다면 행정청은 처분의 사전통지절차를 하지 않아도 된다. 2022 군무원 7급 (○ | ×)
4. 무단으로 용도변경된 건물에 대해 건물주에게 시정명령이 있을 것과 불이행시 이행강제금이 부과될 것이라는 점을 설명한 후, 다음 날 시정명령을 한 경우(는 「행정절차법」상 처분의 사전통지 혹은 의견제출의 기회를 부여할 사항에 해당한다) 2018 서울시 9급 (○ | ×)
5. 처분상대방이 이미 행정청에 위반사실을 시인하였다는 사정은 사전통지의 예외가 적용되는 '의견청취가 현저히 곤란하거나 명백히 불필요하다고 인정될 만한 상당한 이유가 있는 경우'에 해당한다. 2017 국가직 7급 (○ | ×)

② 관련기출
6. 구 「광업법」에 근거하여 처분청이 광업용 토지수용을 위한 사업인정을 하면서 토지소유자와 토지에 관한 권리를 가진 자의 의견을 들은 경우 처분청은 그 의견에 기속된다. 2019 지방직·교육행정직 9급 (○ | ×)
7. 행정청은 청문절차에서 개진된 의견에 기속되지 않는다. 2007 국가직 7급 (○ | ×)

③ 관련기출
8. 공무원의 정규임용처분을 취소하는 처분은 사전통지를 하지 않아도 되는 예외적인 경우에 해당하지 않는다. 2022 군무원 9급 (○ | ×)
9. 정규공무원으로 임용된 사람에게 시보임용처분 당시 「지방공무원법」에 정한 공무원임용결격사유가 있어 시보임용처분을 취소하고 그에 따라 정규임용처분을 취소한 경우 정규임용처분을 취소하는 처분에 대하여서는 「행정절차법」의 규정이 적용된다. 2019 국회직 8급 (○ | ×)
10. 판례는 정규공무원으로 임용된 사람에게 시보임용처분 당시 공무원임용결격사유가 있다 하여 사전통지 없이 시보임용처분과 정규임용처분을 취소하는 것은 위법하다고 한다. 2011 국회직 8급 (○ | ×)

④ 관련기출
11. 의견제출을 위하여 당사자 등은 「행정절차법」에 의하여 당해 사안의 조사결과에 관한 문서, 기타 당해 처분과 관련되는 문서의 열람 또는 복사를 요청할 수 있다. 2012 경행특채 (○ | ×)
12. (「행정절차법」상) 청문에 관하여는 문서의 열람복사청구권 규정이 없다. 2010 경행특채 (○ | ×)
13. 「행정절차법」상 의견청취절차 가운데 청문의 경우에만 당사자에게 행정청에 대하여 당해 사안의 조사결과에 관한 문서, 기타 당해 처분과 관련되는 문서의 열람 또는 복사를 요청할 수 있는 권리가 인정된다. 2008 국회직 8급 (○ | ×)
14. (「행정절차법」 규정에 따르면) 당사자 등은 공청회의 통지가 있는 날부터 공청회가 끝날 때까지 행정청에 대하여 당해 사안의 조사결과에 관한 문서, 기타 공청회와 관련되는 문서의 열람 또는 복사를 요청할 수 있다. 2007 국가직 7급 (○ | ×)

정답
1. ○ 2. × 3. × 4. ○ 5. × 6. × 7. ○ 8. ○ 9. ○ 10. ○
11. ○ 12. × 13. × 14. ×

13 ☐☐☐

「행정절차법」상 의견청취에 관한 설명으로 옳지 않은 것은?

① 신분·자격의 박탈을 내용으로 하는 처분의 경우 행정청은 처분의 근거법률에 청문을 하도록 규정되어 있지 않더라도 「행정절차법」에 따라 청문을 하여야 한다.
② 행정청은 다수 국민의 이해가 상충되는 처분이나 다수 국민에게 불편이나 부담을 주는 처분을 하려는 경우에는 2명 이상의 청문 주재자를 선정할 수 있다.
③ 행정청은 처분 후 1년 이내에 당사자 등이 요청하는 경우에는 청문·공청회 또는 의견제출을 위하여 제출받은 서류나 그 밖의 물건을 반환하여야 한다.
④ 행정청이 당사자에게 의무를 부과하거나 권익을 제한하는 처분을 하는 경우에는 당사자가 명백히 의견진술의 기회를 포기한다는 뜻을 표시하였더라도 의견청취절차를 생략할 수 없다.

✓ 기출체크

① 관련기출
1. 행정청이 법인이나 조합 등의 설립허가취소처분을 할 때에는 당사자 등의 신청이 있는 경우에 한하여 청문을 한다. 2018 서울시 9급 변형 (○ | ×)
2. 자격의 박탈을 내용으로 하는 처분의 경우 행정청은 처분의 근거법률에 청문을 하도록 규정되어 있지 않더라도 「행정절차법」에 따라 청문을 한다. 2018 국가직 7급 변형 (○ | ×)

② 관련기출
3. 행정청은 다수 국민의 이해가 상충되는 처분을 하려는 경우에 청문 주재자를 2명 이상으로 선정하여야 한다. 2023 국회직 9급 (○ | ×)
4. 행정청은 다수 국민의 이해가 상충되거나 다수 국민에게 불편이나 부담을 주는 처분을 하는 경우 청문 주재자를 2명 이상으로 선정할 수 있다. 2023 군무원 5급 (○ | ×)
5. 행정청은 다수 국민의 이해가 상충되는 처분이나 다수 국민에게 불편이나 부담을 주는 처분을 하려는 경우에는 청문 주재자를 2명 이상으로 선정할 수 있다. 2023 군무원 7급 (○ | ×)

③ 관련기출
6. 행정청은 처분 후 2년 이내에 당사자 등이 요청하는 경우에는 청문·공청회 또는 의견제출을 위하여 제출받은 서류나 그 밖의 물건을 반환하여야 한다. 2022 국회직 8급 (○ | ×)

④ 관련기출
7. 「행정절차법」에 따르면 당사자가 의견진술의 기회를 포기한다는 뜻을 명백히 표시한 경우에는 의견청취를 하지 아니할 수 있다. 2026 경찰간부 (○ | ×)
8. 당사자가 의견진술의 기회를 포기한다는 뜻을 명백히 표시한 경우라도 의견청취를 하지 아니할 수 없다. 2025 국회직 8급 (○ | ×)
9. 행정의 처분으로 의무가 부과되거나 권익이 제한되는 경우라도 당사자가 의견진술의 기회를 포기한다는 뜻을 명백히 표시한 경우에는 의견청취를 생략할 수 있다. 2022 국가직 9급 (○ | ×)

10. 행정청은 법령상 청문실시의 사유가 있는 경우라도 당사자가 의견진술의 기회를 포기한다는 뜻을 명백히 표시한 경우에는 의견청취를 하지 않을 수 있다. 2016 교육행정직 9급 (○ | ×)

11. 의견청취절차로서 의견제출권 및 청문권은 공권이기는 하지만 당사자의 의사에 의하여 의견청취를 아니할 수 있다. 2009 관세사 (○ | ×)

정답
1. × 2. ○ 3. × 4. ○ 5. ○ 6. × 7. ○ 8. × 9. ○ 10. ○
11. ○

14 □□□

「행정절차법」상 의견청취에 관한 설명으로 옳지 **않은** 것은? (다툼이 있는 경우 판례에 의함)

① 「행정절차법」상 의견청취를 하지 아니할 수 있는 사유에 해당하는 '해당 처분의 성질상 의견청취가 현저히 곤란하거나 명백히 불필요하다고 인정될 만한 상당한 이유가 있는 경우'는 청문통지서의 반송 여부, 청문통지의 방법 등에 의하여 판단할 것은 아니다.

② 행정청이 당사자에게 의무를 부과하거나 권익을 제한하는 처분을 할 때 청문을 하는 경우 또는 공청회를 개최하는 경우 외에는 당사자 등에게 의견제출의 기회를 주어야 한다.

③ 사회복지시설에 대하여 특별감사를 실시한 후 이루어진 감사결과 지적사항에 관한 시정지시는 그 성질상 당사자의 사전의견청취가 불필요하다고 볼 상당한 이유가 있는 것으로 명백히 인정되는 경우에 해당한다.

④ 「공무원연금법」상 퇴직연금의 환수결정은 당사자에게 의무를 부과하는 처분이므로 그 결정에 앞서 당사자에게 의견진술의 기회를 주지 아니하면 「행정절차법」 또는 신의칙에 어긋나는 것으로서 위법한 처분이 된다.

기출체크

① 관련기출
1. 「행정절차법」의 청문배제사유인 '당해 처분의 성질상 의견청취가 현저히 곤란하거나 명백히 불필요하다고 인정될 만한 상당한 이유가 있는 경우'는 당해 행정처분의 성질에 의하여 판단하여야 하는 것이지, 청문통지서의 반송 여부, 청문통지의 방법 등에 의하여 판단할 것은 아니다. 2019 서울시 1회 7급 (○ | ×)

② 관련기출
2. 행정청이 당사자에게 의무를 부과하거나 권익을 제한하는 처분을 할 때 청문 또는 공청회의 경우 외에는 당사자 등에게 의견제출의 기회를 주어야 한다. 2025 국회직 8급 (○ | ×)

3. 행정청이 당사자에게 의무를 과하거나 권익을 제한하는 처분을 하는 경우, 이에 대해 청문을 실시하거나 공청회를 개최하는 경우에는 당사자에게 별도의 의견제출의 기회를 주지 않을 수도 있다. 2009 국회속기직 9급 (○ | ×)

4. 행정청이 상대방에게 의무 부과처분을 하는 경우에 청문 등을 실시하지 않는 경우에는 의견제출의 기회를 주어야 한다. 2007 국가직 8급 (○ | ×)

③ 관련기출
5. 사회복지시설에 대하여 특별감사를 실시한 후 행한 감사결과 지적사항에 대한 시정지시는 그 성질상 당사자의 사전의견청취가 불필요하다고 볼 상당한 이유가 인정되는 경우에 해당한다. 2022 소방간부 (○ | ×)

④ 관련기출
6. 「공무원연금법」상 퇴직연금의 환수결정은 당사자에게 의무를 과하는 처분이므로 퇴직연금의 환수결정에 앞서 당사자에게 의견진술의 기회를 주지 아니하면 「행정절차법」상 의견제출에 관한 규정이나 신의칙에 어긋난다. 2025 국가직 9급 (○ | ×)

7. 「공무원연금법」상 퇴직연금의 환수결정은 당사자에게 의무를 과하는 처분이기는 하지만 퇴직연금의 환수결정에 앞서 당사자에게 의견진술의 기회를 주지 아니하여도 「행정절차법」에 어긋나지 아니한다. 2023 지방직·서울시 7급 (○ | ×)

8. 관련 법령에 따라 당연히 환수금액이 정하여지는 퇴직연금의 환수결정에 앞서 의견진술의 기회를 주지 아니하였다면 그 처분은 의견제출의 기회를 주지 않은 것으로서 위법하여 무효이다. 2023 서울시 지적 7급 (○ | ×)

9. 퇴직연금의 환수결정은 당사자에게 의무를 과하는 처분이므로 퇴직연금의 환수결정에 앞서 당사자에게 의견진술의 기회를 주지 아니하면 절차의 하자가 있는 위법한 처분이 된다. 2022 국회직 8급 (○ | ×)

10. 퇴직연금의 환수결정은 당사자에게 의무를 과하는 처분으로서 퇴직연금환수결정에 앞서 당사자에게 의견진술의 기회를 주어야 한다. 2022 소방간부 (○ | ×)

정답
1. ○ 2. ○ 3. ○ 4. ○ 5. ○ 6. × 7. ○ 8. × 9. × 10. ×

15

사례에 관한 설명으로 옳은 것만을 <보기>에서 모두 고른 것은? (다툼이 있는 경우 판례에 의함)

> 적법한 유기장영업허가를 받아 유기장업을 운영해오던 甲이 「공중위생법」을 위반하여 손님에게 불법행위를 한 사실이 적발되자 동작구청장은 영업허가를 취소하려고 한다(「공중위생법」에는 영업허가를 취소하는 경우 청문을 실시하도록 하는 명문규정을 두고 있다는 것을 전제할 것).

─ 보기 ─

㉮ 만약 甲이 청문일시에 불출석한 경우라면 청문을 실시하지 않을 수 있다.
㉯ 청문 주재자는 청문일시에 甲이 정당한 사유 없이 출석하지 않은 경우라도 다시 증거제출 및 의견진술의 기회를 주어야만 청문을 마칠 수 있다.
㉰ 사안의 경우 甲이 실제로 사행행위를 한 사실이 있다고 하여도 법령에 규정된 청문을 실시하지 않았다면 영업허가취소처분은 취소의 대상이 된다.
㉱ 甲은 청문 주재자에 의하여 작성된 청문조서의 내용을 열람·확인하여, 이의가 있으면 정정을 요구할 수 있다.
㉲ 만일 사례와 달리 「공중위생법」에 청문을 실시하도록 하는 명문규정을 두고 있지 않다면 동작구청장은 청문을 하지 않고 영업허가를 취소할 수 있다.

① ㉮, ㉯
② ㉯, ㉰
③ ㉰, ㉱
④ ㉱, ㉲

✓ 기출체크

㉮ 관련기출

1. 행정처분의 상대방에 대한 청문통지서가 반송되었다거나, 행정처분의 상대방이 청문일시에 불출석하였다는 이유만으로 청문을 실시하지 아니하고 한 침해적 행정처분은 위법하다. 2024 지방직·서울시 7급 (O | X)

2. 행정청은 행정처분의 상대방에 대한 청문통지서가 반송되었거나, 행정처분의 상대방이 청문일시에 불출석하였다는 이유로 청문절차를 생략하고 침해적 행정처분을 할 수 있다. 2020 국가직 7급 (O | X)

3. 그 「공중위생법」상 유기장업허가취소처분을 함에 있어서 두 차례에 걸쳐 발송한 청문통지서가 모두 반송되어 온 경우, 처분의 상대방이 청문일시에 불출석하였다는 이유로 청문을 거치지 않고 한 침해적 행정처분은 적법하다. 2019 지방직·교육행정직 9급 (O | X)

4. 행정처분의 상대방이 청문일시에 불출석하였다는 이유로 청문을 실시하지 않은 침해적 행정처분은 적법하다. 2017 교육행정직 9급 (O | X)

5. 행정처분의 상대방이 통지된 청문일시에 불출석하였다는 이유만으로는 관계 법령상 요구되는 청문절차 없이 침해적 행정처분을 할 수는 없다. 2015 서울시 9급 (O | X)

㉯ 관련기출

6. 청문 주재자는 당사자 등의 전부 또는 일부가 정당한 사유 없이 청문기일에 출석하지 아니하거나 의견서를 제출하지 아니한 경우에는 이들에게 다시 의견진술 및 증거제출의 기회를 주지 아니하고 청문을 마칠 수 있다. 2024 군무원 9급 (O | X)

7. 청문 주재자는 당사자 등의 전부 또는 일부가 정당한 사유 없이 청문기일에 출석하지 아니한 경우라도 이들에게 다시 의견진술 및 증거제출의 기회를 주지 아니하고는 청문을 마칠 수 없다. 2015 국가직 9급 (O | X)

㉰ 관련기출

8. 행정처분이 절차상 중대한 하자가 있다고 하더라도 실체적 하자가 없다면 취소판결을 할 수 없다. 2018 교육행정직 9급 (O | X)

9. 기속행위의 경우에는 절차상의 하자만으로 독립된 취소사유가 될 수 없으나, 재량행위의 경우에는 절차상의 하자만으로도 독립된 취소사유가 된다. 2017 지방직 9급 (O | X)

10. 기속행위의 경우에도 행정처분의 절차상 하자만으로 독자적인 취소사유가 된다. 2017 국회직 8급 (O | X)

11. 판례는 행정절차가 결여되었더라도 그 행정행위가 실체적으로는 적법하고 기속행위에 해당하면 그 절차상의 하자를 독립적 취소사유로 보지 않는다. 2011 국가직 7급 (O | X)

12. 처분에 행정절차상 하자가 있을 경우 기속행위인지 재량행위인지를 불문하고 독자적 위법사유성이 인정되어 법원에 의한 취소의 대상이 된다. 2008 지방직 7급 (O | X)

㉱ 관련기출

13. 당사자 등은 청문조서의 내용을 열람·확인할 수 있을 뿐, 그 청문조서에 이의가 있더라도 정정을 요구할 수는 없다. 2025 소방간부 (O | X)

㉲ 관련기출

14. 행정청은 인·허가 등을 취소, 신분·자격의 박탈, 법인이나 조합 등의 설립허가의 취소에 관한 처분을 하는 경우 청문을 한다. 2020 군무원 7급 변형 (O | X)

15. 인·허가 등의 취소를 내용으로 하는 처분의 경우 행정청은 처분의 근거법률에 청문을 하도록 규정되어 있지 않더라도 「행정절차법」에 따라 청문을 한다. 2020 국회직 8급 변형 (O | X)

16. 인·허가 등을 취소하는 경우에는 개별법령상 청문을 하도록 하는 근거규정이 없고 의견제출기한 내에 당사자 등의 신청이 없는 경우에도 청문을 하여야 한다. 2019 서울시 9급 (O | X)

정답

1. O 2. X 3. X 4. X 5. O 6. O 7. X 8. X 9. X 10. O
11. X 12. O 13. X 14. O 15. O 16. O

16 □□□

사례에 관한 설명으로 옳은 것만을 <보기>에서 모두 고른 것은? (다툼이 있는 경우 판례에 의함)

> 동작구청장은 단란주점을 운영하는 甲이 청소년에게 술을 판매한 사실을 적발하고 「식품위생법」 제75조 제1항에 따른 영업허가취소처분을 하기에 앞서 다음의 「식품위생법」 제81조 제3호에 따라 청문을 실시하고자 한다.

> 「식품위생법」 제81조 【청문】 식품의약품안전처장, 시·도지사 또는 시장·군수·구청장은 다음 각 호의 어느 하나에 해당하는 처분을 하려면 청문을 하여야 한다.
> 3. 제75조 제1항부터 제3항까지의 규정에 따른 영업허가 또는 등록의 취소나 영업소의 폐쇄명령

── 보기 ──

㉮ 행정청은 청문을 실시하거나 공청회를 개최하는 경우라도 그 처분이 당사자에게 의무를 부과하거나 권익을 제한하는 처분의 경우에는 적어도 당사자 등에게 의견제출의 기회를 주어야 한다.

㉯ 만약 동작구청장이 甲이 청문일시에 불출석한 것을 이유로 청문을 실시하지 아니하고 영업취소처분을 하였다면 그 처분은 위법하다.

㉰ 甲이 청문의 통지가 있는 날부터 청문이 끝날 때까지 해당 사안의 조사결과에 관한 문서의 열람을 요청한 경우 행정청은 다른 법령에 따라 공개가 제한되는 경우를 제외하고는 그 요청을 거부할 수 없다.

㉱ 만일 위 사례와 달리 「식품위생법」에 청문을 실시하도록 하는 명문규정을 두고 있지 않다면 의견제출기한 내에 甲의 청문신청이 없는 경우 동작구청장은 청문을 하지 않고 영업허가를 취소할 수 있다.

① ㉮, ㉯
② ㉮, ㉱
③ ㉯, ㉰
④ ㉰, ㉱

✓ 기출체크

㉮ 관련기출

1. (「행정절차법」상) 행정청이 당사자에게 의무를 부과하거나 권익을 제한하는 처분을 함에 있어 청문이나 공청회를 거치지 않은 경우에는 당사자에게 의견제출의 기회를 주어야 한다. 2020 소방직 9급 (○ | ×)

2. 행정청이 당사자에게 의무를 과하거나 권익을 제한하는 처분을 하는 경우, 이에 대해 청문을 실시하거나 공청회를 개최하는 경우에는 당사자에게 별도의 의견제출의 기회를 주지 않을 수도 있다. 2009 국회속기직 9급 (○ | ×)

3. 행정청이 상대방에게 의무 부과처분을 하는 경우에 청문 등을 실시하지 않는 경우에는 의견제출의 기회를 주어야 한다. 2007 국회직 8급 (○ | ×)

㉯ 관련기출

4. 행정처분의 상대방에 대한 청문통지서가 반송되었다거나, 행정처분의 상대방이 청문일시에 불출석하였다는 이유만으로 청문을 실시하지 아니하고 한 침해적 행정처분은 위법하다. 2024 지방직·서울시 7급 (○ | ×)

5. 행정청은 행정처분의 상대방에 대한 청문통지서가 반송되었거나, 행정처분의 상대방이 청문일시에 불출석하였다는 이유로 청문절차를 생략하고 침해적 행정처분을 할 수 있다. 2020 국가직 7급 (○ | ×)

6. 구 「공중위생법」상 유기장업허가취소처분을 함에 있어서 두 차례에 걸쳐 발송한 청문통지서가 모두 반송되어 온 경우, 처분의 상대방이 청문일시에 불출석하였다는 이유로 청문을 거치지 않고 한 침해적 행정처분은 적법하다. 2019 지방직·교육행정직 9급 (○ | ×)

7. 행정처분의 상대방이 청문일시에 불출석하였다는 이유로 청문을 실시하지 않은 침해적 행정처분은 적법하다. 2017 교육행정직 9급 (○ | ×)

8. 행정처분의 상대방이 통지된 청문일시에 불출석하였다는 이유만으로는 관계 법령상 요구되는 청문절차 없이 침해적 행정처분을 할 수는 없다. 2015 서울시 9급 (○ | ×)

㉱ 관련기출

9. 행정청은 인·허가 등을 취소하는 처분을 할 때는 원칙적으로 청문을 하여야 한다. 2023 소방직 9급 (○ | ×)

10. 행정청은 인·허가 등의 취소, 신분·자격의 박탈, 법인이나 조합 등의 설립허가의 취소에 관한 처분을 하는 경우 청문을 한다. 2020 군무원 7급 변형 (○ | ×)

11. 인·허가 등의 취소를 내용으로 하는 처분의 경우 행정청은 처분의 근거법률에 청문을 하도록 규정되어 있지 않더라도 「행정절차법」에 따라 청문을 한다. 2020 국회직 8급 변형 (○ | ×)

12. 인·허가 등을 취소하는 경우에는 개별법령상 청문을 하도록 하는 근거규정이 없고 의견제출기한 내에 당사자 등의 신청이 없는 경우에도 청문을 하여야 한다. 2019 서울시 9급 (○ | ×)

13. 인·허가 등의 취소 또는 신분·자격의 박탈, 법인이나 조합 등의 설립허가의 취소시 의견제출기한 내에 당사자 등의 신청이 있는 경우에 공청회를 개최한다. 2018 국가직 9급 (○ | ×)

> **정답**
> 1. ○ 2. ○ 3. ○ 4. ○ 5. × 6. × 7. × 8. ○ 9. ○ 10. ○
> 11. ○ 12. ○ 13. ×

17

「행정절차법」상 공청회에 관한 설명으로 옳지 않은 것만을 <보기>에서 모두 고른 것은? (다툼이 있는 경우 판례에 의함)

― 보기 ―

㉮ 행정청은 원칙적으로 일반적인 공청회와 병행하여서만 온라인공청회를 실시할 수 있으므로, 행정청이 널리 의견을 수렴하기 위하여 온라인공청회를 단독으로 개최할 필요가 있다고 인정하는 경우라도 온라인공청회를 단독으로 개최할 수 없다.

㉯ 행정청은 처분을 함에 있어 공청회, 온라인공청회 및 정보통신망을 통하여 제시된 사실 및 의견이 상당한 이유가 있다고 인정하는 경우에는 이를 반영하여야 한다.

㉰ 지방자치단체와 민간단체 등이 공동발족한 추모공원건립추진협의회가 시립화장장 후보지 선정을 위해 개최한 공청회의 경우 「행정절차법」에서 정한 절차를 준수하여야 하는 것은 아니다.

㉱ 행정청은 공청회를 개최하려는 경우에는 공청회 개최 10일 전까지 일시 및 장소 등의 사항을 당사자 등에게 통지하여야 한다. 다만, 공청회 개최를 알린 후 예정대로 개최하지 못하여 새로 일시 및 장소 등을 정한 경우에는 공청회 개최 5일 전까지 알려야 한다.

① ㉮, ㉰   ② ㉮, ㉱
③ ㉯, ㉰   ④ ㉯, ㉱

✓기출체크

㉮ 관련기출

1. 공청회가 개최는 되었으나 정상적으로 진행되지 못하고 무산된 횟수가 2회인 경우 온라인공청회를 단독으로 개최할 수 있다.
   2023 국가직 9급 (○ | ×)

2. 행정청은 원칙적으로 「행정절차법」 제38조에 따른 공청회와 병행하여서만 정보통신망을 이용한 공청회를 실시할 수 있다.
   2017 국가직(하) 9급 (○ | ×)

3. 정보통신망을 이용한 공청회는 공청회를 실시할 수 없는 불가피한 상황에서만 실시할 수 있다. 2016 지방직 9급 (○ | ×)

4. 행정청은 온라인공청회를 개최하는 경우 공청회와 병행하여 실시할 수 없다. 2014 국가직 9급 (○ | ×)

㉯ 관련기출

5. 행정청은 처분시 상당한 이유가 있다고 인정하면 청문결과를 반영하여야 한다. 2024 군무원 9급 (○ | ×)

6. 행정청은 처분을 함에 있어서 공청회·온라인공청회 및 정보통신망 등을 통하여 제시된 사실 및 의견이 상당한 이유가 있다고 인정하는 경우에는 이를 반영하여야 한다. 2008 국가직 9급 (○ | ×)

7. 행정청은 처분을 함에 있어서 공청회에서 제시된 사실 및 의견이 상당한 이유가 있다고 인정하는 경우에는 이를 반영하여야 한다.
   2007 국가직 7급 (○ | ×)

㉰ 관련기출

8. 도시계획시설인 추모공원 건립을 위해 지방자치단체, 비영리법인, 일반기업 등이 공동발족한 추모공원건립추진협의회에서 후보지 주민들의 의견을 청취하기 위하여 추진협의회 명의로 개최한 공청회의 경우 「행정절차법」에서 정한 절차를 준수하여야 한다. 2024 소방간부 (○ | ×)

9. 지방자치단체와 민간단체 등이 공동발족한 추모공원건립추진협의회가 시립화장장 후보지 선정을 위해 개최하는 공청회는 행정청이 도시계획시설결정을 하면서 개최한 공청회가 아니므로 「행정절차법」에서 정한 절차를 준수하여야 하는 것은 아니다. 2021 경행경채 (○ | ×)

10. 묘지공원과 화장장의 후보지를 선정하는 과정에서 추모공원건립추진협의회가 후보지 주민들의 의견을 청취하기 위하여 그 명의로 개최한 공청회는 「행정절차법」에서 정한 절차를 준수하여야 하는 것은 아니다. 2019 지방직·교육행정직 9급 (○ | ×)

11. 대법원은 묘지공원과 화장장의 후보지를 선정하는 과정에서 서울특별시, 비영리법인, 일반기업 등이 공동발족한 협의체인 추모공원건립추진협의회가 후보지 주민들의 의견을 청취하기 위하여 그 명의로 개최한 공청회에 대해 「행정절차법」에서 정한 절차를 준수하여야 한다고 보았다. 2013 국회직 8급 (○ | ×)

㉱ 관련기출

12. 행정청은 공청회를 개최하려는 경우에는 공청회 개최 (   )일 전까지 제목, 일시 및 장소 등을 당사자 등에게 통지하고 관보, 공보, 인터넷 홈페이지 또는 일간신문 등에 공고하는 등의 방법으로 널리 알려야 한다. 2017 지방직(하) 9급

13. 행정청은 공청회를 개최하려는 경우에는 공청회 개최 10일 전까지 일시 및 장소 등의 사항을 당사자 등에게 통지하여야 한다.
    2016 경행경채 (○ | ×)

14. 행정청은 공청회를 개최하고자 하는 경우에는 공청회 개최 14일 전까지 제목·일시·장소 등 일정한 사항을 당사자 등에게 통지하여야 한다. 2009 지방직 9급 (○ | ×)

> **정답**
> 1. × 2. ○ 3. × 4. × 5. ○ 6. ○ 7. ○ 8. × 9. ○ 10. ○
> 11. × 12. 14 13. × 14. ○

18

「공공기관의 정보공개에 관한 법률」에 관한 설명으로 옳지 않은 것은? (다툼이 있는 경우 판례에 의함)

① 알권리의 한 요소를 이루는 정보공개청구권은 「공공기관의 정보공개에 관한 법률」과 같은 개별법률이 존재하지 않는 경우라도 인정될 수 있다.

② 국민의 '알권리', 즉 정보에의 접근·수집·처리의 자유는 자유권적 성질과 청구권적 성질을 공유하는 것으로서 헌법 제21조에 의하여 직접 보장되는 권리이다.

③ 지방자치단체는 그 소관 사무에 관하여 법령의 위임이 없어도 정보공개에 관한 조례를 제정할 수 있다.

④ '특별법에 의하여 설립된 특수법인'인 이상 「공공기관의 정보공개에 관한 법률」에 따라 정보를 공개할 의무가 있는 법인으로 보아야 하며 법인에게 부여된 업무 등을 고려하여 개별적으로 판단할 수는 없다.

✓ 기출체크

① 관련기출
1. 판례는 「공공기관의 정보공개에 관한 법률」과 같은 실정법의 근거가 없는 경우에는 정보공개청구권이 인정되기 어렵다고 보고 있다. 2010 지방직 9급 (O | X)

② 관련기출
2. 대법원은 정보공개청구권의 헌법적 근거를 헌법 제21조 표현의 자유에서 도출하고 있다. 2024 소방직 9급 (O | X)
3. 정보공개청구권은 헌법 제21조에 의하여 보장되는 알권리에 근거하여 인정되고, 알권리는 자유권적 성질과 청구권적 성질을 함께 가진다. 2022 소방간부 (O | X)
4. 국민의 알권리, 즉 정보에의 접근·수집·처리의 자유는 자유권적 성질과 청구권적 성질을 공유하는 것으로서, 헌법 제21조에 의하여 직접 보장되는 권리이다. 2020 지방직·서울시 7급 (O | X)
5. 행정정보공개의 출발점은 국민의 알권리인데, 알권리 자체는 헌법상으로 명문화되어 있지 않음에도 불구하고, 우리 헌법재판소는 초기부터 국민의 알권리를 헌법상의 기본권으로 인정하여 왔다. 2017 서울시 9급 (O | X)
6. 헌법재판소는 정보공개청구권을 알권리의 핵심으로 파악하고 있으며, 알권리의 헌법상 근거를 헌법 제21조의 표현의 자유에서 찾고 있다. 2010 지방직 9급 (O | X)

③ 관련기출
7. 지방자치단체는 그 소관 사무에 관하여 법령의 범위에서 정보공개에 관한 조례를 정할 수 있다. 2025 해경승진 (O | X)
8. 지방자치단체는 법률의 수권 없이 독자적으로 정보공개조례를 제정할 수 없다. 2022 경찰간부 (O | X)
9. 지방자치단체는 법령의 범위 안에서 그 사무에 관하여 조례를 제정할 수 있으나, 주민의 권리 제한 또는 의무 부과에 관한 사항이나 벌칙을 정할 때에는 법률의 위임이 있어야 한다. 2019 경행경채 2차 (O | X)
10. 청주시의회에서 의결한 청주시행정정보공개조례안은 행정에 대한 주민의 알권리의 실현을 그 근본내용으로 하면서도 이로 인한 개인의 권익침해가능성을 배제하고 있으므로, 이를 들어 주민의 권리를 제한하거나 의무를 부과하는 조례라고는 단정할 수 없고 따라서 그 제정에 있어서 반드시 법률의 개별적 위임이 따로 필요한 것은 아니다. 2013 국가직 9급 (O | X)

④ 관련기출
11. 판례는 '특별법에 의하여 설립된 특수법인'이라는 점만으로 정보공개의무를 인정하고 있으며, 다시금 해당 법인의 역할과 기능에서 정보공개의무를 지는 공공기관에 해당하는지 여부를 판단하지 않는다. 2017 서울시 9급 (O | X)

정답
1. X 2. O 3. O 4. O 5. O 6. O 7. O 8. X 9. O 10. O
11. X

19

정보공개에 관한 설명으로 옳은 것은? (다툼이 있는 경우 판례에 의함)

① 정보공개를 요구받은 공공기관이 공개를 거부하는 경우, 개괄적인 사유만을 들어 공개를 거부할 수도 있다.

② 정보공개청구를 받은 공공기관 등이 정보의 공개 여부를 결정함에 있어 정보공개청구권자의 권리구제가능성은 고려되어야 할 사항이 아니다.

③ 구 「공공기관의 정보공개에 관한 법률」 제9조 제1항 제6호 본문에서 정한 '당해 정보에 포함되어 있는 성명·주민등록번호 등 개인에 관한 사항으로서 공개될 경우 사생활의 비밀 또는 자유를 침해할 우려가 있다고 인정되는 정보'는 '개인식별정보'에 한정된다.

④ 오로지 공공기관의 담당공무원을 괴롭힐 목적으로 정보공개청구를 하는 경우와 같이 권리의 남용에 해당하는 것이 명백한 때라도 그 정보가 공익을 위한 것이라면 정보공개를 거부할 수 없다.

✓ 기출체크

① 관련기출
1. 정보공개를 요구받은 공공기관은 어떠한 비공개사유에 해당하는지를 주장·입증하지 아니한 채 개괄적인 사유만을 들어 그 공개를 거부할 수 없다. 2025 지방직·서울시 7급 (O | X)
2. 공공기관은 「공공기관의 정보공개에 관한 법률」상 개별적 비공개사유에 해당하는 경우 이에 대한 주장이나 입증 없이 개괄적인 사유의 제시만으로 그 공개를 거부할 수 있다. 2023 소방간부 (O | X)
3. 공공기관이 정보공개를 거부하는 경우에는 어느 부분이 어떠한 법익 또는 기본권과 충돌되어 비공개사유에 해당하는지를 주장·증명하여야 하고, 그에 이르지 아니한 채 개괄적인 사유만을 들어 공개를 거부하는 것은 허용되지 아니한다. 2022 지방직·서울시 9급 (O | X)

4. 공공기관이 정보공개를 거부할 때에는 개괄적인 사유만을 들 수 없고 어느 부분이 어떠한 법익 또는 기본권과 충돌하여 비공개사유에 해당하는지를 밝혀야 하나, 정보공개법 제9조 제1항 몇 호에서 정하고 있는 비공개사유에 해당하는지 주장·입증할 필요까지는 없다. 2022 국회직 8급 (O | X)

5. 정보공개를 요구받은 공공기관이 법률에서 정한 비공개사유에 해당하는지를 주장·증명하지 아니한 채 개괄적인 사유만을 들어 공개를 거부하는 것은 허용되지 아니한다. 2021 지방직·서울시 7급 (O | X)

② 관련기출

6. 정보공개청구권자의 권리구제가능성은 정보의 공개 여부 결정에 영향을 미치지 못한다. 2022 국가직 7급 (O | X)

7. 「공공기관의 정보공개에 관한 법률」은 정보공개청구권자가 공개를 청구하는 정보와 어떤 관련성을 가질 것을 요구하거나 정보공개청구의 목적에 특별한 제한을 두고 있지 아니하므로 정보공개청구권자의 권리구제가능성 등은 정보의 공개 여부 결정에 아무런 영향을 미치지 못한다. 2020 국가직 9급 (O | X)

③ 관련기출

8. 「공공기관의 정보공개에 관한 법률」 제9조 제1항 제6호 본문 규정에 따라 비공개대상이 되는 정보는 성명·주민등록번호 등 개인식별정보에 한정된다. 2023 소방간부 (O | X)

9. 국민의 알권리를 두텁게 보호하기 위해 「공공기관의 정보공개에 관한 법률」 제9조 제1항 제6호 본문의 규정에 따라 비공개대상이 되는 정보는 이름·주민등록번호 등 '개인식별정보'로 한정된다. 2020 지방직·서울시 9급 (O | X)

10. 「공공기관의 정보공개에 관한 법률」 제9조 제1항 제6호 소정의 '당해 정보에 포함되어 있는 이름, 주민등록번호 등 개인에 대한 사항으로서 공개될 경우 개인의 사생활의 비밀 또는 자유를 침해할 우려가 있다고 인정되는 정보'의 의미와 범위는 구법과 마찬가지로 개인식별정보에 제한된다고 해석해야 한다. 2013 국회직 8급 (O | X)

④ 관련기출

11. 국민의 정보공개청구가 오로지 공공기관의 담당공무원을 괴롭힐 목적으로 정보공개청구를 하는 경우처럼 권리의 남용에 해당하는 것이 명백한 경우에는 정보공개청구권의 행사가 허용되지 아니한다. 2024 해경승진 (O | X)

12. 실제로는 해당 정보를 취득 또는 활용할 의사가 전혀 없이 오로지 공공기관의 담당공무원을 괴롭힐 목적으로 정보공개청구를 하는 것이 명백한 경우에는 권리남용에 해당하여 정보공개청구권의 행사가 허용되지 아니한다. 2023 서울시 연구사 (O | X)

13. 해당 정보를 취득 또는 활용할 의사가 전혀 없이 정보공개제도를 이용하여 사회통념상 용인될 수 없는 부당한 이득을 얻으려 하거나, 오로지 공공기관의 담당공무원을 괴롭힐 목적으로 정보공개청구를 하는 경우 권리남용에 해당함이 명백하므로 정보공개청구권의 행사가 허용되지 아니한다. 2023 지방직·서울시 9급 (O | X)

14. 국민의 정보공개청구가 오로지 공공기관의 담당공무원을 괴롭힐 목적으로 정보공개청구를 하는 경우처럼 권리의 남용에 해당하는 것이 명백한 경우에는 정보공개청구권의 행사가 허용되지 아니한다. 2023 소방직 9급 (O | X)

15. 오로지 공공기관의 담당공무원을 괴롭힐 목적으로 정보공개청구를 하는 경우에도 정보공개청구권의 행사는 허용되어야 한다. 2021 지방직·서울시 9급 (O | X)

정답
1. O 2. X 3. O 4. X 5. O 6. O 7. O 8. X 9. X 10. X
11. O 12. O 13. O 14. O 15. X

20

「공공기관의 정보공개에 관한 법률」상 정보공개에 관한 설명으로 옳은 것은? (다툼이 있는 경우 판례에 의함)

① 「형사소송법」이 형사재판확정기록의 공개 여부나 공개범위, 불복절차 등에 대하여 규정하고 있는 것은 「공공기관의 정보공개에 관한 법률」 제4조 제1항에서 정한 '정보의 공개에 관하여 다른 법률에 특별한 규정이 있는 경우'에 해당한다고는 볼 수 없으므로, 형사재판확정기록의 공개에 관하여 「공공기관의 정보공개에 관한 법률」에 의한 공개청구가 허용된다.

② 지방자치단체의 업무추진비 세부항목별 집행내역 및 증빙서류에 포함된 개인에 관한 정보는 '공개하는 것이 공익을 위하여 필요하다고 인정되는 정보'에 해당되지 않아 비공개대상정보에 해당한다.

③ 사면대상자들의 사면실시건의서와 그와 관련된 국무회의 안건자료에 대한 정보는 구 「공공기관의 정보공개에 관한 법률」에서 정한 비공개사유에 해당한다.

④ 「교육공무원 승진규정」은 '정보의 공개에 관하여 다른 법률에 특별한 규정이 있는 경우'에 해당하므로 교육공무원의 근무성적평정의 결과를 공개하지 아니한다고 규정하고 있는 「교육공무원 승진규정」을 들어 정보공개청구를 거부할 수 있다.

기출체크

① 관련기출

1. 형사재판확정기록에 관하여는 「공공기관의 정보공개에 관한 법률」에 의한 공개청구가 허용되지 않는다. 2025 소방직 9급 (O | X)

2. 정보의 공개에 관하여 다른 법률에 특별한 규정이 있는 경우에도 「공공기관의 정보공개에 관한 법률」이 우선하여 적용된다. 2022 경찰간부 (O | X)

3. 「형사소송법」은 형사재판확정기록의 공개 여부 등에 대하여 「공공기관의 정보공개에 관한 법률」과 달리 규정하고 있으므로, 형사재판확정기록의 공개에 관하여는 「공공기관의 정보공개에 관한 법률」에 의한 공개청구가 허용되지 아니한다. 2022 국가직 7급 (O | X)

4. 형사재판확정기록의 공개에 관하여는 「형사소송법」의 규정이 적용되므로 「공공기관의 정보공개에 관한 법률」에 의한 공개청구는 허용되지 아니한다. 2019 지방직 7급 (O | X)

② 관련기출

5. 지방자치단체의 업무추진비 세부항목별 집행내역 및 그에 관한 증빙서류에 포함된 개인에 관한 정보는 공개하는 것이 공익을 위하여 필요하다고 인정되는 정보에 해당하지 않는다. 2023 해경간부 (O | X)

6. 지방자치단체의 업무추진비 세부항목별 집행내역 및 그에 관한 증빙서류에 포함된 개인에 관한 정보는 '공개하는 것이 공익을 위하여 필요하다고 인정되는 정보'에 해당한다. 2023 군무원 5급 (O | X)

7. 지방자치단체의 업무추진비 세부항목별 집행내역 및 그에 관한 증빙서류에 포함된 개인에 관한 정보는 「공공기관의 정보공개에 관한 법률」 소정의 '공개하는 것이 공익을 위하여 필요하다고 인정되는 정보'에 해당하여 공개대상이 된다. 2019 지방직·교육행정직 9급 (○ | ×)

8. 지방자치단체의 업무추진비 세부항목별 집행내역 및 그에 관한 증빙서류에 포함된 개인에 관한 정보는 비공개대상정보에 해당한다. 2018 서울시 9급 (○ | ×)

③ 관련기출

9. 대통령이 행하는 사면권의 행사는 고도의 정치적 행위라 할 수 있으며, 해당 정보의 공개로 당사자들의 사생활의 비밀을 침해할 우려가 있다는 점 등을 감안하면, 사면실시건의서와 그와 관련된 국무회의 안건자료는 「공공기관의 정보공개에 관한 법률」상의 비공개사유에 해당된다. 2025 군무원 7급 (○ | ×)

10. 사면대상자들의 사면실시건의서와 그와 관련된 국무회의 안건자료는 공개대상이 되는 정보이다. 2015 사회복지직 9급 (○ | ×)

11. 대통령의 사면권 행사는 고도의 정치적 행위이므로 그 정보의 공개가 사면권 자체를 부정하게 될 위험이 있고 해당 정보의 당사자들의 사생활의 비밀도 침해할 우려가 있기 때문에 「공공기관의 정보공개에 관한 법률」상의 비공개사유에 해당된다. 2010 국회직 8급 (○ | ×)

④ 관련기출

12. 정보의 공개에 관하여 법률의 구체적인 위임이 없는 「교육공무원 승진규정」상 근무성적평정결과를 공개하지 않는다는 규정을 근거로 정보공개청구를 거부할 수 없다. 2021 국가직 7급 (○ | ×)

13. 교육공무원의 근무성적평정결과를 공개하지 아니한다고 규정하고 있는 「교육공무원 승진규정」을 근거로 정보공개청구를 거부하는 것은 위법하다. 2020 국가직 7급 (○ | ×)

14. 공공기관이 보유·관리하는 정보는 공개하는 것이 원칙이나, 다른 법률 또는 법률이 위임한 명령에 의하여 비밀 또는 비공개사항으로 규정된 정보는 공개하지 아니할 수 있다. 이에 관한 판례의 입장으로 옳은 것은? 2010 지방직 9급

① 여기서의 법률이 위임한 명령이란 법률의 위임에 의하여 제정된 대통령령, 총리령, 부령 전부를 의미하는 것이 아니라 정보의 공개에 관하여 법률의 구체적 위임에 의하여 제정된 법규명령을 의미한다.

② 「교육공무원법」의 위임에 따라 제정된 「교육공무원 승진규정」은 정보공개에 관한 사항에 관하여 구체적인 법률의 위임에 의하여 제정된 법규명령이라고 할 수 있다.

③ 「교육공무원 승진규정」이 근무성적평정결과를 공개하지 아니한다고 규정하고 있는 경우 동 규정을 근거로 정보공개청구를 거부할 수 있는 경우 동 규정을 근거로 정보공개청구를 거부할 수 있다.

④ 감사원장의 감사결과가 군사2급비밀에 해당한다고 하여 「공공기관의 정보공개에 관한 법률」 제9조 제1항 제1호에 의하여 공개하지 아니할 수는 없다.

15. 교육공무원에 대한 근무성적평정의 결과(는 대법원 판례에 의할 때 비공개대상정보에 해당한다) 2010 국가직 9급 (○ | ×)

16. 교육공무원의 근무성적평정의 결과를 공개하지 아니한다고 규정하고 있는 「교육공무원 승진규정」 제26조를 근거로 정보공개청구를 거부하는 것은 타당하지 않다. 2008 지방직 7급 (○ | ×)

[정답]
1. ○ 2. × 3. ○ 4. ○ 5. ○ 6. × 7. × 8. ○ 9. × 10. ○
11. × 12. ○ 13. ○ 14. ① 15. × 16. ○

21 □□□

정보공개에 관한 설명으로 옳지 <u>않은</u> 것만을 <보기>에서 모두 고른 것은? (다툼이 있는 경우 판례에 의함)

| 보기 |

㉮ 도시공원위원회의 회의 관련 자료 및 회의록은 시장 등의 결정의 대외적 공표행위가 있은 후에는 의사결정과정이나 내부검토과정에 있는 사항이라고 할 수 없고, 이를 공개하더라도 업무의 공정한 수행에 지장을 초래할 염려가 없으므로 공개대상이 된다.

㉯ 정보공개청구권자에는 국내에 사무소를 두고 있는 외국단체와 학술·연구를 위하여 일시적으로 체류하는 외국인도 포함된다.

㉰ 한국증권업협회는 「공공기관의 정보공개에 관한 법률 시행령」상의 '특별법에 의하여 설립된 특수법인'에 해당하여 「공공기관의 정보공개에 관한 법률」상의 정보공개의무를 진다.

㉱ 「공공기관의 정보공개에 관한 법률」에 따르면 국가 또는 지방자치단체로부터 보조금을 받는 사회복지법인과 사회복지사업을 하는 비영리법인은 공개대상이 되는 공공기관에 포함되지 않는다.

① ㉮, ㉯ ② ㉮, ㉱
③ ㉯, ㉰ ④ ㉰, ㉱

✓ 기출체크

㉮ 관련기출

1. 도시공원위원회의 회의 관련 자료 및 회의록은 시장 등의 결정의 대외적 공표행위가 있은 후에는 이를 의사결정과정이나 내부검토과정에 있는 사항이라고 할 수 없고 위 위원회의 회의 관련 자료 및 회의록을 공개하더라도 업무의 공정한 수행에 지장을 초래할 염려가 없으므로 공개대상이 된다. 2023 지방직·서울시 7급 (○ | ×)

㉯ 관련기출

2. 외국인을 포함하여 모든 사람은 정보의 공개를 청구할 권리를 가진다. 2024 군무원 7급 (○ | ×)

3. 모든 국민은 정보의 공개를 청구할 권리를 가지나, 외국인은 정보공개를 청구할 수 없다. 2024 소방직 9급 (○ | ×)

4. 국내에 사무소를 두고 있는 외국법인 또는 외국단체는 학술·연구를 위한 목적으로만 정보공개를 청구할 수 있다. 2023 군무원 9급 (○ | ×)

5. 국내에 학술·연구를 위하여 일시적으로 체류하는 외국인은 정보공개를 청구할 권리가 없다. 2021 행정사 (○ | ×)

6. 외국인은 국내에 주소를 두고 거주하는 경우에도, 정보공개청구권이 인정되지 않는다. 2015 교육행정직 9급 (○ | ×)

관련기출

7. 한국증권업협회는 그 업무가 국가기관 등에 준할 정도로 공동체 전체의 이익에 중요한 역할이나 기능에 해당하는 공공성을 가진다고 볼 수 있으므로 정보공개의무를 지는 '특별법에 따라 설립된 특수법인'에 해당한다. 2025 국회직 8급 (O | X)
8. 한국증권업협회는 증권회사 상호 간의 업무질서를 유지하고 유가증권의 공정한 매매거래 및 투자자보호를 위하여 구성된 회원조직으로, 「증권거래법」 또는 그 법에 의한 명령에 대하여 특별한 규정이 있는 것을 제외하고는 「민법」 중 사단법인에 관한 규정을 적용받으므로 구 「공공기관의 정보공개에 관한 법률 시행령」상의 '특별법에 의하여 설립된 특수법인'에 해당하지 않는다. 2017 국가직 9급 (O | X)
9. 한국증권업협회는 「공공기관의 정보공개에 관한 법률 시행령」 제2조 제4호에 규정된 '특별법에 따라 설립된 특수법인'에 해당하지 아니한다. 2017 지방직 9급 (O | X)

관련기출

10. (「공공기관의 정보공개에 관한 법률」에 따르면) 국가 또는 지방자치단체로부터 보조금을 받는 사회복지법인과 사회복지사업을 하는 비영리법인도 공개대상이 되는 공공기관에 포함된다. 2014 사회복지직 9급 (O | X)

정답
1. ○ 2. × 3. × 4. × 5. × 6. × 7. × 8. ○ 9. ○ 10. ○

22 □□□

정보공개에 관한 설명으로 옳은 것만을 <보기>에서 모두 고른 것은? (다툼이 있는 경우 판례에 의함)

─ 보기 ─
㉮ 청주시의회에서 의결한 청주시 행정정보공개조례안은 주민의 권리를 제한하거나 의무를 부과하는 조례라고는 단정할 수 없어 그 제정에 있어서 반드시 법률의 개별적 위임이 따로 필요한 것은 아니다.
㉯ 「공공기관의 정보공개에 관한 법률」에서 말하는 공공기관에는 「유아교육법」상 사립유치원이 포함되지 않는다.
㉰ 정보공개청구권을 가지는 국민에는 자연인, 법인, 권리능력 없는 사단 등이 포함되며, 법인, 권리능력 없는 사단 등의 경우에는 설립목적을 불문한다.
㉱ 알권리에서 파생되는 정부의 공개의무는 특별한 사정이 없는 한 특정의 정보에 대한 공개청구가 있어야 비로소 존재하는 것은 아니다.

① ㉮, ㉯
② ㉮, ㉰
③ ㉯, ㉱
④ ㉰, ㉱

✓ 기출체크

㉮ 관련기출

1. 지방자치단체는 그 소관 사무에 관하여 법령의 범위에서 정보공개에 관한 조례를 정할 수 있다. 2025 해경승진 (O | X)
2. 「공공기관의 정보공개에 관한 법률」에 따르면 지방자치단체는 그 소관 사무에 관하여 법령에 위배되지 않는 범위에서 정보공개에 관한 조례를 제정할 수 있다. 2024 소방직 9급 (O | X)
3. 지방자치단체는 법률의 수권 없이 독자적으로 정보공개조례를 제정할 수 없다. 2022 경찰간부 (O | X)
4. 지방자치단체는 법령의 범위 안에서 그 사무에 관하여 조례를 제정할 수 있으나, 주민의 권리 제한 또는 의무 부과에 관한 사항이나 벌칙을 정할 때에는 법률의 위임이 있어야 한다. 2019 경행경채 2차 (O | X)
5. 청주시의회에서 의결한 청주시 행정정보공개조례안은 행정에 대한 주민의 알권리의 실현을 그 근본내용으로 하면서도 이로 인한 개인의 권익침해가능성을 배제하고 있으므로, 이를 들어 주민의 권리를 제한하거나 의무를 부과하는 조례라고는 단정할 수 없고 따라서 그 제정에 있어서 반드시 법률의 개별적 위임이 따로 필요한 것은 아니다. 2013 국가직 9급 (O | X)

㉯ 관련기출

6. 「유아교육법」에 따른 사립유치원은 공공기관의 정보공개에 관한 법령상 공공기관에 해당하지 않는다. 2024 지방직·서울시 9급 (O | X)
7. 국·공립의 초등학교는 공공기관의 정보공개에 관한 법령상 공공기관에 해당하지만, 사립초등학교는 이에 해당하지 않는다. 2016 국가직 9급 (O | X)

㉰ 관련기출

8. 정보공개청구권은 해당 정보에 대하여 이해관계를 가지는 국민에게만 인정되며 여기에서 국민의 범위에는 자연인은 물론 법인, 권리능력 없는 사단·재단도 포함되고, 법인, 권리능력 없는 사단·재단 등의 경우에는 설립목적을 불문하고 포함된다. 2025 국회직 8급 (O | X)
9. 모든 국민은 정보공개청구권을 가지며, 여기서 국민에는 자연인뿐만 아니라 권리능력 없는 사단과 재단도 포함된다. 2024 소방간부 (O | X)
10. 정보공개청구권자인 국민에는 자연인은 물론 법인, 권리능력 없는 사단·재단도 포함되고, 법인, 권리능력 없는 사단·재단 등의 경우에는 설립목적을 불문한다. 2023 소방직 9급 (O | X)
11. 「공공기관의 정보공개에 관한 법률」 제5조 제1항의 국민에는 자연인은 물론 법인을 포함하지만 권리능력 없는 사단이나 재단은 이에 해당하지 아니한다. 2023 소방간부 (O | X)
12. 정보공개를 청구할 수 있는 권리를 가진 자에는 자연인 이외에 법인, 권리능력 없는 사단 및 재단이 포함되며, 법인, 권리능력 없는 사단 및 재단의 경우 정보공개청구 남용방지를 위해 법률상 이익의 존부 판단에 설립목적을 고려하여야 한다. 2022 서울시 지적 7급 (O | X)

㉱ 관련기출

13. 국민의 알권리에서 파생되는 정부의 공개의무는 특별한 사정이 없는 한 국민의 적극적인 정보수집행위나 특정의 정보에 대한 공개청구가 있는 경우에야 비로소 존재하는 것은 아니다. 2025 소방직 9급 (O | X)
14. 알권리에서 파생되는 정보의 공개의무는 특별한 사정이 없는 한, 특정의 정보에 대한 공개청구가 있는 경우에 비로소 존재한다. 2012 지방직(하) 7급 (O | X)

정답
1. ○ 2. ○ 3. × 4. ○ 5. ○ 6. × 7. × 8. × 9. × 10. ○
11. × 12. × 13. × 14. ○

23 □□□

사례에 관한 설명으로 옳은 것만을 <보기>에서 모두 고른 것은? (다툼이 있는 경우 판례에 의함)

> 甲은 A대학교 총장에게 최근 3년간 A대학교의 체육특기생 입학과정과 출석 및 학점관리에 관한 자료에 대한 정보공개청구를 하였는데, A대학교 총장은 그 공개를 거부하였다.

---보기---

㉮ 甲이 자연인, 법인뿐만 아니라 권리능력 없는 사단이나 재단, 또는 지방자치단체라 하더라도 정보공개청구권자에 해당한다.

㉯ 甲이 A대학교의 체육특기생 입학과정과 출석 및 학점관리 정보와 직접적인 이해관계가 없더라도, 甲은 정보공개거부에 대해 취소소송으로 다툴 법률상 이익이 있다.

㉰ A대학교가 국립대학교인 경우뿐만 아니라 사립대학교인 경우에도 정보공개의무기관인 공공기관에 해당된다.

㉱ 甲이 취소소송을 제기한 후 A대학교 총장이 그 정보를 더 이상 보유·관리하지 않게 된 경우에도 특별한 사정이 없는 한 정보공개거부처분의 취소를 구할 법률상의 이익이 소멸하는 것은 아니다.

㉲ 공개를 요청받은 A대학교 총장은 당사자인 체육특기생인 자가 비공개를 요청한 경우에는 해당 체육특기생에 관한 정보를 공개할 수 없다.

① ㉮, ㉯
② ㉯, ㉰
③ ㉰, ㉱
④ ㉱, ㉲

✓기출체크

㉮ 관련기출

1. 지방자치단체는 공법상 법인으로서 정보공개청구권자가 될 수 있다. 2025 경찰간부 (○ | ×)

2. 지방자치단체 또한 법인격을 가지므로 「공공기관의 정보공개에 관한 법률」 제5조에서 정한 정보공개청구권자인 '국민'에 해당한다. 2018 서울시 9급 (○ | ×)

㉯ 관련기출

3. 국민의 정보공개청구권은 법률상 보호되는 구체적인 권리이므로, 공공기관에 대하여 정보공개를 청구하였다가 공개거부처분을 받은 청구인은 행정소송을 통해 공개거부처분의 취소를 구할 법률상 이익이 인정되고, 그 밖에 추가로 어떤 이익이 있어야 하는 것은 아니다. 2025 군무원 9급 (○ | ×)

4. 청구인이 공공기관에 대하여 정보공개를 청구하였다가 거부처분을 받은 것 자체는 법률상 이익의 침해에 해당하지는 않는다. 2024 군무원 9급 (○ | ×)

5. 청구인이 공공기관에 대하여 정보공개를 청구하였다가 거부처분을 받은 것 자체만으로는 법률상 이익의 침해에 해당한다고 볼 수 없고, 청구인은 추가로 위 거부처분의 취소를 구할 어떤 구체적인 이익이 있다는 점에 관해 주장·증명하여야 한다. 2023 변호사 (○ | ×)

6. (민간시민단체 A는 관할 행정청 B에게 개발사업의 승인과 관련한 정보공개를 청구하였으나 B는 현재 재판 진행 중인 사안이 포함되어 있다는 이유로 「공공기관의 정보공개에 관한 법률」 제9조 제1항 제4호의 사유를 들어 A의 정보공개청구를 거부하였다) A는 공개청구한 정보에 대해 개별·구체적 이익이 없는 경우에도 B의 정보공개거부에 대해 취소소송으로 다툴 수 있다. 2022 국가직 9급 (○ | ×)

7. (신문사 기자 갑(甲)은 A광역시가 보유·관리하고 있던 시의원 을(乙)과 관련이 있는 정보를 사본 교부의 방법으로 공개하여 줄 것을 청구하였다) 을(乙)의 의견을 듣고 A광역시가 공개를 거부하였다면, 갑(甲)과 을(乙) 사이에 아무런 법률상 이해관계가 없다고 할지라도 갑(甲)은 A광역시의 거부에 대하여 항고소송으로 다툴 수 있다. 2022 소방직 9급 (○ | ×)

㉰ 관련기출

8. 사립대학교에 대한 국비 지원이 한정적·일시적·국부적이라는 점을 고려하더라도, 정보공개법 시행령에서 정보공개의무를 지는 공공기관의 하나로 사립대학교를 들고 있는 것이 헌법이 정한 대학의 자율성 보장이념 등에 반하거나 모법인 정보공개법의 위임범위를 벗어나는 것이라고 볼 수 없다. 2024 변호사 (○ | ×)

9. 사립대학교는 정보공개를 할 의무가 있는 공공기관에 해당하지 않는다. 2023 군무원 9급 (○ | ×)

10. 사립대학교는 정보공개법 시행령에 따른 정보공개의무를 지는 공공기관에 해당하나, 국비의 지원을 받는 범위 내에서만 그러한 공공기관의 성격을 가진다. 2022 국회직 8급 (○ | ×)

11. 사립대학교에 정보공개를 청구하였다가 거부될 경우 사립대학교에 대한 국가의 지원이 한정적·국부적·일시적임을 고려한다면 사립대학교 총장을 피고로 하여 취소소송을 제기할 수 없다. 2020 지방직·서울시 7급 (○ | ×)

12. 구 「공공기관의 정보공개에 관한 법률 시행령」 제2조 제1호가 정보공개의무기관으로 사립대학교를 들고 있는 것은 모법의 위임범위를 벗어난 것으로 위법하다. 2015 국가직 9급 (○ | ×)

㉔ 관련기출

13. 공공기관이 정보를 보유·관리하고 있지 아니한 경우에는 특별한 사정이 없는 한 정보공개거부처분의 취소를 구할 법률상의 이익이 없다. 2021 국가직 7급 (O | ×)

14. 정보공개가 신청된 정보를 공공기관이 보유·관리하고 있지 아니한 경우에는 특별한 사정이 없는 한 정보공개거부처분의 취소를 구할 법률상의 이익이 없다. 2021 국가직 9급 (O | ×)

15. 공공기관이 그 정보를 보유·관리하고 있지 아니한 경우에는 특별한 사정이 없는 한 정보공개를 구하는 자에게 정보공개거부처분의 취소를 구할 법률상의 이익이 없다. 2016 국가직 7급 (O | ×)

㉕ 관련기출

16. 공공기관이 보유·관리하고 있는 정보가 제3자와 관련된 사안에서 정보공개 청구된 사실을 통지받은 제3자가 비공개를 요청한 경우 공공기관은 비공개결정을 하여야 한다. 2025 국가직 7급 (O | ×)

17. 공공기관이 보유·관리하고 있는 정보가 제3자와 관련이 있는 경우, 제3자의 비공개요청이 있다는 사유만으로도 「공공기관의 정보공개에 관한 법률」상 정보의 비공개사유에 해당한다. 2025 국가직 9급 (O | ×)

18. (신문사 기자 갑(甲)은 A광역시가 보유·관리하고 있던 시의원 을(乙)과 관련이 있는 정보를 사본 교부의 방법으로 공개하여 줄 것을 청구하였다) 을(乙)의 비공개요청이 있는 경우 A광역시는 공개를 하여서는 아니 되고, 만일 공개하였다면 을(乙)에 대하여 손해배상책임을 지게 된다. 2022 소방직 9급 (O | ×)

19. (甲은 행정청 A가 보유·관리하는 정보 중 乙과 관련이 있는 정보를 사본 교부의 방법으로 공개하여 줄 것을 청구하였다) A가 정보의 주체인 乙로부터 의견을 들은 결과, 乙이 정보의 비공개를 요청한 경우에는 A는 정보를 공개할 수 없다. 2017 국가직(하) 9급 (O | ×)

20. 공개청구된 사실을 통지받은 제3자가 당해 공공기관에 공개하지 아니할 것을 요청하는 때에는 공공기관은 비공개결정을 하여야 한다. 2012 지방직 9급 (O | ×)

정답
1. × 2. × 3. O 4. × 5. × 6. O 7. O 8. O 9. × 10. ×
11. × 12. × 13. O 14. O 15. O 16. × 17. × 18. × 19. × 20. ×

24 □□□

「공공기관의 정보공개에 관한 법률」상 정보공개에 관한 설명으로 옳은 것만을 <보기>에서 모두 고른 것은? (다툼이 있는 경우 판례에 의함)

― 보기 ―

㉮ 「공공기관의 정보공개에 관한 법률」에서 정하고 있는 비공개대상정보 중 '다른 법률 또는 법률에서 위임한 명령(국회규칙·대법원규칙·헌법재판소규칙·중앙선거관리위원회규칙·대통령령 및 조례로 한정한다)에 따라 비밀이나 비공개사항으로 규정된 정보'에서의 '법률에서 위임한 명령'은 정보의 공개에 관하여 법률의 구체적인 위임 아래 제정된 법규명령(위임명령)을 의미한다.

㉯ 「검찰보존사무규칙」에서 불기소사건기록 등의 열람·등사를 제한하는 것은 「공공기관의 정보공개에 관한 법률」 제9조 제1항 제1호의 '다른 법률 또는 법률에 의한 명령에 의하여 비공개사항으로 규정된 경우'에 해당한다.

㉰ 학교폭력대책자치위원회의 회의록은 「공공기관의 정보공개에 관한 법률」상 비공개대상정보인 '공개될 경우 업무의 공정한 수행에 현저한 지장을 초래한다고 인정할 만한 상당한 이유가 있는 정보'에 해당한다.

㉱ 외교부장관이 '2015. 12. 28. 일본군위안부 피해자 합의와 관련하여 한일 외교장관 공동 발표문의 문안을 도출하기 위하여 진행한 협의 협상에서 일본군과 관헌에 의한 위안부 강제연행의 존부 및 사실인정 문제에 대해 협의한 협상 관련 외교부장관 생산 문서'에 대한 정보공개청구에 대해 "공개청구정보가 「공공기관의 정보공개에 관한 법률」 제9조 제1항 제2호에 해당한다."는 이유로 비공개결정을 한 것은 적법하다.

㉲ 「보안관찰법」상 보안관찰 관련 통계자료는 「공공기관의 정보공개에 관한 법률」 소정의 비공개대상정보에 해당하지 않는다.

① ㉮, ㉯, ㉲
② ㉮, ㉰, ㉱
③ ㉯, ㉰, ㉱
④ ㉰, ㉱, ㉲

178 소방 단원별 모의고사

✓ 기출체크

㉮ 관련기출

1. 정보공개법에서 공개대상의 예외로 규정하고 있는 '다른 법률 또는 법률에서 위임한 명령(국회규칙·대법원규칙·헌법재판소규칙·중앙선거관리위원회규칙·대통령령 및 조례로 한정함)에 따라 비밀이나 비공개사항으로 규정된 정보'의 해석에 있어서 '법률에서 위임한 명령'은 정보의 공개에 관하여 법률의 구체적인 위임 아래 제정된 법규명령(위임명령)을 의미한다. 2023 지방직·서울시 7급 (O | X)

2. 「공공기관의 정보공개에 관한 법률」 제9조 제1항 제1호에서 '다른 법률 또는 법률에서 위임한 명령에 따라 비밀이나 비공개사항으로 규정된 정보'를 비공개대상정보로 규정하고 있는데 여기서, '법령에서 위임한 명령'이란 법규명령은 물론 행정규칙을 포함한다. 2019 소방간부 (O | X)

㉯ 관련기출

3. 법무부령인 「검찰보존사무규칙」은 행정기관 내부의 사무처리준칙인 행정규칙이지만, 「검찰보존사무규칙」상의 열람·등사의 제한은 「공공기관의 정보공개에 관한 법률」 제9조 제1항 제1호의 '다른 법률 또는 법률에 의한 명령에 의하여 비공개사항으로 규정된 경우'에 해당한다. 2023 지방직·서울시 9급 (O | X)

4. 「검찰보존사무규칙」에서 정한 기록의 열람·등사의 제한은 「공공기관의 정보공개에 관한 법률」에 의한 비공개대상에 해당한다. 2018 서울시 2회 7급 (O | X)

5. 법무부령인 「검찰보존사무규칙」에서 불기소 사건기록 등의 열람·등사 등을 제한하는 것은 「공공기관의 정보공개에 관한 법률」에 따른 '다른 법률 또는 명령에 의하여 비공개사항으로 규정된 경우'에 해당되어 적법하다. 2017 지방직(하) 9급 (O | X)

㉰ 관련기출

6. 구 「학교폭력예방 및 대책에 관한 법률」에 따른 학교폭력대책자치위원회의 회의록은 「공공기관의 정보공개에 관한 법률」 소정의 '공개될 경우 업무의 공정한 수행에 현저한 지장을 초래한다고 인정할 만한 상당한 이유가 있는 정보'에 해당한다. 2024 국가직 9급 (O | X)

7. 학교폭력대책자치위원회가 피해학생의 보호를 위한 조치, 가해학생에 대한 조치, 학교폭력과 관련된 분쟁의 조정 등에 관하여 심의한 결과를 기재한 회의록은 「공공기관의 정보공개에 관한 법률」 소정의 비공개대상정보에 해당한다. 2019 지방직·교육행정직 9급 (O | X)

8. 학교폭력대책자치위원회의 회의록은 공개대상정보에 해당한다. 2013 국가직 9급 (O | X)

㉱ 관련기출

9. 보안관찰제도의 민주적 통제야말로 법집행의 투명성과 공정성을 확보함과 동시에 공공의 안전과 이익에 도움이 된다는 점에 비추어, 「보안관찰법」에 따른 보안관찰 관련 통계자료는 비공개대상정보에 해당하지 아니한다. 2025 국가직 7급 (O | X)

10. 「보안관찰법」상 보안관찰 관련 통계자료는 비공개대상정보에 해당하지 아니한다. 2024 군무원 5급 (O | X)

11. 「보안관찰법」 소정의 보안관찰 관련 통계자료는 「공공기관의 정보공개에 관한 법률」상의 공개대상정보에 해당한다. 2015 지방직 9급 (O | X)

12. 「보안관찰법」상 보안관찰 관련 통계자료는 대법원 판례에 의할 때 비공개대상정보에 해당한다. 2010 국가직 9급 (O | X)

13. 보안관찰 관련 통계자료는 「공공기관의 정보공개에 관한 법률」 제9조 제1항 제2호 소정의 공개될 경우 국가안전보장·국방·통일·외교관계 등 국가의 중대한 이익을 해할 우려가 있는 정보, 또는 제3호 소정의 공개될 경우 국민의 생명·신체 및 재산의 보호, 기타 공공의 안전과 이익을 현저히 해할 우려가 있다고 인정되는 정보에 해당한다. 2008 국가직 7급 (O | X)

> **정답**
> 1. O 2. X 3. X 4. X 5. X 6. O 7. O 8. X 9. X 10. X
> 11. X 12. O 13. O

25 □□□

「공공기관의 정보공개에 관한 법률」상 정보공개에 관한 설명으로 옳은 것은? (다툼이 있는 경우 판례에 의함)

① 법인 등의 상호, 단체명, 사업자등록번호 등에 관한 정보는 영업상 비밀에 관한 사항으로서 「공공기관의 정보공개에 관한 법률」상 비공개대상정보에 해당한다.

② 공개대상의 양이 너무 많아 정상적인 업무수행에 현저한 지장을 초래할 우려가 있는 경우에는 이를 일정 기간별로 나누어 제공하거나 사본·복제물의 교부 또는 열람과 병행하여 제공할 수 있다.

③ 공공기관이 공개청구의 대상이 된 정보를 공개는 하되, 청구인이 신청한 공개방법 이외의 방법으로 공개하기로 하는 결정을 하였다면, 이는 정보공개청구 중 정보공개방법에 관한 부분만을 달리한 것이므로 일부 거부처분이라 할 수 없다.

④ 법원이 행정기관의 정보공개거부처분의 위법 여부를 심리한 결과 공개를 거부한 정보에 비공개사유에 해당하는 부분과 그렇지 않은 부분이 혼합되어 있고, 공개청구의 취지에 어긋나지 않는 범위 안에서 두 부분을 분리할 수 있더라도 공개가 가능한 정보에 국한하여 일부취소를 명할 수 없다.

✓ 기출체크

① 관련기출

1. 사업자등록번호 등에 관한 정보는 법인 등의 영업상 비밀에 관한 사항으로서 공개될 경우 법인 등의 정당한 이익을 현저히 해할 우려가 있다고 인정되는 정보에 해당한다. 2025 경찰간부 (O | X)

2. 법인 등이 거래하는 금융기관의 계좌번호에 관한 정보는 법인 등의 영업상 비밀에 관한 사항으로서 공개될 경우 법인 등의 정당한 이익을 현저히 해할 우려가 있다고 인정되는 정보에 해당한다. 2017 국가직(하) 7급 (O | X)

3. 법인 등이 거래하는 금융기관의 계좌번호에 관한 정보는 영업상 비밀에 관한 사항으로서 「공공기관의 정보공개에 관한 법률」상 비공개대상정보에 해당한다. 2016 국가직 7급 (O | X)

② 관련기출

4. 공공기관은 공개대상정보의 양이 너무 많아 정상적인 업무수행에 현저한 지장을 초래할 우려가 있는 경우에는 해당 정보를 일정 기간별로 나누어 제공하거나 사본·복제물의 교부 또는 열람과 병행하여 제공할 수 있다. 2023 국회직 9급 (○ | ×)

5. 공공기관은 청구인이 사본 또는 복제물의 교부를 원하는 경우에는 이를 교부하여야 한다. 다만, 공개대상정보의 양이 너무 많아 정상적인 업무수행에 현저한 지장을 초래할 우려가 있는 경우에는 해당 정보를 일정 기간별로 나누어 제공하거나 사본·복제물의 교부 또는 열람과 병행하여 제공할 수 있다. 2015 서울시 7급 변형 (○ | ×)

③ 관련기출

6. 공공기관이 공개청구의 대상이 된 정보를 공개는 하되, 청구인이 신청한 공개방법 이외의 방법으로 공개하기로 하는 결정을 하였다면, 이는 정보공개청구 중 정보공개방법에 관한 부분에 대하여 일부 거부처분을 한 것이고, 청구인은 그에 대하여 항고소송으로 다툴 수 있다. 2024 지방직·서울시 9급 (○ | ×)

7. 공공기관이 공개청구의 대상이 된 정보를 청구인이 신청한 공개방법 이외의 방법으로 공개하는 결정을 하였다면, 이는 정보공개청구 중 정보공개방법에 관한 부분에 대하여 일부 거부처분을 한 것이므로 청구인은 그에 대하여 항고소송으로 다툴 수 있다. 2023 국가직 7급 (○ | ×)

8. 공공기관이 공개청구대상정보를 청구인이 신청한 공개방법 이외의 방법으로 공개하는 결정을 한 경우, 정보공개청구 중 정보공개방법 부분에 대하여 일부 거부처분을 한 것이다. 2018 국가직 7급 (○ | ×)

④ 관련기출

9. 정보공개를 거부한 비공개사유에 해당하는 부분과 그렇지 않은 부분이 혼합되어 있고, 공개청구의 취지상 두 부분을 분리할 수 있는 경우 법원은 공개가 가능한 정보에 국한하여 일부취소를 명할 수 있다. 2022 서울시 지적 7급 (○ | ×)

10. 정보공개거부처분 취소소송에 있어서 정보의 분리공개가 가능하다 하더라도 원고가 공개가 가능한 정보에 관한 부분만의 일부취소로 청구취지를 변경하지 않았다면 법원은 일부취소를 명할 수 없다. 2022 국회직 8급 (○ | ×)

11. 법원이 행정기관의 정보공개거부처분의 위법 여부를 심리한 결과 공개를 거부한 정보에 비공개사유에 해당하는 부분과 그렇지 않은 부분이 혼합되어 있고, 공개청구의 취지에 어긋나지 않는 범위 안에서 두 부분을 분리할 수 있음을 인정할 수 있을 때에도 공개가 가능한 정보에 국한하여 정보공개거부처분의 일부취소를 명할 수는 없다. 2021 지방직·서울시 7급 (○ | ×)

12. 정보공개거부처분 취소소송에서 공개를 거부한 정보에 비공개대상 부분과 공개가 가능한 부분이 혼합되어 있는 경우, 공개청구의 취지에 어긋나지 아니하는 범위 안에서 두 부분을 분리할 수 있다면 법원은 청구취지의 변경이 없더라도 공개가 가능한 정보에 관한 부분만의 일부취소를 명할 수 있다. 2018 지방직 9급 (○ | ×)

13. 공개를 거부한 정보에 비공개대상정보에 해당하는 부분과 공개가 가능한 부분이 혼합되어 있는 경우라면 법원은 정보공개거부처분 전부를 취소해야 한다. 2010 국가직 9급 (○ | ×)

정답
1. × 2. ○ 3. ○ 4. ○ 5. ○ 6. ○ 7. ○ 8. ○ 9. ○ 10. ×
11. × 12. ○ 13. ×

제 9 회 | 소방 단원별 모의고사

제한시간 /25분
나의 점수 /100점

출제 범위 : 제22강 정보공개법~제24강 행정상 강제집행(대집행 등)

정답과 해설 p.100
옳은 지문 워크북 p.243

01 □□□

「공공기관의 정보공개에 관한 법률」상 정보공개에 관한 설명으로 옳지 않은 것은? (다툼이 있는 경우 판례에 의함)

① 「공공기관의 정보공개에 관한 법률」에서 말하는 공개대상정보는 정보 그 자체가 아니라 「공공기관의 정보공개에 관한 법률」 제2조 제1호에서 예시하고 있는 매체 등에 기록된 사항을 의미한다.

② '진행 중인 재판에 관련된 정보'에 해당한다는 사유로 정보공개를 거부하기 위하여는 그 정보가 진행 중인 재판의 소송기록 자체에 포함된 내용이어야 한다.

③ 비공개대상정보로 '진행 중인 재판에 관련된 정보'는 재판에 관련된 일체의 정보가 그에 해당하는 것은 아니고, 진행 중인 재판의 심리 또는 재판결과에 구체적으로 영향을 미칠 위험이 있는 정보에 한정된다.

④ 공공기관은 정보의 공개를 결정한 경우에는 공개의 일시 및 장소 등을 분명히 밝혀 청구인에게 통지하여야 한다. 한편, 공개정보의 원본이 더럽혀지거나 파손될 우려가 있거나 그 밖에 상당한 이유가 있다고 인정할 때에는 그 정보의 사본·복제물을 공개할 수 있다.

✓ 기출체크

① 관련기출

1. 정보공개법령상 공개의 대상이 되는 정보는 공공기관이 직무상 작성 또는 취득하여 관리하고 있는 문서(전자문서 포함) 및 전자매체를 비롯한 모든 형태의 매체 등에 기록된 사항을 말한다. 2024 소방간부 (O | X)

2. 정보란 공공기관이 직무상 작성 또는 취득하여 관리하고 있는 문서(전자문서를 포함한다) 및 전자매체를 비롯한 모든 매체 등에 기록된 사항을 말한다. 2022 군무원 7급 (O | X)

3. 「공공기관의 정보공개에 관한 법률」에서 정한 공개대상정보는 정보 그 자체가 아닌 제2조 제1호에서 예시하고 있는 매체 등에 기록된 사항을 의미한다. 2022 소방간부 (O | X)

② 관련기출

4. '진행 중인 재판에 관련된 정보'에 해당한다는 사유로 정보공개청구를 거부하기 위하여는 그 정보가 진행 중인 재판에 관련된 일체의 정보일 뿐만 아니라, 진행 중인 재판의 소송기록 그 자체에 포함된 내용의 정보에 해당하여야 한다. 2024 해경승진 (O | X)

5. '진행 중인 재판에 관련된 정보'에 해당한다는 사유로 정보공개청구를 거부하기 위하여는 그 정보가 진행 중인 재판에 관련된 일체의 정보일 뿐만 아니라, 진행 중인 재판의 소송기록 그 자체에 포함된 내용의 정보에 해당하여야 한다. 2023 소방직 9급 (O | X)

6. 「공공기관의 정보공개에 관한 법률」 제9조 제1항 제4호의 '진행 중인 재판에 관련된 정보'에 해당한다는 사유로 정보공개를 거부하려면 그 정보가 진행 중인 재판의 소송기록 자체에 포함된 내용이어야만 한다. 2023 소방간부 (O | X)

7. (민간시민단체 A는 관할 행정청 B에게 개발사업의 승인과 관련한 정보공개를 청구하였으나 B는 현재 재판 진행 중인 사안이 포함되어 있다는 이유로 「공공기관의 정보공개에 관한 법률」 제9조 제1항 제4호의 사유를 들어 A의 정보공개청구를 거부하였다) B의 비공개사유가 정당화되기 위해서는 A가 공개청구한 정보가 진행 중인 재판의 소송기록 자체에 포함된 내용이어야 한다. 2022 국가직 9급 (O | X)

8. 법원 이외의 공공기관이 정보공개법 제9조 제1항 제4호에서 정한 '진행 중인 재판에 관련된 정보'에 해당한다는 사유로 정보공개를 거부하기 위하여는 원칙적으로 그 정보가 진행 중인 재판의 소송기록 자체에 포함된 내용이어야 한다. 2021 국회직 8급 (O | X)

③ 관련기출

9. 비공개대상정보로 '진행 중인 재판에 관련된 정보'는 재판에 관련된 일체의 정보가 그에 해당하는 것은 아니고, 진행 중인 재판의 심리 또는 재판결과에 구체적으로 영향을 미칠 위험이 있는 정보에 한정된다. 2021 지방직·서울시 7급 (O | X)

10. 정보공개를 거부하기 위해서는 반드시 그 정보가 진행 중인 재판의 소송기록 그 자체에 포함된 내용의 정보일 필요는 없으나, 재판에 관련된 일체의 정보가 그에 해당하는 것은 아니고 진행 중인 재판의 심리 또는 재판결과에 구체적으로 영향을 미칠 위험이 있는 정보에 한정된다고 보는 것이 타당하다. 2020 군무원 9급 (O | X)

11. 「공공기관의 정보공개에 관한 법률」상 비공개대상정보인 '진행 중인 재판에 관련된 정보'라 함은 재판에 관련된 일체의 정보를 의미한다. 2019 지방직 7급 (O | X)

12. 진행 중인 재판에 관한 정보로서 공개될 경우 형사피고인의 공정한 재판을 받을 권리를 침해한다고 인정할 만한 상당한 이유가 있는 정보는 비공개대상정보에 해당한다. 2016 교육행정직 9급 (O | X)

④ 관련기출

13. 행정청이 정보를 공개하는 경우에 그 정보의 원본이 더럽혀지거나 파손될 우려가 있거나 그 밖에 상당한 이유가 있다고 인정할 때에는 그 정보의 사본·복제물을 공개할 수 있다. 2024 지방직·서울시 9급 (O | X)

14. 공공기관은 정보를 공개하는 경우에 그 정보의 원본이 더럽혀지거나 파손될 우려가 있거나 그 밖에 상당한 이유가 있다고 인정할 때에는 그 정보를 공개하지 않을 수 있다. 2024 국회직 9급 (O | X)

정답
1. O 2. O 3. O 4. X 5. X 6. X 7. X 8. X 9. O 10. O
11. X 12. O 13. O 14. X

02

「공공기관의 정보공개에 관한 법률」상 정보공개에 관한 설명으로 옳지 않은 것만을 <보기>에서 모두 고른 것은? (다툼이 있는 경우 판례에 의함)

┌ 보기 ┐

㉮ 공개될 경우 부동산 투기 등으로 특정인에게 이익을 줄 우려가 있다고 인정되는 정보는 공개하지 아니할 수 있다.

㉯ 한국방송공사는 정보공개의무를 지는 「공공기관의 정보공개에 관한 법률 시행령」 제2조 제4호에 규정된 '특별법에 따라 설립된 특수법인'에 해당한다고 볼 수 없다.

㉰ 공공기관은 전자적 형태로 보유·관리하지 않는 정보에 대하여 청구인이 전자적 형태로 공개하여 줄 것을 요청한 경우 특별한 사정이 없으면 그 정보를 전자적 형태로 변환하여 공개할 수 있다.

㉱ 정보의 공개 및 우송 등에 소요되는 비용은 실비의 범위에서 청구인의 부담으로 한다. 다만, 그 액수가 너무 많아서 청구인에게 과중한 부담을 주는 경우에는 비용을 감면할 수 있다.

① ㉮, ㉯   ② ㉮, ㉰
③ ㉯, ㉱   ④ ㉰, ㉱

✔기출체크

㉮ 관련기출

1. 공개될 경우 부동산 투기로 특정인에게 이익 또는 불이익을 줄 우려가 있다고 인정되는 정보는 비공개대상에 해당한다. 2019 소방직 9급 (O | X)

2. 공개될 경우 부동산 투기 등으로 특정인에게 이익을 줄 우려가 있다고 인정되는 정보는 공개하지 아니할 수 있다. 2010 국가직 7급 (O | X)

㉯ 관련기출

3. 한국방송공사(KBS)는 「공공기관의 정보공개에 관한 법률 시행령」 제2조 제4호에 규정된 '특별법에 따라 설립된 특수법인'에 해당한다. 2017 지방직 9급 (O | X)

4. 「방송법」에 의하여 설립·운영되는 한국방송공사는 「공공기관의 정보공개에 관한 법률 시행령」 제2조 제4호의 '특별법에 따라 설립된 특수법인'으로서 정보공개의무가 있는 공공기관에 해당한다. 2016 사회복지직 9급 (O | X)

5. 한국방송공사(KBS)는 「공공기관의 정보공개에 관한 법률」에 따라 정보공개의무가 있는 공공기관에 해당하는 반면, 한국증권업협회는 그에 해당하지 아니한다. 2012 지방직(하) 7급 (O | X)

㉰ 관련기출

6. 공공기관은 전자적 형태로 보유·관리하는 정보에 대하여 청구인이 전자적 형태로 공개하여 줄 것을 요청하는 경우에는 어떠한 경우라도 청구인의 요청에 따라야 한다. 2025 소방직 9급 (O | X)

7. 공공기관은 전자적 형태로 보유·관리하는 정보에 대하여 청구인이 전자적 형태로 공개하여 줄 것을 요청하더라도 이를 출력한 형태로 공개하는 것이 원칙이다. 2016 경행경채 (O | X)

㉱ 관련기출

8. 공개를 청구하는 정보의 사용목적이 공공복리의 유지·증진을 위하여 필요하다고 인정되는 경우에도 청구인이 부담하는 비용은 감면할 수 없다. 2024 국회직 9급 (O | X)

9. 정보의 공개 및 우송에 드는 비용은 모두 정보공개의무가 있는 공공기관이 부담한다. 2023 군무원 9급 (O | X)

10. 정보의 공개 및 우송 등에 드는 비용은 실비의 범위에서 청구인이 부담한다. 2021 지방직·서울시 9급 (O | X)

11. 「공공기관의 정보공개에 관한 법률」상 정보의 공개 및 우송 등에 드는 비용은 정보공개청구를 받은 행정청이 부담한다. 2019 국가직 9급 (O | X)

12. 정보의 공개 및 우송 등에 소요되는 비용은 실비의 범위에서 청구인이 부담하나, 공개를 청구하는 정보의 사용목적이 공공복리의 유지·증진을 위하여 필요하다고 인정되는 경우에는 그 비용을 감면할 수 있다. 2015 지방직 9급 (O | X)

정답
1. O 2. O 3. O 4. O 5. O 6. X 7. X 8. X 9. X 10. O
11. X 12. O

03

「공공기관의 정보공개에 관한 법률」상의 비공개정보에 관한 설명으로 옳지 <u>않은</u> 것은? (다툼이 있는 경우 판례에 의함)

① 공무원이 '직무와 관련 없이' 개인적인 자격으로 간담회·연찬회 등 행사에 참석하고 금품을 수령한 정보는 「공공기관의 정보공개에 관한 법률」에서 정한 '공개하는 것이 공익을 위하여 필요하다고 인정되는 정보'에 해당하지 않는다.

② '독립유공자서훈 공적심사위원회의 심의·의결과정 및 그 내용을 기재한 회의록'은 「공공기관의 정보공개에 관한 법률」에서 정한 '공개될 경우 업무의 공정한 수행에 현저한 지장을 초래한다고 인정할 만한 상당한 이유가 있는 정보'에 해당한다.

③ 의사결정과정에 제공된 회의 관련 자료나 의사결정과정이 기록된 회의록은 의사가 결정되거나 의사가 집행된 경우에는 비공개대상정보에 포함될 수 없다.

④ 불기소처분기록 중 피의자신문조서 등에 기재된 피의자 등의 인적 사항 이외의 진술내용이 개인의 사생활의 비밀 또는 자유를 침해할 우려가 인정된다면 비공개대상에 해당한다.

✔기출체크

① 관련기출

1. 공무원이 직무와 관련 없이 개인적 자격으로 금품을 수령한 정보는 공개대상이 되는 정보이다. 2015 사회복지직 9급 (O | X)

2. 공무원이 직무와 관련 없이 개인적인 자격으로 행사에 참석하고 금품을 수령한 정보는 '공개하는 것이 공익을 위하여 필요하다고 인정되는 정보'에 해당한다. 2013 국회직 8급 (O | X)

3. 대법원은 공무원이 직무와 관련 없이 개인적인 자격으로 금품을 수령한 경우에도 해당 정보를 공개하여야 한다고 본다. 2011 서울시 9급 (O | X)

② 관련기출

4. '독립유공자서훈 공적심사위원회의 심의·의결과정 및 그 내용을 기재한 회의록'은 공개될 경우에 업무의 공정한 수행에 현저한 지장을 초래한다고 인정할 만한 상당한 이유가 있는 정보에 해당한다. 2017 지방직(하) 9급 (O | X)

③ 관련기출

5. 의사결정과정에 제공된 회의 관련 자료나 의사결정과정이 기록된 회의록은 의사가 결정되거나 의사가 집행된 경우에는 더 이상 의사결정과정에 있는 사항 그 자체라고는 할 수 없으므로 비공개대상정보에 포함될 수 없다. 2022 지방직·서울시 7급 (O | X)

6. 의사결정과정에 제공된 회의 관련 자료나 의사결정과정이 기록된 회의록은 의사가 결정되거나 의사가 집행된 경우에도 비공개대상정보에 포함될 수 있다. 2021 국가직 7급 (O | X)

7. 의사결정과정에 제공된 회의 관련 자료나 의사결정과정이 기록된 회의록 등은 의사가 결정되거나 의사가 집행된 경우에는 더 이상 의사결정과정에 있는 사항 그 자체라고는 할 수 없으나, 의사결정과정에 있는 사항에 준하는 사항으로서 비공개대상정보에 포함될 수 있다. 2020 군무원 7급 (O | X)

8. 판례에 의하면 의사결정과정이 기록된 정보는 의사가 결정된 후에도 비공개대상정보에 포함될 수 있다. 2009 서울시 9급 (O | X)

④ 관련기출

9. 「공공기관의 정보공개에 관한 법률」 제9조 제1항 제6호 본문 규정에 따라 비공개대상이 되는 정보는 성명·주민등록번호 등 개인식별정보에 한정된다. 2023 소방간부 (O | X)

10. 「공공기관의 정보공개에 관한 법률」상 비공개대상정보에는 성명·주민등록번호 등 개인에 관한 사항으로서 공개될 경우 사생활의 비밀 또는 자유를 침해할 우려가 있다고 인정되는 정보도 포함된다. 2019 경행경채 2차 (O | X)

11. 불기소처분의 기록 중 피의자신문조서 등에 기재된 피의자 등의 인적사항 이외의 진술내용 역시 개인의 사생활의 비밀 또는 자유를 침해할 우려가 인정되는 경우 「공공기관의 정보공개에 관한 법률」상 비공개대상정보에 해당된다. 2019 경행경채 2차 (O | X)

12. 불기소처분기록 중 피의자신문조서 등에 기재된 피의자 등의 인적 사항 이외의 진술내용이 개인의 사생활의 비밀 또는 자유를 침해할 우려가 인정된다면 비공개대상에 해당한다. 2018 지방직 9급 (O | X)

정답
1. × 2. × 3. × 4. O 5. × 6. O 7. O 8. O 9. × 10. O
11. O 12. O

04 □□□

사례에 관한 설명으로 옳지 <u>않은</u> 것만을 <보기>에서 모두 고른 것은? (다툼이 있는 경우 판례에 의함)

> 충주환경운동연합(이하 '甲'이라 한다)은 지역환경문제에 대한 조사 및 정책제시사업을 주된 사업으로 하여 설립된 법인격 없는 사단으로서 지방자치단체의 예산감시운동을 벌이고 있는데, 2025. 5. 11. 행정감시의 목적으로 하여 충주시장(이하 '乙'이라 한다)에 대해 기관업무추진비 등의 사본을 공개해 줄 것을 구술로 청구하였다.

─ 보기 ─

㉮ 환경단체인 甲이 충주시장의 기관업무추진비의 지출과 직접적인 이해관계가 없는 경우에도 정보공개를 청구할 수 있다.
㉯ 정보공개청구는 절차의 확실성을 위하여 문서로 하여야 하는데 甲은 구술로 정보공개청구를 하였으므로 甲의 공개청구는 정보공개청구방법을 위반한 청구이다.
㉰ 위 ㉯의 문제가 없다면 乙은 원칙적으로 10일 내에 공개 여부의 결정을 하여야 하며, 부득이한 경우 10일의 범위 내에서 공개 여부 결정기간을 연장할 수 있다.
㉱ 乙이 정보의 비공개결정을 한 경우에는 그 사실을 甲에게 지체 없이 문서로 통지하여야 하지만 이 경우 「공공기관의 정보공개에 관한 법률」 제9조 제1항 각 호 중 어느 규정에 해당하는 비공개대상정보인지를 포함한 비공개이유와 불복(不服)의 방법 및 절차를 구체적으로 밝힐 의무는 없다.
㉲ 乙은 비공개결정을 전자문서로는 통지할 수 없다.

① ㉮, ㉰
② ㉮, ㉱
③ ㉯, ㉰, ㉲
④ ㉯, ㉱, ㉲

기출체크

㉮ 관련기출

1. 이해관계가 없는 시민단체는 정보의 공개를 청구할 수 있는 당사자능력이 없으므로 정보공개거부처분의 취소를 구할 법률상 이익이 없다. 2014 지방직 7급 (O | X)

㉯ 관련기출

2. 정보의 공개를 청구하는 자는 말로써 정보의 공개를 청구할 수 있다. 2025 해경승진 (O | X)

3. 정보의 공개를 청구하는 자는 해당 정보를 보유하거나 관리하고 있는 공공기관에 정보공개청구서를 제출하거나 말로써 정보의 공개를 청구할 수 있다. 2024 국회직 9급 (O | X)

4. 정보공개의 청구는 반드시 문서로 하여야 한다. 2012 사회복지직 9급 (O | X)

5. 정보의 공개를 청구하는 자는 말로써 정보의 공개를 청구할 수는 없다. 2011 경행특채 (O | X)

6. 정보공개를 청구하는 자는 정보를 보유·관리하고 있는 공공기관에 일정 사항을 적은 정보공개청구서를 제출하거나 말로써 정보의 공개를 청구할 수 있다. 2009 국가직 7급 (O | X)

(다) 관련기출
7. 공공기관은 정보공개의 청구가 있는 때에는 원칙적으로 10일 이내에 공개 여부를 결정하여야 한다. 2024 군무원 9급 (O | X)
8. 공공기관은 정보공개의 청구를 받으면 그 청구를 받은 날부터 10일 이내에 공개 여부를 결정하여야 하나 부득이한 사유로 이 기간 이내에 공개 여부를 결정할 수 없는 때에는 그 기간이 끝나는 날의 다음 날부터 기산하여 10일의 범위에서 공개 여부 결정기간을 연장할 수 있다. 2017 국가직 9급 (O | X)
9. 공공기관은 정보공개의 청구를 받으면 그 청구를 받은 날부터 20일 이내에 공개 여부를 결정하여야 한다. 2016 경행경채 (O | X)

(라) 관련기출
10. 공공기관은 정보의 공개를 결정한 경우에는 공개의 일시 및 장소 등을 분명히 밝혀 청구인에게 통지하여야 한다. 2016 경행경채 (O | X)
11. 공공기관은 정보의 비공개결정을 한 경우 청구인에게 비공개이유와 불복의 방법 및 절차를 구체적으로 밝혀 문서로 통지하여야 한다. 2015 교육행정직 9급 (O | X)

(마) 관련기출
12. (「공공기관의 정보공개에 관한 법률」상) 행정소송의 재판기록 일부의 정보공개청구에 대한 비공개결정은 전자문서로 통지할 수 없다. 2019 국가직 9급 (O | X)

정답
1. × 2. ○ 3. ○ 4. × 5. × 6. ○ 7. ○ 8. ○ 9. × 10. ○ 11. ○ 12. ×

05 □□□
정보공개에 관한 설명으로 옳지 않은 것은? (다툼이 있는 경우 판례에 의함)

① 외국 또는 외국기관으로부터 비공개를 전제로 정보를 입수하였다는 이유만으로, 이를 공개할 경우 업무의 공정한 수행에 현저한 지장을 받을 것이라고 단정할 수 없다.
② 「공공기관의 정보공개에 관한 법률」 제9조 제1항 제5호의 '공개될 경우 업무의 공정한 수행에 현저한 지장을 초래한다고 인정할 만한 상당한 이유가 있는 경우'란 공개될 경우 업무의 공정한 수행이 객관적으로 현저하게 지장을 받을 것이라는 고도의 개연성이 존재하는 경우를 의미한다.
③ 「공공기관의 정보공개에 관한 법률」에 의하면 의사결정과정 또는 내부검토과정을 이유로 비공개할 경우에는 의사결정과정 및 내부검토과정이 종료되면 청구인에게 이를 통지하여야 한다.
④ 「공공기관의 정보공개에 관한 법률」에 의하면 정보공개를 청구하여 정보공개 여부에 대한 결정의 통지를 받은 자가 정당한 사유 없이 해당 정보의 공개를 다시 청구하는 경우에도, 공공기관은 다시 정보공개 여부에 대한 결정의 통지를 하여야 하고 해당 청구를 종결처리할 수는 없다.

✓ 기출체크

① 관련기출
1. 외국 또는 외국기관으로부터 비공개를 전제로 입수한 정보는 비공개를 전제로 하였다는 이유만으로 비공개대상정보에 해당한다. 2020 국가직 7급 (O | X)
2. 외국기관으로부터 비공개를 전제로 정보를 입수하였다는 이유만으로, 이를 공개할 경우 업무의 공정한 수행에 현저한 지장을 받을 것이라 단정할 수 없다. 2019 서울시 2회 7급 (O | X)

② 관련기출
3. 「공공기관의 정보공개에 관한 법률」 제9조 제1항 제5호의 '공개될 경우 업무의 공정한 수행에 현저한 지장을 초래한다고 인정할 만한 상당한 이유가 있는 경우'란 공개될 경우 업무의 공정한 수행이 객관적으로 현저하게 지장을 받을 것이라는 고도의 개연성이 존재하는 경우를 의미한다. 2023 소방간부 (O | X)

④ 관련기출
4. 정보공개를 청구하여 정보공개 여부에 대한 결정의 통지를 받은 자가 정당한 사유 없이 해당 정보의 공개를 다시 청구하는 경우, 정보공개청구를 받은 공공기관은 정보공개청구대상정보의 성격, 종전 청구와의 내용적 유사성·관련성, 종전 청구와 동일한 답변을 할 수밖에 없는 사정 등을 종합적으로 고려하여 해당 청구를 종결처리할 수 있고, 종결처리사실을 청구인에게 알려야 한다. 2024 변호사 (O | X)
5. 공공기관은 정보공개를 청구하여 정보공개 여부에 대한 결정의 통지를 받은 자가 정당한 사유 없이 해당 정보의 공개를 다시 청구하는 경우에는 정보공개청구대상정보의 성격, 종전 청구와의 내용적 유사성·관련성 등을 종합적으로 고려하여 해당 청구를 종결처리할 수 있다. 2024 국회직 8급 (O | X)

6. 정보공개를 청구하여 정보공개 여부에 대한 결정의 통지를 받은 자가 정당한 사유 없이 해당 정보의 공개를 다시 청구하는 경우, 공공기관은 종전 청구와의 내용적 유사성·관련성 등을 고려하여 해당 청구를 종결처리할 수 있다. 2023 국회직 8급 (O | X)

정답
1. × 2. O 3. O 4. O 5. O 6. O

06 □□□

「공공기관의 정보공개에 관한 법률」상 정보공개에 관한 설명으로 옳지 않은 것은? (다툼이 있는 경우 판례에 의함)

① 공개를 청구한 정보의 내용이 '대한주택공사의 특정 공공택지에 관한 수용가, 택지조성원가, 분양가, 건설원가 등 및 관련 자료 일체'인 경우, '관련 자료 일체' 부분은 그 내용과 범위가 사회일반인의 관점에서 청구대상정보의 내용과 범위를 확정할 수 있을 정도로 특정되었다고 볼 수 없다.

② 정보공개를 청구하는 자가 공공기관에 대해 정보의 사본 또는 출력물의 교부방법으로 공개방법을 선택하여 정보공개청구를 한 경우, 원칙적으로 공개청구를 받은 공공기관은 그 공개방법을 선택할 재량권이 없다.

③ 정보공개에 관한 정책수립 및 제도개선에 관한 사항을 심의·조정하기 위하여 행정안전부장관 소속으로 정보공개위원회를 둔다.

④ 정보공개청구에 대한 공공기관의 정보공개의 거부는 항고소송의 대상이 되는 처분이며, 정보공개거부처분 취소소송의 피고는 정보공개심의회가 된다.

✓ 기출체크

① 관련기출

1. 정보의 공개를 청구하는 자는 정보공개청구서에 청구대상정보를 기재함에 있어서 사회일반인의 관점에서 청구대상정보의 내용과 범위를 확정할 수 있을 정도로 특정함을 요한다. 2024 지방직·서울시 9급 (O | X)

2. 정보공개청구서에 청구대상정보를 기재함에 있어서는 사회일반인의 관점에서 청구대상정보의 내용과 범위를 확정할 수 있을 정도로 특정함을 요하는데, 공개를 청구한 정보의 내용이 '대한주택공사의 특정 공공택지에 관한 수용가, 택지조성원가, 분양가, 건설원가 등 및 관련 자료 일체'인 경우, '관련 자료 일체' 부분은 그 내용과 범위가 정보공개청구대상정보로서 특정되었다고 보기 어렵다. 2023 군무원 5급 (O | X)

3. 정보의 공개를 청구하는 자가 청구대상정보를 기재함에 있어서는 사회일반인의 관점에서 청구대상정보의 내용과 범위를 확정할 수 있을 정도로 특정하여야 한다. 2019 지방직 7급 (O | X)

② 관련기출

4. 정보공개를 청구하는 자가 공공기관에 대해 정보의 사본 또는 출력물의 교부 방법으로 공개방법을 선택하여 정보공개청구를 한 경우, 공개청구를 받은 공공기관은 「공공기관의 정보공개에 관한 법률」에서 규정한 정보의 사본 또는 복제물의 교부를 제한할 수 있는 사유에 해당하지 않는 한 그 공개방법을 선택할 재량권이 없다. 2024 국가직 9급 (O | X)

5. 甲이 해양경찰청에 정보의 사본 또는 출력물의 교부의 방법으로 공개방법을 선택하여 정보공개청구를 한 경우에 해양경찰청은 「공공기관의 정보공개에 관한 법률」 제8조 제2항의 사유에 해당하지 않는 한 열람의 방법을 선택할 재량권이 없다. 2023 해경간부 (O | X)

6. (신문사 기자 갑(甲)은 A광역시가 보유·관리하고 있던 시의원 을(乙)과 관련이 있는 정보를 사본 교부의 방법으로 공개하여 줄 것을 청구하였다) 정보공개청구권자가 선택한 공개방법에 따라 정보를 공개하여야 하므로, 원칙적으로 A광역시는 사본 교부가 아닌 열람의 방법으로는 공개할 수 없다. 2022 소방직 9급 (O | X)

7. 공개방법을 선택하여 정보공개를 청구하였더라도 공공기관은 정보공개청구자가 선택한 방법에 따라 정보를 공개하여야 하는 것은 아니며, 원칙적으로 그 공개방법을 선택할 재량권이 있다. 2016 국가직 9급 (O | X)

③ 관련기출

8. 정보공개에 관한 정책수립 및 제도개선에 관한 사항을 심의·조정하기 위하여 국무총리 소속으로 정보공개위원회를 둔다. 2019 국회직 8급 (O | X)

9. 정보공개에 관한 정책의 수립 및 제도개선에 관한 사항을 심의·조정하기 위하여 대통령 소속하에 정보공개위원회를 둔다. 2008 국가직 9급 (O | X)

④ 관련기출

10. 공공기관이 정보공개청구에 대해 이를 거부하는 행위는 취소소송의 대상이 되는 처분이다. 2018 교육행정직 9급 (O | X)

11. 정보공개거부결정의 취소를 구하는 소송에서는 각 행정청의 정보공개심의회가 피고가 된다. 2013 지방직 9급 (O | X)

정답
1. O 2. O 3. O 4. O 5. O 6. O 7. × 8. × 9. × 10. O
11. ×

07 ☐☐☐

사례에 관한 설명으로 옳은 것만을 <보기>에서 모두 고른 것은?

신문사 기자 甲은 A광역시가 보유·관리하고 있는 A광역시 전임시장 乙과 관련이 있는 정보를 공개하여 줄 것을 현 A광역시장 丙에게 청구하였다.

┤ 보기 ├

㉮ 丙은 乙에게 공개청구된 사실을 지체 없이 통지하여야 하며 乙의 의견을 들어야 한다.
㉯ 丙이 乙에게 공개청구된 사실을 통지한 경우 乙은 통지받은 날부터 10일 이내에 丙에 대해 공개하지 아니할 것을 요청할 수 있다.
㉰ 丙이 비공개결정을 하였다면 甲은 비공개결정통지를 받은 날부터 10일 이내에 해당 공공기관에 문서로 이의신청을 할 수 있다.
㉱ 丙이 비공개결정을 하였다면 甲은 「공공기관의 정보공개에 관한 법률」에 따른 이의신청을 거치지 않고 행정심판을 제기할 수 있다.
㉲ 乙이 비공개를 요청하였음에도 불구하고 공개한 경우, 丙은 乙에게 공개결정이유와 공개실시일을 분명히 밝혀 지체 없이 문서로 통지하여야 한다.
㉳ 乙의 비공개요청에도 불구하고 丙이 공개결정을 하였다면 공개결정일과 공개실시일 사이에 최소한 30일의 간격을 두어야 한다.

① ㉮, ㉯, ㉰
② ㉯, ㉱, ㉲
③ ㉰, ㉱, ㉲
④ ㉱, ㉲, ㉳

✓ 기출체크

㉮ 관련기출

1. 공공기관은 정보공개청구의 대상이 된 정보가 제3자와 관련된 경우 해당 제3자의 의견을 청취할 수 있으나, 그에게 통지할 의무는 없다. 2018 교육행정직 9급 (O | X)
2. 공공기관은 공개대상정보가 제3자와 관련이 있다고 인정할 경우에는 반드시 공개청구된 사실을 제3자에게 통지하고 그에 대한 의견을 청취한 다음 공개 여부를 결정하여야 한다. 2013 서울시 9급 (O | X)
3. 공공기관은 공개청구된 공개대상정보의 전부 또는 일부가 제3자와 관련이 있다고 인정할 때에는 그 사실을 제3자에게 지체 없이 통지하여야 하며, 필요한 경우에는 그의 의견을 들을 수 있다. 2009 국가직 9급 (O | X)

㉯ 관련기출

4. 공공기관은 공개청구된 공개대상정보의 전부 또는 일부가 제3자와 관련이 있다고 인정할 때에는 그 사실을 제3자에게 지체 없이 통지하여야 하며, 공개청구된 사실을 통지받은 제3자는 그 통지를 받은 날부터 3일 이내에 해당 공공기관에 대하여 자신과 관련된 정보를 공개하지 아니할 것을 요청할 수 있다. 2022 국회직 8급 (O | X)
5. 공공기관은 공개대상정보가 제3자와 관련이 있다고 인정한 때에는 제3자에게 지체 없이 통지하여야 하며, 제3자는 통지일로부터 3일 이내에 비공개요청을 해야 한다. 2010 국회직 8급 (O | X)

㉰ 관련기출

6. 청구인이 정보공개와 관련한 공공기관의 비공개결정 또는 부분공개결정에 대하여 불복이 있거나 정보공개청구 후 20일이 경과하도록 정보공개결정이 없는 때에는 공공기관으로부터 정보공개 여부의 결정통지를 받은 날 또는 정보공개청구 후 20일이 경과한 날부터 30일 이내에 해당 공공기관에 문서로 이의신청을 할 수 있다. 2024 지방직·서울시 7급 (O | X)
7. 청구인이 정보공개와 관련한 공공기관의 비공개결정 또는 부분공개결정에 대하여 불복이 있거나 정보공개청구 후 20일이 경과하도록 정보공개결정이 없는 때에는 공공기관으로부터 정보공개 여부의 결정통지를 받은 날 또는 정보공개청구 후 20일이 경과한 날부터 7일 이내에 해당 공공기관에 문서로 이의신청을 할 수 있다. 2024 국회직 8급 (O | X)
8. 비공개결정을 통지받은 청구인은 통지를 받은 날로부터 30일 이내에 당해 공공기관에 서면으로 이의신청을 할 수 있다. 2013 서울시 9급 (O | X)
9. 청구인이 정보공개와 관련한 공공기관의 결정에 대하여 불복이 있는 때에는 결정통지를 받은 날부터 30일 이내에 당해 공공기관에 문서로 이의신청할 수 있다. 2009 국가직 7급 (O | X)

㉱ 관련기출

10. 정보공개청구인은 공공기관의 비공개결정에 불복하는 행정심판을 청구하려면 「공공기관의 정보공개에 관한 법률」에서 정하는 이의신청 절차를 거쳐야 한다. 2025 해경승진 (O | X)
11. 공개거부결정에 대하여 공공기관의 정보공개에 관한 법률 상의 이의신청절차를 거치지 아니하고서도 행정심판을 청구할 수 있다. 2024 군무원 9급 (O | X)
12. 「공공기관의 정보공개에 관한 법률」상 정보공개와 관련한 공공기관의 비공개결정에 대하여 이의신청을 한 경우(에도 「행정심판법」에 따른 행정심판을 제기할 수 있다) 2022 국가직 9급 (O | X)
13. (「공공기관의 정보공개에 관한 법률」상) 정보공개청구인은 공공기관의 비공개결정에 대해 이의신청절차를 거치지 아니하면 행정심판을 청구할 수 없다. 2019 사회복지직 9급 (O | X)
14. 정보공개청구에 대하여 공공기관이 비공개결정을 한 경우 청구인이 이에 불복한다면 이의신청절차를 거치지 않고 행정심판을 청구할 수 있다. 2017 국가직 9급 (O | X)

㉲ 관련기출

15. 제3자의 비공개요청에도 불구하고 공공기관이 공개결정을 할 때에는 공개결정이유와 공개실시일을 분명히 밝혀 지체 없이 문서로 통지하여야 한다. 2011 사회복지직 9급 (O | X)

㉳ 관련기출

16. 공공기관은 제3자의 비공개요청에도 불구하고 공개결정을 하는 때에는 공개결정일과 공개실시일의 사이에 최소한 20일의 간격을 두어야 한다. 2011 사회복지직 9급 (O | X)

> **정답**
> 1. × 2. × 3. ○ 4. ○ 5. ○ 6. ○ 7. × 8. ○ 9. ○ 10. ×
> 11. ○ 12. ○ 13. × 14. ○ 15. ○ 16. ×

08 ☐☐☐

정보공개소송에 관한 설명으로 옳지 않은 것만을 <보기>에서 모두 고른 것은? (다툼이 있는 경우 판례에 의함)

―┤ 보기 ├―

㉮ 공개청구의 대상이 되는 정보가 인터넷에 공개되어 인터넷 검색 등을 통하여 쉽게 알 수 있다면 정보공개청구권자가 공개거부처분의 취소를 구할 소의 이익은 없다.
㉯ 정보공개거부에 대한 취소소송에서 공개가 거부된 정보에 공개 가능한 부분과 비공개에 해당하는 부분이 혼합되어 있고 두 부분을 분리할 수 있는 경우, 판결의 주문에서는 정보공개거부처분 중 공개가 가능한 정보에 관한 부분만을 취소한다고 표시하여야 한다.
㉰ 정보공개거부처분에 대하여 행정소송이 제기된 경우에 재판장은 필요하다고 인정할 때에는 비공개로 해당 정보를 열람·심사할 수 있다.
㉱ 청구인이 정보공개거부처분의 취소를 구하는 소송에서 공공기관이 청구정보를 증거 등으로 법원에 제출하여 법원을 통하여 그 사본을 청구인에게 교부 또는 송달되게 하여 결과적으로 청구인에게 정보를 공개하는 셈이 되었다면 정보의 비공개결정의 취소를 구할 소의 이익은 소멸된다.

① ㉮, ㉯
② ㉮, ㉱
③ ㉯, ㉰
④ ㉰, ㉱

㉮ 관련기출

1. 공개청구의 대상이 되는 정보가 이미 다른 사람에게 공개되어 널리 알려져 있다거나 인터넷 등을 통하여 공개되어 인터넷 검색 등을 통하여 쉽게 알 수 있다는 사정만으로는 소의 이익이 없다거나 비공개결정이 정당화될 수 없다. 2025 지방직·서울시 7급 (O | X)
2. 공개청구의 대상이 되는 정보가 이미 다른 사람에게 공개되어 널리 알려져 있거나 인터넷 등을 통하여 공개되어 인터넷 검색 등을 통하여 쉽게 알 수 있는 경우에는 소의 이익이 없거나 비공개결정이 정당화될 수 있다. 2025 국회직 8급 (O | X)
3. 정보공개거부처분의 취소를 구하는 행정소송에서 정보공개청구인이 정보공개거부처분을 받은 것 외에 추가로 법률상 이익이 있어야 하는 것도 아니며, 정보공개청구의 대상이 되는 정보가 이미 공개되어 있다는 사정만으로 소의 이익이 없는 것도 아니다. 2024 국가직 7급 (O | X)
4. 이미 다른 사람에게 공개되어 널리 알려져 있거나 인터넷을 통해 공개되어 인터넷 검색 등을 통하여 쉽게 검색할 수 있는 경우에는 공개청구의 대상이 될 수 없다. 2022 군무원 7급 (O | X)
5. 공개청구된 정보가 이미 인터넷을 통해 공개되어 인터넷 검색으로 쉽게 접근할 수 있는 경우에는 비공개결정이 정당화될 수 있다. 2022 국회직 8급 (O | X)

㉯ 관련기출

6. 법원이 행정기관의 정보공개거부처분의 위법 여부를 심리한 결과 공개를 거부한 정보에 비공개사유에 해당하는 부분과 그렇지 않은 부분이 혼합되어 있고, 공개청구의 취지에 어긋나지 않는 범위 안에서 두 부분을 분리할 수 있더라도 공개가 가능한 정보에 국한하여 일부취소를 명할 수 없다. 2024 지방직·서울시 7급 (O | X)
7. 정보공개거부처분 취소소송에서 공개청구의 취지에 어긋나지 아니하는 범위 안에서 공개를 거부한 정보가 비공개대상정보에 해당하는 부분과 공개가 가능한 부분으로 분리될 수 있다고 인정되면 법원은 공개가 가능한 부분을 특정하고 판결의 주문에 공개가 가능한 정보에 관한 부분만을 취소한다고 표시해야 한다. 2023 국가직 7급 (O | X)
8. 정보공개를 거부한 비공개사유에 해당하는 부분과 그렇지 않은 부분이 혼합되어 있고, 공개청구의 취지상 두 부분을 분리할 수 있는 경우 법원은 공개가 가능한 정보에 국한하여 일부취소를 명할 수 있다. 2022 서울시 지적 7급 (O | X)
9. 정보공개거부처분 취소소송에 있어서 정보의 분리공개가 가능하다 하더라도 원고가 공개가 가능한 정보에 관한 부분만의 일부취소로 청구취지를 변경하지 않았다면 법원은 일부취소를 명할 수 없다. 2022 국회직 8급 (O | X)
10. 법원이 행정기관의 정보공개거부처분의 위법 여부를 심리한 결과 공개를 거부한 정보에 비공개사유에 해당하는 부분과 그렇지 않은 부분이 혼합되어 있고, 공개청구의 취지에 어긋나지 않는 범위 안에서 두 부분을 분리할 수 있음을 인정할 수 있을 때에도 공개가 가능한 정보에 국한하여 정보공개거부처분의 일부취소를 명할 수는 없다. 2021 지방직·서울시 7급 (O | X)

㉰ 관련기출

11. 정보공개 관련 결정에 대하여 행정소송이 제기된 경우에 재판장은 필요시 당사자 없이 비공개로 해당 정보를 열람할 수 있다. 2011 국가직 9급 (O | X)
12. 행정소송에서 재판장은 필요하다고 인정할 경우 당사자를 참여시키지 아니하고 제출된 공개청구정보를 비공개로 열람·심사할 수 있다. 2009 관세사 변형 (O | X)

㉱ 관련기출

13. 정보공개거부처분 취소소송에서 공공기관이 청구정보를 증거 등으로 법원에 제출하여 법원을 통하여 그 사본이 청구인에게 교부 또는 송달되어 결과적으로 청구인에게 정보를 공개하는 셈이 되었다면 당해 정보의 비공개결정의 취소를 구할 소의 이익은 소멸한다. 2025 지방직·서울시 7급 (O | X)
14. 청구인이 정보공개거부처분의 취소를 구하는 소송에서 공공기관이 청구정보를 증거 등으로 법원에 제출하여 법원을 통하여 그 사본을 청구인에게 교부 또는 송달되게 하여 결과적으로 청구인에게 정보를 공개하는 셈이 되었다면 이는 정보공개법에 의한 공개라고 볼 수 있다. 2024 변호사 (O | X)
15. 정보비공개결정 취소소송에서 원고인 청구인이 소송과정에서 공공기관이 법원에 제출한 정보의 사본을 송달받은 경우, 그 정보의 비공개결정의 취소를 구할 소의 이익이 소멸한다. 2023 국회직 8급 (O | X)
16. 정보공개거부처분 취소소송에서 행정기관이 청구정보를 증거 등으로 법원에 제출하여 결과적으로 청구인에게 정보를 공개하는 결과가 되었다고 하더라도, 당해 정보의 비공개결정의 취소를 구할 소의 이익은 소멸되지 않는다. 2022 국가직 7급 (O | X)
17. 정보공개거부처분의 취소를 구하는 소송에서 공공기관이 청구정보를 증거 등으로 법원에 제출하여 법원을 통하여 그 사본을 청구인에게 교부 또는 송달되게 하여 청구인에게 정보를 공개하는 셈이 되었다면, 이러한 우회적인 방법에 의한 공개는 「공공기관의 정보공개에 관한 법률」에 의한 공개라고 볼 수 있다. 2020 국가직 9급 (O | X)

정답
1. ○ 2. × 3. ○ 4. × 5. × 6. × 7. ○ 8. ○ 9. × 10. ×
11. ○ 12. ○ 13. × 14. × 15. × 16. ○ 17. ×

09 □□□

정보공개소송에 관한 설명으로 옳지 않은 것은? (다툼이 있는 경우 판례에 의함)

① 공공기관이 공개청구의 대상이 된 정보를 청구인이 신청한 공개방법 이외의 방법으로 공개하기로 하는 결정을 한 경우라도, 이에 대하여 항고소송으로 다툴 수는 없다.

② 공공기관이 공개를 구하는 정보를 보유·관리하고 있을 것이라는 개연성에 대한 입증책임은 원칙적으로 정보공개청구자에게 있다.

③ 공개를 구하는 정보를 공공기관이 한때 보유·관리하였으나 그 후에 그 정보가 담긴 문서 등이 폐기되어 존재하지 않게 된 것이라면 그 정보를 더 이상 보유·관리하고 있지 아니하다는 점에 대해서는 공공기관이 증명책임을 진다.

④ 공공기관은 공개청구의 내용이 진정·질의 등으로 「공공기관의 정보공개에 관한 법률」에 따른 정보공개청구로 보기 어려운 경우 「민원 처리에 관한 법률」에 따른 민원으로 처리할 수 있는 경우에는 민원으로 처리할 수 있다.

✓ 기출체크

① 관련기출

1. 공공기관이 공개청구의 대상이 된 정보를 공개는 하되, 청구인이 신청한 공개방법 이외의 방법으로 공개하기로 하는 결정을 하였다면, 이는 정보공개청구 중 정보공개방법에 관한 부분만을 달리한 것이므로 일부 거부처분이라 할 수 없다. 2024 지방직·서울시 7급 (○ | ×)

2. 청구인에게는 특정한 공개방법을 지정하여 정보공개를 청구할 수 있는 법령상 신청권이 있으므로, 공공기관이 청구인이 신청한 공개방법 이외의 방법으로 공개하기로 하는 결정을 하였다면, 이는 정보공개청구 중 정보공개방법에 관한 부분에 대하여 일부 거부처분을 한 것이고, 청구인은 그에 대하여 항고소송으로 다툴 수 있다. 2024 변호사 (○ | ×)

3. 공공기관이 공개청구의 대상이 된 정보를 공개는 하되, 청구인이 신청한 공개방법 이외의 방법으로 공개하기로 하는 결정을 하였다면, 이는 정보공개청구 중 정보공개방법에 관한 부분에 대하여 일부 거부처분을 한 것이고, 청구인은 그에 대하여 항고소송으로 다툴 수 있다. 2024 지방직·서울시 9급 (○ | ×)

4. 공공기관이 공개청구의 대상이 된 정보를 청구인이 신청한 공개방법 이외의 방법으로 공개하는 결정을 하였다면, 이는 정보공개청구 중 정보공개방법에 관한 부분에 대하여 일부 거부처분을 한 것이므로 청구인은 그에 대하여 항고소송으로 다툴 수 있다. 2023 국가직 7급 (○ | ×)

5. 공공기관이 공개청구의 대상이 된 정보를 공개는 하되, 청구인이 신청한 공개방법 이외의 방법으로 공개하기로 하는 결정을 하였다면, 이는 정보공개청구 중 정보공개방법에 관한 부분에 대하여 일부 거부처분을 한 것이다. 2023 경찰간부 (○ | ×)

② 관련기출

6. 정보공개제도는 공공기관이 보유·관리하는 정보를 그 상태대로 공개하는 제도라는 점 등에 비추어 보면, 해당 정보를 공공기관이 보유·관리하고 있다는 점에 관하여 정보공개를 구하는 자에게 입증책임이 있다 할 것이지만, 그 입증의 정도는 그러한 정보를 공공기관이 보유·관리하고 있을 상당한 개연성이 있다는 점을 증명하면 족하다. 2025 국회직 8급 (○ | ×)

7. 정보공개청구는 정보공개를 구하는 자가 공개를 구하는 정보를 행정기관이 보유·관리하고 있을 상당한 개연성이 있다는 점을 입증함으로써 족하다 할 것이지만, 공공기관이 그 정보를 보유·관리하고 있지 아니한 경우에는 특별한 사정이 없는 한 정보공개거부처분의 취소를 구할 법률상의 이익이 없다. 2024 소방간부 (○ | ×)

8. 정보공개청구의 대상이 되는 정보를 공공기관이 보유·관리하고 있다는 점에 관하여는 정보공개를 구하는 사람에게 증명책임이 있다. 2023 군무원 9급 (○ | ×)

9. 정보공개를 청구하는 자가 공개를 구하는 정보를 행정기관이 보유·관리하고 있을 상당한 개연성이 있다는 점을 입증하여야 한다. 2020 지방직·서울시 7급 (○ | ×)

③ 관련기출

10. 공개를 구하는 정보를 공공기관이 한때 보유·관리하였으나 후에 그 정보가 담긴 문서 등이 폐기되어 존재하지 않게 된 것이라면 그 정보를 더 이상 보유·관리하고 있지 아니하다는 점에 대한 입증책임은 공공기관에게 있다. 2025 지방직·서울시 7급 (○ | ×)

11. 공개청구된 정보를 공공기관이 한때 보유·관리하였으나 후에 그 정보가 담긴 문서가 정당하게 폐기되어 존재하지 않게 된 경우, 정보 보유·관리 여부의 입증책임은 정보공개청구자에게 있다. 2019 국가직 7급 (○ | ×)

12. 공공기관이 정보를 한때 보유·관리하였으나 후에 그 정보를 더 이상 보유·관리하고 있지 아니하다는 점에 대한 증명책임의 소재는 정보공개청구권자에게 있다. 2017 국가직(하) 7급 (○ | ×)

13. 문서 등이 이미 폐기되어 존재하지 않는 경우 그 정보를 더 이상 보유·관리하고 있지 않다는 점에 대한 증명책임은 공공기관에 있다. 2015 경행특채 1차 (○ | ×)

④ 관련기출

14. 공공기관은 공개청구된 정보가 공공기관이 보유·관리하지 아니하는 정보인 경우, 「민원 처리에 관한 법률」에 따른 민원으로 처리할 수 있는 경우에는 민원으로 처리할 수 있다. 2024 국회직 8급 (○ | ×)

15. 공공기관은 공개청구된 정보가 공공기관이 보유·관리하지 아니하는 정보인 경우로서 「민원 처리에 관한 법률」에 따른 민원으로 처리할 수 있는 경우에는 민원으로 처리할 수 있다. 2021 지방직·서울시 9급 (○ | ×)

정답
1. × 2. ○ 3. ○ 4. ○ 5. ○ 6. ○ 7. ○ 8. ○ 9. ○ 10. ○
11. × 12. × 13. ○ 14. ○ 15. ○

10

정보공개에 관한 설명으로 옳지 않은 것은? (다툼이 있는 경우 판례에 의함)

① 공개청구의 대상이 되는 정보란 공공기관이 직무상 작성 또는 취득하여 현재 보유·관리하고 있는 문서에 한정되며, 그 문서가 반드시 원본일 필요는 없다.
② '2002학년도부터 2005학년도까지의 대학수학능력시험 원데이터'는 연구목적으로 그 정보의 공개를 청구하는 경우라도 「공공기관의 정보공개에 관한 법률」상 비공개대상정보에 해당한다.
③ 교도소에 수용 중이던 재소자가 담당교도관들을 상대로 가혹행위를 이유로 형사고소 및 민사소송을 제기하면서 그 증명자료 확보를 위해 정보공개를 요청한 '근무보고서'는 공개대상정보에 해당한다.
④ 사법시험 응시자가 자신의 제2차 시험 답안지에 대한 열람청구를 한 경우 그 답안지는 정보공개의 대상이 된다.

✓ 기출체크

① 관련기출

1. 정보공개청구의 대상이 되는 정보란 공공기관이 직무상 작성 또는 취득하여 현재 보유·관리하고 있는 문서에 한정되며, 그 문서는 반드시 원본이어야 한다. 2025 경찰간부 (○ | ×)
2. 공개대상정보는 공공기관이 직무상 작성 또는 취득하여 현재 보유·관리하고 있는 문서에 한정되며, 그 문서가 반드시 원본일 필요는 없다. 2024 군무원 9급 (○ | ×)
3. 정보공개청구의 대상이 되는 정보는 반드시 원본이어야 한다. 2024 소방직 9급 (○ | ×)
4. 「공공기관의 정보공개에 관한 법률」상 공개청구의 대상이 되는 정보란 공공기관이 직무상 작성 또는 취득하여 현재 보유·관리하고 있는 문서에 한정되는 것이기는 하나, 그 문서는 반드시 원본일 필요는 없다. 2023 국회직 9급 (○ | ×)
5. 공개청구의 대상이 되는 정보란 공공기관이 직무상 작성 또는 취득하여 현재 보유·관리하고 있는 문서에 한정되며, 그 문서가 반드시 원본일 필요는 없다. 2023 소방직 9급 (○ | ×)

② 관련기출

6. '2002학년도부터 2005학년도까지의 대학수학능력시험 원데이터'는 연구목적으로 그 정보의 공개를 청구하는 경우 「공공기관의 정보공개에 관한 법률」 소정의 비공개대상정보에 해당한다. 2024 국가직 9급 (○ | ×)
7. '2002학년도부터 2005학년도까지의 대학수학능력시험 원데이터'는 연구목적으로 그 정보의 공개를 청구하는 경우라도 공개로 인하여 초래될 부작용이 공개로 얻을 수 있는 이익보다 더 클 것이므로, 그 공개로 대학수학능력시험 업무의 공정한 수행이 객관적으로 현저하게 지장을 받을 것이라는 개연성이 있어 비공개대상정보에 해당한다. 2016 사회복지직 9급 (○ | ×)

③ 관련기출

8. 교도관이 직무 중 발생한 사유에 관하여 작성한 근무보고서는 비공개대상정보에 해당한다. 2013 국가직 9급 (○ | ×)

④ 관련기출

9. 사법시험 제2차 시험의 답안지 열람은 사법시험업무의 수행에 현저한 지장을 초래한다고 볼 수 있으므로 비공개사유에 해당한다. 2024 소방직 9급 (○ | ×)
10. 사법시험 답안지는 비공개대상정보가 아니다. 2023 군무원 7급 (○ | ×)
11. 사법시험 응시자가 자신의 제2차 시험 답안지에 대한 열람청구를 한 경우 그 답안지는 정보공개의 대상이 된다. 2015 사회복지직 9급 (○ | ×)
12. 사법시험 제2차 시험의 답안지와 시험문항에 대한 채점위원별 채점 결과는 비공개정보에 해당한다. 2013 국가직 9급 (○ | ×)

정답
1. × 2. ○ 3. × 4. ○ 5. ○ 6. × 7. × 8. × 9. × 10. ○ 11. ○ 12. ×

11

<사례 1>, <사례 2>에 관한 설명으로 옳지 않은 것만을 <보기>에서 모두 고른 것은? (다툼이 있는 경우 판례에 의함)

<사례 1>
국세청장은 10억원 이상의 세금을 체납하였다는 이유로 甲이 포함된 50명의 명단을 공개하였다. 그런데 甲은 세금을 이미 완납하였음에도 불구하고 국세청 직원들이 조사를 철저히 하지 않은 채 국세청장에게 잘못된 보고를 하였고, 국세청장은 이러한 보고를 바탕으로 세금체납자명단을 공개한 것이다.

<사례 2>
乙이 종교적인 이유로 현역입영을 불응한 것에 대해 ○○지방병무청장은 「병역법」 제81조의2 제3항에 따라 ○○지방병무청 병역의무기피공개심의위원회의 심의 및 재심의를 거쳐 乙을 공개대상자로 결정하였고, 병무청장은 「병역법」 제81조의2 제1항에 따라 병무청 인터넷 홈페이지에 乙의 인적 사항과 병역의무 미이행사항 등을 공개하였다.

─┤ 보기 ├─

㉮ <사례 1>에서 국세청장의 위와 같은 행위는 「국가배상법」상 직무행위에 해당한다.
㉯ <사례 1>에서 국세청장의 행위는 행정벌과 마찬가지로 행정의 실효성 확보를 위한 간접적 수단이다.
㉰ <사례 1>에서 국세청장의 행위는 행정의 실효성 확보를 위한 새로운 수단으로서, 이러한 명단공표는 법적 근거가 있어야 가능하다.
㉱ 명단공표로 타인의 명예를 훼손한 경우에도, 공표 당시 이를 진실이라고 믿었고 또 그렇게 믿을 만한 상당한 이유가 있다면 위법성이 인정되지 않는데, 상당한 이유가 있는지 판단에 있어 국가기관이라고 하여 사인(私人)에 의한 경우보다 엄격한 기준이 요구되는 것은 아니다.
㉲ <사례 2>에서 지방병무청장이 병역의무 기피를 이유로 그 인적 사항 등을 공개할 대상자를 1차로 결정하고 그에 이어 병무청장의 최종 공개결정이 있는 경우에도, 乙은 지방병무청장의 공개대상자결정을 별도로 다툴 소의 이익이 있으며, 지방병무청장의 1차 공개결정은 병무청장의 최종 공개결정과는 별도로 항고소송의 대상이 된다.

① ㉮, ㉯
② ㉯, ㉰
③ ㉰, ㉱
④ ㉱, ㉲

✓ 기출체크

㉮ 관련기출

1. 「국가배상법」이 정한 배상청구의 요건인 '공무원의 직무'에는 행정지도와 같은 비권력적 작용은 포함되지 않는다. 2025 소방직 9급 (O | X)

2. 「국가배상법」이 정한 손해배상청구의 요건인 공무원의 직무에는 국가나 지방자치단체의 권력적 작용뿐만 아니라 비권력적 작용 및 단순한 사경제의 주체로서 하는 작용도 포함된다. 2025 경찰간부 (O | X)

3. 「국가배상법」이 정한 배상청구의 요건인 '공무원의 직무'에는 권력적 작용만이 아니라 행정지도와 같은 비권력적 공행정작용도 포함된다. 2024 지방직·서울시 9급 (O | X)

4. 「국가배상법」 제2조의 직무행위에는 국가나 지방자치단체의 권력적 작용만이 포함되며 비권력적 작용은 포함되지 않는다. 2019 서울시 1회 7급 (O | X)

5. (「국가배상법」상) 공무원의 직무에는 국가나 지방자치단체의 권력적 작용, 비권력적 작용, 단순한 사경제의 주체로서 하는 작용이 포함된다. 2019 사회복지직 9급 (O | X)

㉯ 관련기출

6. 명단의 공표란 행정법상의 의무 위반 또는 불이행이 있는 경우 그 위반자의 성명, 위반사실 등을 일반에게 공개하여 명예 또는 신용에 침해를 가함으로써 심리적인 압박을 가하여 행정법상 의무이행을 확보하는 수단을 말한다. 2014 경행특채 1차 (O | X)

7. 행정상 공표는 의무 위반자의 명예나 신용의 침해를 위협함으로써 직접적으로 행정법상 의무이행을 확보하는 수단이다. 2010 지방직 9급 (O | X)

㉰ 관련기출

8. 행정법상 의무 위반자에 대한 명단의 공표는 법적인 근거가 없더라도 허용된다. 2015 사회복지직 9급 (O | X)

㉱ 관련기출

9. 국가기관이 행정목적 달성을 위하여 언론을 통해 행정상 공표의 방법으로 실명을 공개함으로써 타인의 명예를 훼손한 경우라면 사인의 행위에 의한 경우보다 훨씬 엄격한 기준이 요구되므로 국가기관이 공표 당시 이를 진실이라고 믿었고 또 그렇게 믿을 만한 상당한 이유가 있더라도 위법성이 인정된다. 2022 소방간부 (O | X)

10. 공표로 타인의 명예를 훼손한 경우에도 국가기관이 공표 당시 이를 진실이라고 믿었고 또 그렇게 믿을 만한 상당한 이유가 있다면 위법성이 없다. 2007 관세사 (O | X)

㉲ 관련기출

11. 병무청장이 「병역법」에 따라 병역의무 기피자의 인적 사항 등을 인터넷 홈페이지에 게시하는 등의 방법으로 공개한 경우, 병무청장의 공개결정은 항고소송의 대상이 되는 행정처분에 해당한다. 2025 소방직 9급 (O | X)

12. 병무청장이 병역의무 기피자의 인적 사항 등을 인터넷 홈페이지에 게시하는 등의 방법으로 공개한 경우 병무청장의 공개결정은 항고소송의 대상이 되는 행정처분에 해당하지 않는다. 2024 국가직 7급 (O | X)

13. 「병역법」에 따라 관할 지방병무청장이 1차로 병역의무 기피자 인적 사항 공개대상자 결정을 하고 그에 따라 병무청장이 같은 내용으로 최종적 공개결정을 하였더라도, 해당 공개대상자는 관할 지방병무청장의 공개대상자 결정을 다툴 수 있다. 2022 국가직 7급 (O | X)

14. 병무청장이 하는 병역의무 기피자의 인적 사항 공개에 대한 설명으로 옳은 것만을 <보기>에서 모두 고르면? (다툼이 있는 경우 판례에 의함)

2022 국회직 8급

─┤ 보기 ├─
㉠ 병무청장이 하는 병역의무 기피자의 인적 사항 공개는 특정인을 병역의무 기피자로 판단하여 그 사실을 일반대중에게 공표함으로써 그의 명예를 훼손하고 그에게 수치심을 느끼게 하여 병역의무 이행을 간접적으로 강제하려는 조치로서 공권력의 행사에 해당한다.
㉡ 관할 지방병무청장이 1차로 공개대상자 공개결정을 하고, 그에 따라 병무청장이 같은 내용으로 최종적 공개결정을 하였더라도, 공개대상자는 관할 지방병무청장의 공개대상자 결정을 별도로 다툴 소의 이익이 있다.
㉢ 병무청장의 인적 사항 공개처분이 취소되면 병무청장은 취소판결의 기속력에 따라 위법한 결과를 제거하는 조치를 할 의무가 있다.

① ㉠　　② ㉢　　③ ㉠, ㉡
④ ㉠, ㉢　　⑤ ㉡, ㉢

15. 관할 지방병무청장이 병역의무 기피를 이유로 그 인적 사항 등을 공개할 대상자를 1차로 결정하고 그에 이어 병무청장의 최종 공개결정이 있는 경우, 지방병무청장의 1차 공개결정은 병무청장의 최종 공개결정과는 별도로 항고소송의 대상이 된다. 2020 변호사　(O | X)

정답
1. ×　2. ×　3. ○　4. ×　5. ×　6. ○　7. ×　8. ×　9. ×　10. ○
11. ○　12. ×　13. ×　14. ④　15. ×

12 □□□

가산세에 관한 설명으로 옳지 <u>않은</u> 것은? (다툼이 있는 경우 판례에 의함)

① 가산세는 세법에서 규정하는 의무의 성실한 이행을 확보하기 위하여 세법에 따라 산출한 본세액에 가산하여 징수하는 독립된 조세로서, 본세에 감면사유가 인정된다고 하여 가산세도 감면대상에 포함되는 것이 아니다.

② 가산세를 부과함에 있어서 납세자의 의무불이행에 대한 고의·과실은 고려되지 않지만, 납세의무자에게 그 의무해태를 탓할 수 없는 정당한 사유가 있는 경우에는 이를 부과할 수 없다.

③ 세법상 가산세는 과세권 행사 및 조세채권 실현을 용이하게 하기 위하여 납세자가 정당한 이유 없이 법에 규정된 신고, 납세 등의 의무를 위반한 경우에 개별세법에 따라 부과하는 행정상 제재로서, 납세자의 고의·과실은 고려되지 않고 법령의 부지·착오 등은 그 의무 위반을 탓할 수 없는 정당한 사유에 해당하지 않는다.

④ 납세의무자가 세무공무원의 잘못된 설명을 믿고 신고납부의무를 이행하지 않았다면 그것이 관계 법령에 어긋나는 것임이 명백하더라도 가산세를 부과할 수 없는 정당한 사유가 있는 경우에 해당한다고 할 수 있다.

✓ 기출체크

① 관련기출
1. 가산세는 세법에서 규정하는 의무의 성실한 이행을 확보하기 위하여 세법에 따라 산출한 본세액에 가산하여 징수하는 조세로서, 본세에 감면사유가 인정된다면 가산세도 감면대상에 포함된다. 2023 국가직 7급　(O | X)

②③ 관련기출
2. 세법상 가산세는 과세권의 행사 및 조세채권의 실현을 용이하게 하기 위하여 납세자가 정당한 이유 없이 법에 규정된 신고·납세의무 등을 위반한 경우에 법이 정하는 바에 의하여 부과하는 행정상의 제재로서 납세자의 고의·과실은 고려되지 아니한다. 2025 지방직·서울시 7급　(O | X)

3. 가산세는 납세자가 정당한 이유 없이 법에 규정된 신고, 납세 등 각종 의무를 위반한 경우에 개별세법이 정하는 바에 따라 부과되는 행정상의 제재로서 납세자의 고의·과실 또한 중요한 고려요소가 된다. 2023 국가직 7급　(O | X)

4. 세법상 가산세는 행정상 제재로서 납세자의 고의·과실은 고려되지 않으므로 설령 납세자에게 그 의무해태를 탓할 수 없는 정당한 사유가 있는 경우라도 이를 부과할 수 있다. 2022 소방간부　(O | X)

5. 세법상 가산세는 납세의무자가 정당한 이유 없이 법에 규정된 신고, 납세 등 각종 의무를 위반한 경우에 법이 정하는 바에 따라 부과하는 행정상의 제재로서, 그 의무를 게을리한 점을 탓할 수 없는 정당한 사유가 있는 경우에는 부과할 수 없다. 2021 경행경채　(O | X)

6. 세법상 가산세를 부과할 때 납세자에게 조세납부를 거부 또는 지연하는 데 고의 또는 과실이 있었는지는 원칙적으로 고려하지 않지만, 납세의무자의 의무해태를 탓할 수 없는 정당한 사유가 있는 경우에는 가산세를 부과할 수 없다. 2018 국가직 9급　(O | X)

④ 관련기출
7. 납세의무자가 세무공무원의 잘못된 설명을 믿고 신고납부의무를 이행하지 아니하였다 하더라도 그것이 관계 법령에 어긋나는 것임이 명백한 때에는 그러한 사유만으로는 가산세를 부과할 수 없는 정당한 사유가 있는 경우에 해당한다고 할 수 없다. 2018 지방직 7급　(O | X)

8. 세법상 가산세는 납세자가 정당한 이유 없이 법에 규정된 신고납부의무 등을 위반한 경우에 부과되는 행정상 제재로서, 납세의무자가 세무공무원의 잘못된 설명을 믿고 그 신고납부의무를 이행하지 아니한 경우에는 그것이 관계 법령에 어긋나는 것임이 명백하다고 하더라도 정당한 사유가 있는 경우에 해당한다. 2017 지방직 7급　(O | X)

정답
1. ×　2. ○　3. ×　4. ×　5. ○　6. ○　7. ○　8. ×

13 □□□

「행정기본법」상 제재처분에 관한 설명으로 옳지 않은 것은?

① 행정청은 「행정기본법」에서 정한 예외사항을 제외하고는 법령 등의 위반행위가 종료된 날부터 5년이 지나면 해당 위반행위에 대하여 제재처분을 할 수 없다.
② 당사자가 인·허가나 신고의 위법성을 경과실로 알지 못한 경우에는 법령 등의 위반행위가 종료된 날부터 5년이 지나면 제재처분을 할 수 없다.
③ 행정청은 정당한 사유 없이 행정청의 조사·출입·검사를 기피·방해·거부하여 제척기간이 지난 경우에는 법령 등의 위반행위가 종료된 날부터 5년이 지난 후에도 해당 위반행위에 대하여 제재처분을 할 수 있다.
④ 행정청은 행정심판의 재결이나 법원의 판결에 따라 제재처분이 취소·철회된 경우에는 재결이나 판결이 확정된 날부터 90일(합의제 행정기관은 180일)이 지나기 전까지는 그 취지에 따른 새로운 제재처분을 할 수 있다.

✔ 기출체크

① 관련기출
1. 행정청은 법령 등의 위반행위가 종료된 날부터 3년이 지나면 해당 위반행위에 대하여 제재처분(인·허가의 정지·취소·철회, 등록말소, 영업소 폐쇄와 정지를 갈음하는 과징금 부과를 말한다)을 할 수 없다. 2024 소방직 9급 (○ | ×)

②③ 관련기출
2. 정당한 사유 없이 행정청의 조사·출입·검사를 기피·방해·거부하여 제척기간이 지난 경우에는 행정청은 법령 등의 위반행위가 종료된 날부터 5년이 지난 후에도 해당 위반행위에 대하여 인·허가의 정지·취소·철회, 등록말소, 영업소 폐쇄와 정지를 갈음하는 과징금 부과의 제재처분을 할 수 있다. 2024 군무원 7급 (○ | ×)
3. 「행정기본법」상 제재처분의 제척기간이 5년이 지나면 제재처분을 할 수 없는 경우는? 2023 국가직 9급
   ① 제재처분을 하지 아니하면 국민의 안전·생명 또는 환경을 심각하게 해치거나 해칠 우려가 있는 경우
   ② 거짓이나 그 밖의 부정한 방법으로 인·허가를 받거나 신고를 한 경우
   ③ 정당한 사유 없이 행정청의 조사·출입·검사를 기피·방해·거부하여 제척기간이 지난 경우
   ④ 당사자가 인·허가나 신고의 위법성을 경과실로 알지 못한 경우

④ 관련기출
4. 행정청은 행정심판의 재결이나 법원의 판결에 따라 제재처분이 취소·철회된 경우에는 재결이나 판결이 확정된 날부터 1년(합의제 행정기관은 2년)이 지나기 전까지는 그 취지에 따른 새로운 제재처분을 할 수 있다. 2023 군무원 5급 (○ | ×)

정답
1. × 2. ○ 3. ④ 4. ○

14 □□□

행정의 실효성 확보수단에 관한 설명으로 옳은 것만을 <보기>에서 모두 고른 것은? (다툼이 있는 경우 판례에 의함)

― 보기 ―
㉮ 「독점규제 및 공정거래에 관한 법률」상 시정명령으로는 가까운 장래에 반복될 우려가 있는 동일한 유형의 행위의 반복금지를 명할 수는 없다.
㉯ 전기·전화의 공급자에게 위법건축물에 대한 단전 또는 전화통화 단절조치의 요청행위는 항고소송의 대상인 처분성이 인정되지 않는다.
㉰ 구 「하도급거래 공정화에 관한 법률」 제13조 등의 위반행위가 있었으나 그 결과가 더 이상 존재하지 않는 경우에도 같은 법 제25조 제1항에 의한 시정명령을 할 수 있다.
㉱ 관할청이 시정요구를 하면서 부여한 기간이 너무 불합리하거나 부당한 경우에 해당하지 않는다면 그 기간이 짧다는 이유만으로는 그 시정요구가 위법하다고 볼 수 없다.

① ㉮, ㉯
② ㉮, ㉰
③ ㉯, ㉱
④ ㉰, ㉱

✔ 기출체크

㉮ 관련기출
1. 「독점규제 및 공정거래에 관한 법률」상 시정명령으로 과거의 위반행위에 대한 중지는 물론, 가까운 장래에 반복될 우려가 있는 동일한 유형의 행위의 반복금지까지를 명할 수 있다. 2025 소방간부 (○ | ×)
2. 행정청은 시정명령으로 과거의 위반행위에 대한 중지는 물론 가까운 장래에 반복될 우려가 있는 동일한 유형의 행위의 반복금지까지 명할 수 있다. 2018 교육행정직 9급 (○ | ×)
3. 「독점규제 및 공정거래에 관한 법률」상 시정명령의 내용은 과거의 위반행위에 대한 중지는 물론 가까운 장래에 반복될 우려가 있는 동일 유형의 행위의 반복금지까지 명할 수 있다. 2018 경행경채 3차 (○ | ×)

㉯ 관련기출
4. 행정청이 위법건축물에 대한 단전 및 전화통화 단절조치를 요청한 것은 항고소송의 대상이 되는 행정처분이라고 볼 수 없다. 2023 지방직·서울시 9급 (○ | ×)
5. 행정청이 위법건축물에 대한 시정명령을 하고 나서 위반자가 이를 이행하지 아니하여 전기·전화의 공급자에게 그 위법건축물에 대한 전기·전화의 공급을 하지 말아 줄 것을 요청한 행위는 권고적 성격의 행위에 불과한 것으로서 항고소송의 대상이 되는 행정처분이라고 볼 수 없다. 2023 국회직 8급 (○ | ×)
6. 위법한 건축물에 대한 단전 및 전화통화 단절조치 요청행위는 처분성이 인정되는 행정지도이다. 2021 군무원 9급 (○ | ×)
7. 전기·전화의 공급자에게 위법건축물에 대한 단전 또는 전화통화 단절조치의 요청행위(는 판례가 항고소송의 대상인 처분성을 부정한다) 2017 서울시 9급 (○ | ×)

8. 위법건축물에 대한 단전 및 전화통화 단절조치 요청행위는 처분성이 부인된다. 2013 지방직 9급 (O | X)

🈯 **관련기출**
9. 시정명령이란 행정법령의 위반행위로 초래된 위법상태의 제거 내지 시정을 명하는 행정행위를 말하는 것으로서, 그 위법행위의 결과가 더 이상 존재하지 않는다면 시정명령을 할 수 없다. 2018 지방직 7급 (O | X)

🈯 **관련기출**
10. 관할청이 시정을 요구하면서 부여한 기간이 너무 불합리하거나 부당하지 않는 한 단기간이라는 이유만으로 그 시정요구가 위법하다고 볼 수는 없다. 2024 지방직·서울시 7급 (O | X)

정답
1. O 2. O 3. O 4. O 5. O 6. X 7. O 8. O 9. O 10. O

15 □□□

행정상 공표에 관한 설명으로 옳은 것만을 <보기>에서 모두 고른 것은? (다툼이 있는 경우 판례에 의함)

┤ 보기 ├

㉮ 행정청은 위반사실 등의 공표를 할 때에는 예외사유에 해당하지 않는 한 미리 당사자에게 그 사실을 통지하고 의견제출의 기회를 주어야 하고, 의견제출의 기회를 받은 당사자는 공표 전에 관할 행정청에 서면을 이용하여 의견을 제출할 수 있으나, 말로 의견을 제출할 수는 없다.

㉯ 행정청이 위반사실 등을 공표하는 경우, 당사자가 의견진술의 기회를 포기한다는 뜻을 명백히 밝힌 경우에까지 미리 당사자에게 그 사실을 통지하고 의견제출의 기회를 주어야 하는 것은 아니다.

㉰ 행정청은 공표된 내용이 사실과 다른 것으로 밝혀지거나 공표에 포함된 처분이 취소된 경우에는 당사자가 원하지 않는다 하더라도 그 내용을 정정하여 정정한 내용을 지체 없이 해당 공표와 같은 방법으로 공표된 기간 이상 공표하여야 한다.

㉱ 청소년 성매수자에 대해 형벌과 더불어 신상공개를 규정한 구 「청소년의 성보호에 관한 법률」 규정은 이중처벌금지의 원칙에 위배되지 않는다.

① ㉮, ㉰
② ㉮, ㉱
③ ㉯, ㉰
④ ㉯, ㉱

✅ **기출체크**

🈯 **관련기출**
1. 위반사실 등의 공표에 관하여 의견제출의 기회를 받은 당사자는 공표 전에 관할 행정청에 서면이나 말 또는 정보통신망을 이용하여 의견을 제출할 수 있다. 2024 소방직 9급 (O | X)
2. 행정청은 위반사실 등의 공표를 할 때에는 특별한 사정이 없는 한 미리 당사자에게 그 사실을 통지하고 의견제출의 기회를 주어야 하며, 의견제출의 기회를 받은 당사자는 공표 전에 관할 행정청에 서면이나 말 또는 정보통신망을 이용하여 의견을 제출할 수 있다. 2023 국가직 7급 (O | X)
3. 행정청은 위반사실 등의 공표를 할 때에는 특별한 사정이 없는 한 미리 당사자에게 그 사실을 통지하고 의견제출의 기회를 주어야 한다. 2023 국회직 8급 (O | X)

🈯 **관련기출**
4. 위반사실 등의 공표에 관하여 당사자가 의견진술의 기회를 포기한다는 뜻을 명백히 밝힌 경우라도 행정청은 미리 당사자에게 그 사실을 통지하고 의견제출의 기회를 주어야 한다. 2024 소방직 9급 (O | X)

🈯 **관련기출**
5. 행정청은 공표된 내용이 사실과 다른 것으로 밝혀지거나 공표에 포함된 처분이 취소된 경우라도 당사자가 원하지 아니하면 정정한 내용을 공표하지 아니할 수 있다. 2024 소방직 9급 (O | X)
6. 「행정절차법」에 따르면 행정청은 공표된 내용이 사실과 다른 것으로 밝혀진 경우에도 당사자가 원하지 아니하면 정정한 내용을 공표하지 아니할 수 있다. 2024 경찰간부 (O | X)

🈯 **관련기출**
7. 구 「청소년의 성보호에 관한 법률」이 형벌 외에 신상도 공개하도록 한 것은 헌법 제13조의 이중처벌금지원칙에 위배되지 않는다. 2023 경찰간부 (O | X)

정답
1. O 2. O 3. O 4. X 5. O 6. O 7. O

16

과징금에 관한 설명으로 옳지 않은 것만을 <보기>에서 모두 고른 것은? (다툼이 있는 경우 판례에 의함)

―― 보기 ――

㉮ 법령상에 과징금의 임의적 감경사유가 있음에도 이를 전혀 고려하지 않거나 감경사유에 해당하지 않는다고 오인하여 과징금을 감경하지 않았거나, 감경사유가 존재하여 감경사유까지 고려하고도 과징금을 감경하지 않은 채 전액을 부과하는 처분을 하는 것은 재량권을 일탈·남용한 위법한 처분이다.

㉯ 「독점규제 및 공정거래에 관한 법률」상의 과징금은 법이 규정한 범위 내에서 그 부과처분 당시까지 부과관청이 확인한 사실을 기초로 확정되어야 할 것이지만, 추후에 부과금 산정기준이 되는 새로운 자료가 나왔다면 그 자료를 기초로 하여 새로운 부과처분을 할 수 있다.

㉰ 「부동산 실권리자명의 등기에 관한 법률」상 실권리자명의 등기의무를 위반한 명의신탁자에 대한 과징금의 부과처분은 기속행위에 해당하므로, 조세를 포탈하거나 법령에 의한 제한을 회피할 목적이 아닌 경우에도 이를 부과하지 않거나 전액 감면할 수는 없다.

㉱ 관할 행정청이 여객자동차운송사업자가 범한 여러 가지 위반행위 중 일부만 인지하여 과징금 부과처분을 하였는데 그 후 과징금 부과처분 시점 이전에 이루어진 다른 위반행위를 인지하여 이에 대하여 별도의 과징금 부과처분을 하게 되는 경우에는 행정청이 전체 위반행위에 대하여 하나의 과징금 부과처분을 할 경우에 산정되었을 정당한 과징금액에서 이미 부과된 과징금액을 뺀 나머지 금액을 한도로 하여서만 추가 과징금 부과처분을 할 수 있다.

① ㉮, ㉯
② ㉮, ㉱
③ ㉰, ㉱
④ ㉮, ㉯, ㉱

12. 관할 행정청이 여객자동차운송사업자가 범한 여러 가지 위반행위 중 일부만 인지하여 과징금 부과처분을 하였는데 그 후 과징금 부과처분 시점 이전에 이루어진 다른 위반행위를 인지하여 이에 대하여 별도의 과징금 부과처분을 하게 되는 경우, 종전 과징금 부과처분의 대상이 된 위반행위와 추가 과징금 부과처분의 대상이 된 위반행위에 대하여 일괄하여 하나의 과징금 부과처분을 하는 경우와의 형평을 고려하여 추가 과징금 부과처분의 처분양정이 이루어져야 한다. 2023 국가직 9급
(O | X)

정답

1. O 2. O 3. X 4. X 5. O 6. O 7. X 8. X 9. X 10. O
11. O 12. O

17 □□□

과징금에 관한 설명으로 옳지 <u>않은</u> 것만을 <보기>에서 모두 고른 것은? (다툼이 있는 경우 판례에 의함)

─ 보기 ─

㉮ 과징금 부과처분의 경우 원칙적으로 위반자의 고의·과실을 요하지 아니하나, 위반자의 의무해태를 탓할 수 없는 정당한 사유가 있는 등의 특별한 사정이 있는 경우 이를 부과할 수 없다.

㉯ 위반자에게 '의무 위반을 탓할 수 없는 정당한 사유'가 있는 경우에는 제재처분을 할 수 없는데, 여기서 '의무 위반을 탓할 수 없는 정당한 사유'가 있는지를 판단할 때에는 본인이나 그 대표자의 주관적인 인식을 기준으로 하는 것이지, 그의 가족, 대리인, 피용인 등과 같이 본인에게 책임을 객관적으로 귀속시킬 수 있는 관계자 모두를 기준으로 판단하여야 하는 것은 아니다.

㉰ 과징금 부과를 하기 위해서는 법률에 근거가 있어야 하며, 과징금 부과처분은 일반적으로 재량행위의 성질을 가진다.

㉱ 과징금 납부의무는 일신전속적 의무이므로 과징금을 부과받은 자가 사망한 경우 상속인에게 승계되지 않는다.

① ㉮, ㉯
② ㉮, ㉰
③ ㉯, ㉱
④ ㉰, ㉱

✓기출체크

㉮ 관련기출

1. 과징금 부과처분은 원칙적으로 위반자의 고의·과실을 요하지 아니하나, 위반자의 의무해태를 탓할 수 없는 정당한 사유가 있는 등의 특별한 사정이 있는 경우에는 이를 부과할 수 없다. 2025 소방간부
(O | X)

2. 과징금 부과처분은 원칙적으로 위반자의 고의·과실을 요하지 아니하나, 위반자의 의무해태를 탓할 수 없는 정당한 사유가 있는 등의 특별한 사정이 있는 경우에는 이를 부과할 수 없다. 2022 지방직·서울시 7급
(O | X)

3. (여객자동차운송사업을 하는 甲은 관련 법규 위반을 이유로 사업정지처분에 갈음하는 과징금 부과처분을 받았다) 甲에게 고의·과실이 없는 경우에는 과징금을 부과할 수 없다. 2022 지방직·서울시 9급
(O | X)

4. 행정상 의무 위반행위자에 대하여 과징금을 부과하기 위해서는 원칙적으로 위반자의 고의 또는 과실이 있어야 한다. 2021 국가직 7급
(O | X)

5. (「여객자동차 운수사업법」 제88조의 과징금 부과처분과 관련하여) 과징금 부과처분은 제재적 행정처분이므로 현실적인 행위자에 부과하여야 하며 위반자의 고의·과실을 요한다. 2019 서울시 9급 (O | X)

㉰ 관련기출

6. 영업정지처분에 갈음하는 과징금이 규정되어 있는 경우 과징금을 부과할 것인지 영업정지처분을 내릴 것인지는 통상 행정청의 재량에 속한다. 2024 해경승진
(O | X)

7. (「여객자동차 운수사업법」 제88조의 과징금 부과처분과 관련하여) 사업정지처분을 내릴 것인지 과징금을 부과할 것인지는 통상 행정청의 재량에 속한다. 2019 서울시 9급
(O | X)

8. 과징금을 부과할 것인지 영업정지처분을 내릴 것인지는 통상 행정청의 재량에 속하는 것으로 본다. 2010 국가직 7급
(O | X)

㉱ 관련기출

9. 「부동산 실권리자명의 등기에 관한 법률」 제5조에 의하여 부과된 과징금채무는 대체적 급부가 가능한 의무이므로 그 과징금을 부과받은 자가 사망한 경우 그 상속인에게 포괄승계된다. 2024 지방직·서울시 7급
(O | X)

10. 「부동산 실권리자명의 등기에 관한 법률」상 실권리자명의 등기의무에 위반하여 부과된 과징금채무는 대체적 급부가 가능한 의무이므로 과징금을 부과받은 자가 사망한 경우 그 상속인에게 포괄승계된다. 2014 사회복지직 9급
(O | X)

11. 대법원 판례는 부과된 과징금채무는 일신전속적 의무이므로 위 과징금을 부과받은 자가 사망한 경우 그 상속인에게 승계되지 않는다고 한다. 2011 경북교행 9급
(O | X)

정답

1. O 2. O 3. X 4. X 5. X 6. O 7. O 8. O 9. O 10. O
11. X

18 □□□

과징금에 관한 설명으로 옳지 않은 것은? (다툼이 있는 경우 판례에 의함)

① 재량행위인 과징금의 경우 법이 정한 한도액을 초과하면 법원은 초과한 과징금 부분만 취소할 수는 없고 그 전부를 취소하여야 한다.
② 과징금 부과와 같은 제재적 조치는 현실적인 행위자가 아니라면 비록 법령상 책임자로 규정된 자라고 하더라도 그에게 부과할 수는 없다.
③ 「독점규제 및 공정거래에 관한 법률」상 부당내부거래에 대한 과징금에는 행정상의 제재금으로서의 기본적 성격에 부당이득환수적 요소도 부가되어 있다.
④ 과징금은 행정상 제재금이고 범죄에 대한 국가형벌권 행사로서의 '처벌'이 아니므로 행정법규 위반에 대해 벌금 이외에 과징금을 부과하는 것은 이중처벌금지의 원칙에 위반되지 않는다.

✓ 기출체크

① 관련기출

1. 자동차운수사업면허조건 등을 위반한 사업자에 대한 과징금 부과처분이 법이 정한 한도액을 초과하여 위법할 경우 법원으로서는 그 전부를 취소할 수밖에 없다. 2025 국가직 9급 (O | X)
2. 과징금 부과처분이 법이 정한 한도액을 초과하여 위법할 경우 법원으로서는 그 한도액을 초과한 부분이나 법원이 적정하다고 인정되는 부분을 초과한 부분만을 취소할 수 있다. 2024 국가직 9급 (O | X)
3. 재량권이 부여된 과징금 부과처분이 법정 한도액을 초과하여 위법할 경우 법원은 그 초과 부분만을 취소할 수 없고 부과된 과징금 전부를 취소하여야 한다. 2024 지방직·서울시 7급 (O | X)
4. 행정청이 행정제재수단으로 사업정지 또는 과징금을 부과할 것인지, 과징금의 경우 얼마로 할 것인지의 재량이 부여된 경우 과징금 부과처분이 법이 정한 한도액을 초과하여 위법한 경우 법원은 그 초과된 부분만을 취소할 수 있다. 2022 소방간부 (O | X)
5. 처분을 할 것인지 여부와 처분의 정도에 관하여 재량이 인정되는 과징금 납부명령에 대하여 그 명령이 재량권을 일탈하였을 경우, 법원은 재량권의 범위 내에서 어느 정도가 적정한 것인지에 관하여 판단할 수 있고 그 일부를 취소할 수 있다. 2020 지방직·서울시 9급 (O | X)

② 관련기출

6. 과징금 부과처분은 행정목적의 달성을 위하여 행정법규 위반이라는 객관적 사실에 착안하여 가하는 제재이므로 반드시 현실적인 행위자가 아니라도 법령상 책임자로 규정된 자에게 부과되고 원칙적으로 위반자의 고의·과실을 요하지 아니한다. 2023 국회직 9급 (O | X)
7. (여객자동차운송사업을 하는 甲은 관련 법규 위반을 이유로 사업정지처분에 갈음하는 과징금 부과처분을 받았다) 甲이 현실적인 위반행위자가 아닌 법령상 책임자인 경우에도 甲에게 과징금을 부과할 수 있다. 2022 지방직·서울시 9급 (O | X)
8. (「여객자동차 운수사업법」 제88조의 과징금 부과처분과 관련하여) 과징금은 행정목적 달성을 위하여, 행정법규 위반이라는 객관적 사실에 착안하여 부과된다. 2019 서울시 9급 (O | X)
9. 현실적 행위자가 아닌 법령상 책임자로 규정된 자에게는 행정법규 위반에 대한 제재조치를 부과할 수 없다. 2014 지방직 7급 (O | X)

③④ 관련기출

10. 구 「독점규제 및 공정거래에 관한 법률」 소정의 부당지원행위에 대한 과징금은 부당지원행위의 억지라는 행정목적을 실현하기 위한 행정상 제재금으로서의 성격에 부당이득환수적 요소도 부가되어 있으므로 국가형벌권 행사로서의 처벌에 해당하지 아니한다. 2024 국가직 9급 (O | X)
11. 과징금은 법령 등에 따른 의무를 위반한 자에 대하여 그 위반행위에 대한 제재로서 부과·징수하는 금전을 말하며, 국가형벌권 행사로서의 '처벌'에 해당한다. 2023 국회직 9급 (O | X)
12. 「독점규제 및 공정거래에 관한 법률」상 부당지원행위에 대한 과징금은 부당지원행위 억지라는 행정목적을 실현하기 위한 행정상 제재금으로서의 기본적 성격에 부당이득환수적 요소도 부가되어 있는 것으로서, 행정벌과 병과하더라도 이중처벌금지원칙에 위반되지 않는다. 2014 사회복지직 9급 (O | X)

정답
1. O 2. X 3. O 4. X 5. X 6. O 7. O 8. O 9. X 10. O
11. X 12. O

19

다음은 「행정기본법」상 개념정의이다. 이에 관한 설명으로 옳은 것만을 <보기>에서 모두 고른 것은? (다툼이 있는 경우 판례에 의함)

A: 법령 등에 따른 의무를 위반하거나 이행하지 아니하였음을 이유로 당사자에게 의무를 부과하거나 권익을 제한하는 처분

B: 의무자가 행정상 의무(법령 등에서 직접 부과하거나 행정청이 법령 등에 따라 부과한 의무를 말한다)로서 타인이 대신하여 행할 수 있는 의무를 이행하지 아니하는 경우 법률로 정하는 다른 수단으로는 그 이행을 확보하기 곤란하고 그 불이행을 방치하면 공익을 크게 해칠 것으로 인정될 때에 행정청이 의무자가 하여야 할 행위를 스스로 하거나 제3자에게 하게 하고 그 비용을 의무자로부터 징수하는 것

C(의 부과): 의무자가 행정상 의무를 이행하지 아니하는 경우 행정청이 적절한 이행기간을 부여하고, 그 기한까지 행정상 의무를 이행하지 아니하면 금전급부의무를 부과하는 것

D: 의무자가 행정상 의무를 이행하지 아니하는 경우 행정청이 의무자의 신체나 재산에 실력을 행사하여 그 행정상 의무의 이행이 있었던 것과 같은 상태를 실현하는 것

E: 의무자가 행정상 의무 중 금전급부의무를 이행하지 아니하는 경우 행정청이 의무자의 재산에 실력을 행사하여 그 행정상 의무가 실현된 것과 같은 상태를 실현하는 것

F: 현재의 급박한 행정상의 장해를 제거하기 위한 경우로서 행정청이 미리 행정상 의무이행을 명할 시간적 여유가 없는 경우 또는 그 성질상 행정상 의무의 이행을 명하는 것만으로는 행정목적 달성이 곤란한 경우에 행정청이 곧바로 국민의 신체 또는 재산에 실력을 행사하여 행정목적을 달성하는 것

─ 보기 ─

㉮ A의 근거가 되는 법률에는 A의 주체, 사유, 유형 및 상한을 명확하게 규정하여야 한다. 이 경우 A의 유형 및 상한을 정할 때에는 해당 위반행위의 특수성 및 유사한 위반행위와의 형평성 등을 종합적으로 고려하여야 한다.

㉯ 행정청은 법령 등의 위반행위가 종료된 날부터 10년이 지나면 해당 위반행위에 대하여 A을/를 할 수 없다.

㉰ B, C, D, E, F은/는 「행정기본법」상 A의 예시에 해당한다.

㉱ 행정청은 C을/를 부과하기 전에 미리 의무자에게 적절한 이행기간을 정하여 그 기한까지 행정상 의무를 이행하지 아니하면 C을/를 부과한다는 뜻을 문서로 계고(戒告)하여야 한다.

㉲ D은/는 B 또는 C의 방법으로 행정상 의무이행을 확보할 수 있는 경우에도 실시할 수 있다.

㉳ 국세 납부의무불이행에 따른 영업의 인·허가 거부·정지는 변형된 의미의 E에 해당한다.

㉴ F을/를 실시하기 위하여 현장에 파견되는 집행책임자는 그가 집행책임자임을 표시하는 증표를 보여주어야 하며, F의 이유와 내용을 고지하여야 한다.

① ㉮, ㉯, ㉲
② ㉮, ㉱, ㉴
③ ㉯, ㉰, ㉲, ㉳
④ ㉰, ㉱, ㉳, ㉴

✓기출체크

㉯ 관련기출

1. 「행정기본법」상 제재처분의 제척기간인 5년이 지나면 제재처분을 할 수 없는 경우는? 2023 국가직 9급
   ① 제재처분을 하지 아니하면 국민의 안전·생명 또는 환경을 심각하게 해치거나 해칠 우려가 있는 경우
   ② 거짓이나 그 밖의 부정한 방법으로 인·허가를 받거나 신고를 한 경우
   ③ 정당한 사유 없이 행정청의 조사·출입·검사를 기피·방해·거부하여 제척기간이 지난 경우
   ④ 당사자가 인·허가나 신고의 위법성을 경과실로 알지 못한 경우

㉰ 관련기출

2. 행정대집행은 「행정기본법」상 행정상 강제에 해당한다. 2023 국가직 9급 (O | X)

㉲ 관련기출

3. 직접강제는 행정대집행이나 이행강제금 부과의 방법으로는 행정상 의무이행을 확보할 수 없거나 그 실현이 불가능한 경우에 실시하여야 한다. 2024 군무원 5급 (O | X)

㉳ 관련기출

4. 행정상 강제징수란 국민이 국가 등 행정주체에 대하여 부담하고 있는 공법상의 금전급부의무를 이행하지 않은 경우 행정청이 의무자의 재산에 실력을 가하여 의무가 이행된 것과 동일한 상태를 실현하는 행정상 강제집행수단을 말한다. 2020 경행경채 (O | X)

5. 세금 납부의무불이행에 따른 영업의 인·허가의 거부·정지(는 즉시강제에 해당한다) 2012 지방직 7급 (○ | ×)

🅢 관련기출

6. 즉시강제를 실시하기 위하여 현장에 파견되는 집행책임자는 그가 집행책임자임을 표시하는 증표를 보여 주어야 하며, 즉시강제의 이유와 내용을 고지하여야 한다. 2024 소방간부 (○ | ×)

정답
1. ④ 2. ○ 3. ○ 4. ○ 5. × 6. ○

20 □□□

행정대집행에 관한 설명으로 옳은 것은? (다툼이 있는 경우 판례에 의함)

① 행정대집행의 대상이 되는 대체적 작위의무는 원칙적으로 공법상 의무에 한정되지 않는다.
② 행정대집행의 대상이 되는 작위의무는 행정청뿐만 아니라 법령에 의해 직접 부과될 수도 있으나 동 법령에 조례는 포함되지 않는다.
③ 부작위의무의 근거규정인 금지규정으로부터 그 의무를 위반함으로써 생긴 결과를 시정할 작위의무나 위반결과의 시정을 명할 행정청의 권한이 당연히 추론된다.
④ 관계 법령에 위반하여 장례식장 영업을 하고 있는 자의 장례식장 사용중지의무는 부작위의무로서 「행정대집행법」에 따른 대집행의 대상이 되지 않는다.

✓ 기출체크

① 관련기출

1. 「행정대집행법」상 대집행의 대상이 되는 대체적 작위의무는 공법상 의무이어야 한다. 2025 군무원 9급 (○ | ×)
2. 공공사업에 필요한 토지와 건물을 사업시행자가 협의취득할 때 건물소유자가 매매대상 건물에 대한 철거의무를 부담하겠다는 취지의 약정을 하였다고 하더라도 이러한 철거의무는 「행정대집행법」에 의한 대집행의 대상이 되는 공법상의 의무가 아니다. 2024 국가직 7급 (○ | ×)
3. 「공익사업을 위한 토지 등의 취득 및 보상에 관한 법률」에 따른 토지 등의 협의취득은 사법상 계약에 해당하므로, 협의취득시 부담한 의무는 행정대집행의 대상이 되지 않는다. 2024 지방직·서울시 9급 (○ | ×)
4. 국가에 토지를 매도한 자가 매매계약에 따라 지상건물을 철거할 의무가 있음에도 이를 이행하지 아니하는 경우에는 당연히 「행정대집행법」에 의한 대집행을 통해 그 의무의 이행을 확보할 수 있다. 2024 국회직 8급 (○ | ×)
5. 행정주체와 사인 사이의 건축도급계약에 있어서, 사인이 의무불이행을 하였다고 하여도 행정대집행은 허용되지 않는다. 2015 지방직 9급 (○ | ×)

② 관련기출

6. 「행정대집행법」에서는 행정청이 법령 등에 따라 부과한 의무의 불이행에 대해서만 행정대집행의 대상으로 삼고 있고 법령 등에서 직접 명령한 의무의 불이행에 대해서는 행정대집행의 대상으로 삼고 있지 않다. 2025 국가직 7급 (○ | ×)
7. 타인이 대신하여 행할 수 있는 행위가 조례에 의하여 직접 명령된 경우에는 행정대집행의 대상이 될 수 있다. 2023 소방직 9급 (○ | ×)
8. 법률에 의해서뿐만 아니라 법률의 위임을 받은 조례에 의해 직접 부과된 대체적 작위의무도 대집행의 대상이 된다. 2022 국회직 8급 (○ | ×)
9. 행정청의 명령에 의한 행위뿐만 아니라 법률에 의하여 직접 명령된 행위도 행정대집행의 대상이 된다. 2019 경행경채 2차 (○ | ×)
10. 대집행의 대상이 되는 행위는 법률에서 직접 명령된 것이 아니라, 법률에 의거한 행정청의 명령에 의한 행위를 말한다. 2018 서울시 9급 (○ | ×)

③ 관련기출

11. 부작위의무도 대체적 작위의무로 전환하는 규정을 두고 있는 경우에는 대체적 작위의무로 전환한 후에 대집행의 대상이 될 수 있다. 2023 지방직·서울시 7급 (○ | ×)
12. 법령이 일정한 행위를 금지하고 있는 경우, 그 금지규정으로부터 위반결과의 시정을 명하는 행정청의 처분권한은 당연히 도출되므로 행정청은 그 금지규정에 근거하여 시정을 명하고 행정대집행에 나아갈 수 있다. 2022 지방직·서울시 7급 (○ | ×)
13. 법령에 규정된 절대적 금지나 허가를 유보한 상대적 금지를 위반한 경우 비록 당해 법령에서 그 위반자에 대하여 위반으로 생긴 유형적 결과의 시정을 명하는 행정처분의 권한을 인정하는 규정을 두고 있지 않더라도 위 금지규정을 위반한 결과를 시정하기 위하여 행정대집행을 할 수 있다. 2022 소방간부 (○ | ×)
14. 위반결과의 시정을 명하는 권한은 금지규정으로부터 당연히 추론되는 것은 아니다. 2021 국가직 7급 (○ | ×)
15. 대집행의 대상은 원칙적으로 대체적 작위의무에 한하며, 부작위의무 위반의 경우 대체적 작위의무로 전환하는 규정을 두고 있지 아니하는 한 대집행의 대상이 되지 않는다. 2020 지방직·서울시 9급 (○ | ×)

④ 관련기출

16. 건물의 용도에 위반되어 장례식장 사용중지명령이 있는 경우, 이 중지의무는 대집행의 대상이 아니다. 2024 해경승진 (○ | ×)
17. 관계 법령을 위반하여 장례식장을 영업하고 있는 자의 장례식장 사용중지의무 위반에 대해서는 「행정대집행법」에 의한 대집행이 가능하다. 2024 소방간부 (○ | ×)
18. 관계 법령을 위반하여 장례식장 영업을 하고 있는 자의 장례식장 사용중지의무는 대집행의 대상이 아니다. 2023 소방승진 (○ | ×)
19. 대집행은 대체적 작위의무에 대하여 행사할 수 있는 것이 원칙이지만 부작위의무의 위반에 대하여도 가능하다. 2023 소방간부 (○ | ×)
20. 관계 법령에 위반하여 장례식장 영업을 하고 있는 자에게 부과된 장례식장 사용중지의무는 공법상 의무로서 행정대집행의 대상이 된다. 2022 지방직·서울시 9급 (○ | ×)

정답
1. ○ 2. ○ 3. ○ 4. × 5. ○ 6. × 7. ○ 8. ○ 9. ○ 10. ×
11. ○ 12. × 13. × 14. ○ 15. ○ 16. ○ 17. × 18. ○ 19. × 20. ×

21

행정대집행에 관한 설명으로 옳지 않은 것은? (다툼이 있는 경우 판례에 의함)

① 법령상 부작위의무 위반에 대해 작위의무를 부과할 수 있는 법령의 근거가 없음에도, 행정청이 작위의무를 명한 후 그 의무불이행을 이유로 대집행계고처분을 한 경우 그 계고처분은 아무런 효력이 없다.

② 「토지수용법」(현 「공익사업을 위한 토지 등의 취득 및 보상에 관한 법률」)상 피수용자 등이 기업자에 대하여 부담하는 수용대상 토지의 인도의무는 「행정대집행법」에 의한 대집행의 대상이 될 수 없다.

③ 공익사업을 위해 토지를 협의매도한 종전 토지소유자가 토지 위의 건물을 철거하겠다는 약정을 한 후 이러한 약정을 불이행하였다면 이는 대집행의 대상이 된다.

④ 건물철거명령 및 철거대집행계고를 한 후에 이에 불응하자 다시 제2차, 제3차의 계고를 하였다면 철거의무는 처음에 한 건물철거명령 및 철거대집행계고로 이미 발생하고 그 이후에 한 제2차, 제3차의 계고는 새로운 철거의무를 부과한 것이 아니라 대집행기한을 연기하는 통지에 불과하다.

✓ 기출체크

① 관련기출

1. 부작위의무도 대체적 작위의무로 전환하는 규정을 두고 있는 경우에는 대체적 작위의무로 전환한 후에 대집행의 대상이 될 수 있다. 2023 지방직·서울시 7급 (○ | ×)

2. 부작위의무 위반행위에 대하여 대체적 작위의무로 전환하는 규정이 없는 경우, 부작위의무 위반결과의 시정을 명하는 원상복구명령은 무효이고, 원상복구명령의 실효성 확보를 위한 대집행의 계고처분 역시 무효로 봄이 타당하다. 2022 국회직 8급 (○ | ×)

3. 법령상 부작위의무 위반에 대해 작위의무를 부과할 수 있는 법령의 근거가 없음에도, 행정청이 작위의무를 명한 후 그 의무불이행을 이유로 대집행계고처분을 한 경우 그 계고처분은 유효하다. 2016 지방직 7급 (○ | ×)

② 관련기출

4. 토지나 건물의 명도의무를 강제적으로 실현하는 데는 직접적인 실력행사가 필요한 것이지 대체적 작위의무에 해당하는 것은 아니어서 대집행의 대상이 되는 것은 아니다. 2025 경찰간부 (○ | ×)

5. 토지의 명도의무는 특별한 사정이 없는 한 「행정대집행법」에 의한 대집행의 대상이 될 수 있다. 2024 소방직 9급 (○ | ×)

6. 토지·건물의 명도의무는 대체적 작위의무가 아니므로 대집행의 대상이 아니다. 2023 지방직·서울시 7급 (○ | ×)

7. 「공익사업을 위한 토지 등의 취득 및 보상에 관한 법률」상 토지소유자가 수용 또는 사용의 개시일까지 토지를 사업시행자에게 인도하여야 할 의무는 「행정대집행법」에 의한 대집행의 대상이 된다. 2023 변호사 (○ | ×)

8. 구 「토지수용법」상 피수용자 등이 기업자에 대하여 부담하는 수용대상 토지의 인도의무는 「행정대집행법」에 의한 대집행의 대상이 될 수 있다. 2021 소방간부 (○ | ×)

③ 관련기출

9. 「공익사업을 위한 토지 등의 취득 및 보상에 관한 법률」에 의한 협의취득시 건물소유자가 매매대상 건물에 대한 철거의무를 부담하겠다는 취지의 약정을 하였다고 하더라도 「행정대집행법」을 준용하여 대집행을 허용하는 별도의 규정이 없는 한 위와 같은 철거의무는 「행정대집행법」에 의한 대집행의 대상이 되지 않는다. 2025 지방직·서울시 7급 (○ | ×)

10. 공공사업에 필요한 토지와 건물을 사업시행자가 협의취득할 때 건물소유자가 매매대상 건물에 대한 철거의무를 부담하겠다는 취지의 약정을 하였다고 하더라도 이러한 철거의무는 「행정대집행법」에 의한 대집행의 대상이 되는 공법상의 의무가 아니다. 2024 국가직 7급 (○ | ×)

11. 「공익사업을 위한 토지 등의 취득 및 보상에 관한 법률」에 따른 토지 등의 협의취득은 사법상 계약에 해당하므로, 협의취득시 부담한 의무는 행정대집행의 대상이 되지 않는다. 2024 지방직·서울시 9급 (○ | ×)

12. 「공익사업을 위한 토지 등의 취득 및 보상에 관한 법률」에 의한 협의취득시 건물소유자가 협의취득대상 건물에 대하여 약정을 하고서 불이행한 경우, 그 건물의 강제철거에 대해서는 「행정대집행법」이 적용되지 아니한다. 2023 소방간부 (○ | ×)

13. 구 「공공용지의 취득 및 손실보상에 관한 특례법」에 의한 협의취득시 건물소유자가 협의취득대상 건물에 대한 철거의무를 부담하겠다는 취지의 약정을 하였다고 하더라도 이러한 철거의무는 공법상의 의무가 될 수 없고, 대집행을 허용하는 별도의 규정이 없는 한 대집행의 대상이 될 수 없다. 2022 국회직 8급 (○ | ×)

④ 관련기출

14. 일정 기간까지 위법건축물의 철거를 명하고 불이행시 대집행한다는 내용의 계고처분을 한 후, 상대방이 이에 불응하자 제2차, 제3차 계고서를 발송하여 일정 기간까지의 자진철거를 촉구하고 불이행시 대집행한다는 뜻을 고지하였다면, 제2차, 제3차의 계고처분은 대집행기한의 연기통지에 불과하므로 행정처분이 아니다. 2025 경찰간부 (○ | ×)

15. 위법건축물에 대한 철거명령 및 계고처분에 불응하자 제2차로 계고처분을 행한 경우, 제2차 계고처분은 항고소송의 대상인 행정처분에 해당한다. 2023 소방직 9급 (○ | ×)

16. 불법건축물 철거를 위하여 제1차 철거명령 및 계고처분, 제2차 계고처분, 제3차 계고처분이 발해진 경우 최후의 행정처분이 항고소송의 대상인 유일한 행정처분이 된다. 2022 경찰간부 (○ | ×)

17. 건물의 소유자에게 위법건축물을 일정 기간까지 철거할 것을 명함과 아울러 불이행하면 대집행한다는 내용의 계고처분을 고지한 후, 이에 불응하자 다시 제2차 계고서로 일정 기간까지의 철거를 촉구하고 불이행하면 대집행한다는 뜻을 고지하였다면, 「행정대집행법」상 건물철거의무는 제2차 계고처분으로 인하여 발생한다. 2022 국회직 8급 (○ | ×)

18. 대집행의 절차인 '대집행의 계고'의 법적 성질은 준법률행위적 행정행위이므로 계고 그 자체가 독립하여 항고소송의 대상이나, 2차 계고는 새로운 철거의무를 부과하는 것이 아니고 대집행기한의 연기통지에 불과하므로 행정처분으로 볼 수 없다는 판례가 있다. 2021 소방직 9급 (○ | ×)

정답
1. ○ 2. ○ 3. × 4. ○ 5. × 6. ○ 7. × 8. × 9. ○ 10. ○ 11. ○ 12. ○ 13. ○ 14. ○ 15. × 16. × 17. × 18. ○

22

행정대집행에 관한 설명으로 옳은 것만을 <보기>에서 모두 고른 것은? (다툼이 있는 경우 판례에 의함)

― 보기 ―

㉮ 계고처분을 하려면 다른 방법으로는 이행의 확보가 어렵고 불이행을 방치함이 심히 공익을 해하는 것으로 인정될 때에 한하여 허용되고, 이러한 요건의 충족 여부가 다투어지는 경우 그 요건에 대한 입증책임은 처분행정청에 있다.

㉯ 대집행의 실행행위는 행정청에 의한 경우 이외에 제3자에 의해서도 가능하며, 이러한 경우 대집행의 주체는 원칙적으로 대집행을 실행하는 제3자가 된다.

㉰ 자진철거에 필요한 상당한 이행기간을 정하고 있더라도 철거명령과 계고는 별개의 행정행위이므로 철거명령과 계고를 하나의 문서로 할 수는 없다.

㉱ 행정청은 해가 뜨기 전이나 해가 진 후에는 대집행을 할 수 없으나, 해가 지기 전에 대집행을 착수한 경우 또는 해가 뜬 후부터 해가 지기 전까지 대집행을 하는 경우에는 대집행의 목적 달성이 불가능한 경우 등에 해당하면 해가 진 이후에도 대집행을 할 수 있다.

① ㉮, ㉯
② ㉮, ㉱
③ ㉯, ㉰
④ ㉰, ㉱

✔기출체크

㉮ 관련기출

1. 「건축법」에 위반하여 건축한 것이어서 철거의무가 있는 건물이라 하더라도 그 철거의무를 대집행하기 위한 계고처분을 하려면 다른 방법으로는 이행의 확보가 어렵고 불이행을 방치함이 심히 공익을 해하는 것으로 인정될 때에 한하여 허용되고 이러한 요건의 주장·입증책임은 처분행정청에 있다. 2023 군무원 9급 (○ | ×)

2. 「건축법」에 위반하여 철거의무가 있는 건물이라 하더라도 그 철거의무를 대집행하기 위한 계고처분을 하려면 다른 방법으로는 이행의 확보가 어려운 사정만 있으면 충분하며 이러한 사정이 없다는 주장·입증책임은 건물의 소유자가 부담한다. 2022 소방간부 (○ | ×)

3. 대집행을 함에 있어 계고요건의 주장과 입증책임은 처분행정청에 있는 것이지, 의무불이행자에 있는 것이 아니다. 2020 지방직·서울시 9급 (○ | ×)

4. 「행정대집행법」상 건물철거 대집행은 다른 방법으로는 이행의 확보가 어렵고 불이행을 방치함이 심히 공익을 해하는 것으로 인정될 때에 한하여 허용되고 이러한 요건의 주장·입증책임은 처분행정청에 있다. 2019 지방직 7급 (○ | ×)

5. 계고처분을 하려면 다른 방법으로는 이행의 확보가 어렵고 불이행을 방치함이 심히 공익을 해하는 것으로 인정될 때에 한하여 허용되고 이러한 요건의 주장·입증책임은 처분행정청에 있다. 2017 국가직(하) 7급 (○ | ×)

㉯ 관련기출

6. 대집행의 주체는 당해 행정청이 되나, 대집행의 실행행위는 행정청에 의한 경우 이외에 제3자에 의해서도 가능하다. 2013 서울시 9급 (○ | ×)

7. 행정청의 위임을 받아 대집행을 실행하는 제3자는 대집행의 주체가 아니다. 2013 국가직 7급 (○ | ×)

8. 대집행의 주체는 당사자에 의해 불이행되고 있는 의무를 부과한 행정청이다. 2013 국회속기직 9급 (○ | ×)

9. 대집행의 주체는 당해 행정청이다. 2012 사회복지직 9급 (○ | ×)

㉰ 관련기출

10. 계고서라는 명칭의 1장의 문서로서 일정 기간 내에 위법건축물의 자진철거를 명함과 동시에 그 소기한 내에 자진철거를 하지 아니할 때에는 대집행할 뜻을 미리 계고한 경우라도 「건축법」에 의한 철거명령과 「행정대집행법」에 의한 계고처분은 독립하여 있는 것으로서 각 그 요건이 충족되었다고 볼 것이다. 2024 군무원 9급 (○ | ×)

11. 계고서라는 명칭의 1장의 문서로서 일정 기간 내에 위법건축물의 자진철거를 명함과 동시에 그 소기한 내에 자진철거를 하지 아니할 때에는 대집행할 뜻을 미리 계고한 경우라면 「건축법」에 의한 철거명령과 「행정대집행법」에 의한 계고처분의 요건이 충족된 것은 아니다. 2024 지방직·서울시 9급 (○ | ×)

12. 계고처분은 독립한 처분으로서, 위법건축물에 대한 철거명령과 동시에 발령할 수 있다. 2023 소방직 9급 (○ | ×)

13. 철거명령에서 주어진 일정 기간이 자진철거에 필요한 상당한 기간이라고 하여도 그 기간 속에는 계고시에 필요한 '상당한 이행기간'이 포함되어 있다고 볼 수 없다. 2019 지방직·교육행정직 9급 (○ | ×)

14. 1장의 문서에 철거명령과 계고처분을 동시에 기재하여 처분할 수 있다. 2018 국회직 8급 (○ | ×)

㉱ 관련기출

15. 행정청은 대집행을 할 때 대집행과정에서의 안전 확보를 위하여 필요하다고 인정하는 경우 현장에 긴급 의료장비나 시설을 갖추는 등 필요한 조치를 하여야 하며, 해가 지기 전에 대집행을 착수한 경우라 하더라도 해가 진 후에는 대집행을 중지하여야 한다. 2025 지방직·서울시 7급 (○ | ×)

16. 행정청은 해가 지기 전에 대집행을 착수한 경우라도 해가 진 후에는 대집행을 하여서는 아니 된다. 2025 행정사 (○ | ×)

17. 행정대집행을 실행하는 행정청은 해가 뜨기 전이나 해가 진 후에는 대집행을 할 수 없지만, 해가 지기 전에 대집행을 착수한 경우에는 그렇지 않다. 2025 국회직 8급 (○ | ×)

18. 행정청은 해가 지기 전에 대집행을 착수한 경우라도 해가 진 후에는 대집행을 할 수 없다. 2020 지방직·서울시 7급 (○ | ×)

19. 해가 지기 전에 대집행을 착수한 경우에는 야간에 대집행 실행이 가능하다. 2020 소방직 9급 (○ | ×)

정답

1. ○ 2. × 3. ○ 4. ○ 5. ○ 6. ○ 7. ○ 8. ○ 9. ○ 10. ○
11. × 12. ○ 13. × 14. ○ 15. × 16. × 17. ○ 18. × 19. ○

23 ☐☐☐

행정대집행에 관한 설명으로 옳은 것만을 <보기>에서 모두 고른 것은? (다툼이 있는 경우 판례에 의함)

―보기―

㉮ 한국토지공사(현 한국토지주택공사)는 법령에 의하여 대집행을 수권받은 자로서 행정주체의 지위에 있다고 볼 것이지 지방자치단체 등의 기관으로서 「국가배상법」 제2조에서 말하는 공무원에 해당한다고 볼 수 없다.

㉯ 행정청의 명령에 의한 행위뿐만 아니라 법률에 의하여 직접 명령된 행위도 행정대집행의 대상이 된다.

㉰ 아무런 권원 없이 국유재산에 설치한 시설물에 대하여 비록 행정청이 행정대집행을 할 수 있는 경우라도 민사소송의 방법으로 그 시설물의 철거를 구할 수도 있으며 어느 절차를 취할 것인지는 행정청의 재량이다.

㉱ 아무런 권원 없이 국유재산에 설치한 시설물에 대하여 행정청이 행정대집행을 실시하지 않는 경우에, 그 국유재산에 대한 사용청구권을 가지고 있는 자가 국가를 대위하여 민사소송으로 그 시설물의 철거를 구하는 것은 허용되지 않는다.

㉲ 대한주택공사(현 한국토지주택공사)가 법령에 의하여 대집행권한을 위탁받아 공무인 대집행을 실시하기 위하여 지출한 비용을 「행정대집행법」 절차에 따라 징수할 수 있음에도 민사소송절차에 의해서 징수할 수는 없다.

① ㉮, ㉯
② ㉮, ㉱
③ ㉮, ㉯, ㉲
④ ㉯, ㉰, ㉲

✓ 기출체크

㉮ 관련기출

1. 한국토지공사는 「공익사업을 위한 토지 등의 취득 및 보상에 관한 법률」, 구 「한국토지공사법」 및 동법 시행령의 위탁에 의하여 대집행을 수권받은 자로서 공무인 대집행을 실시함에 따르는 권리·의무 및 책임이 귀속되는 행정주체의 지위에 있다고 볼 것이지 지방자치단체 등의 기관으로서 「국가배상법」 제2조 소정의 공무원에 해당한다고 볼 것은 아니다. 2024 변호사 (O | X)

2. 법령에 의해 대집행권한을 위탁받은 한국토지공사(현 한국토지주택공사)가 「국가배상법」 제2조에서 말하는 공무원에 해당한다. 2024 군무원 9급 (O | X)

3. 법령에 의해 대집행권한을 한국토지공사에 위탁한 경우 한 국토지공사는 행정주체의 지위에 있고, 「국가배상법」 제2조에서 정한 공무원에 해당한다고 볼 수 없다. 2023 군무원 7급 (O | X)

㉯ 관련기출

4. 대집행계고처분을 하기 위하여는 법령에 의하여 직접 명령되거나 법령에 근거한 행정청의 명령에 의한 의무자의 대체적 작위의무 위반행위가 있어야 한다. 2025 지방직·서울시 7급 (O | X)

5. 「행정대집행법」에서는 행정청이 법령 등에 따라 부과한 의무의 불이행에 대해서만 행정대집행의 대상으로 삼고 있고 법령 등에서 직접 명령한 의무의 불이행에 대해서는 행정대집행의 대상으로 삼고 있지 않다. 2025 국가직 7급 (O | X)

6. 대체적 작위의무가 법률의 위임을 받은 조례에 의해 직접 부과된 경우에는 대집행의 대상이 되지 아니한다. 2020 국가직 7급 (O | X)

7. 대집행의 대상이 되는 행위는 법률에서 직접 명령된 것이 아니라, 법률에 의거한 행정청의 명령에 의한 행위를 말한다. 2018 서울시 9급 (O | X)

8. 「행정대집행법」에 의하면 법률에 의해 직접 성립하는 의무도 행정대집행의 대상이 될 수 있다. 2015 서울시 9급 (O | X)

㉰ 관련기출

9. 관계 법령상 행정대집행의 절차가 인정되어 행정청이 행정대집행의 방법으로 건물의 철거 등 대체적 작위의무의 이행을 실현할 수 있는 경우에도 따로 민사소송의 방법으로 그 의무의 이행을 구할 수 있다. 2025 소방간부 (O | X)

10. 정당한 사유 없이 공유재산에 시설물을 설치한 경우 행정청은 행정대집행의 방법으로 이 시설물을 철거할 수 있고, 이러한 행정대집행이 인정되는 경우에는 민사소송의 방법으로 시설물의 철거를 구하는 것은 허용되지 아니한다. 2024 국가직 7급 (O | X)

11. 구 「공유재산 및 물품 관리법」에 따라 지방자치단체장은 행정대집행의 방법으로 공유재산에 설치한 시설물을 철거할 수 있고, 이러한 행정대집행의 절차가 인정되는 경우에는 민사소송의 방법으로 시설물의 철거를 구하는 것은 허용되지 아니한다. 2024 군무원 9급 (O | X)

12. 행정청이 행정대집행을 할 수 있는 경우에도 필요하면 별도로 민사소송의 방법을 통하여 의무이행을 구할 수 있다. 2022 국회직 8급 (O | X)

13. 甲: 행정대집행의 절차가 인정되는 경우에도 행정청이 민사상 강제집행수단을 이용할 수 있나요?
    乙: 행정대집행의 절차가 인정되어 실현할 수 있는 경우에는 따로 민사소송의 방법을 이용할 수 없습니다. 2021 국가직 9급 (O | X)

㉱ 관련기출

14. 아무런 권원 없이 국유재산에 설치한 시설물에 대하여 행정청이 행정대집행을 실시하지 않는 경우, 그 국유재산에 대한 사용청구권을 가지고 있는 자는 국가를 대위하여 민사소송으로 그 시설물의 철거를 구할 수 있다. 2024 국가직 7급 (O | X)

15. 권원 없이 국유재산에 설치한 시설물에 대하여 관리청이 행정대집행을 통해 철거를 하지 않는 경우 그 국유재산에 대하여 사용청구권을 가진 자는 국가를 대위하여 민사소송으로 그 시설물의 철거를 구할 수 있다. 2022 지방직·서울시 9급 (O | X)

16. 행정청이 대집행을 실시하지 않는 경우, 그 국유재산에 대한 사용청구권을 가지고 있는 자가 국가를 대위하여 민사소송으로 철거를 구할 수 있다. 2020 국회직 8급 (O | X)

17. 제3자가 아무런 권원 없이 국유재산에 설치한 시설물에 대해 해당 유재산에 대한 사용청구권을 가진 사인은 일정한 경우에는 국가를 대위하여 민사소송으로 해당 시설물의 철거를 구할 수 있다. 2013 지방직(하) 7급 (O | X)

㉲ 관련기출

18. 공법인인 대한주택공사가 법령에 의하여 대집행권한을 위탁받아 공무인 대집행을 실시하기 위하여 지출한 비용을 「행정대집행법」 절차에 따라 징수할 수 있음에도 민사소송절차에 의하여 그 비용의 상환을 청구한 경우, 그 청구는 적법하다. 2023 해경간부 (O | X)

19. 행정청이 행정대집행을 한 경우 그에 따른 비용의 징수는 「행정대집행법」의 절차에 따라 「국세징수법」의 예에 의하여 징수하여야 하며, 손해배상을 구하는 민사소송으로 징수할 수는 없다. 2022 지방직·서울시 7급 (O | X)

20. 행정대집행을 실시하기 위하여 지출한 비용은 민사소송절차에 의하여 그 비용의 상환을 청구할 수 있다. 2021 경행경채 (O | X)
21. 구 대한주택공사가 대집행권한을 위탁받아 공무인 대집행을 실시하기 위하여 지출한 비용을 「행정대집행법」 절차에 따라 「국세징수법」의 예에 의하여 징수할 수 있음에도 민사소송절차에 의하여 그 비용의 상환을 구하는 청구는 소의 이익이 없어 부적법하다. 2019 지방직·교육행정직 9급 (O | X)
22. 민사소송절차에 따라 「민법」 제750조에 기한 손해배상으로서 대집행비용의 상환을 구하는 청구는 소의 이익이 없어 부적법하다. 2019 서울시 9급 (O | X)

정답
1. O 2. X 3. O 4. O 5. X 6. X 7. X 8. O 9. X 10. O
11. O 12. X 13. O 14. O 15. O 16. O 17. O 18. X 19. O 20. X
21. O 22. O

24 □□□

행정대집행에 관한 설명으로 옳은 것만을 <보기>에서 모두 고른 것은? (다툼이 있는 경우 판례에 의함)

보기

㉮ 비상시 또는 위험이 절박한 경우에 있어서 당해 행위의 급속한 실시를 요하여 대집행영장에 의한 통지절차를 취할 여유가 없을 때에라도, 그 절차를 거치지 아니하고 대집행을 하는 것은 법치행정의 원리에 비추어 허용될 수 없다.

㉯ 부작위의무도 대체적 작위의무로 전환하는 규정을 두고 있는 경우에는 대체적 작위의무로 전환한 후에 대집행의 대상이 될 수 있다.

㉰ 불법 증·개축 건축물에 대하여 철거의무 대집행 계고처분을 하기 위해서는 다른 방법으로는 그 이행의 확보가 어려울 뿐만 아니라 그 불이행을 방치함으로써 심히 공익을 해하는 것으로 인정되어야 한다.

㉱ 위법한 건물이 2인 이상의 공유인 경우 공유자 1인에 대한 계고처분은 다른 공유자에 대하여는 그 효력이 없다.

㉲ 공유재산 대부계약은 사법상 계약으로서 그 계약이 적법하게 해지되었음에도 불구하고 공유재산의 점유자가 그 지상물을 점유하고 있는 경우라도 지방자치단체의 장은 원상회복을 위해 행정대집행의 방법으로 그 지상물을 철거시킬 수는 없다.

① ㉮, ㉲
② ㉯, ㉰
③ ㉯, ㉱
④ ㉯, ㉰, ㉱

✔기출체크

㉮ 관련기출

1. 비상시 또는 위험이 절박한 경우에 있어 당해 행위의 급속한 실시를 요하여 대집행영장에 의한 통지절차를 취할 여유가 없을 때에는 이 절차를 거치지 아니하고 대집행할 수 있다. 2021 소방직 9급 (O | X)
2. 구두에 의한 계고는 무효이며, 계고와 통지는 동시에 생략할 수 없다. 2020 국회직 8급 (O | X)
3. 비상시 또는 위험이 절박한 경우에 있어서 계고·대집행영장의 통지 규정에서 정하는 수속을 취할 여유가 없을 경우라도 위의 두 수속 모두를 거치지 아니하고는 대집행을 할 수 없다. 2019 서울시 1회 7급 (O | X)

㉯ 관련기출

4. 법령에서 정한 부작위의무 자체에서 의무 위반으로 인해 형성된 현상을 제거할 작위의무가 바로 도출되는 것은 아니다. 2024 해경승진 (O | X)
5. 법령이 일정한 행위를 금지하고 있는 경우, 그 금지규정으로부터 위반결과의 시정을 명하는 행정청의 처분권한은 당연히 도출되므로 행정청은 그 금지규정에 근거하여 시정을 명하고 행정대집행에 나아갈 수 있다. 2022 지방직·서울시 7급 (O | X)
6. 법령에 규정된 절대적 금지나 허가를 유보한 상대적 금지를 위반한 경우 비록 당해 법령에서 그 위반자에 대하여 위반으로 생긴 유형적 결과의 시정을 명하는 행정처분의 권한을 인정하는 규정을 두고 있지 않더라도 위 금지규정을 위반한 결과를 시정하기 위하여 행정대집행을 할 수 있다. 2022 소방간부 (O | X)
7. 위반결과의 시정을 명하는 권한은 금지규정으로부터 당연히 추론되는 것은 아니다. 2021 국가직 7급 (O | X)
8. 대집행의 대상은 원칙적으로 대체적 작위의무에 한하며, 부작위의무 위반의 경우 대체적 작위의무로 전환하는 규정을 두고 있지 아니하는 한 대집행의 대상이 되지 않는다. 2020 지방직·서울시 9급 (O | X)

㉰ 관련기출

9. 「건축법」에 위반하여 증·개축함으로써 철거의무가 있더라도 그 철거의무를 대집행하기 위한 계고처분을 하려면 다른 방법으로는 그 이행의 확보가 어렵고, 그 불이행을 방치함이 심히 공익을 해하는 것으로 인정되는 경우에 한한다. 2020 지방직·서울시 7급 (O | X)

㉱ 관련기출

10. 위법한 건물의 공유자 1인에 대한 계고처분은 다른 공유자에 대하여는 그 효력이 없다. 2016 사회복지직 9급 (O | X)

㉲ 관련기출

11. 공유재산 대부계약의 해지에 따라 원상회복을 위하여 실시하는 지상물 철거의무(는 「행정대집행법」상 대집행의 대상이 되는 의무이다) 2019 소방간부 (O | X)
12. 공유재산 대부계약의 해지에 따른 원상회복으로 행정대집행의 방법에 의하여 그 지상물을 철거시킬 수 있다. 2011 사회복지직 9급 (O | X)

정답
1. O 2. X 3. X 4. O 5. X 6. X 7. O 8. O 9. O 10. O
11. O 12. O

25 ☐☐☐

대집행의 계고에 관한 다음 사안 중 적법한 계고로 볼 수 있는 것은? (다툼이 있는 경우 판례에 의함)

① 甲은 하천유수를 계속하여 사용하도록 허가해 줄 것을 신청하였으나 피고행정청은 공익상의 필요가 있다고 하여 이를 거부하였으며, 甲에게 하천유수인용행위를 중단하여 줄 것과 만약 중단하지 않는 경우에는 대집행하겠다는 뜻을 계고하였다.

② 도시공원시설인 매점의 관리청이 그 공동점유자 중의 1인에 대하여 소정의 기간 내에 위 매점으로부터 퇴거하고 이에 부수하여 그 판매시설물 및 상품을 반출하지 아니할 때에는 이를 대집행하겠다고 계고하였다.

③ 대집행계고처분을 함에 있어서 비록 의무이행을 할 수 있는 상당한 기간을 부여하지 아니하였다 하더라도, 행정청이 대집행계고처분 후에 대집행영장으로써 대집행의 시기를 늦추었다.

④ 행정청이 계고처분을 하였는데 대집행계고서만으로는 대집행할 행위의 내용과 범위가 구체적으로 특정되지 아니하였으나 기타 사정을 종합하면 대집행의무자가 이행의무의 범위를 알 수는 있다.

✔ 기출체크

① 관련기출
1. 하천유수인용허가신청이 불허되었음을 이유로 하천유수인용행위를 중단할 것과 이를 불이행할 경우「행정대집행법」에 의하여 대집행을 하겠다는 내용의 계고처분은 대집행의 대상이 될 수 없는 부작위의무에 대한 것으로서 그 자체로 위법하다. 2024 군무원 9급 (O | X)
2. (「행정대집행법」제2조의 행정대집행요건상) 대체적, 비대체적 의무 모두 해당되지만 부작위의무가 아니어야 한다. 2018 서울시 1회 7급 (O | X)
3. 대집행의 대상은 대체적 작위의무이며, 부작위의무 위반의 경우에는 그것을 대체적 작위의무로 전환하는 규정을 두고 있지 아니하는 한 대집행의 대상이 되지 아니한다. 2014 국가직 7급 (O | X)
4. 영업정지기간 중 영업의 계속의 경우 행정대집행을 할 수 있다. 2013 서울시 7급 (O | X)

② 관련기출
5. 도시공원시설 점유자의 퇴거 및 명도의무는「행정대집행법」에 의한 대집행의 대상이 되지 못한다. 2025 군무원 9급 (O | X)
6. 토지나 건물의 명도의무를 강제적으로 실현하는 데는 직접적인 실력행사가 필요한 것이지 대체적 작위의무에 해당하는 것은 아니어서 대집행의 대상이 되는 것은 아니다. 2025 경찰간부 (O | X)
7. 토지의 명도의무는 특별한 사정이 없는 한「행정대집행법」에 의한 대집행의 대상이 될 수 있다. 2024 소방직 9급 (O | X)
8. 대집행은 대체적 작위의무의 불이행을 요건으로 하므로, 도시공원시설 점유자의 퇴거의무는 대집행의 대상이 되는 대체적 작위의무에 해당하지 않는다. 2023 군무원 7급 (O | X)
9. 불법시설물의 철거는 대집행이 가능하지만, 점유를 이전하는 것은 비대체적인 것으로「행정대집행법」에 의한 대집행의 대상이 되는 것은 아니다. 2022 서울시 지적 7급 (O | X)

③ 관련기출
10. 대집행계고처분에서 정한 의무이행기간의 이행종기인 날짜에 그 계고서를 수령하였고 행정청이 대집행영장으로써 대집행의 시기를 늦추었다고 하여도 대집행의 적법절차에 위배한 것으로 위법한 처분이다. 2021 군무원 7급 (O | X)
11. 대집행계고처분을 함에 있어서 의무이행을 할 수 있는 상당한 기간을 부여하지 아니하였다 하더라도, 행정청이 대집행계고처분 후에 대집행영장으로써 대집행의 시기를 늦추었다면 그 대집행계고처분은 적법한 처분이다. 2017 지방직(하) 9급 (O | X)
12. 계고시 상당한 기간을 부여하지 않은 경우 대집행영장으로 대집행의 시기를 늦추었다 하더라도 대집행계고처분은 상당한 이행기간을 정하여 한 것이 아니므로 위법하다. 2015 국회직 8급 (O | X)
13. 판례에 의하면 상당한 이행기간을 정하여 계고하지 않고 행한 행정대집행은 적법절차에 위배된 위법한 처분으로 본다. 2010 국가직 9급 (O | X)
14. 상당한 의무이행기간을 부여하지 않은 계고처분 후 대집행영장으로 대집행의 시기를 늦추더라도 그 계고처분은 적법절차에 위배된 것으로 위법한 처분이다. 2009 지방직 9급 (O | X)

④ 관련기출
15. 「행정대집행법」에 의한 대집행계고를 함에 있어서는 그 행위의 내용 및 범위는 반드시 대집행계고서에 의하여서만 특정되어야 하는 것이 아니고 계고처분 전후에 송달된 문서나 기타 사정을 종합하여 행위의 내용이 특정되거나 대집행의무자가 그 이행의무의 범위를 알 수 있으면 족하다. 2025 소방간부 (O | X)
16. 대집행계고처분을 함에 있어 대집행할 행위의 내용 및 범위가 대집행계고서에 의해서만 특정되어야 한다. 2023 소방승진 (O | X)
17. 행정청이 대집행계고를 함에 있어서 대집행할 행위의 내용 및 범위는 대집행계고서 자체만으로 특정되어야 하는 것이지, 계고처분 전후에 송달된 문서 등을 종합하여 그 특정 여부를 판단할 것은 아니다. 2023 변호사 (O | X)
18. 행정청이 대집행에 대한 계고를 함에 있어서 의무자가 스스로 이행하지 아니하는 경우 대집행할 행위의 내용과 범위가 구체적으로 특정되어야 하지만, 그 내용 및 범위는 대집행계고서에 의해서만 특정되어야 하는 것은 아니고 그 처분 전후에 송달된 문서나 기타 사정을 종합하여 이를 특정할 수 있으면 족하다. 2021 소방직 9급 (O | X)
19. 행정청이 계고를 함에 있어 의무자가 스스로 이행하지 아니하는 경우 대집행의 내용과 범위가 구체적으로 특정되어야 하며, 대집행의 내용과 범위는 반드시 대집행계고서에 의해서만 특정되어야 한다. 2020 지방직·서울시 9급 (O | X)

정답
1. O 2. X 3. O 4. X 5. O 6. O 7. X 8. O 9. O 10. O
11. X 12. O 13. O 14. O 15. O 16. X 17. X 18. O 19. X

제10회 | 소방 단원별 모의고사

출제 범위 : 제24강 행정상 강제집행(대집행 등)~제26강 행정벌(행정형벌, 행정질서벌)

정답과 해설 p.112
옳은 지문 워크북 p.249

01 □□□

건물의 점유자가 철거의무자인 경우 대집행에 관한 설명으로 옳은 것은? (다툼이 있는 경우 판례에 의함)

① 「행정대집행법」에 따른 행정대집행에서 건물의 점유자가 철거의무자일 때에는 건물철거의무에 퇴거의무는 포함되어 있는 것이 아니므로 별도로 퇴거를 명하는 집행권원이 필요하다.
② 위 ①의 경우, 행정청이 건물소유자들을 상대로 건물철거 대집행을 실시하기에 앞서, 건물소유자들을 건물에서 퇴거시키기 위해 별도로 건물소유자들의 퇴거를 구하는 민사소송은 적법하다.
③ 행정청이 행정대집행의 방법으로 건물철거의무의 이행을 실현할 수 있는 경우에 건물철거 대집행과정에서 부수적으로 건물의 점유자들에 대한 퇴거조치를 할 수 없다.
④ 점유자들이 적법한 행정대집행을 위력을 행사하여 방해하는 경우 「형법」상 공무집행방해죄가 성립하므로, 필요한 경우에는 「경찰관 직무집행법」에 근거한 위험발생방지조치 또는 「형법」상 공무집행방해죄의 범행방지 내지 현행범체포의 차원에서 경찰의 도움을 받을 수도 있다.

✓ 기출체크

① 관련기출

1. 건물의 점유자가 철거의무자이더라도 건물철거의무에 퇴거의무는 포함되어 있는 것이 아니어서 그 건물철거를 위한 행정대집행을 하려면 별도로 퇴거를 명하는 집행권원이 필요하다. 2025 소방간부 (○ | ×)
2. 대집행의 방법으로 건물의 철거 등을 실현할 때 건물의 점유자가 철거의무자일 때에는 건물철거의무에 퇴거의무도 포함되어 있는 것이어서 별도로 퇴거를 명하는 집행권원이 필요하지 않다. 2025 경찰간부 (○ | ×)
3. 관계 법령상 행정대집행의 절차가 인정되어 행정청이 행정대집행의 방법으로 건물의 철거 등 대체적 작위의무의 이행을 실현할 수 있는 경우, 건물의 점유자가 철거의무자일 때에는 별도로 퇴거를 명하는 집행권원이 필요하다. 2024 지방직·서울시 7급 (○ | ×)
4. 건물의 점유자가 철거의무자일 때에도 건물철거의무에 퇴거의무가 포함되어 있지 않으므로 별도로 퇴거를 명하는 집행권원이 필요하다. 2024 국가직 7급 (○ | ×)
5. 「행정대집행법」에 따른 행정대집행에서 건물의 점유자가 철거의무자일 때에는 별도로 퇴거를 명하는 집행권원이 필요하다. 2023 군무원 9급 (○ | ×)

② 관련기출

6. 행정청이 건물소유자들을 상대로 건물철거 대집행을 실시하기에 앞서, 건물소유자들을 건물에서 퇴거시키기 위해 별도로 퇴거를 구하는 민사소송은 부적법하다. 2024 소방간부 (○ | ×)
7. 행정청이 건물소유자들을 상대로 건물철거 대집행을 실시하기에 앞서, 건물소유자들을 건물에서 퇴거시키기 위해 별도로 퇴거를 구하는 민사소송은 부적법하다. 2022 경찰간부 (○ | ×)
8. 행정청이 건물철거의무를 행정대집행의 방법으로 실현하는 과정에서, 건물을 점유하고 있는 철거의무자들에 대하여 제기한 건물퇴거를 구하는 소송은 적법하다. 2020 국가직 9급 (○ | ×)

③ 관련기출

9. 행정청이 행정대집행의 방법으로 건물철거의무의 이행을 실현할 수 있는 경우에는 건물철거 대집행과정에서 부수적으로 건물의 점유자들에 대한 퇴거조치를 할 수 없다. 2025 지방직·서울시 9급 (○ | ×)
10. 행정청이 건물철거 대집행과정에서 부수적으로 건물의 점유자에 대한 퇴거조치를 할 수 있다. 2023 군무원 7급 (○ | ×)
11. 행정청은 퇴거를 명하는 집행권원이 없더라도 건물철거 대집행과정에서 부수적으로 철거의무자인 건물의 점유자들에 대해 퇴거조치를 할 수 있다. 2022 지방직·서울시 9급 (○ | ×)
12. 건물철거의무에 퇴거의무도 포함되어 있어 건물철거 대집행과정에서 부수적으로 건물의 점유자들에 대한 퇴거조치를 할 수 있다. 2020 소방직 9급 (○ | ×)
13. 건물의 점유자가 철거의무자일 때에 행정청이 행정대집행의 방법으로 건물철거의무의 이행을 실현할 수 있는 경우에 건물철거 대집행과정에서 부수적으로 그 건물의 점유자들에 대한 퇴거조치를 할 수 있다. 2019 경행경채 2차 (○ | ×)

④ 관련기출

14. 행정청이 행정대집행의 방법으로 건물철거의무의 이행을 실현할 수 있는 경우에는 건물철거 대집행과정에서 부수적으로 건물의 점유자들에 대한 퇴거조치를 할 수 있고, 점유자들이 적법한 행정대집행을 위력을 행사하여 방해하는 경우에는 「경찰관 직무집행법」에 근거한 위험발생방지조치의 차원에서 경찰의 도움을 받을 수도 있다. 2025 지방직·서울시 7급 (○ | ×)
15. 甲이 위력을 행사하여 적법한 행정대집행을 방해하는 경우 대집행 행정청은 필요한 경우에는 「경찰관 직무집행법」에 근거한 위험발생방지조치 또는 「형법」상 공무집행방해죄의 범행방지 내지 현행범체포의 차원에서 경찰의 도움을 받을 수 있다. 2024 국가직 9급 (○ | ×)
16. 건물철거 대집행과정에서 부수적으로 건물의 점유자들에 대한 퇴거조치를 할 수 있고 점유자들이 적법한 행정대집행을 위력을 행사하여 방해하는 경우 「경찰관 직무집행법」에 근거한 위험발생방지조치 차원에서 경찰의 도움을 받을 수도 있다. 2022 해경간부 (○ | ×)
17. 철거대상건물의 점유자들이 적법한 행정대집행을 위력을 행사하여 방해하는 경우, 행정청은 필요하다면 「경찰관 직무집행법」에 근거한 위험발생방지조치 차원에서 경찰의 도움을 받을 수 있다. 2020 국가직 9급 (○ | ×)

18. 「행정대집행법」상 적법한 행정대집행을 점유자들이 위력을 행사하여 방해하는 경우, 「행정대집행법」상의 근거가 없으므로 대집행을 하는 행정청은 경찰의 도움을 받을 수 없다. 2019 지방직 7급 (○ | ×)

[정답]
1. × 2. ○ 3. × 4. × 5. × 6. ○ 7. ○ 8. × 9. × 10. ○
11. ○ 12. ○ 13. ○ 14. ○ 15. ○ 16. ○ 17. ○ 18. ×

02 □□□

이행강제금에 관한 설명으로 옳은 것은? (다툼이 있는 경우 판례에 의함)

① 「건축법」상 이행강제금은 일정한 기한까지 의무를 이행하지 않을 때에는 일정한 금전적 부담을 과할 뜻을 미리 계고함으로써 의무자에게 심리적 압박을 주어 장래에 그 의무를 이행하게 하려는 행정상 간접적인 강제집행수단의 하나로서 반복적으로 부과되더라도 헌법상 이중처벌금지의 원칙이 적용될 여지가 없다.

② 「농지법」상 이행강제금과 같이 이행강제금 부과처분에 대해 「비송사건절차법」에 의한 특별한 불복절차가 마련되어 있는 경우라고 하더라도 행정청이 이행강제금을 부과하면서 행정소송을 제기할 수 있다고 잘못 안내하였다면 그 이행강제금 부과처분은 항고소송의 대상이 된다.

③ 시정명령을 받은 의무자가 그 시정명령의 취지에 부합하는 의무를 이행하기 위한 정당한 방법으로 행정청에 신청 또는 신고를 하였으나 행정청이 위법하게 이를 거부 또는 반려함으로써 결국 그 처분이 취소되기에 이르렀더라도 특별한 사정이 없는 한 그 시정명령의 불이행을 이유로 이행강제금을 부과할 수 있다.

④ 「행정기본법」에 따르면 행정청은 의무자가 행정상 의무를 이행할 때까지 이행강제금을 반복하여 부과할 수 있으나, 의무자가 의무를 이행하면 새로운 이행강제금의 부과를 즉시 중지하고 이미 부과한 이행강제금은 징수하지 아니한다.

✔기출체크

① 관련기출

1. 「건축법」상 이행강제금은 시정명령의 불이행이라는 과거의 위반행위에 대한 제재가 아니라, 의무자에게 심리적 압박을 주어 시정명령에 따른 의무의 이행을 간접적으로 강제하는 행정상의 간접강제수단에 해당한다. 2024 국회직 9급 (○ | ×)
2. 이행강제금과 행정벌을 병과하는 것은 헌법에서 금지하는 이중처벌에 해당한다. 2024 소방직 9급 (○ | ×)
3. 이행강제금은 과거의 일정한 법률 위반행위에 대한 제재로서의 형벌이 아니라 장래의 의무이행의 확보를 위한 강제수단일 뿐이어서 이중처벌금지의 원칙이 적용될 여지가 없다. 2023 국회직 9급 (○ | ×)
4. 이행강제금은 의무 위반에 대하여 장래의 의무이행을 확보하는 수단이라는 점에서 과거의 의무 위반에 대한 제재인 행정벌과 구별된다. 2022 군무원 9급 (○ | ×)
5. 이행강제금은 행정상 간접적인 강제집행수단의 하나로서, 과거의 일정한 법률 위반행위에 대한 제재인 형벌이 아니라 장래의 의무이행 확보를 위한 강제수단일 뿐이어서, 범죄에 대하여 국가가 형벌권을 실행하는 과벌에 해당하지 아니한다. 2021 군무원 9급 (○ | ×)

② 관련기출

6. 이행강제금 부과처분에 대해 「비송사건절차법」에 의한 특별한 불복절차가 마련되어 있는 경우에도 이행강제금 부과처분에 대한 취소소송 등 항고소송을 제기할 수 있다. 2025 군무원 9급 (○ | ×)
7. 「농지법」상 이행강제금의 부과는 행정처분이므로 취소소송을 제기할 수 있으며 법원은 당해 사건에서 과도한 이행강제금이 부과되었다고 판단하면 그 금액을 감액하여야 한다. 2024 국가직 7급 (○ | ×)
8. 「농지법」상 이행강제금 부과처분에 대하여 부과권자가 관할 법원에 행정소송을 할 수 있다고 잘못 안내하면서 이행강제금을 부과한 경우 상대방은 항고소송을 통해 다툴 수 있다. 2024 지방직·서울시 7급 (○ | ×)
9. 처분의 근거법령에 의하면 「비송사건절차법」에 따라 이행강제금 부과처분에 불복하도록 규정하고 있었지만, 관할청이 이행강제금 부과처분을 하면서 재결청에 행정심판을 청구하거나 관할 행정법원에 행정소송을 할 수 있다고 잘못 안내한 경우라도 이행강제금 부과처분에 대해 행정법원에 항고소송을 제기할 수 없다. 2024 지방직·서울시 9급 (○ | ×)
10. 행정청이 「농지법」상 이행강제금 부과처분을 하면서 관할 행정법원에 행정소송을 할 수 있다고 잘못 안내하였다면 그 잘못된 안내로 행정법원의 항고소송 재판관할이 생긴다고 볼 수 있다. 2023 국회직 9급 (○ | ×)

③ 관련기출

11. 「건축법」상 시정명령을 받은 의무자가 그 시정명령의 취지에 부합하는 의무를 이행하기 위한 정당한 방법으로 행정청에 신청 또는 신고를 하였으나 행정청이 위법하게 이를 거부 또는 반려함으로써 결국 그 처분이 취소되기에 이르렀더라도, 이행강제금제도의 취지에 비추어 볼 때 그 시정명령의 불이행을 이유로 이행강제금을 부과할 수 있다. 2023 국가직 9급 (○ | ×)

④ 관련기출

12. 행정청은 의무자가 행정상 의무를 이행할 때까지 이행강제금을 반복하여 부과할 수 있지만, 의무자가 의무를 이행하면 이미 부과한 이행강제금이라도 징수할 수 없다. 2025 지방직·서울시 7급 (○ | ×)
13. 행정청은 의무자가 행정상 의무를 이행할 때까지 이행강제금을 반복하여 부과할 수 있지만, 의무자가 의무를 이행하면 새로운 이행강제금의 부과를 즉시 중지하고, 이미 부과한 이행강제금도 징수해서는 안 된다. 2025 국가직 7급 (○ | ×)
14. 의무자가 의무를 이행하면 새로운 이행강제금의 부과를 즉시 중지하고, 이미 부과한 이행강제금은 징수하지 아니한다. 2024 군무원 7급 (○ | ×)
15. 행정청은 의무자가 행정상 의무를 이행할 때까지 이행강제금을 반복하여 부과할 수 있다. 2024 군무원 7급 (○ | ×)
16. 「행정기본법」에 따르면, 행정청은 의무자가 행정상 의무를 이행할 때까지 이행강제금을 반복하여 부과할 수 있다. 다만, 의무자가 의무를 이행하면 새로운 이행강제금의 부과를 즉시 중지하되, 이미 부과한 이행강제금은 징수하여야 한다. 2023 국회직 8급 (○ | ×)

정답
1. ○ 2. × 3. ○ 4. ○ 5. ○ 6. × 7. × 8. × 9. ○ 10. ×
11. × 12. × 13. ○ 14. × 15. ○ 16. ○

03 □□□

사례에 관한 설명으로 옳은 것은? (다툼이 있는 경우 판례에 의함)

> 甲은 허가 없이 자신의 집 인근 공터에 창고를 신축하였고 관할 구청장 A는 甲에게 창고를 철거하도록 하는 시정명령을 하였는데 甲이 시정명령을 이행하지 않자 A는 甲에게 이행강제금을 부과하였다. 그 후 甲은 「건축법」위반으로 형사기소되어 벌금형을 부과받았다. 한편, 甲이 납부기한 내에 이행강제금을 납부하지 않자 A는 甲에 대하여 이행강제금의 납부를 독촉하였다.

① 만약 A가 甲에게 이행강제금을 부과하기 전에 甲이 시정명령을 이행한 경우라도 시정명령에서 정한 기간을 지나서 이행한 경우라면 A는 이행강제금을 부과할 수 있다.
② 건물철거의무는 대체적 작위의무로서 행정대집행을 통해서도 이행이 가능하므로 이행강제금을 부과하는 것은 위법하다.
③ 위 사례에서 甲이 무허가 건축행위에 대한 벌금형을 부과받음과 아울러 이행강제금까지 부과받은 것은 이중처벌에 해당한다.
④ A는 추후에 甲이 철거명령을 이행하면 새로이 이행강제금을 부과할 수는 없지만 이미 부과된 이행강제금은 징수하여야 한다.

✓ 기출체크

① 관련기출

1. 이행강제금의 본질상 시정명령을 받은 의무자가 이행강제금이 부과되기 전에 그 의무를 이행한 경우라도 시정명령에서 정한 기간을 지나서 이행하였다면 이행강제금을 부과할 수 있다. 2024 소방간부 (○ | ×)
2. 이행강제금은 과거의 의무불이행에 대한 제재의 기능을 지니고 있으므로, 이행강제금이 부과되기 전에 의무를 이행한 경우에도 시정명령에서 정한 기간을 지나서 이행한 경우라면 이행강제금을 부과할 수 있다. 2024 해경승진 (○ | ×)
3. 「건축법」상 시정명령을 받은 의무자가 이행강제금이 부과되기 전에 그 의무를 이행하였더라도 그 시정명령에서 정한 기간을 지나서 이행한 경우라면 행정청은 이행강제금을 부과할 수 있다. 2023 국가직 7급 (○ | ×)
4. 이행강제금의 성격에 비추어 「건축법」상 시정명령을 받은 의무자가 시정명령에서 정한 기간을 지나서 시정명령을 이행한 경우 이행강제금이 부과되기 전에 그 이행이 있었다 하더라도 시정명령상의 기간을 준수하지 않은 이상 이행강제금을 부과하는 것은 정당하다. 2022 해경간부 (○ | ×)
5. 「부동산 실권리자명의 등기에 관한 법률」상 장기미등기자가 이행강제금 부과 전에 등기신청의무를 이행하였다면 이행강제금의 부과로써 이행을 확보하고자 하는 목적은 이미 실현된 것이므로 이 법상 규정된 기간이 지나서 등기신청의무를 이행한 경우라 하더라도 이행강제금을 부과할 수 없다. 2020 군무원 9급 (○ | ×)

② 관련기출

6. 이행강제금은 대체적 작위의무의 위반에 대해서도 부과될 수 있으나 개별 사건에 있어 행정청이 대집행과 이행강제금을 선택적으로 활용하는 것은 허용되지 않는다. 2025 소방직 9급 (○ | ×)
7. 이행강제금은 대체적 작위의무의 위반에 대하여도 부과될 수 있으며, 「건축법」상 위법건축물에 대한 이행강제수단으로 행정대집행과 이행강제금을 합리적인 재량에 의해 선택적으로 활용하는 이상 이는 중첩적인 제재에 해당하지 않는다. 2023 국가직 7급 (○ | ×)
8. 행정대집행은 대체적 작위의무에 대한 강제집행수단이고, 이행강제금은 부작위의무나 비대체적 작위의무에 대한 강제집행수단이므로 이행강제금은 대체적 작위의무의 위반에 대하여는 부과될 수 없다. 2022 군무원 7급 (○ | ×)

③ 관련기출

9. 개발제한구역 내의 건축물에 대하여 허가를 받지 않고 한 용도변경행위에 대한 형사처벌과 「건축법」제83조 제1항에 의한 시정명령 위반에 대한 이행강제금 부과는 이중처벌에 해당하지 아니한다. 2021 소방직 9급 (○ | ×)
10. 형사처벌과 이행강제금은 병과될 수 있다. 2020 지방직·서울시 9급 (○ | ×)
11. 형사처벌과 이행강제금의 병과는 이중처벌에 해당하지 않는다. 2017 교육행정직 9급 (○ | ×)
12. 무허가 건축행위에 대한 형사처벌과 시정명령 위반에 대한 이행강제금의 부과는 그 처벌 내지 제재대상이 되는 기본적 사실관계로서의 행위를 달리하며, 또한 그 보호법익과 목적에서도 차이가 있으므로 이중처벌이 아니다. 2015 지방직 7급 (○ | ×)
13. 무허가 건축행위를 한 자에 대해서 형사처벌을 함과 아울러 이행강제금을 부과하더라도 이중처벌에 해당하지 않는다는 것이 헌법재판소의 입장이다. 2014 서울시 9급 (○ | ×)

④ 관련기출

14. 행정청은 의무자가 행정상 의무를 이행할 때까지 이행강제금을 반복하여 부과할 수 있지만, 의무자가 의무를 이행하면 새로운 이행강제금의 부과를 즉시 중지하고, 이미 부과한 이행강제금도 징수해서는 안 된다. 2025 국가직 7급 (○ | ×)
15. 행정청은 의무자가 행정상 의무를 이행할 때까지 이행강제금을 반복하여 부과할 수 있으나, 의무자가 의무를 이행하면 새로운 이행강제금의 부과를 즉시 중지하여야 하며, 이미 부과된 이행강제금도 징수할 수 없다. 2024 변호사 (○ | ×)
16. 의무자가 의무를 이행하면 새로운 이행강제금의 부과를 즉시 중지하고, 이미 부과한 이행강제금은 징수하지 아니한다. 2024 군무원 7급 (○ | ×)
17. 「건축법」상 시정명령을 받은 자가 이를 이행하면 이미 부과된 이행강제금은 징수하여야 하지만, 새로이 이행강제금을 부과하지는 않는다. 2023 소방직 9급 (○ | ×)

정답
1. × 2. × 3. ○ 4. × 5. ○ 6. × 7. ○ 8. × 9. ○ 10. ○
11. ○ 12. ○ 13. ○ 14. × 15. × 16. × 17. ○

04 □□□

이행강제금에 관한 설명으로 옳은 것만을 <보기>에서 모두 고른 것은? (다툼이 있는 경우 판례에 의함)

보기

㉮ 「건축법」에 의하여 시정명령을 받은 의무자가 시정명령에서 정한 기간을 지나서 이행한 경우, 이행강제금이 부과되기 전에 그 의무를 이행하였다면 행정청은 이행강제금을 부과할 수 없다.

㉯ 「건축법」상 이행강제금 납부의 최초 독촉은 사실행위인 통지에 불과하므로 항고소송의 대상이 되는 행정처분에 해당하지 않는다.

㉰ 구 「건축법」상 이행강제금을 부과받은 사람이 재판절차 중에 사망한 경우에는 상속인이 그 재판절차를 수계하여 절차를 진행한다.

㉱ 「건축법」상 위법건축물에 대하여 행정청은 대집행과 이행강제금을 선택적으로 활용할 수 있으며, 합리적 재량에 의해 선택하여 활용하였다면 중첩적인 제재에 해당하지 않는다.

① ㉮, ㉯
② ㉮, ㉱
③ ㉯, ㉰
④ ㉰, ㉱

✓ 기출체크

㉮ 관련기출

1. 「건축법」에 의하여 시정명령을 받은 의무자가 이행강제금이 부과되기 전에 그 의무를 이행하였다 하더라도 시정명령에서 정한 기간을 지나서 이행한 이상 행정청은 이행강제금을 부과할 수 있다. 2025 해경승진 (○ | ×)

2. 이행강제금의 본질상 시정명령을 받은 의무자가 이행강제금이 부과되기 전에 그 의무를 이행한 경우라도 시정명령에서 정한 기간을 지나서 이행하였다면 이행강제금을 부과할 수 있다. 2024 소방간부 (○ | ×)

3. 이행강제금은 과거의 의무불이행에 대한 제재의 기능을 지니고 있으므로, 이행강제금이 부과되기 전에 의무를 이행한 경우에도 시정명령에서 정한 기간을 지나서 이행한 경우라면 이행강제금을 부과할 수 있다. 2024 해경승진 (○ | ×)

4. 「건축법」상 시정명령을 받은 의무자가 이행강제금이 부과되기 전에 그 의무를 이행한 경우에는 비록 시정명령에서 정한 기간을 지나서 이행한 경우라도 이행강제금을 부과할 수 없다. 2020 국가직 9급 (○ | ×)

㉯ 관련기출

5. 「건축법」상 이행강제금 납부의 최초 독촉은 징수처분으로서 항고소송의 대상이 되는 행정처분이 될 수 있다. 2024 해경승진 (○ | ×)

6. 「건축법」상 이행강제금 납부의 최초 독촉은 항고소송의 대상이 되는 행정처분에 해당한다는 것이 판례의 태도이다. 2020 소방직 9급 (○ | ×)

7. 구 「건축법」 및 「지방세법」·「국세징수법」에 의하여 이행강제금 부과처분을 받은 자가 기한 내에 이행강제금을 납부하지 아니한 때에는 그 납부를 독촉할 수 있으며, 이때 이행강제금 납부의 최초 독촉은 징수처분으로서 행정처분에 해당한다. 2017 국회직 8급 (○ | ×)

8. 이행강제금 부과처분을 받고 기한 내에 납부하지 아니한 자에 대한 이행강제금 납부독촉은 사실행위인 통지로서 항고소송의 대상이 되지 아니한다. 2013 국가직 7급 (○ | ×)

㉰ 관련기출

9. 이행강제금 납부의무는 상속인 기타의 사람에게 승계될 수 없는 일신전속적인 성질의 것이므로 이미 사망한 사람에게 이행강제금을 부과하는 내용의 처분이나 결정은 당연무효이고, 이행강제금을 부과받은 사람의 이의에 의하여 「비송사건절차법」에 의한 재판절차가 개시된 후에 그 이의한 사람이 사망한 때에는 사건 자체가 목적을 잃고 절차가 종료된다. 2025 군무원 9급 (○ | ×)

10. 「건축법」상 이행강제금을 부과받은 사람이 이행강제금 사건의 제1심결정 후 항고심결정이 있기 전에 사망한 경우, 항고심결정은 당연무효이고, 이미 사망한 사람의 이름으로 제기된 재항고는 보정할 수 없는 흠결이 있는 것으로서 부적법하다. 2024 지방직·서울시 9급 (○ | ×)

11. 구 「건축법」상 이행강제금을 부과받은 자의 이의에 의해 「비송사건절차법」에 의한 재판절차가 개시된 후에 그 이의한 자가 사망했다면 그 재판절차는 종료된다. 2017 사회복지직 9급 (○ | ×)

㉱ 관련기출

12. 「건축법」상 위법건축물에 대한 이행강제수단으로 대집행과 이행강제금이 인정되는데 행정청의 합리적 재량에 의해 이를 선택적으로 활용하는 이상 대집행과 이행강제금은 중첩적인 제재에 해당한다고 볼 수 없다. 2025 해경승진 (○ | ×)

13. 행정청은 개별 사건에 있어서 위반내용, 위반자의 시정의지 등을 감안하여 대집행과 이행강제금을 선택적으로 활용할 수 있으며, 이처럼 그 합리적인 재량에 의해 선택하여 활용하는 이상 중첩적인 제재에 해당한다고 볼 수 없다. 2022 국회직 8급 (○ | ×)

14. 甲: 행정청은 대집행의 대상이 될 수 있는 것에 대하여 이행강제금을 부과할 수도 있나요?
    乙: 행정청은 개별 사건에 있어서 위법건축물에 대하여 대집행과 이행강제금을 선택적으로 활용할 수 있습니다. 2021 국가직 9급 (○ | ×)

15. 「건축법」에 위반한 건축물의 철거를 명하였으나 불응하자 이행강제금을 부과·징수한 후, 이후에도 철거를 하지 아니하자 다시 행정대집행계고처분을 한 경우 그 계고처분은 유효하다. 2016 지방직 7급 (○ | ×)

정답
1. ○ 2. × 3. × 4. ○ 5. ○ 6. ○ 7. ○ 8. × 9. ○ 10. ○
11. ○ 12. ○ 13. ○ 14. ○ 15. ○

05 ☐☐☐

이행강제금에 관한 설명으로 <보기>에서 옳은 것(○)과 옳지 않은 것(×)을 올바르게 조합한 것은? (다툼이 있는 경우 판례에 의함)

―┤ 보기 ├―

㉮ 「개발제한구역법」상 이행강제금의 부과·징수를 위한 계고는 시정명령을 불이행한 경우에 취할 수 있는 절차라 할 것이므로 이행강제금을 부과·징수할 때마다 그에 앞서 시정명령절차를 다시 거쳐야 할 필요는 없다고 보아야 한다.

㉯ 이행강제금 부과처분에 대한 불복방법에 대해 개별법에 특별한 규정을 두고 있지 않은 경우에는 「행정심판법」상의 행정심판 또는 「행정소송법」상의 행정소송을 제기할 수 있다.

㉰ 「건축법」상 이행강제금은 간접강제의 일종으로서 그 이행강제금 납부의무는 상속인에게 승계될 수 없는 일신전속적인 것이므로 이미 사망한 사람에게 이행강제금을 부과하는 내용의 처분이나 결정은 당연무효에 해당한다.

㉱ 사용자가 이행하여야 할 행정법상 의무의 내용을 초과하는 것을 불이행 내용으로 기재한 이행강제금 부과예고서에 의하여 이행강제금 부과예고를 한 다음 이를 이행하지 않았다는 이유로 이행강제금을 부과하였다면, 초과한 정도가 근소하다는 등의 특별한 사정이 없는 한 이행강제금 부과처분은 위법하다.

㉲ 건축주 등이 장기간 시정명령을 이행하지 아니하였더라도, 그 기간 중에는 시정명령의 이행기회가 제공되지 아니하였다가 뒤늦게 시정명령의 이행기회가 제공된 경우라면, 시정명령의 이행기회가 제공되지 아니한 과거의 기간에 대한 이행강제금까지 한꺼번에 부과할 수는 없고, 이를 위반하여 이루어진 이행강제금 부과처분의 하자는 중대·명백하다고 할 것이다.

① ㉮(○) ㉯(○) ㉰(○) ㉱(○) ㉲(○)
② ㉮(○) ㉯(○) ㉰(○) ㉱(×) ㉲(○)
③ ㉮(○) ㉯(×) ㉰(×) ㉱(○) ㉲(○)
④ ㉮(×) ㉯(○) ㉰(×) ㉱(○) ㉲(×)

✓ 기출체크

㉮ 관련기출

1. 「개발제한구역법」에 따른 행정청의 시정명령 불이행에 대한 이행강제금의 부과·징수를 위한 계고는 시정명령을 불이행한 경우에 취할 수 있는 절차라 할 것이고, 따라서 이행강제금을 부과·징수할 때마다 그에 앞서 시정명령절차를 다시 거쳐야 할 필요는 없다. 2024 소방간부 (○ | ×)

㉯ 관련기출

2. 이행강제금의 부과처분에 대한 불복방법에 관하여 아무런 규정을 두고 있지 않은 경우에는 이행강제금 부과처분은 행정행위이므로 행정심판 또는 행정소송을 제기할 수 있다. 2015 국가직 7급 (○ | ×)
3. 이행강제금 부과처분에 대한 불복방법에는 개별법의 규정에 의한 방법과 일반행정쟁송에 의하는 방법이 있다. 2012 국회(속기·경위직) 9급 (○ | ×)

㉰ 관련기출

4. 이행강제금 납부의무는 상속인 기타의 사람에게 승계될 수 없는 일신전속적인 성질의 것이므로 이미 사망한 사람에게 이행강제금을 부과하는 내용의 처분이나 결정은 당연무효이다. 2025 지방직·서울시 7급 (○ | ×)
5. 이행강제금 납부의무는 상속인 기타의 사람에게 승계될 수 없는 일신전속적인 성질의 것이므로 이미 사망한 사람에게 이행강제금을 부과하는 내용의 처분이나 결정은 당연무효이고, 이행강제금을 부과받은 사람의 이의에 의하여 「비송사건절차법」에 의한 재판절차가 개시된 후에 그 이의한 사람이 사망한 때에는 사건 자체가 목적을 잃고 절차가 종료된다. 2025 군무원 9급 (○ | ×)
6. 이행강제금은 일신전속적인 성질의 것이 아니어서 그 이행강제금 납부의무는 상속인 기타의 사람에게 승계된다. 2025 소방간부 (○ | ×)
7. 「건축법」상의 위반행위에 대하여 건축주 등에 대하여 부과되는 이행강제금 납부의무는 상속인 기타의 사람에게 승계될 수 없는 일신전속적인 성질의 것이므로 이미 사망한 사람에게 이행강제금을 부과하는 내용의 처분이나 결정은 당연무효이다. 2024 군무원 7급 (○ | ×)
8. 이행강제금 납부의무는 일신전속적인 성질을 가지므로 상속인 등에게 승계되지 않는다. 2024 소방직 9급 (○ | ×)

㉱ 관련기출

9. 이행강제금은 간접적인 행정상 강제집행수단이고, 노동위원회가 「근로기준법」에 따라 이행강제금을 부과하는 경우 그 30일 전까지 하여야 하는 이행강제금 부과예고는 '계고'에 해당한다. 2025 지방직·서울시 7급 (○ | ×)
10. 사용자가 이행하여야 할 행정법상 의무의 내용을 초과하는 것을 '불이행 내용'으로 기재한 이행강제금 부과예고서에 의하여 이행강제금 부과예고를 한 다음 이를 이행하지 않았다는 이유로 이행강제금을 부과하였다면, 초과한 정도가 근소하다는 등의 특별한 사정이 없는 한 이행강제금 부과예고는 이행강제금제도의 취지에 반하는 것으로서 위법하고, 이에 터 잡은 이행강제금 부과처분 역시 위법하다. 2017 지방직(하) 9급 (○ | ×)

🟥 **관련기출**

11. 건축주 등이 장기간 시정명령을 이행하지 아니하였으나 그 기간 중에 시정명령의 이행기회가 제공되지 아니하였다가 뒤늦게 시정명령의 이행기회가 제공된 경우, 이행기회가 제공되지 아니한 과거의 기간에 대한 이행강제금을 한꺼번에 부과할 수 없다. 2025 지방직·서울시 7급 (O | X)

12. 건축주 등이 「건축법」상 시정명령을 장기간 이행하지 아니하였더라도, 그 기간 중에는 시정명령의 이행기회가 제공되지 아니하였다가 뒤늦게 시정명령의 이행기회가 제공된 경우라면, 행정청은 시정명령의 이행기회 제공을 전제로 한 1회분의 이행강제금만을 부과할 수 있고 시정명령의 이행기회가 제공되지 아니한 과거의 기간에 대한 이행강제금까지 한꺼번에 부과할 수는 없다. 2023 국가직 7급 (O | X)

13. 건축주 등이 장기간 시정명령을 이행하지 아니하였더라도, 그 기간 중에는 시정명령의 이행기회가 제공되지 아니하였다가 뒤늦게 시정명령의 이행기회가 제공된 경우라면, 시정명령의 이행기회 제공을 전제로 한 1회분의 이행강제금만을 부과할 수 있고, 시정명령의 이행기회가 제공되지 아니한 과거의 기간에 대한 이행강제금까지 한꺼번에 부과할 수는 없으며 이를 위반하여 이루어진 이행강제금 부과처분은 무효이다. 2023 서울시 연구사 (O | X)

14. 비록 건축주 등이 장기간 시정명령을 이행하지 아니하였더라도, 그 기간 중에는 시정명령의 이행기회가 제공되지 아니하였다가 뒤늦게 시정명령의 이행기회가 제공된 경우라면, 시정명령의 이행기회가 제공되지 아니한 과거의 기간에 대한 이행강제금까지 한꺼번에 부과할 수 있다. 2020 군무원 9급 (O | X)

15. 건축주 등이 장기간 시정명령을 이행하지 아니하였으나 그 기간 중에 시정명령의 이행기회가 제공되지 아니하였다가 뒤늦게 이행기회가 제공된 경우, 이행기회가 제공되지 아니한 과거의 기간에 대한 이행강제금까지 한꺼번에 부과하였다면 그러한 이행강제금 부과처분은 하자가 중대·명백하여 당연무효이다. 2019 국가직 7급 (O | X)

정답
1. O 2. O 3. O 4. O 5. O 6. × 7. O 8. O 9. O 10. O
11. O 12. O 13. O 14. × 15. O

06 □□□

행정상 강제징수에 관한 설명으로 옳은 것은? (다툼이 있는 경우 판례에 의함)

① 독촉절차 없이 압류처분을 하였다면 압류처분에 중대·명백한 하자가 있다고 볼 수 있다.

② 납세자가 아닌 제3자의 재산을 대상으로 한 압류처분은 취소사유에 해당한다.

③ 체납자 등은 자신에 대한 공매통지의 하자뿐만 아니라 다른 권리자에 대한 공매통지의 하자를 들어 공매처분의 위법사유로 주장할 수 있다.

④ 「국세기본법」에 따르면 강제징수절차에 불복하는 자는 심사청구 또는 심판청구와 그에 대한 결정을 거치지 않으면 행정소송을 제기할 수 없다.

✅ **기출체크**

① **관련기출**
1. 독촉절차 없이 압류처분을 하였다고 하더라도 이러한 사유만으로는 압류처분을 무효로 되게 하는 중대하고도 명백한 하자가 되지 아니한다. 2025 소방간부 (O | X)

② **관련기출**
2. 납세자가 아닌 제3자의 재산을 대상으로 한 압류처분은 당연무효가 아니라 취소사유에 해당한다. 2024 지방직·서울시 7급 (O | X)
3. 납세자가 아닌 제3자의 재산을 대상으로 한 압류처분은 그 처분의 내용이 법률상 실현될 수 없는 것이어서 당연무효이다. 2022 국가직 7급 (O | X)
4. 납세자가 아닌 제3자의 재산을 대상으로 압류처분을 한 경우(는 행정행위의 하자로서 무효사유이다) 2022 소방직 9급 (O | X)
5. 납세자가 아닌 제3자의 재산을 대상으로 한 압류처분은 당연무효이다. 2018 서울시 2회 7급 (O | X)
6. 납세자가 아닌 제3자의 재산을 대상으로 한 압류처분은 무효사유에 해당하지 않는다. 2015 지방직 9급 (O | X)

③ **관련기출**
7. 체납자 등은 다른 권리자에 대한 공매통지의 하자를 들어 공매처분의 위법사유로 주장할 수 있다. 2023 군무원 7급 (O | X)

④ **관련기출**
8. 「국세징수법」상의 독촉, 압류, 압류해제거부 및 공매처분에 대하여는 이의신청을 제기할 수 있고, 심사청구와 심판청구의 결정을 모두 거친 후에 행정소송을 제기할 수 있다. 2018 소방직 9급 (O | X)
9. 국세 부과처분 취소소송에는 임의적 행정심판전치주의가 적용된다. 2017 교육행정직 9급 (O | X)
10. 「국세기본법」에 의하면 강제징수절차에 불복하는 당사자는 심사청구 또는 심판청구를 거친 후 행정소송을 제기하여야 한다. 2016 교육행정직 9급 (O | X)
11. 독촉과 체납처분(현 강제징수)에 대하여 불복이 있는 자는 바로 취소소송을 제기할 수 있다. 2015 사회복지직 9급 (O | X)

정답
1. O 2. × 3. O 4. O 5. O 6. × 7. × 8. × 9. × 10. O
11. ×

07

사례에 관한 설명으로 옳은 것만을 <보기>에서 모두 고른 것은?
(다툼이 있는 경우 판례에 의함)

> 동작세무서장은 국세를 체납한 甲의 부동산을 압류하였으나, 압류 후에도 甲은 세금을 납부하지 않았다. 이에 동작세무서장은 2025년 9월 8일 공매일시와 매각예정가격 등을 정하여 甲에게 통지하였다(그런데 공매통지는 잘못된 주소지로 송달된 위법한 통지이다). 그 후, 2025년 11월 1일 동작세무서장은 甲 소유 부동산을 乙에게 매각하는 공매처분을 하였다.

보기

㉮ 압류재산이 징수할 국세액을 초과한다면 그러한 압류는 당연무효이다.
㉯ 2025년 9월 8일자 공매통지는 항고소송의 대상이 되는 처분이다.
㉰ 세무서장의 공매통지는 체납자의 권리 내지 재산상 이익을 보호하기 위하여 법률로 규정한 절차적 요건에 해당하므로 그 통지를 하지 아니한 채 공매처분을 한 경우, 그 공매처분은 당연무효이다.
㉱ 세무서장이 공매권한을 한국자산관리공사에 위임한 경우, 한국자산관리공사가 그 부동산을 인터넷을 통하여 공매하기로 한 결정은 항고소송의 대상이 되는 처분이 아니다.
㉲ 공매에 의하여 재산을 매수한 乙은 그 공매처분이 취소된 경우에 그 취소처분의 위법을 주장하여 행정소송을 제기할 법률상 이익이 있다.

① ㉮, ㉯
② ㉯, ㉰
③ ㉰, ㉱
④ ㉱, ㉲

✔ 기출체크

㉮ 관련기출

1. 세무공무원이 국세의 징수를 위해 납세자의 재산을 압류하는 경우 그 재산의 가액이 징수할 국세액을 초과하는 경우에는 그 압류가 당연무효의 처분이다. 2023 해경간부 (O | X)
2. 세무공무원이 국세의 징수를 위해 납세자의 재산을 압류하는 경우 그 재산의 가액이 징수할 국세액을 초과한다면 당해 압류처분은 무효이다. 2017 국가직 9급 (O | X)

㉯ 관련기출

3. 공매처분을 하면서 체납자 등에게 공매통지를 하지 않았거나 공매통지를 하였더라도 그것이 적법하지 아니한 경우에는 절차상의 흠이 있어 그 공매처분이 위법하게 되는 것이지만, 다른 특별한 사정이 없는 한 공매통지 자체를 항고소송의 대상으로 삼아 그 취소를 구할 수는 없다. 2025 지방직·서울시 7급 (O | X)
4. 「국세징수법」상 공매통지 자체는 원칙적으로 그 공매통지 자체를 항고소송의 대상으로 삼아 그 취소 등을 구할 수 있다. 2024 군무원 9급 (O | X)
5. 한국자산관리공사의 공매통지는 통지상대방의 법적 지위나 권리·의무에 직접 영향을 주는 것으로 항고소송의 대상이 되는 행정처분에 해당한다. 2024 국회직 9급 (O | X)
6. 한국자산공사의 공매통지는 공매의 요건이 아니라 공매사실 자체를 체납자에게 알려주는 데 불과한 것으로서, 통지의 상대방의 법적 지위나 권리·의무에 직접 영향을 주는 것이 아니라고 할 것이므로 이것 역시 행정처분에 해당한다고 할 수 없다. 2023 해경간부 (O | X)
7. 「국세징수법」상 공매통지에 하자가 있는 경우, 다른 특별한 사정이 없는 한 체납자는 공매통지 자체를 항고소송의 대상으로 삼아 그 취소 등을 구할 수 있다. 2020 국가직 9급 (O | X)

㉰ 관련기출

8. 공매처분을 하면서 체납자 등에게 공매통지를 하지 않았거나 공매통지를 하였더라도 그것이 적법하지 아니한 경우에는 절차상의 흠이 있어 그 공매처분은 위법하다. 2023 군무원 7급 (O | X)
9. 「국세징수법」상 공매통지는 국가의 강제력에 의하여 진행되는 공매절차에서 체납자 등의 권리 내지 재산상 이익을 보호하기 위하여 법률로 규정한 절차적 요건에 해당하기 때문에 그 통지를 하지 아니한 채 공매처분을 한 경우에는 그 공매처분은 당연무효이다. 2020 경행경채 (O | X)
10. 「국세징수법」상 체납자 등에 대한 공매통지는 체납자 등의 법적 지위나 권리·의무에 직접적인 영향을 주는 행정처분에 해당하지 아니하므로 공매통지가 적법하지 아니한 경우에도 그에 따른 공매처분이 위법하게 되는 것은 아니다. 2018 지방직 9급 (O | X)
11. 「국세징수법」상 공매처분을 하면서 체납자에게 공매통지를 하였다면 공매통지가 적법하지 않다 하더라도 공매처분에 절차상 하자가 있다고 할 수는 없다. 2017 사회복지직 9급 (O | X)

㉱ 관련기출

12. 한국자산공사가 당해 부동산을 인터넷을 통하여 재공매(입찰)하기로 한 결정 자체는 내부적인 의사결정에 불과하여 항고소송의 대상이 되는 행정처분이라고 볼 수 없다. 2023 서울시 지적 7급 (O | X)
13. 한국자산공사가 당해 부동산을 인터넷을 통해 재공매하기로 한 결정도 항고소송의 대상이 되는 행정처분이라고 볼 수 있다. 2023 군무원 7급 (O | X)
14. 한국자산관리공사가 당해 부동산을 인터넷을 통하여 재공매하기로 한 결정 자체는 내부적인 의사결정에 불과하여 항고소송의 대상이 되는 행정처분이 아니고, 한국자산관리공사의 공매통지는 상대방의 법적 지위에 직접 영향을 주는 것이어서 행정처분에 해당한다. 2022 경찰간부 (O | X)
15. 한국자산공사의 재공매결정과 공매통지는 행정처분에 해당한다. 2021 군무원 7급 (O | X)

㉲ 관련기출

16. 과세관청이 체납처분으로서 행하는 공매는 우월한 공권력의 행사로서 행정소송의 대상이 되는 공법상의 행정처분이며 공매에 의하여 재산을 매수한 자는 그 공매처분이 취소된 경우에 그 취소처분의 위법을 주장하여 행정소송을 제기할 법률상 이익이 있다. 2024 지방직·서울시 9급 (O | X)
17. 과세관청이 체납처분(현 강제징수)으로서 행하는 공매는 우월한 공권력의 행사로서 행정소송의 대상이 되는 공법상의 행정처분이며 공매에 의하여 재산을 매수한 자는 그 공매처분이 취소된 경우에 그 취소처분의 위법을 주장하여 행정소송을 제기할 법률상 이익이 있다. 2023 군무원 9급 (O | X)

18. 과세관청이 체납처분(현 강제징수)으로서 행하는 공매는 우월한 공권력의 행사로서 행정소송의 대상이 되는 공법상의 행정처분이며 공매에 의하여 재산을 매수한 자는 그 공매처분이 취소된 경우에 그 취소처분의 취소를 구할 법률상 이익이 있다. 2021 국회직 8급 (O | X)

19. 과세관청이 체납처분(현 강제징수)으로서 행하는 공매에 의하여 재산을 매수한 자는 그 공매처분이 취소된 경우에 그 취소처분의 위법을 주장하여 행정소송을 제기할 법률상 이익이 있다. 2017 지방직 7급 (O | X)

20. 과세관청이 체납처분(현 강제징수)으로서 행하는 공매는 우월한 공권력의 행사로서 행정소송의 대상이 되는 행정처분이나, 공매에 의하여 재산을 매수한 자는 그 공매처분이 취소된 경우에 그 취소처분의 위법을 주장하여 행정소송을 제기할 법률상 이익이 없다. 2016 지방직 9급 (O | X)

정답
1. × 2. × 3. O 4. × 5. × 6. × 7. × 8. O 9. × 10. ×
11. × 12. O 13. × 14. × 15. × 16. O 17. × 18. O 19. O 20. ×

08 □□□

행정상 강제집행에 해당하는 것만을 <보기>에서 모두 고른 것은? (다툼이 있는 경우 판례에 의함)

보기
㉮ 「감염병의 예방 및 관리에 관한 법률」상 감염병환자의 강제입원
㉯ 구 「음반·비디오물 및 게임물에 관한 법률」상 불법게임물에 대한 수거·폐기조치
㉰ 「소방기본법」상 소방활동에 방해가 되는 물건 등에 대한 강제처분
㉱ 「출입국관리법」상 개별적·구체적 의무를 위반한 사람에 대한 강제퇴거
㉲ 「식품위생법」상 영업소 폐쇄명령을 받은 후에도 계속하여 영업을 하는 경우 해당 영업소를 폐쇄하는 조치

① ㉮, ㉯
② ㉯, ㉰
③ ㉰, ㉱
④ ㉱, ㉲

✓ 기출체크

㉮ 관련기출

1. 「감염병의 예방 및 관리에 관한 법률」상 감염병환자에 대한 강제건강진단과 예방접종은 대인적 즉시강제수단에 해당한다. 2024 해경승진 (O | X)

2. 「감염병의 예방 및 관리에 관한 법률」 제47조 제1호의 '일시적 폐쇄'는 의무의 불이행을 전제로 하지 않으므로 강학상 즉시강제에 해당한다. 2022 해경간부 (O | X)

3. 행정상 즉시강제에 해당하지 않는 것은? 2012 지방직(하) 9급
① 「감염병의 예방 및 관리에 관한 법률」상의 감염병환자의 강제입원
② 「경찰관 직무집행법」상의 보호조치
③ 「건축법」상의 이행강제금의 부과
④ 「도로교통법」상의 위법인공구조물에 대한 제거

4. 행정상 즉시강제에 해당하지 않는 것은? 2011 지방직 9급
① 「행정대집행법」에 의한 무허가건물의 강제철거
② 「소방기본법」에 의한 강제처분
③ 「경찰관 직무집행법」에 의한 범죄의 예방과 제지
④ 「재난 및 안전관리기본법」에 의한 응급조치

㉯ 관련기출

5. 구 「음반·비디오물 및 게임물에 관한 법률」상 불법게임물에 대한 수거 및 폐기조치는 행정상 즉시강제에 해당한다. 2023 지방직·서울시 9급 (O | X)

6. 불법게임물에 대한 폐기처분에 대하여 판례는 이를 행정상 즉시강제로 보고 있다. 2013 경행특채 (O | X)

㉰ 관련기출

7. 「소방기본법」상 소방본부장, 소방서장 또는 소방대장이 소방활동을 위하여 긴급하게 출동할 때에는 소방자동차의 통행과 소방활동에 방해가 되는 주차 또는 정차된 차량 및 물건 등을 제거하거나 이동시킬 수 있는 것은 즉시강제에 해당한다. 2023 소방직 9급 (O | X)

㉱㉲ 관련기출

8. 영업소 폐쇄명령 불이행에 따른 영업소 폐쇄조치는 즉시강제에 해당한다. 2026 경찰간부 (O | X)

9. 「식품위생법」상 영업소 폐쇄명령을 받은 자가 영업을 계속할 경우 강제폐쇄하는 조치는 행정상 즉시강제에 해당하지 않는다. 2023 소방승진 (O | X)

10. 행정의 실효성 확보수단의 예와 그 법적 성질의 연결이 옳지 않은 것은? (다툼이 있는 경우 판례에 의함) 2021 국가직 9급
① 「건축법」에 따른 이행강제금의 부과 – 집행벌
② 「식품위생법」에 따른 영업소 폐쇄 – 직접강제
③ 「공유재산 및 물품 관리법」에 따른 공유재산 원상복구명령의 강제적 이행 – 즉시강제
④ 「부동산등기 특별조치법」에 따른 과태료의 부과 – 행정벌

11. 「식품위생법」상 영업소 폐쇄명령을 받은 후에도 계속하여 영업을 하는 경우 해당 영업소를 폐쇄하는 조치는 행정상 즉시강제의 수단에 해당한다. 2014 지방직 9급 (O | X)

12. 사업장의 폐쇄, 외국인의 강제퇴거는 직접강제의 예에 해당한다. 2009 지방직 9급 (O | X)

정답
1. O 2. O 3. ③ 4. ① 5. O 6. O 7. O 8. × 9. O 10. ③
11. × 12. O

09 □□□

행정상 즉시강제에 관한 설명으로 옳은 것은? (다툼이 있는 경우 판례에 의함)

① 행정상 즉시강제는 직접강제와 마찬가지로 행정상 강제집행에 해당한다.
② 즉시강제는 급박한 상황에서 행해지는 것으로 이른바 경찰긴급권이론에 의하여 법률적 근거 없이도 즉시강제를 할 수 있다.
③ 손실발생의 원인에 대하여 책임이 없는 자가 자발적으로 경찰관의 적법한 직무집행에 협조하여 재산상의 손실을 입은 경우뿐만 아니라, 손실발생의 원인에 대하여 책임이 있는 자가 자신의 책임에 상응하는 정도를 초과하는 생명·신체 또는 재산상의 손실을 입은 경우에도 국가는 정당한 보상을 하여야 한다.
④ 대법원에 따르면, 사전영장주의는 인신의 자유를 제한하는 모든 국가작용의 영역에서 존중되어야 하므로 행정상 즉시강제의 경우에도 사전영장주의의 예외는 인정될 수 없다.

✓ 기출체크

① 관련기출

1. 행정상 즉시강제는 직접강제와는 달리 행정상 강제집행에 해당하지 않는다. 2021 국가직 9급 (O | X)

② 관련기출

2. 행정상 즉시강제는 엄격한 실정법상의 근거를 필요로 한다. 2023 소방승진 (O | X)

3. 행정상 즉시강제에 대한 설명으로 옳은 것만을 모두 고르면? 2022 국가직 9급

   ㉠ 항고소송의 대상이 되는 처분의 성질을 갖는다.
   ㉡ 과거의 의무 위반에 대하여 가해지는 제재이다.
   ㉢ 목전에 급박한 장해를 예방하기 위한 경우에는 예외적으로 법률의 근거가 없이도 발동될 수 있다는 것이 일반적인 견해이다.
   ㉣ 강제건강진단과 예방접종은 대인적 강제수단에 해당한다.
   ㉤ 위법한 즉시강제작용으로 손해를 입은 자는 국가나 지방자치단체를 상대로 「국가배상법」이 정한 바에 따라 손해배상을 청구할 수 있다.

   ① ㉡, ㉢
   ② ㉠, ㉡, ㉤
   ③ ㉠, ㉣, ㉤
   ④ ㉢, ㉣, ㉤

4. 행정상 즉시강제는 개인에게 미리 의무를 명할 시간적 여유가 없는 경우를 전제로 하므로 그 긴급성을 고려할 때 원칙적으로 법률적 근거를 요하지 아니한다. 2019 서울시 9급 (O | X)

5. 행정상 즉시강제는 실정법의 근거를 필요로 하고, 그 발동에 있어서는 법규의 범위 안에서도 행정상의 장해가 목전에 급박하고, 다른 수단으로는 행정목적을 달성할 수 없는 경우이어야 하며, 이러한 경우에도 그 행사는 필요 최소한도에 그쳐야 함을 내용으로 하는 한계에 기속된다. 2017 국가직(하) 9급 (O | X)

③ 관련기출

6. 국가는 경찰관의 적법한 직무집행으로 인하여 손실발생의 원인에 대하여 책임이 없는 자가 경찰관의 직무집행에 자발적으로 협조하거나 물건을 제공하여 생명·신체 또는 재산상의 손실을 입은 경우에는 손실을 보상하지 아니한다. 2025 국가직 7급 (O | X)

7. 국가는 손실발생의 원인에 대하여 책임이 없는 자가 경찰관의 적법한 직무집행에 자발적으로 협조하거나 물건을 제공하여 생명·신체 또는 재산상의 손실을 입은 경우에도 정당한 보상을 하여야 한다. 2023 소방간부 (O | X)

8. 손실발생의 원인에 대하여 책임이 없는 자가 경찰관의 적법한 보호조치에 자발적으로 협조하여 재산상의 손실을 입은 경우, 국가는 손실을 입은 자에 대하여 정당한 보상을 하여야 한다. 2015 경행특채 2차 (O | X)

④ 관련기출

9. 행정상 즉시강제와 관련하여 급박한 상황에 대처하기 위한 것으로 그 불가피성과 정당성이 충분히 인정되는 경우에 헌법상 영장주의에 반하지 않는다고 본 헌법재판소 판례가 있다. 2024 소방직 9급 (O | X)

10. 행정상 즉시강제는 국민의 권리 침해를 필연적으로 수반하므로, 이에 대해서는 항상 영장주의가 적용된다. 2021 국가직 9급 (O | X)

11. (대법원에 따르면) 행정상 즉시강제에서 그 목적을 달성할 수 없는 지극히 예외적인 경우에만 헌법상 사전영장주의원칙의 예외가 인정된다. 2019 소방직 9급 (O | X)

12. (대법원에 따르면) 사전영장주의원칙은 인신보호를 위한 헌법상의 기속원리이기 때문에 인신의 자유를 제한하는 행정상 즉시강제에서도 존중되어야 하고, 다만 사전영장주의를 고수하다가는 도저히 그 목적을 달성할 수 없는 지극히 예외적인 경우에만 형사절차에서와 같은 예외가 인정된다. 2019 경행경채 2차 (O | X)

정답
1. O 2. O 3. ③ 4. X 5. O 6. X 7. O 8. O 9. O 10. X 11. O 12. O

10 □□□

행정상 즉시강제에 관한 설명으로 옳은 것은? (다툼이 있는 경우 판례에 의함)

① 행정강제는 행정상 즉시강제를 원칙으로 하고 행정상 강제집행은 예외적으로 인정되어야 한다는 것이 판례의 입장이다.

② 등급분류를 받지 아니하거나 등급분류를 받은 게임물과 다른 내용의 게임물을 발견한 경우 관계 공무원으로 하여금 이를 수거·폐기하게 할 수 있도록 한 구 「음반·비디오물 및 게임물에 관한 법률」은 영장 없는 수거를 인정하고 있지만 그 입법목적의 정당성에도 불구하고 절차적 정당성을 규정한 헌법상 영장주의에 위배되어 위헌이다.

③ 즉시강제는 다른 수단으로 행정목적을 달성할 수 있는 경우에도 허용되지만, 행정목적 달성을 위해 필요한 최소한으로 실시하여야 한다.

④ 술에 취한 상태로 인하여 자기 또는 타인의 생명·신체와 재산에 위해를 미칠 우려가 있는 피구호자에 대한 보호조치는 경찰행정상 즉시강제에 해당한다.

✓ 기출체크

① 관련기출
1. 행정강제는 행정상 강제집행을 원칙으로 하고, 즉시강제는 예외적으로 인정되는 강제수단이다. 2023 소방승진 (O | X)
2. 행정강제는 행정상 강제집행을 원칙으로 하며, 법치국가적 요청인 예측가능성과 법적 안정성에 반하고 기본권 침해의 소지가 큰 권력작용인 행정상 즉시강제는 예외적으로 인정되는 강제수단이다. 2023 소방간부 (O | X)
3. 행정상 즉시강제는 엄격한 실정법상의 근거를 필요로 할 뿐만 아니라 그 발동에 있어서는 법규의 범위 안에서도 다시 행정상의 장해가 목전에 급박하고 다른 수단으로는 행정목적을 달성할 수 없는 경우이어야 한다. 2023 소방간부 (O | X)
4. 즉시강제는 법치국가의 요청인 예측가능성과 법적 안정성에 반하고 기본권 침해의 소지가 큰 권력작용이라는 비판이 존재한다. 2019 사회복지직 9급 (O | X)

② 관련기출
5. 구 「음반·비디오물 및 게임물에 관한 법률」상 불법게임물의 수거·폐기조치에 관한 조항이 영장 없는 수거를 인정한다고 하더라도 헌법상 영장주의에 위배되는 것으로 볼 수 없다. 2026 경찰간부 (O | X)
6. 행정상 즉시강제와 관련하여 급박한 상황에 대처하기 위한 것으로 그 불가피성과 정당성이 충분히 인정되는 경우에 헌법상 영장주의에 반하지 않는다고 본 헌법재판소 판례가 있다. 2024 소방직 9급 (O | X)
7. 불법게임물을 발견한 경우 관계 공무원으로 하여금 영장 없이 이를 수거하여 폐기하게 할 수 있도록 규정한 구 「음반·비디오물 및 게임물에 관한 법률」의 조항은 급박한 상황에 대처하기 위해 행정상 즉시강제를 행할 불가피성과 정당성이 인정되지 않으므로 헌법상 영장주의에 위배된다. 2017 국가직(하) 9급 (O | X)

8. 구 「음반·비디오물 및 게임물에 관한 법률」상 등급분류를 받지 아니한 게임물을 발견한 경우 관계 행정청이 관계 공무원으로 하여금 이를 수거·폐기하게 할 수 있도록 한 규정은 헌법상 영장주의와 피해최소성의 요건을 위배하는 과도한 입법으로 헌법에 위반된다. 2014 지방직 9급 (O | X)

③ 관련기출
9. 즉시강제는 다른 수단으로는 행정목적을 달성할 수 없는 경우에만 허용되며, 이 경우에도 최소한으로만 실시하여야 한다. 2026 경찰간부 (O | X)
10. 즉시강제는 다른 수단으로 행정목적을 달성할 수 있는 경우에도 허용되나, 최소한으로만 실시하여야 한다. 2025 군무원 7급 (O | X)

④ 관련기출
11. 술에 취한 상태로 인하여 자기 또는 타인의 생명·신체와 재산에 위해를 미칠 우려가 있는 피구호자에 대한 보호조치는 경찰행정상 즉시강제에 해당한다. 2026 경찰간부 (O | X)
12. 「경찰관 직무집행법」 제4조 제1항 제1호에서 규정하는 '술에 취한 상태로 인하여 자기 또는 타인의 생명·신체와 재산에 위해를 미칠 우려가 있는' 피구호자에 대한 보호조치는 행정상 즉시강제에 해당한다. 2023 소방간부 (O | X)

정답
1. O 2. O 3. O 4. O 5. O 6. O 7. × 8. × 9. O 10. ×
11. O 12. O

11 □□□

행정조사에 관한 설명으로 옳은 것만을 <보기>에서 모두 고른 것은? (다툼이 있는 경우 판례에 의함)

┤ 보기 ├

㉮ 행정조사는 조사목적을 달성하는 데 필요한 최소한의 범위 안에서 실시하여야 하며, 다른 목적 등을 위하여 조사권을 남용하여서는 아니 된다.

㉯ 「행정조사기본법」 제5조 단서에서 정한 '조사대상자의 자발적인 협조를 얻어 실시하는 행정조사'는 개별법령 등에서 행정조사를 규정하고 있는 경우에는 허용되지 않는다.

㉰ 자발적인 협조에 따라 실시하는 행정조사에 대해 조사대상자가 조사에 응할 것인지에 대한 응답을 하지 아니하는 경우 법령 등에 특별한 규정이 없는 한 조사를 거부한 것으로 본다.

㉱ 행정조사는 행정의 탄력적 운영을 위해서 수시로 실시함을 원칙으로 한다.

㉲ 조세·보안처분에 관한 사항에 대하여는 「행정조사기본법」이 적용되지 않지만, 그 경우에도 「행정조사기본법」 제4조(행정조사의 기본원칙)는 적용된다.

① ㉮, ㉯, ㉰
② ㉮, ㉰, ㉲
③ ㉯, ㉱, ㉲
④ ㉮, ㉰, ㉱, ㉲

✓ 기출체크

㉯ 관련기출

1. 「행정조사기본법」 제5조 단서에서 정한 '조사대상자의 자발적인 협조를 얻어 실시하는 행정조사'는 개별법령 등에서 행정조사를 규정하고 있는 경우에도 실시할 수 있다. 2024 국가직 7급 (○ | ×)

㉰ 관련기출

2. 「행정조사기본법」에 따르면 조사대상자의 자발적인 협조에 따라 실시하는 행정조사에 대하여 조사대상자가 조사에 응할 것인지에 대한 응답을 하지 아니하는 경우에는 법령 등에 특별한 규정이 없는 한 그 조사를 거부한 것으로 본다. 2024 지방직·서울시 9급 (○ | ×)

3. 자발적인 협조에 따라 실시하는 행정조사에 대하여 조사대상자가 조사에 응할 것인지에 대한 응답을 하지 아니하는 경우에는 법령 등에 특별한 규정이 없는 한 그 조사를 인정한 것으로 본다. 2024 국회직 8급 (○ | ×)

4. 행정기관의 장이 조사대상자의 자발적인 협조를 얻어 행정조사를 실시하고자 하는 경우 조사대상자는 문서·전화·구두 등의 방법으로 당해 행정조사를 거부할 수 있다. 2023 군무원 7급 (○ | ×)

5. 「행정조사기본법」에 따르면 조사대상자의 자발적인 협조를 얻어 행정조사를 실시하고자 하는 경우 조사대상자는 문서·전화·구두 등의 방법으로 당해 행정조사를 거부할 수 있다. 2023 지방직·서울시 9급 (○ | ×)

6. 「행정조사기본법」에 의하면 조사대상자의 자발적인 협조를 얻어 실시하는 행정조사의 경우에는 법령 등의 근거 없이도 행할 수 있으며, 이러한 행정조사에 대하여 조사대상자가 조사에 응할 것인지에 대한 응답을 하지 아니하는 경우에는 법령 등에 특별한 규정이 없는 한 그 조사를 거부한 것으로 본다. 2019 지방직 7급 (○ | ×)

㉱ 관련기출

7. 행정조사는 법령 등 또는 행정조사운영계획으로 정하는 바에 따라 정기적으로 실시함을 원칙으로 하나, 법령 등의 위반에 대한 신고를 받거나 민원이 접수된 경우에는 수시조사를 할 수 있다. 2024 국회직 8급 (○ | ×)

8. 행정조사는 수시로 실시함을 원칙으로 한다. 2023 국회직 8급 (○ | ×)

9. 행정조사는 그 실효성 확보를 위해 수시조사를 원칙으로 한다. 2021 소방직 9급 (○ | ×)

10. 행정조사는 법령 등 또는 행정조사운영계획으로 정하는 바에 따라 정기적으로 실시함을 원칙으로 한다. 2010 경행특채 (○ | ×)

㉲ 관련기출

11. 행정조사의 기본원칙은 군사시설·군사기밀보호 및 방위사업에 관한 사항에 대하여도 적용된다. 2024 해경승진 (○ | ×)

12. 「행정조사기본법」 제4조(행정조사의 기본원칙)는 조세·보안처분에 관한 사항에 대하여 적용하지 아니한다. 2022 국가직 7급 (○ | ×)

정답
1. ○ 2. ○ 3. × 4. ○ 5. ○ 6. ○ 7. ○ 8. × 9. × 10. ○
11. ○ 12. ×

12 □□□

행정조사에 관한 설명으로 옳지 <u>않은</u> 것은? (다툼이 있는 경우 판례에 의함)

① 헌법 제12조 제1항에서 규정하고 있는 적법절차의 원칙은 형사소송절차에 국한되지 않고 모든 국가작용 전반에 대하여 적용되는 원칙이므로 세무공무원의 세무조사권의 행사에서도 적법절차의 원칙은 준수되어야 한다.

② 행정청이 현장조사를 실시하는 과정에서 조사상대방으로부터 구체적인 위반사실을 자인하는 내용의 확인서를 작성받았다면, 그 확인서가 작성자의 의사에 반하여 강제로 작성되었다는 등의 특별한 사정이 없는 한 그 확인서의 증거가치를 쉽게 부정할 수 없다.

③ 조사대상자는 법률·회계 등에 대하여 전문지식이 있는 관계 전문가로 하여금 행정조사를 받는 과정에 입회하게 하거나 의견을 진술하게 하여야 한다.

④ 조사대상자와 조사원은 조사과정을 방해하지 아니하는 범위 안에서 행정조사의 과정을 녹음하거나 녹화할 수 있다.

✓ 기출체크

① 관련기출

1. 헌법상 적법절차의 원칙은 형사소송절차에 국한된 것으로서 모든 국가작용 전반에 대해 적용되는 것은 아니므로 행정목적 달성을 위한 행정조사에는 적용되지 않는다. 2025 소방직 9급 (○ | ×)

③ 관련기출

2. 조사대상자는 법률·회계 등에 대하여 전문지식이 있는 관계 전문가로 하여금 행정조사를 받는 과정에 입회하게 하거나 의견을 진술하게 할 수 있다. 2015 서울시 7급 (○ | ×)

④ 관련기출

3. 조사대상자와 조사원은 조사과정을 방해받지 아니하는 범위 안에서 행정조사의 과정을 상호 협의하여 녹음하거나 녹화할 수 있다. 2018 소방간부 (○ | ×)

정답
1. × 2. ○ 3. ○

13

행정조사에 관한 설명으로 옳지 않은 것은? (다툼이 있는 경우 판례에 의함)

① 시료채취의 방법 등이 고시에서 정한 절차를 위반하였다 하더라도 그러한 사정만으로 곧바로 그에 기초하여 내려진 행정처분이 위법하다고 볼 수는 없으며, 관계 법령의 규정내용과 취지 등에 비추어 절차상 하자가 채취된 시료를 객관적인 자료로 활용할 수 없을 정도로 중대한지에 따라 판단되어야 한다.

② 시료채취를 기초로 내려진 행정처분의 위법 여부를 판단할 경우, 시료의 채취와 보존, 검사방법의 적법성 또는 적절성이 담보되어 시료를 객관적인 자료로 활용할 수 있고 그에 따른 실험결과를 믿을 수 있다는 사정은 원칙적으로 행정청이 증명책임을 부담한다.

③ 세무공무원의 조사행위가 실질적으로 납세자 등으로 하여금 질문에 대답하고 검사를 수인하도록 함으로써 납세자의 영업의 자유 등에 영향을 미치는 경우라도 국세청훈령인 구 「조사사무처리규정」에서 정한 '현지확인'의 절차에 따른 것이라면 재조사가 금지되는 세무조사에 해당하지 않는다.

④ 납세자 등이 대답하거나 수인할 의무가 없고 납세자의 영업의 자유 등을 침해하거나 세무조사권이 남용될 염려가 없는 조사행위까지 재조사가 금지되는 세무조사에 해당한다고 보기 어렵다.

✓ 기출체크

① 관련기출

1. 행정조사의 한 단계인 시료의 채취가 행정규칙에 정한 절차를 위반하였더라도 그러한 사정만으로 곧바로 그에 기초하여 내려진 행정처분이 위법하다고 볼 수는 없고, 그 위법의 여부는 관계 법령의 규정 내용과 취지 등에 비추어 그 절차상 하자가 채취된 시료를 객관적인 자료로 활용할 수 없을 정도로 중대한지에 따라 판단되어야 한다. 2025 경찰간부 (O | ×)

④ 관련기출

2. 납세자 등이 대답하거나 수인할 의무가 없고 납세자의 영업의 자유 등을 침해하거나 세무조사권이 남용될 염려가 없는 조사행위라 하더라도 재조사가 금지되는 세무조사에 해당한다. 2024 국가직 7급 (O | ×)

3. 같은 세목 및 과세기간에 대한 거듭된 세무조사는 조세공평의 원칙에 현저히 반하는 예외적인 경우를 제외하고는 금지될 필요가 있으나, 납세자가 대답하거나 수인할 의무가 없고 납세자의 영업의 자유 등을 침해하거나 세무조사권이 남용될 염려가 없는 조사행위까지 재조사가 금지되는 세무조사에 해당하는 것은 아니다. 2020 국가직 5급 승진 (O | ×)

정답
1. O 2. × 3. O

14

행정조사에 관한 설명으로 옳은 것은? (다툼이 있는 경우 판례에 의함)

① 세무조사가 과세자료의 수집 또는 신고내용의 정확성 검증이라는 본연의 목적이 아니라 부정한 목적을 위하여 행하여진 것이라 하더라도, 이러한 세무조사에 의하여 수집된 과세자료를 기초로 한 과세처분이 정당한 세액의 범위 내에 있는 한 위법하다고 볼 수는 없다.

② 행정조사를 실시하고자 하는 행정기관의 장은 원칙적으로 출석요구서를 조사개시 10일 전까지 조사대상자에게 서면으로 통지하여야 한다.

③ 우편물 통관검사절차에서 진행된 우편물의 개봉, 시료채취, 성분분석 등의 검사는 수사기관의 강제처분과 동일한 성격의 것이므로 압수·수색영장 없이 하는 경우에는 원칙적으로 위법하다.

④ 수출입물품을 검사하는 과정에서 마약류가 감추어져 있다고 밝혀지거나 그러한 의심이 드는 경우 「마약류 불법거래 방지에 관한 특례법」에 따른 조치의 일환으로 세관장이 특정한 수출입물품을 개봉하여 검사하고 그 내용물의 점유를 취득한 행위에는 영장주의원칙이 적용된다.

✓ 기출체크

① 관련기출

1. 세무조사가 과세자료의 수집 또는 신고내용의 정확성 검증이라는 본연의 목적이 아니라 부정한 목적을 위하여 행하여진 것이라면 이는 세무조사에 중대한 위법사유가 있는 경우에 해당하고 이러한 세무조사에 의하여 수집된 과세자료를 기초로 한 과세처분 역시 위법하다. 2024 군무원 9급 (O | ×)

2. 세무조사에 중대한 위법사유가 있는 경우 이러한 세무조사에 의하여 수집된 관세자료를 기초로 한 과세처분 역시 위법하다. 2022 국가직 7급 (O | ×)

3. 과세자료의 수집 또는 신고내용의 정확성 검증이라는 그 본연의 목적이 아니라 부정한 목적을 위하여 세무조사가 행하여진 것이라면 이러한 세무조사에 의하여 수집된 과세자료를 기초로 한 과세처분 역시 위법하다. 2022 소방간부 (O | ×)

4. 위법한 세무조사를 통하여 수집된 과세자료에 기초하여 과세처분을 하였더라도 그러한 사정만으로 그 과세처분이 위법하게 되는 것은 아니다. 2016 국가직 9급 (O | ×)

② 관련기출

5. 행정조사를 실시하고자 하는 행정기관의 장은 「행정조사기본법」에 따른 출석요구서, 보고요구서·자료제출요구서 및 현장출입조사서를 조사개시 7일 전까지 조사대상자에게 서면으로 통지하여야 한다. 2025 국회직 8급 (O | ×)

6. 행정기관은 조사대상자의 자발적인 협조를 얻어 행정조사를 실시할 수 있는데, 이 경우에도 조사개시 7일 전까지 조사대상자에게 서면으로 통지하여야 한다. 2024 군무원 9급 (O | ×)

7. 행정기관은 조사대상자의 자발적인 협조를 얻어 실시하는 행정조사인 경우 「행정조사기본법」 제17조 제1항 본문에 따른 사전통지를 하지 않을 수 있다. 2021 국회직 8급 (O | X)
8. 행정조사를 실시하고자 하는 행정기관의 장은 출석요구서, 보고요구서·자료제출요구서 및 현장출입조사서를 조사개시 7일 전까지 조사대상자에게 구두로 통지하여야 한다. 2020 경행경채 (O | X)
9. 행정조사를 실시하고자 하는 행정기관의 장은 출석요구서 등을 조사개시 3일 전까지 조사대상자에게 서면으로 통지하여야 한다. 2009 국가직 9급 (O | X)

③ 관련기출
10. 우편물 통관검사절차에서 이루어진 우편물의 개봉, 시료채취, 성분분석 등의 검사는 수출입물품에 대한 적정한 통관을 목적으로 한 행정조사의 성격을 가지며, 수사기관의 강제처분이라고 할 수 없다. 2025 경찰간부 (O | X)
11. 우편물 통관검사절차에서 이루어지는 우편물의 개봉, 시료채취, 성분분석 등의 검사는 수출입물품에 대한 적정한 통관 등을 목적으로 한 행정조사의 성격을 가지는 것으로서 압수·수색영장 없이도 이러한 검사를 진행할 수 있다. 2024 지방직·서울시 9급 (O | X)
12. 우편물 통관검사절차에서 이루어지는 우편물의 개봉, 시료채취, 성분분석 등의 검사는 행정조사의 성격을 가지는 것으로서 압수·수색영장 없이 우편물의 개봉, 시료채취, 성분분석 등 검사가 진행되었다 하더라도 특별한 사정이 없는 한 위법하다고 볼 수 없다. 2024 국가직 7급 (O | X)
13. 우편물 통관검사절차에서 이루어지는 우편물 개봉, 시료채취, 성분분석 등의 검사는 행정조사의 성격을 가지는 것으로서 수사기관의 강제처분이라고 볼 수 있으므로, 압수·수색영장 없이 우편물의 개봉, 시료채취, 성분분석 등 검사가 진행되었다면 특별한 사정이 없는 한 위법하다. 2022 소방간부 (O | X)
14. 우편물 통관검사절차에서 이루어지는 성분분석 등의 검사가 압수·수색영장 없이 이루어졌다 하더라도 특별한 사정이 없는 한 위법하지 않다. 2019 소방직 9급 (O | X)

④ 관련기출
15. 세관공무원이 「마약류 불법거래 방지에 관한 특례법」에 따른 조치의 일환으로 특정한 수출입물품을 개봉하여 검사하고 그 내용물의 점유를 취득한 행위는 수출입물품에 대한 적정한 통관 등을 목적으로 실시하는 행정조사라는 점에서 사전 또는 사후 영장을 요하지 않는다. 2025 소방직 9급 (O | X)
16. 판례에 따르면 행정조사에서 나아가 범죄수사를 하면서 행하는 압수·수색에는 영장이 필요하지 않다고 한다. 2022 경찰간부 (O | X)
17. 「마약류 불법거래 방지에 관한 특례법」에 따른 조치의 일환으로 특정한 수출입물품을 개봉하여 검사하고 그 내용물의 점유를 취득한 행위는 사전 또는 사후에 영장을 받아야 한다. 2022 소방간부 (O | X)

정답
1. O 2. O 3. O 4. × 5. O 6. × 7. O 8. × 9. × 10. O
11. O 12. O 13. × 14. O 15. × 16. × 17. O

15 ☐☐☐

「행정조사기본법」상 행정조사의 기본원칙에 관한 설명으로 옳지 않은 것은?

① 행정기관은 조사목적에 적합하도록 조사대상자를 선정하여 행정조사를 실시하여야 한다.
② 다른 법률에 따르지 아니하고는 행정조사의 대상자 또는 행정조사의 내용을 공표하거나 직무상 알게 된 비밀을 누설하여서는 아니 된다.
③ 행정조사는 법령 등의 위반에 대한 처벌을 하는 데 중점을 두기보다는 법령 등을 준수하도록 유도하는 데 중점을 두어야 한다.
④ 행정기관은 행정조사를 통하여 알게 된 정보를 임의로 제공할 수 없으나 다른 국가기관에 제공하는 것은 원칙적으로 허용된다.

기출체크

③ 관련기출
1. 행정조사는 법령 등을 준수하도록 유도하기보다는 법령 등의 위반에 대한 처벌에 중점을 두어야 한다. 2024 군무원 7급 (O | X)
2. 행정조사는 법령 등의 위반에 대한 처벌에 중점을 두되 법령 등을 준수하도록 유도하여야 한다. 2021 군무원 9급 (O | X)
3. 행정조사는 법령 등의 준수를 유도하기보다는 법령 등의 위반에 대한 처벌에 중점을 두어야 한다. 2020 소방직 9급 (O | X)

④ 관련기출
4. 행정기관은 행정조사를 통하여 알게 된 정보를 다른 법률에 따라 내부에서 이용하거나 다른 기관에 제공하는 경우를 제외하고는 원래의 조사목적 이외의 용도로 이용하거나 타인에게 제공하여서는 아니 된다. 2021 군무원 9급 (O | X)
5. 행정기관은 행정조사를 통하여 알게 된 정보를 임의로 다른 국가기관에 제공할 수 있다. 2008 지방직 9급 (O | X)

정답
1. × 2. × 3. × 4. O 5. ×

16

행정조사에 관한 설명으로 옳은 것은? (다툼이 있는 경우 판례에 의함)

① 서로 다른 행정기관이 대통령령으로 정하는 분야에 대하여 동일한 조사대상자에게 조사를 실시하는 경우에는 조사의 실효성을 위해 개별조사를 함이 원칙이다.
② 조사과정에서 운전자 본인의 동의를 받지 아니하고 법원의 영장 없이 채혈조사를 한 결과를 근거로 하여 운전면허 정지·취소처분을 하였더라도, 그 운전면허 정지·취소처분 자체가 곧바로 위법한 처분이 되는 것은 아니다.
③ 행정조사를 실시한 행정기관의 장은 이미 조사를 받은 조사대상자에 대하여 위법행위가 의심되는 새로운 증거를 확보한 경우에도 동일한 사안에 대하여 동일한 조사대상자를 재조사하여서는 아니 된다.
④ 진술거부권은 형사절차에서만 보장되는 것은 아니고 행정절차나 국회에서의 조사절차에서도 보장된다.

✓ 기출체크

① 관련기출

1. 행정기관의 장은 당해 행정기관 내의 2 이상의 부서가 동일하거나 유사한 업무 분야에 대하여 동일한 조사대상자에게 행정조사를 실시하는 경우에는 공동조사를 하여야 한다. 2024 소방간부 (O | X)
2. 유사하거나 동일한 사안에 대하여 서로 다른 기관이 공동으로 조사하는 것은 원칙적으로 허용되지 않는다. 2023 국회직 8급 (O | X)
3. 당해 행정기관 내의 2 이상의 부서가 동일하거나 유사한 업무 분야에 대하여 동일한 조사대상자에게 행정조사를 실시하는 경우에는 공동조사를 하여야 한다. 2022 서울시 지적 7급 (O | X)
4. 당해 행정기관 내의 2 이상의 부서가 동일하거나 유사한 업무 분야에 대하여 동일한 조사대상자에게 행정조사를 실시하는 경우에는 공동조사를 할 수 있다. 2021 국회직 8급 (O | X)

② 관련기출

5. 조사과정에서 운전자 본인의 동의를 받지 아니하고 또한 법원의 영장도 없이 채혈조사를 한 결과를 근거로 한 운전면허 정지·취소처분은 특별한 사정이 없는 한 위법한 처분에 해당한다. 2022 소방간부 (O | X)
6. 음주운전 여부에 대한 조사과정에서 운전자 본인의 동의를 받지 아니하고 법원의 영장도 없이 채혈조사가 행해졌다면, 그 조사결과를 근거로 한 운전면허취소처분은 특별한 사정이 없는 한 위법하다. 2020 국가직 7급 (O | X)

③ 관련기출

7. 「행정조사기본법」에 따르면 행정기관은 이미 조사받은 조사대상자에 대하여 위법행위가 의심되는 새로운 증거를 확보한 경우 동일한 사안에 대하여 동일한 대상자를 재조사할 수 있다. 2025 경찰간부 (O | X)
8. 행정기관이 이미 조사를 받은 조사대상자에 대하여 위법행위가 의심되는 새로운 증거를 확보한 경우를 제외하고는 정기조사 또는 수시조사를 실시한 행정기관의 장은 동일한 사안에 대하여 동일한 조사대상자를 재조사하여서는 아니 된다. 2024 국회직 9급 (O | X)
9. (「행정조사기본법」) 제7조에 따라 정기조사 또는 수시조사를 실시한 행정기관의 장은 동일한 사안에 대하여 동일한 조사대상자를 재조사하여서는 아니 된다. 다만, 당해 행정기관이 이미 조사를 받은 조사대상자에 대하여 위법행위가 의심되는 새로운 증거를 확보한 경우에는 그러하지 아니하다. 2022 서울시 지적 7급 (O | X)
10. 정기조사 또는 수시조사를 실시한 행정기관의 장은 조사대상자의 자발적인 협조를 얻어 실시하는 경우가 아닌 한, 동일한 사안에 대하여 동일한 조사대상자를 재조사하여서는 아니 된다. 2018 지방직 9급 (O | X)
11. 행정기관의 장은 당해 행정기관이 이미 조사를 받은 조사대상자에 대하여 위법행위가 의심되는 새로운 증거를 확보하는 경우에는 재조사할 수 있다. 2018 서울시 2회 7급 (O | X)

정답
1. ○ 2. × 3. ○ 4. × 5. ○ 6. ○ 7. ○ 8. ○ 9. ○ 10. ×
11. ○

17

행정벌에 관한 설명으로 옳지 않은 것만을 <보기>에서 모두 고른 것은? (다툼이 있는 경우 판례에 의함)

| 보기 |

㉮ 헌법재판소는 과태료를 부과할 것인지 행정형벌을 부과할 것인지는 기본적으로 입법권자가 제반 사정을 고려하여 결정할 입법재량에 속하는 문제라고 본다.
㉯ 초등학교 교장이 도교육위원회의 지시에 따라 교과내용으로 되어 있는 꽃양귀비를 교과식물로 비치하기 위해 양귀비 종자를 사서 교무실 앞 화단에 심은 경우, 이는 죄가 되지 아니하는 것으로 오인한 행위로서 그 오인에 정당한 이유가 있다.
㉰ 양벌규정에 의한 영업주의 처벌은 독립하여 그 자신의 종업원에 대한 선임·감독상의 과실로 인하여 처벌되는 것이 아니라 금지위반행위자인 종업원의 처벌에 종속하는 것이므로 종업원의 범죄성립이나 처벌은 영업주 처벌의 전제조건이 된다.
㉱ 운행정지처분의 이유가 된 사실관계로 이미 형사처벌을 받은 경우에 다시 운행정지처분을 내리는 것은 일사부재리의 원칙에 위반된다.

① ㉮, ㉯
② ㉮, ㉱
③ ㉯, ㉰
④ ㉰, ㉱

기출체크

㉮ 관련기출

1. 어떤 행정법규 위반행위에 대하여 입법자가 행정질서벌인 과태료를 부과할 것인지, 행정형벌을 부과할 것인지를 정하는 것은 입법재량에 속한다. 2023 경찰간부 (○ | ×)
2. 어떤 행정법규 위반행위에 대해 과태료를 과할 것인지 행정형벌을 과할 것인지는 기본적으로 입법재량에 속한다. 2014 지방직 9급 (○ | ×)
3. 헌법재판소는 행정형벌과 행정질서벌의 구별을 기본적으로 입법자가 제반 사정을 고려하여 결정할 입법재량으로 본다. 2012 지방직(하) 7급 (○ | ×)

㉰ 관련기출

4. 양벌규정에 따른 영업주의 처벌은 금지위반행위자인 종업원의 처벌에 종속하며, 종업원의 범죄가 성립하고 실제 처벌이 이루어진 경우에만 가능하고, 그 책임은 종업원의 고의·과실에 대한 사용자의 무과실책임으로 본다. 2025 국가직 7급 (○ | ×)
5. 양벌규정에 의한 영업주의 처벌은 금지위반행위자인 종업원의 처벌에 종속하는 것이므로 종업원의 범죄성립이나 처벌이 영업주 처벌의 전제조건이 되어야 한다. 2025 소방간부 (○ | ×)
6. 양벌규정에 의한 영업주의 처벌은 금지위반행위자인 종업원의 처벌에 종속하는 것이 아니라 독립하여 그 자신의 종업원에 대한 선임·감독상의 과실로 인하여 처벌되는 것이므로 종업원의 범죄성립이나 처벌이 영업주 처벌의 전제조건이 될 필요는 없다. 2024 국회직 9급 (○ | ×)
7. 양벌규정에 의한 영업주의 처벌은 그 자신의 종업원에 대한 선임·감독상의 과실로 인하여 처벌되는 것이므로 종업원의 범죄성립이나 처벌이 영업주 처벌의 전제조건이 될 필요는 없다. 2023 국가직 7급 (○ | ×)
8. 양벌규정에 의한 영업주의 처벌은 금지위반행위자인 종업원의 처벌에 종속되는 것이므로 영업주만 따로 처벌할 수는 없다. 2022 지방직·서울시 9급 (○ | ×)

㉱ 관련기출

9. 운행정지처분의 이유가 된 사실관계로 이미 형사처벌을 받은 바 있다고 하여도 운행정지처분을 내리는 것이 일사부재리의 원칙에 반하는 것은 아니다. 2007 국가직 7급 (○ | ×)

정답

1. ○ 2. ○ 3. ○ 4. × 5. × 6. ○ 7. ○ 8. × 9. ○

18 □□□

행정벌에 관한 설명으로 옳지 않은 것은? (다툼이 있는 경우 판례에 의함)

① 헌법재판소는 종업원 등의 범죄행위와 관련하여 선임·감독상의 주의의무를 다하여 아무런 잘못이 없는 영업주도 처벌하도록 규정하고 있는 양벌규정을 법치국가의 원리 및 죄형법정주의로부터 도출되는 형벌에 관한 책임주의원칙에 반하므로 위헌이라고 본다.

② 행정청의 허가가 있어야 함에도 불구하고 허가를 받지 아니하여 처벌대상의 행위를 한 경우, 허가를 담당하는 공무원이 허가를 요하지 아니하는 것으로 잘못 알려주어 이를 믿었기 때문에 허가를 받지 아니하는 것이라면 이는 정당한 사유가 있다고 볼 수 있으므로 처벌할 수 없다.

③ 신규등록신청을 위한 임시운행허가를 받고 그 기간이 끝났음에도 자동차등록원부에 등록하지 않은 채 허가기간의 범위를 넘어 운행한 차량소유자가 관련 법조항에 의한 과태료를 부과받아 납부하였다면, 그 차량소유자에 대해 다시 형사처벌을 하는 것은 일사부재리의 원칙에 위반된다.

④ 일정한 법규 위반사실이 행정처분의 전제사실이자 형사법규의 위반사실이 되는 경우, 형사판결이 확정되기 전에 그 위반사실을 이유로 제재처분을 하더라도 절차적 위반이라고 할 수 없다.

기출체크

① 관련기출

1. 법인의 독자적인 책임에 관한 규정이 없이 단순히 종업원이 업무에 관한 범죄행위를 하였다는 이유만으로 법인에게 형사처벌을 과하는 것은 책임주의원칙에 반한다. 2019 서울시 9급 (○ | ×)
2. 법인의 종업원이 「감염병의 예방 및 관리에 관한 법률」 제80조의 위반행위를 하였음을 이유로 종업원과 함께 법인도 처벌하고자 한다면, 종업원의 행위의 결과에 대하여 법인에게 독자적인 책임이 있어야 한다. 2018 국회직 8급 (○ | ×)
3. 종업원 등의 범죄에 대해 법인에게 어떠한 잘못이 있는지를 전혀 묻지 않고, 곧바로 그 종업원 등을 고용한 법인에게도 종업원 등에 대한 처벌조항에 규정된 벌금형을 과하도록 규정하는 것은 책임주의에 반한다. 2017 국가직 9급 (○ | ×)
4. 헌법재판소는 종업원 등의 범죄행위와 관련하여 선임·감독상의 주의의무를 다하여 아무런 잘못이 없는 영업주도 처벌하도록 규정하고 있는 양벌규정을 법치국가의 원리 및 죄형법정주의로부터 도출되는 형벌에 관한 책임원칙에 반하므로 위헌이라고 본다. 2012 국회직 8급 (○ | ×)

② 관련기출

5. 행정청의 허가가 있어야 함에도 불구하고 허가를 받지 아니하여 처벌대상의 행위를 한 경우라도, 허가를 담당하는 공무원이 허가를 요하지 아니하는 것으로 잘못 알려주어 이를 믿었기 때문에 허가를 받지 아니하는 것이라면 허가를 받지 않더라도 죄가 되지 않는 것으로 착오를 일으킨 데 대하여 정당한 이유가 있는 경우에 해당하여 처벌할 수 없다. 2011 국회속기직 9급 (○ | ×)

③ **관련기출**

6. 행정법상의 질서벌인 과태료의 부과처분과 형사처벌을 병과하는 것은 일사부재리의 원칙에 반하지 않는다는 것이 대법원의 입장이다. 2024 지방직·서울시 9급 (O | X)

7. 행정법상의 질서벌인 과태료의 부과처분과 형사처벌은 그 성질이나 목적을 달리하는 별개의 것이므로 행정법상의 질서벌인 과태료를 납부한 후에 형사처벌을 한다고 하여 이를 일사부재리의 원칙에 반하는 것이라고 할 수는 없다. 2023 국가직 9급 (O | X)

8. 과태료 부과와 형사처벌은 그 성질이나 목적이 다를 바가 없으므로 과태료 부과 후에 형사처벌을 할 경우 이중처벌금지원칙에 반한다. 2023 소방직 9급 (O | X)

9. 신규등록신청을 위한 임시운행허가를 받고 그 기간이 끝났음에도 자동차등록원부에 등록하지 않은 채 허가기간의 범위를 넘어 운행한 차량소유자가 관련 법조항에 의한 과태료를 부과받아 납부하였다 하더라도 그 차량소유자에 대해 형사처벌을 하는 것은 일사부재리원칙에 위반하는 것이 아니다. 2018 경행경채 (O | X)

10. 과태료처분을 받고 이를 납부한 후에 형사처벌을 한다고 하여 일사부재리원칙에 반하지 않는다는 것이 대법원의 입장이다. 2015 사회복지직 9급 (O | X)

④ **관련기출**

11. 일정한 법규 위반사실이 행정처분의 전제사실이자 형사법규의 위반사실이 되는 경우, 형사판결이 확정되기 전에 그 위반사실을 이유로 제재처분을 하였다면 절차적 위반에 해당한다. 2022 국가직 7급 (O | X)

정답

1. O 2. O 3. O 4. O 5. O 6. O 7. O 8. × 9. O 10. O
11. ×

19 □□□

행정벌에 관한 설명으로 옳지 않은 것은? (다툼이 있는 경우 판례에 의함)

① 과실범을 처벌한다는 명문규정이 없더라도 행정형벌법규의 해석에 의하여 과실행위도 처벌한다는 뜻이 도출되는 경우에는 과실범도 처벌될 수 있다.

② 「개인정보 보호법」상 법인격 없는 공공기관은 양벌규정에 의하여 처벌될 수 있고, 행위자 역시 위 양벌규정으로 처벌될 수 있다고 보아야 한다.

③ 양벌규정에 의한 법인의 처벌은 형벌의 일종이며, 행정적 제재처분과 성격을 달리한다.

④ 법인대표자의 행위는 법인의 행위로 볼 수 있고, 법인대표자의 법규 위반행위에 대한 법인의 책임은 법인 자신의 법규 위반행위로 평가될 수 있는 행위에 대한 법인의 직접책임이므로 법인대표자의 범죄행위에 대하여 법인이 책임을 부담하는 것은 책임주의원칙에 위배되지 않는다.

✓ **기출체크**

① **관련기출**

1. 명문의 규정이 없더라도 관련 행정형벌법규의 해석에 따라 과실행위도 처벌한다는 뜻이 명확한 경우에는 과실행위를 처벌할 수 있다. 2017 국가직 7급 (O | X)

2. 행정벌에 대하여 명문규정이 없는 경우에도 법령의 입법목적이나 제반 관계 규정의 취지 등을 고려하여 과실범을 처벌할 수 있다는 것이 대법원의 입장이다. 2017 서울시 7급 (O | X)

3. 구 「대기환경보전법」에 따라 배출허용기준을 초과하는 배출가스를 배출하는 자동차를 운행하는 행위를 처벌하는 규정은 과실범의 경우에 적용하지 아니한다. 2014 국가직 9급 (O | X)

② **관련기출**

4. 「개인정보 보호법」상 법인격 없는 공공기관은 양벌규정에 의하여 처벌될 수 있으며, 이 경우 행위자 역시 위 양벌규정으로 처벌될 수 있다. 2024 국가직 7급 (O | X)

5. 「개인정보 보호법」에 따르면, 죄형법정주의의 원칙상 '법인격 없는 공공기관'을 「개인정보 보호법」 소정의 양벌규정에 의하여 처벌할 수 없고, 그 경우 행위자 역시 위 양벌규정으로 처벌할 수 없다. 2024 국가직 9급 (O | X)

③ **관련기출**

6. 양벌규정에 의한 법인의 처벌은 어디까지나 행정적 제재처분일 뿐 형벌과는 성격을 달리한다. 2022 국가직 9급 (O | X)

④ **관련기출**

7. 법인은 기관을 통하여 행위하므로 법인이 대표자를 선임한 이상 그의 행위로 인한 법률효과는 법인에게 귀속되어야 하고, 법인대표자의 범죄행위에 대하여는 법인이 자신의 행위에 대한 책임을 부담하는 것이다. 2022 군무원 7급 (O | X)

8. 법인대표자의 법규 위반행위에 대한 법인의 책임은 법인 자신의 법규 위반행위로 평가될 수 있는 행위에 대한 법인의 직접책임이다. 2022 국가직 9급 (O | X)

정답

1. O 2. O 3. × 4. × 5. O 6. × 7. O 8. O

20 ☐☐☐

사례에 관한 설명으로 옳지 <u>않은</u> 것만을 <보기>에서 모두 고른 것은? (다툼이 있는 경우 판례에 의함)

부산광역시 서구청 소속 공무원인 甲은 2023. 7. 29. 10시경 서구청의 업무에 관하여 11톤 압축트럭 청소차를 운전하여 부산 서구 암남동을 출발하여, 남해고속도로를 운행하던 중 한국도로공사 서부산 영업소 진입도로에서 제한중량을 2톤 가량 초과하여 운행한 혐의로 적발되었다(제시된 조문이 적용됨을 전제할 것).

구 「도로법」 제98조【벌칙】① 다음 각 호의 어느 하나에 해당하는 자는 1년 이하의 징역이나 200만원 이하의 벌금에 처한다.

제100조【양벌규정】① 법인의 대표자, 대리인, 사용인, 그 밖의 종업원이 그 법인의 업무에 관하여 제96조부터 제99조까지의 규정에 따른 위반행위를 하면 그 행위자를 벌할 뿐만 아니라 그 법인에도 해당 조문의 벌금형을 과(科)한다. 다만, 법인이 그 위반행위를 방지하기 위하여 해당 업무에 관하여 상당한 주의와 감독을 게을리 하지 아니한 때에는 그러하지 아니하다.

┤ 보기 ├

㉮ 甲이 적발 당시 수행하던 사무가 서구의 자치사무인 경우라면 서구는 위 「도로법」 규정에 따라 처벌대상이 된다.
㉯ 구 「도로법」 제98조에 따른 제재의 경우 원칙적으로 「형법」 총칙이 적용된다.
㉰ 양벌규정에 따라 법인이 지는 책임은 무과실책임이라는 것이 통설의 입장이다.
㉱ 구 「도로법」 제98조에 따른 제재는 원칙적으로 고의 또는 과실이 있어야 처벌할 수 있다.
㉲ 만약 甲이 적발 당시 수행하던 사무가 국가의 기관위임사무인 경우라도 서구는 위 「도로법」 규정에 따라 처벌대상이 된다.
㉳ 甲에게 구 「도로법」 제98조에 따른 처벌을 하는 경우와 같은 제재는 죄형법정주의의 대상이 되지 않는다는 것이 헌법재판소의 입장이다.

① ㉮, ㉯, ㉰
② ㉯, ㉱, ㉲
③ ㉰, ㉱, ㉳
④ ㉰, ㉲, ㉳

✓ 기출체크

㉮ 관련기출

1. 지방자치단체 소속 공무원이 지방자치단체 고유의 자치사무를 수행하던 중 「도로법」의 규정에 의한 위반행위를 한 경우, 지방자치단체는 「도로법」의 양벌규정에 따라 처벌대상이 되는 법인에 해당한다. 2025 국가직 9급 (O | X)
2. 지방자치단체가 고유의 자치사무를 처리하는 경우 당해 지방자치단체는 국가기관과는 별도의 독립한 공법인이므로 양벌규정에 따라 처벌대상이 되는 법인에 해당한다. 2024 국가직 7급 (O | X)
3. 지방자치단체는 국가기관과는 별도의 독립한 공법인으로서 지방자치단체 그 고유의 자치사무를 처리하는 경우 양벌규정에 의한 처벌대상이 되는 법인에 해당한다. 2024 국회직 9급 (O | X)
4. 지방자치단체 소속 공무원이 지방자치단체 고유의 자치사무를 수행하던 중 「도로법」 규정에 의한 위반행위를 한 경우 지방자치단체는 「도로법」 소정의 양벌규정에 따라 처벌대상이 되는 법인에 해당하지 않는다. 2024 국가직 9급 (O | X)
5. 지방자치단체가 자치사무를 처리하는 경우 당해 지방자치단체는 국가기관과는 별도의 독립한 공법인으로 볼 수 있지만, 양벌규정에 따라 처벌대상이 되는 법인에 해당하지는 않는다. 2023 서울시 지적 7급 (O | X)

㉯ 관련기출

6. 행정형벌에는 특별한 규정이 있는 경우를 제외하고는 「형법」 총칙이 적용된다. 2009 국가직 9급 (O | X)

㉰ 관련기출

7. 양벌규정에 따른 영업주의 처벌은 금지위반행위자인 종업원의 처벌에 종속하며, 종업원의 범죄가 성립하고 실제 처벌이 이루어진 경우에만 가능하고, 그 책임은 종업원의 고의·과실에 대한 사용자의 무과실책임으로 본다. 2025 국가직 7급 (O | X)
8. 종업원의 위반행위에 대해 사업주도 처벌하는 경우, 사업주가 지는 책임은 무과실책임이다. 2012 지방직 9급 (O | X)

㉱ 관련기출

9. 행정형벌의 과벌은 행위자의 고의·과실을 요하지 않는다. 2011 사회복지직 9급 (O | X)

㉲ 관련기출

10. 국가가 본래 그의 사무의 일부를 지방자치단체의 장에게 위임하여 처리하게 하는 기관위임사무의 경우 지방자치단체는 양벌규정에 의한 처벌대상이 되는 법인에 해당한다. 2025 국가직 7급 (O | X)
11. 지방자치단체가 국가의 기관위임사무를 처리하는 경우에도 별도의 독립한 공법인으로서 구 「자동차관리법」 제83조의 양벌규정에 의한 처벌대상이 된다. 2022 소방간부 (O | X)
12. 지방자치단체가 국가로부터 위임받은 기관위임사무를 처리하는 경우, 지방자치단체는 양벌규정에 의한 처벌대상이 되는 법인에 해당된다. 2018 경행경채 3차 (O | X)
13. 지방자치단체 소속 공무원이 지정항만순찰 등의 업무를 위해 관할 관청의 승인 없이 개조한 승합차를 운행함으로써 구 「자동차관리법」을 위반한 경우, 해당 지방자치단체는 구 「자동차관리법」 제83조의 양벌규정에 따른 처벌대상이 될 수 없다. 2017 국가직(하) 7급 (O | X)

㉳ 관련기출

14. 죄형법정주의원칙 등 형벌법규의 해석원리는 행정형벌에 관한 규정을 해석할 때에도 적용되어야 한다. 2019 서울시 9급 (O | X)
15. 형사벌의 경우와는 달리 행정형벌에 대해서는 죄형법정주의의 원칙이 적용되지 아니한다. 2011 사회복지직 9급 (O | X)

정답
1. ○ 2. ○ 3. ○ 4. × 5. × 6. ○ 7. × 8. × 9. × 10. ×
11. × 12. × 13. ○ 14. ○ 15. ×

21 □□□

통고처분에 관한 설명으로 옳은 것만을 <보기>에서 모두 고른 것은? (다툼이 있는 경우 판례에 의함)

― 보기 ―

㉮ 지방국세청장이 조세범칙행위에 대하여 형사고발을 한 후에 동일한 조세범칙행위에 다시 통고처분을 하였다면 특별한 사정이 없는 한 위법하지만 무효는 아니다.

㉯ 「도로교통법」에 의한 경찰서장의 통고처분에 대하여 이의가 있는 경우에는 통고처분에 따른 범칙금을 이행하지 아니함으로써 경찰서장의 즉결심판청구에 의하여 법원의 심판을 받을 수 있게 된다.

㉰ 비록 범칙행위의 동일성을 벗어난 형사범죄행위라고 하더라도 범칙행위와 같은 일시, 장소에서 이루어진 행위라면 일사부재리의 원칙에 따라 범칙금의 납부에 따른 확정판결의 효력에 준하는 효력이 미치게 된다.

㉱ 통고처분은 행정행위로서 행정쟁송법상의 처분이 되고 취소소송의 대상이 된다.

㉲ 통고처분을 받은 자가 통고처분의 내용을 이행하지 아니하면 권한행정청은 일정 기간 내에 고발할 수 있고, 그에 따라 형사소송절차로 이행되게 된다.

① ㉮, ㉯
② ㉯, ㉲
③ ㉰, ㉱
④ ㉰, ㉲

✓기출체크

㉮ 관련기출

1. 지방국세청장 또는 세무서장이 「조세범 처벌절차법」에 따라 통고처분을 거치지 아니하고 즉시 고발하였다면 이를 시정하기 위하여 동일한 조세범칙행위에 대하여 다시 통고처분을 할 수 있다. 2024 군무원 5급 (○ | ×)

2. 지방국세청장이 「조세범 처벌절차법」에 따라 조세범칙행위에 대하여 통고처분을 거치지 아니하고 즉시 고발하였더라도, 지방국세청장으로서는 해당 조세범칙행위에 대하여 통고처분을 할 권한이 있다. 2024 국회직 9급 (○ | ×)

3. 지방국세청장 또는 세무서장이 「조세범 처벌절차법」에 따라 통고처분을 거치지 아니하고 즉시 고발하였다면 이로써 조세범칙 사건에 대한 조사 및 처분절차는 종료되고 형사 사건절차로 이행되어 지방국세청장 또는 세무서장으로서는 동일한 조세범칙행위에 대하여 더 이상 통고처분을 할 권한이 없다. 2023 국가직 7급 (○ | ×)

4. 지방국세청장이 조세범칙행위에 대하여 고발을 한 후에 동일한 조세범칙행위에 대하여 통고처분을 하는 경우, 이러한 통고처분은 법적 권한 소멸 후 이루어진 것으로 특별한 사정이 없는 한 효력이 없고 조세범칙행위자가 이를 이행하였더라도 일사부재리의 원칙이 적용될 수 없다. 2022 소방직 9급 (○ | ×)

5. 지방국세청장이 조세범칙행위에 대하여 고발을 한 후에 동일한 조세범칙행위에 대하여 통고처분을 하여 조세범칙행위자가 이를 이행하였다면 고발에 따른 형사절차의 이행은 일사부재리의 원칙에 반하여 위법하다. 2020 군무원 9급 (○ | ×)

㉯㉱ 관련기출

6. 구 「도로교통법」에서 규정하는 경찰서장의 통고처분은 행정소송의 대상이 되는 행정처분이다. 2024 군무원 9급 (○ | ×)

7. 「도로교통법」상 경찰서장의 통고처분은 행정소송의 대상이 되는 행정처분이 아니다. 2022 국가직 7급 (○ | ×)

8. 「도로교통법」상 경찰서장의 통고처분은 행정청에 의한 행정처분에 해당하여 그 처분에 대하여 이의가 있는 경우 처분의 취소를 구하는 행정소송을 제기하거나 그 범칙금의 납부를 이행하지 아니함으로써 경찰서장의 즉결심판청구에 의하여 법원의 심판을 받을 수 있다. 2022 소방간부 (○ | ×)

9. 「조세범 처벌절차법」에 의하여 범칙자에 대한 세무관서의 통고처분은 행정소송의 대상이다. 2020 군무원 7급 (○ | ×)

10. 통고처분은 실체법상 행정행위이므로 행정쟁송법상의 처분이 되고 취소소송의 대상이 된다. 2017 서울시 9급 (○ | ×)

㉰ 관련기출

11. 통고처분에 의해 범칙금을 납부한 경우, 그 납부의 효력에 따라 다시 벌받지 아니하게 되는 행위사실은 범칙금 통고의 이유에 기재된 당해 범칙행위 자체에 한정될 뿐, 그 범칙행위와 동일성이 인정되는 범칙행위에는 미치지 않는다. 2017 국가직 7급 (○ | ×)

㉲ 관련기출

12. 통고처분에 따른 범칙금을 납부하지 않은 경우에는 고발 등의 절차를 거쳐 형사소송절차로 이행되는 것이 일반적이다. 2008 중앙선관위 9급 (○ | ×)

정답
1. × 2. × 3. ○ 4. ○ 5. × 6. × 7. ○ 8. × 9. × 10. ×
11. × 12. ○

22

사례에 관한 설명으로 옳지 않은 것만을 <보기>에서 모두 고른 것은? (다툼이 있는 경우 판례에 의함)

> 甲은 외국에서 고가의 명품손목시계를 구매한 후 이를 가지고 국내에 귀국하면서 세관에 신고를 하지 않은 사실이 적발되었다(甲의 행위는 관련법에 따르면 형사처벌의 대상이 된다). 이에 따라 인천공항세관장이 100만원의 통고처분을 하였다.

「관세법」제311조【통고처분】① 관세청장이나 세관장은 관세범을 조사한 결과 범죄의 확증을 얻었을 때에는 그 이유를 구체적으로 밝히고 다음 각 호에 해당하는 금액이나 물품을 납부할 것을 통고할 수 있다.
1. 벌금에 상당하는 금액
2. 몰수에 해당하는 물품
3. 추징금에 해당하는 금액

― 보기 ―

㉮ 「관세법」상 통고처분은 상대방의 임의의 승복을 그 발효요건으로 하기 때문에 그 자체만으로는 통고이행을 강제하거나 상대방에게 아무런 권리·의무를 형성하지 않는다.
㉯ 헌법재판소는 행정심판이나 행정소송의 대상에서 통고처분을 제외하고 있는 「관세법」조항은 법관에 의한 재판받을 권리를 침해하여 위헌이라고 결정하였다.
㉰ 통고처분이 있으면 공소시효는 정지된다.
㉱ 甲이 통고처분에 따라 그 금액을 납부하였다면 검사는 다시 형사소추를 할 수 없다.
㉲ 통고처분에 대해 甲이 그 금액을 통고된 이행기까지 납부하지 않은 경우 세관장은 그 국세체납처분의 예에 따라 그 금액을 강제징수할 수 있다.
㉳ 만일 인천공항세관장이 통고처분을 하지 아니한 채 곧바로 검찰에 고발하였다면 그 고발 및 이에 기초한 공소의 제기는 부적법한 것이 된다.

① ㉮, ㉯, ㉱
② ㉮, ㉰, ㉳
③ ㉯, ㉲, ㉳
④ ㉰, ㉱, ㉲

16. 관세청장 또는 세관장이 관세범에 대하여 통고처분을 하지 않은 채 고발하였다는 것만으로는 그 고발 및 이에 기한 공소의 제기가 부적법한 것은 아니다. 2018 경행경채 3차 (○ | ×)
17. 법률에 따라 통고처분을 할 수 있으면 행정청은 통고처분을 하여야 하며, 통고처분 이외의 조치를 취할 재량은 없다. 2015 지방직 9급 (○ | ×)
18. 판례에 의하면 통고처분을 할 것인지의 여부는 권한행정청의 재량에 속한다. 2014 경행특채 2차 (○ | ×)
19. 「관세법」상 통고처분과 관련하여 통고처분을 할 것인지의 여부는 행정청의 재량에 맡겨져 있다는 것이 판례의 입장이다. 2012 국가직 9급 (○ | ×)

정답
1. ○ 2. ○ 3. ○ 4. ○ 5. ○ 6. × 7. × 8. × 9. ○ 10. ○
11. ○ 12. × 13. ○ 14. ○ 15. ○ 16. ○ 17. × 18. ○ 19. ○

23

「질서위반행위규제법」에 관한 설명으로 옳은 것만을 <보기>에서 모두 고른 것은?

보기

㉮ 2인 이상이 질서위반행위에 가담한 때에는 각자가 질서위반행위를 한 것으로 본다.

㉯ 신분에 의하여 과태료를 감경 또는 가중하거나 과태료를 부과하지 아니하는 때에는 그 신분의 효과는 신분이 없는 자에게는 미치지 않는다.

㉰ 신분에 의하여 성립하는 질서위반행위에 신분이 없는 자가 가담한 경우 신분이 없는 자에 대하여는 질서위반행위가 성립하지 아니한다.

㉱ 행정청의 과태료 부과에 대해 당사자가 납부기한까지 과태료를 납부하지 아니한 때에는 과태료 부과처분은 그 효력을 상실한다.

① ㉮, ㉯
② ㉮, ㉱
③ ㉯, ㉰
④ ㉰, ㉱

기출체크

㉮ 관련기출
1. 2인 이상이 질서위반행위에 가담한 때에는 각자가 질서위반행위를 한 것으로 본다. 2017 교육행정직 9급 (○ | ×)
2. 「질서위반행위규제법」에 따르면 2인 이상이 질서위반행위에 가담한 때에는 각자가 질서위반행위를 한 것으로 본다. 2009 국회속기직 9급 (○ | ×)

㉯ 관련기출
3. 신분에 의하여 과태료를 감경 또는 가중하거나 과태료를 부과하지 아니하는 때에는, 그 신분의 효과는 신분이 없는 자에게는 미치지 아니한다. 2022 군무원 7급 (○ | ×)

㉰ 관련기출
4. 신분에 의하여 성립하는 질서위반행위에 신분이 없는 자가 가담한 경우 신분이 없는 자에 대하여는 질서위반행위가 성립하지 않는다. 2024 해경승진 (○ | ×)
5. 신분에 의하여 성립하는 질서위반행위에 신분이 없는 자가 가담한 때에는 신분이 없는 자에 대하여도 질서위반행위가 성립한다. 2023 국가직 9급 (○ | ×)
6. 신분에 의하여 성립하는 질서위반행위에 신분이 없는 자가 가담한 때에 신분이 없는 자에 대하여는 질서위반행위가 성립하지 아니한다. 2022 군무원 7급 (○ | ×)

㉱ 관련기출
7. 과태료 부과에 불복하는 당사자는 과태료 부과통지를 받은 날부터 60일 이내에 해당 행정청에 서면으로 이의제기를 할 수 있고, 이의제기가 있는 경우에는 행정청의 과태료 부과처분은 그 효력을 상실한다. 2025 해경승진 (○ | ×)
8. 「질서위반행위규제법」에 의한 과태료 부과처분은 처분의 상대방이 이의제기하지 않은 채 납부기간까지 과태료를 납부하지 않으면 「도로교통법」상 통고처분과 마찬가지로 그 효력을 상실한다. 2018 국가직 7급 (○ | ×)

정답
1. ○ 2. ○ 3. ○ 4. × 5. ○ 6. × 7. ○ 8. ×

24

「질서위반행위규제법」에 관한 설명으로 옳지 않은 것은?

① 원칙적으로 질서위반행위의 성립과 과태료처분은 행위시의 법률에 따른다.
② 대한민국의 국민이 대한민국 영역 밖에서 질서위반행위를 한 경우에도 적용된다.
③ 자신의 행위가 위법하지 아니한 것으로 오인하고 행한 질서위반행위는 오인에 정당한 이유가 있는 때에 한하여 과태료를 부과하지 아니한다.
④ 행정청은 당사자가 납부기한까지 과태료를 납부하지 아니한 때에는 납부기한을 경과한 날부터 체납된 과태료에 대하여 100분의 5에 상당하는 가산금을 징수한다.

기출체크

① 관련기출
1. 질서위반행위의 성립과 과태료처분은 법률에 특별한 규정이 없는 한 행위시의 법률에 따른다. 2024 국회직 9급 (○ | ×)
2. 질서위반행위의 성립과 과태료처분은 행위시의 법률에 따른다. 2023 서울시 연구사 (○ | ×)
3. 질서위반행위의 성립은 행위시의 법률을 따르고 과태료처분은 판결시의 법률에 따른다. 2020 소방직 9급 (○ | ×)

② 관련기출
4. 「질서위반행위규제법」은 대한민국 영역 밖에서 질서위반행위를 한 대한민국의 국민에게 적용한다. 2015 경행특채 1차 (○ | ×)

5. 질서위반행위는 행정질서벌이므로 대한민국 영역 밖에서 질서위반행위를 한 대한민국의 국민에게는 적용되지 않는다. 2010 지방직 9급 (O | X)

③ 관련기출
6. 자신의 행위가 위법하지 아니한 것으로 오인하고 행한 질서위반행위에 대해서는 과태료를 부과하지 아니한다. 2024 해경승진 (O | X)
7. 甲이 자신의 행위가 위법하지 아니한 것으로 오인하고 행한 질서위반행위는 그 오인에 정당한 이유가 있는 때에 한하여 과태료를 부과하지 아니한다. 2023 해경간부 (O | X)
8. (「질서위반행위규제법」상) 자신의 행위가 위법하지 아니한 것으로 오인하고 행한 질서위반행위는 그 오인에 정당한 이유가 있는 때에 한하여 과태료를 부과하지 아니한다. 2019 서울시 2회 7급 (O | X)
9. (사업주 甲에게 고용된 종업원 乙이 영업행위 중 행정법규를 위반한 경우) 乙의 위반행위가 과태료 부과대상인 경우에 乙이 자신의 행위가 위법하지 아니한 것으로 오인하였다면 乙에 대해서 과태료를 부과할 수 없다. 2018 지방직 9급 (O | X)
10. 위법성의 착오는 과태료 부과에 영향을 미치지 않는다. 2018 지방직 7급 (O | X)

④ 관련기출
11. 행정청은 당사자가 납부기한까지 과태료를 납부하지 아니한 때에는 납부기한을 경과한 날부터 체납된 과태료에 대하여 100분의 3에 상당하는 가산금을 징수한다. 2020 군무원 7급 (O | X)
12. 행정청은 당사자가 납부기한까지 과태료를 납부하지 아니한 때에는 납부기한을 경과한 날부터 체납된 과태료에 대하여 100분의 10에 상당하는 가산금을 징수한다. 2015 경행특채 1차 (O | X)
13. 납부기한을 경과한 날부터 체납된 과태료에 대하여 1,000분의 12에 상당하는 가산금을 징수한다. 2014 경행특채 2차 (O | X)

정답
1. O 2. O 3. X 4. O 5. X 6. X 7. O 8. O 9. X 10. X
11. O 12. X 13. X

25 □□□

「질서위반행위규제법」에 관한 설명으로 옳지 <u>않은</u> 것은? (다툼이 있는 경우 판례에 의함)

① 다른 법률에 특별한 규정이 없는 한 14세가 되지 아니한 자의 질서위반행위는 과태료를 부과하지 아니한다.
② 스스로 심신장애상태를 일으켜 질서위반행위를 한 경우에도 그 질서위반행위자에 대하여 과태료를 부과하지 않거나 감경할 수 있다.
③ 다수인이 질서위반행위에 가담하였다면, 행정청은 그 최종행위가 종료된 날부터 5년이 경과한 경우에는 해당 질서위반행위에 대하여 과태료를 부과할 수 없다.
④ 질서위반행위에 대하여 과태료를 부과하는 근거법령이 개정되어 행위시의 법률에 의하면 과태료 부과대상이었지만 재판시의 법률에 의하면 부과대상이 아니게 된 경우에는 특별한 사정이 없는 한 재판시의 법률을 적용하여야 하므로 과태료를 부과하지 못한다.

✓ **기출체크**

① 관련기출
1. 다른 법률에 특별한 규정이 없는 한 14세가 되지 아니한 자의 질서위반행위에 대해서도 과태료를 부과한다. 2023 행정사 (O | X)
2. 14세가 되지 아니한 자의 질서위반행위는 과태료를 부과하지 아니한다. 다만, 다른 법률에 특별한 규정이 있는 경우에는 그러하지 아니하다. 2019 소방간부 (O | X)

② 관련기출
3. 스스로 심신장애상태를 일으켜 질서위반행위를 한 자에 대하여는 과태료를 감경한다. 2019 국가직 7급 (O | X)

③ 관련기출
4. 행정청은 질서위반행위가 종료된 날(다수인이 질서위반행위에 가담한 경우에는 최종행위가 종료된 날을 말한다)부터 5년이 경과한 경우에는 해당 질서위반행위에 대하여 과태료를 부과할 수 없다. 2023 지방직·서울시 7급 (O | X)
5. 질서위반행위가 종료된 날부터 5년이 경과한 경우에는 해당 질서위반행위에 대하여 과태료를 부과할 수 없는바, 다수인이 질서위반행위에 가담한 경우에는 질서위반행위가 종료된 날은 최종행위가 종료된 날을 말한다. 2015 서울시 9급 (O | X)

④ 관련기출
6. 질서위반행위에 대하여 과태료를 부과하는 근거법령이 개정되어 행위시의 법률에 의하면 과태료 부과대상이었지만 재판시의 법률에 의하면 부과대상이 아니게 된 때에는 개정법률의 부칙 등에서 행위시의 법률을 적용하도록 명시하는 등 특별한 사정이 없는 한 재판시의 법률을 적용하여야 하므로 과태료를 부과할 수 없다. 2024 국가직 7급 (O | X)
7. 질서위반행위의 과태료 부과의 근거법률이 개정되어 행위시 법률에 의하면 과태료 부과대상이었지만 재판시 법률에 의하면 과태료 부과대상이 아니게 된 때에는 개정법률 부칙에서 종전 법률 시행 당시에 행해진 질서위반행위에 행위시 법률을 적용하도록 특별한 규정을 두지 않은 이상 재판시 법률을 적용하여야 하므로 과태료를 부과하지 못한다. 2023 국회직 8급 (O | X)
8. 과태료를 부과하는 근거법령이 개정되어 행위시의 법률에 의하면 과태료 부과대상이었지만 재판시의 법률에 의하면 부과대상이 아니게 된 때에는 특별한 사정이 없는 한 과태료를 부과할 수 없다. 2019 국가직 9급 (O | X)

정답
1. X 2. O 3. X 4. O 5. O 6. O 7. O 8. O

제11회 | 소방 단원별 모의고사

제한시간 /25분 나의 점수 /100점

출제 범위 : 제26강 행정벌(행정형벌, 행정질서벌)~제29강 행정상 손해배상 2(국가배상법 제5조 등)

정답과 해설 p.123
옳은 지문 워크북 p.255

01 □□□

「질서위반행위규제법」에 관한 설명으로 옳지 <u>않은</u> 것은? (다툼이 있는 경우 판례에 의함)

① 과태료 부과에 불복하는 당사자는 과태료 부과통지를 받은 날부터 60일 이내에 해당 행정청에 서면으로 이의제기를 할 수 있고, 이의제기가 있는 경우에는 행정청의 과태료 부과처분은 그 효력을 상실한다.

② 행정청의 과태료 부과에 불복하는 당사자는 과태료 부과통지를 받은 날부터 90일 이내에 관할 법원에 취소소송을 제기할 수 있다.

③ 과태료 사건은 다른 법령에 특별한 규정이 있는 경우를 제외하고는 당사자의 주소지의 지방법원 또는 그 지원의 관할로 한다.

④ 지방자치단체의 장이 과태료재판의 집행을 위탁받은 경우에는 그 집행한 금원은 당해 지방자치단체의 수입으로 한다.

✓ 기출체크

① 관련기출
1. 당사자의 이의제기가 있으면 행정청의 과태료 부과처분은 그 효력을 상실한다. 2024 소방간부 (○ | ×)
2. 행정청의 과태료 부과에 불복하는 당사자는 과태료 부과통지를 받은 날부터 60일 이내에 해당 행정청에 서면으로 이의제기를 할 수 있다. 2023 지방직·서울시 9급 (○ | ×)
3. 행정청의 과태료 부과에 대해 서면으로 이의가 제기된 경우 과태료 부과처분은 그 효력을 상실한다. 2022 지방직·서울시 9급 (○ | ×)
4. 행정청의 과태료 부과에 불복하는 이의제기가 있더라도 과태료 부과처분은 그 효력을 상실하지 않는다. 2021 국가직 7급 (○ | ×)
5. 행정청의 과태료 부과에 대한 이의제기는 과태료 부과처분의 효력에 영향을 주지 아니한다. 2019 지방직·교육행정직 9급 (○ | ×)

② 관련기출
6. 수도 조례 및 하수도 사용 조례에 기한 과태료의 부과 여부 및 그 당부는 최종적으로 「질서위반행위규제법」에 의한 절차에 의하여 판단되어야 하므로, 그 과태료 부과처분은 행정소송의 대상이 되는 행정처분이라고 할 수 없다. 2024 국가직 7급 (○ | ×)
7. 과태료의 부과 여부 및 그 당부는 최종적으로 「질서위반행위규제법」의 절차에 의하여 판단되어야 한다고 할 것이므로, 그 과태료 부과처분은 행정청을 피고로 하는 항고소송의 대상이 되는 처분이라고 볼 수 없다. 2023 소방직 9급 (○ | ×)
8. 「서울특별시 수도 조례」 및 「서울특별시 하수도 사용 조례」에 근거한 과태료 부과처분은 행정소송의 대상이 되는 행정처분이라고 볼 수 있다. 2022 소방간부 (○ | ×)

③ 관련기출
9. 「질서위반행위규제법」에 따르면 과태료 사건은 다른 법령에 특별한 규정이 있는 경우를 제외하고는 당사자의 주소지의 지방법원 또는 그 지원의 관할로 한다. 2025 소방간부 (○ | ×)
10. 「질서위반행위규제법」상 과태료 사건은 다른 법령에 특별한 규정이 있는 경우를 제외하고는 행정청의 주소지의 지방법원 또는 그 지원의 관할로 한다. 2023 국가직 7급 (○ | ×)
11. 과태료 사건은 다른 법령에 특별한 규정이 있는 경우를 제외하고는 과태료 부과관청의 소재지의 지방법원 또는 그 지원의 관할로 한다. 2020 국가직 9급 (○ | ×)
12. 과태료 사건은 다른 법령에 특별한 규정이 있는 경우를 제외하고는 과태료를 부과한 행정청의 소재지를 관할하는 행정법원의 관할로 한다. 2015 서울시 9급 (○ | ×)

정답
1. ○ 2. ○ 3. ○ 4. × 5. × 6. ○ 7. ○ 8. × 9. ○ 10. × 11. × 12. ×

02 □□□

「질서위반행위규제법」상 과태료에 관한 설명으로 옳은 것은?

① 하나의 행위가 2 이상의 질서위반행위에 해당하는 경우에는 각 질서위반행위에 대하여 정한 과태료를 합산하여 부과한다.

② 다수인이 질서위반행위에 가담한 경우 최초 행위가 종료한 날로부터 5년이 경과한 경우에는 해당 질서위반행위에 대하여 과태료를 부과할 수 없다.

③ 당사자가 과태료 부과처분에 대하여 이의를 제기하지 아니한 채 이의제기기한이 종료한 후 사망한 경우라면, 상속재산에 대해 집행할 수는 없다.

④ 행정청은 당사자가 의견제출기한 이내에 과태료를 자진하여 납부하고자 하는 경우에는 대통령령으로 정하는 바에 따라 과태료를 감경할 수 있다.

✓ 기출체크

① 관련기출
1. 하나의 행위가 2 이상의 질서위반행위에 해당하는 경우에는 각 질서위반행위에 대하여 정한 과태료를 각각 부과한다. 2024 군무원 9급 (○ | ×)
2. 甲이 하나의 행위로 2 이상의 질서위반행위를 저지른 경우에는 A해양경찰서는 가장 중한 과태료를 정한 질서위반행위를 기준으로 2분의 1의 과태료를 가중하여 과태료를 부과하여야 한다. 2023 해경간부 (○ | ×)
3. 하나의 행위가 둘 이상의 질서위반행위에 해당하는 경우에는 각 질서위반행위에 대하여 정한 과태료 중 가장 중한 과태료를 부과한다. 2023 국가직 9급 (○ | ×)
4. (「질서위반행위규제법」상) 하나의 행위가 2 이상의 질서위반행위에 해당하는 경우에는 각 질서위반행위에 대하여 정한 과태료를 합산하여 과태료를 부과한다. 2017 경행경채 (○ | ×)

② 관련기출
5. 행정청은 질서위반행위가 종료된 날(다수인이 질서위반행위에 가담한 경우에는 최종행위가 종료된 날을 말함)부터 5년이 경과한 경우에는 해당 질서위반행위에 대하여 과태료를 부과할 수 없다. 2023 지방직·서울시 7급 (○ | ×)
6. 「질서위반행위규제법」에 의하면 행정청은 질서위반행위가 종료된 날부터 5년이 경과한 경우에는 해당 질서위반행위에 대하여 과태료를 부과할 수 없다. 2017 국가직 7급 (○ | ×)
7. 질서위반행위가 종료된 날부터 5년이 경과한 경우에는 해당 질서위반행위에 대하여 과태료를 부과할 수 없는바, 다수인이 질서위반행위에 가담한 경우에는 질서위반행위가 종료된 날은 최종행위가 종료된 날을 말한다. 2015 서울시 9급 (○ | ×)

③ 관련기출
8. 과태료는 당사자가 과태료 부과처분에 대하여 이의를 제기하지 아니한 채 「질서위반행위규제법」에 따른 이의제기기한이 종료한 후 사망한 경우에는 그 상속재산에 대하여 집행할 수 있다. 2016 지방직 7급 (○ | ×)
9. 과태료는 당사자가 과태료 부과처분에 대하여 이의를 제기하지 아니한 채 이의제기기한이 종료한 후 사망한 경우에는 집행할 수 없다. 2015 국가직 7급 (○ | ×)
10. 과태료는 당사자가 과태료 부과처분에 대하여 이의를 제기하지 아니한 채 이의제기기한이 종료한 후 사망한 경우에는 그 상속재산에 대하여 집행할 수 있다. 2014 사회복지직 9급 (○ | ×)

④ 관련기출
11. 행정청은 당사자가 의견제출기한 이내에 과태료를 자진납부하고자 하는 경우에는 과태료를 감경할 수 있다. 2012 국회(속기·경위직) 9급 (○ | ×)

정답
1. × 2. × 3. ○ 4. × 5. ○ 6. ○ 7. ○ 8. ○ 9. × 10. ○
11. ○

03 □□□

사례에 관한 설명으로 옳지 않은 것만을 <보기>에서 모두 고른 것은?

> 甲은 만 19세가 되는 자로서 관할 구청에 주민등록증의 발급을 신청하였다. 그런데 「주민등록법」상 17세 이상의 자는 주민등록증을 발급받아야 하는데 甲은 과실로 이전에 주민등록증의 발급을 신청하지 아니하였다. 이에 관할 구청장은 주민등록증발급신청기간이 경과하였다는 이유로 甲에게 5만원의 과태료를 부과하였다.

— 보기 —

㉮ 甲에게 고의 또는 과실이 없다면 관할 구청장은 甲에게 과태료를 부과할 수 없다.
㉯ 과태료 부과에 불복하는 甲은 과태료 부과통지를 받은 날부터 60일 이내에 관할 구청장에 서면으로 이의제기를 할 수 있다.
㉰ 만약 「질서위반행위규제법」과 「주민등록법」의 내용이 충돌한다면 특별법우선의 원칙에 따라 「주민등록법」의 규정이 우선 적용된다.
㉱ 「질서위반행위규제법」에 따르면 甲에게 과태료를 부과하기 전에 법률이 변경되어 과태료가 변경되기 전의 법률보다 가볍게 된 경우에도 행위시법의 원칙상 법률에 특별한 규정이 없다면 변경되기 전 법률이 그대로 적용된다.

① ㉮, ㉯ ② ㉮, ㉱
③ ㉯, ㉰ ④ ㉰, ㉱

✓ 기출체크

㉮ 관련기출
1. 「질서위반행위규제법」에 따르면 고의 또는 과실이 없는 질서위반행위는 과태료를 부과하지 아니한다. 2024 국가직 7급 (○ | ×)
2. 고의 또는 과실이 없는 질서위반행위라고 하더라도 과태료를 부과할 수 있다. 2023 지방직·서울시 9급 (○ | ×)
3. 고의 또는 과실이 없는 질서위반행위는 과태료를 부과하지 아니한다. 2023 행정사 (○ | ×)
4. 고의 또는 과실이 없는 질서위반행위는 그에 대한 정당한 이유가 있는 때에 한하여 과태료를 부과하지 아니한다. 2022 국회직 8급 (○ | ×)
5. 과태료는 행정질서유지를 위한 의무 위반이라는 객관적 사실에 대하여 과하는 제재이므로 과태료 부과에는 고의·과실을 요하지 않는다. 2017 서울시 9급 (○ | ×)

㉯ 관련기출

6. 행정청의 과태료 부과에 불복하는 당사자는 과태료 부과통지를 받은 날부터 60일 이내에 해당 행정청에 서면으로 이의제기를 할 수 있다. 2023 지방직·서울시 9급 (O | X)

7. 행정청의 과태료 부과에 불복하는 자는 서면으로 이의제기를 할 수 있으나, 이의제기가 있더라도 과태료 부과처분은 그 효력을 유지한다. 2020 지방직·서울시 9급 (O | X)

8. (「질서위반행위규제법」상) 행정청의 과태료 부과에 불복하려는 당사자는 과태료 부과통지를 받은 날부터 90일 이내에 해당 행정청에 서면으로 이의제기를 할 수 있다. 2019 서울시 2회 7급 (O | X)

㉰ 관련기출

9. 과태료의 부과·징수, 재판 및 집행 등의 절차에 관한 다른 법률의 규정 중 「질서위반행위규제법」의 규정에 저촉되는 것은 「질서위반행위규제법」으로 정하는 바에 따른다. 2024 국가직 9급 (O | X)

10. 과태료의 부과·징수, 재판 및 집행 등의 절차에 관하여 「질서위반행위규제법」과 타 법률이 달리 규정하고 있는 경우에는 후자를 따른다. 2017 서울시 9급 (O | X)

11. 과태료의 부과·징수의 절차에 관해 「질서위반행위규제법」의 규정에 저촉되는 다른 법률의 규정이 있는 경우에는 그 다른 법률의 규정이 정하는 바에 따른다. 2017 국회직 8급 (O | X)

12. 과태료의 부과·징수, 재판 및 집행 등의 절차에 대해 다른 법률에서 「질서위반행위규제법」과 달리 정하고 있는 경우에는 그 법률이 우선한다. 2015 서울시 7급 (O | X)

13. 과태료의 부과요건·절차 등에 관해 「질서위반행위규제법」의 규정과 다른 법률 규정이 있으면 그 규정을 우선 적용한다. 2012 국회직 8급 (O | X)

㉱ 관련기출

14. 행정청의 과태료처분이나 법원의 과태료재판이 확정된 후 법률이 변경되어 그 행위가 질서위반행위에 해당하지 아니하게 된 때에는 변경된 법률에 특별한 규정이 없는 한 과태료의 징수 또는 집행을 면제한다. 2024 소방간부 (O | X)

15. 질서위반행위 후 법률이 변경되어 그 행위가 질서위반행위에 해당하지 아니하게 되면 법률에 특별한 규정이 없는 한 변경되기 전의 법률을 적용한다. 2023 소방직 9급 (O | X)

16. 질서위반행위 후 법률이 변경되어 그 행위가 질서위반행위에 해당하지 아니하게 되거나 과태료가 변경되기 전의 법률보다 가볍게 된 때에는 법률에 특별한 규정이 없는 한 변경된 법률을 적용하여야 한다. 2023 지방직·서울시 9급 (O | X)

17. 질서위반행위 후 법률이 변경되어 그 행위가 질서위반행위에 해당하지 아니하게 되거나 과태료가 변경되기 전의 법률보다 가볍게 된 때에는 법률에 특별한 규정이 없는 한 변경된 법률을 적용한다. 2016 경행경채 (O | X)

정답
1. O 2. X 3. O 4. X 5. X 6. O 7. X 8. X 9. O 10. X
11. X 12. X 13. X 14. O 15. X 16. O 17. O

04 □□□

과태료에 관한 설명으로 옳은 것은? (다툼이 있을 경우 판례에 의함)

① 과태료는 행정상의 질서유지를 위한 행정질서벌에 해당하므로 죄형법정주의의 규율대상에 해당한다.

② 과태료를 부과하는 모든 행위가 「질서위반행위규제법」에서 말하는 질서위반행위에 포함되는 것은 아니다. 다만, 대통령령으로 정하는 사법(私法)상·소송법상 의무를 위반하여 과태료를 부과하는 행위는 「질서위반행위규제법」에서 말하는 질서위반행위에 포함된다.

③ 과태료재판은 이유를 붙인 결정으로써 하고, 당사자와 검사는 과태료재판에 대하여 즉시항고를 할 수 있으며, 이 경우의 항고는 집행정지의 효력이 없다.

④ 법인의 대표자, 법인 또는 개인의 대리인·사용인 및 그 밖의 종업원이 업무에 관하여 법인 또는 그 개인에게 부과된 법률상의 의무를 위반한 때에는 법인 또는 그 개인에게 과태료를 부과한다.

✓ 기출체크

① 관련기출

1. 과태료는 행정상의 질서유지를 위한 행정질서벌에 해당할 뿐 형벌이라 할 수 없어 죄형법정주의의 규율대상에 해당하지 않는다. 2021 소방직 9급 (O | X)

2. 과태료는 행정질서벌에 해당할 뿐 형벌이라고 할 수 없어 죄형법정주의의 규율대상에 해당하지 아니한다. 2019 국가직 9급 (O | X)

3. 과태료는 행정상의 질서유지를 위한 행정질서벌에 해당할 뿐이므로 죄형법정주의의 규율대상에 해당하지 아니한다. 2016 국가직 7급 (O | X)

② 관련기출

4. 「민법」상의 의무를 위반하여 과태료를 부과하는 행위는 「질서위반행위규제법」상 질서위반행위에 해당한다. 2019 서울시 9급 (O | X)

5. 다음은 현행 「질서위반행위규제법」의 일부이다. 괄호 안에 공통적으로 들어갈 용어는? 2011 국가직 9급

> '질서위반행위'란 법률(지방자치단체의 조례를 포함한다. 이하 같다)상의 의무를 위반하여 ( )을/를 부과하는 행위를 말한다. 다만, 다음 각 목의 어느 하나에 해당하는 행위를 제외한다.
> 가. 대통령령으로 정하는 사법(私法)상·소송법상 의무를 위반하여 ( )을/를 부과하는 행위
> 나. 대통령령으로 정하는 법률에 따른 징계사유에 해당하여 ( )을/를 부과하는 행위

① 가산금 ② 과태료
③ 부당이득세 ④ 이행강제금

6. 질서위반행위란 '법률(조례를 포함한다)상의 의무를 위반하여 과태료를 부과하는 행위'를 말하고, 이에는 대통령령으로 정하는 법률에 따른 징계사유에 해당하여 과태료를 부과하는 행위가 포함된다. 2009 국가직 7급 (O | X)

③ 관련기출

7. 「질서위반행위규제법」에 따르면 당사자와 검사는 과태료재판에 대하여 즉시항고를 할 수 있으며, 이 경우 항고는 집행정지의 효력이 있다. 2025 소방간부 (O | X)

8. 과태료재판은 이유를 붙인 결정으로써 하며, 결정은 당사자와 검사에게 고지함으로써 효력이 발생하고, 당사자와 검사는 과태료재판에 대하여 즉시항고할 수 있으며 이 경우 항고는 집행정지의 효력이 있다. 2024 해경승진 (O | X)

9. 당사자와 검사는 과태료재판에 대하여 즉시항고를 할 수 있다. 이 경우 항고는 집행정지의 효력이 있다. 2018 소방직 9급 (O | X)

10. 「질서위반행위규제법」에 의하면 과태료재판에 대한 검사의 즉시항고는 당사자가 제기하는 즉시항고와는 달리 집행정지의 효력을 가지지 않는다. 2018 경행경채 (O | X)

11. 당사자는 과태료재판에 대하여 즉시항고할 수 있으나 이 경우의 항고는 집행정지의 효력이 없다. 2017 교육행정직 9급 (O | X)

④ 관련기출

12. 법인의 대표자, 법인 또는 개인의 대리인·사용인 및 그 밖의 종업원이 업무에 관하여 법인 또는 그 개인에게 부과된 법률상의 의무를 위반한 때에 법인 또는 그 개인에게 과태료를 부과하는 것은 위법하다. 2022 국회직 8급 (O | X)

13. 「질서위반행위규제법」상 개인의 대리인이 업무에 관하여 그 개인에게 부과된 법률상의 의무를 위반한 때에는 행위자인 대리인에게 과태료를 부과한다. 2017 국가직 9급 (O | X)

14. (「질서위반행위규제법」상) 법인에 대해서는 과태료를 부과할 수 없다. 2013 경행특채 (O | X)

정답
1. O 2. O 3. O 4. × 5. ② 6. × 7. O 8. O 9. O 10. ×
11. × 12. × 13. × 14. ×

05 □□□

사례에 관한 설명으로 옳은 것만을 <보기>에서 모두 고른 것은? (다툼이 있는 경우 판례에 의함)

> 甲은 2021년 2월 11일 「자동차관리법」의 규정을 위반하여 승용차의 등록번호판을 가리고 운전을 하다가 적발되었다. 그리하여 관할 행정청인 서초구청장으로부터 같은 해 5월 7일 300만원의 과태료 부과처분을 받았다.

> 「자동차관리법」 제10조【자동차등록번호판】⑤ 누구든지 등록번호판을 가리거나 알아보기 곤란하게 하여서는 아니 되며, 그러한 자동차를 운행하여서도 아니 된다.
>
> 제84조【과태료】② 다음 각 호의 어느 하나에 해당하는 자는 300만원 이하의 과태료에 처한다.
>   2. 제10조 제5항을 위반하여 등록번호판을 가리거나 알아보기 곤란하게 하거나, 그러한 자동차를 운행한 자 (제81조 제1호의2에 해당되는 자의 경우는 제외한다)

― 보기 ―

㉮ 질서위반행위에 의한 과태료책임은 무과실책임이므로 甲이 재판에서 자신의 책임 없는 사유로 위반행위에 이르렀다고 주장하는 경우에도 법원이 그 내용을 살펴 甲에게 고의나 과실이 있는지를 따져볼 필요는 없다.

㉯ 서초구청장이 과태료를 부과한 후 2025년 1월 1일 현재까지 징수하지 않은 경우 위 사례의 과태료는 시효로 인하여 소멸한다.

㉰ 서초구청장이 관할 법원에 통보하여 과태료재판이 확정된 경우 과태료재판은 검사의 명령으로써 집행한다.

㉱ 만약 과태료 부과의 근거가 법률이 아니라 조례에 규정된 것에 불과하더라도 이러한 조례도 과태료 부과의 근거법령이 된다.

㉲ 「자동차관리법」에 과태료 부과에 관한 규정이 없더라도 서초구청장은 원칙적으로 과태료 부과를 할 수 있다.

㉳ 검사가 과태료재판의 집행을 서초구청장에게 위탁한 경우 서초구청장은 국세 또는 지방세 체납처분의 예에 따라 집행하며, 그 집행한 금원은 국고의 수입으로 한다.

㉴ 이의제기가 있는 경우 과태료 부과처분은 효력을 상실하며, 서초구청장이 관할 법원에 통보하는 경우 관할 법원은 과태료를 부과한 행정청의 소재지의 법원이다.

① ㉯, ㉴ ② ㉰, ㉱
③ ㉮, ㉯, ㉱, ㉲, ㉳ ④ ㉮, ㉰, ㉱, ㉳, ㉴

✓ 기출체크

㉮ 관련기출
1. 질서위반행위를 한 자가 자신의 책임 없는 사유로 위반행위에 이르렀다고 주장하는 경우 법원은 그 내용을 살펴 행위자에게 고의나 과실이 있는지를 따져보아야 한다. 2023 국가직 7급 (O | X)

㉯ 관련기출
2. 과태료는 행정청의 과태료 부과처분이나 법원의 과태료재판이 확정된 후 5년간 징수하지 아니하거나 집행하지 아니하면 시효로 인하여 소멸한다. 2024 군무원 9급 (O | X)
3. 과태료는 행정청의 과태료 부과처분이나 법원의 과태료재판이 확정된 후 3년간 징수하지 아니하거나 집행하지 아니하면 시효로 인하여 소멸한다. 2022 해경간부 (O | X)
4. 행정청에 의해 부과된 과태료는 질서위반행위가 종료된 날(다수인이 질서위반행위에 가담한 경우에는 최종행위가 종료된 날을 말한다)부터 5년간 징수하지 아니하거나 집행하지 아니하면 시효로 인하여 소멸한다. 2020 국가직 9급 (O | X)
5. 과태료는 행정청의 과태료 부과처분이 있은 후 3년간 징수하지 아니하면 시효로 인하여 소멸한다. 2019 지방직·교육행정직 9급 (O | X)
6. 과태료에는 소멸시효가 없으므로 행정청의 과태료처분이나 법원의 과태료재판이 확정된 이상 일정한 시간이 지나더라도 그 처벌을 면할 수는 없다. 2017 서울시 9급 (O | X)

㉰ 관련기출
7. 과태료재판은 검사의 명령으로써 집행하며, 이 경우 그 명령은 집행력 있는 집행권원과 동일한 효력이 있다. 2015 경행특채 1차 (O | X)

㉱ 관련기출
8. 지방자치단체의 조례도 과태료 부과의 근거가 될 수 있다. 2016 국가직 9급 (O | X)
9. 지방자치단체는 조례를 통하여 행정질서벌을 정할 수 있다. 2011 사회복지직 9급 (O | X)

㉲ 관련기출
10. (「질서위반행위규제법」상) 법률에 따르지 아니하고는 어떤 행위도 질서위반행위로 과태료를 부과하지 아니한다. 2023 행정사 (O | X)

㉳ 관련기출
11. 「질서위반행위규제법」상 과태료 사건은 다른 법령에 특별한 규정이 있는 경우를 제외하고는 행정청의 주소지의 지방법원 또는 그 지원의 관할로 한다. 2023 국가직 7급 (O | X)
12. 행정청의 과태료 부과에 대해 서면으로 이의가 제기된 경우 과태료 부과처분은 그 효력을 상실한다. 2022 지방직·서울시 9급 (O | X)
13. 과태료 사건은 다른 법령에 특별한 규정이 있는 경우를 제외하고는 과태료 부과관청의 소재지의 지방법원 또는 그 지원의 관할로 한다. 2020 국가직 9급 (O | X)
14. 행정청의 과태료 부과에 대한 이의제기는 과태료 부과처분의 효력에 영향을 주지 아니한다. 2019 지방직·교육행정직 9급 (O | X)
15. 이의제기를 받은 행정청은 이의제기를 받은 날부터 14일 이내에 이에 대한 의견 및 증빙서류를 첨부하여 관할 법원에 통보하여야 하는 것이 원칙이다. 2015 서울시 9급 (O | X)

정답
1. O 2. O 3. X 4. X 5. X 6. X 7. O 8. O 9. O 10. O
11. X 12. O 13. X 14. X 15. O

06 □□□

다음 설명 중 옳지 않은 것은? (다툼이 있는 경우 판례에 의함)

① 甲이 행정법을 위반한 경우, 甲에게 행정형벌을 부과하기 위해서는 명문규정이 있거나 해석상 과실범을 벌할 뜻이 명확한 경우가 아닌 한 원칙적으로 고의가 있어야 한다.

② 乙이 부정급수관을 연결하는 등의 방법으로 12,000m^3의 상수돗물을 부정사용한 경우, 서울특별시장이 과태료를 부과함에 있어서는 일반적인 행정처분과 달리 사전통지를 하지 않고 과태료를 부과할 수 있다.

③ 경찰서장이 丙의 범칙행위에 대하여 통고처분을 한 경우에는 경찰서장은 통고처분에서 정한 범칙금 납부기간까지 즉결심판을 청구할 수 없고, 검사도 동일한 범칙행위에 대하여 공소를 제기할 수 없다.

④ 丁은 「독점규제 및 공정거래에 관한 법률」을 위반한 사실이 적발되어 공정거래위원회로부터 과징금을 부과받았는데, 이 경우 丁에게 그 위반사실에 대하여 형사소송절차에서 벌금이 선고된다고 하여도 이중처벌금지의 원칙에 위반된다고 볼 수 없다.

✓ 기출체크

① 관련기출
1. 행정형벌에 있어 행정상의 단속을 주안으로 하는 법규라 하더라도 명문규정이 있거나 해석상 과실범도 벌할 뜻이 명확한 경우를 제외하고는 「형법」의 원칙에 따라 고의가 있어야 벌할 수 있다. 2025 소방간부 (O | X)
2. 행정상의 단속을 주안으로 하는 법규상으로 명문규정이 없더라도 해석상 과실범도 벌할 뜻이 명확한 경우에는 과실범도 처벌할 수 있다. 2023 서울시 지적 7급 (O | X)

② 관련기출
3. 행정청이 질서위반행위에 대하여 과태료를 부과하고자 하는 때에는 미리 당사자에게 대통령령으로 정하는 사항을 통지하고, 10일 이상의 기간을 정하여 의견을 제출할 기회를 주어야 한다. 2022 해경간부 (O | X)
4. 행정청은 과태료 부과에 앞서 7일 이상의 기간을 정하여 당사자에게 의견을 제출할 기회를 주어야 한다. 2020 국회직 8급 변형 (O | X)
5. 행정청이 질서위반행위에 대하여 과태료를 부과하고자 하는 때에는 미리 당사자에게 대통령령으로 정하는 사항을 통지하고, 7일 이상의 기간을 정하여 의견을 제출할 기회를 주어야 한다. 2011 국회(속기·경위직) 9급 (O | X)

③ 관련기출
6. 경찰서장이 「경범죄 처벌법」상 범칙행위에 대하여 통고처분을 한 이상, 통고처분에서 정한 범칙금 납부기간까지는 원칙적으로 경찰서장은 즉결심판을 청구할 수 없고, 검사도 동일한 범칙행위에 대하여 공소를 제기할 수 없다. 2025 지방직·서울시 7급 (O | X)
7. 경찰서장이 「경범죄 처벌법」상 범칙행위에 대하여 통고처분을 하였는데 통고처분에서 정한 범칙금 납부기간이 지나지 아니한 경우, 경찰서장이 즉결심판을 청구하거나 검사가 동일한 범칙행위에 대하여 공소를 제기할 수 없다. 2023 국회직 8급 (O | X)

8. 경찰서장이 범칙행위에 대하여 통고처분을 하더라도 통고처분에서 정한 납부기간까지는 검사가 공소를 제기할 수 있다. 2022 소방직 9급
(O | X)

9. 경찰서장이 범칙행위에 대하여 「경범죄 처벌법」상 통고처분을 하였다면, 통고처분에서 정한 범칙금 납부기간까지는 원칙적으로 경찰서장은 즉결심판을 청구할 수 없지만 검사는 동일한 범칙행위에 대하여 공소를 제기할 수 있다. 2022 소방간부
(O | X)

10. 경찰서장이 범칙행위에 대하여 통고처분을 한 이상, 통고처분에서 정한 범칙금 납부기간까지는 원칙적으로 경찰서장은 즉결심판을 청구할 수 없고, 검사도 동일한 범칙행위에 대하여 공소를 제기할 수 없다.
2021 지방직·서울시 9급
(O | X)

④ 관련기출

11. 구 「독점규제 및 공정거래에 관한 법률」에서 부당내부거래 억지를 위한 제재로 형사처벌과 아울러 의무위반행위에 대하여 가하는 행정상의 제재금으로 과징금의 병과를 예정하고 있더라도 이중처벌금지원칙에 위반된다고 볼 수 없다. 2025 국가직 7급
(O | X)

12. 「부동산 실권리자명의 등기에 관한 법률」 제5조에 규정된 과징금은 행정청이 명의신탁행위로 인한 불법적인 이익을 박탈하거나 실명등기의무의 이행을 강제하기 위하여 의무자에게 부과·징수하는 것일 뿐 국가형벌권 행사로서의 처벌에 해당한다고 할 수 없다.
2024 지방직·서울시 7급
(O | X)

13. 구 「독점규제 및 공정거래에 관한 법률」에서 부당지원행위주체에 대하여 형사처벌과 함께 과징금 부과처분을 할 수 있도록 규정한 것은 헌법상 이중처벌금지원칙에 반하는 것은 아니다. 2023 소방간부
(O | X)

14. 과징금은 행정상 제재금이고 범죄에 대한 국가형벌권의 실행이 아니므로 행정법규 위반에 대해 벌금 이외에 과징금을 부과하는 것은 이중처벌금지의 원칙에 위반되지 않는다. 2022 국가직 9급
(O | X)

15. 「독점규제 및 공정거래에 관한 법률」상 부당지원행위에 대한 과징금은 부당지원행위 억지라는 행정목적을 실현하기 위한 행정상 제재금으로서의 기본적 성격에 부당이득환수적 요소도 부가되어 있는 것으로서, 행정벌과 병과하더라도 이중처벌금지원칙에 위반되지 않는다.
2014 사회복지직 9급
(O | X)

정답
1. O 2. O 3. O 4. × 5. × 6. O 7. O 8. × 9. × 10. O
11. O 12. O 13. O 14. O 15. O

07 ☐☐☐

「국가배상법」에 관한 설명으로 옳은 것은? (다툼이 있는 경우 판례에 의함)

① 대한민국에 거주하는 외국인이 피해자인 경우 해당 국가와 상호보증이 있을 때에만 「국가배상법」이 적용되며, 상호보증이 있다고 하기 위해서는 해당 국가와 조약이 체결되어 있어야 한다.

② 「국가배상법」상 생명·신체의 침해로 인한 국가배상을 받을 권리는 압류하지 못하나 양도할 수는 있다.

③ 「국가배상법」 제2조 제1항의 적용에 있어 피해자가 손해를 입은 동시에 이익을 얻은 경우라도 손해배상액에서 그 이익에 상당하는 금액을 공제할 수는 없다.

④ 손실보상과 손해배상은 근거규정 및 요건·효과를 달리하므로 비록 손실보상청구권에 '손해전보'라는 요소가 포함되어 있어, 실질적으로 같은 내용의 손해에 관하여 두 청구권이 동시에 성립하더라도 청구권자는 두 청구권을 동시에 행사할 수는 없다.

기출체크

① 관련기출

1. 「국가배상법」상 '상호보증'은 외국에서 구체적으로 우리나라 국민에게 국가배상청구를 인정한 사례가 있어 실제로 국가배상이 상호 인정될 수 있는 상태가 인정되어야 한다. 2025 해경승진
(O | X)

2. 외국인이 피해자인 경우 해당 국가와 상호보증이 없더라도 「국가배상법」이 적용된다. 2024 국가직 9급
(O | X)

3. 「국가배상법」상 상호보증은 외국의 법령, 판례 및 관례 등에 의하여 발생요건을 비교하여 인정되면 충분하고 반드시 당사국과의 조약이 체결되어 있을 필요는 없다. 2023 경찰간부
(O | X)

4. 「국가배상법」은 외국인이 피해자인 경우에는 해당 국가와 상호보증이 있을 때에만 적용하고, 이때 상호보증은 반드시 당사국과의 조약이 체결되어 있을 필요는 없다. 2023 국회직 8급
(O | X)

5. 대한민국 구역 내에 있다면 외국인에게도 국가배상청구권은 당연히 인정된다. 2016 서울시 9급
(O | X)

② 관련기출

6. 생명·신체의 침해로 인한 국가배상을 받을 권리는 양도하지 못한다.
2024 소방간부
(O | X)

7. 생명·신체의 침해로 인한 국가배상을 받을 권리는 양도는 가능하지만, 압류는 하지 못한다. 2021 소방직 9급
(O | X)

8. 생명·신체의 침해로 인한 국가배상을 받을 권리는 양도하거나 압류하지 못한다. 2013 국가직 9급
(O | X)

9. 「국가배상법」상 생명·신체의 침해로 인한 국가배상을 받을 권리는 압류하지 못하나 양도할 수는 있다. 2013 경행특채
(O | X)

③ 관련기출

10. 「국가배상법」 제2조 제1항을 적용할 때 피해자가 손해를 입은 동시에 이익을 얻은 경우에는 손해배상액에서 그 이익에 상당하는 금액을 빼야 한다. 2018 경행경채
(O | X)

④ 관련기출

11. 손실보상과 손해배상은 근거규정 및 요건·효과를 달리하지만 손실보상청구권에 '손해전보'라는 요소가 포함되어 있어 실질적으로 같은 내용의 손해에 관하여 양자의 청구권이 동시에 성립한다면 청구권자는 어느 하나만을 선택적으로 행사할 수 있을 뿐이다. 2022 소방직 9급
(O | X)

정답

1. × 2. × 3. ○ 4. ○ 5. × 6. ○ 7. × 8. ○ 9. ○ 10. ○
11. ○

08 □□□

판례상 「국가배상법」 제2조에서 규정하는 '공무원'이 아닌 것은?

보기

㉮ 전입신고서에 확인인을 찍는 통장
㉯ 국가나 지방자치단체에 근무하는 청원경찰
㉰ 국가로부터 위탁받은 공행정사무인 '변호사등록에 관한 사무'를 수행하는 대한변호사협회의 장(長)
㉱ 「의용소방대 설치 및 운영에 관한 법률」에 따라 소방서장이 임명한 의용소방대원
㉲ 법령에 의해 대집행권한을 위탁받은 한국토지공사(현 한국토지주택공사)

① ㉮, ㉯
② ㉯, ㉰
③ ㉰, ㉱
④ ㉱, ㉲

✓ 기출체크

㉮ 관련기출

1. 통장이 전입신고서에 확인인을 찍는 행위는 공무를 위탁받아 실질적으로 공무를 수행하는 것이라고 보아야 하므로, 통장은 그 업무범위 내에서는 「국가배상법」 소정의 공무원에 해당한다.
2024 지방직·서울시 7급 (O | X)
2. 시 청소차 운전수나 전입신고서에 확인인을 찍는 통장은 「국가배상법」 제2조의 공무원에 해당한다. 2010 국가직 9급 (O | X)

㉯ 관련기출

3. 지방자치단체에 근무하는 청원경찰(은 「국가배상법」 제2조에서 규정하는 '공무원'으로 볼 수 있다) 2019 소방직 9급 (O | X)

㉱ 관련기출

4. 「의용소방대 설치 및 운영에 관한 법률」에 따라 소방서장이 임명한 의용소방대원(은 「국가배상법」 제2조에서 규정하는 '공무원'으로 볼 수 있다) 2019 소방직 9급 (O | X)
5. (「국가배상법」 제2조의 '공무원'에 대한 판례와 관련하여) 구 「소방법」 제63조의 규정에 의하여 시, 읍, 면이 소방서장의 소방업무를 보조하게 하기 위하여 설치한 의용소방대는 국가기관이라고 할 수 있다.
2016 경행경채 (O | X)

㉲ 관련기출

6. 지방자치단체로부터 법령에 의해 대집행권한을 위탁받은 한국토지주택공사가 공무인 대집행을 실시하면서 과실로 불법행위를 한 경우 한국토지주택공사는 불법행위로 인한 손해배상책임을 진다.
2025 소방간부 (O | X)
7. 법령에 의해 대집행권한을 위탁받은 한국토지공사(현 한국토지주택공사)가 「국가배상법」 제2조에서 말하는 공무원에 해당한다.
2024 군무원 9급 (O | X)
8. 법령에 의해 대집행권한을 한국토지공사에 위탁한 경우 한국토지공사는 행정주체의 지위에 있고, 「국가배상법」 제2조에서 정한 공무원에 해당한다고 볼 수 없다. 2023 군무원 7급 (O | X)

정답

1. ○ 2. ○ 3. ○ 4. × 5. × 6. ○ 7. × 8. ○

09 □□□

국가배상책임에 관한 설명으로 옳은 것만을 <보기>에서 모두 고른 것은? (다툼이 있는 경우 판례에 의함)

보기

㉮ 국회가 헌법에 의해 부과되는 일반적인 입법의무를 부담하고 있음에도 불구하고 입법에 필요한 상당한 기간이 경과하도록 고의 또는 과실로 입법의무를 이행하지 아니하는 경우에는 국가배상책임이 인정된다.
㉯ 어떠한 행정처분이 위법하다고 할지라도 그 자체만으로 곧바로 그 행정처분이 공무원의 고의 또는 과실로 인한 불법행위를 구성한다고 단정할 수는 없고, 공무원의 고의 또는 과실의 유무에 대하여는 별도의 판단을 요한다.
㉰ 인권존중이나 신의성실과 같은 추상적 법원칙 위반을 포함할 경우 배상책임의 지나친 확대가 초래되므로 국가배상책임에 있어서 '법령 위반'은 형식적 의미의 법령에서 명시적으로 공무원의 행위의무가 정하여져 있음에도 이를 위반하는 경우만으로 좁게 해석하여야 한다.
㉱ 수익적 행정처분이 신청인에 대한 관계에서 「국가배상법」 제2조 제1항의 위법성이 있는 것으로 평가되려면, 객관적으로 보아 그 행위로 인하여 신청인이 손해를 입게 될 것이 분명하다고 할 수 있어 신청인을 위하여도 해당 행정처분을 거부할 것이 요구되어야 한다.

① ㉮, ㉱
② ㉯, ㉰
③ ㉯, ㉰
④ ㉰, ㉱

✓ 기출체크

㉮ 관련기출

1. 국회가 일정한 사항에 관하여 헌법에 의하여 부과되는 구체적인 입법의무를 부담하고 있음에도 불구하고 그 입법에 필요한 상당한 기간이 경과하도록 고의 또는 과실로 이러한 입법의무를 이행하지 아니하는 등 극히 예외적인 사정이 인정되는 사안에 한정하여 「국가배상법」 소정의 배상책임이 인정될 수 있다. 2022 국회직 8급 (O | X)

2. 국회의원은 원칙적으로 정치적 책임을 질 뿐이므로 헌법에 따른 구체적 입법의무를 부담하고 있음에도 그 입법에 필요한 상당한 기간이 경과하도록 고의 또는 과실로 그 입법의무를 이행하지 아니하는 경우 그 배상책임이 인정되기 어렵다. 2022 소방직 9급 (O | X)

3. 헌법에 의하여 부과되는 국가의 구체적인 입법의무 자체가 인정되지 않는 경우에는 애당초 부작위로 인한 불법행위가 성립할 여지가 없다. 2019 사회복지직 9급 (O | X)

4. 헌법에 의하여 일반적으로 부과된 의무가 있음에도 불구하고 국회가 그 입법을 하지 않고 있다면 「국가배상법」상 배상책임이 인정된다. 2017 국가직 7급 (O | X)

㉯ 관련기출

5. 어떠한 행정처분이 항고소송에서 취소되었다고 할지라도 그 기판력으로 곧바로 국가배상책임이 인정될 수는 없고, '공무원이 직무를 집행하면서 고의 또는 과실로 법령을 위반하여 타인에게 손해를 입힌 때'라고 하는 「국가배상법」 제2조 제1항의 요건이 충족되어야 한다. 2025 지방직·서울시 7급 (O | X)

6. 어떠한 행정처분이 후에 항고소송에서 취소되었다면 그 기판력에 의하여 당해 행정처분은 곧바로 공무원의 고의 또는 과실로 인한 것으로서 불법행위를 구성한다. 2025 소방직 9급 (O | X)

7. 행정처분이 후에 항고소송에서 위법한 것으로 판단되어 취소되었다면 그러한 사정만으로도 그 행정처분은 공무원의 고의나 과실에 의한 불법행위가 되어 국가배상책임이 인정된다. 2025 소방간부 (O | X)

8. 어떠한 행정처분이 후에 항고소송에서 위법한 것으로서 취소되었다고 하더라도 그로써 곧 당해 행정처분이 공무원의 고의 또는 과실에 의한 불법행위를 구성한다고 단정할 수는 없다. 2024 지방직·서울시 9급 (O | X)

9. 행정처분이 나중에 항고소송에서 위법하다고 판단되어 취소되더라도 그러한 사실만으로 바로 행정처분이 공무원의 고의나 과실로 인한 불법행위를 구성한다고 할 수 없다. 2022 지방직·서울시 9급 (O | X)

㉰ 관련기출

10. 국가배상책임의 요건으로서 법령 위반은 엄격한 의미의 법령 위반뿐 아니라 인권존중, 권력남용금지, 신의성실과 같이 공무원으로서 마땅히 지켜야 할 준칙이나 규범을 지키지 않고 위반한 경우를 포함한다. 2024 국회직 8급 (O | X)

11. 국가배상책임에서의 법령 위반은, 인권존중·권력남용금지·신의성실·공서양속 등의 위반도 포함해 널리 그 행위가 객관적인 정당성을 결여하고 있음을 의미한다. 2020 지방직·서울시 9급 (O | X)

12. 국가배상책임에서의 법령 위반에는 널리 그 행위가 객관적인 정당성을 결여하고 있는 경우도 포함된다. 2018 서울시 9급 (O | X)

13. 국가배상책임에서 '법령을 위반하여'라고 함은 엄격하게 형식적 의미의 법령에서 명시적으로 공무원의 행위의무가 정하여져 있음에도 이를 위반하는 경우만을 의미한다. 2017 국가직(하) 7급 (O | X)

14. 국가배상의 요건 중 법령 위반의 의미를 판단하는 데 있어서는 형식적 의미의 법령을 위반한 것뿐만 아니라 인권존중, 권력남용금지, 신의성실과 같이 공무원으로서 당연히 지켜야 할 원칙을 지키지 않은 경우도 포함한다. 2017 서울시 7급 (O | X)

㉱ 관련기출

15. 수익적 행정처분이 신청인에 대한 관계에서 「국가배상법」상 위법성이 있는 것으로 평가되기 위하여는, 객관적으로 보아 그 행위로 인하여 신청인이 손해를 입게 될 것이 분명하다고 할 수 있어 신청인을 위하여도 당해 행정처분을 거부할 것이 요구되는 경우이어야 한다. 2019 국가직 5급 승진 (O | X)

> **정답**
> 1. O 2. X 3. O 4. X 5. O 6. X 7. X 8. O 9. O 10. O
> 11. O 12. O 13. X 14. O 15. O

10 □□□

국가배상책임에 관한 설명으로 옳은 것만을 <보기>에서 모두 고른 것은? (다툼이 있는 경우 판례에 의함)

| 보기 |
| ㉮ 일반적으로 공무원이 관계 법규를 알지 못하거나 필요한 지식을 갖추지 못하고 법규의 해석을 그르쳐 행정처분을 하였더라도 그가 법률전문가가 아닌 행정직 공무원이라면 과실이 인정되지 않는다.
| ㉯ 법령해석에 여러 견해가 있어 관계 공무원이 신중한 태도로 어느 일설을 취하여 처분하였더라도, 처분이 위법한 것으로 판명되었다면 배상책임이 인정된다.
| ㉰ 국회의 입법행위는 그 입법내용이 헌법의 문언에 명백히 위반되더라도 국회가 굳이 해당 입법을 한 것과 같은 특수한 경우가 아니라면 「국가배상법」상 소정의 위법행위에 해당한다고 볼 수 없다.
| ㉱ 사인이 공무를 위탁받아 그에 종사하면 비록 공무의 위탁이 일시적이고 한정적이라고 할지라도 「국가배상법」상의 공무원에 해당한다.

① ㉮, ㉱
② ㉯, ㉰
③ ㉯, ㉱
④ ㉰, ㉱

✓ 기출체크

㉮ 관련기출

1. 공무원이 관계 법규를 알지 못하거나 법규의 해석을 그르쳐 행정처분을 한 경우라고 할지라도, 법률전문가가 아닌 행정직 공무원인 경우에는 과실을 인정할 수 없다. 2025 해경승진 (O | X)

2. 일반적으로 공무원이 직무를 집행함에 있어서 관계 법규를 알지 못하거나 필요한 지식을 갖추지 못하여 법규의 해석을 그르쳐 잘못된 행정처분을 하였다면 그가 법률전문가가 아닌 행정직 공무원이라고 하여 과실이 없다고 할 수 없다. 2023 해경간부 (O | X)

3. 특별한 사정이 없는 한 일반적으로 공무원이 관계 법규를 알지 못하거나 필요한 지식을 갖추지 못하고 법규의 해석을 그르쳐 행정처분을 하였다면 그가 법률전문가가 아닌 행정직 공무원이라도 과실이 있다. 2018 지방직 7급 (O | X)

4. 일반적으로 공무원이 관계 법규를 알지 못하거나 필요한 지식을 갖추지 못하고 법규의 해석을 그르쳐 행정처분을 하였다면 그가 법률전문가가 아닌 행정직 공무원이라고 하여 과실이 없다고는 할 수 없다. 2016 지방직 9급 (○ | ×)

5. 판례에 의하면 법령의 해석에는 다양한 견해가 있을 수 있으므로 공무원의 법령해석의 잘못에는 공무원의 과실이 인정되지 않는다. 2013 서울시 7급 (○ | ×)

④ 관련기출

6. 법령의 해석이 복잡·미묘하여 어렵고 학설·판례가 통일되지 않을 때에 공무원이 신중을 기해 그중 어느 한 설을 취하여 처리한 경우에는 그 해석이 결과적으로 위법한 것이었다 하더라도 「국가배상법」상 공무원의 과실을 인정할 수 없다. 2015 국회직 8급 (○ | ×)

7. 법령해석에 여러 견해가 있어 관계 공무원이 신중한 태도로 어느 일설을 취하여 처분한 경우, 위법한 것으로 판명되었다고 하더라도 그것만으로 배상책임을 인정할 수 없다. 2012 국가직 9급 (○ | ×)

④ 관련기출

8. 국회의원의 입법행위는 그 입법내용이 헌법의 문언에 명백히 위배됨에도 불구하고 국회가 굳이 당해 입법을 한 것과 같은 특수한 경우가 아닌 한 「국가배상법」 제2조 제1항 소정의 위법행위에 해당한다고 볼 수 없다. 2023 변호사 (○ | ×)

9. 판례는 입법내용이 헌법의 문언에 명백히 위배됨에도 불구하고 국회가 굳이 당해 입법을 한 것과 같은 특수한 경우에 한하여 위법 및 과실을 인정하고 있다. 2018 소방직 9급 (○ | ×)

10. 국회가 제정한 법률이 헌법재판소에 의해 위헌결정을 받은 경우 국회는 그에 대해 국가배상책임을 진다. 2016 교육행정직 9급 (○ | ×)

④ 관련기출

11. 지방자치단체의 공무수탁사인에 대한 공무의 위탁이 일시적이고 한정적인 사항에 관한 활동을 위한 것이라면, 해당 공무수탁사인이 고의 또는 과실로 법령을 위반하여 행한 직무행위로 인해 타인에게 손해를 입혔더라도, 그 지방자치단체는 「국가배상법」상 배상책임을 부담하지 않는다. 2025 경찰간부 (○ | ×)

12. 「국가배상법」상 '공무원'이라 함은 널리 공무를 위탁받아 실질적으로 공무에 종사하고 있는 일체의 자를 가리키는 것으로서, 단지 공무의 위탁이 일시적인 사항에 관한 활동을 위한 것은 포함되지 않는다. 2024 지방직·서울시 9급 (○ | ×)

13. 「국가배상법」 제2조 소정의 '공무원'이라 함은 「국가공무원법」이나 「지방공무원법」에 의하여 공무원으로서의 신분을 가진 자에 국한하지 않고, 널리 공무를 위탁받아 실질적으로 공무에 종사하고 있는 일체의 자를 가리키는 것으로서, 공무의 위탁이 일시적이고 한정적인 사항에 관한 활동을 위한 것이어도 달리 볼 것은 아니다. 2022 서울시 지적 7급 (○ | ×)

정답
1. × 2. ○ 3. ○ 4. ○ 5. × 6. ○ 7. ○ 8. ○ 9. ○ 10. ×
11. × 12. × 13. ○

11 □□□

국가배상책임에 관한 설명으로 옳지 않은 것은? (다툼이 있는 경우 판례에 의함)

① 상급자가 전입신병인 하급자에게 암기사항에 대하여 교육하던 중 훈계하다가 도를 넘어 폭행한 경우 「국가배상법」상 직무집행성이 인정된다.

② 처분을 구하는 신청에 대하여 담당공무원이 처분 여부 결정에 상당 기간 지체한 것만으로도 공무원의 고의 또는 과실에 의한 불법행위가 인정된다.

③ 공무원에 대한 전보인사가 법령이 정한 기준과 원칙에 위배되거나 인사권을 다서 부적절하게 행사한 것으로 볼 여지가 있더라도 그러한 이유만으로 그 전보인사가 당연히 불법행위를 구성하는 것은 아니다.

④ 주민등록사무를 담당하는 공무원은 개명과 같은 사유로 주민등록상 성명을 정정한 경우 본적지 관할 관청에 그 변경사항을 통보할 직무상의 의무가 있다.

✓ 기출체크

① 관련기출
1. 상급자가 전입사병인 하급자에게 암기사항에 관하여 교육하던 중 훈계하다가 도가 지나쳐 폭행한 경우에 그 폭행은 「국가배상법」상의 직무집행에 해당한다. 2011 국회직 8급 (○ | ×)

③ 관련기출
2. 공무원에 대한 전보인사가 인사권을 다소 부적절하게 행사한 것으로 볼 여지가 있다 하더라도 그러한 사유만으로 그 전보인사가 당연히 불법행위를 구성한다고 볼 수는 없다. 2022 국가직 7급 (○ | ×)

3. 시청 소속 공무원이 시장을 구 부패방지위원회에 부패혐의자로 신고한 후 동사무소로 전보된 경우, 사회통념상 용인될 수 없을 정도로 객관적 상당성을 결여하였으므로 불법행위를 구성한다. 2011 경행특채 (○ | ×)

④ 관련기출
4. 甲이 乙과 동일한 이름으로 개명허가를 받은 것처럼 호적등본을 위조하여 주민등록상 성명을 위법하게 정정하고, 乙 명의의 주민등록증을 발급받아 乙의 부동산에 관하여 근저당권설정등기를 마친 경우, 주민등록사무를 담당하는 공무원이 위와 같은 성명정정사실을 甲의 본적지 관할 관청에 통보하지 아니한 직무상 의무 위배행위와 乙이 입은 손해 사이에 상당인과관계를 인정할 수 없다. 2023 변호사 (○ | ×)

5. 주민등록사무를 담당하는 공무원은 개명과 같은 사유로 주민등록상의 성명을 정정한 경우에는 반드시 본적지 관할 관청에 그 변경사항을 통보하여 본적지의 호적관서로 하여금 그 정정사항의 진위를 재확인할 수 있도록 할 직무상의 의무가 있다. 2012 국가직 7급 (○ | ×)

정답
1. ○ 2. ○ 3. × 4. × 5. ○

12 □□□

국가배상책임에 관한 설명으로 옳지 않은 것은? (다툼이 있는 경우 판례에 의함)

① 도로개설 등 공사로 인한 무허가건물의 강제철거와 관련하여 이루어지는 지방자치단체의 철거건물소유자에 대한 시영아파트 분양권 부여 및 세입자에 대한 지원대책 등의 업무는 지방자치단체의 공권력 행사와 관련된 활동이지 사경제주체로서 하는 활동이라고 볼 수 없다.

② 국세가 확정되기 전에 보전압류를 한 후 그 보전압류에 의해 징수하려는 국세의 전부 또는 일부가 확정되지 못하였다면, 보전압류로 인해 납세자가 입은 손해에 대해 특별한 반증이 없는 한 과세관청의 담당공무원에게 고의 또는 과실이 있다고 사실상 추정된다.

③ 일반적으로 국가기관이 자신이 관리·운영하는 홈페이지에 게시된 글에 대해 정부의 정책에 찬성하는 내용인지, 반대하는 내용인지에 따라 선별적으로 삭제 여부를 결정하더라도, 그 국가기관의 행위는 국민의 표현의 자유와 자유민주적 기본질서에 배치된다고 볼 수 없다.

④ 국가나 지방자치단체가 행정절차를 진행하는 과정에서 주민들의 의견제출 등 절차적 권리를 보장하지 않은 위법이 있어서 그 후 이를 시정하여 절차를 다시 진행한 경우, 이러한 조치로도 주민들의 절차적 권리 침해로 인한 정신적 고통이 여전히 남아 있다고 볼 특별한 사정이 있다면 국가나 지방자치단체는 그 정신적 고통으로 인한 손해를 배상할 책임이 있다.

✓ 기출체크

① 관련기출
1. 도로개설 등 공사로 인한 무허가건물의 강제철거와 관련하여 이루어지는 지방자치단체의 그 철거건물소유자에 대한 시영아파트 분양권 부여 등의 업무는, 사경제주체로서의 활동이므로 지방자치단체의 공권력 행사로 보기 어렵다고 할 것이다. 2016 지방직 7급 (O | X)

④ 관련기출
2. 국가나 지방자치단체가 행정절차를 진행하는 과정에서 주민들의 의견제출 등 절차적 권리를 보장하지 않은 위법이 있어서 그 후 이를 시정하여 절차를 다시 진행한 경우, 이러한 조치로도 주민들의 절차적 권리 침해로 인한 정신적 고통이 여전히 남아 있다고 볼 특별한 사정이 있다면 국가나 지방자치단체는 그 정신적 고통으로 인한 손해를 배상할 책임이 있고, 이때 특별한 사정이 있다는 사실에 대한 주장·증명책임은 이를 청구하는 주민들에게 있다. 2025 변호사 (O | X)
3. 공법인이 국가나 지방자치단체의 행정작용을 대신하여 공익사업을 시행하면서 행정절차를 진행하는 과정상 주민들의 절차적 권리를 보장하지 않은 위법이 있는 경우, 절차상 위법의 시정으로도 주민들에게 정신적 고통이 남아 있다고 볼 특별한 사정이 있어도 정신적 손해의 배상을 구하는 것은 불가능하다. 2024 국회직 8급 (O | X)

정답
1. × 2. ○ 3. ×

13 □□□

행정상 손해배상책임에 관한 설명으로 옳은 것만을 <보기>에서 모두 고른 것은? (다툼이 있는 경우 판례에 의함)

― 보기 ―

㉮ 과실의 객관화 경향에 따라 과실 여부는 당해 직무를 담당하는 평균적 공무원의 주의능력을 기준으로 판단하며, 과실 여부가 다투어지는 경우 그 입증책임은 국가 또는 지방자치단체가 진다.

㉯ 항고소송에서 위법한 것으로서 취소된 행정처분일지라도 그에 대한 국가배상책임이 성립하기 위해서는 그 행정처분의 담당공무원이 보통 일반의 공무원을 표준으로 하여 볼 때 객관적 주의의무를 결하여 그 행정처분이 객관적 정당성을 상실하였다고 인정될 정도에 이른 경우여야 한다.

㉰ 위헌·무효임이 명백한 긴급조치 제9호의 발령부터 적용·집행에 이르는 수사, 재판 등 일련의 국가작용으로 인한 손해에 대하여 국가배상책임이 인정될 수 있다.

㉱ 공무원의 가해행위에 대해 형사상 무죄판결이 있었다면 그 가해행위를 이유로 한 국가배상책임 또한 부정될 수밖에 없다.

① ㉮, ㉯   ② ㉮, ㉱
③ ㉯, ㉰   ④ ㉰, ㉱

✓ 기출체크

㉮ 관련기출
1. 과실 개념의 객관화(客觀化) 경향이 나타나고 있다. 2025 해경승진 (O | X)
2. 「국가배상법」의 과실은 행정처분의 담당공무원이 보통 일반의 공무원을 표준으로 하여 볼 때 객관적 주의의무를 결하여 그 행정처분이 객관적 정당성을 상실하였다고 인정될 정도에 이른 경우를 말한다. 2022 해경간부 (O | X)
3. 과실의 입증책임은 원칙적으로 국가 측에 있으므로 국가가 과실이 없었음을 입증해야 한다. 2022 경찰간부 (O | X)
4. 과실의 기준은 당해 공무원이 아니라 당해 직무를 담당하는 평균적 공무원을 기준으로 한다는 견해는 과실의 객관화(과실 개념을 객관적으로 접근)를 위한 시도라 할 수 있다. 2020 군무원 7급 (O | X)
5. 과실의 입증책임은 원고가 아니라 피고인 국가 또는 지방자치단체로 전환된다. 2015 서울시 9급 (O | X)
6. 가해공무원의 과실 여부에 대한 입증책임은 원고에게 있다. 2014 지방직 7급 (O | X)

ⓘ 관련기출

7. 행정처분의 담당공무원이 보통 일반의 공무원을 표준으로 하여 볼 때 객관적 주의의무를 결하여 그 행정처분이 객관적 정당성을 상실하였다고 인정될 정도에 이른 경우에는 「국가배상법」 제2조 소정의 국가배상책임의 해당 요건을 충족하였다고 보아야 한다. 2025 경찰간부
(O | X)

8. 보통 일반의 공무원을 표준으로 하여 볼 때 위법한 행정처분의 담당공무원이 객관적 주의의무를 소홀히 하고 그로 인해 행정처분이 객관적 정당성을 잃었다고 볼 수 있는 경우에 「국가배상법」 제2조가 정한 국가배상책임이 성립할 수 있다. 2025 군무원 9급
(O | X)

9. 「국가배상법」상 공무원 과실의 판단기준은 보통 일반의 공무원을 표준으로 하여 볼 때 위법한 행정처분의 담당공무원이 객관적 주의의무를 소홀히 하고 그로 인해 행정처분이 객관적 정당성을 잃었다고 볼 수 있는 경우에 「국가배상법」 제2조가 정한 국가배상책임이 성립할 수 있다. 2023 국회직 9급
(O | X)

10. 항고소송에서 위법한 것으로서 취소된 행정처분이 객관적 정당성을 상실하였다고 인정될 정도에 이른 것이 아닌 경우, 당해 행정처분은 공무원의 고의 또는 과실에 의한 불법행위를 구성하게 된다. 2023 소방직 9급
(O | X)

11. 행정처분의 담당공무원이 주관적 주의의무를 결하여 그 행정처분이 주관적 정당성을 상실하였다고 인정될 정도에 이른 경우에 「국가배상법」 제2조의 요건을 충족하였다고 봄이 상당하다. 2020 지방직·서울시 7급
(O | X)

ⓘ 관련기출

12. 대법원은 긴급조치 제9호의 발령에 의해서 기본권이 침해된 경우 긴급조치 제9호의 발령부터 적용·집행에 이르는 일련의 국가작용을 전체적으로 보아 공무원이 직무를 집행하면서 객관적 주의의무를 소홀히 하여 그 직무행위가 객관적 정당성을 상실한 것으로 위법하다고 판단하였다. 2025 국회직 9급
(O | X)

ⓘ 관련기출

13. 형사상 범죄행위를 구성하지 않는 침해행위라 하더라도 그것이 민사상 불법행위를 구성하는지 여부는 형사책임과 별개의 관점에서 검토하여야 한다. 2018 경행경채 3차
(O | X)

14. 공무원의 가해행위에 대해 형사상 무죄판결이 있었더라도 그 가해행위를 이유로 국가배상책임이 인정될 수 있다. 2017 국가직 7급
(O | X)

정답
1. O 2. O 3. X 4. O 5. X 6. O 7. O 8. O 9. O 10. X
11. X 12. O 13. O 14. O

14 □□□

행정상 손해배상책임에 관한 설명으로 옳지 <u>않은</u> 것은? (다툼이 있는 경우 판례에 의함)

① 「국가배상법」 제2조 제1항의 '직무를 집행함에 당하여'를 판단함에 있어 실질적으로 직무행위가 아니거나 또는 행위자로서는 주관적으로 공무집행의 의사가 없었다면 그 행위는 공무원이 '직무를 집행함에 당하여' 한 것으로 볼 수 없다.

② 재판에 대하여 불복절차 또는 시정절차가 마련되어 있는 경우에는 특별한 사정이 없는 한, 그와 같은 시정을 구하지 아니한 사람은 원칙적으로 국가배상에 의한 권리구제를 받을 수 없다.

③ 헌법재판소 재판관이 잘못된 각하결정을 하여 청구인으로 하여금 본안판단을 받을 기회를 상실하게 된 경우, 본안판단을 하였더라도 어차피 청구가 기각되었을 것이라는 사정이 있다고 하더라도 청구인의 합리적인 기대를 침해한 것이고, 그 침해로 인한 정신상의 고통에 대하여는 위자료를 지급할 의무가 있다.

④ 인사업무 담당공무원이 다른 공무원의 공무원증 등을 위조한 행위는 「국가배상법」상의 직무집행관련성이 인정된다.

✓ 기출체크

① 관련기출

1. 행위 자체의 외관을 객관적으로 관찰하여 공무원의 직무행위로 보여진다 하더라도 그것이 실질적으로 직무행위에 해당하지 않는다면 그 행위는 '직무를 집행하면서' 행한 것으로 볼 수 없다. 2025 해경승진
(O | X)

2. 「국가배상법」 제2조 제1항 소정의 '직무집행행위' 여부를 판단함에 있어서는 행위 자체의 외관을 객관적으로 관찰하여 공무원의 직무행위로 보여질 때에는 비록 그것이 실질적으로 직무행위에 속하지 않는다 하더라도 그 행위는 공무원이 '직무를 집행함에 당하여' 한 것으로 보아야 한다. 2022 서울시 지적 7급
(O | X)

3. 「국가배상법」 제2조 제1항의 '직무를 집행함에 당하여'라 함은 직접 공무원의 직무집행행위이거나 그와 밀접한 관련이 있는 행위를 포함하고, 이를 판단함에 있어서는 행위 자체의 외관을 객관적으로 관찰하여 공무원의 직무행위로 보여질 때에는 비록 그것이 실질적으로 직무행위가 아니거나 또는 행위자로서는 주관적으로 공무집행의 의사가 없었다고 하더라도 그 행위는 공무원이 '직무를 집행함에 당하여' 한 것으로 보아야 한다. 2017 경행경채
(O | X)

4. 「국가배상법」 제2조 제1항의 '직무를 집행하면서'라고 할 때 직무집행에 대한 판단기준은 행위 자체의 외관을 객관적으로 관찰하여 판단하여야 하므로 직무행위로 보여질 때에는 공무원의 행위가 실질적으로 직무행위가 아니거나 또는 행위자로서 주관적으로 공무집행의사가 없다고 하여도 '직무를 집행하면서'로 보아야 한다. 2014 경행특채 2차
(O | X)

5. 행위 자체의 외관이 객관적으로 관찰하여 공무원의 직무행위로 보일 때에는 그것이 실질적으로 직무행위가 아니거나 또는 행위자에게 주관적으로 공무집행의 의사가 없었다고 하더라도 그 행위는 직무행위에 해당한다. 2014 국가직 7급
(O | X)

② 관련기출

6. 재판에 대하여 따로 불복절차 또는 시정절차가 마련되어 있는 경우에는, 불복에 의한 시정을 구할 수 없었던 것 자체가 공무원의 귀책사유로 인한 것이라는 등의 특별한 사정이 없는 한, 스스로 시정을 구하지 아니한 결과 권리 내지 이익을 회복하지 못한 사람은 원칙적으로 국가배상에 의한 권리구제를 받을 수 없다. 2023 변호사 (O | X)

7. 재판작용에 대한 국가배상의 경우, 재판에 대하여 불복절차 내지 시정절차 자체가 없는 경우에는 부당한 재판으로 인하여 불이익 내지 손해를 입은 사람은 국가배상책임의 요건이 충족된다면 국가배상을 청구할 수 있다. 2021 국가직 7급 (O | X)

8. 재판에 대하여 불복절차 내지 시정절차 자체가 없는 경우, 부당한 재판으로 인하여 불이익 내지 손해를 입은 사람에게는 배상책임의 요건이 충족되는 한 국가배상책임이 인정될 수 있다. 2019 국가직 9급 (O | X)

③ 관련기출

9. 청구기간 내에 헌법소원이 적법하게 제기되었음에도 헌법재판소 재판관이 청구기간을 오인하여 각하결정을 한 경우, 이에 대한 불복절차 내지 시정절차가 없는 때에는 국가배상책임을 인정할 수 있다. 2024 국가직 9급 (O | X)

10. 헌법재판소 재판관이 청구기간 내에 제기된 헌법소원심판청구 사건에서 청구기간을 오인하여 각하결정을 한 경우, 이에 대한 불복절차 내지 시정절차가 없는 때에는 배상책임의 요건이 충족되는 한 국가배상책임을 인정할 수 있다. 2023 지방직·서울시 9급 (O | X)

11. 헌법재판소 재판관이 청구기간 내에 제기된 헌법소원심판청구 사건의 청구기간을 오인하여 각하결정을 한 경우, 이에 대한 불복절차 내지 시정절차가 없는 때에는 국가배상책임을 인정할 수 있다. 2022 소방간부 (O | X)

12. 헌법재판소 재판관이 잘못된 각하결정을 하여 청구인으로 하여금 본안판단을 받을 기회를 상실하게 하였더라도, 본안판단에서 어차피 청구가 기각되었을 것이라는 사정이 있다면 국가배상책임이 인정되지 않는다. 2018 지방직 7급 (O | X)

13. 헌법재판소 재판관의 위법한 직무집행의 결과 잘못된 각하결정을 함으로써 청구인으로 하여금 본안판단을 받을 기회를 상실하게 한 이상, 설령 본안판단을 하였더라도 어차피 청구가 기각되었을 것이라는 사정이 있다고 하더라도 청구인의 합리적인 기대를 침해한 것이고, 그 침해로 인한 정신상의 고통에 대하여는 위자료를 지급할 의무가 있다. 2015 지방직 7급 (O | X)

④ 관련기출

14. 인사업무 담당공무원이 다른 공무원의 공무원증 등을 위조한 행위에 대하여 실질적으로는 직무행위에 속하지 아니한다 할지라도 외관상으로는 「국가배상법」의 직무집행관련성이 인정된다. 2024 지방직·서울시 7급 (O | X)

15. 공무원들의 공무원증 발급업무를 하는 공무원이 다른 공무원의 공무원증을 위조하는 행위는 「국가배상법」상의 직무집행에 해당하지 않는다. 2021 국가직 7급 (O | X)

16. 공무원증 발급업무를 담당하는 공무원이 대출을 받을 목적으로 다른 공무원의 공무원증을 위조하는 행위는 「국가배상법」 제2조 제1항의 직무집행관련성이 인정되지 않는다. 2021 소방직 9급 (O | X)

17. 인사업무 담당공무원이 다른 공무원의 공무원증 등을 위조한 행위는 실질적으로 직무행위에 속하지 아니한다 할지라도 외관상으로는 「국가배상법」상의 직무집행에 해당한다. 2018 지방직 7급 (O | X)

정답
1. × 2. O 3. O 4. O 5. O 6. O 7. O 8. O 9. O 10. O
11. O 12. × 13. O 14. O 15. × 16. × 17. O

15

행정상 손해배상에 관한 설명으로 옳은 것만을 <보기>에서 모두 고른 것은? (다툼이 있으면 판례에 의함)

── 보기 ──

㉮ 국가나 지방자치단체가 공무원의 선임 및 감독에 상당한 주의를 한 경우에도 공무원이 직무를 집행하면서 고의 또는 과실로 위법하게 타인에게 손해를 가한 때에는 「국가배상법」상 배상책임을 진다.

㉯ 행정청이 구 「공중위생법 시행규칙」상의 행정처분기준에 따라 영업허가취소처분을 하였으나, 그 취소처분이 행정심판에서 재량하자를 이유로 취소된 경우에는 그 처분을 행한 공무원에게 직무집행상의 과실이 있다고 볼 수 있다.

㉰ 공무원이 규제권한을 행사하지 아니한 것이 직무상 의무를 위반하여 위법한 것으로 되는 경우라도 특별한 사정이 없는 한 과실도 인정된다고 볼 수는 없다.

㉱ 행정청이 확립된 법령의 해석에 어긋나는 견해를 고집하여 계속하여 위법한 행정처분을 하거나 이에 준하는 행위로 평가될 수 있는 불이익을 처분상대방에게 주는 경우에는 공무원의 고의 또는 과실로 인한 것으로서 그 손해배상책임이 있다.

① ㉮, ㉯ ② ㉮, ㉱
③ ㉯, ㉰ ④ ㉰, ㉱

기출체크

㉮ 관련기출

1. 공무원이 직무를 집행하면서 고의 또는 과실로 위법하게 타인에게 손해를 가하였어도 국가나 지방자치단체가 그 공무원의 선임 및 감독에 상당한 주의를 하였다면 국가나 지방자치단체는 국가배상책임을 면한다. 2017 국가직(하) 9급 (O | X)

2. 「민법」상의 사용자면책사유는 「국가배상법」상의 고의·과실의 판단에서는 적용되지 않는다. 2010 국가직 9급 (O | X)

㉯ 관련기출

3. 영업허가취소처분이 나중에 행정심판에 의하여 재량권을 일탈한 위법한 처분임이 판명되어 취소된 경우 그 처분이 당시 시행되던 「공중위생법 시행규칙」에 정하여진 행정처분의 기준에 따른 것이더라도 그 영업허가취소처분을 한 행정청 공무원에게 그와 같은 위법한 처분을 한 데 있어 어떤 직무집행상의 과실이 있다고 할 수 있다. 2025 군무원 9급 (O | X)

4. 영업허가취소처분이 나중에 행정심판에 의하여 재량권을 일탈한 위법한 처분임이 판명되어 취소되었다면, 그 처분이 당시 시행되던 「공중위생법 시행규칙」에 정하여진 행정처분의 기준에 따른 것이라고 하더라도 그 영업허가취소처분을 한 행정청의 공무원에게는 직무집행상의 과실이 인정된다. 2023 국회직 8급 (O | X)

5. 원칙적으로 공무원이 행정청의 내부기준인 재량권 행사기준에 따라 행정처분을 하였더라도 재량권의 범위를 넘어 위법한 경우에는 공무원에게 직무상 과실이 있다고 본다. 2022 경찰간부 (O | X)
6. 공무원이 재량준칙에 따라 행정처분을 하였는데 결과적으로 그 처분이 재량을 일탈·남용하여 위법하게 된 때에는 그에게 직무집행상의 과실이 인정된다. 2018 경행경채 3차 (O | X)
7. 재량권의 행사에 관하여 행정청 내부에 일응의 기준을 정해 둔 경우 그 기준에 따른 행정처분을 하였다면 이에 관여한 공무원에게 그 직무상의 과실이 있다고 할 수 없다. 2016 국회직 8급 (O | X)

🔴 관련기출
8. 공무원이 그 권한을 행사하지 아니한 것이 직무상 의무를 위반하여 위법한 것으로 되는 경우에는 특별한 사정이 없는 한 과실도 인정된다. 2014 국회직 8급 (O | X)
9. 판례에 의하면 규제권한을 행사하지 아니한 것이 직무상 의무를 위반하여 위법한 것으로 되는 경우에는 특별한 사정이 없는 한 과실도 인정된다. 2011 국가직 7급 (O | X)

🔴 관련기출
10. 대법원의 판단으로 관계 법령의 해석이 확립되고 이어 상급행정기관 내지 유관 행정부서로부터 시달된 업무지침이나 업무연락 등을 통하여 이를 충분히 인식할 수 있게 된 상태에서, 확립된 법령의 해석에 어긋나는 견해를 고집하여 계속하여 위법한 행정처분을 하거나 이에 준하는 행위로 평가될 수 있는 불이익을 처분상대방에게 주게 된다면, 이는 그 공무원의 고의 또는 과실로 인한 것이 되어 그 손해를 배상할 책임이 있다. 2024 소방직 9급 (O | X)

정답
1. × 2. ○ 3. × 4. × 5. × 6. × 7. ○ 8. ○ 9. ○ 10. ○

16 ☐☐☐
국가배상책임에 관한 설명으로 옳지 <u>않은</u> 것은? (다툼이 있는 경우 판례에 의함)

① 「국가배상법」은 '국가 또는 지방자치단체'를 배상책임자로 규정하고 있으나, 헌법은 '국가 또는 공공단체'를 배상책임자로 규정하고 있다.
② 「국가배상법」이 정한 손해배상청구의 요건인 '공무원의 직무'에는 국가나 지방자치단체의 권력적 작용뿐만 아니라 사경제주체로서 하는 작용을 비롯한 일체의 비권력적 작용이 포함된다.
③ 공법인이 국가로부터 위탁받은 공행정사무를 집행하는 과정에서 공법인의 임직원이나 피용인이 고의 또는 과실로 법령을 위반하여 타인에게 손해를 입힌 경우에는 공법인의 임직원이나 피용인은 「국가배상법」 제2조에서 정한 공무원에 해당하므로 고의 또는 중과실이 있는 경우에만 배상책임을 부담하고, 경과실의 경우에는 배상책임을 면한다.
④ 공무원 개인이 지는 손해배상책임에서 중과실이란 공무원에게 통상 요구되는 정도의 상당한 주의를 하지 않더라도 약간의 주의를 한다면 손쉽게 위법·유해한 결과를 예견할 수 있는 경우임에도 만연히 이를 간과한 경우와 같이, 거의 고의에 가까운 현저한 주의를 결여한 상태를 의미한다.

✔기출체크

① 관련기출
1. 「국가배상법」은 국가배상책임의 주체를 국가 또는 공공단체로 규정하고 있다. 2015 사회복지직 9급 (O | X)

② 관련기출
2. 비권력적 작용과 행정주체가 사경제주체로서 하는 활동은 국가배상청구의 요건인 '공무원의 직무'에 포함되지 않는다. 2025 지방직·서울시 7급 (O | X)
3. 「국가배상법」이 정한 손해배상청구의 요건인 '공무원의 직무'에는 국가나 지방자치단체의 권력적 작용뿐만 아니라 비권력적 작용으로서 단순한 사경제의 주체로서 하는 작용도 포함된다. 2025 경찰간부 (O | X)
4. 국가배상청구의 요건인 직무행위는 공권력적 작용을 말하며 비권력적 공행정작용은 포함하지 않는다. 2025 소방간부 (O | X)
5. 「국가배상법」이 정한 손해배상청구의 요건인 '공무원의 직무'에는 국가나 지방자치단체의 권력적 작용뿐만 아니라 비권력적 작용도 포함되지만 단순한 사경제의 주체로서 하는 작용은 포함되지 않는다. 2024 지방직·서울시 9급 (O | X)
6. 국가배상청구의 요건인 '공무원의 직무'에는 행정주체가 사경제주체로서 하는 작용도 포함된다. 2024 국가직 9급 (O | X)

③ 관련기출

7. 공법인이 국가로부터 위탁받은 공행정사무를 집행하는 과정에서 공법인의 임직원이나 피용인이 고의 또는 과실로 법령을 위반하여 타인에게 손해를 입힌 경우에는, 공법인은 위탁받은 공행정사무에 관한 행정주체의 지위에서 배상책임을 부담하여야 한다. 2025 군무원 7급
(O | X)

8. 공법인이 국가로부터 위탁받은 공행정사무를 집행하는 과정에서 공법인의 임직원이나 피용인이 고의 또는 과실로 법령을 위반하여 타인에게 손해를 입힌 경우, 공법인의 임직원이나 피용인은 「국가배상법」 제2조에서 정한 공무원에 해당하므로 고의 또는 중과실이 있는 경우에만 배상책임을 부담한다. 2025 변호사
(O | X)

9. 공법인이 국가로부터 위탁받은 공행정사무를 집행하는 과정에서 공법인의 임직원이 경과실로 법령을 위반하여 타인에게 손해를 입힌 경우, 공법인의 임직원은 「국가배상법」 제2조에서 정한 공무원에 해당하여 배상책임을 면한다. 2023 경찰간부
(O | X)

④ 관련기출

10. 공무원의 중과실이란 공무원에게 통상 요구되는 정도의 상당한 주의를 하지 않더라도 약간의 주의를 한다면 손쉽게 위법·유해한 결과를 예견할 수 있는 경우임에도 만연히 이를 간과한 경우와 같이, 거의 고의에 가까운 현저한 주의를 결여한 상태를 의미한다.
2022 서울시 지적 7급 (O | X)

정답
1. × 2. × 3. × 4. × 5. ○ 6. × 7. ○ 8. ○ 9. ○ 10. ○

17 ☐☐☐

국가배상책임에 관한 설명으로 옳은 것은? (다툼이 있으면 판례에 의함)

① 국가배상책임은 공무원의 직무집행이 법령에 위반한 것임을 요건으로 하는 것으로서, 공무원의 직무집행이 법령이 정한 요건과 절차에 따라 이루어진 것이라도 그 과정에서 개인의 권리가 침해되는 일이 생긴다면 그 법령적합성은 부정되는 것이라고 할 수 있다.

② 공무원에게 부과된 직무상 의무의 내용이 단순히 공공일반의 이익을 위한 것이거나 행정기관 내부의 질서를 규율하기 위한 것이라면, 공무원이 그와 같은 직무상 의무를 위반하여 피해자가 입은 손해에 대한 국가의 배상책임은 인정되지 않는다.

③ 지방자치단체가 구 산업기술혁신 촉진법령에 따른 인증신제품 구매의무를 위반하였다면 신제품 인증을 받은 자에 대하여 국가배상책임을 진다.

④ 국가의 철도운행사업과 관련한 사고로 인해 국민이 피해를 입은 경우, 「국가배상법」상의 직무행위에는 비권력적인 행정작용도 포함되므로 그 사고에 공무원이 간여한 경우라면 「국가배상법」이 적용된다.

✓ **기출체크**

① 관련기출

1. 공무원의 직무집행이 법령이 정한 요건과 절차에 따라 이루어진 것이라면 특별한 사정이 없는 한 이는 법령에 적합한 것이다.
2025 지방직·서울시 7급 (O | X)

2. 국가배상책임은 공무원의 직무집행이 법령에 위반한 것임을 요건으로 하는 것으로서, 공무원의 직무집행이 법령이 정한 요건과 절차에 따라 이루어진 것이라면 특별한 사정이 없는 한 이는 법령에 적합한 것이고 그 과정에서 개인의 권리가 침해되는 일이 생긴다고 하여 그 법령적합성이 곧바로 부정되는 것은 아니다. 2025 국가직 7급
(O | X)

3. 공무원의 직무집행이 법령이 정한 요건과 절차에 따라 이루어진 것이라면, 그 과정에서 개인의 권리가 침해되는 일이 생긴다고 하더라도, 특별한 사정이 없는 한 그 직무집행의 법령적합성이 곧바로 부정되는 것은 아니다. 2023 변호사
(O | X)

4. 경찰관이 교통법규 등을 위반하고 도주하는 차량을 순찰차로 추적하는 직무를 집행하는 중에 그 도주차량의 주행에 의하여 제3자가 손해를 입었다면 특별한 사정이 없는 한 그 추적행위는 위법하다.
2022 해경간부 (O | X)

5. 공무원의 직무집행이 법령이 정한 요건과 절차에 따라 이루어진 것이라도, 그 과정에서 개인의 권리가 침해되면 법령 위반에 해당한다.
2018 서울시 9급 (O | X)

② 관련기출

6. 직무상 의무를 부과한 법령의 목적이 단순히 공공일반의 이익을 위한 것이라도 공무원이 그 직무상 의무를 위반하여 손해를 입은 경우 국가배상책임이 인정된다. 2025 소방간부
(O | X)

7. 공무원이 법령에 따라 직무수행에 관한 의무를 부여받아도 그것이 직접 국민 개개인의 이익을 위한 것이 아니라 전체적으로 공공일반의 이익을 도모하기 위한 것이라면 그 의무를 위반하여 국민에게 손해를 가하여도 국가 또는 지방자치단체는 배상책임을 부담하지 아니한다.
2024 국회직 8급 (O | X)

8. 공무원에게 부과된 직무상 의무의 내용이 전적으로 또는 부수적으로 사회구성원 개인의 안전과 이익을 보호하기 위하여 설정된 것이라면, 그와 같은 의무를 위반함으로 인하여 피해자가 입은 손해에 대하여는 상당인과관계가 인정되는 범위 내에서 배상책임이 성립한다.
2023 소방직 9급 (O | X)

9. 공무원에게 부과된 직무상 의무가 단순히 공공일반의 이익만을 위한 경우라면 그러한 직무상 의무 위반에 대해서는 국가배상책임이 인정되지 않는다. 2022 지방직·서울시 9급
(O | X)

10. 국가배상책임에 있어서 국가는 직무상의 의무 위반과 피해자가 입은 손해 사이에 상당인과관계가 인정되는 범위 내에서만 배상책임을 지는 것이고, 이 경우 상당인과관계가 인정되기 위해서는 공무원에게 부과된 직무상 의무의 내용이 전적으로 또는 부수적으로 사회구성원 개인의 안전과 이익을 보호하기 위하여 설정된 것이어야 한다.
2021 지방직·서울시 9급 (O | X)

③ 관련기출

11. 산업기술혁신 촉진법령에 따른 중앙행정기관과 지방자치단체 등의 인증신제품 구매의무는 공공일반의 전체적인 이익을 도모하기 위한 것으로 봄이 타당하고, 신제품 인증을 받은 자의 재산상 이익은 법령이 보호하고자 하는 이익으로 보기는 어려우므로, 지방자치단체가 위 법령에서 정한 인증신제품 구매의무를 위반하였다고 하더라도, 이를 이유로 신제품 인증을 받은 자에 대하여 국가배상책임을 지는 것은 아니다. 2025 해경승진
(O | X)

12. 지방자치단체가 구 산업기술혁신 촉진법령에 따른 인증신제품 구매 의무를 위반하였다고 하더라도 이를 이유로 신제품 인증을 받은 자에 대하여 국가배상책임을 지는 것은 아니다. 2023 경찰간부 (O | X)

④ 관련기출

13. 국가배상청구의 요건인 직무행위는 공권력적 작용을 말하며 비권력적 공행정작용은 포함하지 않는다. 2025 소방간부 (O | X)
14. 국가의 철도운행사업은 국가가 공권력의 행사로서 하는 것이 아니고 사경제적 작용이라 할 것이므로, 이로 인한 사고에 공무원이 간여하였다고 하더라도 「국가배상법」을 적용할 것이 아니고 일반 「민법」의 규정에 따라야 한다. 2024 군무원 9급 (O | X)
15. 국가의 비권력적 작용은 국가배상청구의 요건인 직무에 포함되지 않는다. 2022 지방직·서울시 9급 (O | X)
16. 국가배상의 요건인 '공무원의 직무'에는 국가나 지방자치단체의 비권력적 작용과 사경제주체로서 하는 작용이 포함된다. 2021 국가직 9급 (O | X)
17. 국가의 철도운행사업과 관련하여 발생한 사고로 인한 손해배상청구의 경우 그 사고에 공무원이 간여하였다고 하더라도 「국가배상법」이 아니라 「민법」이 적용되어야 하지만, 철도시설물의 설치 또는 관리의 하자로 인한 손해배상청구의 경우에는 「국가배상법」이 적용된다. 2021 국가직 7급 (O | X)

정답

1. O 2. O 3. O 4. X 5. X 6. X 7. O 8. O 9. O 10. O
11. O 12. O 13. X 14. O 15. X 16. X 17. O

18 ☐☐☐

「국가배상법」에 관한 설명으로 옳지 않은 것만을 <보기>에서 모두 고른 것은? (다툼이 있는 경우 판례에 의함)

┤ 보기 ├

㉮ 성폭력범죄의 수사를 담당하거나 수사에 관여하는 경찰관이 피해자의 인적 사항 등을 공개 또는 누설함으로써 피해자가 손해를 입었다면 국가배상책임이 인정된다.

㉯ 「경찰관 직무집행법」 등에 의하여 경찰관에게 부여된 여러 가지 권한이 일반적으로 경찰관의 합리적인 재량에 위임되어 있는 이상, 경찰관이 권한을 행사하여 필요한 조치를 하지 아니하는 것이 현저하게 불합리하다고 인정되는 경우라도 권한 불행사가 위법하게 된다고는 볼 수 없다.

㉰ 도지사에 의한 지방의료원의 폐업결정과 관련하여, 국가배상책임이 성립하려면 공무원의 직무집행이 위법하다는 점만으로 충분하고 그로 인하여 타인의 권리·이익이 침해되어 구체적 손해가 발생할 필요는 없다.

㉱ 공무원의 부작위로 인한 국가배상책임에 있어서 '법령위반'이란 공무원의 작위의무를 명시한 형식적 의미의 법령에 위배된 경우만을 의미하는 것은 아니다.

① ㉮, ㉯ ② ㉮, ㉱
③ ㉯, ㉰ ④ ㉰, ㉱

✓ 기출체크

㉮ 관련기출

1. 성폭력범죄의 수사를 담당하거나 수사에 관여하는 경찰관이 피해자의 인적 사항 등을 공개 또는 누설함으로써 피해자가 손해를 입은 경우, 국가의 배상책임이 인정된다는 것이 판례의 태도이다. 2020 소방직 9급 (O | X)
2. 성폭력범죄의 수사를 담당하거나 수사에 관여하는 경찰관이 직무상 의무에 위반하여 피해자의 인적 사항 등을 공개 또는 누설한 경우, 그로 인하여 피해자가 입은 손해에 대하여 국가는 배상책임을 진다. 2014 국가직 7급 (O | X)

㉯ 관련기출

3. 「경찰관 직무집행법」상 경찰관에게 재량에 의한 직무수행권한을 부여한 것처럼 되어 있으나, 경찰관에게 권한을 부여한 취지와 목적에 비추어 볼 때 구체적인 사정에 따라 경찰관이 그 권한을 행사하여 필요한 조치를 취하지 않는 것이 현저하게 불합리하다고 인정되는 경우에 권한의 불행사는 직무상 의무를 위반한 것으로 위법하다. 2017 국가직(하) 7급 (O | X)
4. 직무수행에 재량이 인정되는 경우라도 그 권한을 부여한 취지와 목적에 비춰 볼 때 구체적 사정에 따라 그 권한을 행사하여 필요한 조치를 취하지 아니하는 것이 현저하게 불합리하다고 인정되는 때에는 그러한 권한의 불행사는 직무상의 의무를 위반한 것이 되어 위법하게 된다. 2016 국회직 8급 (O | X)

관련기출

5. 도지사에 의한 지방의료원의 폐업결정과 관련하여 국가배상책임이 성립하기 위하여서는 공무원의 직무집행이 위법하다는 점만으로는 부족하고 그로 인하여 타인의 권리·이익이 침해되어 구체적 손해가 발생하여야 한다. 2019 국회직 8급 (O | X)

관련기출

6. 공무원의 부작위로 인한 국가배상책임을 인정하기 위해서는 작위로 인한 국가배상책임을 인정하는 경우와 달리 「국가배상법」 제2조 제1항의 요건이 충족되지 않아도 된다. 2025 지방직·서울시 7급 (O | X)

7. 공무원의 작위의무는 형식적 의미의 법령에 명시적으로 규정되어 있어야만 한다. 2025 지방직·서울시 7급 (O | X)

8. 국가배상책임의 요건으로서 법령 위반은 엄격한 의미의 법령 위반뿐 아니라 인권존중, 권력남용금지, 신의성실과 같이 공무원으로서 마땅히 지켜야 할 준칙이나 규범을 지키지 않고 위반한 경우를 포함한다. 2024 국회직 8급 (O | X)

9. 공무원의 부작위가 공무원으로서 마땅히 지켜야 할 준칙이나 규범을 위반한 경우를 포함하여 널리 객관적인 정당성이 없는 경우, 그 부작위는 '법령을 위반'하는 경우에 해당한다. 2022 지방직·서울시 7급 (O | X)

10. 공무원의 부작위로 인한 국가배상책임을 인정할 것인지 여부가 문제되는 경우에 관련 공무원에 대하여 작위의무를 명하는 형식적 법률의 규정이 없는 경우에는 국가배상책임이 인정되지 않는다. 2021 지방직·서울시 7급 (O | X)

정답
1. O 2. O 3. O 4. O 5. O 6. ✕ 7. ✕ 8. O 9. O 10. ✕

---

19 ☐☐☐

행정상 손해배상에 관한 설명으로 옳은 것만을 <보기>에서 모두 고른 것은? (다툼이 있는 경우 판례에 의함)

보기

㉮ 甲이 乙과 동일한 이름으로 개명허가를 받은 것처럼 호적등본을 위조하여 주민등록상 성명을 위법하게 정정하고, 乙명의의 주민등록증을 발급받아 乙의 부동산에 관하여 근저당권설정등기를 마친 경우, 주민등록사무를 담당하는 공무원이 위와 같은 성명정정사실을 甲의 본적지 관할 관청에 통보하지 아니한 직무상 의무위배 행위와 乙이 입은 손해 사이에 상당인과관계를 인정할 수 있다.

㉯ 금융감독원에 금융기관에 대한 검사·감독의무를 부과한 법령의 목적은 금융상품에 투자한 투자자 개인의 이익을 직접 보호하기 위한 것이라고 할 수 있으므로, 금융감독원 및 그 직원들이 저축은행에 대한 검사·감독의무를 게을리하여 저축은행 발행의 후순위사채에 투자한 투자자가 손해를 입었다면 국가배상을 청구할 수 있다.

㉰ 국가 또는 지방자치단체가 법령이 정하는 상수원수 수질기준 유지의무를 다하지 못하고, 법령이 정하는 고도의 정수처리방법이 아닌 일반적 정수처리방법으로 수돗물을 생산·공급하였다면 국민일반의 건강을 보호할 의무를 위반한 것으로서 원칙적으로 그 수돗물을 마신 개인에 대하여 손해배상책임을 부담한다고 보아야 한다.

㉱ 공무원 甲이 내부전산망을 통해 乙에 대한 범죄경력자료를 조회하여 구「공직선거 및 선거부정방지법」위반죄로 실형을 선고받는 등 실효된 4건의 금고형 이상의 전과가 있음을 확인하고도 乙의 공직선거후보자용 범죄경력조회 회보서에 이를 기재하지 않은 경우, 「공직선거법」상 수사기관의 전과기록 회보의무는 후보자가 되고자 하는 자나 그 소속 정당의 개별적 이익까지도 보호하기 위한 것이므로 국가는 乙이 속한 정당에 대해 국가배상책임을 진다.

① ㉮, ㉯
② ㉮, ㉱
③ ㉯, ㉰
④ ㉰, ㉱

✓기출체크

㉮ 관련기출

1. 甲이 乙과 동일한 이름으로 개명허가를 받은 것처럼 호적등본을 위조하여 주민등록상 성명을 위법하게 정정하고, 乙명의의 주민등록증을 발급받아 乙의 부동산에 관하여 근저당권설정등기를 마친 경우, 주민등록사무를 담당하는 공무원이 위와 같은 성명정정사실을 甲의 본적지 관할 관청에 통보하지 아니한 직무상 의무 위배행위와 乙이 입은 손해 사이에 상당인과관계를 인정할 수 없다. 2023 변호사
(O | X)

2. 주민등록사무를 담당하는 공무원은 개명과 같은 사유로 주민등록상의 성명을 정정한 경우에는 반드시 본적지 관할 관청에 그 변경사항을 통보하여 본적지의 호적관서로 하여금 그 정정사항의 진위를 재확인할 수 있도록 할 직무상의 의무가 있다. 2012 국가직 7급 (O | X)

㉯ 관련기출

3. 「금융위원회의 설치 등에 관한 법률」의 입법취지에 비추어 볼 때, 금융감독원에 금융기관에 대한 검사·감독의무를 부과한 법령의 목적이 금융상품에 투자한 투자자 개인의 이익을 직접 보호하기 위한 것이라고 할 수 있으므로, 피고 금융감독원 및 그 직원들의 위법한 직무집행과 해당 저축은행의 후순위사채에 투자한 원고들이 입은 손해 사이에 상당인과관계가 인정된다. 2022 소방직 9급 (O | X)

㉰ 관련기출

4. 국민이 법령에 정하여진 수질기준에 미달한 상수원수로 생산된 수돗물을 마심으로써 건강상의 위해 발생에 대한 염려 등에 따른 정신적 고통을 받았다고 하더라도, 이러한 사정만으로는 국가 또는 지방자치단체가 국민에게 손해배상책임을 부담하지 아니한다.
2020 지방직·서울시 7급 (O | X)

5. 국가 또는 지방자치단체가 법령이 정하는 상수원수 수질기준 유지의무를 다하지 못하고, 법령이 정하는 고도의 정수처리방법이 아닌 일반적 정수처리방법으로 수돗물을 생산·공급하였다는 사유만으로 그 수돗물을 마신 개인에 대하여 손해배상책임을 부담하지 않는다.
2012 국가직 7급 (O | X)

㉱ 관련기출

6. 「공직선거법」이 후보자가 되고자 하는 자와 그 소속 정당에게 전과기록을 조회할 권리를 부여하고 수사기관에 회보의무를 부과한 것은 공공의 이익만을 위한 것이지 후보자가 되고자 하는 자나 그 소속 정당의 개별적 이익까지 보호하기 위한 것은 아니다. 2019 국가직 7급
(O | X)

정답
1. × 2. ○ 3. × 4. ○ 5. ○ 6. ×

20 □□□

국가배상에 관한 설명으로 옳은 것은? (다툼이 있는 경우 판례에 의함)

① 국가배상에 있어서 불법행위를 이유로 배상하여야 할 손해가 현실로 입은 확실한 손해에 한정되는 것은 아니다.

② 행정절차를 진행하는 과정에서 주민들의 의견제출 등 절차적 권리를 보장하지 않은 위법이 있더라도 원칙적으로 절차적 권리 침해로 인한 정신적 고통에 대한 배상은 인정되지 않는다.

③ 경매담당공무원이 이해관계인에 대한 기일통지를 잘못한 것이 원인이 되어 경락허가결정이 취소된 경우, 이는 절차상 하자에 불과한 것으로 그 사이 경락대금을 완납하고 소유권이전등기를 마친 경락인은 이러한 절차상 하자에 대해서 손해배상청구권을 행사할 수 없다.

④ 국가배상청구권은 피해자나 그 법정대리인이 그 손해 및 가해자를 안 날로부터 5년간 이를 행사하지 아니하면 시효로 인하여 소멸한다.

✓기출체크

② 관련기출

1. 국가나 지방자치단체가 행정절차를 진행하는 과정에서 주민들의 의견제출 등 절차적 권리를 보장하지 않은 위법이 있어서 그 후 이를 시정하여 절차를 다시 진행한 경우, 이러한 조치로도 주민들의 절차적 권리 침해로 인한 정신적 고통이 여전히 남아 있다고 볼 특별한 사정이 있다면 국가나 지방자치단체는 그 정신적 고통으로 인한 손해를 배상할 책임이 있고, 이때 특별한 사정이 있다는 사실에 대한 주장·증명책임은 이를 청구하는 주민들에게 있다. 2025 변호사 (O | X)

2. 공법인이 국가나 지방자치단체의 행정작용을 대신하여 공익사업을 시행하면서 행정절차를 진행하는 과정상 주민들의 절차적 권리를 보장하지 않은 위법이 있는 경우, 절차상 위법의 시정으로도 주민들에게 정신적 고통이 남아 있다고 볼 특별한 사정이 있어도 정신적 손해의 배상을 구하는 것은 불가능하다. 2024 국회직 8급 (O | X)

③ 관련기출

3. 절차상의 위법도 「국가배상법」상 법령 위반에 해당한다.
2015 교육행정직 9급 (O | X)

4. 경매담당공무원이 이해관계인에게 기일통지를 잘못한 것이 원인이 되어 경락허가결정이 취소된 사안에서, 그 사이 경락대금을 완납하고 소유권이전등기를 마친 경락인에 대하여 국가는 배상책임을 진다.
2009 국회직 8급 (O | X)

④ 관련기출

5. 국가배상청구권은 피해자나 그 법정대리인이 그 손해 및 가해자를 안 날로부터 3년간 이를 행사하지 아니하면 시효로 인하여 소멸한다.
2018 서울시 2회 7급 (O | X)

6. 국가배상청구권의 소멸시효기간은 피해자나 그 법정대리인이 손해 및 가해자를 안 날로부터 10년이다. 2008 국가직 7급 (O | X)

정답
1. ○ 2. × 3. ○ 4. ○ 5. ○ 6. ×

21

국가배상책임에 관한 설명으로 옳은 것은? (다툼이 있는 경우 판례에 의함)

① 음주운전으로 적발된 주취운전자가 도로 밖으로 차량을 이동하겠다며 단속경찰관으로부터 보관 중이던 차량열쇠를 반환받아 몰래 차량을 운전하여 가던 중 사고를 일으킨 경우, 경찰관의 주취운전자에 대한 권한 행사는 관계 법률의 규정형식상 경찰관의 재량에 맡겨져 있으므로 국가배상책임은 인정되지 않는다.

② 육군중사가 훈련에 대비하여 개인 소유의 오토바이를 운전하여 사전정찰차 훈련지역 일대를 돌아보고 귀대하다가 교통사고를 일으킨 경우, 오토바이의 운전행위는 「국가배상법」 제2조 소정의 직무집행행위에 해당한다.

③ 유흥주점의 화재로 여종업원들이 사망한 경우, 지방자치단체의 담당공무원이 해당 유흥주점의 용도변경, 무허가영업 및 시설기준에 위배된 개축에 대하여 시정명령 등 「식품위생법」상 취하여야 할 조치를 게을리하였다면, 이러한 직무상 의무 위반행위와 종업원들의 사망 사이에 상당인과관계가 존재하므로 지방자치단체는 국가배상책임을 진다.

④ 국가배상청구권의 소멸시효기간이 지났으나 국가가 소멸시효완성을 주장하는 것이 신의성실의 원칙에 반하는 권리남용으로 허용될 수 없어 배상책임을 이행한 경우, 특별한 사정이 없는 한 국가가 해당 공무원에게 구상권을 행사하는 것은 허용된다고 보아야 한다.

✓ 기출체크

① 관련기출

1. 음주운전으로 적발된 주취운전자가 도로 밖으로 차량을 이동하겠다며 단속경찰관으로부터 보관 중이던 차량열쇠를 반환받아 몰래 차량을 운전하여 가던 중 사고를 일으킨 경우, 국가배상책임이 인정되지 않는다. 2024 국가직 9급 (O | X)

2. 음주운전으로 적발된 주취운전자가 도로 밖으로 차량을 이동하겠다며 단속경찰관으로부터 보관 중이던 차량열쇠를 반환받아 몰래 차량을 운전하여 가던 중 사고를 일으킨 경우, 국가배상책임은 인정된다. 2021 소방간부 (O | X)

3. 경찰관의 주취운전자에 대한 권한 행사가 관계 법률의 규정형식상 경찰관의 재량에 맡겨져 있다고 하더라도, 그러한 권한을 행사하지 아니한 것이 구체적인 상황하에서 현저하게 합리성을 잃어 사회적 타당성이 없는 경우에는 경찰관의 직무상 의무를 위배한 것으로서 위법하게 된다. 2021 소방간부 (O | X)

② 관련기출

4. 육군중사 甲이 다음 날 실시 예정인 독수리 훈련에 대비하여 사전정찰차 훈련지역 일대를 살피고 귀대하던 중 교통사고가 일어났다면, 甲이 비록 개인 소유의 오토바이를 운전하였다 하더라도 실질적·객관적으로 위 甲의 운전행위는 그에게 부여된 훈련지역의 사전정찰임무를 수행하기 위한 직무와 밀접한 관련이 있다고 보아야 한다. 2016 지방직 7급 (O | X)

③ 관련기출

5. 유흥주점에 감금된 채 윤락을 강요받으며 생활하던 여종업원들이 유흥주점에 화재가 났을 때 미처 피신하지 못하고 유독가스에 질식해 사망한 사안에서, 지방자치단체의 담당공무원이 위 유흥주점의 용도변경, 무허가영업 및 시설기준에 위배된 개축에 대하여 시정명령 등 「식품위생법」상 취하여야 할 조치를 게을리한 직무상 의무 위반행위와 위 종업원들의 사망 사이에 상당인과관계가 존재한다. 2020 군무원 9급 (O | X)

6. 유흥주점의 화재로 여종업원들이 사망한 경우, 담당공무원의 유흥주점의 용도변경, 무허가영업 및 시설기준에 위배된 개축에 대하여 시정명령 등 「식품위생법」상 취하여야 할 조치를 게을리한 직무상 의무 위반행위와 여종업원들의 사망 사이에는 상당인과관계가 존재하지 아니한다. 2014 지방직 9급 (O | X)

④ 관련기출

7. 국가배상청구권의 소멸시효기간이 지났으나, 국가가 소멸시효완성을 주장하는 것이 신의성실의 원칙에 반하는 권리남용으로 허용될 수 없어 배상책임을 이행한 경우에는, 그 소멸시효완성 주장이 권리남용에 해당하게 된 원인행위와 관련하여 해당 공무원이 그 원인이 되는 행위를 적극적으로 주도하였다는 등의 특별한 사정이 없는 한, 국가의 해당 공무원에 대한 구상권 행사는 신의칙상 허용되지 않는다. 2025 해경승진 (O | X)

8. 국가배상청구권의 소멸시효기간은 지났으나 국가가 소멸시효완성을 주장하는 것이 신의성실의 원칙에 반하는 권리남용으로 허용될 수 없어 배상책임을 이행한 경우, 국가는 원칙적으로 해당 공무원에 대해 구상권을 행사할 수 있다. 2022 국가직 9급 (O | X)

정답
1. × 2. ○ 3. ○ 4. ○ 5. × 6. ○ 7. ○ 8. ×

22 □□□

「국가배상법」에 관한 설명으로 옳지 않은 것은? (다툼이 있는 경우 판례에 의함)

① 법원은 구체적인 사건에 있어 「국가배상법」 제3조 규정의 손해배상기준에 구속되지 않고 「국가배상법」이 정하는 배상금액 이상의 배상을 명할 수도 있다.
② 국가가 가해공무원에 대하여 구상권을 행사하는 경우에는 손해의 공평한 분담의 견지에서 신의칙상 상당하다고 인정되는 한도 내에서 해당 공무원에 대하여 구상권을 행사할 수 있다.
③ 국가와 지방자치단체장 간의 기관위임이 있을 때 위임받은 지방자치단체장이 위임사무를 처리하면서 고의로 타인에게 손해를 가한 경우 사무에 필요한 경비를 대외적으로 지출하는 자인 지방자치단체도 손해배상책임을 진다.
④ 국가배상청구소송을 제기하기 위해서는 법무부 소속의 배상심의회에 배상신청을 먼저 하여야 하며, 이 경우 이러한 배상심의회의 결정은 항고소송의 대상이 되는 행정처분이다.

✓ 기출체크

① 관련기출

1. 「국가배상법」상의 손해배상의 기준은 배상심의회의 배상금지급기준을 정함에 있어서의 하나의 기준을 정한 것에 지나지 아니하는 것이고 이로써 배상액의 상한을 제한한 것으로 볼 수 없다. 2021 소방간부 (O | X)
2. 판례는 구 「국가배상법」(1967. 3. 3, 법률 제1899호) 제3조의 배상액 기준은 배상심의회 배상액 결정의 기준이 될 뿐 배상범위를 법적으로 제한하는 규정이 아니므로 법원을 기속하지 않는다고 보았다. 2020 지방직·서울시 9급 (O | X)
3. 「국가배상법」이 정하는 배상기준의 성격에 대하여 판례는 한정액설을 취함으로써 「국가배상법」이 정하는 배상금액 이상의 배상을 인정하지 아니한다. 2008 국가직 7급 (O | X)

② 관련기출

4. 국가 등의 가해공무원에 대한 구상권은 손해의 공평한 분담이라는 견지에서 신의칙상 상당하다고 인정되는 한도 내에서만 인정된다. 2024 소방간부 (O | X)
5. 국가가 가해공무원에 대하여 구상권을 행사하는 경우 국가가 배상한 배상액 전액에 대하여 구상권을 행사하여야 한다. 2021 국가직 9급 (O | X)

③ 관련기출

6. 지방자치단체의 장이 기관위임된 국가행정사무를 처리하는 경우 국가로부터 내부적으로 교부된 금원으로 그 사무에 필요한 경비를 대외적으로 지출하는 지방자치단체는 「국가배상법」 제6조 제1항 소정의 비용부담자로서 손해를 배상할 책임이 있다. 2019 경행경채 2차 (O | X)

7. 지방자치단체의 장이 기관위임된 국가행정사무를 처리하는 경우 그에 소요되는 경비의 실질적·궁극적 부담자는 국가라고 하더라도 당해 지방자치단체는 국가로부터 내부적으로 교부된 금원으로 그 사무에 필요한 경비를 대외적으로 지출하는 자이므로, 이러한 경우 지방자치단체는 「국가배상법」 제6조 제1항의 비용부담자로서 공무원의 직무상 불법행위로 인한 손해를 배상할 책임이 있다. 2017 지방직(하) 9급 (O | X)

④ 관련기출

8. 공무원의 불법행위를 이유로 국가배상청구소송을 제기하려면 배상심의회에 배상신청을 먼저 거쳐야 한다. 2025 소방간부 (O | X)
9. 「국가배상법」에 따른 손해배상의 소송은 배상심의회에 배상신청을 하지 아니하면 제기할 수 없다. 2024 지방직·서울시 9급 (O | X)
10. 「국가배상법」상 손해배상의 소송은 배상심의회의 배상심의를 거치지 아니하면 이를 제기할 수 없다. 2023 군무원 7급 (O | X)
11. 국가배상소송은 배상심의회에 배상신청을 하지 아니하고도 제기할 수 있다. 2015 사회복지직 9급 (O | X)
12. 판례에 따르면 「국가배상법」상 배상심의회에 의한 배상결정은 행정처분이 아니다. 2008 선관위 9급 (O | X)

정답
1. O 2. O 3. X 4. O 5. X 6. O 7. O 8. X 9. X 10. X 11. O 12. O

23

사례에 관한 설명으로 옳은 것만을 <보기>에서 모두 고른 것은? (다툼이 있는 경우 판례에 의함)

서울특별시장은 A운수회사가 「자동차운수사업법」상의 관련 규정들을 위반하였다는 이유로 A운수회사에 대해 면허취소처분을 하였다. 그런데 이것은, 서울특별시 교통과 소속 공무원 甲이 관련 법규정 해석을 잘못한 과실이 있고 이러한 판단을 기초로 서울특별시장이 행한 처분이다 (한편, 「자동차운수사업법」상 면허의 취소권한은 국토교통부장관에게 있으며, 다만 동 권한은 서울특별시장에게 기관위임이 되어 있다는 것을 전제할 것).

── 보기 ──
㉮ 위 사례의 경우 A운수회사는 서울특별시장을 피고로 하여 「국가배상법」상 손해배상청구소송을 제기할 수 있다.
㉯ 위 사례의 경우 국가는 사무귀속자로서 손해배상책임이 있으며 서울특별시도 비용부담자로서 배상책임이 있다.
㉰ 국가가 A운수회사에게 손해를 배상한 경우, 甲에게 고의나 중과실이 없다면 국가는 甲에게 구상권을 행사할 수 없다.
㉱ 甲에게 고의에 가까운 현저한 주의의무의 위반이 있었던 경우라도 A운수회사는 국가배상청구소송과는 별도로 甲에게는 민사상 손해배상을 청구할 수 없다.
㉲ 甲에게 경과실이 있는 경우 만일 A운수회사에게 손해를 직접 배상하였다면 이는 타인의 채무를 변제한 것에 불과하므로 甲은 A운수회사에게 반환을 청구할 수 있다.
㉳ 甲에게 경과실이 있는 경우 만일 A운수회사에게 손해를 직접 배상하였다면 甲은 국가가 부담하는 손해배상책임의 범위 내에서 국가에 대해 구상권을 취득한다.

① ㉮, ㉯, ㉲
② ㉮, ㉰, ㉱
③ ㉯, ㉰, ㉳
④ ㉱, ㉲, ㉳

✅ 기출체크

㉮ 관련기출
1. 서울특별시 소속의 공무원이 공무집행 중 폭행을 가하여 손해를 입힌 경우에 피해자는 누구를 피고로 하여 손해배상청구소송을 제기하여야 하는가? 2013 서울시 9급
① 서울특별시 ② 서울특별시장
③ 행정안전부장관 ④ 경찰청장
⑤ 서울시지방경찰청장(현 서울경찰청장)

2. 「국가배상법」상 배상주체는 국가 또는 지방자치단체이다. 2013 경행특채 (○ | ×)
3. 국가, 강원지방경찰청장(현 강원경찰청장), 전라남도, 서울특별시, 행정안전부 중 「국가배상법」에 따라 손해배상의 피고가 될 수 있는 것은 국가, 전라남도, 서울특별시이다. 2011 경행특채 (○ | ×)

㉯ 관련기출
4. 국가나 지방자치단체가 손해를 배상할 책임이 있는 경우에 공무원의 선임·감독 또는 영조물의 설치·관리를 맡은 자와 공무원의 봉급·급여, 그 밖의 비용 또는 영조물의 설치·관리 비용을 부담하는 자가 동일하지 아니하면 그 비용을 부담하는 자도 손해를 배상하여야 한다. 2021 지방직·서울시 9급 (○ | ×)
5. 공무원의 선임·감독을 맡은 자와 봉급·급여 기타의 비용을 부담하는 자가 동일하지 아니할 때에는 그 비용을 부담하는 자도 당해 공무원의 불법행위에 대하여 배상책임을 진다. 2014 사회복지직 9급 (○ | ×)

㉰ 관련기출
6. 가해공무원이 경과실인 경우에는 국가배상책임을 이행한 국가가 그 공무원에 대하여 구상할 수 없다. 2025 소방간부 (○ | ×)
7. 직무를 집행하는 공무원에게 고의 또는 중대한 과실이 있으면 국가나 지방자치단체는 그 공무원에게 구상(求償)할 수 있다. 2021 군무원 9급 (○ | ×)
8. 국가 또는 지방자치단체가 공무원의 위법한 직무집행으로 발생한 손해에 대해 「국가배상법」에 따라 배상한 경우에 당해 공무원에게 구상권을 행사할 수 있는지에 대해 「국가배상법」은 규정을 두고 있지 않으나, 판례에 따르면 당해 공무원에게 고의 또는 중과실이 인정될 경우 국가 또는 지방자치단체는 그 공무원에게 구상권을 행사할 수 있다. 2018 국가직 9급 (○ | ×)
9. 국가가 공무원의 불법행위로 인한 손해배상을 한 경우에 공무원에게 고의 또는 중대한 과실이 있으면 국가는 그 공무원에게 구상권을 행사할 수 있다. 2018 서울시 1회 7급 (○ | ×)
10. <보기 1>의 내용을 근거로 판단할 때 <보기 2> 설명의 옳고 그름이 바르게 나열된 것은? (다툼이 있는 경우 판례에 의함) 2014 국가직 9급

── 보기 1 ──
「건강기능식품에 관한 법률」 제20조에 따라 식품의약품안전처장은 위생적 관리 및 영업의 질서유지를 위해 필요하다고 인정하는 때에는 관계 공무원으로 하여금 영업장소 등을 검사하게 할 수 있다. 식품의약품안전처 소속 공무원 甲은 식품회사 乙의 영업시설 등을 검사하면서 심각한 주의의무 태만으로 영업시설 등의 일부를 손괴하였다. 甲의 행위에 대하여 정직 3개월의 징계처분이 내려졌다.

── 보기 2 ──
㉠ 甲은 징계처분에 대하여 소청심사위원회의 심사·결정을 거치지 아니하고 행정소송을 바로 제기할 수 있다.
㉡ 국가가 乙에 대한 손해배상책임을 부담한 경우, 국가는 甲에 대한 구상권을 행사할 수 있다.
㉢ 乙이 甲에 대하여 불법행위에 기한 손해배상청구소송을 제기할 경우, 甲의 민사상 책임이 인정될 수 있다.

	㉠	㉡	㉢		㉠	㉡	㉢
①	○	○	○	②	×	○	○
③	○	×	×	④	×	×	×

㉔ 관련기출

11. 공무원이 직무를 수행함에 있어서 경과실로 타인에게 손해를 입힌 경우, 국가 등은 물론 공무원 개인도 그로 인한 손해에 대하여 국가배상을 할 책임을 부담한다. 2023 국회직 8급 (O | X)
12. 공무원이 고의 또는 중과실로 직무상 불법행위를 한 경우에는 피해자는 공무원에 대해 선택적 청구가 가능하나 단순 경과실에 의한 경우에는 선택적 청구가 부정된다. 2022 소방간부 (O | X)
13. 공무원 개인이 고의 또는 중과실이 있는 경우에는 불법행위로 인한 손해배상책임을 진다고 할 것이지만, 공무원의 위법행위가 경과실에 기한 경우에는 공무원은 손해배상책임을 부담하지 않는다. 2021 지방직·서울시 9급 (O | X)
14. 공무원이 직무수행 중 불법행위로 타인에게 손해를 입힌 경우에 국가 등이 국가배상책임을 부담하는 것 외에 공무원 개인도 고의 또는 중과실이 있는 경우에는 불법행위로 인한 손해배상책임을 진다. 2021 국회직 8급 (O | X)

㉮ 관련기출

15. 경과실로 불법행위를 한 공무원이 피해자에게 손해를 배상하였다면 이는 타인의 채무를 변제한 경우에 해당하므로 피해자는 공무원에게 이를 반환할 의무가 있다. 2022 지방직·서울시 9급 (O | X)
16. 경과실이 있는 공무원이 피해자에 대하여 손해배상책임을 부담하지 아니함에도 피해자에게 손해를 배상하였다면 이는 법률상 원인이 없는 것으로 피해자는 공무원에 대하여 이를 반환할 의무가 있다. 2021 국회직 8급 (O | X)

㉯ 관련기출

17. 직무수행 중 경과실로 불법행위를 한 국가공무원이 피해자에게 직접 손해를 배상한 경우 그 공무원에게 자신이 변제한 금액에 관하여 국가에 대한 구상권은 인정되지 않는다. 2025 소방간부 (O | X)
18. 피해자에게 직접 손해를 배상한 경과실이 있는 공무원은 국가에 대해 구상권을 행사할 수 없다. 2023 군무원 7급 (O | X)
19. 직무수행 중 경과실로 피해자에게 손해를 입힌 공무원이 피해자에게 손해를 배상하였다면, 공무원은 특별한 사정이 없는 한 국가가 피해자에 대하여 부담하는 손해배상책임의 범위 내에서 자신이 변제한 금액에 관하여 구상권을 취득한다. 2022 국회직 8급 (O | X)
20. 경과실이 있는 공무원이 피해자에게 손해를 배상하였다면 채무자 아닌 사람이 타인의 채무를 변제한 경우에 해당하므로 피해자에게 손해를 직접 배상한 경과실이 있는 공무원은 특별한 사정이 없는 한, 국가의 피해자에 대한 손해배상책임의 범위 내에서 자신이 변제한 금액에 관하여 국가에 대한 구상권을 취득한다. 2019 국가직 9급 (O | X)

정답
1. ① 2. O 3. O 4. O 5. O 6. O 7. O 8. X 9. O 10. ②
11. X 12. O 13. O 14. O 15. X 16. X 17. X 18. X 19. O 20. O

24 ☐☐☐

「국가배상법」 제5조의 배상책임에 관한 설명으로 옳은 것은? (다툼이 있는 경우 판례에 의함)

① 영조물이 안전성을 갖추었는지 여부는 영조물의 설치자 또는 관리자가 그 영조물의 위험성에 비례하여 사회통념상 일반적으로 요구되는 정도의 방호조치의무를 다하였는지를 기준으로 판단하여야 하고, 그 설치자 또는 관리자의 재정적·인적·물적 제약 등도 고려하여야 한다.

② 「국가배상법」 제5조 제1항 소정의 '공공의 영조물'은 국가 또는 지방자치단체에 의하여 특정 공공의 목적에 공여된 유체물 내지 물적 설비를 말하며, 국가 또는 지방자치단체가 소유권, 임차권, 그 밖의 권한에 기하여 관리하고 있는 경우를 의미할 뿐 사실상의 관리를 하고 있는 경우는 포함되지 않는다.

③ 「국가배상법」 제5조의 책임요건 중 영조물에는 일반공중이 이용하는 공공용물은 포함되나 행정주체가 사용하는 공용물은 포함되지 않는다.

④ 「국가배상법」 제5조 제1항의 '영조물의 설치 또는 관리의 하자'는 영조물이 그 용도에 따라 갖추어야 할 안전성을 갖추지 못한 상태를 말하며, 여기서 안전성을 갖추지 못한 상태란 영조물을 구성하는 물적 시설 그 자체에 있는 물리적·외형적 흠결이나 불비로 인하여 그 이용자에게 위해를 끼칠 위험성이 있는 경우로 한정된다.

✓ 기출체크

① 관련기출

1. 영조물이 그 설치 및 관리에 있어 완전무결한 상태를 유지할 정도의 고도의 안전성을 갖추지 아니하였다고 하여 하자가 있다고 단정할 수는 없고, 영조물 이용자의 상식적이고 질서 있는 이용방법을 기대한 상대적인 안전성을 갖추는 것으로 족하다. 2026 경찰간부 (O | X)
2. 영조물의 설치 및 관리에 있어서 항상 완전무결한 상태를 유지할 정도의 고도의 안전성을 갖추지 아니한 경우 영조물의 설치 또는 관리에 하자가 있다고 볼 수 있다. 2025 국가직 7급 (O | X)
3. 「국가배상법」 제5조 제1항에 규정된 영조물이 그 설치·관리에 있어 완전무결한 상태를 유지할 정도의 고도의 안전성을 갖추지 아니하였다고 하여 하자가 있다고 단정할 수는 없고, 영조물 이용자의 상식적이고 질서 있는 이용방법을 기대한 상대적인 안전성을 갖추는 것으로 족하다. 2025 국회직 8급 (O | X)
4. 영조물이 안전성을 갖추었는지 여부는 영조물의 설치자 또는 관리자가 그 영조물의 위험성에 비례하여 사회통념상 일반적으로 요구되는 정도의 방호조치의무를 다하였는지를 기준으로 판단하여야 하고, 그 설치자 또는 관리자의 재정적·인적·물적 제약 등은 고려하지 않는다. 2023 국가직 7급 (O | X)

② 관련기출

5. '공공의 영조물'은 국가나 지방자치단체가 단지 사실상의 관리를 하고 있는 것이 아니라 소유권, 임차권 그 밖의 권한에 기하여 관리하고 있는 특정 공공의 목적에 공여된 유체물 내지 물적 설비를 말한다. 2025 국가직 7급 (O | X)

6. '공공의 영조물'이라 함은 국가 또는 지방자치단체에 의하여 특정 공공의 목적에 공여된 유체물 내지 물적 설비를 말하며, 국가 또는 지방자치단체가 소유권, 임차권 그 밖의 권한에 기하여 관리하고 있는 경우뿐만 아니라 사실상의 관리를 하고 있는 경우도 포함된다. 2025 국가직 9급 (O | X)

7. 국가 또는 지방자치단체에 의하여 특정 공공의 목적에 공여된 유체물 내지 물적 설비는 국가 또는 지방자치단체가 사실상의 관리를 하고 있는 경우에도 '공공의 영조물'이라 볼 수 있다. 2025 해경승진 (O | X)

8. '공공의 영조물'이라 함은 국가 또는 지방자치단체에 의하여 특정 공공의 목적에 공여된 유체물 내지 물적 설비를 말하며, 국가 또는 지방자치단체가 소유권, 임차권 그 밖의 권한에 기하여 관리하는 경우는 이에 해당하나 사실상 관리하는 경우는 이에 해당하지 아니한다. 2024 변호사 (O | X)

③ 관련기출

9. 「국가배상법」상의 '공공의 영조물'은 일반공중의 자유로운 사용에 직접적으로 제공되는 공공용물에 한하고, 행정주체 자신의 사용에 제공되는 공용물은 포함하지 않는다. 2023 지방직·서울시 7급 (O | X)

10. 일반공중이 사용하는 공공용물 외에 행정주체가 직접 사용하는 공용물이나 하천과 같은 자연공물도 「국가배상법」 제5조의 '공공의 영조물'에 포함된다. 2017 지방직 9급 (O | X)

④ 관련기출

11. '영조물의 설치 또는 관리의 하자'에는 영조물이 공공의 목적에 이용됨에 있어 그 이용상태 및 정도가 일정한 한도를 초과하여 제3자에게 사회통념상 수인할 것이 기대되는 한도를 넘는 피해를 입히는 경우까지 포함된다. 2025 국가직 9급 (O | X)

12. '영조물의 설치 또는 관리의 하자'에는 영조물이 공공의 목적에 이용됨에 있어 그 이용상태 및 정도가 일정한 한도를 초과하여 제3자에게 사회통념상 수인할 것이 기대되는 한도를 넘는 피해를 입히는 경우도 포함된다. 2025 해경승진 (O | X)

13. 영조물이 그 용도에 따라 갖추어야 할 안전성을 갖추지 못한 상태에는 영조물이 공공의 목적에 이용됨에 있어 그 이용 상태 및 정도가 일정한 한도를 초과하여 제3자에게 사회통념상 수인할 것이 기대되는 한도를 넘는 피해를 입히는 경우까지 포함된다. 2023 국가직 7급 (O | X)

14. 김포공항을 설치·관리함에 있어 항공법령에 따른 항공기소음기준 및 소음대책을 준수하려는 노력을 하였더라도, 공항이 항공기운항이라는 공공의 목적에 이용됨에 있어 그와 관련하여 배출하는 소음 등의 침해가 인근주민들에게 통상의 수인한도를 넘는 피해를 발생하게 하였다면 공항의 설치·관리상에 하자가 있다고 보아야 한다. 2021 소방직 9급 (O | X)

15. 판례는 사격장에서 발생하는 소음 등으로 지역주민들이 입은 피해가 수인한도를 넘는 경우 사격장의 설치 또는 관리에 하자가 있다고 한다. 2011 지방직 9급 (O | X)

정답
1. O 2. X 3. O 4. X 5. X 6. O 7. O 8. X 9. X 10. O
11. O 12. O 13. O 14. O 15. O

25

「국가배상법」 제5조의 배상책임에 관한 설명으로 옳은 것만을 <보기>에서 모두 고른 것은? (다툼이 있는 경우 판례에 의함)

─┤ 보기 ├─

㉮ 「국가배상법」 제5조는 「민법」 제758조의 공작물책임과 마찬가지로 면책규정을 두고 있다.

㉯ 지방자치단체가 옹벽시설공사를 업체에게 주어 공사를 시행하다가 사고가 일어난 경우, 옹벽이 공사 중에 있었고 아직 완성되지 아니하여 일반공중의 이용에 제공되지 않았더라도 「국가배상법」 제5조 제1항 소정의 영조물에 해당한다.

㉰ 강설의 특성, 기상적 요인과 지리적 요인, 이에 따른 도로의 상대적 안전성을 고려할 때 겨울철 산간지역에 위치한 도로에 강설로 생긴 빙판을 그대로 방치하고 도로상황에 대한 경고나 위험표지판을 설치하지 않았다는 사정만으로는 도로관리상의 하자가 있다고 볼 수 없다.

㉱ 고등학교 3학년 학생이 학교건물의 3층 난간을 넘어 흡연을 하던 중 실족하여 사망한 경우, 이와 같은 이례적인 사고가 있을 것을 예상하여 복도나 화장실 창문에 난간으로의 출입을 막기 위하여 출입금지장치나 추락위험을 알리는 경고표지판을 설치할 의무는 없으므로 학교시설의 설치·관리상의 하자가 있다고 볼 수 없다.

① ㉮, ㉯   ② ㉮, ㉰
③ ㉯, ㉱   ④ ㉰, ㉱

기출체크

㉮ 관련기출

1. 「국가배상법」상의 영조물의 설치·관리상의 하자로 인한 책임은 무과실책임이고 나아가 「민법」상의 공작물의 점유자의 책임과는 달리 면책사유도 규정되어 있지 않다. 2025 국가직 9급 (O | X)

2. 영조물의 설치·관리상 하자로 인한 배상책임은 무과실책임이고, 국가는 영조물의 설치·관리상 하자로 인하여 타인에게 손해를 가한 경우에 그 손해방지에 필요한 주의를 해태하지 아니하였다 하여 면책을 주장할 수 없다. 2022 해경간부 (O | X)

3. 「국가배상법」 제5조는 「민법」 제758조와는 달리 점유자의 면책규정을 두고 있지 아니하다. 2014 서울시 7급 (O | X)

4. 「국가배상법」 제5조는 점유자의 면책조항을 두고 있는 점에서 「민법」 제758조의 공작물 등의 배상책임과 동일하며, 다만 그 대상을 공작물에 한정하고 있지 않는 점에서 「민법」상의 배상책임규정과 차이가 있다. 2008 국가직 9급 (O | X)

㈏ 관련기출

5. 공사 중이며 아직 완성되지 않아 일반공중의 이용에 제공되지 않는 옹벽은 「국가배상법」 제5조 제1항 소정의 영조물에 해당하지 않는다. 2024 소방간부 (O | X)

6. 설치 공사 중인 옹벽은 아직 완성되지 아니하여 일반공중의 이용에 제공되지 않고 있었던 이상 공공의 영조물에 해당한다고 할 수 없다. 2021 지방직·서울시 7급 (O | X)

7. 지방자치단체가 옹벽시설공사를 업체에게 주어 공사를 시행하다가 사고가 일어난 경우, 옹벽이 공사 중이고 아직 완성되지 아니하여 일반공중의 이용에 제공되지 않았다면 「국가배상법」 제5조 소정의 영조물에 해당한다고 할 수 없다. 2021 소방직 9급 (O | X)

8. 아직 물적 시설이 완성되지 아니하여 일반공중의 이용에 제공되지 않은 옹벽도 「국가배상법」상의 영조물에 해당한다. 2011 국회직 8급 (O | X)

㈐ 관련기출

9. 강설의 특성, 기상적 요인과 지리적 요인, 이에 따른 도로의 상대적 안전성을 고려하면 겨울철 산간지역에 위치한 도로에 강설로 생긴 빙판을 그대로 방치하고 도로상황에 대한 경고나 위험표지판을 설치하지 않았다는 사정만으로도 도로관리상의 하자가 있다고 보아야 한다. 2025 국회직 8급 (O | X)

10. 강설에 대처하기 위하여 완벽한 방법으로 도로 자체에 융설 설비를 갖추는 것은 현대의 과학기술 수준이나 재정사정에 비추어 사실상 불가능하다고 할 것이므로, 고속도로의 관리자에게 도로의 구조, 기상예보 등을 고려하여 사전에 충분한 인적·물적 설비를 갖추어 강설시 신속한 제설작업을 하고 필요한 경우 제때에 교통통제조치를 취할 관리의무가 있다고 할 수 없다. 2022 해경간부 (O | X)

11. (乙은 자동차로 겨울철 눈이 내린 직후에 산간지역에 위치한 국도를 달리던 중 도로에 생긴 빙판길에 미끄러져 상해를 입었다) 위 사례에서 乙은 산악지역의 특성상 빙판길 위험경고나 위험표지판이 설치되었다면 주의를 기울여 운행하여 상해를 입지 않았을 것이므로 그 미설치만으로도 국가에 대한 손해배상책임을 묻기에 충분하다. 2018 지방직 9급 (O | X)

㈑ 관련기출

12. 공립학교의 고등학생이 교사의 단속을 피해 담배를 피우기 위하여 3층 건물 화장실 밖의 난간을 지나다가 실족하여 사망하였다면, 학교 관리자에게 그와 같은 사고가 있을 것을 예상하여 복도나 화장실 창문에 난간으로의 출입을 막기 위하여 출입금지장치나 추락위험을 알리는 경고표지판을 설치할 의무가 있다 할 것이므로, 이 경우 학교시설의 설치·관리상의 하자가 인정된다. 2025 국가직 7급 (O | X)

13. 학교관리자에게 고등학교 학생이 교사의 단속을 피해 담배를 피우기 위하여 3층 건물 화장실 밖의 난간을 지나다가 실족할 경우까지 대비하여 화장실 창문에 난간으로의 출입을 막는 출입금지장치를 설치할 의무가 있다고 볼 수는 없다. 2024 소방간부 (O | X)

14. 고등학교 3학년 학생이 학교건물의 3층 난간을 넘어 흡연을 하던 중 실족하여 사망한 경우, 이와 같은 이례적인 사고가 있을 것을 예상하여 복도나 화장실 창문에 난간으로의 출입을 막기 위하여 출입금지장치나 추락위험을 알리는 경고표지판을 설치할 의무가 있으므로 학교시설의 설치·관리상의 하자가 있다. 2022 해경간부 (O | X)

정답
1. O 2. O 3. O 4. X 5. O 6. O 7. O 8. X 9. X 10. X
11. X 12. X 13. O 14. X

제12회 | 소방 단원별 모의고사

제한시간 /25분
나의 점수 /100점

출제 범위: 제29강 행정상 손해배상 2(국가배상법 제5조 등)~제32강 손해전보를 위한 그 밖의 제도 등

정답과 해설 p.136
옳은 지문 워크북 p.261

01 □□□

「국가배상법」 제5조에 관한 설명으로 옳지 <u>않은</u> 것은? (다툼이 있는 경우 판례에 의함)

① 일반공중이 사용하는 공공용물 외에 행정주체가 직접 사용하는 공용물이나 하천과 같은 자연공물도 「국가배상법」 제5조의 '공공의 영조물'에 포함된다.
② 공공의 영조물은 사물(私物)이 아닌 공물(公物)이어야 하지만, 공유나 사유임을 불문하고 행정주체에 의하여 특정 공공의 목적에 공여된 유체물이면 족하다.
③ 「국가배상법」상 영조물의 설치·관리상 하자로 인한 책임은 국가 또는 지방자치단체의 면책사유를 규정하고 있지 않으므로, 국가 또는 지방자치단체는 영조물의 설치·관리상 하자로 인하여 타인에게 손해를 가한 경우 그 손해의 방지에 필요한 주의를 해태하지 않았다고 해서 면책을 주장할 수 없다.
④ 주관적 요소를 고려하는 최근의 판례에 따르면 영조물의 결함이 영조물의 설치·관리자의 관리행위가 미칠 수 없는 상황 아래에 있는 것이 입증되더라도 영조물의 설치·관리상 하자를 인정할 수 있다.

✓ 기출체크

① 관련기출
1. 「국가배상법」상의 '공공의 영조물'은 일반공중의 자유로운 사용에 직접적으로 제공되는 공공용물에 한하고, 행정주체 자신의 사용에 제공되는 공용물은 포함하지 않는다. 2023 지방직·서울시 7급 (O | X)
2. 「국가배상법」상 영조물이란 학문상의 공물을 뜻하며 도로 등과 같은 인공공물뿐만 아니라 동산 및 동물도 이에 포함된다. 2023 소방간부 (O | X)

② 관련기출
3. 「국가배상법」 제5조 소정의 공공의 영조물이란 공유나 사유임을 불문하고 행정주체에 의하여 특정 공공의 목적에 공여된 유체물 또는 물적 설비를 의미한다. 2021 지방직·서울시 7급 (O | X)

③ 관련기출
4. 「국가배상법」상의 영조물의 설치·관리상의 하자로 인한 책임은 무과실책임이고 나아가 「민법」상의 공작물의 점유자의 책임과는 달리 면책사유도 규정되어 있지 않다. 2025 국가직 9급 (O | X)

5. 영조물의 설치·관리상 하자로 인한 배상책임은 무과실책임이고, 국가는 영조물의 설치·관리상 하자로 인하여 타인에게 손해를 가한 경우에 그 손해방지에 필요한 주의를 해태하지 아니하였다 하여 면책을 주장할 수 없다. 2022 해경간부 (O | X)

④ 관련기출
6. 영조물이 완전무결한 상태에 있지 않고 기능상 어떠한 결함이 있었다면 객관적으로 보아 시간적·장소적으로 그 기능상 결함으로 인한 손해발생의 예견가능성, 회피가능성이 없어도 「국가배상법」 제5조의 책임이 발생한다. 2023 서울시 연구사 (O | X)
7. 객관적으로 보아 영조물의 결함이 영조물의 설치·관리자의 관리행위가 미칠 수 없는 상황 아래에 있는 경우에는 영조물의 설치·관리의 하자를 인정할 수 없다. 2023 국가직 7급 (O | X)
8. 객관적으로 보아 시간적·장소적으로 영조물의 기능상 결함으로 인한 손해발생의 예견가능성과 회피가능성이 없는 경우에는 영조물의 설치·관리상의 하자를 인정할 수 없다. 2018 국회직 8급 (O | X)

정답
1. × 2. O 3. O 4. O 5. O 6. × 7. O 8. O

02 □□□

국가배상책임에 관한 설명으로 옳지 <u>않은</u> 것은? (다툼이 있는 경우 판례에 의함)

① 「국가배상법」 제5조 제1항 소정의 영조물이 그 설치·관리에 있어 완전무결한 상태를 유지할 정도의 고도의 안전성을 갖추지 아니하였다고 하여 하자가 있다고 단정할 수는 없고, 영조물 이용자의 상식적이고 질서 있는 이용방법을 기대한 상대적인 안전성을 갖추는 것으로 족하다.
② 지방자치단체가 손해를 배상할 책임이 있는 경우에 영조물의 설치·관리를 맡은 자와 영조물의 설치·관리비용을 부담하는 자가 동일하지 아니하면 그 비용을 부담하는 자는 손해배상책임이 없다.
③ 경찰공무원인 피해자가 구 「공무원연금법」의 규정에 따라 공무상 요양비를 지급받는 것은 「국가배상법」 제2조 제1항 단서에서 정한 '다른 법령의 규정'에 따라 보상을 지급받는 것에 해당한다고 볼 수 없다.
④ 군복무 중 사망한 망인의 유족이 국가배상을 받은 경우 국가는 사망보상금에서 소극적 손해배상금 상당액을 공제할 수 있는 것이지, 이를 넘어 정신적 손해배상금 상당액까지 공제할 수 있는 것은 아니다.

✓ 기출체크

① 관련기출
1. 영조물이 그 설치 및 관리에 있어 완전무결한 상태를 유지할 정도의 고도의 안전성을 갖추지 아니하였다고 하여 하자가 있다고 단정할 수는 없고, 영조물 이용자의 상식적이고 질서 있는 이용방법을 기대한 상대적인 안전성을 갖추는 것으로 족하다. 2026 경찰간부 (○ | ×)
2. 영조물의 설치 및 관리에 있어서 항상 완전무결한 상태를 유지할 정도의 고도의 안전성을 갖추지 아니한 경우 영조물의 설치 또는 관리에 하자가 있다고 볼 수 있다. 2025 국가직 7급 (○ | ×)
3. 영조물인 도로의 경우 그 설치 및 관리에 있어 완전무결한 상태를 유지할 정도의 고도의 안전성을 갖추지 아니하였다고 하여 하자가 있다고 단정할 수는 없고, 그것을 이용하는 자의 상식적이고 질서 있는 이용방법을 기대한 상대적인 안전성을 갖추는 것으로 족하다. 2025 군무원 9급 (○ | ×)

② 관련기출
4. 국가나 지방자치단체가 손해를 배상할 책임이 있는 경우에 공무원의 선임·감독 또는 영조물의 설치·관리를 맡은 자와 공무원의 봉급·급여, 그 밖의 비용 또는 영조물의 설치·관리 비용을 부담하는 자가 동일하지 아니하면 그 비용을 부담하는 자도 손해를 배상하여야 한다. 2021 지방직·서울시 9급 (○ | ×)
5. 공무원의 선임·감독을 맡은 자와 봉급·급여 기타의 비용을 부담하는 자가 동일하지 아니할 때에는 그 비용을 부담하는 자도 당해 공무원의 불법행위에 대하여 배상책임을 진다. 2014 사회복지직 9급 (○ | ×)

③ 관련기출
6. 경찰공무원인 피해자가 「공무원연금법」에 따라 공무상 요양비를 지급받는 것은 「국가배상법」 제2조 제1항 단서에서 정한 '다른 법령의 규정'에 따라 보상을 지급받는 것에 해당하지 않는다. 2023 국가직 9급 (○ | ×)

④ 관련기출
7. 군복무 중 사망한 사람의 유족이 국가배상을 받은 경우, 관할 행정청 등은 「군인연금법」상 사망보상금에서 소극적 손해배상금 상당액을 공제할 수 있을 뿐, 이를 넘어 정신적 손해배상금까지 공제할 수는 없다. 2024 지방직·서울시 9급 (○ | ×)

정답
1. ○ 2. × 3. ○ 4. ○ 5. ○ 6. ○ 7. ○

03 □□□
국가배상책임에 관한 설명으로 옳은 것은? (다툼이 있는 경우 판례에 의함)

① 「국가배상법」 제5조의 책임과 관련하여, 손해의 원인에 대하여 책임을 질 자가 따로 있으면 국가나 지방자치단체는 그 자에게 구상할 수 있다.
② 국도의 관리사무가 지방자치단체의 장에게 위임되어 지방자치단체장이 국도의 관리청이 된 경우, 도로관리상의 하자로 인한 손해에 대하여 국가는 책임을 면한다.
③ 지방자치단체의 장이 설치하여 관할 지방경찰청장(현 시·도경찰청장)에게 관리권한이 위임된 교통신호기의 고장으로 인하여 교통사고가 발생한 경우, 국가만이 사무귀속주체로서 손해배상책임을 부담한다.
④ 소음 등을 포함한 공해 등의 위험지역으로 이주하여 들어가 거주하는 경우와 같이 위험의 존재를 인식하거나 과실로 인식하지 못하고 이주한 경우라도, 손해배상액의 산정에 있어서는 형평의 원칙상 과실상계에 준하여 감경 또는 면제사유로 고려할 수 없다.

✓ 기출체크

① 관련기출
1. 영조물의 설치·관리상의 하자로 인한 손해의 원인에 대하여 책임을 질 사람이 따로 있는 경우에는 국가·지방자치단체는 그 사람에게 구상할 수 있다. 2017 지방직 7급 (○ | ×)
2. 도로·하천, 그 밖의 공공의 영조물의 설치나 관리에 하자가 있기 때문에 타인에게 손해를 발생하게 하였을 때에는 국가나 지방자치단체는 그 손해를 배상하여야 하며, 손해의 원인에 대하여 책임을 질 자가 따로 있으면 국가나 지방자치단체는 그 자에게 구상할 수 있다. 2014 경행특채 2차 (○ | ×)

② 관련기출
3. 국도의 관리사무가 지방자치단체의 장에게 위임되어 지방자치단체장이 국도의 관리청이 된 경우, 국가는 해당 국도의 도로관리상의 하자로 인한 손해에 대하여 책임이 없다. 2026 경찰간부 (○ | ×)
4. 지방자치단체의 장인 시장이 국도의 관리청이 되었다 하더라도 국가는 도로관리상 하자로 인한 손해배상책임을 면할 수 없다. 2015 경행특채 1차 (○ | ×)
5. 지방자치단체의 장이 국도의 관리청이 되었다 하더라도 국가는 도로관리상 하자로 인한 손해배상책임을 면할 수 없다. 2011 사회복지직 9급 (○ | ×)

③ 관련기출
6. 시·도경찰청장 또는 경찰서장이 지방자치단체의 장으로부터 권한을 위탁받아 설치·관리하는 신호기의 하자로 인해 손해가 발생한 경우 「국가배상법」 제5조 소정의 배상책임의 귀속주체는 국가뿐이다. 2023 지방직·서울시 9급 (○ | ×)

7. 「국가배상법」제6조 제1항에 의하면 지방자치단체장이 설치하여 관할 지방경찰청장(현 시·도경찰청장)에게 관리권한이 위임된 교통 신호기의 고장으로 인하여 교통사고가 발생한 경우, 지방자치단체가 손해배상책임을 지고 국가는 피해자에 대하여 배상책임을 지지 않는다. 2020 지방직·서울시 7급 (O | X)

8. 지방자치단체장이 설치하여 관할 지방경찰청장(현 시·도경찰청장)에게 관리권한이 위임된 교통신호기의 고장으로 인하여 교통사고가 발생한 경우, 지방자치단체뿐만 아니라 국가도 손해배상책임을 부담한다는 것이 판례의 태도이다. 2020 소방직 9급 (O | X)

9. 지방자치단체의 장이 지방자치단체의 사무로서 교통신호기를 설치하고 그 관리권한을 관할 지방경찰청장(현 시·도경찰청장)에게 위임한 경우에, 「국가배상법」제5조(공공시설 등의 하자로 인한 책임)에 의한 배상책임을 부담하는 것은 국가라고 할 것이나 지방자치단체도 「국가배상법」제6조 제1항 소정의 비용부담자로서 배상책임을 부담한다. 2019 경행경채 2차 (O | X)

④ 관련기출

10. 소음 등을 포함한 공해 등의 위험지역으로 이주하여 들어가 거주하는 경우와 같이 위험의 존재를 인식하거나 과실로 인식하지 못하고 이주한 경우에는 손해배상액의 산정에 있어 형평의 원칙상 과실상계에 준하여 감경 또는 면제사유로 고려하여야 한다. 2025 국회직 8급 (O | X)

11. 소음 등의 공해로 인한 법적 쟁송이 제기되거나 그 피해에 대한 보상이 실시되는 등 피해지역임이 구체적으로 드러나고 또한 이러한 사실이 그 지역에 널리 알려진 이후에 이주하여 오는 경우에는 가해자의 면책 여부를 보다 적극적으로 인정할 여지가 있다. 2022 해경간부 (O | X)

12. 위험의 존재를 인식하면서 그로 인한 피해를 용인하며 접근한 것으로 볼 수 있고 나아가 그 피해가 정신적 고통이나 생활방해의 정도에 그치며 그 침해행위에 고도의 공공성이 인정되는 때에는 위험에 접근한 후에 그 위험이 특별히 증대하였다는 등의 특별한 사정이 없는 이상 가해자의 면책을 인정하여야 하는 경우가 있다. 2021 경행경채 (O | X)

13. 소음 등을 포함한 공해 등의 위험지역으로 이주하여 들어가 거주하는 경우와 같이 위험의 존재를 과실로 인식하지 못하고 이주한 경우, 이를 손해배상액의 산정에 있어 형평의 원칙상 과실상계에 준하여 감경 또는 면제사유로 고려하여야 한다. 2021 국회직 8급 (O | X)

14. 소음 등의 공해로 인한 법적 쟁송이 제기되거나 그 피해에 대한 보상이 실시되는 등 피해지역임이 구체적으로 드러나고 이러한 사실이 그 지역에 널리 알려진 이후에 이주하여 오는 경우에는 위와 같은 위험에의 접근에 따른 가해자의 면책 여부를 보다 적극적으로 인정할 여지가 있다. 2017 지방직 9급 (O | X)

정답
1. O 2. O 3. × 4. O 5. O 6. × 7. × 8. O 9. × 10. O
11. O 12. O 13. O 14. O

04 ☐☐☐

「국가배상법」제5조 책임에 관한 설명으로 옳지 않은 것은? (다툼이 있는 경우 판례에 의함)

① 군(郡)에 의하여 노선인정 기타 공용개시가 없었다면 사실상 군민(郡民)의 통행에 제공되고 있던 도로라고 하여도 「국가배상법」제5조의 '공공의 영조물'에 해당하지 않는다.

② 영조물이 완전무결한 상태에 있지 않고 기능상 어떠한 결함이 있는 경우에도 객관적으로 보아 시간적·장소적으로 그 기능상 결함으로 인한 손해발생의 예견가능성, 회피가능성이 없는 경우, 즉 설치·관리자의 관리행위가 미칠 수 없는 상황이라면 「국가배상법」제5조의 책임이 발생하지 않는다.

③ 국가배상청구소송에서 공공의 영조물에 하자의 존재 여부에 관해 다툼이 있는 경우 입증책임은 관리주체가 지지만, 손해발생의 예견가능성과 회피가능성 여부에 관해 다툼이 있는 경우 입증책임은 피해자인 원고가 진다.

④ 가변차로에 설치된 2개의 신호등에서 서로 모순된 신호가 들어오는 오작동이 발생하였고 그 고장이 현재의 기술수준상 부득이하다는 사정만으로 영조물의 하자가 없다고 단정할 수 없다.

✔기출체크

① 관련기출

1. 공유나 사유임을 불문하고 사실상 도로로 사용되고 있었다면, 도로의 노선인정 기타 공용개시가 없었다고 하여도 해당 도로는 「국가배상법」상 영조물이라고 할 수 있다. 2025 국가직 9급 (O | X)

2. 국·공유나 사유 여부와 관계없이 사실상 도로로 사용되고 있었다면 도로의 노선인정의 공고, 기타 공용개시가 없었다고 하여도 「국가배상법」제5조의 배상책임이 인정된다. 2023 서울시 연구사 (O | X)

3. 사실상 군민의 통행에 제공되고 있던 도로 옆의 암벽으로부터 떨어진 낙석에 맞아 사망하는 사고가 발생하였다고 하여도 동 사고지점 도로가 군에 의하여 노선인정 기타 공용개시가 없었으면 이를 영조물이라 할 수 없다. 2023 군무원 9급 (O | X)

4. 사실상 군민(郡民)의 통행에 제공되고 있던 도로라고 하여도 군(郡)에 의하여 노선인정 기타 공용개시가 없었던 이상 이 도로를 '공공의 영조물'이라 할 수 없다. 2020 국가직 7급 (O | X)

5. 노선인정 기타 공용지정을 갖추지 못하였으나 사실상 군민의 통행에 제공되고 있던 도로(는 「국가배상법」제5조에 의한 영조물에 해당한다) 2010 경행특채 (O | X)

② 관련기출

6. 영조물이 완전무결한 상태에 있지 않고 기능상 어떠한 결함이 있었다면 객관적으로 보아 시간적·장소적으로 그 기능상 결함으로 인한 손해발생의 예견가능성, 회피가능성이 없어도 「국가배상법」제5조의 책임이 발생한다. 2023 서울시 연구사 (O | X)

7. 객관적으로 보아 영조물의 결함이 영조물의 설치·관리자의 관리행위가 미칠 수 없는 상황 아래에 있는 경우에는 영조물의 설치·관리의 하자를 인정할 수 없다. 2023 국가직 7급 (O | X)

8. 객관적으로 보아 시간적·장소적으로 영조물의 기능상 결함으로 인한 손해발생의 예견가능성과 회피가능성이 없는 경우에는 영조물의 설치·관리상의 하자를 인정할 수 없다. 2018 국회직 8급 (○ | ×)
9. 주관적 요소를 고려하는 최근의 판례에 따르면 영조물의 결함이 영조물의 설치·관리자의 관리행위가 미칠 수 없는 상황 아래에 있는 것이 입증되는 경우 영조물의 설치·관리상의 하자를 인정할 수 있다. 2016 국회직 8급 (○ | ×)

③ 관련기출
10. 국가배상청구소송에서 공공의 영조물에 하자가 있다는 입증책임은 피해자가 지지만, 관리주체에게 손해발생의 예견가능성과 회피가능성이 없다는 입증책임은 관리주체가 진다. 2017 국가직 9급 (○ | ×)

④ 관련기출
11. 가변차로에 설치된 두 개의 신호등에서 서로 모순되는 신호가 들어오는 오작동이 발생하였고 그 고장이 현재의 기술수준상 부득이한 것이라면 영조물의 하자를 인정할 수 없다. 2024 소방간부 (○ | ×)
12. 가변차로에 설치된 두 개의 신호기에서 서로 모순되는 신호가 들어오는 고장으로 인하여 사고가 발생한 경우, 그 고장이 현재의 기술수준상 부득이한 것으로 예방할 방법이 없는 것이라면 손해발생의 예견가능성이나 회피가능성이 없어 영조물의 하자를 인정할 수 없다. 2021 소방직 9급 (○ | ×)
13. 가변차로에 설치된 2개의 신호등에서 서로 모순된 신호가 들어오는 오작동이 발생하였고 그 고장이 현재의 기술수준상 부득이하다는 사정만으로 영조물의 하자가 면책되는 것은 아니다. 2010 지방직 9급 (○ | ×)

정답
1. × 2. × 3. ○ 4. ○ 5. × 6. × 7. ○ 8. ○ 9. × 10. ○
11. × 12. × 13. ○

05 □□□

사례에 관한 설명으로 옳은 것만을 <보기>에서 모두 고른 것은? (다툼이 있는 경우 판례에 의함)

> 국토교통부장관은 국가하천 중 경기도의 관할 구역을 통과하는 구역에 관한 관리권한을 경기도지사에게 위임하였다. 이에 경기도지사는 하천을 관리하여 오다가 하천에 설치한 제방의 높이가 계획홍수위에 미달하여 제방을 보수할 계획이었으나 예산사정으로 보수를 미루어 오던 중 2020년 여름에 50년 발생빈도의 대폭우로 인하여 하천이 범람하여 하천 부근에 거주하는 甲 등 주민이 가옥을 유실당하는 등의 재산적 피해가 발생하였다.

— 보기 —
㉮ 위 사례의 경우는 「국가배상법」 제5조의 영조물로 인한 배상책임이 문제될 수 있는데 이러한 영조물에는 사유(私有)의 물건은 포함될 수 없다.
㉯ 비록 예산사정으로 인해 보수가 미루어진 경우라고 하더라도 이를 불가항력에 따른 것으로서 절대적 면책사유라고 볼 수는 없다.
㉰ 위 사례에서 50년 빈도의 대폭우로 하천이 범람한 것은 불가항력적 사고로서 설치·관리상의 하자를 인정할 수 없다.
㉱ 위 사례와 달리, 하천의 제방이 계획홍수위를 넘고 있다면 특별한 사정이 없는 한 그 하천은 용도에 따라 통상 갖추어야 할 안전성을 갖추고 있다고 보아야 한다.

① ㉮, ㉯
② ㉮, ㉰
③ ㉯, ㉱
④ ㉰, ㉱

✓ 기출체크

㉮ 관련기출
1. 국가 또는 지방자치단체가 관리하지만 사인의 소유에 속하는 공물에 대하여는 「국가배상법」 제5조가 적용되지 아니한다. 2014 국가직 7급 (○ | ×)

㉯ 관련기출
2. 예산부족 등 재정사정은 영조물의 안전성 정도에 관하여 참작사유는 될 수 있을지언정 절대적인 면책사유는 되지 않는다. 2023 소방간부 (○ | ×)
3. 영조물 설치자의 재정사정이나 영조물의 사용목적에 의한 사정은, 안전성을 요구하는 데 대한 참작사유는 될지언정 안전성을 결정지을 절대적 요건은 아니다. 2021 소방직 9급 (○ | ×)
4. 영조물의 하자 유무는 객관적 견지에서 본 안전성의 문제이며, 국가의 예산부족으로 인해 영조물의 설치·관리에 하자가 생긴 경우에도 국가는 면책될 수 없다. 2017 지방직 9급 (○ | ×)

5. 예산부족 등 설치·관리자의 재정사정은 배상책임 판단에 있어 참작 사유는 될 수 있으나 안전성을 결정지을 절대적 요건은 아니다. 2016 국가직 9급 (O | X)
6. 판례는 예산부족은 절대적인 면책사유가 된다고 보고 있다. 2011 지방직(상) 9급 (O | X)

㉰ 관련기출

7. 제방도로가 유실되면서 그곳을 걸어가던 보행자가 강물에 휩쓸려 익사한 경우, 사고 당일의 집중호우가 50년 빈도의 최대강우량에 해당한다는 사실만으로 불가항력에 기인한 것으로 볼 수 있어 제방도로의 설치·관리상의 하자를 인정할 수 없다. 2023 해경간부 (O | X)
8. 집중호우로 제방도로가 유실되면서 그곳을 걸어가던 보행자가 강물에 휩쓸려 익사한 경우, 사고 당일의 집중호우가 50년 빈도의 최대강우량에 해당한다는 사실만으로도 「국가배상법」 제5조상의 영조물의 설치 또는 관리의 하자로 인한 손해배상책임에서 면책사유인 불가항력에 해당한다. 2015 사회복지직 9급 (O | X)

㉱ 관련기출

9. 이미 존재하는 하천의 제방이 계획홍수위를 넘고 있다면 그 하천은 용도에 따라 통상 갖추어야 할 안전성을 갖추고 있다고 보아야 하고, 그와 같은 하천이 그 후 새로운 하천시설을 설치할 때 기준으로 삼기 위하여 제정한 '하천시설기준'이 정한 여유고를 확보하지 못하고 있다는 사정만으로 바로 안전성이 결여된 하자가 있다고 볼 수는 없다. 2024 군무원 9급 (O | X)
10. 이미 존재하는 하천의 제방이 계획홍수위를 넘고 있다면 그 하천은 용도에 따라 통상 갖추어야 할 안전성을 갖추고 있다고 보아야 하고, 새로운 하천시설을 설치할 때 기준으로 삼기 위하여 제정한 '하천시설기준'이 정한 여유고를 확보하지 못하고 있다는 사정만으로 바로 안전성이 결여된 하자가 있다고 볼 수는 없다. 2023 소방간부 (O | X)
11. 하천의 홍수위가 「하천법」상 관련 규정이나 하천정비계획 등에서 정한 홍수위를 충족하고 있다고 해도 하천이 범람하거나 유량을 지탱하지 못해 제방이 무너지는 경우는 안전성을 결여한 것으로 하자가 있다고 본다. 2022 군무원 9급 (O | X)
12. 하천정비기본계획 등에서 정한 계획홍수량 및 계획홍수위를 충족하여 하천이 관리되고 있다면 특별한 사정이 없는 한, 그 하천은 용도에 따라 통상 갖추어야 할 안전성을 갖추고 있다고 볼 수 있다. 2021 경행경채 (O | X)
13. 하천의 제방이 계획홍수위를 넘고 있더라도, 하천이 그 후 새로운 하천시설을 설치할 때 '하천시설기준'으로 정한 여유고(餘裕高)를 확보하지 못하고 있다면 그 사정만으로 안전성이 결여된 하자가 있다고 보아야 한다. 2020 국가직 7급 (O | X)

정답
1. × 2. O 3. O 4. O 5. O 6. × 7. × 8. × 9. O 10. O
11. × 12. O 13. ×

06 ☐☐☐

「국가배상법」 제2조 제1항 단서는 군인이나 경찰공무원이 전투·훈련 등 직무집행과 관련하여 전사·순직하거나 공상을 입은 경우에 본인이나 그 유족이 다른 법령에 따라 보상을 지급받을 수 있을 때에는 동법에 따른 손해배상을 청구할 수 없다고 규정하고 있다. 이에 관한 설명으로 옳은 것은? (다툼이 있는 경우 판례에 의함)

① 경찰서 지서의 숙직실은 「국가배상법」 제2조 제1항 단서에서 말하는 전투·훈련에 관련된 시설이라고 볼 수 있으므로 위 숙직실에서 순직한 경찰공무원의 유족들은 국가배상청구권을 행사할 수 없다.
② 현역병으로 입대한 후 군사교육을 마치고 경비교도로 전임되어 근무하는 경비교도와 공익근무요원은 「국가배상법」상 이중배상금지가 적용되는 공무원이 아니다.
③ 직무집행과 관련하여 공상을 입은 군인 등이 먼저 「국가배상법」에 따라 손해배상금을 지급받은 다음 「보훈보상대상자 지원에 관한 법률」이 정한 보상금 등 보훈급여금의 지급을 청구하는 경우, 국가는 군인 등이 「국가배상법」에 따라 손해배상을 받았다는 이유로 그 지급을 거부할 수 있다.
④ 이중배상금지와 관련하여 전투·훈련 등 직무집행이란 전투·훈련 또는 이에 준하는 직무집행으로 제한적으로 해석하여야 하므로, 경찰공무원이 낙석사고 현장 주변 교통정리를 위하여 사고현장 부근으로 이동하던 중 대형 낙석이 순찰차를 덮쳐 사망한 경우, 도로를 관리하는 지방자치단체가 「국가배상법」 제2조 제1항 단서의 이중배상금지에 따른 손해배상의 면책을 주장하는 것은 허용될 수 없다.

✓ 기출체크

① 관련기출

1. 경찰서 지서의 숙직실에서 순직한 경찰공무원의 유족들은 「국가배상법」 및 「민법」의 규정에 의한 손해배상을 청구할 권리가 있다. 2023 군무원 9급 (O | X)
2. (「국가배상법」 제2조 제1항 단서와 관련하여) 경찰서 숙직실에서 순직한 경찰공무원의 유족들은 「국가배상법」에 의한 손해배상을 청구할 권리가 있다. 2011 지방직 7급 (O | X)

② 관련기출

3. 공익근무요원도 「국가배상법」 제2조 제1항 단서의 이중배상이 금지되는 자에 해당한다. 2023 군무원 7급 (O | X)
4. 공익근무요원은 「국가배상법」 제2조 제1항 단서규정에 의하여 손해배상청구가 제한된다. 2022 국가직 7급 (O | X)
5. 공익근무요원은 「국가배상법」 제2조 제1항 단서의 군인·군무원·경찰공무원 또는 향토예비군대원에 해당하지 않으므로 이중배상청구가 제한되지 않는다. 2019 서울시 1회 7급 (O | X)
6. 현역병으로 입영하여 소정의 군사교육을 마치고 전임되어 법무부장관에 의하여 경비교도로 임용된 자는 「국가배상법」 제2조 제1항 단서에 따라 손해배상청구가 제한되는 군인·군무원·경찰공무원 또는 향토예비군대원에 해당한다고 할 수 없다. 2019 경행경채 2차 (O | X)

7. 현역병으로 입영한 후 군사교육을 마치고 경비교도로 전임되어 근무하는 자는 「국가배상법」 제2조 제1항 단서 소정의 군인 등에 해당하므로 국가배상청구권 행사에 제한을 받는다. 2015 경행특채 1차
(O | X)

③ 관련기출

8. 직무집행과 관련하여 공상을 입은 군인이 먼저 「국가배상법」에 따라 손해배상금을 지급받은 다음 「보훈보상대상자 지원에 관한 법률」이 정한 보상금 등 보훈급여금의 지급을 청구할 경우, 국가보훈처장은 「국가배상법」에 따라 손해배상을 받았다는 사정을 들어 보상금 등 보훈급여금의 지급을 거부할 수 없다. 2024 군무원 7급 (O | X)

9. 훈련으로 공상을 입은 군인이 「국가배상법」에 따라 손해배상금을 지급받은 다음 「보훈보상대상자 지원에 관한 법률」이 정한 보훈급여금의 지급을 청구하는 경우, 국가는 「국가배상법」 제2조 제1항 단서에 따라 그 지급을 거부할 수 있다. 2023 국가직 9급 (O | X)

10. 직무집행과 관련하여 공상을 입은 군인이 먼저 「국가배상법」에 따라 손해배상금을 지급받았다면 「국가유공자 등 예우 및 지원에 관한 법률」이 정한 보상금 등 보훈급여금의 지급을 청구하는 것은 이중배상금지원칙에 따라 인정되지 아니한다. 2022 국가직 7급 (O | X)

11. 직무집행과 관련하여 공상을 입은 군인 등이 먼저 「국가배상법」에 따라 손해배상금을 지급받은 다음, 구 「국가유공자 등 예우 및 지원에 관한 법률」이 정한 보상금 등 보훈급여금의 지급을 청구하는 경우, 「국가배상법」에 따라 손해배상을 받았다는 이유로 그 지급을 거부할 수 없다. 2020 지방직·서울시 7급 (O | X)

12. 전투·훈련 등 직무집행과 관련하여 공상을 입은 군인이 「국가배상법」에 따라 손해배상금을 지급받은 다음에 「국가유공자 등 예우 및 지원에 관한 법률」이 정한 보훈급여금의 지급을 청구하는 경우, 국가는 「국가배상법」에 따라 손해배상을 받았다는 사정을 들어 보훈급여금의 지급을 거부할 수 있다. 2019 경행경채 2차 (O | X)

④ 관련기출

13. 경찰공무원이 전투·훈련 등 직무집행과 관련하여 순직을 한 경우에는 전투·훈련 또는 이에 준하는 직무집행뿐만 아니라 일반직무집행에 관하여도 국가나 지방자치단체의 배상책임이 제한된다.
2019 경행경채 2차 (O | X)

14. 경찰공무원이 낙석사고 현장 부근으로 이동하던 중 대형 낙석이 순찰차를 덮쳐 사망한 사안에서 「국가배상법」의 이중배상금지규정에 따른 면책조항은 전투·훈련 또는 이에 준하는 직무집행뿐만 아니라 일반직무집행에 관하여도 국가나 지방자치단체의 배상책임을 제한하는 것으로 해석하여야 한다. 2019 국회직 8급 (O | X)

정답
1. O 2. O 3. X 4. X 5. O 6. O 7. X 8. O 9. X 10. X
11. O 12. X 13. O 14. O

07 □□□

「국가배상법」상 이중배상금지에 관한 설명으로 옳지 <u>않은</u> 것만을 <보기>에서 모두 고른 것은? (다툼이 있는 경우 판례에 의함)

― 보기 ―

㉮ 군복무 중 사망한 군인 등의 유족이 「국가배상법」에 따른 손해배상금을 지급받은 경우에는 그 손해배상금 상당 금액에 대하여 「군인연금법」에서 정한 사망보상금을 지급받을 수 없다.

㉯ 「국가배상법」 제2조 제1항 단서에서 정한 '다른 법령의 규정'에 따른 보상금청구권이 실제로 그 권리를 행사하지 못하여 시효로 소멸된 경우에는 「국가배상법」 제2조 제1항 단서 규정이 적용되지 않으므로 「국가배상법」에 따른 손해배상청구를 할 수 있다.

㉰ 대법원에 따르면 민간인과 직무집행 중인 군인 등의 공동불법행위로 인하여 직무집행 중인 다른 군인 등이 피해를 입은 경우, 민간인이 피해군인 등에게 자신의 귀책 부분을 넘어서 배상한 경우에는 국가 등에게 구상권을 행사할 수 있다.

㉱ 헌법재판소에 따르면 일반국민이 직무집행 중인 군인과의 공동불법행위로 다른 군인에게 공상을 입혀 그 피해자에게 손해 전부를 배상하였을지라도, 공동불법행위자인 군인의 부담 부분에 관하여 국가에 대한 구상권은 허용되지 않는다.

① ㉮, ㉯ ② ㉮, ㉱
③ ㉯, ㉰ ④ ㉯, ㉰, ㉱

✓ 기출체크

㉮ 관련기출

1. 군복무 중 사망한 군인 등의 유족인 원고가 「국가배상법」에 따른 손해배상금을 지급받은 경우, 국가는 「군인연금법」 소정의 사망보상금을 지급함에 있어 원고가 받은 손해배상금 상당 금액을 공제할 수 없다.
2024 국가직 9급 (O | X)

2. 군복무 중 사망한 군인 등의 유족이 「국가배상법」에 따른 손해배상금을 지급받은 경우 그 손해배상금 상당 금액에 대해서는 「군인연금법」에서 정한 사망보상금을 지급받을 수 없다. 2023 지방직·서울시 9급
(O | X)

㉯ 관련기출

3. 공상 군인이 「국가배상법」에 의한 손해배상청구소송 중 「국가유공자 등 예우 및 지원에 관한 법률」에 의한 국가유공자 등록신청을 하였으나 거부되고 이에 불복하지 아니한 상태로 앞의 법률상의 보상금청구권과 「군인연금법」상의 재해보상금청구권이 모두 시효완성된 경우라면, 「국가배상법」 제2조 제1항 단서 소정의 '다른 법령에 의하여 보상을 받을 수 있는 경우'에 해당되어 국가배상청구는 할 수 없다.
2024 군무원 7급 (O | X)

4. 「국가배상법」제2조 제1항 단서에서 정한 '다른 법령의 규정'에 따른 보상금청구권이 모두 시효로 소멸된 경우라고 하더라도 「국가배상법」제2조 제1항 단서 규정이 적용된다. 2023 국가직 9급 (O | X)

㉰ **관련기출**
5. 「국가배상법」제2조 제1항 단서에 의해 군인 등의 국가배상청구권이 제한되는 경우, 공동불법행위자인 민간인은 피해를 입은 군인 등에게 그 손해 전부에 대하여 배상하여야 하는 것은 아니며 자신의 부담 부분에 한하여 손해배상의무를 부담한다. 2021 소방직 9급 (O | X)
6. 민간인과 직무집행 중인 군인의 공동불법행위로 인하여 직무집행 중인 다른 군인이 피해를 입은 경우, 민간인이 공동불법행위자로 부담하는 책임은 공동불법행위의 일반적 경우와는 달리 모든 손해에 대한 것이 아니라 귀책비율에 따른 부분으로 한정된다는 것이 대법원의 입장이다. 2010 국가직 7급 (O | X)

㉱ **관련기출**
7. 헌법재판소는 일반국민이 직무집행 중인 군인과의 공동불법행위로 다른 군인에게 공상을 입혀 그 피해자에게 손해 전부를 배상했을지라도, 공동불법행위자인 군인의 부담 부분에 관하여 국가에 대한 구상권은 허용되지 않는다고 본다. 2011 지방직(하) 7급 (O | X)

정답
1. × 2. O 3. O 4. O 5. O 6. O 7. ×

08 ☐☐☐

헌법 제23조의 해석에 관한 설명으로 옳지 않은 것은? (다툼이 있는 경우 판례에 의함)

> 헌법 제23조 ① 모든 국민의 재산권은 보장된다. 그 내용과 한계는 법률로 정한다.
> ② 재산권의 행사는 공공복리에 적합하도록 하여야 한다.
> ③ 공공필요에 의한 재산권의 수용·사용 또는 제한 및 그에 대한 보상은 법률로써 하되, 정당한 보상을 지급하여야 한다.

① '재산권의 수용·사용 또는 제한 및 그에 대한 보상은 법률로써 하되'라고 할 때의 '법률'에는 법률종속명령이나 조례는 원칙적으로 포함되지 않는다.
② 헌법 제23조 제3항의 규정은 보상청구권의 근거에 관하여 법률에 유보하고 있는데, 이 규정은 보상의 기준과 방법에 관하여서도 법률의 규정에 유보하고 있다는 것이 판례의 입장이다.
③ 헌법 제23조 제3항을 불가분조항으로 보는 견해에 따르면, 보상규정을 두지 아니한 수용법률은 헌법에 위반된다.
④ 헌법 제23조 제3항을 국민에 대한 직접적인 효력이 있는 규정으로 보는 견해는 동 조항의 재산권에 대한 공용침해규정과 보상규정을 불가분조항으로 본다.

✓ **기출체크**

① **관련기출**
1. 재산권의 수용·사용·제한은 법률로써 하여야 하고, 이 '법률'에 법률종속명령이나 조례는 포함되지 아니한다. 2011 사회복지직 9급 (O | X)

② **관련기출**
2. 헌법 제23조 제3항에서 보상은 법률로써 하되 정당한 보상을 지급하여야 한다고 하여 구체적인 보상액의 산출기준은 법률에 유보하고 있다. 2018 교육행정직 9급 (O | X)
3. 헌법 제23조 제3항의 규정은 보상청구권의 근거에 관하여서뿐만 아니라 보상의 기준과 방법에 관하여서도 법률의 규정에 유보하고 있는 것으로 보아야 한다. 2015 국회직 8급 (O | X)
4. 헌법은 보상청구권의 근거뿐만 아니라 보상의 기준과 방법에 관해서도 법률에 유보하고 있다. 2012 국가직 7급 (O | X)

③ **관련기출**
5. 헌법 제23조 제3항을 불가분조항으로 볼 경우, 보상규정을 두지 아니한 수용법률은 헌법 위반이 된다. 2017 지방직 9급 (O | X)

④ **관련기출**
6. 헌법 제23조 제3항을 국민에 대한 직접적인 효력이 있는 규정으로 보는 견해는 동 조항의 재산권의 수용·사용·제한규정과 보상규정을 불가분조항으로 본다. 2017 국가직 9급 (O | X)

정답
1. O 2. O 3. O 4. O 5. O 6. ×

09 □□□

손실보상에 관한 설명으로 옳지 <u>않은</u> 것만을 <보기>에서 모두 고른 것은? (다툼이 있는 경우 판례에 의함)

┌ 보기 ┐

㉮ 헌법재판소는 개발제한구역지정으로 인하여 지가의 하락 또는 지가상승률의 상대적 감소가 있는 경우 이는 사회적 제약범위 내에 있는 것이라고 본다.

㉯ 이의신청에 대한 재결에 대하여 법정기간 이내에 소송이 제기되지 아니하거나 그 밖의 사유로 이의신청에 대한 재결이 확정된 때에는 「민사소송법」상의 확정판결이 있은 것으로 보며, 재결서 정본은 집행력 있는 판결의 정본과 동일한 효력을 가진다.

㉰ 특별한 희생이 발생하였음에도 법률에 보상규정을 두고 있지 않은 경우, 명문규정이 없는 이상 관련 법률의 유추해석 등을 통하여 손실보상을 할 수는 없다는 것이 판례의 태도이다.

㉱ 개발제한구역지정으로 인하여 토지를 종래의 목적으로도 사용할 수 없거나 또는 더 이상 법적으로 허용된 토지이용의 방법이 없기 때문에 실질적으로 토지의 사용·수익의 길이 없는 경우라 하더라도, 이는 사회적 제약의 범위를 넘지 않는 것으로 국가나 지방자치단체는 이에 대한 보상을 해야 하는 것은 아니다.

① ㉮, ㉯
② ㉮, ㉱
③ ㉯, ㉰
④ ㉰, ㉱

✓ 기출체크

㉮ 관련기출

1. 개발제한구역의 지정으로 인한 개발가능성의 소멸과 그에 따른 지가의 하락은 토지소유자가 감수하여야 하는 사회적 제약의 범주에 속한다. 2023 변호사 (O | X)

2. 개발제한구역의 지정으로 인한 개발가능성의 소멸과 그에 따른 지가의 하락이나 지가상승률의 상대적 감소는 토지소유자가 감수해야 하는 사회적 제약의 범주에 속하는 것으로 보아야 한다. 2022 소방간부 (O | X)

3. 개발제한구역지정으로 인한 지가의 하락은 원칙적으로 토지소유자가 감수해야 하는 사회적 제약의 범주에 속하나, 지가의 하락이 20% 이상으로 과도한 경우에는 특별한 희생에 해당한다. 2018 서울시 9급 (O | X)

4. 개발제한구역의 지정으로 인한 지가의 하락은 토지소유자가 수인해야 하는 사회적 제약의 한계를 넘는 것으로, 아무런 보상 없이 이를 감수하도록 하고 있는 한, 헌법에 위반된다. 2012 국가직 7급 (O | X)

㉯ 관련기출

5. 이의신청에 대한 재결에 대하여 기한 내에 소송이 제기되지 않거나 그 밖의 사유로 이의신청에 대한 재결이 확정된 때에는 「민사소송법」상의 확정판결이 있은 것으로 본다. 2016 국가직 7급 (O | X)

㉰ 관련기출

6. 대법원은 헌법 제23조 제3항의 규정에도 불구하고 보상에 관한 구체적 사항이 법률로써 정해져 있지 아니한 때에는 손실보상을 인정할 수 없다고 한다. 2014 국회직 8급 (O | X)

㉱ 관련기출

7. 도시계획시설의 지정으로 말미암아 당해 토지의 이용가능성이 배제되거나 또는 토지소유자가 토지를 종래 허용된 용도대로도 사용할 수 없기 때문에 이로 인하여 현저한 재산적 손실이 발생하는 경우에는, 원칙적으로 국가나 지방자치단체는 이에 대한 보상을 해야 한다. 2024 지방직·서울시 9급 (O | X)

8. 도시계획시설의 지정으로 말미암아 당해 토지의 이용가능성이 배제되거나 또는 토지소유자가 토지를 종래 허용된 용도로도 사용할 수 없기 때문에 이로 말미암아 현저한 재산적 손실이 발생하는 경우라 하더라도, 이는 사회적 제약의 범위를 넘지 않는 것으로 국가나 지방자치단체는 이에 대한 보상을 해야 하는 것은 아니다. 2022 소방간부 (O | X)

9. 개발제한구역지정으로 인하여 토지를 종래의 목적으로 사용할 수 없거나 또는 더 이상 법적으로 허용된 토지이용의 방법이 없기 때문에 실질적으로 토지의 사용·수익의 길이 없는 경우에도 토지소유자가 수인해야 하는 사회적 제약의 한계를 넘는 것으로 볼 수 없다. 2015 경행특채 1차 (O | X)

10. 구 「도시계획법」에 따른 개발제한구역제도는 합헌이기에 개발제한구역으로 지정된 토지를 실질적으로 사용·수익할 수 없어 사회적 제약을 초과하는 가혹한 부담이 발생하더라도 보상 없이 감수하도록 하는 것도 합헌이다. 2011 사회복지직 9급 (O | X)

11. 토지를 종래의 목적으로 사용할 수 없거나 더 이상 법상 허용된 이용방법이 없는 경우에 해당하지 않는 제약은 사회적 제약의 범주 내에 있는 것이고, 그렇지 않은 제약은 손실을 완화하는 보상적 조치가 있어야 비로소 허용되는 범주 내에 있는 것이다. 2008 지방직 9급 (O | X)

정답

1. O 2. O 3. X 4. X 5. O 6. X 7. O 8. X 9. X 10. X
11. O

10

행정상 손실보상에 관한 설명으로 옳지 않은 것은? (다툼이 있는 경우 판례에 의함)

① 구「토지수용법」제51조가 규정하고 있는 '영업상의 손실'이란 수용의 대상이 된 토지·건물 등을 이용하여 영업을 하다가 그 토지·건물 등이 수용됨으로 인하여 영업을 할 수 없거나 제한을 받게 됨으로 인하여 생기는 직접적인 손실을 말하는 것이다.

② 영업을 하기 위하여 투자한 비용이나 그 영업을 통하여 얻을 것으로 기대되는 이익은 영업상의 손실에 해당하지 않으므로 손실보상의 대상이 아니다.

③ 손실보상이 인정되기 위해서는 재산권에 대한 침해가 현실적으로 발생하여야 하는데, 공유수면매립면허의 고시가 있는 경우라면 그로 인하여 직접 손실이 발생한다고 할 수 있으므로 관행어업권자는 공유수면매립면허의 고시를 이유로 손실보상을 청구할 수 있다.

④ 하나의 재결에서 피보상자별로 여러 가지의 토지, 물건, 권리 또는 영업의 손실에 관하여 심리·판단이 이루어진 경우라도 피보상자 또는 사업시행자가 반드시 재결 전부에 관하여 불복하여야 하는 것은 아니다.

✓ 기출체크

①② 관련기출

1. 영업을 하기 위해 투자한 비용이나 그 영업을 통해 얻을 것으로 기대되는 이익에 대한 손실은 영업손실보상의 대상이 된다고 할 수 없다. 2025 해경승진 (O | X)

2. 「토지수용법」(현「공익사업을 위한 토지 등의 취득 및 보상에 관한 법률」) 제51조가 규정하고 있는 '영업상의 손실'이란 수용의 대상이 된 토지·건물 등을 이용하여 영업을 하다가 그 토지·건물 등이 수용됨으로 인하여 영업을 할 수 없거나 제한을 받게 됨으로 인하여 생기는 직접적인 손실을 말한다. 2015 경행특채 2차 (O | X)

3. 구「토지수용법」제51조는 영업을 하기 위하여 투자한 비용이나 그 영업을 통하여 얻을 것으로 기대되는 이익에 대한 손실보상의 근거규정이 될 수 없고, 그 보상의 기준과 방법 등에 관한 규정이 없어도 이러한 손실은 그 보상의 대상이 된다. 2011 경행특채 (O | X)

③ 관련기출

4. 손실보상은 공공필요에 의한 행정작용에 의하여 사인에게 발생한 특별한 희생에 대한 전보라는 점에서 그 사인에게 특별한 희생이 발생하여야 하는 것은 당연히 요구되는 것이고, 공유수면매립면허의 고시가 있다고 하여 반드시 간척사업이 시행되고 그로 인하여 손실이 발생한다고 할 수 없다. 2025 지방직·서울시 9급 (O | X)

5. 간척사업의 시행으로 종래의 관행어업권자에게 구「공유수면매립법」에서 정하는 손실보상청구권이 인정되기 위해서는 매립면허 고시 후 매립공사가 실행되어 관행어업권자에게 실질적이고 현실적인 피해가 발생해야 한다. 2023 서울시 지적 7급 (O | X)

6. 매립면허 고시 이후 매립공사가 실행되어 관행어업권자에게 실질적이고 현실적인 피해가 발생한 경우에만 구「공유수면매립법」에서 정하는 손실보상청구권이 발생한다. 2023 소방간부 (O | X)

7. 공유수면매립면허의 고시가 있는 경우 그 사업이 시행되고 그로 인하여 직접 손실이 발생한다고 할 수 있으므로, 관행어업권자는 공유수면매립면허의 고시를 이유로 손실보상을 청구할 수 있다. 2019 지방직·교육행정직 9급 (O | X)

8. 손실보상이 인정되기 위해서는 재산권에 대한 실질적이고 현실적인 피해가 발생해야 한다. 2015 경행특채 2차 (O | X)

④ 관련기출

9. 하나의 재결에서 피보상자별로 여러 가지의 토지, 물건, 권리 또는 영업의 손실에 관하여 심리·판단이 이루어졌을 때, 피보상자 또는 사업시행자가 반드시 재결 전부에 관하여 불복하여야 하는 것은 아니다. 2026 경찰간부 (O | X)

10. 하나의 재결에서 피보상자별로 여러 가지의 토지, 물건, 권리 또는 영업의 손실에 관하여 심리·판단이 이루어졌을 때, 피보상자 또는 사업시행자가 여러 보상항목들 중 일부에 관해서만 불복하는 경우 반드시 재결 전부에 관하여 불복하여야 하는 것은 아니다. 2023 지방직·서울시 7급 (O | X)

11. 하나의 재결에서 피보상자별로 여러 가지의 토지, 물건, 권리 또는 영업의 손실에 관하여 심리·판단이 이루어졌을 때, 피보상자로서는 반드시 재결 전부에 관하여 불복하여야 하는 것은 아니다. 2023 경찰간부 (O | X)

정답
1. O 2. O 3. × 4. O 5. O 6. O 7. × 8. O 9. O 10. O
11. O

11

행정상 손실보상에 관한 설명으로 옳은 것은? (다툼이 있는 경우 판례에 의함)

① 토지에 대한 보상액은 가격시점에서의 현실적인 이용상황과 일반적인 이용방법에 의한 객관적 상황뿐만 아니라, 일시적인 이용상황과 토지소유자나 관계인이 갖는 주관적 가치 및 특별한 용도에 사용할 것을 전제로 한 경우도 고려하여 산정한다.

② 토지수용으로 인한 손실보상액은 당해 공공사업의 시행을 직접목적으로 하는 계획의 승인·고시로 인한 가격변동도 고려하여 산정하여야 한다.

③ 공공사업의 시행으로 사업시행지 이외의 주변토지의 소유자에게 미치는 손실을 간접손실이라고 하며, 판례는 이러한 간접손실은 헌법 제23조 제3항에 규정한 손실보상의 대상이 될 수 없다고 한다.

④ 공공용물에 관하여 적법한 개발행위 등이 이루어져 일정 범위의 사람들의 일반사용이 종전에 비하여 제한받게 되었다 하더라도 특별한 사정이 없는 한 이는 특별한 손실에 해당한다고 할 수 없다.

✓ 기출체크

① 관련기출

1. 토지에 대한 보상액은 가격시점에서의 현실적인 이용상황, 일반적인 이용방법에 의한 객관적 상황, 일시적인 이용상황 및 토지소유자나 관계인이 갖는 주관적 가치 및 특별한 용도에 사용할 것을 전제로 한 경우 등을 고려한다. 2020 국회직 8급 (○ | ×)
2. 수용대상 토지에 대한 손실보상액을 평가함에 있어서는 수용재결 당시의 이용상황, 주위환경 등을 기준으로 하여야 하는 것이고, 여기서의 수용대상 토지의 현실이용상황은 법령의 규정이나 토지소유자의 주관적 의도 등에 의하여 의제되어야 한다. 2016 경행경채 (○ | ×)
3. 토지에 대한 보상액은 가격시점에 있어서의 현실적인 이용상황과 일반적인 이용방법에 의한 객관적 상황을 고려하여 산정한다. 2010 국회속기직 9급 (○ | ×)

② 관련기출

4. 「공익사업을 위한 토지 등의 취득 및 보상에 관한 법률」에 따라 수용대상 토지의 보상액을 산정함에 있어 해당 공익사업의 시행을 직접 목적으로 하는 계획의 승인, 고시로 인한 가격변동은 이를 고려함이 없이 재결 당시의 가격을 기준으로 하여 적정가격을 정하여야 한다. 2025 국가직 7급 (○ | ×)
5. 「공익사업을 위한 토지 등의 취득 및 보상에 관한 법률」상 토지수용으로 인한 손실보상액은 당해 공공사업의 시행을 직접목적으로 하는 계획의 승인·고시로 인한 가격변동을 고려함이 없이 수용재결 당시의 가격을 기준으로 하여 정하여야 한다. 2014 국가직 7급 (○ | ×)
6. 토지수용보상액 산정시 당해 공공사업의 시행을 직접목적으로 하는 계획의 승인·고시로 인한 가격변동은 고려하여야 한다. 2008 지방직 7급 (○ | ×)

③ 관련기출

7. 공공사업시행지구 밖에서 발생한 간접손실에 관하여 그 피해자와 사업시행자 사이에 협의가 이루어지지 아니하고, 그 보상에 관한 명문의 근거법령이 없는 경우라고 하더라도 공공사업의 시행으로 인하여 그러한 손실이 발생하리라는 것을 쉽게 예견할 수 있고, 그 손실의 범위도 구체적으로 특정할 수 있다면 그 손실보상에 관하여 관련 규정 등을 유추적용할 수 있다. 2022 소방직 9급 (○ | ×)
8. 공유수면매립으로 인하여 위탁판매수수료 수입을 상실한 수산업협동조합에 대해서는 법률의 보상규정이 없더라도 손실보상의 대상이 된다. 2021 군무원 7급 (○ | ×)
9. 간접적 영업손실은 특별한 희생이 될 수 없다. 2019 사회복지직 9급 (○ | ×)
10. 공공사업시행으로 사업시행지 밖에서 발생한 간접손실은 손실발생을 쉽게 예견할 수 있고 손실범위도 구체적으로 특정할 수 있더라도, 사업시행자와 협의가 이루어지지 않고 그 보상에 관한 명문의 근거법령이 없는 경우에는 보상의 대상이 아니다. 2019 국가직 7급 (○ | ×)
11. 공공사업의 시행으로 인하여 사업지구 밖에서 수산제조업에 대한 간접손실이 발생하리라는 것을 쉽게 예견할 수 있고 그 손실의 범위도 구체적으로 특정할 수 있는 경우라면, 그 손실의 보상에 관하여 구 「공공용지의 취득 및 손실보상에 관한 특례법 시행규칙」의 간접보상 규정을 유추적용할 수 있다. 2015 국회직 8급 (○ | ×)

④ 관련기출

12. 공공용물에 관하여 적법한 개발행위 등이 이루어짐에 말미암아 이에 대한 일정범위의 사람들의 일반사용이 종전에 비하여 제한받게 되었다 하더라도 특별한 사정이 없는 한 그로 인한 불이익은 손실보상의 대상이 되는 특별한 손실에 해당한다고 할 수 없다. 2023 해경간부 (○ | ×)
13. 일반공중의 이용에 제공되는 공공용물을 허가나 특허 없이 일반사용하고 있던 자가 당해 공공용물에 관한 적법한 개발행위로 인하여 종전에 비하여 그 일반사용이 제한을 받게 되었다면 그로 인한 불이익은 특별한 사정이 없는 한 손실보상의 대상이 된다. 2024 소방간부 (○ | ×)
14. 공공용물에 관하여 적법한 개발행위 등이 이루어짐으로 말미암아 이에 대한 일정 범위의 사람들의 일반사용이 종전에 비하여 제한받게 되었다면, 특별한 사정이 없는 한 그로 인한 불이익은 손실보상의 대상이 되는 특별한 손실에 해당한다. 2016 경행경채 (○ | ×)
15. 공공용물에 대한 일반사용은 다른 개인의 자유이용과 국가 또는 지방자치단체 등의 공공목적을 위한 개발 또는 관리·보존행위를 방해하지 않는 범위 내에서만 허용된다 할 것이므로, 적법한 개발행위 등이 이루어짐으로 말미암아 발생한 불이익은 특별한 사정이 없는 한 손실보상의 대상이 되는 특별한 손실에 해당한다고 할 수 없다. 2016 서울시 7급 (○ | ×)

> **정답**
> 1. × 2. × 3. ○ 4. ○ 5. ○ 6. × 7. ○ 8. ○ 9. × 10. ×
> 11. ○ 12. ○ 13. × 14. × 15. ○

12 □□□

행정상 손실보상에 관한 설명으로 옳지 않은 것은? (다툼이 있는 경우 판례에 의함)

① 구 「토지수용법」상의 사업인정 고시 이전에 건축된 지장물인 건물은 통상 적법한 건축허가를 받았는지 여부에 관계없이 손실보상의 대상이 된다.
② 손실보상이 이루어지는 재산권에는 지가상승에 대한 기대이익이나 영업이익의 가능성이 포함되지 않는다.
③ 토지의 문화적·학술적 가치는 특별한 사정이 없는 한 그 토지의 부동산으로서의 경제적·재산적 가치를 높여주는 것으로 구 「토지수용법」 제51조 소정의 손실보상대상이 된다.
④ 손실보상은 공공필요에 의한 행정작용에 의하여 사인에게 발생한 특별한 희생에 대한 전보라는 점에서 그 사인에게 특별한 희생이 발생하여야 하는 것은 당연히 요구되는 것이고, 공유수면매립면허의 고시가 있다고 하여 반드시 간척사업이 시행되고 그로 인하여 손실이 발생한다고 할 수 없다.

✓ 기출체크

① 관련기출

1. 지장물인 건물이 구 「토지수용법」상 손실보상의 대상이 되기 위해서는 적법한 건축허가를 받아 건축된 것이어야 한다. 2020 소방간부 (○ | ×)
2. 지장물인 건물은 그 건물이 적법한 건축허가를 받아 건축된 것인지 여부에 관계없이 「토지수용법」상의 사업인정의 고시 이전에 건축된 건물이기만 하면 손실보상의 대상이 된다. 2016 경행경채 (○ | ×)

3. 지장물인 건물은 적법한 건축허가를 받아 건축된 건물만이 손실보상의 대상이 된다. 2011 지방직(하) 7급 (O | X)

② 관련기출

4. 손실보상이 이루어지는 재산권에는 지가상승에 대한 기대이익이나 영업이익의 가능성이 포함되지 아니한다. 2011 사회복지직 9급 (O | X)

③ 관련기출

5. 재산권이란 재산적 가치가 있는 공권과 사권을 말하므로 영업기회나 이득가능성은 포함되지 않지만 철새 도래지와 같은 자연·문화적인 학술적 가치는 특별한 재산적 가치를 높이는 것이므로 손실보상의 대상이 된다. 2024 군무원 5급 (O | X)
6. 문화적·학술적 가치는 특별한 사정이 없는 한 그 토지의 부동산으로서의 경제적·재산적 가치를 높여주는 것이므로 토지수용법 제51조 소정의 손실보상의 대상이 된다. 2016 경행경채 (O | X)
7. 토지의 문화적·학술적 가치는 특별한 사정이 없는 한 손실보상의 대상이 되지 않는다. 2012 국가직 9급 (O | X)
8. 문화적·학술적 가치는 특별한 사정이 없는 한 손실보상의 대상이 되지 않는다. 2011 지방직 7급 (O | X)
9. 자연적·문화적·학술적 가치도 특별한 사정이 없는 한 손실보상의 대상이 된다고 보는 것이 대법원 판례의 입장이다. 2009 관세사 (O | X)

④ 관련기출

10. 간척사업의 시행으로 종래의 관행어업권자에게 구「공유수면매립법」에서 정하는 손실보상청구권이 인정되기 위해서는 매립면허고시 후 매립공사가 실행되어 관행어업권자에게 실질적이고 현실적인 피해가 발생해야 한다. 2023 서울시 지적 7급 (O | X)
11. 매립면허 고시 이후 매립공사가 실행되어 관행어업권자에게 실질적이고 현실적인 피해가 발생한 경우에만 구「공유수면매립법」에서 정하는 손실보상청구권이 발생한다. 2023 소방간부 (O | X)
12. 공유수면매립면허의 고시가 있다고 하여 반드시 그 사업이 시행되고 그로 인하여 손실이 발생한다고 할 수 없으므로, 매립면허고시 이후 매립공사가 실행되어 관행어업권자에게 실질적이고 현실적인 피해가 발생한 경우에만 구「공유수면매립법」에서 정하는 손실보상청구권이 발생한다. 2020 경행경채 (O | X)
13. 공유수면매립면허의 고시가 있는 경우 그 사업이 시행되고 그로 인하여 직접 손실이 발생한다고 할 수 있으므로, 관행어업권자는 공유수면매립면허의 고시를 이유로 손실보상을 청구할 수 있다. 2019 지방직·교육행정직 9급 (O | X)
14. 손실보상이 인정되기 위해서는 재산권에 대한 실질적이고 현실적인 피해가 발생해야 한다. 2015 경행특채 2차 (O | X)

정답
1. X 2. O 3. X 4. O 5. X 6. X 7. O 8. O 9. X 10. O
11. O 12. O 13. X 14. O

13 □□□

행정상 손실보상에 관한 설명으로 옳지 않은 것은? (다툼이 있는 경우 판례에 의함)

① 공익사업의 시행으로 인한 개발이익은 완전보상의 범위에 포함되는 피수용토지의 객관적 가치 내지 피수용자의 손실에 해당한다.
② 토지수용으로 인한 손실보상액 산정에 있어서 '당해 공공사업'과 상관없는 '다른 사업'의 시행으로 인한 개발이익은 이를 배제하지 아니한 가격으로 평가하여야 한다.
③ 보상액의 산정은 협의에 의한 경우에는 협의 성립 당시의 가격을, 재결에 의한 경우에는 수용 또는 사용의 재결 당시의 가격을 기준으로 한다.
④ 국토교통부가 2008. 8. 26. 언론을 통해 전국 5곳에 국가산업단지를 새로 조성한다는 내용을 발표한 것은 「공익사업을 위한 토지 등의 취득 및 보상에 관한 법률」 제70조 제5항에서 정한 '공익사업의 계획 또는 시행의 공고·고시'에 해당하지 않는다.

기출체크

① 관련기출

1. 보상가액 산정시 공익사업으로 인한 개발이익은 토지의 객관적 가치에 포함된다. 2021 군무원 7급 (O | X)
2. 헌법 제23조 제3항에서 규정한 '정당한 보상'이란 원칙적으로 피수용재산의 객관적인 재산가치를 완전하게 보상하여야 한다는 완전보상을 뜻하는 것이지만, 공익사업의 시행으로 인한 개발이익은 완전보상의 범위에 포함되는 피수용토지의 객관적 가치 내지 피수용자의 손실이라고는 볼 수 없다. 2017 경행경채 (O | X)

② 관련기출

3. 헌법 제23조 제3항에서 정한 '정당한 보상'이란 피수용재산의 객관적인 재산가치를 완전하게 보상하여야 한다는 의미이므로, 해당 공익사업의 시행으로 인한 개발이익을 배제하고 손실보상액을 산정하는 것은 정당보상의 원리에 어긋난다. 2025 변호사 (O | X)
4. 토지수용으로 인한 보상액을 산정함에 있어서 당해 공공사업과 관계없는 다른 사업의 시행으로 인한 개발이익은 이를 배제하지 아니한 가격으로 평가하여야 한다. 2019 소방직 9급 (O | X)
5. 공익사업의 시행으로 인한 개발이익을 손실보상액에서 배제하는 것은 헌법에 위반된다. 2012 경행경채 3차 (O | X)

③ 관련기출

6. 보상액의 산정은 협의에 의한 경우에는 협의 성립 당시의 가격을, 재결에 의한 경우에는 수용 또는 사용의 재결 당시의 가격을 기준으로 하며 보상액을 산정할 경우에 해당 공익사업으로 인하여 토지 등의 가격이 변동되었을 때에는 이를 고려하지 아니한다. 2025 군무원 9급 (O | X)
7. 재결에 의한 경우 보상액의 산정은 수용개시 당시의 가격을 기준으로 한다. 2025 행정사 (O | X)

8. 「공익사업을 위한 토지 등의 취득 및 보상에 관한 법률」상 보상액의 산정에 있어 재결에 의한 경우에는 수용 또는 사용의 재결 당시의 가격을 기준으로 하고, 해당 공익사업으로 인하여 토지 등의 가격이 변동되었을 때에는 이를 고려하지 아니한다. 2023 소방간부 (O | X)

9. 보상액을 산정할 경우에 해당 공익사업으로 인하여 토지 등의 가격이 변동되었을 때에는 이를 고려하여야 한다.
2017 서울시 9급 (O | X)

정답
1. × 2. ○ 3. × 4. ○ 5. × 6. ○ 7. × 8. ○ 9. ×

14 □□□

행정상 손실보상에 관한 설명으로 옳은 것만을 <보기>에서 모두 고른 것은? (다툼이 있는 경우 판례에 의함)

─ 보기 ─

㉮ 「하천법」 부칙에 따른 손실보상청구권은 공권이므로 이에 대해 손실보상금의 지급을 구하는 소송은 행정소송 중 항고소송을 제기하여야 한다.

㉯ 「산업입지 및 개발에 관한 법률」에서 민간기업이 산업단지개발사업에 필요한 토지 등을 수용할 수 있도록 규정한 조항은 헌법 제23조 제3항에 위반되지 않는다.

㉰ 「공익사업을 위한 토지 등의 취득 및 보상에 관한 법률」상 사업인정고시가 된 후 사업시행자가 토지를 사용하는 기간이 3년 이상인 경우 토지소유자는 토지수용위원회에 토지의 수용을 청구할 수 있고, 토지수용위원회가 이를 받아들이지 않는 재결을 한 경우에는 토지수용위원회를 피고로 하여 「공익사업을 위한 토지 등의 취득 및 보상에 관한 법률」상 보상금의 증감에 관한 소송을 제기할 수 있다.

㉱ 「공익사업을 위한 토지 등의 취득 및 보상에 관한 법률」에 의한 보상을 하면서 손실보상금에 관한 당사자 간의 합의가 성립한 경우라면 그 합의내용이 같은 법에서 정하는 손실보상기준에 맞지 않는다고 하여도 그 기준에 따른 손실보상금청구를 추가로 할 수는 없다.

① ㉮, ㉯
② ㉮, ㉰
③ ㉯, ㉱
④ ㉰, ㉱

✓ 기출체크

㉮ 관련기출

1. 대법원은 하천구역으로 편입된 토지에 대한 손실보상청구권과 관련하여 공법상의 법률관계를 대상으로 하는 당사자소송절차에 의하지 않고 민사소송절차에 따라야 한다고 판시하였다. 2024 소방직 9급 (O | X)

2. 「하천법」 부칙과 이에 따른 특별조치법이 하천구역으로 편입된 토지에 대하여 손실보상청구권을 규정하였다고 하더라도 당해 법률규정이 아니라 관리청의 보상금지급결정에 의하여 비로소 손실보상청구권이 발생한다. 2024 지방직·서울시 9급 (O | X)

3. 대법원은 구 「하천법」 부칙 제2조와 이에 따른 특별조치법에 의한 손실보상청구권의 법적 성질을 사법상의 권리로 보아 그에 대한 쟁송은 행정소송이 아닌 민사소송절차에 의하여야 한다고 판시하고 있다. 2017 지방직 9급 (O | X)

4. 판례는 구 「하천법」상 하천구역 편입토지에 대한 손실보상청구를 공법상의 권리라고 보아 항고소송에 의하여야 한다고 보고 있다. 2014 서울시 7급 (O | X)

5. 손실보상청구권의 성질에 관하여 대법원은 전통적으로 사권설의 입장에서 민사소송으로 다루어 왔으나, 최근에는 당사자소송으로 보는 판례도 나타나고 있다. 2011 국가직 9급 (O | X)

㉯ 관련기출

6. 「산업입지 및 개발에 관한 법률」상 민간기업에게 산업단지개발사업에 필요한 토지 등을 수용할 수 있도록 규정한 조항은 헌법 제23조 제3항의 '공공필요'에 위반되지 않는다. 2025 지방직·서울시 9급 (O | X)

7. 헌법은 재산권 수용의 주체를 국가 등 공적기관으로 한정한 바 없으므로 민간기업도 수용의 주체가 될 수 있다. 2025 소방직 9급 (O | X)

8. 법률이 민간기업을 수용의 주체로 규정한 자체를 두고 위헌이라고 할 수는 없다. 2023 경찰간부 (O | X)

9. 판례에 따르면 재산권에 대한 수용은 공공필요가 있는 경우에 한하여 인정되므로 민간기업은 공용수용의 주체가 될 수 없다. 2022 경찰간부 (O | X)

10. 공용수용은 공공필요에 부합하여야 하므로, 수용 등의 주체를 국가 등의 공적 기관에 한정하여야 한다. 2021 국가직 7급 (O | X)

㉰ 관련기출

11. (「공익사업을 위한 토지 등의 취득 및 보상에 관한 법률」상) 사업인정고시가 된 후 사업시행자가 토지를 사용하는 기간이 3년 이상인 경우 토지소유자는 토지수용위원회에 토지의 수용을 청구할 수 있고, 토지수용위원회가 이를 받아들이지 않는 재결을 한 경우에는 사업시행자를 피고로 하여 토지보상법상 보상금의 증감에 관한 소송을 제기할 수 있다. 2022 국회직 8급 (O | X)

㉱ 관련기출

12. 토지보상법에 의한 보상을 하면서 손실보상금에 관한 당사자 간의 합의가 성립하면 그 합의내용이 토지보상법에서 정하는 손실보상기준에 맞지 않는다고 하더라도 합의가 적법하게 취소되는 등의 특별한 사정이 없는 한 추가로 토지보상법상 기준에 따른 손실보상금청구를 할 수는 없다. 2021 국회직 8급 (O | X)

13. 손실보상금에 관한 당사자 간의 합의가 성립하면, 그 합의내용이 토지보상법에서 정하는 손실보상기준에 맞지 않는다고 하더라도 합의가 적법하게 취소되는 등의 특별한 사정이 없는 한 추가로 토지보상법상 기준에 따른 손실보상금청구를 할 수 없다. 2018 국가직 7급 (O | X)

정답
1. × 2. × 3. × 4. × 5. ○ 6. ○ 7. ○ 8. ○ 9. × 10. ×
11. ○ 12. ○ 13. ○

15

행정상 손실보상에 관한 설명으로 옳은 것은? (다툼이 있는 경우 판례에 의함)

① 헌법재판소는 '생업의 근거를 상실하게 된 자에 대하여 일정 규모의 상업용지 또는 상가분양권 등을 공급하는' 생활대책은 헌법 제23조 제3항에 규정된 정당한 보상에 포함되는 것이라기보다는 생활보상의 일환으로서 국가의 정책적인 배려에 의하여 마련된 제도이므로, 그 실시 여부는 입법자의 입법정책적 재량의 영역에 속한다고 본다.

② 사업시행자 스스로 공익사업의 원활한 시행을 위하여 생활대책을 수립·실시할 수 있도록 하는 내부규정을 두고 이에 따라 생활대책대상자 선정기준을 마련하여 생활대책을 수립·실시하는 경우, 생활대책대상자 선정기준에 해당하는 자가 자신을 생활대책대상자에서 제외하거나 선정을 거부한 사업시행자를 상대로 항고소송을 제기할 수 없다.

③ 내부규정에 따라 생활대책대상자 선정기준을 마련하여 생활대책을 수립·실시하는 경우, 대법원은 이러한 생활대책은 헌법 제23조 제3항에 따른 정당한 보상에 포함되는 것이라기보다는 생활보상의 일환으로서 국가의 정책적인 배려에 의하여 마련된 제도라고 본다.

④ 「공익사업을 위한 토지 등의 취득 및 보상에 관한 법률」상 주거용 건축물 세입자의 주거이전비 보상청구권은 사법상의 권리이고, 주거이전비 보상청구소송은 민사소송에 의하여야 한다.

기출체크

① 관련기출

1. 헌법재판소는 생업의 근거를 상실하게 된 자에 대하여 일정 규모의 상업용지 또는 상가분양권 등을 공급하는 생활대책이 헌법 제23조 제3항이 규정하는 정당한 보상에 포함된다고 결정하였다. 2014 지방직 9급 (O | X)

②③ 관련기출

2. 사업시행자 스스로 공익사업의 원활한 시행을 위하여 생활대책을 수립·실시할 수 있도록 하는 내부규정을 두고 이에 따라 생활대책대상자 선정기준을 마련하여 생활대책을 수립·실시하는 경우, 생활대책대상자 선정기준에 해당하는 자기 자신을 생활대책대상자에서 제외하거나 선정을 거부한 사업시행자를 상대로 항고소송을 제기할 수 있다. 2022 군무원 9급 (O | X)

3. 사업시행자 스스로 생활대책을 수립·실시하는 경우, 이는 내부적인 기준에 불과하므로 생활대책대상자 선정기준에 해당하는 자는 사업시행자에게 생활대책대상자 선정 여부의 확인·결정을 신청할 수 있는 권리를 갖지 못한다. 2015 국회직 8급 (O | X)

4. 생활대책대상자 선정기준에 해당하는 자는 자신을 생활대책대상자에서 제외하거나 선정을 거부한 사업시행자를 상대로 항고소송을 제기할 수 있다. 2015 국회직 8급 (O | X)

④ 관련기출

5. 「공익사업을 위한 토지 등의 취득 및 보상에 관한 법률」상 적법하게 시행된 공익사업으로 인하여 이주하게 된 주거용 건축물 세입자의 주거이전비 보상청구권은 공법상의 권리이고, 주거이전비 보상청구소송은 공법상의 법률관계를 대상으로 하는 행정소송에 의하여야 한다. 2025 지방직·서울시 9급 (O | X)

6. 「공익사업을 위한 토지 등의 취득 및 보상에 관한 법률」상의 주거이전비 보상청구소송(은 공법상 당사자소송에 해당한다) 2025 해경승진 (O | X)

7. 「공익사업을 위한 토지 등의 취득 및 보상에 관한 법률」상 적법하게 시행된 공익사업으로 인하여 이주하게 된 주거용 건축물 세입자의 주거이전비 보상청구권은 공법상의 권리이고, 따라서 그 보상을 둘러싼 쟁송은 민사소송이 아니라 공법상의 법률관계를 대상으로 하는 행정소송에 의하여야 한다. 2024 지방직·서울시 9급 (O | X)

8. 「공익사업을 위한 토지 등의 취득 및 보상에 관한 법률」상 주거용 건축물 세입자의 주거이전비 보상청구권은 사법상의 권리이고, 주거이전비 보상청구소송은 민사소송에 의해야 한다. 2019 국가직 7급 (O | X)

9. 공익사업의 시행으로 인하여 이주하는 주거용 건축물의 세입자에게 인정되는 주거이전비 보상청구권은 「민법」상의 권리이다. 2010 서울시 9급 (O | X)

정답
1. × 2. O 3. × 4. O 5. O 6. O 7. O 8. × 9. ×

16

행정상 손실보상에 관한 설명으로 옳지 않은 것은? (다툼이 있는 경우 판례에 의함)

① 공법상의 제한을 받는 토지의 수용보상액을 산정함에 있어서는 그 공법상의 제한이 당해 공공사업의 시행을 직접 목적으로 하여 가하여진 경우에는 그러한 제한을 받지 아니하는 상태대로 평가하여야 한다.

② 토지에 대한 보상액은 가격시점에서의 현실적인 이용상황과 일반적인 이용방법에 의한 객관적 상황을 고려하여 산정하되, 일시적인 이용상황 및 토지소유자나 관계인이 갖는 주관적 가치 및 특별한 용도에 사용할 것을 전제로 한 경우 등은 고려하지 않는다.

③ 구 「하천법」에 의한 하천수 사용권은 「공익사업을 위한 토지 등의 취득 및 보상에 관한 법률」이 손실보상의 대상으로 규정하고 있는 '물의 사용에 관한 권리'에 해당한다.

④ 공유수면매립사업으로 인하여 수산업협동조합이 관계 법령에 의해 대상지역에서 독점적 지위가 부여되어 있던 위탁판매사업을 중단하게 된 경우, 그로 인한 위탁판매수수료 수입상실에 대하여 명문규정이 없다면 손실보상을 청구할 수 없다.

✅ 기출체크

① 관련기출

1. 공법상의 제한을 받는 토지의 수용보상액을 산정함에 있어 그 공법상의 제한이 당해 공공사업의 시행을 직접목적으로 하여 가하여진 경우에는 그러한 제한을 받는 상태 그대로 평가하여야 한다. 2025 소방간부 (○ | ×)

2. 공법상의 제한을 받는 토지의 수용보상액을 산정함에 있어서는 그 공법상 제한이 해당 공공사업의 시행을 직접목적으로 하여 가하여진 경우가 아니라면 그러한 제한을 받는 상태 그대로 평가하여야 하지만, 그와 같은 제한이 해당 공공사업의 시행 이후에 가하여진 경우라고 하면 그 제한을 받지 아니하는 상태대로 평가하여야 한다. 2025 변호사 (○ | ×)

② 관련기출

3. 토지에 대한 보상액은 가격시점에서의 현실적인 이용상황, 일반적인 이용방법에 의한 객관적 상황, 일시적인 이용상황 및 토지소유자나 관계인이 갖는 주관적 가치 및 특별한 용도에 사용할 것을 전제로 한 경우 등을 고려한다. 2020 국회직 8급 (○ | ×)

③ 관련기출

4. 「하천법」제50조에 따른 하천수 사용권은 「공익사업을 위한 토지 등의 취득 및 보상에 관한 법률」이 손실보상의 대상으로 규정하고 있는 '물의 사용에 관한 권리'에 해당한다. 2021 국가직 7급 (○ | ×)

④ 관련기출

5. 공공사업시행지구 밖에서 발생한 간접손실에 관하여 그 피해자와 사업시행자 사이에 협의가 이루어지지 아니하고, 그 보상에 관한 명문의 근거법령이 없는 경우라고 하더라도 공공사업의 시행으로 인하여 그러한 손실이 발생하리라는 것을 쉽게 예견할 수 있고, 그 손실의 범위도 구체적으로 특정할 수 있다면 그 손실보상에 관하여 관련 규정 등을 유추적용할 수 있다. 2022 소방직 9급 (○ | ×)

6. 공유수면매립으로 인하여 위탁판매수수료 수입을 상실한 수산업협동조합에 대해서는 법률의 보상규정이 없더라도 손실보상의 대상이 된다. 2021 군무원 7급 (○ | ×)

7. 공공사업 시행으로 사업시행지 밖에서 발생한 간접손실은 손실발생을 쉽게 예견할 수 있고 손실범위도 구체적으로 특정할 수 있더라도, 사업시행자와 협의가 이루어지지 않고 그 보상에 관한 명문의 근거법령이 없는 경우에는 보상의 대상이 아니다. 2019 국가직 7급 (○ | ×)

8. 수산업협동조합이 관계 법령에 의하여 대상지역에서의 독점적 지위가 부여되어 있던 위탁판매사업을 공유수면매립으로 인해 중단하게 되어 입은 위탁판매수수료 수입손실에 대하여 판례는 보상을 인정한 바 있다. 2006 국회직 8급 (○ | ×)

정답
1. × 2. × 3. × 4. ○ 5. ○ 6. ○ 7. × 8. ○

---

17 □□□

「공익사업을 위한 토지 등의 취득 및 보상에 관한 법률」상 영업손실보상에 관한 설명으로 옳지 않은 것만을 <보기>에서 모두 고른 것은? (다툼이 있는 경우 판례에 의함)

―| 보기 |―

㉮ 공익사업시행지구 밖 영업손실보상의 요건인 '공익사업의 시행으로 인한 그 밖의 부득이한 사유로 일정기간 동안 휴업이 불가피한 경우'란 공익사업의 시행 또는 시행 당시 발생한 사유로 휴업이 불가피한 경우만을 의미하는 것이 아니라 공익사업의 시행 결과, 즉 그 공익사업의 시행으로 설치되는 시설 등의 문제로 휴업이 불가피한 경우도 포함된다.

㉯ 영업손실에 관한 보상에서 영업의 폐지와 휴업의 구별기준은 영업을 다른 장소로 이전하는 것이 가능한지가 아니라 실제로 이전하였는지에 달려 있다.

㉰ 공익사업으로 인하여 영업을 폐지하거나 휴업하는 자가 「공익사업을 위한 토지 등의 취득 및 보상에 관한 법률」상 재결절차를 거치지 않은 채 사업시행자를 상대로 영업손실보상청구소송을 제기할 수는 없다.

㉱ 「공익사업을 위한 토지 등의 취득 및 보상에 관한 법률」상 공익사업에 해당하고 해당 공익사업으로 폐업하거나 휴업하게 된 것이어서 공익사업을 위한 토지 등의 취득 및 보상에 관한 법령에서 정한 영업손실보상대상에 해당하더라도, 사업인정고시가 없다면 영업손실을 보상할 의무가 없다.

① ㉮, ㉯
② ㉯, ㉰
③ ㉯, ㉱
④ ㉰, ㉱

✅ 기출체크

㉮ 관련기출

1. 공익사업시행지구 밖 영업손실보상의 요건인 '공익사업의 시행으로 인한 그 밖의 부득이한 사유로 일정 기간 동안 휴업이 불가피한 경우'란 공익사업의 시행 또는 시행 당시 발생한 사유로 휴업이 불가피한 경우만을 의미하는 것이 아니라 공익사업의 시행 결과, 즉 그 공익사업의 시행으로 설치되는 시설의 형태·구조·사용 등에 기인하여 휴업이 불가피한 경우도 포함된다. 2021 변호사 (○ | ×)

㉯ 관련기출

2. 영업손실에 관한 보상에 있어서 영업의 휴업과 폐지를 구별하는 기준은 당해 영업을 다른 장소로 실제로 이전하였는지의 여부에 달려 있는 것이 아니라, 당해 영업을 그 영업소 소재지나 인접 시·군 또는 구지역 안의 다른 장소로 이전하는 것이 가능한지의 여부에 달려 있다. 2011 경행특채 (○ | ×)

3. 영업손실에 관한 보상에 있어서 영업의 휴업과 폐지를 구별하는 기준은 당해 영업을 다른 장소로 실제로 이전하였는지의 여부에 달려 있다. 2008 지방직 7급 (○ | ×)

4. 영업의 휴업과 폐지를 구별하는 기준은 당해 영업을 그 영업소 소재지나 인접지역의 다른 장소로 이전이 가능한지의 여부에 달려 있다. 2007 대구시 9급 (O | X)

ⓓ 관련기출

5. 공익사업으로 인하여 영업을 폐지하거나 휴업하는 자는 「공익사업을 위한 토지 등의 취득 및 보상에 관한 법률」에 규정된 재결절차를 거치지 않은 채 곧바로 사업시행자를 상대로 영업손실보상을 청구할 수 있다. 2023 서울시 지적 7급 (O | X)

6. 공익사업으로 인하여 영업을 폐지하거나 휴업하는 자가 구 「공익사업을 위한 토지 등의 취득 및 보상에 관한 법률」에 규정된 재결절차를 거치지 않은 채 곧바로 사업시행자를 상대로 영업손실보상을 청구할 수 없다. 2022 군무원 9급 (O | X)

7. 공익사업으로 인하여 영업을 폐지하거나 휴업하는 자는 「공익사업을 위한 토지 등의 취득 및 보상에 관한 법률」상의 재결절차를 거치지 않은 채 곧바로 사업시행자를 상대로 손실보상을 청구하는 것은 허용되지 않는다. 2020 군무원 7급 (O | X)

㉘ 관련기출

8. 사업인정고시는 수용재결절차로 나아가 강제적인 방식으로 토지소유자나 관계인의 권리를 취득·보상하기 위한 절차적 요건에 지나지 않고 영업손실보상의 요건이 아니므로, 사업시행자가 시행하는 사업이 공익사업에 해당하고 그 사업으로 인한 폐업이 영업손실 보상대상에 해당한다면 사업인정고시가 없더라도 사업시행자는 영업손실을 보상할 의무가 있다. 2023 국가직 7급 (O | X)

9. 사업인정고시는 수용재결절차로 나아가 강제적인 방식으로 토지소유자나 관계인의 권리를 취득·보상하기 위한 요건으로서 영업손실보상청구를 위해서는 반드시 사업인정이나 수용이 전제되어야 한다. 2023 소방간부 (O | X)

정답
1. O 2. O 3. × 4. O 5. × 6. O 7. O 8. O 9. ×

18 ☐☐☐

행정상 손실보상에 관한 설명으로 옳은 것은? (다툼이 있는 경우 판례에 의함)

① 동일한 토지소유자에 속하는 일단의 토지 일부가 취득됨으로써 잔여지의 가격이 감소한 경우라도 잔여지를 종래의 목적으로 사용하는 것이 가능하다면 잔여지손실보상의 대상이 되지 못한다.

② 구 「공익사업을 위한 토지 등의 취득 및 보상에 관한 법률 시행령」제40조 제3항 제2호의 '공익사업을 위한 관계 법령에 의한 고시 등이 있은 날' 당시 주거용 건물이 아니었던 건물이 고시 이후 주거용으로 용도변경된 경우에도, 이주대책대상이 되는 주거용 건축물에 해당한다.

③ 일반공중의 이용에 제공되는 해수욕장의 백사장 일부를 관할 시의 특별한 허락 없이 어선을 양육·정박시켜 이용해 온 어선어업자들이 적법한 백사장 개발행위로 인해 백사장 이용을 제한받는 불이익은 손실보상의 대상이 되지 않는다.

④ 문화재보호구역의 확대지정이 공공사업인 택지개발사업의 시행을 직접목적으로 하여 가하여진 것이 아님이 명백하다면, 공공사업지구에 포함된 토지에 대한 수용보상액은 그 확대지정에 의한 공법상 제한을 받지 아니한 것으로 보고 평가하여야 한다.

✓ 기출체크

① 관련기출

1. 사업시행자가 동일한 토지소유자에 속하는 일단의 토지 일부를 취득함으로 인하여 잔여지의 가격이 감소하거나 그 밖의 손실이 있을 때에는 잔여지를 종래의 목적으로 사용하는 것이 가능한 경우라도 잔여지 손실보상의 대상이 된다. 2025 군무원 9급 (O | X)

2. 사업시행자가 동일한 토지소유자에 속하는 일단의 토지 일부를 취득함으로써 잔여지의 가격이 감소하거나 그 밖의 손실이 있을 때에 잔여지를 종래의 목적으로 사용할 수 있는 경우라면 잔여지손실보상의 대상이 되지 못한다. 2025 국회직 8급 (O | X)

3. 「공익사업을 위한 토지 등의 취득 및 보상에 관한 법률」상 사업시행자가 동일한 토지소유자에 속하는 일단의 토지 일부를 취득함으로 잔여지를 종래의 목적에 사용하는 것이 불가능하거나 현저히 곤란한 경우이어야만 잔여지손실보상청구를 할 수 있다. 2022 군무원 7급 (O | X)

4. 동일한 토지소유자에 속하는 일단의 토지의 일부가 취득됨으로써 잔여지의 가격이 감소한 때에는 잔여지를 종래의 목적으로 사용하는 것이 가능한 경우라도 그 잔여지는 손실보상의 대상이 된다. 2019 지방직 7급 (O | X)

② 관련기출

5. '공익사업을 위한 관계 법령에 의한 고시 등이 있은 날' 당시 주거용 건물이 아니었던 건물이 그 이후에 주거용으로 불법용도변경된 경우에도 이주대책대상이 되는 주거용 건축물이 될 수 있다. 2011 사회복지직 9급 (O | X)

③ 관련기출

6. 일반공중의 이용에 제공되는 공공용물을 허가나 특허 없이 일반사용하고 있던 자가 당해 공공용물에 관한 적법한 개발행위로 인하여 종전에 비하여 그 일반사용이 제한을 받게 되었다면 그로 인한 불이익은 특별한 사정이 없는 한 손실보상의 대상이 된다. 2024 소방간부
(○ | ×)

7. 일반공중의 이용에 제공되는 해수욕장의 백사장 일부를 관할 시의 특별한 허락 없이 어선을 양육·정박시켜 이용해 온 어선어업자들이 적법한 백사장 개발행위로 인해 백사장 이용을 제한받는 불이익은 손실보상의 대상이 되는 특별한 손실에 해당하지 않는다. 2023 변호사
(○ | ×)

8. 공공용물에 관하여 적법한 개발행위 등이 이루어져 일정 범위의 사람들의 일반사용이 종전에 비하여 제한받게 되었다 하더라도 특별한 사정이 없는 한 이는 특별한 손실에 해당한다고 할 수 없다.
2018 서울시 9급
(○ | ×)

9. 공공용물에 관하여 적법한 개발행위 등이 이루어짐으로 말미암아 이에 대한 일정 범위의 사람들의 일반사용이 종전에 비하여 제한받게 되었다면, 특별한 사정이 없는 한 그로 인한 불이익은 손실보상의 대상이 되는 특별한 손실에 해당한다. 2016 경행경채 (○ | ×)

10. 공공용물에 대한 일반사용은 다른 개인의 자유이용과 국가 또는 지방자치단체 등의 공공목적을 위한 개발 또는 관리·보존행위를 방해하지 않는 범위 내에서만 허용된다 할 것이므로, 적법한 개발행위 등이 이루어짐으로 말미암아 발생한 불이익은 특별한 사정이 없는 한 손실보상의 대상이 되는 특별한 손실에 해당한다고 할 수 없다.
2016 서울시 7급
(○ | ×)

④ 관련기출

11. 문화재보호구역의 확대지정이 당해 공공사업인 택지개발사업의 시행을 직접 목적으로 하여 가하여진 것이 아님이 명백하다면, 토지의 수용보상액은 그러한 공법상 제한을 받는 상태대로 평가하여야 한다. 2020 경행경채
(○ | ×)

12. 문화재보호구역의 확대지정이 공공사업인 택지개발사업의 시행을 직접목적으로 하여 가하여진 것이 아님이 명백한 이상, 문화재보호구역의 확대지정이 당해 공공사업의 시행 이후에 행해진 경우라 하더라도, 공공사업지구에 포함된 토지에 대한 수용보상액은 문화재보호구역의 확대지정에 의한 공법상 제한을 받지 아니한 것으로 보고 평가하여야 한다. 2018 지방직 7급
(○ | ×)

정답
1. ○ 2. × 3. × 4. ○ 5. × 6. × 7. ○ 8. ○ 9. × 10. ○
11. ○ 12. ×

19

행정상 손실보상에 관한 설명으로 옳은 것만을 <보기>에서 모두 고른 것은? (다툼이 있는 경우 판례에 의함)

보기

㉮ 「공익사업을 위한 토지 등의 취득 및 보상에 관한 법률」에 따르면 동일한 소유자에게 속하는 일단의 토지 일부가 협의에 의하여 매수되거나 수용됨으로 인하여 잔여지를 종래의 목적에 사용하는 것이 현저히 곤란할 때에는 해당 토지소유자는 사업시행자에게 잔여지를 매수하여 줄 것을 청구할 수 있으며, 사업인정 이후에는 관할 토지수용위원회에 수용을 청구할 수 있다.

㉯ 구 「공익사업을 위한 토지 등의 취득 및 보상에 관한 법률」에 의한 잔여지수용청구를 받아들이지 않은 토지수용위원회의 재결에 대하여 토지소유자는 항고소송으로 다툴 수 있다.

㉰ 「공익사업을 위한 토지 등의 취득 및 보상에 관한 법률」상 보상의 대상이 되는 자는 공익사업에 필요한 토지의 소유자 및 관계인인바, 여기의 관계인에는 수거·철거권 등 실질적 처분권을 가지는 자도 포함된다.

㉱ 「공익사업을 위한 토지 등의 취득 및 보상에 관한 법률」에 의한 보상합의는 공법상 계약의 실질을 가지는 것이다.

① ㉮, ㉯   ② ㉮, ㉰
③ ㉯, ㉱   ④ ㉰, ㉱

기출체크

㉮ 관련기출

1. 동일한 소유자에게 속하는 일단의 토지의 일부가 협의에 의하여 매수되거나 수용됨으로 인하여 잔여지를 종래의 목적에 사용하는 것이 현저히 곤란할 때에는 해당 토지소유자는 사업시행자에게 잔여지를 매수하여 줄 것을 청구할 수 있으며, 사업인정 이후에는 관할 토지수용위원회에 수용을 청구할 수 있고, 이 경우 수용의 청구는 매수에 관한 협의가 성립되지 아니한 경우에만 할 수 있으며 사업완료일까지 하여야 한다. 2023 지방직·서울시 7급
(○ | ×)

2. 토지소유자가 사업시행자에게 잔여지매수청구의 의사표시를 하였다면, 그 의사표시는 특별한 사정이 없는 한 관할 토지수용위원회에 한 잔여지수용청구의 의사표시로 볼 수 있다. 2019 지방직 7급 (○ | ×)

3. 「공익사업을 위한 토지 등의 취득 및 보상에 관한 법률」상의 잔여지수용청구는 매수에 관한 협의가 성립되지 아니한 경우에만 할 수 있으며, 사업완료일까지 하여야 한다. 2019 소방직 9급 변형 (○ | ×)

4. 잔여지수용청구는 당해 공익사업의 공사완료일까지 해야 하지만, 토지소유자가 그 기간 내에 잔여지수용청구권을 행사하지 않았더라도 그 권리가 소멸하는 것은 아니다. 2019 지방직 7급
(○ | ×)

㈏ 관련기출

5. 잔여지수용청구를 받아들이지 않은 토지수용위원회의 재결에 대하여 토지소유자가 불복하여 제기하는 소송은 보상금의 증감에 관한 소송에 해당하여 사업시행자를 피고로 하여야 한다. 2023 서울시 지적 7급 (O | X)

6. 토지보상법에 의한 보상금증감청구소송은 보상금의 증액 또는 감액 청구에 관한 소송이므로 잔여지수용청구를 거절한 재결에 불복하는 소송은 '보상금의 증감에 관한 소송'에 해당되지 아니한다. 2023 지방직·서울시 7급 (O | X)

7. 「공익사업을 위한 토지 등의 취득 및 보상에 관한 법률」상 잔여지수용청구를 받아들이지 않은 토지수용위원회의 재결에 대하여 토지소유자가 불복하여 제기하는 소송은 항고소송에 해당하여 토지수용위원회를 피고로 하여야 한다. 2020 군무원 7급 (O | X)

8. 「공익사업을 위한 토지 등의 취득 및 보상에 관한 법률」에 의한 잔여지수용청구를 받아들이지 않은 토지수용위원회의 재결에 대하여 토지소유자가 불복하여 제기하는 소송은 항고소송에 해당한다. 2019 지방직·교육행정직 9급 (O | X)

9. 「공익사업을 위한 토지 등의 취득 및 보상에 관한 법률」상 잔여지수용청구권은 형성권적 성질을 가지므로, 잔여지수용청구를 받아들이지 않은 재결에 대하여 토지소유자가 불복하여 제기하는 소송은 보상금증감청구소송에 해당한다. 2017 지방직(하) 9급 (O | X)

㈐ 관련기출

10. 「공익사업을 위한 토지 등의 취득 및 보상에 관한 법률」상 보상대상이 되는 '기타 토지에 정착한 물건에 대한 소유권 그 밖의 권리를 가진 관계인'에는 수거·철거권 등 실질적인 처분권을 가진 자도 포함된다. 2023 해경간부 (O | X)

㈑ 관련기출

11. 「공익사업을 위한 토지 등의 취득 및 보상에 관한 법률」에 의한 보상을 하면서 손실보상금에 관한 당사자 간의 합의가 성립한 경우, 그 보상합의는 공공기관이 사경제주체로서 행하는 사법상 계약의 실질을 가진다. 2024 지방직·서울시 7급 (O | X)

12. 「공익사업을 위한 토지 등의 취득 및 보상에 관한 법률」에 의한 보상합의는 공공기관이 사경제주체로서 행하는 사법상 계약의 실질을 가진다. 2024 국회직 9급 (O | X)

정답
1. O 2. X 3. O 4. X 5. O 6. X 7. X 8. X 9. O 10. O
11. O 12. O

20 □□□

「공익사업을 위한 토지 등의 취득 및 보상에 관한 법률」상 손실보상의 원칙에 관한 설명으로 옳은 것만을 <보기>에서 모두 고른 것은?

─ 보기 ─

㉮ 공익사업에 필요한 토지 등의 취득 또는 사용으로 인하여 토지소유자나 관계인이 입은 손실은 토지수용위원회가 보상하여야 한다.

㉯ 손실보상의 지급에서는 물건별 보상이 아니라 개인별 보상의 원칙이 적용된다.

㉰ 손실보상은 원칙적으로 토지 등의 현물로 보상하여야 함이 원칙이다.

㉱ 동일한 사업지역에 보상시기를 달리하는 동일인 소유의 토지 등이 여러 개 있는 경우 토지소유자나 관계인이 요구할 때에는 한꺼번에 보상금을 지급하도록 하여야 한다.

㉲ 사업시행자는 동일한 소유자에게 속하는 일단의 토지의 일부를 취득하거나 사용하는 경우 해당 공익사업의 시행으로 인하여 잔여지의 가격이 증가하거나 그 밖의 이익이 발생한 경우 그 이익을 그 취득 또는 사용으로 인한 손실과 상계할 수 있다.

① ㉮, ㉰
② ㉯, ㉱
③ ㉮, ㉱, ㉲
④ ㉯, ㉰, ㉲

✓ 기출체크

㉮ 관련기출

1. 「공익사업을 위한 토지 등의 취득 및 보상에 관한 법률」에 따라 공익사업에 필요한 토지 등의 취득 또는 사용으로 인하여 토지소유자나 관계인이 입은 손실은 사업시행자가 보상하여야 한다. 이때 보상은 해당 공익사업을 위한 공사에 착수하기 이전에 이루어지며, 다른 특별한 규정이 없는 한 현금지급을 원칙으로 한다. 2024 소방직 9급 (O | X)

2. 공익사업에 필요한 토지 등의 취득 및 사용으로 인하여 토지소유자나 관계인이 입은 손실은 사업시행자가 보상하여야 한다. 2022 서울시 지적 7급 (O | X)

㉯ 관련기출

3. 「공익사업을 위한 토지 등의 취득 및 보상에 관한 법률」에 따른 보상은 토지소유자나 관계인 개인별로 하는 것이 아니라 수용 또는 사용의 대상이 되는 물건별로 행해지는 것이다. 2021 국가직 7급 (O | X)

4. 손실보상은 토지소유자나 관계인에게 개인별로 하여야 한다. 다만, 개인별로 보상액을 산정할 수 없을 때에는 그러하지 아니하다. 2020 국회직 8급 (O | X)

5. 「공익사업을 위한 토지 등의 취득 및 보상에 관한 법률」상 손실보상 지급원칙으로 가장 적절하지 않은 것은? 2014 경행특채 2차
① 물건별 보상의 원칙
② 사업시행자 보상의 원칙
③ 사전보상의 원칙
④ 현금보상의 원칙

6. 손실보상의 지급에서는 개인별 보상의 원칙이 적용된다.
2012 국가직 9급 (O | X)

㉓ 관련기출

7. 「공익사업을 위한 토지 등의 취득 및 보상에 관한 법률」에 따른 손실보상은 원칙적으로 토지 등의 현물로 보상하여야 한다. 2022 해경간부 (O | X)

8. 「공익사업을 위한 토지 등의 취득 및 보상에 관한 법률」상 손실보상은 원칙적으로 토지 등의 현물로 보상하여야 하고, 현금으로 지급하는 것은 다른 법률에 특별한 규정이 있는 경우에 예외적으로 허용된다.
2017 국가직(하) 9급 (O | X)

9. 「공익사업을 위한 토지 등의 취득 및 보상에 관한 법률」에 의할 때 보상금지급의 원칙으로 옳지 않은 것은? 2007 국가직 9급
 ① 현물보상의 원칙 ② 개인별 보상의 원칙
 ③ 사전보상의 원칙 ④ 사업시행자 보상의 원칙

㉔ 관련기출

10. 사업시행자는 동일한 사업지역에 보상시기를 달리하는 동일인 소유의 토지 등이 여러 개가 있는 경우 토지 등의 소유자가 일괄보상을 요구하더라도 「공익사업을 위한 토지 등의 취득 및 보상에 관한 법률」에 따라 단계적으로 보상금을 지급하여야 한다. 2023 국가직 9급 (O | X)

11. 사업시행자는 동일한 사업지역에 보상시기를 달리하는 동일인 소유의 토지 등이 여러 개 있는 경우 토지소유자나 관계인이 요구할 때에는 한꺼번에 보상금을 지급하도록 하여야 한다. 2022 서울시 지적 7급 (O | X)

12. 동일한 사업지역에 보상시기를 달리하는 동일인 소유의 토지 등이 여러 개 있는 경우 토지소유자나 관계인이 요구할 때에는 한꺼번에 보상금을 지급하도록 하여야 한다. 2017 서울시 9급 (O | X)

㉕ 관련기출

13. 사업시행자는 동일한 소유자에게 속하는 일단의 토지의 일부를 취득하거나 사용하는 경우 해당 공익사업의 시행으로 인하여 잔여지의 가격이 증가하거나 그 밖의 이익이 발생한 경우 그 이익을 그 취득 또는 사용으로 인한 손실과 상계할 수 있다. 2022 서울시 지적 7급 (O | X)

14. 사업시행자는 동일한 소유자에게 속하는 일단의 토지의 일부를 취득하는 경우 해당 공익사업의 시행으로 인하여 잔여지의 가격이 증가한 경우 그 이익을 그 취득으로 인한 손실과 상계한다. 2022 국회직 8급 (O | X)

15. 사업시행자는 동일한 소유자에게 속하는 일단의 토지의 일부를 취득하거나 사용하는 경우, 해당 공익사업의 시행으로 인하여 잔여지의 가격이 증가하거나 그 밖의 이익이 발생한 경우에도 그 이익을 취득 또는 사용으로 인한 손실과 상계할 수 없다. 2020 국회직 8급 (O | X)

정답
1. O 2. O 3. × 4. O 5. ① 6. O 7. × 8. × 9. ① 10. ×
11. O 12. O 13. × 14. × 15. O

21 □□□

사업인정에 관한 설명으로 옳지 않은 것은? (다툼이 있는 경우 판례에 의함)

① 「공익사업을 위한 토지 등의 취득 및 보상에 관한 법률」의 규정에 의한 사업인정처분은 공익사업을 토지 등을 수용 또는 사용할 사업으로 결정하는 것으로서 단순한 확인행위로 볼 수는 없고 형성행위에 해당한다.
② 사업시행자에게 해당 공익사업을 수행할 의사와 능력이 있어야 한다는 것도 사업인정의 한 요건이라고 보아야 한다.
③ 사업시행자가 사업인정고시가 된 날부터 1년 이내에 재결신청을 하지 아니한 경우에는 사업인정고시가 된 날부터 1년이 되는 날의 다음 날에 사업인정은 그 효력을 상실한다.
④ 사업인정과 수용재결 사이에는 하자가 승계되는 것이 원칙이다.

✅ 기출체크

①② 관련기출

1. 「공익사업을 위한 토지 등의 취득 및 보상에 관한 법률」의 규정에 의한 사업인정처분은 공익사업을 토지 등을 수용 또는 사용할 사업으로 결정하는 것으로서 단순한 확인행위가 아니라 형성행위이다.
2024 지방직·서울시 7급 (O | X)

2. 사업인정은 공익사업의 시행자에게 일정한 절차를 거칠 것을 조건으로 일정한 내용의 수용권을 설정하여 주는 형성행위이며, 사업시행자에게 해당 공익사업을 수행할 의사와 능력이 있어야 한다는 것도 사업인정의 한 요건이 된다. 2023 국가직 7급 (O | X)

3. 사업인정은 공익사업의 시행자에게 그 후 일정한 절차를 거칠 것을 조건으로 일정한 내용의 수용권을 설정하여 주는 형성행위이다.
2023 지방직·서울시 9급 (O | X)

4. 사업시행자에게 해당 공익사업을 수행할 의사와 능력이 있는지 여부는 사업인정의 요건이 아니다. 2018 행정사 (O | X)

5. 사업인정은 특정한 사업이 공용수용을 할 만한 공익사업에 해당함을 인정하는 국가의 행위로서 그 성질은 확인행위가 아니라 형성행위이다.
2010 국회직 8급 (O | X)

③ 관련기출

6. 토지소유자 및 이해관계인과 협의가 성립되지 아니한 경우에 사업시행자가 사업인정의 고시가 된 날부터 1년 이내에 수용재결을 신청하지 아니하면 그 사업인정고시가 된 날부터 1년이 되는 날의 다음 날에 그 사업인정은 효력을 상실한다. 2014 국가직 7급 (O | X)

④ 관련기출

7. 사업인정을 함에 있어 수용할 토지의 세목을 공시하는 절차를 누락한 경우 이러한 위법을 들어 수용재결처분의 취소를 구할 수 있다.
2026 경찰간부 (O | X)

8. 사업인정처분이 당연무효이더라도 그것이 유효함을 전제로 이루어진 수용재결이 무효가 되는 것이 아니다. 2025 행정사 (O | X)

9. 토지보상법에 따른 국토교통부장관의 사업인정에 취소사유의 하자가 있다고 하더라도 甲은 제소기간이 도과한 사업인정의 위법을 이유로 수용재결의 취소를 구하는 행정소송을 제기할 수 없다. 2024 변호사 (O | X)

10. 사업인정에 불가쟁력이 발생한 경우 당연무효가 아닌 한 사업인정의 하자를 이유로 수용재결의 취소를 구할 수 없다. 2024 행정사 (○ | ×)
11. 「공익사업을 위한 토지 등의 취득 및 보상에 관한 법률」에 따른 사업인정처분이 당연무효이면 그것이 유효함을 전제로 이루어진 수용재결도 무효라고 보아야 한다. 2024 지방직·서울시 7급 (○ | ×)

정답
1. ○ 2. ○ 3. ○ 4. × 5. ○ 6. ○ 7. × 8. × 9. ○ 10. ○
11. ○

22 □□□

손실보상에 관한 설명으로 옳지 않은 것은? (다툼이 있는 경우 판례에 의함)

① 토지소유자 등이 손실보상대상에 해당한다며 보상을 요구하는데도 사업시행자가 손실보상대상에 해당하지 않는다며 보상대상에서 제외한 채 협의를 하지 않아 결국 협의가 성립하지 않은 경우 역시 「공익사업을 위한 토지 등의 취득 및 보상에 관한 법률」 제30조 제1항에서 정한 '협의가 성립되지 아니한 때'에 해당하므로 토지소유자 등은 재결신청을 청구할 수 있다.

② 토지수용위원회는 사업시행자, 토지소유자 또는 관계인이 신청한 범위에서 재결하여야 하고, 손실보상의 신청범위와 관계없이 손실보상의 증액재결을 할 수 없다.

③ 토지수용위원회의 수용재결이 있은 후 토지소유자 등과 사업시행자가 다시 협의하여 토지 등의 취득이나 사용 및 그에 대한 보상에 관하여 임의로 계약을 체결할 수 있다.

④ 재결에 계산상 또는 기재상의 잘못이나 그 밖에 이와 비슷한 잘못이 있는 것이 명백할 때에는 토지수용위원회는 직권으로 또는 당사자의 신청에 의하여 경정재결을 할 수 있다.

✓ 기출체크

① 관련기출
1. 토지소유자 등이 손실보상대상에 해당한다고 주장하며 보상을 요구하는데도 사업시행자가 손실보상대상에 해당하지 아니한다며 보상대상에서 이를 제외한 채 협의를 하지 않아 결국 협의가 성립하지 않은 경우, 토지소유자 등에게는 재결신청청구권이 인정된다. 2022 지방직·서울시 7급 (○ | ×)

② 관련기출
2. 토지수용위원회는 손실보상의 신청범위와 관계없이 손실보상의 증액재결을 할 수 없다. 2011 국가직 9급 (○ | ×)

③ 관련기출
3. 토지수용위원회의 수용재결이 있었던 후라면, 토지소유자와 사업시행자는 다시 협의하여 임의로 계약을 체결할 수 없다. 2025 군무원 9급 (○ | ×)
4. 토지수용위원회의 수용재결이 있은 후라고 하더라도 토지소유자와 사업시행자가 다시 협의하여 토지 등의 취득·사용 및 그에 대한 보상에 관하여 임의로 계약을 체결할 수 있다. 2024 소방간부 (○ | ×)
5. 토지수용위원회의 수용재결이 있은 후에는 토지소유자 등과 사업시행자가 다시 협의하여 토지 등의 취득이나 사용 및 그에 대한 보상에 관하여 임의로 계약을 체결할 수 없다. 2022 지방직·서울시 7급 (○ | ×)

④ 관련기출
6. 재결에 계산상 또는 기재상의 잘못이 있는 것이 명백할 때에는 토지수용위원회는 직권으로 또는 당사자의 신청에 의하여 경정재결을 할 수 있다. 2025 국가직 9급 (○ | ×)

정답
1. ○ 2. × 3. × 4. ○ 5. × 6. ○

23 □□□

사례에 관한 설명으로 옳지 않은 것만을 <보기>에서 모두 고른 것은? (다툼이 있는 경우 판례에 의함)

한국토지주택공사는 2025년 경기도 성남시 일대에 대한 택지개발사업을 시행함에 있어 그 사업지역 내에 있는 3,000m²를 위 사업시행을 위한 수용대상 토지로 결정·고시하였으며, 이에 따라 위 토지의 지상에 건립되어 있는 甲의 가옥이 지장물로서 철거대상이 되었다. 동 공사는 지장물철거에 따른 손실보상으로서 철거대상 건물의 사실상 소유자를 대상으로 그가 무주택자일 경우에 한해 「공익사업을 위한 토지 등의 취득 및 보상에 관한 법률」상 동 공사가 건축하여 분양한 아파트의 특별분양권을 부여하기로 하는 내용의 이주대책을 수립하여 실시하게 되었다.

┤ 보기 ├

㉮ 이주대책은 헌법 제23조 제3항에 규정된 정당한 보상에 포함되는 것이 아니라 생활보상의 일환으로서 국가의 정책적인 배려에 의하여 마련된 제도이다.

㉯ 헌법재판소에 따르면, 이주대책의 실시 여부는 입법자의 입법정책적 재량의 영역에 속하는 것이라고 볼 수 없으므로, 구 「공익사업을 위한 토지 등의 취득 및 보상에 관한 법률 시행령」 제40조 제3항 제3호가 이주대책의 대상자에서 세입자를 제외하고 있는 것은 세입자의 재산권을 침해한다.

㉰ 사업시행자의 이주대책 수립·실시의무를 정하고 있는 「공익사업을 위한 토지 등의 취득 및 보상에 관한 법률」상 규정은 당사자의 합의 또는 사업시행자의 재량에 의하여 적용을 배제할 수 있는 임의규정이다.

㉱ 사업시행자는 법령상 정해진 것을 제외하고는 이주대책의 내용결정에 있어서 재량권을 가진다.

㉲ 구 「공공용지의 취득 및 손실보상에 관한 특례법」 제8조 제1항(현 「공익사업을 위한 토지 등의 취득 및 보상에 관한 법률」 제78조)에 의하여 이주자에게 이주대책상의 택지분양권이나 아파트입주권 등을 받을 수 있는 구체적인 권리(수분양권)가 직접 발생하는 것이 아니라 사업시행자가 이주대책대상자로 확인·결정하여야만 비로소 구체적인 수분양권이 발생하게 된다.

① ㉯, ㉰
② ㉮, ㉰, ㉲
③ ㉯, ㉱, ㉲
④ ㉮, ㉯, ㉱, ㉲

관련기출

15. 구 「공공용지의 취득 및 손실보상에 관한 특례법」상 사업시행자가 이주대책을 수립하여 이주대책에서 정한 절차에 따라 이주대책대상자로 확인·결정하여야만 이주자에게 비로소 구체적인 수분양권이 발생한다. 2024 소방간부 (O | X)

16. 법률이 사업시행자에게 이주대책의 수립·실시의무를 부과하고 있다고 하여 그 규정만으로 이주자에게 수분양권이 직접 발생하는 것은 아니다. 2023 경찰간부 (O | X)

17. 사업시행자가 이주대책에 관한 구체적인 계획을 수립하여 이를 해당자에게 통지 내지 공고하게 되면 이주대책대상자에게 구체적인 수분양권이 발생하게 된다. 2021 국회직 8급 (O | X)

18. 이주대책은 이른바 생활보상에 해당하는 것으로서 헌법 제23조 제3항이 규정하는 손실보상의 한 형태로 보아야 하므로, 법률이 사업시행자에게 이주대책의 수립·실시의무를 부과하였다면 이로부터 사업시행자가 수립한 이주대책상의 택지분양권 등의 구체적 권리가 이주자에게 직접 발생한다. 2019 국가직 7급 (O | X)

19. 이주대책은 생활보상의 한 내용이므로 이주대책이 수립되면 이주자들에게는 구체적인 권리가 발생하며, 사업시행자의 확인·결정이 있어야만 구체적인 수분양권이 발생하는 것은 아니다. 2016 국가직 7급 (O | X)

정답
1. × 2. ○ 3. ○ 4. ○ 5. ○ 6. ○ 7. × 8. ○ 9. × 10. ○
11. ○ 12. ○ 13. ○ 14. × 15. ○ 16. ○ 17. × 18. × 19. ×

24 □□□

사례에 관한 설명으로 옳지 <u>않은</u> 것만을 <보기>에서 모두 고른 것은? (다툼이 있는 경우 판례에 의함)

> 김포시는 국토교통부장관으로부터 택지개발사업에 관해 2025년 5월 11일 사업인정을 받고 그 구역 내에 토지를 소유하고 있는 자들과 매수를 위한 협의를 개시하였다. 그런데 그중 甲, 乙과의 협의가 결렬되자 관할 토지수용위원회인 경기도 토지수용위원회에 수용재결을 신청하였다. 이에 경기도 토지수용위원회는 甲에 대해서는 수용면적을 10,000m² 보상금을 1억원으로, 乙에 대해서는 수용면적을 8,000m² 보상금을 7,000만원으로 하는 재결을 하였다. 그런데 甲은 수용면적에 대해 불만이 있으며 乙은 보상금에 대해 불만이 있는 상황이다.

─ 보기 ─

Ⅰ. 甲의 경우
㉮ 甲은 중앙토지수용위원회에 이의재결을 신청할 수 있고 곧바로 경기도 토지수용위원회의 재결에 대해 취소소송을 제기할 수도 있다.
㉯ 甲이 이의재결을 거쳐 취소소송을 제기하는 경우 사업의 진행 및 토지의 수용 또는 사용은 정지된다.
㉰ 甲이 이의재결을 거쳐 취소소송을 제기하는 경우 원칙적으로 이의재결을 한 중앙토지수용위원회가 피고가 된다.

Ⅱ. 乙의 경우
㉱ 乙이 토지보상금이 너무 적다는 이유로 이를 다투는 경우, 乙은 관할 토지수용위원회를 상대로 보상금증액소송을 제기하여야 하는데 이러한 소송을 이른바 형식적 당사자소송이라고 한다.
㉲ 乙이 보상금증액소송을 제기하는 경우 수용재결서를 받은 날부터 90일 이내에, 이의신청을 거쳤을 때에는 이의신청에 대한 재결서를 받은 날부터 60일 이내에 제기할 수 있다.

① ㉮, ㉯, ㉰
② ㉮, ㉯, ㉲
③ ㉯, ㉰, ㉱
④ ㉰, ㉱, ㉲

✓ 기출체크

㉮ 관련기출

1. 수용재결에 대하여 불복하는 경우 이의재결을 거치지 아니하면 취소소송을 제기할 수 없다. 2023 군무원 7급 (○ | ×)

2. 다음 사례에 대한 설명으로 옳은 것은? (다툼이 있는 경우 판례에 의함) 2022 국가직 7급

> 경기도 A군수는 개발촉진지구에서 시행되는 지역개발사업의 시행자로 B를 지정·고시하고 실시계획을 승인·고시하였다. B는 개발사업구역에 편입된 甲 소유 토지에 관하여 「공익사업을 위한 토지 등의 취득 및 보상에 관한 법률」에 따라 甲과 협의를 하였으나 협의가 이루어지지 아니하자 경기도 지방토지수용위원회에 위 토지에 대한 수용재결신청을 하여 수용재결서 정본을 송달받았다.

① 甲은 수용재결에 불복할 때에는 그 재결서를 받은 날부터 60일 이내에, 이의신청을 거쳤을 때에는 이의신청에 대한 재결서를 받은 날부터 30일 이내에 각각 행정소송을 제기하여야 한다.
② 甲이 수용재결에 이의가 있을 경우 경기도 지방토지수용위원회를 거쳐 중앙토지수용위원회에 이의를 신청할 수 있다.
③ 甲이 수용재결에 대하여 중앙토지수용위원회의 이의재결을 거친 후 취소소송을 제기할 경우, 이의재결에 고유한 위법이 없는 경우에도 중앙토지수용위원회를 피고로 하여 수용재결의 취소를 구하여야 한다.
④ 甲이 보상금의 증액청구를 하고자 하는 경우에는 경기도 지방토지수용위원회를 피고로 하여 당사자소송을 제기하여야 한다.

3. 수용재결에 대해 취소소송으로 다투기 위해서는 중앙토지수용위원회의 이의재결을 거쳐야 한다. 2022 국가직 9급 (○ | ×)

4. (甲의 토지는 공익사업의 대상지역으로 「공익사업을 위한 토지 등의 취득 및 보상에 관한 법률」에 따라 사업인정절차를 거쳐 甲의 토지에 대한 수용재결이 있었다) 甲이 수용재결에 대해 항고소송으로 다투려면 우선적으로 이의재결을 거쳐야만 한다. 2016 서울시 7급 (○ | ×)

5. 중앙토지수용위원회의 재결에 이의가 있는 자는 중앙토지수용위원회에, 지방토지수용위원회의 재결에 이의가 있는 자는 해당 지방토지수용위원회를 거쳐 중앙토지수용위원회에 이의를 신청할 수 있다. 2015 국회직 8급 (○ | ×)

㉯ 관련기출

6. 토지수용위원회의 재결에 대한 토지소유자의 행정소송제기는 사업의 진행 및 토지의 수용 또는 사용을 정지시키지 아니한다. 2025 해경승진 (○ | ×)

7. (건설회사 A는 택지개발사업을 위해 관련 법령에 따른 절차를 거쳐 甲 소유의 토지 등을 취득하고자 甲과 보상에 관한 협의를 하였으나 협의가 성립되지 않았다. 이에 관할 지방토지수용위원회에 재결을 신청하여 토지의 수용 및 보상금에 대한 수용재결을 받았다) 甲이 수용재결에 대하여 이의신청을 제기하면 사업의 진행 및 토지의 수용 또는 사용을 정지시키는 효력이 있다. 2022 국가직 9급 (○ | ×)

8. 수용재결에 대한 취소소송의 제기는 사업의 진행 및 토지의 수용 또는 사용을 정지시키지 아니한다. 2021 행정사 (○ | ×)

㉰ 관련기출

9. 수용재결에 불복하여 취소소송을 제기하는 때에는 이의신청을 거친 경우에는 이의재결을 한 중앙토지수용위원회를 피고로 하여 이의재결의 취소를 구해야 함이 원칙이다. 2023 군무원 5급 (○ | ×)

10. 수용재결에 불복하여 취소소송을 제기하는 때에는 이의신청을 거친 경우에도 수용재결을 한 중앙토지수용위원회 또는 지방토지수용위원회를 피고로 하여 수용재결의 취소를 구하여야 한다. 2023 군무원 9급 (○ | ×)

11. 이의신청을 거쳐 중앙토지수용위원회에서 이의재결이 내려진 경우 취소소송의 대상은 이의재결이고, 수용재결을 취소소송의 대상으로 할 수 없다. 2023 군무원 7급 (○ | ×)

12. 지방토지수용위원회의 재결에 대하여 이의를 신청하여 중앙토지수용위원회의 재결을 받은 자가 재결의 취소소송을 제기하려면 중앙토지수용위원회의 이의재결을 대상으로 하여야 한다. 2023 국회직 8급 (○ | ×)

13. 수용재결에 불복하여 취소소송을 제기하는 때에는 이의신청을 거친 경우에도 이의신청에 대한 재결 자체에 고유한 위법이 없는 한 수용재결을 한 중앙토지수용위원회 또는 지방토지수용위원회를 피고로 하여 수용재결의 취소를 구하여야 한다. 2022 소방직 9급 (○ | ×)

㉱ 관련기출

14. 토지소유자가 제기하는 행정소송이 보상금의 증감에 관한 소송인 경우 사업시행자를 피고로 한다. 2024 국가직 7급 (○ | ×)

15. 보상금증감에 관한 행정소송의 경우 그 소송을 제기하는 자가 토지소유자일 때에는 사업시행자와 관할 토지수용위원회를, 사업시행자일 때에는 토지소유자와 관할 토지수용위원회를 각각 피고로 한다. 2024 지방직·서울시 7급 (○ | ×)

16. 「공익사업을 위한 토지 등의 취득 및 보상에 관한 법률」상 보상금의 증감에 관한 소송은 이른바 형식적 당사자소송이다. 2023 서울시 연구사 (○ | ×)

17. 수용재결에 불복하여 제기하는 행정소송이 보상금의 증감에 관한 소송인 경우 그 소송을 제기하는 자가 토지소유자 또는 관계인일 때에는 사업시행자를, 사업시행자일 때에는 토지소유자 또는 관계인을 각각 피고로 한다. 2023 군무원 5급 (○ | ×)

18. 「공익사업을 위한 토지 등의 취득 및 보상에 관한 법률」상 보상금증액소송은 처분청인 토지수용위원회를 피고로 한다. 2021 국가직 7급 (○ | ×)

㉲ 관련기출

19. 「공익사업을 위한 토지 등의 취득 및 보상에 관한 법률」에 의한 보상금증감에 관한 소송은 수용재결서를 받은 날부터 90일 이내에, 이의신청을 거쳤을 때에는 이의신청에 대한 재결서를 받은 날부터 60일 이내에 각각 행정소송을 제기할 수 있다. 2023 군무원 9급 (○ | ×)

20. 보상금증감청구소송의 제기기간은 이의신청을 거친 경우 이의신청에 대한 재결서를 받은 날부터 60일 이내이다. 2021 행정사 (○ | ×)

> **정답**
> 1. × 2. ② 3. × 4. × 5. ○ 6. ○ 7. × 8. ○ 9. × 10. ○
> 11. × 12. × 13. ○ 14. ○ 15. × 16. ○ 17. ○ 18. × 19. ○ 20. ○

25

사례에 관한 설명으로 옳은 것은? (다툼이 있는 경우 판례에 의함)

> 甲은 술에 취한 상태에서 새벽에 술집에서 난동을 부리다가 긴급출동한 동작경찰서 경찰관에게 연행되어 동작경찰서에 구금되었고 이러한 난동 당시 甲이 휘두른 골프채는 동작경찰서에 임시영치되었다. 甲은 술이 깬 다음 날 새벽에 훈방되어 귀가조치가 되었으나 甲의 골프채는 영치 후 2주가 지나도록 반환되지 않고 있는 상황이다(「경찰관 직무집행법」에 따르면 임시영치는 10일을 초과할 수 없다).

① 甲이 행정주체에게 골프채를 돌려 달라고 요구할 수 있는 권리의 대상은 가해행위와 상당인과관계가 있는 손해이며, 행정주체에게 원상회복이 기대 가능한 것이어야 한다.
② 甲이 골프채를 돌려달라고 요구할 수 있는 권리가 성립하기 위해서는 가해행위의 위법 및 가해자의 과실이 있어야 한다.
③ 만약 甲이 행정주체에게 골프채를 돌려 달라고 요구할 수 있는 권리가 인정된다면 이를 소송상 주장하는 경우 공법상 당사자소송을 제기하여야 한다는 것이 일반적 견해이다.
④ 이른바 과실상계에 관한 규정은, 甲이 행정주체에게 골프채를 돌려 달라고 요구할 수 있는 권리와 같은 성질의 권리를 행사할 때에는 유추적용될 수 없다.

✓ 기출체크

① 관련기출
1. 공법상 결과제거청구권의 대상은 가해행위와 상당인과관계가 있는 손해이다. 2021 군무원 9급 (O | X)
2. 원상회복이 행정주체에게 기대가능한 것이어야 한다. 2021 군무원 9급 (O | X)
3. 공법상 결과제거청구권은 공행정작용의 직접적인 결과만을 그 대상으로 한다. 2010 지방직 7급 (O | X)

② 관련기출
4. 공법상 결과제거청구는 가해행위의 위법 및 가해자의 고의 또는 과실을 요건으로 한다. 2010 지방직 7급 (O | X)

③ 관련기출
5. A시는 복지시설의 운영자인 B에게 무주택상태에 있는 C가 6개월간 동 시설에 거주할 수 있게 하도록 명령하였다. 그러나 C가 거주한 지 6개월이 지났는데도 방을 비워 주지 않고 있는 상태이고, A시도 더 이상 아무런 조치를 취하지 않고 있다. 더욱이 C는 본인이 거주하면 방의 일부를 파손하였다. 다음 중 이 사례에 관한 설명으로 옳지 <u>않은</u> 것은? 2008 국회직 8급
   ① B는 A시가 명령한 6개월의 기간이 종료되었으므로 A시에 대하여 C가 퇴거하도록 해 줄 것을 요구할 수 있다.
   ② B가 A시에 대하여 C에 대한 퇴거조치를 요구하는 것은 공법적 관계이므로, 이에 대한 소송은 당사자소송으로 하여야 한다는 것이 일반적인 견해이다.
   ③ B는 A시에 대하여 C에 대한 퇴거조치를 요구함에 있어 C가 파손한 부분에 대한 원상회복도 청구할 수 있다.
   ④ B는 C를 상대로 민사상의 손해배상을 청구할 수 있다.
   ⑤ A시의 명령은 「행정소송법」상 처분에 해당되므로 B는 취소소송을 통하여 이를 다툴 수 있으나, 이미 제소기간이 경과되어 부적법각하될 것이다.

④ 관련기출
6. 피해자의 과실이 위법상태의 발생에 기여한 경우에는 그 과실에 비례하여 결과제거청구권이 제한되거나 상실된다. 2021 군무원 9급 (O | X)

정답
1. X 2. O 3. O 4. X 5. ③ 6. O

제13회 | 소방 단원별 모의고사

출제 범위 : 제33강 행정심판의 개관 등~제35강 행정소송 개관, 당사자소송 및 객관적 소송

정답과 해설 p.148
옳은 지문 워크북 p.267

01 □□□

행정심판에 관한 설명으로 옳은 것만을 <보기>에서 모두 고른 것은? (다툼이 있는 경우 판례에 의함)

─ 보기 ─

㉮ 「행정심판법」상 행정심판의 종류는 취소심판, 무효등확인심판, 의무이행심판 외에도 당사자심판과 부작위위법확인심판이 있다.
㉯ 대통령의 일반국민에 대한 처분에 대해서는 원칙적으로 소속 장관을 피청구인으로 하여 행정심판을 청구할 수 있다.
㉰ 다른 법률에서 특별행정심판이나 「행정심판법」에 따른 행정심판절차에 대한 특례를 정한 경우에도 그 법률에서 규정하지 아니한 사항에 관하여는 「행정심판법」이 적용된다.
㉱ 사안의 전문성과 특수성을 살리기 위하여 특히 필요한 경우에는 다른 법률로 「행정심판법」에 따른 행정심판을 갈음하는 특별한 행정불복절차를 둘 수 있는데 「공무원연금법」상 공무원연금급여 재심위원회에 대한 심사청구제도는 이러한 특별행정심판에 해당한다.

① ㉮, ㉰
② ㉯, ㉰
③ ㉰, ㉱
④ ㉯, ㉰, ㉱

✓ 기출체크

㉮ 관련기출

1. 당사자의 신청에 대한 행정청의 위법한 부작위에 대하여 행정청의 부작위가 위법하다는 것을 확인하는 행정심판은 현행법상 허용되지 않는다. 2020 지방직·서울시 9급 (○ | ×)
2. 「행정심판법」은 당사자심판을 규정하여 당사자소송과 연동시키고 있다. 2020 지방직·서울시 7급 (○ | ×)
3. 「행정심판법」에서 규정한 행정심판의 종류로는 「행정소송법」상 항고소송에 대응하는 취소심판, 무효등확인심판, 의무이행심판과 당사자소송에 대응하는 당사자심판이 있다. 2017 국가직(하) 9급 (○ | ×)

㉯ 관련기출

4. 행정심판은 행정청의 처분 또는 부작위를 대상으로 하지만 대통령의 처분 또는 부작위에 대하여는 다른 법률에서 행정심판을 청구할 수 있도록 정한 경우 외에는 행정심판을 청구할 수 없다. 2025 지방직·서울시 7급 (○ | ×)
5. (「행정심판법」에 따르면) 대통령의 처분에 대하여는 다른 법률에서 행정심판을 청구할 수 있도록 정한 경우 외에는 행정심판을 청구할 수 없다. 2025 행정사 (○ | ×)
6. (「행정심판법」상) 대통령의 처분 또는 부작위에 대하여는 다른 법률에서 행정심판을 청구할 수 있도록 정한 경우 외에는 행정심판을 청구할 수 없다. 2024 군무원 7급 (○ | ×)

㉰ 관련기출

7. (「행정심판법」상) 다른 법률에서 특별행정심판이나 이 법에 따른 행정심판절차에 대한 특례를 정한 경우에도 그 법률에서 규정하지 아니한 사항에 관하여는 이 법에서 정하는 바에 따른다. 2017 경행경채 (○ | ×)

㉱ 관련기출

8. 「공무원연금법」상 공무원연금급여 재심위원회에 대한 심사청구제도는 사안의 전문성과 특수성을 살리기 위하여 특히 필요하여 행정심판법에 따른 일반행정심판을 갈음하는 특별한 행정불복절차, 즉 특별행정심판에 해당한다. 2023 군무원 9급 (○ | ×)

정답
1. ○ 2. × 3. × 4. ○ 5. ○ 6. ○ 7. ○ 8. ○

02

행정심판에 관한 설명으로 옳은 것은? (다툼이 있는 경우 판례에 의함)

① 행정심판이 아닌 이의신청에 따른 직권취소에는 불가변력을 인정할 수 없으므로 과세처분에 관한 이의신청절차에서 과세관청이 이의신청사유가 옳다고 인정하여 과세처분을 직권으로 취소한 경우라도 특별한 사정이 없는 한 이를 번복하여 종전 처분과 동일한 내용의 처분을 할 수 있다.

② 행정심판의 청구는 서면으로 하여야 하는 요식행위이므로 행정심판청구서의 표제가 진정서라고 기재되어 있다면 비록 그 내용이 처분의 취소를 구하는 행정심판의 청구를 구하는 것이라도 행정심판청구는 부적법하다.

③ 이의신청을 제기해야 할 사람이 처분청에 표제를 '행정심판청구서'로 한 서류를 제출한 경우라면 서류의 내용에 이의신청요건에 맞는 불복취지와 사유가 충분히 기재되어 있더라도 표제에 따라 행정심판으로 보아야 하며 처분에 대한 이의신청으로 볼 수는 없다.

④ 행정심판에서는 허가취소처분을 영업정지처분으로 변경하거나 변경을 명령하는 경우 등과 같은 적극적 변경도 허용된다.

✓기출체크

① 관련기출

1. 과세처분에 관한 이의신청절차에서 과세관청이 이의신청 사유가 옳다고 인정하여 과세처분을 직권으로 취소한 이상 그 후 특별한 사유 없이 이를 번복하고 종전 처분을 되풀이하는 것은 허용되지 않는다. 2024 국가직 7급 (○ | ×)

2. 과세관청이 과세처분에 대한 이의신청절차에서 납세자의 이의신청사유가 옳다고 인정하여 과세처분을 직권으로 취소한 경우, 특별한 사유 없이 이를 번복하고 종전 처분을 되풀이할 수는 없다. 2023 서울시 지적 7급 (○ | ×)

3. 과세처분에 대해 이의신청을 하고 이에 따라 직권취소가 이루어졌다면 특별한 사정이 없는 한 불가변력이 발생한다. 2022 해경간부 (○ | ×)

4. 판례에 따르면, 과세처분에 관한 이의신청절차에서 과세관청이 이의신청사유가 옳다고 인정하여 과세처분을 직권으로 취소한 후 특별한 사유 없이 이를 번복하여 종전 처분과 동일한 내용의 처분을 할 수 없다고 한다. 2022 경찰간부 (○ | ×)

5. 과세처분에 대해 이의신청을 하고 이에 따라 직권취소가 이루어졌다면 특별한 사정이 없는 한 불가변력이 발생한다. 2020 국회직 8급 (○ | ×)

② 관련기출

6. '진정'이란 국민이 법정의 절차나 형식에 구애됨이 없이 행정청에 대하여 어떠한 희망을 진술하는 것을 말하며, 경우에 따라 진정서의 형식을 취하고 있더라도 행정심판청구로 볼 수 있는 경우가 있다. 2024 소방직 9급 (○ | ×)

7. 행정심판청구는 엄격한 형식을 요하지 않는 서면행위로 해석된다. 2018 서울시 9급 (○ | ×)

8. 진정이라는 표현을 사용하면 그것이 실제로 행정심판의 실체를 가지더라도 행정심판으로 다툴 수 없다. 2016 국회직 8급 (○ | ×)

9. 행정심판청구서의 형식을 다 갖추지 않았다면 비록 그 문서내용이 행정심판의 청구를 구하는 것을 내용으로 하더라도 부적법하다. 2012 지방직(하) 9급 (○ | ×)

③ 관련기출

10. 이의신청을 제기해야 할 사람이 처분청에 표제를 행정심판청구서로 한 서류를 제출한 경우라 할지라도 서류의 내용에 이의신청요건에 맞는 불복취지와 사유가 충분히 기재되어 있다면 이를 처분에 대한 이의신청으로 볼 수 있다. 2018 경행경채 3차 (○ | ×)

11. 이의신청을 제기하여야 할 사람이 처분청에 표제를 '행정심판청구서'로 한 서류를 제출하는 경우 그 서류의 실질이 이의신청일지라도 이를 행정심판으로 다룬다. 2016 국회직 8급 (○ | ×)

12. 법률상 이의신청을 제기해야 할 사람이 처분청에 표제를 '행정심판청구서'로 한 서류를 제출하였다면, 서류의 내용에 이의신청요건에 맞는 불복취지와 사유가 충분히 기재되어 있다고 하여도 이를 처분에 대한 이의신청으로 볼 수 없다. 2015 지방직 9급 (○ | ×)

④ 관련기출

13. 「행정심판법」상 변경재결에서 변경이란 적극적 의미의 변경이 아니라 소극적 의미의 변경, 즉 일부취소를 뜻한다. 2023 군무원 5급 (○ | ×)

14. (식품접객업을 하는 甲은 청소년의 연령을 확인하지 않고 주류를 판매한 사실이 적발되어 관할 행정청 乙로부터 「식품위생법」 위반을 이유로 영업정지 2개월을 부과받자 관할 행정심판위원회 丙에 행정심판을 청구하였다) 丙은 영업정지 2개월에 갈음하여 「식품위생법」 소정의 과징금으로 변경할 수 없다. 2023 지방직·서울시 9급 (○ | ×)

15. 행정심판에서는 변경재결과 같이 원처분을 적극적으로 변경하는 것도 가능하다. 2015 서울시 9급 (○ | ×)

16. 처분의 취소 또는 변경을 구하는 취소심판의 경우에 변경의 의미는 소극적 변경뿐만 아니라 적극적 변경까지 포함한다. 2015 국회직 8급 (○ | ×)

17. 「행정소송법」 제4조 제1호에서 취소소송을 행정청의 위법한 처분 등을 취소 또는 변경하는 소송으로 정의하고 있는데, 여기에서 '변경'은 소극적 변경뿐만 아니라 적극적 변경까지 포함하는 의미로 본다. 2021 국회직 8급 (○ | ×)

정답
1. ○ 2. ○ 3. ○ 4. ○ 5. ○ 6. ○ 7. ○ 8. × 9. × 10. ○
11. × 12. × 13. × 14. × 15. ○ 16. ○ 17. ×

03 □□□

「행정심판법」에 관한 설명으로 옳은 것만을 <보기>에서 모두 고른 것은? (다툼이 있는 경우 판례에 의함)

─ 보기 ─

㉮ 행정심판을 청구하려는 자는 행정심판청구서를 작성하여 피청구인과 관할 행정심판위원회 모두에 제출하여야만 한다.

㉯ 선정대표자는 다른 청구인들의 동의를 받지 않고도 심판청구를 취하할 수 있다.

㉰ 선정대표자가 선정되더라도 다른 청구인들은 선정대표자를 통하지 않고도 그 사건에 관한 행위를 할 수 있다.

㉱ 행정심판절차에서 청구인들이 당사자가 아닌 자를 선정대표자로 선정하였다면, 그 선정행위는 「행정심판법」에 위반되어 무효이다.

㉲ 여러 명의 청구인이 공동으로 행정심판청구를 할 때에는 청구인들 중에서 3명 이하의 선정대표자를 선정할 수 있고, 청구인들이 선정대표자를 선정하지 아니한 경우에 행정심판위원회는 필요하다고 인정하면 청구인들에게 선정대표자를 선정할 것을 권고할 수 있다.

① ㉮, ㉯   ② ㉯, ㉰
③ ㉰, ㉱   ④ ㉱, ㉲

✓ 기출체크

㉮ 관련기출

1. 행정심판을 청구하려는 자는 행정심판청구서를 관할 행정심판위원회에 제출하여야 하고, 피청구인에게는 제출할 수 없다. 2023 경찰간부 (○ | ×)

2. 행정심판을 청구하려는 자는 심판청구서를 작성하여 피청구인이나 위원회에 제출하여야 한다. 2019 서울시 2회 7급 (○ | ×)

3. 행정심판을 청구하려는 자는 행정심판위원회뿐만 아니라 피청구인인 행정청에도 행정심판청구서를 제출할 수 있으나 행정소송을 제기하려는 자는 법원에 소장을 제출하여야 한다. 2018 국가직 9급 (○ | ×)

4. 행정심판청구서는 피청구인인 행정청을 거쳐 행정심판위원회에 제출하여야 한다. 2017 국회직 8급 (○ | ×)

5. 행정심판을 청구하려는 자는 심판청구서를 작성하여 피청구인이나 위원회에 제출하여야 하며 피청구인의 수만큼 심판청구서 부본을 함께 제출하여야 한다. 2015 서울시 9급 (○ | ×)

㉯ 관련기출

6. 선정대표자로 선정된 후에는 다른 청구인들의 동의를 받지 아니하고도 다른 청구인들을 위하여 심판청구의 취하를 포함해서 그 사건에 관한 모든 행위를 할 수 있다. 2024 군무원 7급 (○ | ×)

㉰ 관련기출

7. 선정대표자가 선정되더라도 다른 청구인들은 그 선정대표자를 통해서만 그 사건에 관한 행위를 할 수 있는 것은 아니다. 2024 지방직·서울시 7급 (○ | ×)

㉱ 관련기출

8. 행정심판절차에서 청구인들이 '당사자 아닌 자'를 선정대표자로 선정한 행위는 무효이다. 2008 국회직 8급 (○ | ×)

㉲ 관련기출

9. 여러 명의 청구인이 공동으로 심판청구를 할 때에는 청구인들 중에서 7명 이하의 선정대표자를 선정할 수 있다. 2024 군무원 7급 (○ | ×)

10. 여러 명의 청구인이 공동으로 심판청구를 할 때에는 청구인들 중에서 3명 이하의 선정대표자를 선정할 수 있다. 2023 행정사 (○ | ×)

정답
1. × 2. ○ 3. ○ 4. × 5. ○ 6. × 7. × 8. ○ 9. × 10. ○

04 □□□

사례에 관한 설명으로 옳은 것만을 <보기>에서 모두 고른 것은?

甲은 단란주점영업을 하던 중 청소년인 乙을 유흥접객원으로 고용하여 유흥행위를 하게 하였다. 이에 A시장은 甲에 대하여 「식품위생법」 위반을 이유로 영업허가를 취소하였다.

─ 보기 ─

㉮ 甲은 처분이 있음을 알게 된 날로부터 90일 이내, 처분이 있었던 날로부터 180일 이내에 해당 행정청에 「행정기본법」상 이의신청을 할 수 있다.

㉯ 행정청은 이의신청을 받으면 그 신청을 받은 날부터 14일 이내에 그 이의신청에 대한 결과를 신청인에게 통지하여야 한다.

㉰ 甲이 「행정기본법」상 이의신청을 한 경우에는 「행정심판법」에 따른 행정심판을 제기할 수 없다.

㉱ 甲이 「행정기본법」상 이의신청을 하여 그 결과를 통지받은 경우, 통지를 받은 날부터 90일 이내에 행정소송을 제기할 수 있다.

㉲ 「행정기본법」상 이의신청에 관한 규정은 외국인의 출입국·난민인정·귀화·국적회복에 관한 사항에 대하여는 적용되지 않는다.

① ㉮, ㉰   ② ㉯, ㉲
③ ㉯, ㉰, ㉱   ④ ㉯, ㉱, ㉲

✅ 기출체크

㉮ 관련기출
1. 행정청의 처분에 이의가 있는 당사자는 처분을 받은 날부터 60일 이내에 해당 행정청에 이의신청을 할 수 있다. 2026 경찰간부 (O | X)
2. 행정청의 처분에 이의가 있는 당사자는 해당 행정청 또는 감독청에 이의신청을 할 수 있다. 2024 국회직 9급 (O | X)
3. 행정청의 처분에 이의가 있는 당사자는 처분을 받은 날부터 30일 이내에 해당 행정청에 이의신청을 할 수 있다. 2024 소방간부 (O | X)

㉯ 관련기출
4. 행정청은 이의신청을 받으면 그 신청을 받은 날부터 30일 이내에 그 이의신청에 대한 결과를 신청인에게 통지하여야 한다. 2024 국회직 9급 (O | X)
5. 행정청은 이의신청을 받으면 부득이한 사유가 아니라면 그 신청을 받은 날부터 14일 이내에 그 이의신청에 대한 결과를 신청인에게 통지하여야 한다. 2024 소방간부 (O | X)
6. 행정청이 부득이한 사유로 14일 이내에 이의신청에 대한 결과를 통지할 수 없는 경우에는 그 기간을 만료일 다음 날부터 기산하여 10일의 범위에서 한 차례 연장할 수 있다. 2023 서울시 지적 7급 (O | X)

㉰㉱ 관련기출
7. (「행정기본법」상) 처분에 대한 이의신청을 한 경우에는 「행정심판법」에 따른 행정심판을 제기할 수 없다. 2024 소방간부 (O | X)
8. 이의신청을 한 경우에도 그 이의신청과 관계없이 「행정심판법」에 따른 행정심판 또는 「행정소송법」에 따른 행정소송을 제기할 수 있다. 2024 군무원 9급 (O | X)
9. 행정청의 처분에 대해 이의신청을 한 경우에도 그 이의신청과 관계없이 「행정심판법」에 따른 행정심판 또는 「행정소송법」에 따른 행정소송을 제기할 수 있다. 2024 지방직·서울시 7급 (O | X)
10. (「행정기본법」상) 이의신청에 대한 결과를 통지받은 후 행정심판을 제기하려는 자는 그 결과를 통지받은 날부터 90일 이내에 행정심판을 제기할 수 있다. 2023 서울시 지적 7급 (O | X)
11. (「행정기본법」상) 이의신청에 대한 결과를 통지받은 후 행정심판 또는 행정소송을 제기하려는 자는 그 결과를 통지받은 날부터 90일 이내에 행정심판 또는 행정소송을 제기할 수 있다. 2023 군무원 7급 (O | X)

㉲ 관련기출
12. 과태료 부과 및 징수에 관한 사항은 이의신청의 대상이 아니다. 2024 국회직 9급 (O | X)
13. 공무원 인사 관계 법령에 의한 징계 등 처분에 관한 사항에 대하여도 「행정기본법」상의 이의신청규정이 적용된다. 2023 군무원 7급 (O | X)

[정답]
1. X 2. X 3. O 4. X 5. O 6. O 7. X 8. O 9. O 10. O
11. O 12. O 13. X

05 ☐☐☐

「행정기본법」상 처분의 재심사에 관한 설명으로 옳은 것만을 <보기>에서 모두 고른 것은?

| 보기 |

㉮ 제재처분에 불가쟁력이 발생하여 더 이상 행정쟁송을 통해 다툴 수 없게 된 경우라도 당사자에게 유리한 결정을 가져다 주었을 새로운 증거가 있는 경우에는 해당 처분을 한 행정청에 처분을 취소·철회하거나 변경하여 줄 것을 신청할 수 있다.
㉯ 처분의 재심사를 청구할 수 있는 당사자는 처분의 상대방을 말하며, 처분으로 법률상 이익이 침해된 제3자는 포함되지 않는다.
㉰ 당사자가 해당 처분의 절차, 행정심판, 행정소송 및 그 밖의 쟁송에서 중과실로 재심사신청사유를 주장하지 못한 경우에도 처분의 재심사를 신청할 수 있다.
㉱ 재심사신청을 받은 행정청은 특별한 사정이 없으면 신청을 받은 날부터 90일 이내에 처분의 재심사결과를 신청인에게 통지하여야 하며 처분을 유지하는 재심사결과에 대하여는 행정심판, 행정소송 및 그 밖의 쟁송 수단을 통하여 불복할 수 없다.

① ㉮, ㉯   ② ㉮, ㉰
③ ㉯, ㉱   ④ ㉰, ㉱

✅ 기출체크

㉮ 관련기출
1. 제재처분을 받은 자는 처분청에 그 제재처분에 대한 재심사를 신청할 수 있다. 2026 경찰간부 (O | X)
2. 당사자는 제재처분을 행정심판, 행정소송 및 그 밖의 쟁송을 통하여 다툴 수 없게 된 경우에 해당 처분을 한 행정청에 처분을 취소 또는 철회하여 줄 것을 신청할 수 없다. 2023 서울시 지적 7급 (O | X)

㉯ 관련기출
3. 처분으로 법률상 이익이 침해된 제3자는 해당 처분에 대해 재심사를 청구할 수 있다. 2025 지방직·서울시 9급 (O | X)

㉰ 관련기출
4. 재심사신청의 사유가 있다고 하여도 해당 처분의 절차, 행정심판, 행정소송 및 그 밖의 쟁송에서 당사자가 중대한 과실 없이 이러한 사유를 주장하지 못한 경우에만 재심사를 할 수 있다. 2025 경찰간부 (O | X)
5. 처분의 재심사신청은 해당 처분의 절차, 행정심판, 행정소송 및 그 밖의 쟁송에서 당사자가 중대한 과실 없이 처분의 재심사사유를 주장하지 못한 경우에만 할 수 있다. 2025 국회직 8급 (O | X)

㉱ 관련기출
6. 처분의 재심사결과 중 처분을 유지하는 결과에 대해서는 행정소송을 통하여 불복할 수 없다. 2025 지방직·서울시 9급 (O | X)

7. 처분의 재심사결과 중 처분을 유지하는 결과에 대해서는 행정심판, 행정소송 및 그 밖의 쟁송수단을 통하여 불복할 수 있다. 2025 국회직 8급 (O | X)
8. 처분의 재심사결과 중 처분을 유지하는 결과에 대해서는 행정심판, 행정소송 및 그 밖의 쟁송수단을 통하여 불복할 수 없다. 2024 군무원 5급 (O | X)
9. 처분을 유지하는 재심사결과에 대하여는 행정심판, 행정소송 및 그 밖의 쟁송수단을 통하여 불복할 수 없다. 2023 군무원 7급 (O | X)

정답
1. × 2. O 3. × 4. O 5. O 6. O 7. × 8. O 9. O

④ 관련기출
6. 공무원 인사 관계 법령에 따른 징계 등 처분에 관한 사항은 재심사의 대상에서 제외된다. 2025 지방직·서울시 9급 (O | X)
7. 공무원 인사 관계 법령에 따른 징계 등 처분에 관한 사항에 관하여는 처분의 재심사를 적용하지 아니한다. 2025 국회직 8급 (O | X)
8. 과태료 부과 및 징수에 관한 사항에 대하여는 처분의 재심사청구가 인정되지 않는다. 2024 군무원 5급 (O | X)

정답
1. × 2. O 3. O 4. O 5. O 6. O 7. O 8. O

06 ☐☐☐

「행정기본법」상 처분의 재심사에 관한 설명으로 옳지 않은 것은?

① 처분에 관한 법원의 확정판결이 있는 경우, 그러한 처분은 재심사의 대상에서 제외된다.
② 처분의 재심사신청은 당사자가 처분의 재심사사유를 안 날부터 60일 이내에 하여야 한다. 다만, 처분이 있은 날부터 5년이 지나면 신청할 수 없다.
③ 처분의 재심사신청이 있게 되면 행정청은 재심사와 별도로 취소 또는 철회를 할 수 없다.
④ 공무원 인사 관계 법령에 의한 징계 등 처분에 관한 사항에 대하여는 「행정기본법」상 처분의 재심사규정이 적용되지 않는다.

✓ 기출체크

① 관련기출
1. 당사자는 제재처분 및 행정상 강제처분 이외의 처분에 대하여 법원의 확정판결로 다툴 수 없게 된 경우 처분의 재심사를 청구할 수 있다. 2024 군무원 5급 (O | X)
2. 당사자는 처분에 대하여 법원의 확정판결이 있는 경우에는 처분의 근거가 된 사실관계 또는 법률관계가 추후에 당사자에게 유리하게 바뀐 경우에도 해당 처분을 한 행정청이 처분을 취소·철회하거나 변경하여 줄 것을 신청할 수는 없다. 2023 군무원 7급 (O | X)

② 관련기출
3. 당사자가 재심사신청사유를 안 날부터 60일 이내라 하더라도 처분이 있은 날부터 5년이 지나면 재심사를 신청할 수 없다. 2026 경찰간부 (O | X)

③ 관련기출
4. 처분의 재심사를 신청한 경우에도 행정청은 그 처분을 취소 또는 철회할 수 있다. 2026 경찰간부 (O | X)
5. 행정청의 위법 또는 부당한 처분의 취소와 적법한 처분의 철회는 처분의 재심사에 의하여 영향을 받지 아니한다. 2025 국회직 8급 (O | X)

07 ☐☐☐

「행정심판법」에 관한 설명으로 옳은 것은?

① 행정심판의 대상과 관계되는 권리나 이익을 양수한 자는 행정심판위원회의 허가를 받아 청구인의 지위를 승계할 수 있다.
② 청구인이 피청구인을 잘못 지정한 경우에는 행정심판위원회는 당사자의 신청이 있는 경우에 피청구인을 경정할 수 있으나 직권으로 경정하는 것은 행정심판위원회의 권한을 넘는 것으로 허용되지 않는다.
③ 행정심판의 결과에 이해관계가 있는 제3자 또는 행정청은 신청에 의하여 행정심판위원회의 허가를 받아 그 사건에 참가할 수 있으나, 행정심판위원회가 직권으로 심판에 참가할 것을 요구할 수는 없다.
④ 행정심판의 참가인은 당사자가 아니므로 행정심판절차에서 당사자가 할 수 있는 심판절차상의 행위를 할 수 없다.

✓ 기출체크

① 관련기출
1. 행정심판의 대상과 관련되는 권리나 이익을 양수한 특정 승계인은 행정심판위원회의 허가를 받아 청구인의 지위를 승계할 수 있다. 2018 국가직 9급 (O | X)
2. (행정심판에 있어서) 심판청구의 대상과 관계되는 권리나 이익을 양수한 자는 위원회의 허가를 받아 청구인의 지위를 승계할 수 있다. 2018 국회직 8급 (O | X)

② 관련기출
3. 청구인이 피청구인을 잘못 지정한 경우에는 (행정심판)위원회는 직권으로 또는 당사자의 신청에 의하여 결정으로써 피청구인을 경정할 수 있다. 2022 소방직 9급 (O | X)
4. 피청구인의 경정은 행정심판위원회에서 결정하며 언제나 당사자의 신청을 전제로 한다. 2020 지방직·서울시 7급 (O | X)
5. 행정심판의 제기에 있어서 청구인이 피청구인을 잘못 지정한 경우에 행정심판위원회는 직권으로 또는 당사자의 신청에 의하여 결정으로써 피청구인을 경정할 수 있다. 2015 경행특채 1차 (O | X)

③ 관련기출

6. 행정심판의 결과에 이해관계가 있는 행정청은 해당 심판청구에 대한 행정심판위원회의 의결이 있기 전까지 그 사건에 대하여 심판참가를 할 수 있다. 2023 국회직 8급 (O | X)
7. 행정심판결과에 이해관계가 있는 제3자나 행정청은 신청에 의하여 행정심판에 참가할 수 있으나, 행정심판위원회가 직권으로 심판에 참가할 것을 요구할 수는 없다. 2018 국회직 8급 (O | X)
8. 행정심판의 결과에 이해관계가 있는 제3자 또는 행정청은 행정심판위원회의 허가를 받아 그 사건에 참가할 수 있다. 2015 사회복지직 9급 (O | X)

④ 관련기출

9. 참가인은 행정심판절차에서 당사자가 할 수 있는 심판절차상의 행위를 할 수 있다. 2018 국회직 8급 (O | X)

정답
1. O 2. O 3. O 4. × 5. O 6. O 7. × 8. O 9. O

08 ☐☐☐

「행정심판법」상 행정심판위원회에 관한 설명으로 옳지 않은 것만을 <보기>에서 모두 고른 것은?

― 보기 ―
㉮ 행정심판위원회는 심판청구 사건에 대하여 심리권과 재결권을 가지며, 행정기관 중 행정청에 해당한다.
㉯ 행정심판위원회는 합의제 행정기관이며, 중앙행정심판위원회는 위원장 1명을 포함한 50명 이내의 위원으로 구성하되 위원 중 상임위원은 4명 이내로 한다.
㉰ 중앙행정심판위원회의 위원장은 원칙적으로 국민권익위원회의 부위원장 중 1명이 되며, 위원장이 없거나 부득이한 사유로 직무를 수행할 수 없거나 위원장이 필요하다고 인정하는 경우에는 국민권익위원회의 다른 부위원장이 위원장의 직무를 대행한다.
㉱ 중앙행정심판위원회의 비상임위원은 일정한 요건을 갖춘 사람 중에서 중앙행정심판위원회 위원장의 제청으로 국무총리가 성별을 고려하여 위촉하며, 중앙행정심판위원회의 회의는 위원장, 상임위원 및 위원장이 회의마다 지정하는 비상임위원을 포함하여 총 9명으로 구성한다.

① ㉮, ㉯
② ㉮, ㉱
③ ㉯, ㉰
④ ㉰, ㉱

✓ 기출체크

㉮ 관련기출

1. 시·도행정심판위원회와 중앙행정심판위원회는 모두 행정심판의 심리권과 재결권을 가진다. 2018 교육행정직 9급 (O | X)
2. 행정심판위원회는 심판청구 사건에 대하여 심리권과 재결권을 가진다. 2013 국회속기직 9급 (O | X)

㉯ 관련기출

3. 중앙행정심판위원회는 위원장 1명을 포함하여 70명 이내의 위원으로 구성한다. 2021 소방직 9급 (O | X)
4. 중앙행정심판위원회는 위원장 1명을 포함하여 50명 이내의 위원으로 구성하되 위원 중 상임위원은 5명 이내로 한다. 2019 국회직 8급 (O | X)
5. 행정심판위원회는 제기된 행정심판을 심리·재결하는 기능을 하는 합의제 행정기관이며, 국민권익위원회에 설치되는 중앙행정심판위원회는 위원장 1명을 포함한 70명 이내의 위원으로 구성하되 위원 중 상임위원은 4명 이내로 한다. 2010 국회직 8급 변형 (O | X)

㉰ 관련기출

6. 중앙행정심판위원회의 위원장은 그 행정심판위원회가 소속된 행정청이 되며, 위원장이 부득이한 사유로 직무를 수행할 수 없거나 위원장이 필요하다고 인정하는 경우에는 위원장이 사전에 지명한 위원이 있는 경우 그 위원이 위원장의 직무를 대행한다. 2021 국회직 8급 (O | X)
7. 중앙행정심판위원회의 위원장은 국민권익위원회의 부위원장 중 1명이 된다. 2019 국회직 8급 (O | X)
8. 중앙행정심판위원회의 위원장은 법제처장이 되고 유고시에는 법제처차장이 그 직무를 대행한다. 2018 교육행정직 9급 (O | X)
9. 중앙행정심판위원회의 위원장은 국민권익위원회의 부위원장 중 1명이 되며 필요한 경우에는 상임위원이 그 직무를 대행한다. 2011 지방직 9급 (O | X)
10. 중앙행정심판위원회의 위원장은 법제처장이 된다. 2009 지방직 9급 변형 (O | X)

㉱ 관련기출

11. 중앙행정심판위원회의 비상임위원은 일정 요건을 갖춘 사람 중에서 중앙행정심판위원회 위원장의 제청으로 국무총리가 성별을 고려하여 위촉한다. 2021 소방직 9급 (O | X)
12. 중앙행정심판위원회의 회의는 위원장, 상임위원 및 위원장이 회의마다 지정하는 비상임위원을 포함하여 총 15명으로 구성한다. 2021 소방직 9급 (O | X)
13. 중앙행정심판위원회의 회의는 소위원회 회의를 제외하고 위원장, 상임위원 및 위원장이 회의마다 지정하는 비상임위원을 포함하여 총 7명으로 구성한다. 2019 국회직 8급 (O | X)

정답
1. O 2. O 3. O 4. × 5. O 6. × 7. O 8. × 9. O 10. × 11. O 12. × 13. ×

09

「행정심판법」상 행정심판위원회에 관한 설명으로 옳은 것만을 <보기>에서 모두 고른 것은?

― 보기 ―

㉮ 중앙행정심판위원회는 심판청구 사건 중 「도로교통법」에 따른 자동차운전면허 행정처분에 관한 사건을 심리·의결하게 하기 위하여 4명의 위원으로 구성하는 소위원회를 둘 수 있다.

㉯ 관계 행정기관의 장이 특별행정심판 또는 「행정심판법」에 따른 행정심판절차에 대한 특례를 신설하거나 변경하는 법령을 제정·개정할 때에는 미리 중앙행정심판위원회와 협의하여야 한다.

㉰ 시·도의 관할 구역에 있는 둘 이상의 지방자치단체·공공법인 등이 공동으로 설립한 행정청의 처분 또는 부작위에 대한 심판청구에 대하여는 중앙행정심판위원회에서 심리·재결한다.

㉱ 국가정보원장과 법원행정처장, 국가인권위원회 등의 처분 또는 부작위에 대한 행정심판의 청구는 국민권익위원회에 두는 중앙행정심판위원회에서 심리·재결한다.

① ㉮, ㉯
② ㉮, ㉰
③ ㉯, ㉱
④ ㉰, ㉱

기출체크

㉯ 관련기출

1. 관계 행정기관의 장이 특별행정심판 또는 「행정심판법」에 따른 행정심판절차에 대한 특례를 신설하거나 변경하는 법령을 제정·개정할 때에는 미리 법무부장관과 협의하여야 한다. 2020 군무원 9급 (O | X)

2. 특별행정심판 또는 「행정심판법」에 따른 행정심판절차에 대한 특례를 신설하거나 변경하는 법령을 제정·개정할 때 중앙행정심판위원회와 사전에 협의하여야 하는 것은 아니다. 2018 국회직 8급 (O | X)

3. (「행정심판법」상) 관계 행정기관의 장이 특별행정심판 또는 이 법에 따른 행정심판절차에 대한 특례를 신설하거나 변경하는 법령을 제정·개정할 때에는 미리 중앙행정심판위원회의 동의를 구하여야 한다. 2017 경행경채 (O | X)

㉰ 관련기출

4. 시·도 소속 행정청의 처분 또는 부작위에 대한 심판청구에 대하여는 시·도지사 소속으로 두는 행정심판위원회가 심리·재결한다. 2024 소방직 9급 (O | X)

5. 종로구청장의 처분이나 부작위에 대한 행정심판청구는 서울특별시 행정심판위원회에서 심리·재결하여야 한다. 2019 서울시 9급 (O | X)

6. 시·도의 관할 구역에 있는 둘 이상의 시·군·자치구 등이 공동으로 설립한 행정청의 처분에 대하여는 시·도지사 소속 행정심판위원회에서 심리·재결한다. 2015 지방직 9급 (O | X)

㉱ 관련기출

7. 감사원의 처분 또는 부작위에 대한 심판청구에 대하여는 중앙행정심판위원회에서 심리·재결한다. 2023 경찰간부 (O | X)

8. 국회사무총장의 처분에 대한 행정심판의 청구에 대해서는 국민권익위원회에 두는 중앙행정심판위원회에서 심리·재결한다. 2021 국회직 8급 (O | X)

9. 국가인권위원회의 처분 또는 부작위에 대한 행정심판의 청구는 국민권익위원회에 두는 중앙행정심판위원회에서 심리·재결한다. 2018 국회직 8급 (O | X)

10. 법원행정처장의 부당한 처분에 대해서는 중앙행정심판위원회에 행정심판을 제기할 수 있다. 2015 서울시 7급 (O | X)

11. 국민권익위원회에 두는 중앙행정심판위원회가 심리·재결하는 행정처분이 아닌 것은? 2014 국가직 9급
① 국가정보원장의 행정처분
② 서울특별시 의회의 행정처분
③ 대구광역시 교육감의 행정처분
④ 해양경찰청장의 행정처분

정답
1. × 2. × 3. × 4. ○ 5. ○ 6. ○ 7. × 8. × 9. × 10. ×
11. ①

10

행정심판에 관한 설명으로 옳은 것은? (다툼이 있는 경우 판례에 의함)

① 처분청은 기각재결이 있은 후에는 정당한 이유가 있더라도 원처분을 취소·변경할 수는 없다.

② 의무이행심판에 관한 재결이 있게 되면 재결기관은 그것이 위법·부당하다고 생각되는 경우에도 스스로 이를 취소 또는 변경할 수 없다.

③ 심판청구를 인용하는 재결은 피청구인을 기속하지만 그 밖의 관계 행정청은 기속하지 않는다.

④ 행정심판의 인용재결이 있으면 피청구인인 행정청을 기속하는 효력을 가지므로 판결에서와 같은 기판력이 인정된다.

기출체크

① 관련기출

1. 재결의 기속력은 인용재결에만 인정되므로 처분청은 기각재결이 있은 후 정당한 사유가 있으면 직권으로 원처분을 취소·변경·철회할 수 있다. 2024 군무원 5급 (O | X)

2. (A행정청이 甲에게 한 처분에 대하여 甲은 B행정심판위원회에 행정심판을 청구하였다) B행정심판위원회의 기각재결이 있은 후에는 A행정청은 원처분을 직권으로 취소할 수 없다. 2022 지방직·서울시 9급 (O | X)

3. 처분청은 기각재결을 받은 후에도 정당한 이유가 있으면 원처분을 취소·변경할 수 있다. 2013 지방직 9급 (O | X)

② 관련기출

4. 의무이행심판에 관한 재결이 있게 되면 재결기관은 그것이 위법·부당하다고 생각되는 경우에도 스스로 이를 취소 또는 변경할 수 없다. 2008 국회직 8급 (O | X)

③ 관련기출

5. 행정심판청구를 인용하는 재결에 대하여 피청구인과 그 밖의 관계 행정청은 재결서의 정본을 송달받은 날부터 90일 이내에 행정소송을 제기할 수 있다. 2023 국회직 9급 (O | X)
6. (자신이 소유한 모텔에서 성인 乙과 청소년 丙을 투숙시켜 이성 혼숙하도록 한 사실이 적발되어 A도 관할 B군 군수 丁으로부터 공중위생관리법에 따라 영업정지 3개월의 처분을 받은 甲이 처분의 취소를 구하는 행정심판을 청구하려는 경우) 행정심판위원회가 甲의 청구를 인용하는 재결을 한 경우, 丁이 인용재결의 취소를 구하는 행정소송을 제기할 수 있다. 2023 소방직 9급 (O | X)
7. (식품접객업을 하는 甲은 청소년의 연령을 확인하지 않고 주류를 판매한 사실이 적발되어 관할 행정청 乙로부터 「식품위생법」 위반을 이유로 영업정지 2개월을 부과받자 관할 행정심판위원회 丙에 행정심판을 청구하였다) 丙이 영업정지처분을 취소하는 재결을 할 경우, 乙은 이 인용재결의 취소를 구하는 행정소송을 제기할 수 없다. 2023 지방직·서울시 9급 (O | X)
8. 심판청구를 인용하는 재결은 피청구인과 그 밖의 관계 행정청을 기속한다. 2022 해경간부 (O | X)
9. (「행정심판법」상) 심판청구를 인용하는 재결은 청구인과 피청구인, 그 밖의 관계 행정청을 기속한다. 2019 국회직 8급 (O | X)

④ 관련기출

10. 취소재결의 경우 기속력 및 기판력이 인정된다. 2026 경찰간부 (O | X)
11. 재결이 확정된 경우에는 처분의 기초가 된 사실관계나 법률적 판단이 확정되고 당사자들이나 법원이 이에 기속되어 모순되는 주장이나 판단을 할 수 없게 된다. 2025 군무원 7급 (O | X)
12. 행정처분이나 행정심판 재결이 불복기간의 경과로 확정될 경우 그 확정력은 처분으로 법률상 이익을 침해받은 자가 당해 처분이나 재결의 효력을 더 이상 다툴 수 없다는 의미일 뿐 판결과 같은 기판력이 인정되는 것은 아니다. 2024 국가직 9급 (O | X)
13. 인용재결이 확정된 경우 처분의 기초가 되는 사실관계나 법률적 판단이 확정되고, 당사자나 법원은 이에 기속되어 모순되는 주장이나 판단을 할 수 없다. 2023 소방간부 (O | X)
14. 행정심판의 재결에도 판결에서와 같은 기판력이 인정되는 것이어서 재결이 확정되면 처분의 기초가 된 사실관계나 법률적 판단이 확정되는 것이므로 당사자는 이와 모순되는 주장을 할 수 없게 된다. 2022 지방직·서울시 9급 (O | X)

정답

1. O 2. X 3. O 4. O 5. X 6. X 7. O 8. O 9. X 10. X 11. X 12. O 13. X 14. X

11 □□□

사례에 관한 설명으로 옳지 <u>않은</u> 것만을 <보기>에서 모두 고른 것은?

> 甲은 관할 행정청 A에게 「국토의 계획 및 이용에 관한 법률」에 따른 토지형질변경허가를 신청하였으나 A가 거부처분을 하자 행정심판위원회에 의무이행심판을 청구하였다.

── 보기 ──

㉮ 甲은 의무이행심판이 아닌 취소심판을 제기할 수도 있다.
㉯ 거부처분에 대한 의무이행심판에는 심판청구기간의 제한이 따르므로, 만약 甲의 의무이행심판이 거부처분이 있음을 알게 된 날부터 90일이 지나서 청구된 것이라면 행정심판위원회는 각하재결을 하여야 한다.
㉰ 행정심판위원회는 甲의 신청이 있는 경우 임시처분을 결정할 수 있으나 직권으로 결정할 수는 없다.
㉱ 행정심판위원회는 甲의 심판청구가 이유가 있다고 인정하는 경우에도 인용결정을 하는 것이 공공복리에 크게 위배된다고 인정하면 그 심판청구를 기각하는 재결을 할 수 있다.
㉲ 행정심판위원회가 토지형질변경허가의 이행을 명하는 재결을 하였음에도 불구하고 A가 그 허가를 하지 아니하는 경우에는 행정심판위원회는 직권으로 기간을 정하여 서면으로 A에게 시정을 명하고 그 기간에 이행하지 아니하면 불가피한 사유가 없는 한 직접처분을 할 수 있다.

① ㉮, ㉯ ② ㉯, ㉰
③ ㉰, ㉲ ④ ㉱, ㉲

✓ 기출체크

㉮ 관련기출

1. 행정청의 거부처분에 대해서는 의무이행심판을 청구하여야 하고, 취소심판은 청구할 수 없다. 2023 국회직 8급 (O | X)
2. 당사자의 신청에 대한 행정청의 부당한 거부처분에 대하여 일정한 처분을 하도록 하는 행정심판은 현행법상 허용된다. 2020 지방직·서울시 9급 (O | X)
3. 당사자의 신청에 대한 행정청의 부당한 거부처분을 취소하는 행정심판은 현행법상 허용되지 않는다. 2020 지방직·서울시 9급 (O | X)

㉯ 관련기출

4. 심판청구기간은 부작위에 대한 의무이행심판청구에는 적용되지 아니한다. 2024 국회직 8급 (O | X)
5. 거부처분이나 부작위에 대한 의무이행심판청구는 청구기간의 제한이 있다. 2023 군무원 7급 (O | X)
6. 거부처분에 대한 의무이행심판에는 심판청구에 기간상의 제한이 없다. 2013 서울시 7급 (O | X)

관련기출

7. 「행정소송법」과는 달리 「행정심판법」은 임시처분제도를 인정하고 있지 않다. 2024 국회직 9급 (○ | ×)

8. 「행정소송법」과 「행정심판법」은 처분 또는 부작위에 대하여 임시의 지위를 정하는 임시처분제도를 두고 있다. 2022 서울시 지적 7급 (○ | ×)

9. 행정심판위원회는 적극적 가구제수단인 임시처분을 직권으로 결정할 수 있다. 2022 국회직 8급 (○ | ×)

관련기출

10. 무효등확인심판에는 사정재결을 할 수 있다. 2025 행정사 (○ | ×)
11. 행정심판위원회는 심판청구가 이유가 있다고 인정하는 경우에도 이를 인용하는 것이 공공복리에 크게 위배된다고 인정하면 그 심판청구를 기각하는 재결을 할 수 있다. 2023 국회직 8급 (○ | ×)

관련기출

12. 당사자의 신청을 거부하거나 부작위로 방치한 처분의 이행을 명하는 재결이 있었음에도 행정청이 재결의 취지에 따른 아무런 처분을 하지 않는 경우, 위원회는 당사자의 신청이 없더라도 시정을 명하고 이에 처분을 이행하지 아니하면 직접처분을 할 수 있다. 2025 해경승진 (○ | ×)

13. 행정심판위원회는 의무이행재결이 있는 경우에 피청구인이 처분을 하지 아니한 경우에는 당사자의 신청 또는 직권으로 기간을 정하여 시정을 명하고 그 기간에 이행하지 아니하면 직접처분을 할 수 있다. 2022 군무원 9급 (○ | ×)

14. (B시장으로부터 건축허가거부처분을 받은 乙은 이에 불복하여 행정쟁송을 제기하고자 한다) 乙이 의무이행심판을 제기하여 처분명령재결이 있었음에도 B시장이 허가를 하지 않는 경우 행정심판위원회는 직권으로 시정을 명하고 이를 이행하지 아니하면 직접 건축허가처분을 할 수 있다. 2022 지방직·서울시 9급 (○ | ×)

15. 피청구인이 처분의 이행을 명하는 재결에도 불구하고 처분을 하지 않는다고 해서 행정심판위원회가 직접처분을 할 수는 없다. 2019 경행경채 2차 (○ | ×)

16. 행정심판위원회는 피청구인이 처분이행명령재결에도 불구하고 처분을 하지 아니하는 경우에는 당사자가 신청하면 기간을 정하여 서면으로 이행을 명하고 그 기간에 이행하지 아니하면 직접처분을 할 수 있다. 2015 국회직 8급 (○ | ×)

정답
1. × 2. ○ 3. × 4. ○ 5. × 6. × 7. × 8. × 9. ○ 10. ×
11. ○ 12. × 13. × 14. × 15. × 16. ○

12 □□□

「행정심판법」상 심판청구기간에 관한 설명으로 옳지 않은 것은? (다툼이 있는 경우 판례에 의함)

① 행정심판은 처분이 있음을 알게 된 날부터 180일이 지나면 청구하지 못한다. 다만, 정당한 사유가 있는 경우에는 그러하지 아니하다.

② 청구인이 천재지변, 전쟁, 사변, 그 밖의 불가항력으로 인하여 처분이 있음을 알게 된 날부터 90일 이내에 심판청구를 할 수 없었을 때에는 그 사유가 소멸한 날부터 14일(국외에서는 30일) 이내에 행정심판을 청구할 수 있다.

③ 행정청이 심판청구기간을 고지하지 않은 경우에는 당사자가 처분이 있음을 알았다고 하더라도 처분이 있었던 날부터 180일 이내에 행정심판을 제기할 수 있다.

④ 행정처분의 직접상대방이 아닌 제3자는 특별한 사정이 없는 한 180일 기간 적용을 배제할 정당한 사유가 있는 경우에 해당한다고 보아 180일이 경과한 뒤에도 심판청구를 제기할 수 있다.

✓ 기출체크

①② 관련기출

1. 행정심판은 원칙적으로 처분이 있음을 알게 된 날부터 90일, 처분이 있었던 날부터 1년 이내에 청구하여야 한다. 2024 소방직 9급 (○ | ×)

2. 행정심판은 처분이 있었던 날부터 ( )일이 지나면 청구하지 못한다. 다만, 정당한 사유가 있는 경우에는 그러하지 아니하다. 2019 소방직 9급

3. 행정심판은 처분이 있음을 알게 된 날부터 90일 이내에 청구하여야 한다. 다만, 청구인이 불가항력으로 인하여 심판청구를 할 수 없었을 때에는 그 사유가 소멸한 날부터 14일 이내에 행정심판을 청구할 수 있다. 2019 경행경채 2차 (○ | ×)

4. 행정심판은 정당한 사유가 없는 경우 처분이 있었던 날부터 90일 이내에 청구하여야 하고, 처분이 있음을 알게 된 날부터 180일이 지나면 청구하지 못한다. 2018 경행경채 (○ | ×)

5. 「행정심판법」상의 내용이다. ( ) 안에 들어갈 말을 순서대로 나열한 것은? 2015 경행특채 2차

> 행정심판은 (㉠)부터 (㉡)일 이내에 청구하여야 한다. 청구인이 천재지변, 전쟁, 사변, 그 밖의 불가항력으로 인하여 앞에서 정한 기간에 심판청구를 할 수 없었을 때에는 그 사유가 소멸한 날부터 (㉢)일 이내에 행정심판을 청구할 수 있다. 행정심판은 (㉣)부터 (㉤)일이 지나면 청구하지 못한다. 다만, 정당한 사유가 있는 경우에는 그러하지 아니하다.

① 처분이 있음을 알게 된 날, 90, 14, 처분이 있었던 날, 180
② 처분이 있었던 날, 60, 30, 처분이 있음을 알게 된 날, 120
③ 처분이 있었던 날, 60, 14, 처분이 있음을 알게 된 날, 120
④ 처분이 있음을 알게 된 날, 90, 30, 처분이 있었던 날, 180

③ 관련기출

6. 행정청이 처분을 할 때에 처분의 상대방에게 심판청구기간을 알리지 아니한 경우에는 처분이 있었던 날부터 180일까지가 취소심판이나 의무이행심판의 청구기간이 된다. 2019 서울시 9급 (O | X)

7. 행정청이 심판청구의 기간을 알리지 아니한 경우에는 처분이 있었던 날부터 180일 이내에 행정심판을 청구할 수 있다. 2019 경행경채 2차 (O | X)

8. (「행정심판법」상) 행정청이 심판청구기간을 알리지 아니한 경우에는 청구인은 언제든지 심판청구를 할 수 있다. 2019 서울시 2회 7급 (O | X)

9. 취소심판이 제기된 경우, 행정청이 처분시에 심판청구기간을 알리지 아니하였다 할지라도 당사자가 처분이 있음을 알게 된 날부터 90일이 경과하면 행정심판위원회는 부적법 각하재결을 하여야 한다. 2016 지방직 9급 (O | X)

10. 행정청이 행정심판청구기간 등을 고지하지 아니하였다고 하여도 처분의 상대방이 처분이 있었다는 사실을 알았을 경우에는 처분이 있은 날로부터 90일 이내에 심판청구를 하여야 한다. 2015 지방직 9급 (O | X)

④ 관련기출

11. 행정처분의 직접상대방이 아닌 제3자는 「행정심판법」 제27조 제3항 소정의 심판청구의 제척기간 내에 처분이 있었음을 알았다는 특별한 사정이 없는 한 그 제척기간의 적용을 배제할 같은 조항 단서 소정의 정당한 사유가 있는 때에 해당한다. 2016 서울시 7급 (O | X)

12. 행정처분의 직접상대방이 아닌 제3자는 특별한 사정이 없는 한 180일 기간 적용을 배제할 정당한 사유가 있는 경우에 해당한다고 보아 180일이 경과한 뒤에도 심판청구를 제기할 수 있다고 함이 대법원 판례의 태도이다. 2010 국회직 8급 (O | X)

정답
1. × 2. 180 3. ○ 4. × 5. ① 6. ○ 7. × 8. × 9. × 10. ×
11. ○ 12. ○

13 □□□

「행정심판법」상 심판청구기간과 고지에 관한 설명으로 옳은 것은? (다툼이 있는 경우 판례에 의함)

① 고지는 불복제기의 가능 여부 및 불복청구의 요건 등 불복청구에 필요한 사항을 알려주는 비권력적 사실행위이긴 하지만 청구인의 권리구제에 중대한 영향을 미치므로 항고소송의 대상이 되는 처분으로 볼 수 있다.

② 처분청이 심판청구기간을 법정기간보다 긴 기간으로 잘못 고지한 경우에도 심판청구는 당해 처분이 있음을 안 날부터 90일 내에 하여야 한다.

③ 행정청이 처분을 하면서 행정심판절차에 대한 고지규정을 위반하였다면 그러한 사유만으로도 행정심판의 대상이 되는 행정처분은 위법하다.

④ 개별법률에서 정한 심판청구기간이 「행정심판법」이 정한 심판청구기간보다 짧은 경우라도 행정청이 그 개별법률상 심판청구기간을 알려주지 않았다면 그 개별법률에서 정한 심판청구기간에 구애됨이 없이 「행정심판법」이 정한 심판청구기간 이내에 심판청구를 할 수 있다.

✓ 기출체크

① 관련기출

1. 고지는 불복제기의 가능성 여부 및 불복청구의 요건 등 불복청구에 필요한 사항을 알려주는 권력적 사실행위로서 처분성이 인정된다. 2011 국회직 8급 (O | X)

2. 고지는 「행정심판법」에 규정된 심판청구에 필요한 사항을 구체적으로 알려주는 비권력적 사실행위로 고지 자체는 아무런 법적 효과를 발생하지 않는다. 2004 국회직 8급 (O | X)

② 관련기출

3. 심판청구기간을 법정기간보다 긴 기간으로 잘못 알린 경우에는 상대방이 행정청의 실수를 알았을지라도 그 잘못 고지된 기간 내에 심판청구를 할 수 있다. 2023 서울시 연구사 (O | X)

4. 처분청이 심판청구기간을 법정기간보다 긴 기간으로 잘못 고지한 경우, 심판청구기간은 당해 처분이 있은 날부터 180일이 된다. 2021 행정사 (O | X)

5. 행정청이 심판청구기간을 잘못 알린 경우, 잘못 알린 기간 내에 심판청구가 있으면 적법한 행정심판제기로 본다. 2010 서울시 9급 (O | X)

③ 관련기출

6. 고지절차에 관한 규정은 행정처분의 상대방이 그 처분에 대한 행정심판의 절차를 밟는데 있어 편의를 제공하려는 데 있으며 처분청이 위 규정에 따른 고지의무를 이행하지 아니하였다고 하더라도 경우에 따라서는 행정심판의 제기기간이 연장될 수 있는 것에 그치고 이로 인하여 심판의 대상이 되는 행정처분에 어떤 하자가 수반된다고 할 수 없다. 2025 소방직 9급 (O | X)

7. 처분청이 「행정절차법」상 고지절차에 관한 규정에 따른 고지의무를 이행하지 아니하였다고 하더라도 경우에 따라 행정심판의 제기기간이 연장될 수 있음에 그칠 뿐, 그 때문에 심판의 대상이 되는 행정처분이 위법하다고 할 수는 없다. 2025 국가직 9급 (O | X)

8. 행정청이 행정처분을 하면서 상대방에게 불복절차에 관한 고지의무를 이행하지 않았다면 이는 절차적 하자로서 그 행정처분은 위법하게 된다. 2022 지방직·서울시 9급 (○ | ×)
9. 행정청이 처분을 하면서 고지의무를 이행하지 않은 경우 또는 잘못 고지한 경우 당해 처분은 위법하다. 2012 국회직 8급 (○ | ×)
10. 불고지나 오고지는 처분 자체의 효력에 직접 영향을 미치지 않는다. 2011 국회직 8급 (○ | ×)

④ 관련기출

11. 개별법률에서 정한 심판청구기간이 행정심판법이 정한 심판청구기간보다 짧은 경우, 행정청이 행정처분을 하면서 그 개별법률상 심판청구기간을 고지하지 아니하였다면 그 개별법률에서 정한 심판청구기간 내에 한하여 심판청구가 가능하다. 2015 서울시 9급 (○ | ×)

정답
1. × 2. ○ 3. ○ 4. × 5. ○ 6. ○ 7. ○ 8. × 9. × 10. ○
11. ×

14 □□□

행정심판의 심리와 재결에 관한 설명으로 옳은 것은?

① 행정심판에는 당사자주의가 적용되므로 행정심판위원회는 당사자가 주장하지 않은 사실에 대하여는 심리할 수 없다.
② 행정심판에서는 직권주의가 원칙이므로 행정심판위원회는 심판청구의 대상이 되는 처분 또는 부작위 외의 사항에 대하여도 재결할 수 있다.
③ 행정심판의 재결에는 불이익변경금지의 원칙이 적용되므로 행정심판위원회는 심판청구의 대상이 되는 처분보다 청구인에게 불리한 재결을 할 수 없다.
④ 행정심판위원회는 취소심판의 청구가 이유 있다고 인정할 때에는 처분을 취소 또는 다른 처분으로 변경하거나, 처분청에게 처분을 취소 또는 다른 처분으로 변경할 것을 명한다.

기출체크

① 관련기출

1. 행정심판위원회는 필요할 경우 당사자가 주장하지 아니한 사실에 대해서도 심리할 수 있다. 2023 국회직 8급 (○ | ×)
2. 행정심판위원회의 심리는 당사자가 주장한 사실에 한정되지 않으며, 필요한 때에는 당사자가 주장하지 아니한 사실에 대하여도 심리할 수 있다. 2013 지방직(하) 7급 (○ | ×)

② 관련기출

3. 행정심판위원회는 심판청구의 대상이 되는 처분 또는 부작위 이외의 사항에 대하여는 재결하지 못한다. 2023 해경간부 (○ | ×)
4. 행정심판위원회는 심판청구의 대상이 되는 처분 또는 부작위 외의 사항에 대하여 재결할 수 있다. 2022 경찰간부 (○ | ×)
5. 행정심판위원회는 심판청구의 대상이 되는 처분 또는 부작위 외의 사항에 대하여는 재결하지 못한다. 2016 국회직 8급 (○ | ×)

6. (행정심판)위원회는 직권에 의하여 심판청구의 대상이 되는 처분 또는 부작위 외의 사항에 대하여도 재결할 수 있다. 2010 국가직 9급 (○ | ×)
7. (행정심판에는) 불고불리의 원칙이 적용된다. 2009 지방직(하) 7급 (○ | ×)

③ 관련기출

8. (甲은 乙군수에게 「식품위생법」에 의한 일반음식점 영업신고를 하고 영업을 하던 중 청소년에게 주류를 판매하였다는 이유로 적발되었다. 관할 행정청인 乙군수는 「식품위생법 시행규칙」 [별표 23] 행정처분기준에 따라 사전통지 등 적법절차를 거쳐 1회 위반으로 영업정지 2월의 제재처분을 하였다) 영업정지 2월의 처분에 대하여 甲이 행정심판을 제기한 경우 행정심판위원회는 심리한 결과 처분청이 경미하게 처분하였다고 판단되면 영업정지 3월의 처분으로 처분을 변경하는 재결을 내릴 수 있다. 2023 군무원 7급 (○ | ×)
9. 행정심판위원회는 심판청구의 대상이 되는 처분보다 청구인에게 불리한 재결을 하지 못한다. 2023 행정사 (○ | ×)
10. (식품접객업을 하는 甲은 청소년의 연령을 확인하지 않고 주류를 판매한 사실이 적발되어 관할 행정청 乙로부터 「식품위생법」 위반을 이유로 영업정지 2개월을 부과받자 관할 행정심판위원회 丙에 행정심판을 청구하였다) 丙은 행정심판의 심리과정에서 甲의 「식품위생법」상의 또 다른 위반사실을 인지한 경우, 乙의 2개월 영업정지와는 별도로 1개월 영업정지를 추가하여 부과하는 재결을 할 수 있다. 2023 지방직·서울시 9급 (○ | ×)
11. 행정심판위원회는 심판청구의 대상이 되는 처분보다 청구인에게 불리한 재결을 할 수 있다. 2022 소방직 9급 (○ | ×)
12. 행정심판위원회는 필요하다고 판단하는 경우에는 심판청구의 대상이 되는 처분보다 청구인에게 불리한 재결을 할 수 있다. 2018 교육행정직 9급 (○ | ×)

④ 관련기출

13. 취소심판의 인용재결로는 취소재결, 변경재결 및 취소명령재결, 변경명령재결이 있다. 2022 경찰간부 (○ | ×)
14. (A행정청이 甲에게 한 처분에 대하여 甲은 B행정심판위원회에 행정심판을 청구하였다) 甲이 취소심판을 제기한 경우, B행정심판위원회는 심판청구가 이유가 있다고 인정하면 처분변경명령재결을 할 수 있다. 2022 지방직·서울시 9급 (○ | ×)
15. 취소심판의 인용재결로서 취소재결, 변경재결, 변경명령재결을 할 수 있다. 2021 국가직 7급 (○ | ×)
16. 취소심판의 심리 후 행정심판위원회는 영업허가취소처분을 영업정지처분으로 적극적으로 변경하는 변경재결 또는 변경명령재결을 할 수 있다. 2021 군무원 7급 (○ | ×)
17. 「행정심판법」상 행정심판위원회가 취소심판의 청구가 이유가 있다고 인정하는 경우에 행할 수 있는 재결에 해당하지 <u>않는</u> 것은? 2021 국가직 9급

① 처분을 취소하는 재결
② 처분을 할 것을 명하는 재결
③ 처분을 다른 처분으로 변경하는 재결
④ 처분을 다른 처분으로 변경할 것을 명하는 재결

정답
1. ○ 2. ○ 3. ○ 4. × 5. ○ 6. × 7. ○ 8. × 9. ○ 10. ×
11. × 12. × 13. × 14. ○ 15. ○ 16. ○ 17. ②

15

행정심판의 재결의 효력에 관한 설명으로 옳지 않은 것은?

① 거부처분에 대한 취소심판에서 인용재결이 내려진 경우에도, 거부처분에 대한 의무이행심판에서 인용재결이 있는 경우와 마찬가지로 행정청은 그 재결의 취지에 따라 다시 이전의 신청에 대한 처분을 하여야 한다.
② 행정심판위원회는 피청구인이 거부처분의 취소재결이 있었음에도 불구하고 처분을 하지 아니하는 경우에는, 당사자가 신청하면 기간을 정하여 서면으로 시정을 명하고 그 기간에 이행하지 아니하면 직접처분을 할 수 있다. 다만, 그 처분의 성질이나 그 밖의 불가피한 사유로 행정심판위원회가 직접처분을 할 수 없는 경우에는 그러하지 아니하다.
③ 행정심판위원회는 직접처분을 하였을 때에는 그 사실을 해당 행정청에 통보하여야 하며, 그 통보를 받은 행정청은 행정심판위원회가 한 처분을 자기가 한 처분으로 보아 관계 법령에 따라 관리·감독 등 필요한 조치를 하여야 한다.
④ 정보공개명령재결은 행정심판위원회에 의한 직접처분의 대상이 될 수 없다.

✓ 기출체크

① 관련기출

1. 재결에 의하여 취소되는 처분이 당사자의 신청을 거부하는 것을 내용으로 하는 경우에는 그 처분을 한 행정청은 재결의 취지에 따라 다시 이전의 신청에 대한 처분을 하여야 한다. 2025 행정사 (O | X)
2. 재결에 의하여 취소되거나 무효 또는 부존재로 확인되는 처분이 당사자의 신청을 거부하는 것을 내용으로 하는 경우에는 그 처분을 한 행정청은 재결의 취지에 따라 다시 이전의 신청에 대한 처분을 하여야 한다. 2025 국회직 8급 (O | X)
3. 당사자의 신청을 거부하거나 부작위로 방치한 처분의 이행을 명하는 재결이 있는 경우에는 처분청은 지체 없이 그 재결의 취지에 따라 다시 이전의 신청에 대한 처분을 하여야 한다. 2023 군무원 7급 (O | X)
4. 당사자의 신청을 거부하는 처분에 대한 취소심판에서 인용재결이 내려진 경우, 의무이행심판과 달리 행정청은 재처분의무를 지지 않는다. 2019 지방직·교육행정직 9급 (O | X)

② 관련기출

5. 직접처분은 당사자의 신청을 거부하거나 부작위로 방치한 처분의 이행을 명하는 재결에 적용된다. 2024 군무원 9급 (O | X)
6. 행정심판위원회는 처분이행명령재결이 있음에도 피청구인이 처분을 하지 않은 경우 당사자의 신청에 의해 기간을 정하여 서면으로 시정을 명하고 그 기간 안에 이행하지 않으면 원칙적으로 직접처분을 할 수 있다. 2024 해경승진 (O | X)
7. 피청구인이 거부처분을 취소하는 재결의 취지에 따라 다시 이전의 신청에 대한 처분을 하지 아니하는 경우에 행정심판위원회는 직접처분을 할 수 있다. 2021 경행경채 (O | X)

8. 「행정심판법」에 의해 행정청이 행정심판위원회의 재결의 취지에 따라 재처분을 할 의무가 있음에도 그 의무를 이행하지 않은 경우에 행정심판위원회가 직접처분을 할 수 있는 재결은? 2020 국가직 9급
① 당사자의 신청에 따른 처분을 절차가 부당함을 이유로 취소하는 재결
② 당사자의 신청을 거부한 처분의 이행을 명하는 재결
③ 당사자의 신청을 거부하는 처분을 취소하는 재결
④ 당사자의 신청을 거부하는 처분을 부존재로 확인하는 재결

③ 관련기출

9. 행정심판위원회가 직접처분을 하였을 때에는 그 사실을 해당 행정청에 통보하여야 하며, 그 통보를 받은 행정청은 행정심판위원회의 직접처분 취지에 따라 처분을 하고 관계 법령에 따라 관리·감독 등 필요한 조치를 하여야 한다. 2024 군무원 9급 (O | X)
10. 행정심판위원회가 직접처분을 한 경우에는 그 사실을 해당 행정청에 통보하여야 하며, 통보를 받은 행정청은 행정심판위원회가 한 처분을 자기가 한 처분으로 보아 관계 법령에 따라 관리·감독 등 필요한 조치를 하여야 한다. 2015 국회직 8급 (O | X)

④ 관련기출

11. 정보공개명령재결은 행정심판위원회에 의한 직접처분의 대상이 된다. 2021 국가직 7급 (O | X)

정답
1. O 2. O 3. O 4. × 5. O 6. O 7. × 8. ② 9. × 10. O
11. ×

16

「행정심판법」상 간접강제에 관한 설명으로 옳은 것만을 <보기>에서 모두 고른 것은?

| 보기 |

㉮ 행정심판위원회는 피청구인이 의무이행재결의 취지에 따른 처분을 하지 아니하면 청구인의 신청이나 직권에 의하여 결정으로 상당한 기간을 정하고 피청구인이 그 기간 내에 이행하지 아니하는 경우에는 그 지연기간에 따라 일정한 배상을 하도록 명하거나 즉시 배상을 할 것을 명할 수 있다.
㉯ 행정심판위원회는 사정변경이 있는 경우 당사자의 신청이나 직권에 의하여 간접강제결정의 내용을 변경할 수 있고, 변경결정을 하기 전에 신청상대방의 의견을 들을 수 있다.
㉰ 청구인은 행정심판위원회의 간접강제결정에 불복하는 경우 그 결정에 대하여 행정소송을 제기할 수 있다.
㉱ 간접강제결정의 효력은 피청구인인 행정청이 소속된 국가·지방자치단체 또는 공공단체에 미치며, 결정서 정본은 「민사집행법」에 따른 강제집행에 관하여는 집행권원과 같은 효력을 가진다.

① ㉮, ㉯
② ㉮, ㉱
③ ㉯, ㉰
④ ㉰, ㉱

기출체크

㉮ 관련기출

1. 간접강제는 행정심판위원회가 청구인의 신청이 있는 때에만 명할 수 있고 직권으로는 할 수 없다. 2024 군무원 9급 (O | X)
2. 행정심판위원회는 피청구인이 의무이행재결 중 처분명령재결의 취지에 따른 처분을 하지 아니하는 경우에, 청구인의 신청에 의하여 결정으로 상당한 기간을 정하고 피청구인이 그 기간 내에 이행하지 아니하는 경우에는 그 지연기간에 따라 일정한 배상을 하도록 명하거나 즉시 배상을 할 것을 명할 수 있다. 2023 지방직·서울시 7급 (O | X)
3. 행정심판위원회는 피청구인이 재결에 따른 재처분의무를 이행하지 않으면 청구인의 신청에 의하여 결정으로 상당한 기간을 정하고 피청구인이 그 기간 내에 이행하지 아니하는 경우에는 그 지연기간에 따라 일정한 배상을 하도록 명하거나 즉시 배상을 할 것을 명할 수 있다. 2022 국회직 8급 (O | X)
4. 간접강제는 행정심판의 재결의 기속력에 따른 재처분의무를 이행하지 않은 경우에 재결의 실효성을 확보하기 위하여 행정청에 일정한 배상을 명령하는 제도이다. 2022 소방간부 (O | X)
5. 행정심판위원회는 청구인의 신청 또는 직권으로 간접강제를 결정할 수 있다. 2022 소방간부 (O | X)

㉯ 관련기출

6. 행정심판위원회는 사정의 변경이 있는 경우에는 당사자의 신청에 의하여 간접강제결정의 내용을 변경할 수 있으며, 변경결정을 하기 전에 신청상대방의 의견을 들어야 한다. 2022 국회직 8급 (O | X)

㉰ 관련기출

7. 간접강제결정에 불복할 경우에는 청구인은 그 결정에 대하여 행정심판위원회를 상대로 행정소송을 제기할 수 있다. 2024 군무원 9급 (O | X)
8. 청구인은 행정심판위원회의 간접강제결정에 불복하는 경우 그 결정에 대하여 행정소송을 제기할 수 있다. 2022 국회직 8급 (O | X)

㉱ 관련기출

9. 행정심판위원회의 간접강제결정의 효력은 피청구인인 행정청이 소속된 국가·지방자치단체 또는 공공단체에까지 미친다. 2022 국회직 8급 (O | X)
10. 간접강제결정의 효력은 피청구인인 행정청이 소속된 국가·지방자치단체 또는 공공단체에 미치며, 결정서 정본은 간접강제결정에 불복하는 행정소송의 제기와 관계없이 「민사집행법」에 따른 강제집행에 관하여는 집행권원과 같은 효력을 가진다. 2022 소방간부 (O | X)
11. 인용재결의 기속력은 피청구인과 그 밖의 관계 행정청에 미치고, 행정심판위원회의 간접강제결정의 효력은 피청구인인 행정청이 소속된 국가·지방자치단체 또는 공공단체에 미친다. 2021 국가직 7급 (O | X)
12. 간접강제결정서 정본은 간접강제결정에 대한 행정소송의 제기와 관계없이 「민사집행법」에 따른 강제집행에 관하여는 집행권원과 같은 효력을 가진다. 2021 소방간부 (O | X)

정답
1. O 2. O 3. O 4. O 5. X 6. O 7. O 8. O 9. O 10. O
11. O 12. O

17 ☐☐☐

행정심판의 재결에 관한 설명으로 옳은 것만을 <보기>에서 모두 고른 것은? (다툼이 있는 경우 판례에 의함)

| 보기 |
㉮ 행정심판청구에 대한 재결이 있더라도 그 재결 자체에 고유한 위법이 있다면 다시 행정심판을 청구할 수 있다.
㉯ 형성력을 가지는 취소재결이 있는 경우 그 대상이 된 행정처분의 효력은 별도의 취소처분 없이도 당연히 소멸한다.
㉰ 기속력은 인용재결뿐만 아니라 각하재결이나 기각재결에도 발생한다.
㉱ 인용재결이 있는 경우 당해 처분에 관하여 위법한 것으로 재결에서 판단된 사유와 기본적 사실관계에 있어 동일성이 인정되는 사유를 내세워 다시 동일한 내용의 처분을 하는 것은 허용되지 않는다.

① ㉮, ㉯
② ㉮, ㉱
③ ㉯, ㉱
④ ㉰, ㉱

기출체크

㉮ 관련기출

1. 행정심판청구에 대한 재결이 있으면 그 재결 및 같은 처분 또는 부작위에 대하여 다시 행정심판을 청구할 수 없다. 2025 국회직 8급 (O | X)
2. (A행정청이 甲에게 한 처분에 대하여 甲은 B행정심판위원회에 행정심판을 청구하였다) B행정심판위원회의 재결에 고유한 위법이 있는 경우에는 甲은 다시 행정심판을 청구할 수 있다. 2022 지방직·서울시 9급 (O | X)
3. 개별법률에 특별규정이 없는 경우에 행정심판청구에 대한 재결이 있으면 그 재결 및 같은 처분 또는 부작위에 대하여 다시 행정심판을 청구할 수 있다. 2018 경행경채 (O | X)
4. 행정심판의 재결에 불복하는 경우 그 재결 및 같은 처분 또는 부작위에 대하여 다시 행정심판을 청구할 수 있다. 2017 교육행정직 9급 (O | X)
5. 심판청구에 대한 재결에는 기판력이 인정되지 않으므로 그 재결 및 같은 처분 또는 부작위에 대하여 다시 행정심판을 청구할 수 있다. 2016 서울시 7급 (O | X)

㉯ 관련기출

6. 행정심판 재결의 내용이 처분청의 처분을 스스로 취소하는 것일 때에는 그 재결의 형성력이 발생하여 당해 행정처분은 별도의 행정처분을 기다릴 것 없이 당연히 취소되어 소멸된다. 2024 국가직 9급 (O | X)
7. 행정심판에서 행정심판위원회에 의한 형성적 재결이 있은 경우에는 그 대상이 된 행정처분은 재결 자체에 의하여 당연히 취소되어 소멸된다. 2018 경행경채 3차 (O | X)
8. 형성력을 가지는 취소재결이 있는 경우 그 대상이 된 행정처분은 재결 자체에 의해 당연취소되어 소멸한다. 2012 지방직(하) 9급 (O | X)

9. 형성재결인 취소재결이 있는 경우 재결의 형성력에 의해 처분청의 별도의 처분 없이 처분의 효력이 소멸된다. 2012 서울교행 9급
(O | X)

㉢ 관련기출

10. 재결의 기속력은 인용재결에만 인정되므로 처분청은 기각재결이 있은 후 정당한 사유가 있으면 직권으로 원처분을 취소·변경·철회할 수 있다. 2024 군무원 5급
(O | X)

11. 재결의 기속력은 인용재결의 효력이며 기각재결에는 인정되지 않는다. 2023 군무원 9급
(O | X)

12. (A행정청이 甲에게 한 처분에 대하여 甲은 B행정심판위원회에 행정심판을 청구하였다) B행정심판위원회의 기각재결이 있은 후에는 A행정청은 원처분을 직권으로 취소할 수 없다. 2022 지방직·서울시 9급
(O | X)

13. 기각재결이 있은 후에도 원처분청은 원처분을 직권으로 취소 또는 변경할 수 있다. 2021 군무원 9급
(O | X)

14. 행정심판재결의 기속력은 인용재결뿐만 아니라 각하재결과 기각재결에도 인정되는 효력이다. 2018 서울시 9급
(O | X)

㉣ 관련기출

15. 당해 처분에 관하여 위법한 것으로 재결에서 판단된 사유와 기본적 사실관계에 있어 동일성이 인정되는 사유를 내세워 다시 동일한 내용의 처분을 하는 것은 허용되지 않는다. 2023 군무원 9급
(O | X)

정답
1. O 2. X 3. X 4. X 5. X 6. O 7. O 8. O 9. O 10. O
11. O 12. X 13. O 14. X 15. O

18 □□□

행정심판의 재결에 관한 설명으로 옳은 것은? (다툼이 있는 경우 판례에 의함)

① 재결의 기속력은 처분 등의 구체적 위법사유에 관한 판단에는 미치지 않는다.
② 법령의 규정에 의하여 공고한 처분을 재결로써 취소할 때에는 재결을 한 행정심판위원회는 지체 없이 그 처분이 취소되었음을 공고하여야 한다.
③ 재결의 취지에 따라 이전의 신청에 대하여 다시 어떠한 처분을 하여야 할지는 처분을 할 때의 법령과 사실을 기준으로 판단하여야 하므로 당사자의 신청을 받아들이지 않은 거부처분이 재결에서 취소된 경우, 행정청은 종전 거부처분 후에 발생한 새로운 사유를 내세워 다시 거부처분을 할 수 있다.
④ 행정심판의 청구에 대하여 인용재결이 내려지는 경우 피청구인은 행정소송을 통하여 그에 불복할 수 있다.

✓ 기출체크

① 관련기출

1. 인용재결의 기속력은 재결의 주문 및 그 전제된 요건사실의 인정과 판단에 미치고, 종전 처분이 재결에 의하여 취소되었다 하더라도 종전 처분시와는 다른 사유를 들어서 처분을 하는 것은 기속력에 저촉되지 않는다. 2023 소방간부
(O | X)

2. 기속력은 재결의 주문에만 미치고, 처분 등의 구체적 위법사유에 관한 판단에는 미치지 않는다. 2021 지방직·서울시 9급
(O | X)

3. 재결의 기속력은 재결의 주문 및 그 전제가 된 요건사실의 인정과 판단에 대하여만 미친다. 2019 국가직 7급
(O | X)

4. 재결의 기속력은 당해 처분에 관한 재결주문에만 미친다. 2016 교육행정직 9급
(O | X)

5. 재결의 기속력은 재결의 주문 및 그 전제가 된 요건사실의 인정과 판단, 즉 처분 등의 구체적 위법사유에 관한 판단에만 미친다. 2015 지방직 9급
(O | X)

② 관련기출

6. 법령의 규정에 따라 공고하거나 고시한 처분이 재결로써 취소되거나 변경되면 처분을 한 행정청은 지체 없이 그 처분이 취소 또는 변경되었다는 것을 공고하거나 고시하여야 한다. 2022 소방직 9급
(O | X)

7. 법령의 규정에 의하여 공고한 처분이 재결로써 취소된 때에는 처분청은 지체 없이 그 처분이 취소되었음을 공고하여야 한다. 2016 교육행정직 9급
(O | X)

③ 관련기출

8. 당사자의 신청을 받아들이지 않은 거부처분이 재결에서 취소된 경우에 행정청은 종전 거부처분 또는 재결 후에 발생한 새로운 사유를 내세워 다시 거부처분을 할 수 없다. 2024 국가직 9급
(O | X)

9. 당사자의 신청을 받아들이지 않은 거부처분이 재결에서 취소된 경우에 행정청은 재결 후에 발생한 새로운 사유를 내세워 다시 거부처분을 할 수 있다. 2021 국가직 7급
(O | X)

10. 당사자의 신청을 받아들이지 않은 거부처분이 재결에서 취소된 경우, 그 재결의 취지에 따라 이전의 신청에 대하여 다시 어떠한 처분을 하여야 할지는 처분을 할 때의 법령과 사실을 기준으로 판단하여야 하므로, 행정청은 종전 거부처분 또는 재결 후에 발생한 새로운 사유를 내세워 다시 거부처분을 할 수 있다. 2019 국가직 7급
(O | X)

④ 관련기출

11. 甲이 「식품위생법」 위반을 이유로 1개월의 영업정지처분을 받게 되어 관할 행정청을 피청구인으로 하여 취소심판을 제기한 경우에 행정심판위원회가 1개월의 영업정지처분 취소재결을 내린 경우, 관할 행정청은 취소재결취소소송을 제기할 수 있다. 2024 소방간부
(O | X)

12. (식품접객업을 하는 甲은 청소년의 연령을 확인하지 않고 주류를 판매한 사실이 적발되어 관할 행정청 乙로부터 「식품위생법」 위반을 이유로 영업정지 2개월을 부과받자 관할 행정심판위원회 丙에 행정심판을 청구하였다) 丙이 영업정지처분을 취소하는 재결을 할 경우, 乙은 이 인용재결의 취소를 구하는 행정소송을 제기할 수 없다. 2023 지방직·서울시 9급
(O | X)

정답
1. O 2. X 3. O 4. X 5. O 6. O 7. O 8. X 9. O 10. O
11. X 12. O

19 □□□

「행정심판법」에 관한 설명으로 옳은 것만을 <보기>에서 모두 고른 것은?

┤ 보기 ├

㉮ 행정심판청구인이 경제적 능력으로 인해 대리인을 선임할 수 없는 경우에는 행정심판위원회에 국선대리인을 선임하여 줄 것을 신청할 수 있다.

㉯ 행정심판위원회는 공공복리에 적합하지 아니하거나 해당 처분의 성질에 반하는 경우가 아니라면 당사자의 권리 및 권한의 범위에서 당사자의 동의 없이도 직권으로 조정을 할 수 있다.

㉰ 조정에는 재결의 기속력 규정뿐만 아니라 행정심판위원회의 직접처분과 간접강제의 규정도 준용된다.

㉱ 「행정심판법」상 임시처분은 행정심판위원회의 직권으로도 할 수 있으나 집행정지로 목적을 달성할 수 있는 경우에는 허용되지 않는다.

㉲ 집행정지요건 중 하나로 「행정소송법」은 '중대한 손해'를 예방할 필요성에 관하여 규정하고 있으나, 「행정심판법」은 '회복하기 어려운 손해'를 예방할 필요성에 관하여 규정하고 있다.

① ㉮, ㉯, ㉰
② ㉮, ㉰, ㉱
③ ㉮, ㉱, ㉲
④ ㉯, ㉰, ㉱

✓ 기출체크

㉮ 관련기출

1. 행정심판청구인이 경제적 능력으로 인해 대리인을 선임할 수 없는 경우에는 행정심판위원회에 국선대리인을 선임하여 줄 것을 신청할 수 있다. 2023 행정사 (O | ×)

㉯ 관련기출

2. 행정심판위원회는 당사자의 권리 및 권한의 범위에서 직권으로 심판청구의 신속하고 공정한 해결을 위하여 조정을 할 수 있지만, 그 조정이 공공복리에 적합하지 아니하거나 해당 처분의 성질에 반하는 경우에는 그러하지 아니한다. 2021 국회직 8급 (O | ×)
3. 행정심판위원회는 당사자의 권리 및 권한의 범위에서 당사자의 동의를 받아 조정을 할 수 있다. 다만, 그 조정이 공공복리에 적합하지 아니하거나 해당 처분의 성질에 반하는 경우에는 그러하지 아니하다. 2018 경행경채 (O | ×)
4. 행정심판위원회는 공공복리에 적합하지 아니하거나 해당 처분의 성질에 반하는 경우가 아니라면 당사자의 권리 및 권한의 범위에서 당사자의 동의를 받아 조정을 할 수 있다. 2018 국가직 7급 (O | ×)
5. 행정심판위원회는 당사자의 권리 및 권한의 범위에서 당사자의 동의를 받아 행정심판청구의 신속하고 공정한 해결을 위하여 조정을 할 수 있으나, 그 조정이 공공복리에 적합하지 아니하거나 해당 처분의 성질에 반하는 경우에는 그러하지 아니하다. 2018 지방직 7급 (O | ×)

㉰ 관련기출

6. 위원회는 당사자의 권리 및 권한의 범위에서 당사자의 동의를 받아 심판청구의 신속하고 공정한 해결을 위하여 조정을 할 수 있고, 조정은 당사자가 합의한 사항을 조정서에 기재한 후 당사자가 서명 또는 날인하고 위원회가 이를 확인함으로써 성립하며, 성립한 조정에는 「행정심판법」 제50조(위원회의 직접처분)의 규정을 준용한다. 2024 국회직 8급 (O | ×)
7. 조정이 성립되면 재결의 기속력 규정뿐만 아니라 행정심판위원회의 간접강제규정도 준용된다. 2023 경찰간부 (O | ×)
8. 당사자가 합의한 사항을 조정서에 기재한 후 당사자가 서명 또는 날인하고 행정심판위원회가 이를 확인함으로써 성립하는 조정에 대하여는 제51조(행정심판 재청구의 금지)의 규정이 준용되지 않는다. 2021 경행경채 (O | ×)

㉱ 관련기출

9. 「행정심판법」상 임시처분은 집행정지로 목적을 달성할 수 있는 경우에는 허용되지 아니한다. 2024 지방직·서울시 7급 (O | ×)
10. 행정심판위원회는 처분 또는 부작위가 위법·부당하다고 상당히 의심되는 경우로서 처분 또는 부작위 때문에 당사자가 받을 우려가 있는 중대한 불이익이나 당사자에게 생길 급박한 위험을 막기 위하여 임시지위를 정하여야 할 필요가 있는 경우에는 집행정지로 목적을 달성할 수 있더라도 직권으로 또는 당사자의 신청에 의하여 임시처분을 결정할 수 있다. 2023 지방직·서울시 7급 (O | ×)
11. 행정심판위원회는 집행정지로 목적을 달성할 수 있는 경우에도 당사자에게 생길 급박한 위험을 막기 위해서는 임시처분을 결정할 수 있다. 2023 서울시 연구사 (O | ×)
12. 당사자의 임시지위를 정하여야 할 필요성이 인정된다면, 집행정지로 목적을 달성할 수 있는 경우에도 임시처분은 선택적으로 사용될 수 있다. 2022 국회직 8급 (O | ×)

㉲ 관련기출

13. 「행정심판법」상 집행정지는 '중대한 손해', 「행정소송법」상 집행정지는 '회복하기 어려운 손해'를 각각 요건으로 한다는 차이점이 있다. 2023 군무원 5급 (O | ×)
14. 「행정심판법」상 집행정지에서 손해의 요건으로 중대성을 요구하지만, 「행정소송법」은 회복하기 어려운 손해를 그 요건으로 한다. 2022 서울시 지적 7급 (O | ×)
15. 「행정소송법」이 정하는 집행정지의 요건은 '중대한 손해'의 예방 필요성이다. 2018 서울시 1회 7급 (O | ×)
16. 「행정소송법」이 집행정지의 요건 중 하나로 '중대한 손해'가 생기는 것을 예방할 필요성에 관하여 규정하고 있는 반면, 「행정심판법」은 집행정지의 요건 중 하나로 '회복하기 어려운 손해'를 예방할 필요성에 관하여 규정하고 있다. 2017 국회직 8급 (O | ×)
17. 「행정심판법」과 「행정소송법」은 모두 집행정지의 적극적 요건으로 '회복하기 어려운 손해를 예방하기 위하여 긴급한 필요가 있다고 인정할 때'를 요구하고 있다. 2016 사회복지직 9급 (O | ×)

> **정답**
> 1. O 2. × 3. O 4. O 5. O 6. O 7. O 8. × 9. O 10. ×
> 11. × 12. × 13. O 14. O 15. × 16. × 17. ×

20 □□□

행정심판에 관한 설명으로 옳은 것은? (다툼이 있는 경우 판례에 의함)

① 항고소송에서 행정청이 처분의 근거사유를 추가하거나 변경하기 위한 요건인 '기본적 사실관계의 동일성'은 행정부 내의 통제수단인 행정심판단계에서는 적용되지 않는다.
② 행정소송과 달리 행정심판의 심리는 원칙적으로 서면심리로 진행하나, 다만 당사자가 구술심리를 신청한 경우에는 서면심리만으로 결정할 수 있다고 인정되는 경우 외에는 구술심리를 하여야 한다.
③ 행정심판에 있어서 행정처분의 위법·부당 여부는 원칙적으로 처분시를 기준으로 판단하여야 하므로, 재결기관은 처분 당시 존재하였거나 행정청에 제출되었던 자료만을 기초로 하여 처분의 위법·부당 여부를 판단하여야 하며, 재결 당시까지 제출된 모든 자료를 종합하여 처분 당시 존재하였던 객관적 사실을 확정하고 그 사실에 기초하여 처분의 위법·부당 여부를 판단할 수 있는 것은 아니다.
④ 행정심판의 재결은 피청구인 또는 행정심판위원회가 심판청구서를 받은 날부터 60일 이내에 하여야 하나, 부득이한 사정이 있는 경우에는 위원장이 직권으로 30일을 연장할 수 있다.

✓ 기출체크

① 관련기출
1. 행정청은 당초 처분사유와 기본적 사실관계가 동일하지 아니한 처분사유를 행정소송 계속 중에는 추가·변경할 수 없으나 행정심판단계에서는 추가·변경할 수 있다. 2025 해경승진 (O | X)
2. 행정심판에서는 항고소송에서와 달리 처분청이 당초 처분의 근거로 삼은 사유와 기본적 사실관계가 동일성이 인정되지 않는 다른 사유를 처분사유로 추가하거나 변경할 수 있다. 2018 국가직 9급 (O | X)
3. 행정처분의 취소를 구하는 항고소송에서 처분청은 당초 처분의 근거로 삼은 사유와 기본적 사실관계가 동일성이 있다고 인정되는 한도 내에서만 다른 사유를 추가 또는 변경할 수 있다는 법리는 행정심판단계에서도 그대로 적용된다. 2018 지방직 7급 (O | X)
4. 처분사유의 추가·변경에 관한 법리는 행정심판의 단계에서도 적용된다. 2016 국회직 8급 (O | X)

② 관련기출
5. 청구인이 구술심리를 신청하는 경우 행정심판위원회는 구술심리를 하여야 한다. 2024 소방간부 (O | X)
6. 행정심판의 심리는 당사자가 구술심리를 신청한 경우를 제외하고는 서면심리주의를 원칙으로 하고 있다. 2016 서울시 7급 (O | X)
7. 「행정심판법」은 구술심리를 원칙으로 하며, 당사자의 신청이 있는 때에는 서면심리로 할 것을 규정하고 있다. 2013 지방직(하) 7급 (O | X)
8. 행정심판의 심리는 구술심리 또는 서면심리로 한다. 2010 지방직 9급 (O | X)
9. 당사자가 구술심리를 신청하면 당사자주의에 의하여 구술심리를 하여야 하고 서면심리를 할 수는 없다. 2008 지방직 9급 (O | X)

③ 관련기출
10. 행정심판에 있어서 행정처분의 위법·부당 여부는 원칙적으로 처분시를 기준으로 판단하여야 할 것이나, 재결 당시까지 제출된 모든 자료를 종합하여 처분 당시 존재하였던 객관적 사실을 확정하고 그 사실에 기초하여 처분의 위법·부당 여부를 판단할 수 있다. 2015 지방직 9급 (O | X)
11. 처분의 위법·부당에 대한 판단의 기준시점은 원칙적으로 처분시점을 기준으로 판단해야 한다. 2012 경행특채 (O | X)

④ 관련기출
12. 재결은 「행정심판법」 제23조에 따라 피청구인 또는 (행정심판)위원회가 심판청구서를 받은 날부터 (   )일 이내에 하여야 한다. 다만, 부득이한 사정이 있는 경우에는 위원장이 직권으로 (   )일을 연장할 수 있다. 2016 경행경채
13. 행정심판위원회는 심판청구서를 받은 날로부터 60일 이내에 재결을 하여야 하나, 위원장 직권으로 연장할 수 있다. 2012 경행특채 (O | X)
14. 재결은 피청구인인 행정청이 행정심판청구서를 받은 날로부터 90일 이내에 하여야 한다. 2008 지방직 9급 (O | X)

정답
1. × 2. × 3. O 4. O 5. × 6. × 7. × 8. O 9. × 10. O
11. O 12. 60, 30 13. O 14. ×

21 □□□

행정심판에 관한 설명으로 옳지 않은 것은?

① 의무이행심판은 처분을 신청한 자로서 행정청의 거부처분 또는 부작위에 대하여 일정한 처분을 구할 법률상 이익이 있는 자가 청구인적격을 갖는다.
② 부작위에 대한 의무이행심판은 무효등확인심판과 마찬가지로 심판청구기간규정의 적용을 받지 않고 사정재결도 허용되지 않는다.
③ 행정심판위원회는 사정재결을 할 때 재결의 주문에서 그 처분 또는 부작위가 위법하거나 부당하다는 것을 구체적으로 밝혀야 하고, 청구인에 대하여 상당한 구제방법을 취하거나 피청구인에게 상당한 구제방법을 취할 것을 명할 수 있다.
④ 행정심판위원회는 무효확인심판청구가 이유 있을 때 이를 인용하는 것이 공공복리에 크게 위배된다고 인정하는 경우라도 그 심판청구를 기각하는 재결을 할 수 없다.

기출체크

① 관련기출
1. 의무이행심판은 거부처분이나 부작위에 대하여 일정한 처분을 구할 법률상 이익이 있는 자가 청구인적격을 갖는다. 2023 군무원 7급 (O | X)
2. 의무이행심판은 처분을 신청한 자로서 행정청의 거부처분 또는 부작위에 대하여 일정한 처분을 구할 법률상 이익이 있는 자가 청구할 수 있다. 2023 소방승진 (O | X)

② 관련기출
3. 심판청구기간은 취소심판청구와 거부처분에 대한 의무이행심판청구에만 적용되고, 무효등확인심판청구나 부작위에 대한 의무이행심판청구에는 적용되지 아니한다. 2024 국회직 9급 (O | X)
4. 심판청구기간은 부작위에 대한 의무이행심판청구에는 적용되지 아니한다. 2024 국회직 8급 (O | X)
5. 거부처분이나 부작위에 대한 의무이행심판청구는 청구기간의 제한이 있다. 2023 군무원 7급 (O | X)
6. 행정청의 부작위에 대한 의무이행심판은 심판청구기간 규정의 적용을 받지 않고, 사정재결이 인정되지 아니한다. 2021 지방직·서울시 9급 (O | X)
7. 무효등확인심판에는 심판청구기간의 제한이 없다. 2013 서울시 7급 (O | X)

③ 관련기출
8. 행정심판위원회는 심판청구가 이유가 있다고 인정하는 경우에도 이를 인용하는 것이 공공복리에 크게 위배된다고 인정하면 그 심판청구를 기각하는 재결을 할 수 있다. 2023 국회직 8급 (O | X)
9. 행정심판위원회는 사정재결을 함에 있어서 청구인에 대하여 상당한 구제방법을 취하거나 피청구인에게 상당한 구제방법을 취할 것을 명할 수 있으나, 재결주문에 그 처분 등이 위법 또는 부당함을 명시할 필요는 없다. 2015 국회직 8급 (O | X)
10. 사정재결을 할 경우 당해 처분 또는 부작위가 위법하거나 부당하다는 것은 재결의 이유에서 밝히면 충분하다. 2012 서울교행 9급 (O | X)

④ 관련기출
11. 무효등확인심판에는 사정재결을 할 수 있다. 2025 행정사 (O | X)
12. (A행정청이 甲에게 한 처분에 대하여 甲은 B행정심판위원회에 행정심판을 청구하였다) 甲이 무효확인심판을 제기한 경우, B행정심판위원회는 심판청구가 이유 있다고 인정하면서도 이를 인용하는 것이 공공복리에 크게 위배된다고 인정하면 甲의 심판청구를 기각할 수 있다. 2022 지방직·서울시 9급 (O | X)
13. 사정재결은 취소심판의 경우에만 인정되고, 의무이행심판과 무효확인심판의 경우에는 인정되지 않는다. 2021 군무원 7급 (O | X)
14. 무효등확인심판에서는 사정재결이 허용되지 아니한다. 2019 서울시 9급 (O | X)
15. 행정심판위원회는 무효확인심판의 청구가 이유 있더라도 이를 인용하는 것이 공공복리에 크게 위배된다고 인정하면 그 청구를 기각하는 재결을 할 수 있다. 2018 국회직 8급 (O | X)

정답
1. O 2. O 3. O 4. O 5. × 6. × 7. O 8. O 9. × 10. ×
11. × 12. × 13. × 14. O 15. ×

22 ☐☐☐

행정소송에 관한 설명으로 옳은 것은? (다툼이 있는 경우 판례에 의함)

① 「행정소송법」상 이행판결을 구하는 소송이나 행정청이 한 것과 같은 효과가 있는 처분을 직접 행하도록 하는 형성판결을 구하는 소송은 허용되지 않는다.
② 행정청에 대하여 신축건물의 준공처분을 하여서는 아니 된다는 내용의 부작위를 구하는 원고의 청구는 이른바 금지청구소송으로서 기존 항고소송으로 해결되지 않는 경우에 보충적으로 허용된다.
③ 행정청이 공무원에게 국가공무원법령상 연가보상비를 지급하지 아니한 행위는 공무원의 연가보상비청구권을 제한하는 행위로서 항고소송의 대상이 되는 처분이라고 보아야 한다.
④ 공법상 당사자소송에 대하여 청구의 기초가 바뀌지 아니하는 한도 안에서 민사소송으로 소변경은 금지된다.

기출체크

① 관련기출
1. 「행정소송법」상 행정청으로 하여금 일정한 행정처분을 하도록 명하는 이행판결을 구하는 소송이나 법원으로 하여금 행정청이 일정한 행정처분을 행한 것과 같은 효과가 있는 행정처분을 직접 행하도록 하는 형성판결을 구하는 소송은 허용되지 아니한다. 2025 소방직 9급 (O | X)
2. 행정청으로 하여금 일정한 행정처분을 하도록 명하는 이행판결을 구하는 소송이나 법원으로 하여금 행정청이 일정한 행정처분을 행한 것과 같은 효과가 있는 행정처분을 직접 행하도록 하는 형성판결을 구하는 소송은 허용되지 아니한다. 2023 국회직 9급 (O | X)

② 관련기출
3. 신축건물의 준공처분을 하여서는 아니 된다는 내용의 부작위를 청구하는 행정소송은 예외적으로 허용된다. 2018 교육행정직 9급 (O | X)
4. 「행정소송법」상 행정청이 일정한 처분을 하지 못하도록 그 부작위를 구하는 청구는 허용되지 않는 부적법한 소송이다. 2015 지방직 9급 (O | X)
5. (판례에 따르면) 신축건물의 준공처분을 하여서는 안 된다는 내용의 부작위청구소송은 허용되지 않는다. 2012 사회복지직 9급 (O | X)
6. 신축건물의 준공처분을 해서는 안 된다는 내용의 부작위를 구하는 청구는 행정소송에서 허용되지 아니하는 것이므로 부적법하다. 2010 국회속기직 9급 (O | X)
7. 대법원은 처분이 행하여짐으로써 회복하기 어려운 권익 침해를 막기 위해 예방적 부작위소송을 인정하고 있다. 2010 경행특채 (O | X)

③ 관련기출
8. 행정청이 공무원에게 국가공무원법령상 연가보상비를 지급하지 아니한 행위는 공무원의 연가보상비청구권을 제한하는 행위로서 항고소송의 대상이 되는 처분이다. 2019 지방직 7급 (O | X)

④ 관련기출

9. 공법상 당사자소송과 민사소송은 서로 다른 소송절차에 해당하여 청구기초의 동일성이 없다고 해석되므로 양자 간의 소변경은 허용되지 아니한다. 2026 경찰간부 (O | X)
10. 공법상 당사자소송에 대하여 그 청구의 기초가 바뀌지 아니하는 한도 안에서 민사소송으로 소변경이 가능하다. 2025 국회직 8급 (O | X)
11. 민사소송에서 항고소송으로의 소변경이 허용되는 이상, 공법상 당사자소송과 민사소송이 서로 다른 소송절차에 해당한다는 이유만으로 청구기초의 동일성이 없다고 해석하여 양자 간의 소변경을 허용하지 않을 이유가 없다. 2025 변호사 (O | X)

정답
1. O 2. O 3. × 4. O 5. O 6. O 7. × 8. × 9. × 10. O
11. O

23 □□□

소송의 형식에 관한 설명으로 옳은 것만을 <보기>에서 모두 고른 것은? (다툼이 있는 경우 판례에 의함)

―― 보기 ――

㉮ 국가의 부가가치세 환급세액 지급의무는 정의와 공평의 관념에서 수익자와 손실자 사이의 재산상태 조정을 위해 인정되는 부당이득반환의무이므로 국가에 대한 납세의무자의 부가가치세 환급세액 지급청구는 당사자소송에 의한다.

㉯ 지방자치단체가 보조금지급결정을 하면서 일정 기한 내에 보조금을 반환하도록 교부조건을 부가한 경우, 보조사업자에 대한 지방자치단체의 보조금반환청구는 부당이득반환청구로서 민사소송의 대상이다.

㉰ 구 「공무원연금법」상의 퇴직급여는 공무원연금관리공단의 지급결정으로 구체적 권리가 발생하는 것이므로 공무원연금관리공단의 급여결정은 행정처분으로서 이에 대해서는 항고소송을 제기하여야 한다.

㉱ 「산업기술혁신 촉진법」에 따라 산업기술개발사업에 관하여 체결된 협약은 공법상 계약에 해당하므로, 이에 따라 집행된 정산금 반환채무의 존부에 관한 분쟁은 공법상 당사자소송의 대상이다.

① ㉮, ㉯
② ㉮, ㉱
③ ㉯, ㉰
④ ㉰, ㉱

✔기출체크

㉮ 관련기출

1. 납세의무자에 대한 국가의 부가가치세 환급세액 지급의무에 대응하는 국가에 대한 납세의무자의 부가가치세 환급세액 지급청구는 민사소송이 아니라 「행정소송법」 제3조 제2호에 규정된 당사자소송의 절차에 따라야 한다. 2025 군무원 9급 (O | X)

2. 납세의무자에 대한 국가의 부가가치세 환급세액 지급의무는 부당이득반환의무이므로 민사소송의 절차에 따라야 한다. 2025 군무원 7급 (O | X)
3. 납세의무자에 대한 국가의 부가가치세 환급세액 지급의무는 부가가치세법령에 의하여 그 존부나 범위가 구체적으로 확정되고 조세정책적 관점에서 특별히 인정되는 공법상 의무이다. 2025 소방간부 (O | X)
4. 부가가치세 납세의무를 부담하는 사업자가 국가를 상대로 부가가치세 환급세액의 지급을 청구하는 경우 「행정소송법」상 당사자소송으로 다투어야 한다) 2024 변호사 (O | X)
5. 납세의무자에 대한 국가의 부가가치세 환급세액 지급의무는 그 납세의무자로부터 어느 과세기간에 과다하게 거래징수된 세액 상당을 국가가 실제로 납부받았는지와 관계없이 부가가치세법령의 규정에 의하여 직접 발생하는 것으로서, 그 법적 성질은 부당이득반환의무가 아니다. 2022 국가직 7급 (O | X)

㉯ 관련기출

6. 지방자치단체가 보조금지급결정을 하면서 일정 기한 내에 보조금을 반환하도록 하는 교부조건을 부가한 경우, 보조사업자에 대한 지방자치단체의 보조금반환청구의 소(는 항고소송과 당사자소송 중 ( )의 대상이다) 2023 국회직 8급
7. 지방자치단체가 보조금지급결정을 하면서 일정 기한 내에 보조금을 반환하도록 교부조건을 부가한 경우, 보조사업자에 대한 지방자치단체의 보조금반환청구는 당사자소송의 대상이 된다. 2021 국가직 7급 (O | X)

㉰ 관련기출

8. 공무원연금법령상 급여를 받으려고 하는 자는 우선 관계 법령에 따라 공단에 급여지급을 신청하여 공무원연금관리공단이 이를 거부한 경우 그 결정을 대상으로 항고소송을 제기하는 등으로 구체적 권리를 인정받은 다음에야 당사자소송으로 그 급여의 지급을 구하여야 한다. 2024 군무원 5급 (O | X)
9. 판례에 따를 때, 다음 중 당사자소송에 해당하는 것은? 2015 서울시 9급
① 「민주화운동 관련자 명예회복 및 보상 등에 관한 법률」에 의한 보상금지급청구소송
② 「광주민주화운동 관련자 보상 등에 관한 법률」에 의거한 손실보상청구소송
③ 「도시 및 주거환경정비법」상의 주택재건축 정비사업조합이 수립한 관리처분계획에 대하여 관할 행정청의 인가·고시가 있은 후에 제기하는 관리처분계획에 대한 소송
④ 공무원연금관리공단의 퇴직급여결정에 대한 소송
10. 공무원연금관리공단의 급여결정에 관한 소송(은 판례상 당사자소송이다) 2015 국회직 8급 (O | X)

정답
1. O 2. × 3. O 4. O 5. O 6. 당사자소송 7. O 8. O 9. ②
10. ×

24

행정소송에 관한 설명으로 옳은 것은? (다툼이 있는 경우 판례에 의함)

① 「국토의 계획 및 이용에 관한 법률」 제130조 제3항에서 정한 토지의 소유자 등이 사업시행자의 일시사용에 대하여 정당한 사유 없이 동의를 거부하는 경우, 사업시행자는 해당 토지의 소유자 등을 상대로 동의의 의사표시를 구하는 소를 제기할 수 있는데 이는 공법상 당사자소송에 해당한다.
② 국방부장관의 인정에 의하여 퇴역연금을 지급받아 오던 중 관련 규정의 개정 등으로 퇴역연금액이 변경된 경우, 국방부장관의 퇴역연금액결정과 통지에 의하여 비로소 그 금액이 확정되는 것이므로 국방부장관의 퇴역연금액 감액조치에 대하여 이의가 있는 퇴역연금수급권자는 항고소송을 제기하는 방법으로 다투어야 한다.
③ 택시회사들의 자발적 감차와 그에 따른 감차보상금의 지급 및 자발적 감차조치의 불이행에 따른 행정청의 직권감차명령을 내용으로 하는 택시회사들과 행정청 간의 합의는 대등한 당사자 사이에서 체결한 공법상 계약에 해당하므로, 그에 따른 감차명령에 대해서는 당사자소송을 제기하여야 한다.
④ 읍·면장에 의한 이장의 임명 및 면직은 공법상 계약 및 그 계약을 해지하는 의사표시라기보다는 행정처분이라고 보아야 한다.

✓ 기출체크

① 관련기출
1. 「국토의 계획 및 이용에 관한 법률」에 따라 사업시행자가 토지소유자를 상대로 토지의 일시사용에 대한 동의의 의사표시를 구하는 소는 당사자소송에 해당한다. 2023 경찰간부 (O | X)

③ 관련기출
2. 택시회사들의 자발적 감차와 그에 따른 감차보상금의 지급 및 자발적 감차조치의 불이행에 따른 행정청의 직권감차명령을 내용으로 하는 택시회사들과 행정청 간의 합의는 대등한 당사자 사이에서 체결한 공법상 계약에 해당하므로, 그에 따른 감차명령은 행정청이 우월한 지위에서 행하는 공권력의 행사로 볼 수 없다. 2017 국가직 7급 (O | X)

④ 관련기출
3. 읍·면장에 의한 이장의 임명 및 면직은 행정처분이다. 2020 소방간부 (O | X)

정답
1. O 2. X 3. X

25

사례에 관한 설명으로 옳은 것만을 <보기>에서 모두 고른 것은? (다툼이 있는 경우 판례에 의함)

> 동작구의회가 공장설립과 관련하여 법률에 정해진 기준보다 훨씬 더 엄격한 기준을 정한 조례를 의결한 경우, 동작구청장이 동 조례가 법률우위의 원칙을 위반한 것이라고 주장하면서 재의결을 요구하였는데 동작구의회가 재의결을 통해 조례를 확정하자 동작구청장은 이 조례에 대해 소송으로 다투고자 한다.

보기
㉮ 이러한 소송은 국가 또는 공공단체의 기관이 법률에 위반되는 행위를 한 때에 직접 자기의 법률상 이익과 관계없이 그 시정을 구하기 위하여 제기하는 소송이다.
㉯ 이러한 소송과 처분 등을 원인으로 하는 법률관계에 관한 소송은 모두 객관적 소송에 해당한다.
㉰ 이러한 유형의 소송은 개별법률에 특별한 규정이 없는 경우에도 일반적으로 인정된다.
㉱ 이러한 유형의 소송은 헌법 또는 법률에 의하여 부여받은 권한이 침해되었거나 침해될 현저한 위험이 있는 자가 제기할 수 있다.
㉲ 이러한 유형의 소송과 동작구와 서울특별시 간 권한다툼은 모두 헌법재판소의 관할에 해당한다.
㉳ 이러한 소송의 경우 취소소송에 관한 규정이 적용될 수는 없다.

① ㉮, ㉰, ㉱
② ㉮, ㉰, ㉲
③ ㉯, ㉱, ㉳
④ 없음

✓ 기출체크

㉮ 관련기출
1. 국가 또는 공공단체의 기관이 법률에 위반되는 행위를 한 때에 직접 자기의 법률상 이익과 관계없이 그 시정을 구하기 위하여 제기하는 소송을 기관소송이라 한다. 2021 소방직 9급 (O | X)

㉯ 관련기출
2. 공법상 당사자소송이란 행정청의 처분 등을 원인으로 하는 법률관계에 관한 소송, 그 밖에 공법상의 법률관계에 관한 소송으로서 그 법률관계의 한쪽 당사자를 피고로 하는 소송을 말한다. 2021 군무원 9급 (O | X)

3. 주관적 소송에 속하지 않는 것은? 2013 서울시 9급
① 취소소송
② 부작위위법확인소송
③ 당사자소송
④ 기관소송
⑤ 무효등확인소송

4. 다음 중 「행정소송법」상 행정소송의 유형이 다른 하나는?
   2012 지방직(하) 9급
   ① 구 「광주민주화운동 관련자 보상 등에 관한 법률」에 따른 보상금 지급청구소송
   ② 「주민투표법」에 따른 주민투표의 효력에 관한 소송
   ③ 구 「석탄산업법」상의 석탄가격안정지원금 지급청구에 관한 소송
   ④ 구 「방송법」에 근거한 수신료 부과행위를 다투는 소송

다라 관련기출

5. 민중소송 및 기관소송은 법률이 정한 자에 한하여 제기할 수 있다.
   2021 소방직 9급 (O | X)
6. 「행정소송법」은 민중소송에 대해서는 법률이 정한 경우에 법률이 정한 자에 한하여 제기하도록 하는 법정주의를 취하고 있으나, 기관소송에 대해서는 이러한 제한을 두지 않아 기관소송의 제기가능성은 일반적으로 인정된다. 2020 군무원 7급 (O | X)
7. (「행정소송법」상 기관소송은) 헌법 또는 법률에 의하여 부여받은 권한이 침해되었거나 침해될 현저한 위험이 있는 자가 제기할 수 있다.
   2019 경행경채 2차 (O | X)
8. 민중소송은 특별히 법률의 규정이 있을 때에 한하여 예외적으로 인정된다. 2016 국회직 8급 (O | X)
9. 객관적 소송은 객관적인 적법성의 확보를 구하는 공익적 소송이므로 법률상 명문의 규정 없이도 제기할 수 있다. 2009 세무사 (O | X)

마 관련기출

10. (「행정소송법」상 기관소송은) 국가 또는 공공단체의 기관 상호 간에 있어서의 권한의 존부 또는 그 행사에 관한 다툼이 있을 때에 이에 대하여 제기하는 소송을 말한다. 2019 경행경채 2차 (O | X)
11. (「행정소송법」상 기관소송에서) 「헌법재판소법」에 따라 헌법재판소의 관장사항으로 되는 소송은 제외된다. 2019 경행경채 2차 (O | X)
12. 지방자치단체의 장의 재의요구에도 불구하고 지방의회가 조례안을 재의결한 경우 단체장이 지방의회를 상대로 제기하는 소송은 기관소송이다. 2018 교육행정직 9급 (O | X)
13. 기관소송이란 국가 또는 공공단체의 기관 상호 간에 있어서의 권한의 존부 또는 그 행사에 관한 다툼이 있는 때에 이에 대하여 제기하는 소송이다. 다만, 「헌법재판소법」 제2조의 규정에 의하여 헌법재판소의 관장사항으로 되는 소송은 제외한다. 2017 경행경채 (O | X)
14. 국가기관 상호 간의 권한의 존부에 관한 다툼이 있는 경우 행정소송인 기관소송을 제기할 수 없다. 2010 국회속기직 9급 (O | X)

바 관련기출

15. 민중소송 또는 기관소송으로써 처분 등의 취소를 구하는 소송에는 그 성질에 반하지 아니하는 한 취소소송에 관한 규정을 준용한다.
    2020 군무원 7급 (O | X)
16. 행정소송에 있어서 기관소송에 관한 설명으로 옳지 않은 것은?
    2009 국가직 7급
    ① 국가 또는 공공단체의 행정기관 상호 간에 권한의 존부 또는 권한 행사에 관한 분쟁이 있는 경우 이에 관한 소송을 기관소송이라고 한다.
    ② 지방자치단체 상호 간의 권한쟁의는 행정법원의 관할에 속한다.
    ③ 개별 법률에 특별한 규정이 있는 경우에 인정되고 그 법률에 정한 자만이 제기할 수 있다.
    ④ 기관소송으로서 처분 등의 취소를 구하는 소송에는 그 성질에 반하지 아니하는 한 취소소송에 관한 규정이 적용된다.

정답
1. × 2. ○ 3. ④ 4. ② 5. ○ 6. × 7. × 8. ○ 9. × 10. ○
11. ○ 12. ○ 13. ○ 14. ○ 15. ○ 16. ②

제14회 | 소방 단원별 모의고사

출제 범위: 제35강 행정소송 개관, 당사자소송 및 객관적 소송~제36강 항고소송 1(취소소송의 의의 등)

01 □□□

「행정소송법」상 당사자소송에 관한 설명으로 옳지 <u>않은</u> 것만을 <보기>에서 모두 고른 것은? (다툼이 있는 경우 판례에 의함)

---보기---

㉮ 계약직 공무원 채용계약해지의 의사표시의 무효확인을 구하는 소송은 공법상 당사자소송이며, 이 경우 즉시확정의 이익이 요구된다.

㉯ 당사자소송은 항고소송과 달리 '행정청'이 아닌 '권리주체'에게 피고적격이 있는바, 여기서의 권리주체는 행정주체에 한정될 뿐 사인(私人)은 포함되지 않는다.

㉰ 국가를 당사자 또는 참가인으로 하는 소송에서는 행정안전부장관이 국가를 대표하고, 지방자치단체를 당사자로 하는 소송에서는 지방자치단체의 장이 해당 지방자치단체를 대표한다.

㉱ 국가가 당사자소송의 피고인 경우에는 대법원 소재지를 피고의 소재지로 본다.

㉲ 당사자소송에서는 취소소송의 제소기간이 적용되지 않으며, 개별법령에 제소기간이 정해져 있는 경우에 그 기간은 불변기간이다.

㉳ 납세의무부존재확인의 소는 당사자소송이며 피고적격을 가지는 자는 국가·공공단체 등 권리주체가 된다.

① ㉮, ㉯, ㉲
② ㉮, ㉱, ㉳
③ ㉯, ㉰, ㉱
④ ㉯, ㉲, ㉳

✓ 기출체크

㉮ 관련기출

1. 계약직 공무원 채용계약해지의 의사표시의 무효확인을 구하는 당사자소송의 경우 즉시확정의 이익이 요구된다. 2022 소방간부 (○ | ×)
2. 공법상 계약해지의 의사표시에 대한 다툼은 공법상의 당사자소송으로 무효확인을 청구할 수 있다. 2018 교육행정직 9급 (○ | ×)
3. 공법상 계약의 무효확인을 구하는 당사자소송의 청구는 당해 소송에서 추구하는 권리구제를 위한 다른 직접적인 구제방법이 있는 이상 소송요건을 구비하지 못한 위법한 청구이다. 2017 국가직 7급 (○ | ×)

㉯ 관련기출

4. 「행정소송법」상 당사자소송의 피고적격에 관한 규정은 당사자소송의 경우 피고적격이 인정되는 권리주체를 행정주체로 한정한다는 취지이므로, 사인을 피고로 하는 당사자소송을 제기할 수는 없다. 2024 국가직 7급 (○ | ×)

5. 당사자소송에는 취소소송의 피고적격에 관한 규정이 준용된다. 2020 군무원 7급 (○ | ×)
6. 취소소송은 다른 법률에 특별한 규정이 없는 한 그 처분 등을 행한 행정청을 피고로 하며, 당사자소송은 국가·공공단체 그 밖의 권리주체를 피고로 한다. 2018 서울시 9급 (○ | ×)
7. 국가나 지방자치단체는 행정청과는 달리 당사자소송의 당사자가 될 수 있고 국가배상책임의 주체가 될 수 있다. 2017 서울시 9급 (○ | ×)
8. 당사자소송의 피고는 원칙적으로 당해 처분을 행한 처분청이 된다. 2015 교육행정직 9급 (○ | ×)

㉰ 관련기출

9. 국가를 당사자 또는 참가인으로 하는 소송에서는 법무부장관이 국가를 대표하고, 지방자치단체를 당사자로 하는 소송에서는 지방자치단체의 장이 해당 지방자치단체를 대표한다. 2017 서울시 7급 (○ | ×)

㉱ 관련기출

10. 국가가 당사자소송의 피고인 경우에는 관계 행정청의 소재지를 피고의 소재지로 본다. 2018 교육행정직 9급 (○ | ×)
11. 국가 또는 공공단체가 당사자소송의 피고인 경우에는 관계 행정청의 소재지를 피고의 소재지로 본다. 2010 국가직 7급 변형 (○ | ×)

㉲ 관련기출

12. 당사자소송에 관하여 법령에 제소기간이 정하여져 있는 때에는 그 기간은 불변기간으로 한다. 2025 국가직 9급 (○ | ×)
13. 당사자소송에 관하여 법령에 제소기간이 정하여져 있는 경우 그 기간은 불변기간으로 한다. 2019 소방직 9급 (○ | ×)
14. 당사자소송은 취소소송의 제소기간이 적용되지 않으나, 법령에 제소기간이 정해져 있는 경우에 그 기간은 불변기간이다. 2016 국회직 8급 (○ | ×)

㉳ 관련기출

15. 납세의무부존재확인청구소송은 공법상 법률관계 그 자체를 다투는 소송이므로 과세처분청이 아니라 그 법률관계의 한쪽 당사자인 국가·공공단체 그 밖의 권리주체에게 피고적격이 있다. 2024 해경승진 (○ | ×)
16. 공법상 당사자소송으로서 납세의무부존재확인의 소는 과세처분을 한 과세관청이 아니라 「행정소송법」 제3조 제2호, 제39조에 의하여 그 법률관계의 한쪽 당사자인 국가·공공단체, 그 밖의 권리주체가 피고적격을 가진다. 2020 지방직·서울시 9급 (○ | ×)
17. 납세의무부존재확인의 소는 공법상의 법률관계 그 자체를 다투는 소송으로서 당사자소송이다. 2019 지방직·교육행정직 9급 (○ | ×)
18. 납세의무부존재확인의 소는 당사자소송이고 항고소송의 성격을 가지므로 해당 과세처분 관할 행정청이 피고가 된다. 2019 서울시 2회 7급 (○ | ×)

정답
1. ○ 2. ○ 3. ○ 4. × 5. × 6. ○ 7. ○ 8. × 9. ○ 10. ○
11. ○ 12. ○ 13. ○ 14. ○ 15. ○ 16. ○ 17. ○ 18. ×

02 □□□

소송의 형식에 관한 설명으로 옳지 <u>않은</u> 것만을 <보기>에서 모두 고른 것은? (다툼이 있는 경우 판례에 의함)

보기

㉮ 조세 부과처분이 당연무효임을 전제로 하여 이미 납부한 세금의 반환을 청구하는 것은 행정상의 부당이득반환청구로서 당사자소송절차에 따라야 한다.

㉯ 사업주가 당연가입자가 되는 고용보험 및 산재보험에서 보험료 납부의무부존재확인소송은 민사소송의 대상이 된다.

㉰ 「광주민주화운동 관련자 보상 등에 관한 법률」에 의하여 관련자 및 유족들이 갖게 되는 보상 등에 관한 권리는 법률이 특별히 인정하고 있는 공법상의 권리라고 하여야 할 것이므로 그에 관한 소송은 당사자소송에 의하여야 한다.

㉱ 사업시행자가 환매권의 존부에 관한 확인을 구하는 소송은 당사자소송에 의하여야 한다.

㉲ 폐광대책비의 일종으로 폐광된 광산에서 업무상 재해를 입은 근로자에게 지급하는 재해위로금에 대한 지급을 구하는 소송은 공법상 당사자소송에 의하여야 한다.

① ㉮, ㉯
② ㉮, ㉯, ㉱
③ ㉮, ㉱, ㉲
④ ㉯, ㉰, ㉱

✓ 기출체크

㉮ 관련기출

1. 조세 부과처분이 당연무효임을 전제로 하여 이미 납부한 세금의 반환을 청구하는 경우는 공법상 당사자소송으로 다투어야 한다. 2026 경찰간부 (O | X)

2. 조세 부과처분의 당연무효를 전제로 하여 이미 납부한 세금의 반환청구(는 공법상 당사자소송이다) 2022 군무원 9급 (O | X)

3. 조세 부과처분의 당연무효를 전제로 하여 이미 납부한 세금의 반환을 청구하는 것은 민사상 부당이득반환청구로서 당사자소송이 아니라 민사소송절차에 따른다. 2021 국가직 7급 (O | X)

4. 판례는 공법상 부당이득반환청구권은 사권(私權)에 해당되며, 그에 관한 소송은 민사소송절차에 따라야 한다고 보고 있다. 2020 소방직 9급 (O | X)

5. 무효인 조세 부과처분에 기하여 납부한 세금의 반환을 구하는 것은 무효확인소송절차에 따라야만 한다. 2016 서울시 7급 (O | X)

㉯ 관련기출

6. 사업주가 당연가입자가 되는 고용보험 및 산업재해보상보험에서 보험료 납부의무 부존재확인은 당사자소송으로 다투어야 한다. 2024 국가직 9급 (O | X)

7. 사업주가 당연가입자가 되는 고용보험 및 산재보험에서 보험료 납부의무 부존재확인의 소(는 항고소송과 당사자소송 중 ( )의 대상이다) 2023 국회직 8급

8. 사업주가 당연가입자가 되는 고용보험 및 산재보험에서 보험료 납부의무 부존재확인소송(은 공법상 당사자소송이다) 2022 군무원 9급 (O | X)

㉰ 관련기출

9. 「광주민주화운동 관련자 보상 등에 관한 법률」에 의거한 손실보상청구소송(은 판례에 따를 때 당사자소송에 해당한다) 2015 서울시 9급 (O | X)

10. 광주민주화운동 관련 보상금지급에 관한 소송(은 당사자소송이다) 2015 국회직 8급 (O | X)

11. 광주민주화운동 관련자 보상금지급신청에 대한 결정 및 보상청구에 관한 소송은 항고소송이다. 2011 서울시 9급 (O | X)

12. 「광주민주화운동 관련자 보상 등에 관한 법률」에 의하여 관련자 및 유족들이 갖게 되는 보상 등에 관한 법리(는 공법상 당사자소송의 대상이다) 2011 국회직 8급 (O | X)

㉱ 관련기출

13. 「공익사업을 위한 토지 등의 취득 및 보상에 관한 법률」상 환매권은 상대방에 대한 의사표시를 요하는 공법상 형성권의 일종으로서 이러한 환매권의 존부에 관한 확인을 구하는 소송은 당사자소송에 해당한다. 2024 군무원 5급 (O | X)

14. 「공익사업을 위한 토지 등의 취득 및 보상에 관한 법률」상 환매권의 존부에 관한 확인을 구하는 소송 및 환매금액의 증감을 구하는 소송은 당사자소송이다. 2023 서울시 연구사 (O | X)

15. 「공익사업을 위한 토지 등의 취득 및 보상에 관한 법률」상 환매권의 존부에 관한 확인을 구하는 소송 및 환매금액의 증감을 구하는 소송은 민사소송이다. 2022 국가직 9급 (O | X)

16. 사업시행자가 환매권의 존부에 관한 확인을 구하는 소송은 민사소송이다. 2018 서울시 2회 7급 (O | X)

17. 구 「공익사업을 위한 토지 등의 취득 및 보상에 관한 법률」상 환매금액의 증감청구(는 당사자소송의 대상이다) 2017 사회복지직 9급 (O | X)

㉲ 관련기출

18. 「석탄산업법」과 관련하여 피재근로자는 석탄산업합리화 사업단이 한 재해위로금 지급거부의 의사표시에 불복이 있는 경우 공법상의 당사자소송을 제기하여야 한다. 2020 지방직·서울시 7급 (O | X)

19. 폐광대책비의 일종으로 폐광된 광산에서 업무상 재해를 입은 근로자에게 지급하는 재해위로금의 지급청구(는 당사자소송의 대상이다) 2019 서울시 1회 7급 (O | X)

정답

1. × 2. × 3. O 4. O 5. × 6. O 7. 당사자소송 8. O 9. O
10. O 11. × 12. O 13. × 14. × 15. O 16. O 17. × 18. O 19. O

03 □□□

소송의 형식에 관한 설명으로 옳은 것만을 <보기>에서 모두 고른 것은? (다툼이 있는 경우 판례에 의함)

---보기---

㉮ 공무원연금법령상 급여를 받으려고 하는 자는 우선 관계 법령에 따라 공무원연금공단에 급여지급을 신청하여 공무원연금공단이 이를 거부하거나 일부 금액만 인정하는 급여지급결정을 하는 경우, 그 결정을 대상으로 항고소송을 제기하는 등으로 구체적 권리를 인정받아야 한다.

㉯ 사회보장수급권의 경우에는 구체적인 권리가 발생하지 않은 상태에서 곧바로 행정청이 속한 국가나 지방자치단체 등을 상대로 한 당사자소송이나 민사소송으로 급부의 지급을 소구할 수 없다.

㉰ 공무원연금공단이 법령개정사실과 퇴직연금수급자가 퇴직연금 중 일부 금액의 지급정지대상자가 되었음을 통보한 사안에서, 이러한 통보는 항고소송의 대상이 되는 처분에 해당한다.

㉱ 공무원연금공단의 인정에 의해 퇴직연금을 지급받아 오던 중 공무원연금법령 개정 등으로 퇴직연금 중 일부 금액에 대해 지급이 정지된 경우, 미지급퇴직연금의 지급을 구하는 소송은 항고소송에 해당한다.

① ㉮, ㉯
② ㉮, ㉰
③ ㉯, ㉰
④ ㉯, ㉱

✔기출체크

㉮ 관련기출

1. 공무원연금법령상 급여청구권은 법령상 요건이 충족되면 성립하는 권리이므로 급여의 신청에 대하여 공무원연금공단이 이를 거부한 경우 그 거부결정에 대한 항고소송은 허용되지 않는다. 2023 국가직 7급
(O | ×)

2. 공무원연금법령상 급여를 받으려고 하는 자는 우선 급여지급을 신청하여 공무원연금공단이 이를 거부하거나 일부 금액만 인정하는 급여지급결정을 하는 경우 그 결정을 대상으로 항고소송을 제기하는 등으로 구체적 권리를 인정받아야 한다. 2019 지방직 7급
(O | ×)

3. 공무원연금법령상 급여를 받으려고 하는 자는 구체적 권리가 발생하지 않은 상태에서 곧바로 공무원연금공단을 상대로 한 당사자소송을 제기할 수 없다. 2018 서울시 2회 7급
(O | ×)

㉯ 관련기출

4. 사회보장수급권의 경우 구체적인 권리가 발생하지 않은 상태에서 곧바로 행정청이 속한 국가나 지방자치단체 등을 상대로 한 당사자소송이나 민사소송으로 급부의 지급을 소구하는 것은 허용되지 않는다. 2024 국가직 7급
(O | ×)

㉰ 관련기출

5. 공무원연금관리공단이 공무원연금법령의 개정사실과 퇴직연금수급자가 퇴직연금 중 일부 금액의 지급정지대상자가 되었다는 사실을 통보한 경우, 위 통보는 항고소송의 대상이 되는 행정처분이다. 2024 군무원 9급
(O | ×)

㉱ 관련기출

6. 공무원연금관리공단에 대한 미지급퇴직연금의 지급을 구하는 소송(은 「행정소송법」상 당사자소송이다) 2025 경찰간부 (O | ×)

7. 공무원연금공단의 인정에 의해 퇴직연금을 지급받아 오던 중 공무원연금법령 개정 등으로 퇴직연금 중 일부 금액에 대해 지급이 정지된 경우, 미지급 퇴직연금에 대한 지급청구권은 공법상 권리로서 그의 지급을 구하는 소송은 항고소송이다. 2021 지방직·서울시 7급
(O | ×)

8. 공무원연금법령 개정으로 퇴직연금 중 일부 금액의 지급이 정지되어서 미지급된 퇴직연금의 지급을 구하는 소송(은 당사자소송에 해당한다) 2015 국회직 8급
(O | ×)

9. 공무원 퇴직자가 미지급퇴직연금에 대한 지급을 구하는 소송(은 당사자소송에 해당한다) 2015 국가직 9급
(O | ×)

10. 공무원연금공단의 법령개정사실 및 퇴직연금수급자가 일부 금액의 지급정지대상자가 되었음을 통보한 사안에서 미지급퇴직연금의 지급을 구하는 소송(은 당사자소송으로 다루어야 한다) 2014 국회직 8급
(O | ×)

정답
1. × 2. ○ 3. ○ 4. ○ 5. × 6. ○ 7. × 8. ○ 9. ○ 10. ○

04

「행정소송법」상 당사자소송에 관한 설명으로 옳은 것만을 <보기>에서 모두 고른 것은? (다툼이 있는 경우 판례에 의함)

보기

㉮ 「민주화운동 관련자 명예회복 및 보상 등에 관한 법률」에 따라 보상금 등의 지급신청을 한 자가 '민주화운동 관련자 명예회복 및 보상심의위원회'의 보상금 등 지급에 관한 결정을 다투고자 하는 경우에는 곧바로 보상금 등의 지급을 구하는 소송을 당사자소송의 형식으로 제기할 수 있다.

㉯ 「공무원연금법」상 급여를 받으려고 하는 자는 관계 법령에 따라 공무원연금공단에 급여지급을 신청하지 않고도 곧바로 공무원연금공단을 상대로 한 당사자소송으로 권리의 확인이나 급여의 지급을 소구할 수 있다.

㉰ 명예퇴직한 법관이 명예퇴직수당액의 차액 지급을 신청한 것에 대해 법원행정처장이 거부하는 의사표시를 한 경우, 위 의사표시는 행정처분에 해당하지 아니하므로 당사자소송으로 이를 다투어야 한다.

㉱ 당사자소송에 대하여는 「행정소송법」상 집행정지에 관한 규정이 준용되지 아니하므로, 이를 본안으로 하는 가처분에 대하여는 「민사집행법」상의 가처분에 관한 규정이 준용되어야 한다.

㉲ 공법상 당사자소송에서 재산권의 청구를 인용하는 판결을 하는 경우 가집행선고를 할 수 있다.

① ㉮, ㉯, ㉰
② ㉮, ㉱, ㉲
③ ㉯, ㉰, ㉱
④ ㉰, ㉱, ㉲

✓ 기출체크

㉮ 관련기출

1. 「민주화운동 관련자 명예회복 및 보상 등에 관한 법률」에 따른 보상심의위원회의 결정을 다투는 소송(은 공법상 당사자소송에 해당한다) 2025 해경승진 (O | X)

2. 「민주화운동 관련자 명예회복 및 보상 등에 관한 법률」에 따른 보상금 등의 지급을 구하는 소송은 공법상 당사자소송이다. 2024 군무원 9급 (O | X)

3. 「민주화운동 관련자 명예회복 및 보상 등에 관한 법률」의 규정들만으로는 바로 법상의 보상금 등의 지급대상자가 확정된다고 볼 수 없고, 심의위원회에서 심의·결정을 받아야만 비로소 보상금 등의 지급대상자로 확정될 수 있는 경우의 보상금지급을 구하는 소송(은 당사자소송으로 다루어야 한다) 2014 국회직 8급 (O | X)

4. 「민주화운동 관련자 명예회복 및 보상 등에 관한 법률」상의 보상심의위원회의 보상금지급결정(은 공법상 당사자소송의 대상이다) 2011 국회직 8급 (O | X)

㉯ 관련기출

5. 공무원연금법령상 급여청구권은 법령상 요건이 충족되면 성립하는 권리이므로 급여의 신청에 대하여 공무원연금공단이 이를 거부한 경우 그 거부결정에 대한 항고소송은 허용되지 않는다. 2023 국가직 7급 (O | X)

6. 공무원연금법령상 급여를 받으려고 하는 자는 우선 급여지급을 신청하여 공무원연금공단이 이를 거부하거나 일부 금액만 인정하는 급여지급결정을 하는 경우 그 결정을 대상으로 항고소송을 제기하는 등으로 구체적 권리를 인정받아야 한다. 2019 지방직 7급 (O | X)

7. 공무원연금법령상 급여를 받으려고 하는 자는 구체적 권리가 발생하지 않은 상태에서 곧바로 공무원연금공단을 상대로 한 당사자소송을 제기할 수 없다. 2018 서울시 2회 7급 (O | X)

㉰ 관련기출

8. 명예퇴직수당 지급거부의 의사표시는 명예퇴직수당액을 형성하는 행정처분으로 이를 다투기 위해서는 취소소송을 제기하여야 한다. 2025 군무원 7급 (O | X)

9. 명예퇴직한 법관이 미지급 명예수당액의 지급을 구하는 소송(은 「행정소송법」상 당사자소송에 해당한다) 2025 경찰간부 (O | X)

10. 명예퇴직한 법관이 미지급 명예퇴직수당액에 대하여 가지는 권리는 명예퇴직수당 지급대상자결정절차를 거쳐 「법관 및 법원공무원 명예퇴직수당 등 지급규칙」에 의하여 확정된 공법상 법률관계에 관한 권리로서, 그 지급을 구하는 소송은 「행정소송법」의 당사자소송에 해당한다. 2024 국가직 7급 (O | X)

11. 명예퇴직한 법관이 미지급 명예퇴직수당액에 대하여 가지는 권리는 명예퇴직수당 지급대상자결정절차를 거쳐 명예퇴직수당규칙에 의하여 확정된 공법상 법률관계에 관한 권리로서, 그 지급을 구하는 소송은 당사자소송에 해당하며, 그 법률관계의 당사자인 국가를 상대로 제기하여야 한다. 2023 지방직·서울시 9급 (O | X)

12. 법관이 이미 수령한 명예퇴직수당액이 구 「법관 및 법원공무원 명예퇴직수당 등 지급규칙」에서 정한 정당한 명예퇴직수당액에 미치지 못한다고 주장하며 차액의 지급을 신청한 것에 대하여 법원행정처장이 행한 거부의 의사표시는 행정처분에 해당한다. 2019 지방직 7급 (O | X)

㉱ 관련기출

13. 「도시 및 주거환경정비법」상 주택재건축정비사업조합을 상대로 관리처분계획안에 대한 조합총회결의의 효력을 다투는 소송은 「행정소송법」상 당사자소송에 해당하고, 이를 본안으로 하는 가처분에 대하여는 「민사집행법」상 가처분에 관한 규정이 준용된다. 2024 군무원 5급 (O | X)

14. 「도시 및 주거환경정비법」상 행정주체인 주택재건축정비사업조합을 상대로 관리처분계획안에 대한 조합 총회결의의 효력을 다투는 소송에 대하여는 「행정소송법」상 집행정지에 관한 규정이 준용되지 아니하므로, 이를 본안으로 하는 가처분에 대하여는 「민사집행법」상 가처분에 관한 규정이 준용되어야 한다. 2024 국가직 7급 (O | X)

15. 「도시 및 주거환경정비법」상 주택재건축정비사업조합을 상대로 관리처분계획안에 대한 조합총회결의의 효력을 다투는 소송은 당사자소송에 해당하므로 당해 소송에서 「민사집행법」상 가처분에 관한 규정이 준용되지 않는다. 2022 지방직·서울시 7급 (O | X)

16. 당사자소송에는 항고소송에서의 집행정지규정은 적용되지 않고 「민사집행법」상의 가처분규정은 준용된다. 2021 국가직 7급 (O | X)

17. 당사자소송에 대하여는 「행정소송법」 제23조 제2항의 집행정지에 관한 규정이 준용되지 아니하므로, 이를 본안으로 하는 가처분에 대하여는 「민사집행법」상의 가처분에 관한 규정이 준용되어야 한다. 2019 경행경채 2차 (O | X)

관련기출

18. 「행정소송법」 제8조 제2항에 의하면 행정소송도 「민사소송법」의 규정이 일반적으로 준용되지만 법원이 공법상 당사자소송에서 재산권의 청구를 인용하는 판결을 하는 경우 가집행선고를 할 수는 없다. 2025 군무원 9급 (O | X)

19. 공법상 당사자소송에서 재산권의 청구를 인용하는 판결을 하는 경우 가집행선고를 할 수 있다. 2020 지방직·서울시 7급 (O | X)

20. 「행정소송법」 제8조 제2항에 의하면 행정소송에도 「민사소송법」의 규정이 일반적으로 준용되므로 법원으로서는 공법상 당사자소송에서 재산권의 청구를 인용하는 판결을 하는 경우 가집행선고를 할 수 있다. 2017 서울시 7급 (O | X)

21. (판례에 따르면) 공법상 당사자소송에서 재산권의 청구를 인용하는 판결을 하는 경우에는 가집행선고를 할 수 없다. 2008 국가직 9급 (O | X)

정답
1. × 2. × 3. × 4. × 5. × 6. O 7. O 8. × 9. O 10. O
11. O 12. × 13. O 14. O 15. × 16. O 17. O 18. × 19. O 20. O
21. ×

05

「행정소송법」상 당사자소송에 관한 설명으로 옳지 않은 것만을 <보기>에서 모두 고른 것은? (다툼이 있는 경우 판례에 의함)

보기

㉮ 공립어린이집 원장 지위에 있다는 확인을 구하는 행정소송을 제기한 후 소송 계속 중 그 공립어린이집의 위탁운영기간이 만료된 경우, 특별한 사정이 없는 한 그에 관한 행정소송은 소의 이익이 없어 부적법하다.

㉯ 당사자소송의 원고가 피고를 잘못 지정한 때에는 법원은 원고의 신청에 의하여 결정으로써 피고의 경정을 허가할 수 있다.

㉰ 본래의 당사자소송이 부적법하여 각하되는 경우, 그에 병합된 관련청구소송도 소송요건 흠결로 부적합하여 각하되어야 하는 것은 아니다.

㉱ 당사자소송에 있어서 법원은 필요하다고 인정될 경우 직권으로 증거조사를 할 수 있으나, 당사자가 주장하지 않은 사실에 대하여는 판단할 수 없다.

① ㉮, ㉰
② ㉮, ㉱
③ ㉯, ㉰
④ ㉰, ㉱

✓ 기출체크

㉯ 관련기출

1. 당사자소송의 원고가 피고를 잘못 지정하여 피고경정신청을 한 경우 법원은 결정으로써 피고의 경정을 허가할 수 있다. 2021 군무원 9급 (O | X)

2. (당사자소송에 관한 「행정소송법」의 규정내용과 관련하여) 원고가 피고를 잘못 지정한 때에는 법원은 원고의 신청에 의하여 결정으로써 피고의 경정을 허가할 수 있다. 2010 세무사 (O | X)

㉰ 관련기출

3. 당사자소송에 관련청구소송이 병합된 경우 당사자소송이 부적법하여 각하되면 그에 병합된 관련청구소송도 소송요건을 흠결하여 부적합하므로 각하되어야 한다. 2023 경찰간부 (O | X)

4. 당사자소송이 부적법하여 각하되는 경우 그에 병합된 관련청구소송 역시 부적법 각하되어야 하는 것은 아니다. 2013 지방직 9급 (O | X)

㉱ 관련기출

5. 당사자소송의 경우 법원은 필요하다고 인정할 때에는 직권으로 증거조사를 할 수 있으나, 당사자가 주장하지 아니한 사실에 대하여는 판단하여서는 안 된다. 2021 군무원 9급 (O | X)

6. "법원은 필요하다고 인정할 때에는 직권으로 증거조사를 할 수 있고, 당사자가 주장하지 아니한 사실에 대하여도 판단할 수 있다."라고 규정하고 있는 「행정소송법」 제26조는 당사자소송에도 준용된다. 2015 지방직 7급 (O | X)

7. 당사자소송은 본질상 민사소송이므로 「행정소송법」상 직권증거조사 규정이 적용될 수 없다. 2012 지방직(하) 7급 (O | X)

정답
1. O 2. O 3. O 4. × 5. × 6. O 7. ×

06 □□□

소송의 형식에 관한 설명으로 옳은 것은? (다툼이 있는 경우 판례에 의함)

① 시립합창단원의 위촉은 사법(私法)상의 근로계약이므로 시립합창단원에 대한 재위촉 거부에 대해서는 항고소송으로 다툴 수 없다.
② 「도시 및 주거환경정비법」상의 주택재건축정비사업조합이 같은 법 제48조에 따라 수립한 관리처분계획에 대하여 관할 행정청의 인가·고시가 있은 후라도 항고소송의 방법으로 관리처분계획의 취소 또는 무효확인을 구하여야 하는 것은 아니며, 그 관리처분계획안에 대한 총회결의의 무효확인을 당사자소송으로 구할 수 있다.
③ 구 「도시 및 주거환경정비법」상 재개발조합과 조합장 또는 조합임원 사이의 선임·해임 등을 둘러싼 법률관계는 공법상의 법률관계로서 그 조합장 또는 조합임원의 지위를 다투는 소송은 공법상 당사자소송에 의하여야 한다.
④ 구 「도시재개발법」상 재개발조합을 상대로 한 쟁송에 있어서 강제가입제를 특색으로 한 조합원의 자격인정 여부에 관한 다툼은 공법상의 법률관계로서 조합원자격 유무에 관한 확인을 구하는 소송은 공법상 당사자소송에 의하여야 한다.

✓ 기출체크

① 관련기출
1. 시립합창단원의 위촉계약은 공법상 계약이지만, 재위촉신청을 거부하는 것은 항고소송의 대상이 되는 행정처분이다. 2024 군무원 9급 (○ | ×)
2. 광주광역시립합창단원으로서 위촉기간이 만료되는 자들의 재위촉 신청에 대하여 광주광역시 문화예술회관장이 실기와 근무성적에 대한 평정을 실시하여 재위촉을 하지 아니한 것을 항고소송의 대상이 되는 불합격처분이라고 할 수는 있다. 2024 군무원 9급 (○ | ×)
3. 광주광역시문화예술회관장의 단원 위촉은 광주광역시와 단원이 되고자 하는 자 사이에 대등한 지위에서 의사가 합치되어 성립하는 공법상 근로계약에 해당한다. 2023 경찰간부 (○ | ×)
4. A광역시립합창단원으로서 위촉기간이 만료되는 자들의 재위촉신청에 대하여 A광역시문화예술회관장이 실기와 근무성적에 대한 평정을 실시하여 재위촉을 하지 아니한 것은 항고소송의 대상이 되는 불합격처분에 해당한다. 2020 지방직·서울시 7급 (○ | ×)
5. 광주광역시문화예술회관장의 단원 위촉은 공법상 근로계약이 아니라 행정청으로서 공권력을 행사하여 행하는 행정처분이다. 2019 사회복지직 9급 (○ | ×)

② 관련기출
6. 관리처분계획에 대하여 인가·고시가 있는 경우에 총회결의의 하자를 이유로 그 효력 유무를 다투는 확인의 소를 제기하는 것은 특별한 사정이 없는 한 허용된다. 2023 소방직 9급 (○ | ×)
7. 「도시 및 주거환경정비법」상 주택재건축정비사업조합을 상대로 관리처분계획안에 대한 조합총회결의의 효력 등을 다투는 소송은 관리처분계획의 인가·고시가 있은 이후라도 특별한 사정이 없는 한 허용되어야 한다. 2019 지방직 7급 (○ | ×)

③ 관련기출
8. 재개발조합과 조합장 또는 조합임원 사이의 선임·해임 등을 둘러싼 법률관계는 사법상의 법률관계로서 그 조합장 또는 조합임원의 지위를 다투는 소송은 민사소송에 의하여야 한다. 2025 국가직 7급 (○ | ×)
9. 재개발조합은 공법인이므로 재개발조합과 조합장 사이의 선임·해임 등을 둘러싼 법률관계는 공법상 법률관계이고 그 조합장의 지위를 다투는 소송은 공법상 당사자소송이다. 2019 서울시 2회 7급 (○ | ×)
10. 주택재개발정비사업조합은 공법인에 해당하기 때문에, 조합과 조합장 또는 조합임원 사이의 선임·해임 등을 둘러싼 법률관계는 공법상 법률관계로서 그 조합장 또는 조합임원의 지위를 다투는 소송은 공법상 당사자소송에 의하여야 한다. 2013 지방직 9급 (○ | ×)

④ 관련기출
11. 재개발조합을 상대로 조합원자격 유무에 관한 확인을 구하는 소송(은 공법상 당사자소송이다) 2022 군무원 9급 (○ | ×)
12. 재개발조합 조합원의 자격인정 여부에 관한 다툼(은 당사자소송의 대상이다) 2019 서울시 1회 7급 (○ | ×)
13. 구 「도시재개발법」상 재개발조합의 조합원자격 확인(은 당사자소송의 대상이다) 2017 사회복지직 9급 (○ | ×)

> **정답**
> 1. × 2. × 3. ○ 4. × 5. × 6. × 7. × 8. ○ 9. × 10. ×
> 11. ○ 12. ○ 13. ○

07 □□□

객관적 소송에 관한 설명으로 옳지 않은 것은? (다툼이 있는 경우 판례에 의함)

① 기관소송이란 국가 또는 공공단체의 기관이 법률에 위반되는 행위를 한 때에 직접 자기의 법률상 이익과 관계없이 그 시정을 구하기 위하여 제기하는 소송을 말한다.
② 민중소송은 법률이 정한 경우에 법률에 정한 자에 한하여 제기할 수 있다.
③ 행정청이 한 주민여론조사에 대하여는 법상 소로써 그 시정을 구할 수 있는 규정이 없으므로 민중소송의 대상이 되는 경우라고 볼 수 없다.
④ 기관소송의 방법으로 처분 등의 취소를 구하는 소송에는 그 성질에 반하지 않는 한 취소소송에 관한 규정이 적용된다.

✓ 기출체크

① 관련기출

1. 국가 또는 공공단체의 기관이 법률에 위반되는 행위를 한 때에 직접 자기의 법률상 이익과 관계없이 그 시정을 구하기 위하여 제기하는 소송은 기관소송이다. 2019 소방직 9급 (O | X)
2. 「행정소송법」상 기관소송은 국가 또는 공공단체의 기관 상호 간에 있어서의 권한의 존부 또는 그 행사에 관한 다툼이 있을 때에 이에 대하여 제기하는 소송을 말한다. 2019 경행경채 2차 (O | X)
3. 민중소송이란 국가 또는 공공단체의 기관이 법률에 위반되는 행위를 한 때에 직접 자기의 법률상 이익과 관계없이 그 시정을 구하기 위하여 제기하는 소송이다. 2017 경행경채 (O | X)
4. 기관소송이란 국가 또는 공공단체의 기관 상호 간에 있어서의 권한의 존부 또는 그 행사에 관한 다툼이 있는 때에 이에 대하여 제기하는 소송이다. 다만, 「헌법재판소법」 제2조의 규정에 의하여 헌법재판소의 관장사항으로 되는 소송은 제외한다. 2017 경행경채 (O | X)

② 관련기출

5. 기관소송은 법률이 정한 경우에 법률에 정한 자에 한하여 제기할 수 있다. 2024 군무원 9급 (O | X)
6. 민중소송 및 기관소송은 법률이 정한 자에 한하여 제기할 수 있다. 2021 소방직 9급 (O | X)
7. 「행정소송법」은 민중소송에 대해서는 법률이 정한 경우에 법률이 정한 자에 한하여 제기하도록 하는 법정주의를 취하고 있으나, 기관소송에 대해서는 이러한 제한을 두지 않아 기관소송의 제기가능성은 일반적으로 인정된다. 2020 군무원 7급 (O | X)
8. 민중소송은 특별히 법률의 규정이 있을 때에 한하여 예외적으로 인정된다. 2016 국회직 8급 (O | X)
9. 민중소송은 법률이 규정하고 있는 경우에 한하여 제기할 수 있으나, 기관소송은 개별법률에 특별한 규정이 없어도 제기할 수 있다. 2012 세무사 (O | X)

③ 관련기출

10. 행정청이 주민의 여론을 조사하는 행위에 대하여는 근거법상 소로써 그 시정을 구할 수 있는 규정이 없으므로 민중소송의 대상이 아니다. 2025 국회직 8급 (O | X)

④ 관련기출

11. 민중소송 또는 기관소송으로서 처분 등의 취소를 구하는 소송에는 그 성질에 반하지 아니하는 한 취소소송에 관한 규정을 준용한다. 2020 군무원 7급 (O | X)
12. 「행정소송법」에서는 민중소송으로서 처분 등의 취소를 구하는 소송에는 그 성질에 반하지 아니하는 한 취소소송에 관한 규정을 준용한다. 2018 교육행정직 9급 (O | X)
13. 기관소송으로서 처분 등의 취소를 구하는 소송에는 그 성질에 반하지 아니하는 한 취소소송에 관한 규정이 적용된다. 2009 국가직 7급 (O | X)

정답
1. X 2. O 3. O 4. O 5. O 6. O 7. X 8. O 9. X 10. O
11. O 12. O 13. O

08 □□□

「행정소송법」상 재판관할에 관한 설명으로 옳지 <u>않은</u> 것은?

① 원고와 피고의 소재지가 동일하지 않은 경우 원칙적으로 피고의 소재지가 취소소송의 관할 법원이 된다.
② 중앙행정기관의 부속기관과 합의제 행정기관 또는 그 장에 대하여 취소소송을 제기하는 경우에는 대법원 소재지를 관할하는 행정법원에 제기하여야 한다.
③ 국가의 사무를 위임 또는 위탁받은 공공단체 또는 그 장에 대하여 취소소송을 제기하는 경우에는 대법원 소재지를 관할하는 행정법원에 제기할 수 있다.
④ 토지의 수용 기타 부동산 또는 특정의 장소에 관계되는 처분 등에 대한 취소소송은 그 부동산 또는 장소의 소재지를 관할하는 행정법원에 이를 제기할 수 있다.

✓ 기출체크

① 관련기출

1. 「식품위생법」에 따른 서울특별시 서초구청장의 음식점영업허가취소처분에 대한 취소소송은 서울행정법원에 제기한다. 2016 지방직 7급 (O | X)
2. 서울지방국토관리청의 그 효력을 제한한 사용허가로 인하여 사용허가의 일부거부를 취소하는 소송을 제기할 때 그 소송의 제1심 관할 법원은 피고의 소재지를 관할하는 행정법원이 아니라 해당 행정재산의 소재지를 관할하는 행정법원이다. 2016 서울시 7급 (O | X)
3. 취소소송의 제1심 관할 법원은 원고의 소재지를 관할하는 행정법원으로 한다. 2015 서울시 7급 (O | X)
4. 피고의 소재지가 서울특별시인 취소소송의 제1심 관할 법원은 서울행정법원이다. 2009 세무사 (O | X)

② 관련기출

5. 중앙행정기관이 취소소송의 피고가 되는 경우 대법원 소재지를 관할하는 행정법원에 소송을 제기해야 한다. 2022 경찰간부 (O | X)
6. 경찰청장을 피고로 하여 취소소송을 제기하는 경우, 대법원 소재지를 관할하는 행정법원이 제1심 관할 법원으로 될 수 있다. 2018 경행경채 3차 (O | X)
7. 세종특별자치시에 위치한 해양수산부의 장관이 한 처분에 대한 취소소송은 서울행정법원에 제기할 수 있다. 2016 지방직 7급 (O | X)
8. 중앙행정기관의 부속기관과 합의제 행정기관 또는 그 장에 대하여 취소소송을 제기하는 경우에는 대법원 소재지를 관할하는 행정법원에 제기할 수 있다. 2015 서울시 7급 (O | X)
9. 취소소송의 제1심 관할 법원은 피고의 소재지를 관할하는 행정법원으로 한다. 다만, 중앙행정기관 또는 그 장이 피고인 경우 관할 법원은 대법원 소재지의 행정법원으로 한다. 2014 국회직 8급 (O | X)

③ 관련기출

10. 국가의 사무를 위임 또는 위탁받은 공공단체 또는 그 장에 해당하는 피고에 대하여 취소소송을 제기하는 경우에는 대법원 소재지를 관할하는 행정법원에 제기할 수 있다. 2024 군무원 9급 (O | X)
11. 경상북도 김천시에 위치한 한국도로공사가 국토교통부장관의 국가사무의 위임을 받아 한 처분에 대한 취소소송은 서울행정법원에 제기할 수 없다. 2016 지방직 7급 (O | X)

12. 국가의 사무를 위임 또는 위탁받은 공공단체 또는 그 장에 대하여 취소소송을 제기하는 경우에는 대법원 소재지를 관할하는 행정법원에 제기할 수 있다. 2015 서울시 7급 (O | X)

④ 관련기출

13. 토지의 수용 기타 부동산에 관계되는 처분 등에 대한 취소소송은 그 부동산의 소재지를 관할하는 행정법원에 이를 제기할 수 있다. 2025 지방직·서울시 9급 (O | X)

14. 토지의 수용에 대한 취소소송은 그 부동산 소재지를 관할하는 행정법원에 이를 제기할 수 있다. 2023 군무원 7급 (O | X)

15. 경기도 토지수용위원회가 수원시 소재 부동산을 수용하는 재결처분을 한 경우 이에 대한 취소소송은 수원지방법원본원에 제기할 수 있다. 2016 지방직 7급 (O | X)

16. 토지의 수용 기타 부동산 또는 특정의 장소에 관계되는 처분 등에 대한 취소소송은 그 부동산 또는 장소의 소재지를 관할하는 행정법원에 이를 제기할 수 있다. 2015 서울시 7급 (O | X)

정답
1. O 2. X 3. X 4. O 5. X 6. O 7. O 8. O 9. X 10. O
11. X 12. O 13. O 14. O 15. O 16. O

09 □□□

행정소송의 관할에 관한 설명으로 옳지 않은 것은? (다툼이 있는 경우 판례에 의함)

① 원고가 당사자소송으로 행정법원에 제기할 것을 민사소송으로 지방법원에 제기하여 판결이 내려진 경우, 그 판결은 전속관할 위반으로 위법하다.

② 원고가 민사소송으로 제기할 것을 당사자소송으로 제기한 경우에 피고가 제1심법원에서 관할 위반이라고 항변하지 않고 본안에서 변론을 한 경우에는 제1심법원에 변론관할이 생긴다.

③ 원고가 고의 또는 중대한 과실 없이 행정 사건을 민사소송으로 잘못 제기한 경우, 수소법원이 그 행정소송에 대한 관할도 동시에 가지고 있다면 수소법원은 이를 행정소송으로 심리·판단하여야 한다.

④ 원고가 고의 또는 중대한 과실 없이 행정 사건을 민사소송으로 잘못 제기한 경우, 수소법원이 행정소송에 대한 관할을 가지고 있지 않다면 수소법원은 행정소송의 소송요건을 결하고 있음이 명백하더라도 부적법한 소로서 각하할 것이 아니라 관할 법원에 이송하여야 한다.

기출체크

① 관련기출

1. 당사자소송으로 서울행정법원에 제기할 것을 민사소송으로 지방법원에 제기하여 판결이 내려진 경우, 그 판결은 관할 위반에 해당한다. 2023 국가직 9급 (O | X)

② 관련기출

2. 민사소송인 소가 서울행정법원에 제기되었는데도 피고가 제1심법원에서 관할 위반이라고 항변하지 않고 본안에서 변론을 한 경우에는 제1심법원에 변론관할이 생긴다. 2023 국가직 9급 (O | X)

③④ 관련기출

3. 원고가 고의 또는 중대한 과실 없이 행정소송으로 제기하여야 할 사건을 민사소송으로 잘못 제기한 경우, 수소법원으로서는 만약 그 행정소송에 대한 관할도 동시에 가지고 있다면 이를 행정소송으로 심리·판단하여야 한다. 2025 지방직·서울시 9급 (O | X)

4. 원고가 고의 또는 중대한 과실 없이 행정소송으로 제기하여야 할 사건을 민사소송으로 잘못 제기한 경우, 수소법원으로서는 만약 그 행정소송에 대한 관할도 동시에 가지고 있다면 이를 행정소송으로 심리·판단하여야 하고, 그 행정소송에 대한 관할을 가지고 있지 아니하다면 관할 법원에 이송하여야 한다. 2025 군무원 9급 (O | X)

5. 원고가 고의 또는 중대한 과실 없이 행정소송으로 제기하여야 할 사건을 민사소송으로 잘못 제기한 경우, 행정소송에 대한 관할을 가지고 있지 아니한 수소법원은 당해 소송이 행정소송으로서의 제소기간을 도과한 것이 명백하더라도 관할 법원에 이송하여야 한다. 2022 지방직·서울시 7급 (O | X)

6. 당사자소송으로 제기해야 할 사건을 민사소송으로 잘못 제기한 경우, 수소법원이 행정소송에 대한 관할을 가지고 있지 않다면 당해 소송이 당사자소송으로서의 소송요건을 갖추지 못하였음이 명백하지 않는 한 당사자소송의 관할 법원으로 이송하여야 한다. 2020 군무원 7급 (O | X)

7. 행정소송으로 제기해야 할 사건을 민사소송으로 잘못 제기한 경우에 수소법원이 행정소송에 대한 관할이 없다면 특별한 사정이 없는 한 관할 법원에 이송하여야 한다. 2017 사회복지직 9급 (O | X)

정답
1. O 2. O 3. O 4. O 5. X 6. O 7. O

10

관련청구소송의 이송과 병합에 관한 설명으로 옳은 것은? (다툼이 있는 경우 판례에 의함)

① 위법한 영업허가취소처분에 대해 국가배상청구소송을 제기한 이후에 영업허가취소처분에 대한 취소소송을 제기한 경우 법원이 상당하다고 인정하는 때에는 당사자의 신청 또는 직권에 의하여 그 취소소송을 국가배상청구소송에 이송할 수 있다.

② 동일한 처분에 대한 무효확인과 취소청구는 서로 양립할 수 없는 청구로서 주위적·예비적 청구로서만 병합이 가능하고 단순병합이나 선택적 청구로서의 병합은 허용되지 않는다.

③ 병합된 관련청구소송은 본래의 항고소송과는 독립된 소송이므로 본래의 항고소송이 부적법하여 각하되었다고 하여 그에 병합된 관련청구도 부적법해지는 것은 아니다.

④ 취소소송에 당해 처분과 관련되는 부당이득반환청구소송이 병합되어 제기된 경우, 부당이득반환청구가 인용되기 위해서는 판결에 의해 당해 처분의 취소가 확정되어야 한다.

✓ 기출체크

① 관련기출

1. 처분과 관련되는 손해배상청구소송이 계속된 법원에 당해 처분에 대한 취소소송을 병합할 수는 없다. 2025 지방직·서울시 9급 (O | X)
2. (甲은 A시장의 영업허가취소처분이 위법함을 이유로 국가배상청구소송을 제기하였다) 甲이 국가배상청구소송을 제기한 이후에 영업허가취소처분에 대한 취소소송을 제기한 경우 그 취소소송은 국가배상청구소송에 병합할 수 있다. 2017 국회직 8급 (O | X)
3. 취소소송이 계속된 법원은 관련청구소송을 병합하여 심리할 수 있으나, 그 병합은 취소소송의 사실심의 변론종결시까지만 허용된다. 2010 지방직 7급 (O | X)
4. 관련청구소송의 이송은 그 소송이 계속되어 있는 법원이 당해 소송을 취소소송이 계속되어 있는 법원에 이송하는 것이 상당하다고 인정하는 때에 당사자의 신청 또는 직권에 의하여 할 수 있다. 2009 지방직(하) 7급 (O | X)
5. 당해 처분의 취소를 선결문제로 하는 부당이득반환청구소송이 다른 법원에 계속되고 있는 경우에, 이를 당해 처분의 취소소송이 계속된 법원으로 이송할 수 있다. 2009 지방직(하) 7급 (O | X)

② 관련기출

6. 취소소송과 무효등확인소송은 서로 양립할 수 없으므로 단순병합이나 선택적 병합은 불가능하고, 주위적·예비적 병합만 가능하다. 2023 소방승진 (O | X)
7. 행정처분에 대한 취소청구와 무효확인청구는 서로 양립할 수 없는 청구로서 선택적 청구로서의 병합이나 단순병합을 할 수 없다. 2022 경찰간부 (O | X)
8. 행정처분에 대한 무효확인과 취소청구는 서로 양립할 수 없는 청구로서 선택적 청구로서의 병합만이 가능하고 단순병합은 허용되지 아니한다. 2019 서울시 2회 7급 (O | X)
9. 행정처분에 대한 무효확인과 취소청구는 서로 양립할 수 없는 청구로서 주위적·예비적 청구로서만 병합이 가능하고 선택적 청구로서의 병합이나 단순병합은 허용되지 않는다. 2018 소방직 9급 (O | X)
10. 甲이 제기하는 무효확인과 취소청구의 소는 주위적·예비적 청구로서만 병합이 가능하고 선택적 청구로서의 병합이나 단순병합은 허용되지 아니한다. 2021 변호사 (O | X)

③ 관련기출

11. 당사자소송에 관련청구소송이 병합된 경우 당사자소송이 부적법하여 각하되면 그에 병합된 관련청구소송도 소송요건을 흠결하여 부적합하므로 각하되어야 한다. 2023 경찰간부 (O | X)
12. 관련청구소송의 병합은 본래의 항고소송이 적법할 것을 요건으로 하는 것이어서 본래의 항고소송이 부적법하여 각하되면 그에 병합된 관련청구도 소송요건을 흠결한 부적법한 것으로 각하되어야 한다. 2009 지방직(하) 7급 (O | X)

④ 관련기출

13. 처분에 대한 취소소송에 당해 처분의 취소를 선결문제로 하는 부당이득반환청구가 병합된 경우, 부당이득반환청구가 인용되기 위해서는 당해 처분이 그 소송절차에서 판결에 의해 취소되면 충분하고 당해 처분의 취소가 확정되어야 하는 것은 아니다. 2022 지방직·서울시 7급 (O | X)
14. 처분의 취소를 구하는 취소소송에 당해 처분의 취소를 선결문제로 하는 부당이득반환소송이 병합된 경우, 처분을 취소하는 판결이 확정되어야 법원은 부당이득반환청구를 인용할 수 있다. 2015 서울시 7급 (O | X)
15. 취소소송에 당해 처분의 취소를 선결문제로 하는 부당이득반환청구가 병합된 경우 그 청구가 인용되려면 소송절차에서 당해 처분의 취소가 확정되어야 한다. 2015 국가직 9급 (O | X)
16. (국민건강보험공단은 甲에게 보험료 부과처분을 하였다. 이에 甲은 그 전액을 납부하였으나 나중에 위 보험료 부과처분에 하자가 있다는 사실을 알게 되었다) 甲이 취소소송과 부당이득반환청구소송을 병합하여 제기한 경우 법원은 보험료 부과처분의 취소가 확정되지 않은 이상 그 효력을 부정할 수 없으므로 甲의 부당이득반환청구를 인용할 수 없게 된다. 2013 국회직 8급 (O | X)

> 정답
> 1. O 2. × 3. O 4. O 5. O 6. O 7. O 8. × 9. O 10. O
> 11. O 12. O 13. O 14. × 15. × 16. ×

11

판례상 원고적격 또는 소의 이익을 인정하는 것만을 <보기>에서 모두 고른 것은?

―― 보기 ――

㉮ 미얀마 국적의 甲이 위명(僞名)인 乙 명의의 여권으로 대한민국에 입국한 뒤 乙 명의로 난민신청을 하였으나 법무부장관이 乙 명의를 사용한 甲을 직접 면담하여 조사한 후 甲에 대하여 난민불인정처분을 한 사안에서의 그 처분의 취소를 구하는 甲

㉯ 학교법인의 임시이사선임처분에 대한 취소소송 제기 후 소송 계속 중 임시이사가 교체되어 새로운 임시이사가 선임된 후, 당초의 임시이사선임처분의 취소를 구하는 경우

㉰ 교도소장의 접견허가거부처분에 대해 구속된 피고인

㉱ 대학입학고사 불합격처분의 취소를 구하는 소송 계속 중 당해 연도의 입학시기가 지난 경우

㉲ 개발제한구역 중 일부취락을 개발제한구역에서 해제하는 내용의 도시관리계획변경결정의 취소를 구하는 개발제한구역 해제대상에서 누락된 토지의 소유자

① ㉮, ㉯, ㉲
② ㉰, ㉱, ㉲
③ ㉮, ㉯, ㉰, ㉱
④ ㉯, ㉰, ㉱, ㉲

✓ 기출체크

㉮ 관련기출

1. 외국 국적의 甲이 위명(僞名)인 乙 명의의 여권으로 대한민국에 입국한 뒤 乙 명의로 난민신청을 하였고 법무부장관이 乙 명의를 사용한 甲을 직접 면담하여 조사한 후에 甲에 대하여 난민불인정처분을 한 경우, 甲은 난민불인정처분의 취소를 구할 법률상 이익이 없다. 2023 국가직 7급 (O | X)

2. 미얀마 국적의 甲이 위명(僞名)인 乙 명의의 여권으로 대한민국에 입국한 뒤 乙 명의로 난민신청을 하였으나 법무부장관이 乙 명의를 사용한 甲을 직접 면담하여 조사한 후 甲에 대하여 난민불인정처분을 한 사안에서의 그 처분의 취소를 구하는 甲(은 행정소송의 원고적격을 가지는 자에 해당한다) 2019 국회직 8급 (O | X)

㉯ 관련기출

3. 학교법인 임원취임승인의 취소처분 후 그 임원의 임기가 만료되고 구 사립학교법 소정의 임원결격사유기간마저 경과한 경우에 취임승인이 취소된 임원은 취임승인취소처분의 취소를 구할 소의 이익이 없다. 2018 지방직 9급 (O | X)

4. 취임승인이 취소된 학교법인의 정식이사들에 대해 원래 정해져 있던 임기가 만료되면 그 임원취임승인취소처분의 취소를 구할 소의 이익이 없다. 2017 지방직 9급 (O | X)

5. 임원취임승인의 취소처분과 임시이사선임처분의 취소소송을 동시에 제기하여 소송 계속 중 임시이사의 임기가 만료되고 새로운 임시이사가 선임된 경우(는 적법한 소로 볼 수 있다) 2012 국회직 8급 (O | X)

㉰ 관련기출

6. 제3자의 접견허가신청에 대한 교도소장의 거부처분에 있어서 접견권이 침해되었다고 주장하는 구속된 피고인(은 행정소송의 원고적격을 가지는 자에 해당한다) 2019 국회직 8급 (O | X)

7. 교도소장의 접견허가거부처분에 대하여 그 접견신청의 대상자였던 미결수(는 판례가 취소소송의 원고적격을 부정한다) 2018 소방직 9급 (O | X)

㉱ 관련기출

8. 국립대학교 특별전형 불합격처분에 대한 취소소송에서 원고들이 불합격처분의 취소를 구하는 소송 계속 중 당해 연도의 입학시기가 지났다면 원고들로서는 불합격처분의 적법 여부를 다툴 만한 법률상의 이익이 없다. 2024 소방직 9급 (O | X)

9. 서울대학교 불합격처분의 취소를 구하는 소송 계속 중 당해 연도의 입학시기가 지난 경우에도 불합격처분의 취소를 구할 법률상의 이익이 있다. 2014 지방직 7급 (O | X)

10. 국립대학교 불합격처분의 취소를 구하는 소송 계속 중 당해 연도의 입학시기가 지난 경우(는 판례에 의하면 취소소송에서 협의의 소의 이익이 부인된다) 2009 세무사 (O | X)

㉲ 관련기출

11. 개발제한구역 중 일부취락을 개발제한구역에서 해제하는 내용으로 도시관리계획변경의 결정·고시가 있는 사안에서, 해제대상에서 누락된 개발제한구역 내 토지의 소유자는 위 결정·고시의 취소를 구할 법률상 이익이 있다. 2025 변호사 (O | X)

12. 개발제한구역 중 일부취락을 개발제한구역에서 해제하는 내용의 도시관리계획변경결정에 대하여 개발제한구역 해제대상에서 누락된 토지의 소유자가 위 결정의 취소를 구하는 경우(에는 항고소송의 원고적격이 인정된다) 2021 국가직 9급 (O | X)

13. 개발제한구역 중 일부취락을 개발제한구역에서 해제하는 내용의 도시관리계획변경결정에 대하여, 개발제한구역 해제대상에서 누락된 토지의 소유자는 그 결정의 취소를 구할 법률상 이익이 있다. 2018 지방직 9급 (O | X)

정답
1. × 2. ○ 3. × 4. × 5. ○ 6. ○ 7. × 8. × 9. ○ 10. ×
11. × 12. × 13. ×

12

원고적격에 관한 설명으로 옳지 않은 것은? (다툼이 있는 경우 판례에 의함)

① 국가가 국토이용계획과 관련한 지방자치단체의 장의 기관위임사무의 처리에 관하여 지방자치단체의 장을 상대로 취소소송을 제기하는 것은 허용되지 않는다.
② 처분성이 인정되는 국민권익위원회의 조치요구를 받은 소방청장은 조치요구의 취소를 구하는 항고소송의 원고적격을 가진다.
③ 법률상 보호되는 이익이란 당해 처분의 근거법규에 의하여 보호되는 개별적·구체적 이익을 의미하며, 관련 법규에 의하여 보호되는 개별적·구체적 이익까지 포함하는 것은 아니라는 것이 판례의 입장이다.
④ 처분의 직접상대방이 아닌 제3자가 해당 처분과 간접적·사실적·경제적인 이해관계를 가지는 데 불과한 경우에는 처분의 취소를 구할 원고적격이 인정되지 않는다.

기출체크

① 관련기출

1. 국가는 지방자치단체의 장의 기관위임사무의 처리에 관하여 해당 지방자치단체의 장을 상대로 취소소송을 제기하여 다툴 수 있다. 2017 변호사 (O | X)
2. 국가는 국토이용계획과 관련한 기관위임사무의 처리에 관하여 지방자치단체의 장을 상대로 취소소송을 제기할 수 있다. 2010 국회직 8급 (O | X)

② 관련기출

3. 처분성이 인정되는 국민권익위원회의 조치요구에 불복하고자 하는 소방청장으로서는 조치요구의 취소를 구하는 항고소송을 제기하는 것이 유효·적절한 수단으로 볼 수 있으므로 소방청장은 예외적으로 당사자능력과 원고적격을 가진다고 보아야 한다. 2025 군무원 9급 (O | X)
4. 국민권익위원회의 조치요구의 취소를 구하는 소송을 제기한 소방청장(은 취소소송에서 원고적격이 인정되는 자이다) 2023 군무원 7급 (O | X)
5. 국가기관인 소방청장은 국민권익위원회를 상대로 조치요구의 취소를 구할 당사자능력이 없기 때문에 항고소송의 원고적격이 인정되지 않는다. 2020 소방직 9급 (O | X)
6. 국민권익위원회가 소방청장에게 인사와 관련하여 부당한 지시를 한 사실이 인정된다며 이를 취소할 것을 요구하기로 의결하고 내용을 통지하자 그 국민권익위원회 조치요구의 취소를 구하는 사안에서의 소방청장(은 행정소송의 원고적격을 가지는 자에 해당한다) 2019 국회직 8급 (O | X)

③④ 관련기출

7. 원고적격의 요건으로서 법률상 이익에는 당해 처분의 근거법률에 의하여 보호되는 직접적이고 구체적인 이익뿐만 아니라 간접적이거나 사실적·경제적 이해관계를 가지는 경우도 여기에 포함된다. 2024 국가직 9급 (O | X)
8. 「행정소송법」 제12조의 '법률상의 이익'이란 당해 처분의 근거법률에 의하여 직접 보호되는 구체적인 이익을 말하고, 이는 제3자가 간접적인 이해관계를 가지는 경우에도 인정된다. 2022 서울시 지적 7급 (O | X)
9. 판례는 「행정소송법」 제12조의 법률상 이익은 직접적이고 구체적·개인적 이익을 말하고 간접적이거나 사실적·경제적 이해관계를 가지는 데 불과한 경우 및 공익은 포함되지 않는다고 보고 있다. 2013 국회속기직 9급 (O | X)
10. 처분의 직접상대방이 아닌 경우에는 처분의 근거법률에 의하여 보호되는 법률상 이익이 있는 경우에도 원고적격이 인정될 수 없다. 2013 국가직 9급 (O | X)

정답
1. X 2. X 3. O 4. O 5. X 6. O 7. X 8. X 9. O 10. X

13

항고소송에서의 원고적격에 관한 설명으로 옳은 것은? (다툼이 있는 경우 판례에 의함)

① 상수원보호구역 설정의 근거가 되는 「수도법」은 상수원의 오염을 막아 양질의 급수를 받을 직접적이고 구체적인 지역주민들의 이익을 보호하고 있으므로 그 주민들에게는 상수원보호구역변경처분의 취소를 구할 법률상 이익이 있다.
② 법령이 특정한 행정기관으로 하여금 다른 행정기관에 제재적 조치를 취할 수 있도록 하면서, 그에 따르지 않으면 그 행정기관에 과태료 등을 과할 수 있도록 정하는 경우, 권리구제나 권리보호의 필요성이 인정된다면 예외적으로 그 제재적 조치의 상대방인 행정기관에게 항고소송의 원고적격을 인정할 수 있다.
③ 학교법인에 의하여 임원으로 선임된 사람은 관할청이 학교법인의 임원취임승인신청에 대하여 이를 반려하거나 거부하는 경우 관할청의 임원취임승인신청 반려처분을 다툴 수 있는 원고적격이 없다.
④ 행정처분의 근거법규 또는 관련 법규에 그 처분으로써 이루어지는 행위 등 사업으로 인하여 환경상 침해를 받으리라고 예상되는 영향권의 범위가 구체적으로 규정되어 있는 경우, 영향권 내의 주민은 환경상 이익에 대한 침해 또는 침해 우려가 있는 것을 입증하여야만 원고적격이 인정된다.

기출체크

① 관련기출

1. 상수원으로부터 급수를 받는 지역주민들이 상수원의 오염을 우려하여, 상수원보호구역변경처분의 취소를 구하는 경우는 원고적격이 없는 경우에 해당한다. 2024 해경승진 (O | X)

2. 상수원에서 급수를 받고 있는 지역주민들이 가지는 상수원의 오염을 막아 양질의 급수를 받을 이익은 근거법률에 의하여 직접적이고 구체적으로 보호되는 이익으로서, 해당 지역주민들에게는 상수원보호구역변경처분의 취소를 구할 법률상의 이익이 있다. 2023 경찰간부
(O | X)

3. 상수원보호구역 설정의 근거가 되는 「수도법」이 보호하고자 하는 것은 상수원의 확보와 수질보전일 뿐이고, 그 상수원에서 급수를 받고 있는 지역주민들이 가지는 상수원의 오염을 막아 양질의 급수를 받을 이익은 반사적 이익에 불과하므로 지역주민들에게는 상수원보호구역변경처분의 취소를 구할 법률상 이익이 없다. 2023 국회직 8급
(O | X)

4. 행정청의 상수원보호구역변경처분에 대해 그 상수원으로부터 급수를 받는 인근 지역주민은 해당 처분에 대한 취소를 구할 법률상 이익이 인정된다. 2023 소방간부
(O | X)

5. 상수원보호구역 설정의 근거가 되는 구 「수도법」 제5조 제1항 및 동 시행령 제7조 제1항은 상수원의 오염을 막아 양질의 급수를 받을 직접적이고 구체적인 지역주민들의 이익을 보호하고 있으므로 그 주민들에게는 상수원보호구역변경처분의 취소를 구할 법률상의 이익이 있다. 2021 소방간부
(O | X)

② 관련기출

6. 법령이 특정한 행정기관 등으로 하여금 다른 행정기관을 상대로 제재적 조치를 취할 수 있도록 하면서, 그에 따르지 않으면 그 행정기관에 대하여 과태료를 부과하거나 형사처벌을 할 수 있도록 정하는 경우, 제재적 조치의 상대방인 행정기관 등에게 항고소송 원고로서의 당사자능력과 원고적격을 인정할 수 없다. 2023 군무원 9급 (O | X)

③ 관련기출

7. 학교법인에 의하여 임원으로 선임된 B는 자신에 대한 관할청의 임원취임승인신청 반려처분 취소소송의 원고적격이 있다. 2016 지방직 9급
(O | X)

④ 관련기출

8. 행정처분의 근거법규 또는 관련 법규에 그 처분으로써 이루어지는 행위 등 사업으로 인하여 환경상 침해를 받으리라고 예상되는 영향권의 범위가 구체적으로 규정되어 있는 경우라도 그 입법취지는 자연환경을 보전·관리하기 위한 것일 뿐 영향권 내의 주민들의 생활상 이익을 보호하기 위한 것은 아니므로 영향권 내의 주민들에게 행정처분을 다툴 원고적격은 인정되지 않는다. 2023 서울시 연구사 (O | X)

9. 환경영향평가대상지역 안의 주민에 대하여는 특단의 사정이 없는 한 환경상의 이익에 대한 침해 또는 침해 우려가 있는 것으로 사실상 추정되어 공유수면매립면허처분 등의 무효확인을 구할 원고적격이 인정된다. 2022 서울시 지적 7급 (O | X)

10. 행정처분의 근거법규 또는 관련 법규에 그 처분으로써 이루어지는 행위 등 사업으로 인하여 환경상 침해를 받으리라고 예상되는 영향권의 범위가 구체적으로 규정되어 있는 경우, 그 영향권 내의 주민들에 대하여는 특단의 사정이 없는 한 환경상 이익에 대한 침해 또는 침해 우려가 있는 것으로 사실상 추정된다. 2019 국가직 7급 (O | X)

11. 행정처분의 근거법규 등에 그 처분으로써 이루어지는 행위 등 사업으로 인하여 환경상 침해를 받으리라고 예상되는 영향권의 범위가 구체적으로 규정되어 있는 경우에는, 그 영향권 내의 주민들의 환경상의 이익은 주민 개개인에 대하여 개별적으로 보호되는 직접적·구체적 이익이다. 2012 지방직(하) 7급
(O | X)

정답
1. O 2. X 3. O 4. X 5. X 6. X 7. O 8. X 9. O 10. O
11. O

14 ☐☐☐

항고소송에서의 원고적격에 관한 설명으로 옳은 것만을 <보기>에서 모두 고른 것은? (다툼이 있는 경우 판례에 의함)

┌ 보기 ┐
㉮ 환경부장관이 생태·자연도 1등급으로 지정되었던 지역을 2등급 또는 3등급으로 변경하는 내용의 생태·자연도 수정·보완을 고시하자, 1등급지역에 거주하던 인근주민이 생태·자연도 등급변경처분의 무효확인을 청구한 경우, 주민에게는 원고적격이 있다.
㉯ 사단법인 대한의사협회가 보건복지부 고시인 「건강보험요양급여행위 및 그 상대가치점수 개정」의 취소를 구하는 경우, 대한의사협회는 원고적격이 있다.
㉰ 약제를 제조·공급하는 제약회사가 보건복지부 고시인 「약제급여·비급여목록 및 급여상한금액표」 중 약제의 상한금액 인하 부분의 취소를 구하는 경우, 제약회사는 원고적격이 있다.
㉱ 면허나 인·허가 등의 수익적 행정처분의 근거가 되는 법률이 해당 업자들 사이의 과당경쟁으로 인한 경영의 불합리를 방지하는 것도 그 목적으로 하고 있는 경우, 기존의 업자는 경업자에 대하여 이루어진 면허나 인·허가 등 행정처분의 상대방이 아니라 하더라도 당해 행정처분의 취소를 구할 원고적격이 있다.

① ㉮, ㉰   ② ㉮, ㉱
③ ㉯, ㉱   ④ ㉰, ㉱

✓ 기출체크

㉮ 관련기출
1. 환경부장관이 생태·자연도 1등급으로 지정되었던 지역을 2등급으로 변경하는 내용의 생태·자연도 수정·보완을 고시하는 경우, 1등급지역에 거주하던 인근주민은 생태·자연도 등급변경처분의 무효확인을 구할 원고적격이 없다. 2023 국가직 9급 (O | X)
2. 환경부장관의 생태·자연도 등급결정으로 1등급 권역의 인근주민들이 가지는 환경상 이익은 법률상 이익이다. 2023 군무원 9급 (O | X)

㉯ 관련기출
3. 사단법인 대한의사협회는 「국민건강보험법」상 요양급여행위, 요양급여비용의 청구 및 지급과 관련하여 직접적인 법률관계를 갖지 않고 있으므로, 보건복지부 고시인 「건강보험요양급여행위 및 그 상대가치점수 개정」으로 인하여 자신의 법률상 이익을 침해당하였다고 할 수 없다는 이유로 이 고시의 취소를 구할 원고적격이 없다.
2025 국가직 7급 (O | X)
4. 대법원은 대한의사협회는 「국민건강보험법」상 요양급여행위, 요양급여비용의 청구 및 지급과 관련하여 직접적인 법률관계를 갖지 않고 있으므로 보건복지부 고시인 「건강보험요양급여행위 및 그 상대가치점수 개정」으로 인하여 자신의 법률상 이익을 침해당하였다고 할 수 없다는 이유로 위 고시의 취소를 구할 원고적격이 없다고 보고 있다.
2013 국회직 8급 (O | X)

5. 「건강보험요양급여행위 및 그 상대가치점수 개정」 고시의 취소소송에서 사단법인 대한의사협회는 원고적격이 있다. 2012 국회직 8급
(O | X)

관련기출

6. 보건복지부 고시인 「약제급여·비급여목록 및 급여상한금액표」는 다른 집행행위의 매개 없이 그 자체로서 국민건강보험가입자, 국민건강보험공단, 요양기관 등의 법률관계를 직접 규율하는 행정처분의 성격을 가진다. 2024 소방간부 (O | X)

7. 제약회사는 보건복지부 고시인 「약제급여·비급여목록 및 급여상한금액표」 중 그 제약회사가 제조·공급하는 약제의 상한금액 인하 부분의 취소를 구할 원고적격이 있다. 2023 행정사 (O | X)

8. 제약회사가 보건복지부 고시인 「약제급여·비급여목록 및 급여상한금액표」로 인하여 자신이 제조·공급하는 약제의 상한금액이 인하됨에 따라 약제에 관한 법률상 이익이 침해당할 경우, 제약회사는 위 고시의 취소를 구할 원고적격이 있다. 2022 서울시 지적 7급 (O | X)

9. 약제를 제조·공급하는 제약회사는 보건복지부 고시인 「약제급여·비급여목록 및 급여상한금액표」 중 약제의 상한금액 인하 부분에 대하여 그 취소를 구할 원고적격이 있다. 2019 지방직·교육행정직 9급
(O | X)

10. 제약회사가 보건복지부 고시인 「약제급여·비급여목록 및 급여상한금액표」의 취소를 구할 때(에는 판례가 원고적격을 인정하고 있다)
2015 경행특채 1차 (O | X)

관련기출

11. 면허나 인·허가 등의 수익적 행정처분의 근거가 되는 법률이 해당 업자들 사이의 과당경쟁으로 인한 경영의 불합리를 방지하는 것도 목적으로 하는 경우, 다른 업자에 대한 면허나 인·허가 등의 수익적 행정처분에 대하여 미리 같은 종류의 면허나 인·허가 등의 수익적 행정처분을 받아 영업하고 있는 기존업자는 경업자에 대하여 이루어진 면허나 인·허가 등 행정처분의 상대방이 아니지만 그 행정처분의 취소를 구할 원고적격이 있다. 2023 서울시 연구사 (O | X)

12. 일반적으로 면허 등의 수익적 행정처분의 근거가 되는 법률이 해당 업자들 사이의 과당경쟁으로 인한 경영의 불합리를 방지하는 것도 목적으로 하는 경우 이미 같은 종류의 면허 등을 받아 영업을 하고 있는 기존의 업자는 경업자에 대하여 이루어진 면허 등 행정처분의 상대방이 아니라 하더라도 당해 행정처분의 취소를 구할 법률상 이익이 있다. 2023 국회직 8급 (O | X)

13. 일반적으로 인·허가 등의 수익적 행정처분의 근거가 되는 법률이 해당업자들 사이의 과당경쟁으로 인한 경영의 불합리를 방지하는 것도 그 목적으로 하고 있는 경우, 기존의 업자는 경업자에 대하여 이루어진 인·허가 등 행정처분의 상대방이 아니라 하더라도 당해 행정처분의 취소를 구할 당사자적격이 있다. 2022 서울시 지적 7급 (O | X)

14. 허가 등 수익적 행정처분의 근거가 되는 법률이 해당 업자들 사이의 과당경쟁으로 인한 경영의 불합리를 방지하는 것을 목적으로 하는 경우, 기존의 업자는 타인에 대한 허가의 취소를 구할 법률상 이익이 있다. 2012 국회(속기·경위직) 9급 (O | X)

정답

1. O 2. X 3. O 4. O 5. X 6. O 7. O 8. O 9. O 10. O
11. O 12. O 13. O 14. O

15 □□□

항고소송에서의 원고적격 또는 소의 이익에 관한 설명으로 옳은 것은? (다툼이 있는 경우 판례에 의함)

① 행정주체가 항고소송을 제기할 수 없으므로 지방자치단체에게 다른 지방자치단체장의 건축협의취소를 다툴 원고적격은 인정되기 어렵다.

② 「건축법」 소정의 이격거리를 두지 아니한 위법한 건축허가에 대해 취소소송으로 다투는 도중에 건축공사가 완료된 경우라도 그 취소를 구할 소의 이익이 소멸하는 것은 아니다.

③ 현역입영대상자가 현역병입영통지처분을 받고 현실적으로 입영을 하였다고 하더라도, 입영 이후의 법률관계에 영향을 미치고 있는 현역병입영통지처분의 취소를 구할 소의 이익이 있다.

④ 퇴학처분을 받은 후 고등학교 졸업학력 검정고시에 합격한 경우, 대학입학자격을 회복한 이상 퇴학처분을 받은 자는 퇴학처분의 위법을 주장하여 퇴학처분의 취소를 구할 소송상의 이익이 없다.

✓ 기출체크

① 관련기출

1. 「건축법」상 지방자치단체를 상대방으로 하는 건축협의의 취소는 행정처분에 해당한다고 볼 수 없으므로 지방자치단체가 건축물 소재지 관할 건축허가권자를 상대로 항고소송을 통해 건축협의취소의 취소를 구할 수 없다. 2022 지방직·서울시 7급 (O | X)

2. 건축물의 소재지를 관할하는 허가권자인 지방자치단체의 장이 국가의 건축협의를 거부한 행위는 항고소송의 대상인 거부처분에 해당한다.
2021 군무원 7급 (O | X)

3. 지방자치단체가 건축물 소재지 관할 허가권자인 지방자치단체의 장을 상대로 건축협의취소의 취소를 구하는 사안에서의 지방자치단체(는 행정소송의 원고적격을 가지는 자에 해당한다) 2019 국회직 8급
(O | X)

4. 지방자치단체 등이 건축물을 건축하기 위해 건축물 소재지 관할 허가권자인 지방자치단체의 장과 건축협의를 하였는데 허가권자인 지방자치단체의 장이 그 협의를 취소한 경우, 건축협의취소는 항고소송의 대상인 행정처분에 해당한다. 2017 지방직 9급 (O | X)

5. 지방자치단체가 건물을 건축하기 위하여 구 「건축법」에 따라 미리 건축물의 소재지를 관할하는 허가권자인 다른 지방자치단체의 장과 건축협의를 한 경우, 허가권자인 지방자치단체의 장이 건축협의를 취소하는 행위는 항고소송의 대상이 되는 처분에 해당한다.
2017 지방직(하) 9급 (O | X)

② 관련기출

6. 위법한 건축물에 대한 취소소송 중 건축공사가 완료된 경우(에는 판례상 행정소송에서의 법률상 이익이 인정된다) 2021 군무원 7급
(O | X)

7. 건축허가처분의 취소를 구하는 소를 제기하기 전에 건축공사가 완료된 경우에는 소의 이익이 없으나, 소를 제기한 후 사실심변론종결일 전에 건축공사가 완료된 경우에는 소의 이익이 있다.
2018 서울시 1회 7급 (O | X)

8. 건축허가가 「건축법」에 따른 이격거리를 두지 아니하고 건축물을 건축하도록 되어 있어 위법하다 하더라도 건축이 완료되어 위법한 처분을 취소한다 하더라도 원상회복이 불가능한 경우에는 그 취소를 구할 법률상 이익이 없다. 2016 국가직 9급 (O | X)

9. 건축허가가 「건축법」 소정의 이격거리를 두지 아니하고 건축하도록 되어 있어 위법하다 하더라도 그 건축허가에 기하여 건축공사가 완료되었다면 인접한 대지의 소유자는 그 건축허가처분의 취소를 구할 소의 이익이 없다. 2013 지방직(하) 7급 (O | X)

10. 건축허가가 「건축법」 소정의 이격거리를 두지 않아 위법한 경우에 설령 건축공사가 완료되었다고 해도 인접대지의 소유자는 건축허가의 취소를 구할 소의 이익이 인정된다. 2012 서울시 9급 (O | X)

③ 관련기출

11. 현역입영대상자는 현역병입영통지처분에 따라 현실적으로 입영을 하였다 할지라도, 입영 이후의 법률관계에 영향을 미치고 있는 현역병입영통지처분을 한 관할 지방병무청장을 상대로 위법을 주장하여 그 취소를 구할 수 있다. 2021 소방직 9급 (O | X)

12. 현역입영대상자가 현역병입영통지처분에 따라 현실적으로 입영을 한 후에는 처분의 집행이 종료되었고 입영으로 처분의 목적이 달성되어 실효되었으므로 입영통지처분을 다툴 법률상 이익이 인정되지 않는다. 2019 국가직 9급 (O | X)

13. 현역입영대상자로서 현실적으로 입영을 한 자가 입영 이후의 법률관계에 영향을 미치고 있는 현역병입영통지처분 등을 한 관할 지방병무청장을 상대로 위법을 주장하여 그 취소를 구하는 경우〔협의의 소의 이익(권리보호의 필요)이 인정된다〕 2017 서울시 9급 (O | X)

14. 현역입영대상자가 입영한 후에도 현역입영통지처분이 취소되면 원상회복이 가능하므로 이미 처분이 집행된 후라고 할지라도 현역입영통지처분의 취소를 구할 소의 이익이 있다. 2016 국가직 9급 (O | X)

15. 현역입영대상자가 입영한 후에는 현역입영통지처분의 취소를 구할 소의 이익이 없다. 2010 서울시 9급 (O | X)

④ 관련기출

16. 고등학교에서 퇴학처분을 당한 후 고등학교 졸업학력 검정고시에 합격하였다면 퇴학처분을 받은 자는 퇴학처분의 위법을 주장하여 그 취소를 구할 소송상의 이익이 없다. 2025 지방직·서울시 9급 (O | X)

17. 고등학교 퇴학처분을 받은 후 고등학교 졸업학력 검정고시에 합격하였다 하여 고등학교 학생으로서의 신분과 명예가 회복될 수 없는 것이므로, 퇴학처분을 받은 자로서는 퇴학처분의 위법성을 주장하여 그 취소를 구할 소송상의 이익이 있다. 2025 경찰간부 (O | X)

18. 고등학교 졸업이 대학입학자격이나 학력인정으로서의 의미밖에 없다고 할 수 없으므로 고등학교 졸업학력 검정고시에 합격하였다 하여 고등학교 학생으로서의 신분과 명예가 회복될 수 없는 것이니 퇴학처분을 받은 자로서는 퇴학처분의 위법을 주장하여 그 취소를 구할 소송상의 이익이 있다. 2022 군무원 9급 (O | X)

19. 고등학교 졸업이 대학입학자격이나 학력인정으로서의 의미밖에 없다고 할 수는 없으므로, 퇴학처분을 받은 자가 고등학교 졸업학력 검정고시에 합격하였다 하여 퇴학처분의 취소를 구할 소송상의 이익이 없다고 볼 수는 없다. 2016 지방직 7급 (O | X)

20. 명예, 신분 등 인격적 이익의 침해만으로는 협의의 소익을 인정할 수 없으므로 검정고시에 합격한 경우 퇴학처분의 취소를 구할 이익이 없다. 2010 지방직 9급 (O | X)

정답
1. X 2. O 3. O 4. O 5. O 6. X 7. X 8. O 9. O 10. X
11. O 12. X 13. O 14. O 15. X 16. X 17. O 18. O 19. O 20. X

16 □□□

항고소송에서의 원고적격에 관한 설명으로 옳은 것은? (다툼이 있는 경우 판례에 의함)

① 공매 등의 절차로 영업시설의 전부를 인수함으로써 영업자의 지위를 승계한 자가 관계 행정청에 이를 신고하여 관계 행정청이 그 신고를 수리하는 처분에 대해 종전 영업자는 제3자로서 그 처분의 취소를 구할 법률상 이익이 없다.

② 「도시 및 주거환경정비법」상 조합설립추진위원회의 구성에 동의하지 아니한 정비구역 내의 토지 등 소유자는 조합설립추진위원회 설립승인처분의 취소소송을 제기할 원고적격이 없다.

③ 예탁금회원제 골프장의 기존회원은 골프장운영자가 사업계획의 승인을 받을 때 정한 예정인원을 초과하여 회원을 모집하는 내용의 회원모집계획서에 대한 시·도지사의 검토결과 통보의 취소를 구할 법률상 이익이 없다.

④ 교육감이 사립학교법인의 이사장 및 학교장에게 소속 직원들의 유사경력 호봉환산이 과다하게 반영되었다는 이유로 호봉이 과다하게 산정된 직원들의 호봉정정에 따른 급여 환수명령 등을 한 경우, 이는 사립학교 직원들의 법률상 보호되는 이익을 침해한 경우에 해당한다.

기출체크

① 관련기출

1. 공매 등의 절차로 영업시설의 전부를 인수함으로써 영업자의 지위를 승계한 자가 관계 행정청에 이를 신고하여 관계 행정청이 그 신고를 수리하는 처분에 대해 종전 영업자는 제3자로서 그 처분의 취소를 구할 법률상 이익이 인정되지 않는다. 2013 국가직 7급 (O | X)

② 관련기출

2. 주택재개발정비사업 조합설립추진위원회 설립승인처분에 대한 그 구성에 동의하지 아니한 정비구역 내의 토지 등 소유자(는 처분에 대한 취소소송을 제기할 원고적격이 있다) 2012 서울시 9급 (O | X)

3. 「도시 및 주거환경정비법」상 조합설립추진위원회의 구성에 동의하지 아니한 정비구역 내의 토지 등 소유자는 조합설립추진위원회 설립승인처분의 취소를 구할 원고적격이 있다. 2011 국가직 7급 (O | X)

③ 관련기출

4. 이른바 예탁금회원제 골프장에 있어서, 체육시설업자가 회원모집계획서를 제출하면서 사업계획의 승인을 받을 때 정한 예정인원을 초과하여 회원을 모집하는 내용의 회원모집계획서를 제출하여 그에 대한 시·도지사 등의 검토결과 통보를 받은 경우, 기존회원이 회원모집계획서에 대한 시·도지사의 검토결과통보에 대한 취소소송에서 원고에게 법률상 이익이 인정된다. 2022 군무원 7급 (O | X)

5. 예탁금회원제 골프장에 가입되어 있는 기존회원 C는 그 골프장운영자가 당초 승인을 받을 때 정한 예정인원을 초과하여 회원을 모집하는 내용의 회원모집계획서에 대한 시·도지사의 검토결과 통보의 취소를 구할 법률상 이익이 있다. 2016 지방직 9급 (O | X)

④ 관련기출

6. 교육감이 사립학교법인의 이사장 및 학교장에게 소속 직원들의 유사 경력 호봉환산이 과다하게 반영되었다는 이유로 호봉이 과다하게 산정된 직원들의 호봉정정에 따른 급여 환수명령 및 미이행시 해당 직원들에 대한 보조금 지원을 중단하겠다는 내용의 시정명령을 하고, 정정된 호봉으로 호봉 재획정처리를 하고 조치결과를 제출하라는 명령을 한 사안에서, 이는 사립학교 직원들이 각 소속 사립학교법인들에 대한 위 각 명령으로 인하여 법률상 보호되는 이익을 침해당한 경우에 해당한다. 2025 변호사 (O | X)

정답
1. X 2. O 3. O 4. O 5. O 6. O

17 □□□

항고소송에서의 원고적격 또는 소의 이익에 관한 설명으로 옳지 않은 것은? (다툼이 있는 경우 판례에 의함)

① 개발제한구역 안에서의 공장설립을 승인한 처분이 위법하다는 이유로 쟁송취소되었으나 그 승인처분에 기초한 공장건축허가처분이 잔존하는 경우, 인근주민들은 그 공장건축허가처분의 취소를 구할 법률상 이익이 있다.

② 구 「석탄수급조정에 관한 임시조치법」상 소정의 석탄가공업에 관한 허가는 질서유지와 공공복리를 위한 금지를 해제하는 명령적 행정행위로서, 기존허가를 받은 사람들은 신규허가로 인하여 영업상 이익이 줄었다는 이유로 신규허가처분의 취소를 구할 법률상 이익이 없다.

③ 경업자에 대한 행정처분이 경업자에게 불리한 내용일 경우, 그와 경쟁관계에 있는 기존업자는 그 행정처분의 무효확인 또는 취소를 구할 법률상 이익이 있다.

④ 경원관계에 있는 경우, 허가 등 수익적 처분을 받지 못한 사람은 원칙적으로 자신에 대한 거부처분의 취소를 구할 소의 이익이 있다.

✓ 기출체크

① 관련기출

1. 개발제한구역 안에서의 공장설립을 승인한 처분이 위법하다는 이유로 쟁송취소되었지만 그 승인처분에 기초한 공장건축허가처분이 잔존하는 경우, 인근주민들은 여전히 공장건축허가처분의 취소를 구할 법률상 이익이 있다. 2025 변호사 (O | X)

2. 개발제한구역 안에서의 공장설립을 승인한 처분이 위법하다는 이유로 쟁송취소되었다면 인근주민들의 환경상 이익이 침해될 위험이 종료되었다고 할 것이므로 인근주민들이 더 나아가 그 승인처분에 기초한 공장건축허가처분에 대하여 취소를 구할 법률상 이익은 없다. 2022 소방간부 (O | X)

3. 개발제한구역 안에서의 공장설립을 승인한 처분이 위법하다는 이유로 쟁송취소되었다면, 설령 그 승인처분에 기초한 공장건축허가처분이 잔존하는 경우에도 인근주민들에게는 공장건축허가처분의 취소를 구할 법률상 이익이 없다. 2019 지방직·교육행정직 9급 (O | X)

4. 공장설립승인처분이 위법하다는 이유로 쟁송취소되었다고 하더라도 그 승인처분에 기초한 공장건축허가처분이 잔존하는 이상, 인근주민들은 여전히 공장건축허가처분의 취소를 구할 법률상 이익이 있다. 2019 서울시 2회 7급 (O | X)

② 관련기출

5. 구 「석탄수급조정에 관한 임시조치법」 소정의 석탄가공업에 관한 허가는 사업경영의 권리를 설정하는 형성적 행정행위이므로 기존에 허가를 받은 원고들이 신규허가로 인하여 영업상 이익이 감소될 수 있다는 이유로 기존의 업자에 대해 처분의 취소를 구할 법률상 이익이 있다. 2013 국회직 8급 (O | X)

6. 「석탄수급조정에 관한 임시조치법」 소정의 석탄가공업허가를 받아 이를 영위하고 있는 업자는 다른 사람에 대한 신규허가로 인하여 영업상 이익이 감소되었다면, 당해 신규허가의 취소를 구할 법률상 이익이 있다. 2011 경행특채 1차 (O | X)

7. 석탄가공업에 관하여 기존허가를 받은 자들의 영업상 이익은 반사적 이익에 불과하므로 신규허가처분에 대하여 행정소송을 제기할 법률상 이익이 없다. 2010 경행특채 1차 (O | X)

③ 관련기출

8. 경업자에 대한 행정처분이 경업자에게 불리한 내용이라면 그와 경쟁관계에 있는 기존의 업자에게는 특별한 사정이 없는 한 유리할 것이므로 기존의 업자가 그 행정처분의 무효확인 또는 취소를 구할 이익은 없다고 보아야 한다. 2023 서울시 지적 7급 (O | X)

9. 경업자에 대한 행정처분이 경업자에게 불리한 내용이라면 그와 경쟁관계에 있는 기존의 업자에게는 특별한 사정이 없는 한 유리할 것이지만 기존의 업자는 그 행정처분의 무효확인 또는 취소를 구할 법률상 이익이 있다. 2023 국회직 8급 (O | X)

10. 경업자에 대한 행정처분이 경업자에게 불리한 내용이라면 그와 경쟁관계에 있는 기존의 업자에게는 특별한 사정이 없는 한 유리할 것이므로 기존의 업자가 그 행정처분의 무효확인 또는 취소를 구할 이익은 없다. 2022 국회직 9급 (O | X)

④ 관련기출

11. 특별한 사정이 없는 한 경원관계에서 허가 등 수익적 처분을 받지 못한 사람은 자신에 대한 거부처분의 취소를 구할 소의 이익이 있다. 2025 지방직·서울시 9급 (O | X)

12. 인가·허가 등 수익적 행정처분을 신청한 여러 사람이 서로 경원관계에 있어서 한 사람에 대한 허가 등 처분이 다른 사람에 대한 불허가 등으로 귀결될 수밖에 없을 때 허가 등 처분을 받지 못한 사람은 신청에 대한 거부처분의 직접상대방으로서 원칙적으로 자신에 대한 거부처분의 취소를 구할 법률상 이익이 있다. 2023 국회직 8급

(O | X)

13. 인·허가 등 수익적 행정처분을 신청한 여러 사람이 서로 경원관계에 있어서 한 사람에 대한 허가 등 처분이 다른 사람에 대한 불허가 등으로 귀결될 수밖에 없을 때 허가 등 처분을 받지 못한 사람은 신청에 대한 거부처분의 직접상대방으로서 원칙적으로 자신에 대한 거부처분의 취소를 구할 원고적격이 있고 특별한 사정이 없는 한 자신에 대한 거부처분의 취소를 구할 소의 이익이 있다. 2018 국회직 8급

(O | X)

14. 〔국토교통부장관은 몰디브 직항 항공노선 1개의 면허를 국내 항공사에 발급하기로 결정하고, 이 사실을 공고하였다. 이에 따라 A항공사와 B항공사는 각각 노선면허취득을 위한 신청을 하였는데, 국토교통부장관은 심사를 거쳐 A항공사에게 노선면허를 발급(이하 '이 사건 노선면허발급처분'이라 한다)하였다〕 B항공사가 자신에 대한 노선면허발급거부처분에 대해 취소소송을 제기하여 인용판결을 받더라도 이 사건 노선면허발급처분이 취소되지 않는 이상 자신이 노선면허를 발급받을 수는 없으므로 B항공사에게는 자신에 대한 노선면허발급거부처분의 취소를 구할 소의 이익이 인정되지 않는다. 2017 국가직 9급
(O | X)

정답
1. ○ 2. × 3. × 4. ○ 5. × 6. × 7. ○ 8. ○ 9. × 10. ○
11. ○ 12. ○ 13. ○ 14. ×

18 □□□

항고소송에서의 법률상 이익에 관한 설명으로 옳지 않은 것은? (다툼이 있는 경우 판례에 의함)

① 법인의 주주가 그 처분으로 인하여 궁극적으로 주식이 소각되거나 주주의 법인에 대한 권리가 소멸하는 등 주주의 지위에 중대한 영향을 초래하게 되는데도 그 처분의 성질상 당해 법인이 이를 다툴 것을 기대할 수 없고 달리 주주의 지위를 보전할 구제방법이 없는 경우에는 주주도 그 처분에 관하여 직접적이고 구체적인 법률상 이해관계를 가진다.
② 재단법인 한국연구재단이 ○○대학교 총장에게 연구개발비의 부당집행을 이유로 국가연구개발사업의 협약을 해지하고 연구팀장인 교수에 대한 국가연구개발사업의 3년간 참여제한 등을 명하는 통보를 한 사안에서, 연구팀장인 교수는 그 협약의 해지통보의 효력을 다툴 법률상의 이익이 있다.
③ 운전기사의 합승행위로 소속 운수회사가 과징금 부과처분을 받은 경우, 회사 내부규정에 원인행위를 제공한 운전기사가 과징금을 부담하도록 되어 있더라도 해당 운전기사는 그 과징금 부과처분의 취소를 구할 법률상 이익이 없다.
④ 원천징수의무자에 대한 소득금액변동통지는 원천납세의무자의 권리나 법률상 지위에 영향을 준다고 할 수 있으므로, 소득처분에 따른 소득의 귀속자는 법인에 대한 소득금액변동통지의 취소를 구할 법률상 이익이 있다.

✓ 기출체크

① 관련기출
1. 법인의 주주가 그 처분으로 인하여 궁극적으로 주식이 소각되거나 주주의 법인에 대한 권리가 소멸하는 등 주주의 지위에 중대한 영향을 초래하게 되는데도 그 처분의 성질상 당해 법인이 이를 다툴 것을 기대할 수 없고 달리 주주의 지위를 보전할 구제방법이 없는 경우에는 주주도 그 처분에 관하여 직접적이고 구체적인 법률상 이해관계를 가진다고 보이므로 그 취소를 구할 원고적격이 있다. 2021 군무원 9급
(O | X)

② 관련기출
2. 재단법인 A연구재단이 B대학교 총장에게 연구개발비의 부당집행을 이유로 국가연구개발사업인 BK21 사업협약을 해지하고 연구팀장 甲에 대한 국가연구개발사업의 3년간 참여제한 등을 명하는 통보를 한 경우, 甲은 위 협약해지통보의 효력을 다툴 법률상 이익이 있다. 2025 변호사
(O | X)
3. 대학에 대한 국가연구개발사업의 협약해지통보에 불복하여 협약해지통보의 효력을 다투는 그 연구개발사업의 연구팀장인 교수(는 항고소송의 원고적격이 인정된다) 2022 국회직 8급
(O | X)

③ 관련기출
4. 회사의 내부규정으로 운수회사에 부과된 과징금은 그 원인행위를 제공한 운전자가 납부하도록 되어 있다면, 해당 운전자는 부과된 과징금의 취소심판 또는 취소소송을 제기할 수 있는 법적 지위를 갖게 된다. 2024 군무원 7급
(O | X)
5. 운전기사 乙의 합승행위를 이유로 乙이 소속된 운수회사에 대하여 과징금 부과처분이 있은 경우, 乙은 그 과징금 부과처분의 취소를 구할 이익이 없다. 2022 소방승진
(O | X)
6. 운수회사에 대한 과징금 부과처분에 대한 취소소송에서 그 부과처분이 자신의 잘못으로 인한 것으로 사후 사실상 변상하여 줄 관계에 있는 운전기사는 원고적격이 있다. 2012 국회직 8급
(O | X)

④ 관련기출
7. 원천징수의무자에 대한 소득금액변동통지는 원천납세의무자의 존부나 범위와 같은 원천납세의무자의 권리나 법률상 지위에 어떠한 영향을 준다고 할 수 없으므로 소득처분에 따른 소득의 귀속자는 법인에 대한 소득금액변동통지의 취소를 구할 법률상 이익이 없다. 2017 국가직(하) 7급
(O | X)

정답
1. ○ 2. ○ 3. ○ 4. × 5. ○ 6. × 7. ○

19 □□□

항고소송에서의 원고적격 또는 소의 이익에 관한 설명으로 옳지 않은 것은? (다툼이 있는 경우 판례에 의함)

① 재단법인인 ○○수녀원은 쾌적한 환경에서 생활할 수 있는 이익을 향유할 수 있는 주체가 아니므로 매립목적을 택지조성에서 조선시설용지로 변경하는 내용의 공유수면매립목적 변경승인처분의 무효확인을 구할 원고적격이 없다.

② 건축사 업무정지처분을 받은 후 새로운 업무정지처분을 받음이 없이 1년이 지나 실제로 가중된 제재처분을 받을 우려가 없게 되었다면, 업무정지처분에서 정한 정지기간이 지난 후에는 특별한 사정이 없는 한 업무정지처분의 취소를 구할 법률상 이익이 없다.

③ 행정처분과 동일한 사유로 위법한 처분이 반복될 위험성이 있어 행정처분의 위법성 확인 내지 불분명한 법률문제에 대한 해명이 필요한 경우에는 예외적으로 그 처분의 취소를 구할 소의 이익이 인정될 수 있고, 여기서 '그 행정처분과 동일한 사유로 위법한 처분이 반복될 위험성이 있는 경우'란 반드시 '해당 사건의 동일한 소송당사자 사이에서 반복될 위험이 있는 경우'만을 의미하지 않는다.

④ 도시개발사업의 공사 등이 완료되고 원상회복이 사회통념상 불가능하게 되었다면, 도시개발사업의 시행에 따른 도시계획변경결정처분과 도시개발구역지정처분 및 도시개발사업실시계획인가처분의 취소를 구할 법률상 이익이 없다.

✓ 기출체크

① 관련기출

1. 재단법인 甲수녀원은 매립목적을 택지조성에서 조선시설용지로 변경하는 내용의 공유수면매립목적 변경승인처분으로 인하여 법률상 보호되는 환경상 이익을 침해받았다면서 처분청을 상대로 처분의 무효확인을 구할 원고적격이 없다. 2025 경찰간부 (O | X)

2. 공유수면매립목적 변경승인처분의 취소를 구하는 재단법인 수녀원(은 판례상 취소소송에서 원고적격이 인정된다) 2023 군무원 7급 (O | X)

3. 인근 공유수면의 매립목적을 택지조성에서 조선시설용지로 변경하는 공유수면매립목적 변경승인처분으로 인하여 환경상의 이익을 침해받았다고 주장하는 수녀원(은 항고소송의 원고적격이 인정된다) 2022 국회직 8급 (O | X)

4. 재단법인인 수녀원 D는 소속된 수녀 등이 쾌적한 환경에서 생활할 수 있는 환경상 이익을 침해받는다면 매립목적을 택지조성에서 조선시설용지로 변경하는 내용의 공유수면매립목적 변경승인처분의 무효확인을 구할 원고적격이 있다. 2016 지방직 9급 (O | X)

② 관련기출

5. 가중요건이 법령에 규정되어 있는 경우, 업무정지처분을 받은 후 새로운 제재처분을 받음이 없이 법률이 정한 기간이 경과하여 실제로 가중된 제재처분을 받을 우려가 없어졌다면 특별한 사정이 없는 한 업무정지처분의 취소를 구할 법률상 이익이 인정되지 않는다. 2019 국가직 9급 (O | X)

6. 건축사 업무정지처분을 받은 후 새로운 업무정지처분을 받음이 없이 1년이 경과하여 실제로 가중된 제재처분을 받을 우려가 없게 된 경우, 그 처분에서 정한 정지기간이 경과한 이상 특별한 사정이 없는 한 업무정지처분의 취소를 구할 법률상 이익이 없다. 2017 지방직 9급 (O | X)

7. 업무정지처분을 받은 후 새로운 업무정지처분을 받음이 없이 1년이 경과하여 실제로 가중된 제재처분을 받을 우려가 없어졌다면 위 처분에서 정한 정지기간이 경과한 이상 특별한 사정이 없는 한 그 처분의 취소를 구할 법률상 이익이 없다. 2016 국가직 7급 (O | X)

③ 관련기출

8. 취소소송 계속 중 해당 처분이 기간의 경과로 그 효과가 소멸하여 그 처분이 취소되어도 원상회복이 불가능하다고 보이는 경우라도, '그 행정처분과 동일한 사유로 위법한 처분이 반복될 위험성이 있는 경우'에는 예외적으로 그 처분의 취소를 구할 소의 이익을 인정할 수 있다. 여기에서 '그 행정처분과 동일한 사유로 위법한 처분이 반복될 위험성이 있는 경우'란 반드시 '해당 사건의 동일한 소송당사자 사이에서' 반복될 위험이 있는 경우만을 의미한다. 2026 경찰간부 (O | X)

9. 행정처분과 동일한 사유로 위법한 처분이 반복될 위험성이 있어 행정처분의 위법성 확인 내지 불분명한 법률문제에 대한 해명이 필요한 경우에는 취소를 구할 소의 이익을 인정할 수 있는데, 그 행정처분과 동일한 사유로 위법한 처분이 반복될 위험성이 있는 경우란 해당 사건의 동일한 소송당사자 사이에서 반복될 위험이 있는 경우만을 의미한다. 2024 군무원 9급 (O | X)

10. 소송 계속 중 해당 처분이 기간의 경과로 그 효과가 소멸하더라도 예외적으로 그 처분의 취소를 구할 소의 이익을 인정할 수 있는 '행정처분과 동일한 사유로 위법한 처분이 반복될 위험성이 있는 경우'란 해당 사건의 동일한 소송당사자 사이에서 반복될 위험이 있는 경우만을 의미한다. 2022 군무원 9급 (O | X)

④ 관련기출

11. 도시개발사업의 공사 등이 완료되고 원상회복이 사회통념상 불가능하게 된 경우 도시개발사업의 시행에 따른 도시계획변경결정처분과 도시개발구역지정처분 및 도시개발사업실시계획인가처분의 취소를 구하는 경우에는 협의의 소의 이익(권리보호의 필요)이 인정된다. 2017 서울시 9급 (O | X)

12. 도시개발사업의 공사 등이 완료되고 원상회복이 사회통념상 불가능하게 된 경우 도시개발사업의 시행에 따른 도시계획변경결정처분과 도시개발구역지정처분 및 도시개발사업실시계획인가처분의 취소를 구하는 경우는 소의 이익이 있다. 2008 지방직 7급 (O | X)

정답
1. O 2. X 3. X 4. X 5. O 6. O 7. O 8. X 9. X 10. X
11. O 12. O

20

항고소송에서의 법률상 이익에 관한 설명으로 옳은 것만을 <보기>에서 모두 고른 것은? (다툼이 있는 경우 판례에 의함)

― 보기 ―

㉮ 공장등록이 취소된 후 그 공장시설물이 철거되었다 하더라도 대도시 안의 공장을 지방으로 이전할 경우 관련 법률상 세액공제 및 소득세 등의 감면혜택이 있고 간이한 이전절차 및 우선입주의 혜택이 있다면 그 공장등록취소처분의 취소를 구할 법률상 이익이 있다.

㉯ 구 「도시 및 주거환경정비법」상 조합설립추진위원회 구성승인처분을 다투는 소송 계속 중에 조합설립인가처분이 이루어졌다면 조합설립인가처분을 다툴 수 있을 뿐, 이와 별도로 추진위원회 구성승인처분에 대하여 취소 또는 무효확인을 구할 법률상 이익은 없다.

㉰ 환지처분이 확정된 후 그 처분의 일부에 위법이 있다면, 환지확정처분의 일부에 대하여 취소 또는 무효확인을 구할 법률상 이익이 있다.

㉱ 현역병입영대상자로 병역처분을 받은 사람이 그 취소소송 중 모병에 응하여 현역병으로 자진입대하였더라도 그 처분의 위법을 다툴 소의 이익이 있다.

① ㉮, ㉯
② ㉮, ㉱
③ ㉯, ㉰
④ ㉰, ㉱

✔기출체크

㉮ 관련기출
1. 공장등록이 취소된 후 그 공장시설물이 철거되었고 다시 복구를 통하여 공장을 운영할 수 없는 상태라 하더라도 대도시 안의 공장을 지방으로 이전할 경우 조세감면 및 우선입주 등의 혜택이 관계 법률에 보장되어 있다면, 공장등록취소처분의 취소를 구할 법률상 이익이 인정된다. 2019 국가직 9급 (O | X)

㉯ 관련기출
2. 「도시 및 주거환경정비법」상 조합설립추진위원회 구성승인처분을 다투는 소송 계속 중 조합설립인가처분이 이루어진 경우에도 조합설립추진위원회 구성승인처분에 대하여 취소 또는 무효확인을 구할 법률상 이익이 있다. 2023 군무원 9급 (O | X)

3. 구 「도시 및 주거환경정비법」상 조합설립추진위원회 구성승인처분을 다투는 소송 계속 중 조합설립인가처분이 이루어진 경우 조합설립추진위원회 구성승인처분에 대하여 취소 또는 무효확인을 구할 법률상 이익이 없다. 2020 서울시 지적 7급 (O | X)

4. 구 「도시 및 주거환경정비법」상 조합설립추진위원회 구성승인처분을 다투는 소송 계속 중에 조합설립인가처분이 이루어졌다면 조합설립추진위원회 구성승인처분의 취소를 구할 법률상 이익은 없다. 2018 지방직 9급 (O | X)

㉰ 관련기출
5. 환지처분이 확정된 후에는 환지처분의 일부에 위법이 있다고 하더라도 민사상의 손해배상청구를 할 수 없고, 행정소송으로만 그 취소를 구할 수 있다. 2012 국가직 7급 (O | X)

㉱ 관련기출
6. 현역병입영대상자로 병역처분을 받은 자가 그 취소소송 도중에 모병에 응하여 현역병으로 자진입대한 경우에는 권리보호의 필요가 없는 경우로서 소의 이익을 인정할 수 없다. 2018 경행경채 (O | X)

7. 현역병입영대상으로 병역처분을 받은 자가 그 취소소송 중 모병에 응하여 현역병으로 자진입대한 경우 현역병입영처분의 취소를 구하는 소송은 소의 이익이 없다. 2014 사회복지직 9급 (O | X)

정답
1. O 2. × 3. O 4. O 5. × 6. O 7. O

21

항고소송에서의 법률상 이익에 관한 설명으로 옳지 않은 것은? (다툼이 있는 경우 판례에 의함)

① 「도시 및 주거환경정비법」상 이전고시가 효력을 발생하게 된 이후에는 조합원 등이 관리처분계획의 취소 또는 무효확인을 구할 법률상 이익이 없다.

② 거부처분이 행정심판의 재결로 취소된 경우, 재결에 따른 후속처분이 아니라 그 거부처분 취소재결의 취소를 구하는 것은 법률상 이익이 없다.

③ 주택재건축사업조합이 새로 조합설립인가처분을 받는 것과 동일한 요건과 절차를 거쳐 조합설립변경인가처분을 받는 경우, 당초 조합설립인가처분의 유효를 전제로 후속행위를 하였다면 특별한 사정이 없는 한 당초 조합설립인가처분의 무효확인을 구할 소의 이익이 소멸하지 않는다.

④ 교육부장관이 사학분쟁조정위원회의 심의를 거쳐 학교법인의 이사와 임시이사를 선임한 데 대하여 그 대학교의 교수협의회, 총학생회 그리고 직원으로 구성된 노동조합은 이사선임처분을 다툴 법률상 이익을 가진다.

✔기출체크

① 관련기출
1. 이전고시가 효력을 발생하게 된 이후에는 조합원 등이 관리처분계획의 취소 또는 무효확인을 구할 법률상 이익이 없다. 2016 국가직 7급 (O | X)

2. 이전고시의 효력발생으로 이미 대다수 조합원 등에 대하여 획일적·일률적으로 처리된 권리귀속관계를 모두 무효화하고 다시 처음부터 관리처분계획을 수립하여 이전고시절차를 거치도록 하는 것은 정비사업의 공익적·단체법적 성격에 배치되므로, 이전고시가 효력을 발생한 후에는 조합원 등이 관리처분계획의 취소 또는 무효확인을 구할 법률상 이익이 없다. 2013 국회직 8급 (O | X)

② 관련기출

3. 거부처분이 행정심판의 재결에서 취소된 경우 그 재결에 따른 후속처분이 아니라 거부처분 취소재결의 취소를 구하는 소는 법률상 이익이 없어 허용되지 않는다. 2025 소방간부 (O | X)

4. 거부처분이 재결에서 취소된 경우 재결에 따른 후속처분이 아니라 그 재결의 취소를 구하는 것은 실효적이고 직접적인 권리구제수단이 될 수 없어 분쟁해결의 유효적절한 수단이라고 할 수 없으므로 법률상 이익이 없다. 2022 서울시 지적 7급 (O | X)

5. 거부처분이 행정심판의 재결을 통해 취소된 경우 재결에 따른 후속처분이 아니라 그 재결의 취소를 구하는 것은 분쟁해결의 유효적절한 수단이라고 할 수 없어 소의 이익이 없다. 2020 군무원 7급 (O | X)

④ 관련기출

6. 교육부장관이 대학교를 설치·운영하는 학교법인의 이사와 임시이사 1인을 선임한 데 대하여 그 대학교의 교수협의회와 총학생회, 학교의 직원으로 구성된 노동조합이 이사선임처분의 취소를 구하는 소송을 제기한 경우 원고적격이 모두 인정된다. 2023 서울시 연구사 (O | X)

7. 교육부장관이 사학분쟁조정위원회의 심의를 거쳐 대학의 학교법인의 임시이사를 선임한 데 대하여 그 선임처분의 취소를 구하는 그 대학의 노동조합(은 항고소송의 원고적격이 인정된다) 2022 국회직 8급 (O | X)

8. 교육부장관이 사학분쟁조정위원회의 심의를 거쳐 이사와 임시이사를 선임한 데 대하여 대학 교수협의회와 총학생회는 제3자로서 취소소송을 제기할 자격이 있다. 2017 지방직 9급 (O | X)

9. 교육부장관이 사학분쟁조정위원회의 심의를 거쳐 학교법인의 이사와 임시이사를 선임한 데 대하여 그 대학교의 교수협의회와 총학생회는 이사선임처분을 다툴 법률상 이익을 가지지만, 직원으로 구성된 노동조합은 법률상 이익을 가지지 않는다. 2017 국가직(하) 7급 (O | X)

정답
1. O 2. O 3. O 4. O 5. O 6. X 7. X 8. O 9. O

22

항고소송에서의 원고적격에 관한 설명으로 옳은 것만을 <보기>에서 모두 고른 것은? (다툼이 있는 경우 판례에 의함)

| 보기 |

㉮ 구 「주택법」상 입주자나 입주예정자는 사용검사처분의 취소 여부에 의하여 법률적인 지위가 달라진다고 할 수 없어 사용검사처분의 취소를 구할 법률상 이익이 없다.

㉯ 일반면허를 받은 시외버스운송사업자에 대한 사업계획변경인가처분으로 인하여 노선 및 운행계통의 일부 중복으로 기존에 한정면허를 받은 시외버스운송사업자의 수익감소가 예상된다면, 기존의 한정면허를 받은 시외버스운송사업자는 일반면허를 받은 시외버스운송사업자에 대한 사업계획변경인가처분의 취소를 구할 법률상 이익이 있다.

㉰ 환경영향평가구역 안의 주민이 아니더라도 그 영향권 내에서 농작물을 경작하는 등 현실적으로 환경상 이익을 향유하는 사람은 물론 그 영향권 내의 건물·토지를 소유하거나 환경상 이익을 일시적으로 향유하는 데 그치는 사람도 원고적격이 인정된다.

㉱ 주택건설사업의 양수인이 사업주체의 변경승인신청을 한 이후에 행정청이 양도인에 대하여 그 사업계획변경승인의 전제로 되는 사업계획승인을 취소하는 처분을 한 경우, 양도인은 위 처분의 취소를 구할 법률상 이익을 가지나 처분상대방이라고 볼 수 없는 양수인은 위 처분의 취소를 구할 법률상의 이익을 가지지 못한다.

㉲ 도시계획사업의 시행으로 인한 토지수용에 의하여 토지에 대한 소유권을 상실한 자는 도시계획결정이 당연무효라고 볼 만한 특별한 사정이 없는 한 도시계획결정의 취소를 청구할 법률상의 이익이 없다.

① ㉮, ㉯, ㉰ ② ㉮, ㉯, ㉲
③ ㉮, ㉱, ㉲ ④ ㉯, ㉰, ㉱

✓ 기출체크

㉮ 관련기출

1. 「주택법」상 입주자는 건축물의 하자를 이유로 그 건축물에 대한 사용검사처분의 취소를 구할 법률상 이익이 있다. 2023 행정사
(O | X)

2. 건축물의 하자를 다투는 입주예정자들은 건물의 사용검사처분에 대해 제3자효 행정행위의 차원에서 행정소송을 통해 다툴 수 있다. 2023 국가직 9급
(O | X)

3. 구 「주택법」상 건축물의 입주예정자는 그 건축물에 대한 사용검사처분의 무효확인이나 취소를 통해 건축물의 하자상태 등을 제거하거나 법률적 지위가 달라진다 할 것이므로 사용검사처분의 취소를 구할 법률상 이익이 인정된다. 2023 소방간부
(O | X)

4. 하자 있는 건축물에 대한 사용검사처분의 무효확인 및 취소를 구하는 구 「주택법」상 입주자(는 행정소송의 원고적격을 가지는 자에 해당한다) 2019 국회직 8급
(O | X)

5. 건축물에 대한 사용검사처분이 취소되면 사용검사 전의 상태로 돌아가 건축물을 사용할 수 없게 되므로 구 「주택법」상 입주자나 입주예정자가 사용검사처분의 무효확인 또는 취소를 구할 법률상 이익이 있다. 2018 지방직 9급
(O | X)

㉯ 관련기출

6. 한정면허를 받은 시외버스운송사업자가 일반면허를 받은 시외버스운송사업자에 대한 사업계획변경인가처분으로 수익감소가 예상되는 경우, 일반면허 시외버스운송사업자에 대한 사업계획변경인가처분의 취소를 구할 법률상 이익이 있다. 2025 군무원 7급
(O | X)

7. 한정면허를 받은 시외버스운송사업자는 일반면허를 받은 시외버스운송사업자에 대한 사업계획변경인가처분으로 수익감소가 예상되는 경우라 하더라도, 일반면허 시외버스운송사업자에 대한 사업계획변경인가처분의 취소를 구할 법률상 이익이 인정되지 않는다. 2021 국회직 8급
(O | X)

8. 일반면허를 받은 시외버스운송사업자에 대한 사업계획변경인가처분으로 인하여 노선 및 운행계통의 일부 중복으로 기존에 한정면허를 받은 시외버스운송사업자의 수익감소가 예상된다면, 기존의 한정면허를 받은 시외버스운송사업자는 일반면허 시외버스운송사업자에 대한 사업계획변경인가처분의 취소를 구할 법률상 이익이 있다. 2019 국가직 7급
(O | X)

㉰ 관련기출

9. 환경상 이익에 대한 침해 또는 침해우려가 있는 것으로 사실상 추정되어 원고적격이 인정되는 사람에는 환경상 침해를 받으리라고 예상되는 영향권 내의 주민들을 비롯하여 단지 그 영향권 내의 건물·토지를 소유하거나 환경상 이익을 일시적으로 향유하는 데 그치는 사람도 포함된다. 2012 지방직(상) 9급
(O | X)

10. 환경상 이익에 대한 침해 또는 침해의 우려가 있는 것으로 사실상 추정되어 원고적격이 인정되는 자는 환경상 침해를 받으리라고 예상되는 영향권 내의 주민들을 비롯하여 그 영향권 내에서 농작물을 경작하는 등 현실적으로 환경상 이익을 향유하는 자도 포함된다고 할 것이나, 단지 그 영향권 내의 건물·토지를 소유하거나 환경상 이익을 일시적으로 향유하는 데 그치는 자는 포함되지 않는다고 할 것이다. 2012 경행경채
(O | X)

㉱ 관련기출

11. 주택건설 사업주체의 변경승인신청이 된 이후에 행정청이 양도인에 대하여 그 사업계획변경승인의 전제로 되는 사업계획승인을 취소하는 처분을 하였다면, 양수인은 그 처분 이전에 양도인으로부터 토지와 사업승인권을 사실상 양수받아 사업주체의 변경승인신청을 한 자로서 그 취소를 구할 법률상 이익을 가진다. 2023 해경간부
(O | X)

12. 다음 사례에 대한 설명으로 옳지 않은 것은? (다툼이 있는 경우 판례에 의함) 2022 국가직 7급

> 甲은 구 「주택건설촉진법」상 아파트를 건설하기 위해 관할 행정청인 A시장으로부터 주택건설사업계획승인을 받았는데, 그 후 乙에게 위 주택건설사업에 관한 일체의 권리를 양도하였다. 乙은 A시장에 대하여 사업주체가 변경되었음을 이유로 사업계획변경승인신청서를 제출하였는데, A시장은 사업계획승인을 받은 날로부터 4년간 공사에 착수하지 않았다는 이유로 주택건설사업계획승인을 취소한다고 甲과 乙에게 통지하고, 乙의 사업계획변경승인신청을 반려하였다.

① A시장의 주택건설사업계획승인의 취소는 취소하여야 할 공익상의 필요와 그 취소로 인하여 당사자가 입게 될 기득권의 침해·신뢰보호 등을 비교·교량하였을 때 공익상의 필요가 당사자가 입을 불이익을 정당화할 만큼 강하지 않다면 적법성을 인정받을 수 없다.

② 사실상 내지 사법상으로 주택건설사업 등이 양도·양수되었을지라도 아직 변경승인을 받기 이전에는 그 사업계획의 피승인자는 여전히 종전의 사업주체인 甲이다.

③ 주택건설사업계획승인취소처분이 甲과 乙에게 같이 통지되었다 하더라도 아직 乙이 사업계획변경승인을 받지 못한 이상 乙로서는 자신에 대한 것이든 甲에 대한 것이든 사업계획승인취소를 다툴 원고적격이 인정되지 않는다.

④ A시장이 乙에 대하여 한 주택건설사업계획승인취소의 통지는 항고소송의 대상이 되는 행정처분이 아니다.

13. (甲은 영업허가를 받아 영업을 하던 중 자신의 영업을 乙에게 양도하고자 乙과 사업양도·양수계약을 체결하고 관련 법령에 따라 관할 행정청 A에게 지위승계신고를 하였다) 甲과 乙이 사업양도·양수계약을 체결하였으나 지위승계신고 이전에 甲에 대해 영업허가가 취소되었다면, 乙은 이를 다툴 법률상 이익이 있다. 2019 서울시 9급
(O | X)

㉲ 관련기출

14. 헌법재판소에 의하면 도시계획사업의 시행으로 토지를 수용당한 사람은 도시계획결정과 토지수용이 당연무효가 아닌 한 도시계획결정 자체의 취소를 청구할 법률상의 이익이 없다. 2012 지방직 9급
(O | X)

15. 도시계획사업의 시행으로 인한 토지수용에 의하여 토지에 대한 소유권을 상실한 자는 도시계획결정이 당연무효가 아닌 한 그 토지에 대한 도시계획결정의 취소를 청구할 법률상 이익이 인정되지 않는다. 2011 지방직(하) 7급
(O | X)

정답
1. ✕ 2. ✕ 3. ✕ 4. ✕ 5. ✕ 6. ○ 7. ✕ 8. ○ 9. ✕ 10. ○
11. ○ 12. ③ 13. ○ 14. ○ 15. ○

23

항고소송에 있어 소의 이익에 관한 설명으로 옳은 것만을 <보기>에서 모두 고른 것은? (다툼이 있는 경우 판례에 의함)

─ 보기 ─

㉮ 행정처분의 취소를 구하는 소가 제소 당시에 소의 이익이 있어 적법하였다면, 소송 계속 중 처분청이 다툼의 대상이 되는 행정처분을 직권으로 취소하였다고 하여 원칙적으로 소의 이익이 소멸한다고는 볼 수 없다.

㉯ 해임처분 무효확인 또는 취소소송 계속 중 해당 공무원의 임기가 만료되어 해임처분의 무효확인 또는 취소로 지위를 회복할 수 없는 경우, 그 무효확인 또는 취소로 해임처분일부터 임기만료일까지 기간에 대한 보수지급을 구할 수 있는 경우에는 해임처분의 무효확인 또는 취소를 구할 법률상 이익이 없다고 볼 수 없다.

㉰ 선행처분과 후행처분이 단계적인 일련의 절차로 연속하여 행하여져 후행처분이 선행처분의 적법함을 전제로 이루어짐에 따라 선행처분의 하자가 후행처분에 승계된다고 볼 수 있어 이미 소를 제기하여 다투고 있는 선행처분의 위법성을 확인하여 줄 필요가 있는 경우에는 여전히 그 처분의 취소를 구할 법률상 이익이 있다.

㉱ 원고가 처분이 위법하다는 점에 대한 판결을 받아 피고에 대한 손해배상청구소송에서 이를 원용할 수 있는 이익은 법률상 이익으로 보아야 한다.

① ㉮, ㉯
② ㉮, ㉱
③ ㉯, ㉰
④ ㉰, ㉱

✓ 기출체크

㉮ 관련기출

1. 행정처분의 무효확인 또는 취소를 구하는 소가 제소 당시에는 소의 이익이 있어 적법하였더라도, 소송 계속 중 처분청이 다툼의 대상이 되는 행정처분을 직권으로 취소하면 그 처분은 효력을 상실하여 더 이상 존재하지 않는 것이므로, 존재하지 않는 그 처분을 대상으로 한 항고소송은 원칙적으로 소의 이익이 소멸하여 부적법하다. 2024 군무원 9급 (○ | ×)

2. 행정처분이 취소되면 그 처분은 취소로 인하여 그 효력이 상실되어 더 이상 존재하지 않는 것이고, 그 처분을 대상으로 한 취소소송의 경우 원칙적으로 법률상 이익이 없다. 2023 소방직 9급 (○ | ×)

3. 행정처분의 취소소송 계속 중 처분청이 다툼의 대상이 되는 행정처분을 직권으로 취소하면 그 처분은 효력을 상실하여 더 이상 존재하지 않는 것이므로 존재하지 않는 처분을 대상으로 한 항고소송은 원칙적으로 소의 이익이 소멸하여 부적법하다. 2022 군무원 9급 (○ | ×)

4. 처분청의 직권취소에도 불구하고 완전한 원상회복이 이루어지지 않아 무효확인 또는 취소로써 회복할 수 있는 다른 권리나 이익이 남아 있더라도 그 처분의 취소를 구할 소의 이익을 인정할 수 없다. 2021 소방간부 (○ | ×)

㉯ 관련기출

5. 乙은 해임처분 취소소송 계속 중 임기가 만료되었으나 해임처분이 취소되면 해임처분일부터 임기만료일까지의 기간에 대하여 보수 지급을 구할 수 있는 경우, 해임처분의 취소를 구할 법률상 이익이 있다. 2024 변호사 (○ | ×)

6. 해임처분 취소소송 계속 중 임기가 만료되어 해임처분의 취소로 지위를 회복할 수는 없다고 할지라도, 그 취소로 해임처분일부터 임기만료일까지 기간에 대한 보수지급을 구할 수 있는 경우에는 해임처분의 취소를 구할 법률상 이익이 있으므로, 수소법원은 본안에 대하여 판단하여야 한다. 2022 국가직 9급 (○ | ×)

7. 한국방송공사 사장은 해임처분 무효확인 또는 취소소송 계속 중 임기가 만료되어 해임처분의 무효확인 또는 취소로 지위를 회복할 수 없다고 할지라도, 그 무효확인 또는 취소로 해임처분일부터 임기만료일까지의 기간에 대한 보수지급을 구할 수 있는 경우에는 해임처분의 무효확인 또는 취소를 구할 법률상 이익이 있다. 2016 지방직 9급 (○ | ×)

㉱ 관련기출

8. 배출시설에 대한 설치허가가 취소된 후 그 배출시설이 철거되어 다시 가동할 수 없는 상태라도 그 취소처분이 위법하다는 판결을 받아 손해배상청구소송에서 이를 원용할 수 있다면 배출시설의 소유자는 당해 처분의 취소를 구할 법률상 이익이 있다. 2018 지방직 9급 (○ | ×)

정답
1. ○ 2. ○ 3. ○ 4. × 5. ○ 6. ○ 7. ○ 8. ×

24

판례상 원고적격이 인정되지 <u>않는</u> 것은?

① 지방법무사회가 법무사의 사무원 채용승인신청을 거부하여 사무원이 될 수 없게 된 자가 지방법무사회를 상대로 거부처분의 취소를 구하는 경우

② 「국적법」상 귀화불허가처분이나 「출입국관리법」상 체류자격변경불허가처분, 강제퇴거명령 등을 다투는 외국인

③ 중국 국적의 외국인 甲이 결혼이민(F-6) 사증발급을 신청하였다가 중국 소재 한국총영사관 총영사로부터 사증발급을 거부당한 사안에서 그 처분의 취소를 구하는 甲

④ 대한민국과의 실질적 관련성 내지 법적으로 보호가치가 있는 이해관계를 형성한 외국인 乙

✓ 기출체크

① 관련기출

1. 「법무사규칙」이 법무사 사무원 채용승인거부처분에 대한 이의신청 절차를 규정한 것은 채용승인을 신청한 법무사 뿐만 아니라 사무원이 되려는 사람의 이익도 보호하려는 취지로 볼 수 있으므로, 지방법무사회의 사무원 채용승인거부처분에 대해서는 처분상대방인 법무사뿐만 아니라 그 때문에 사무원이 될 수 없게 된 사람도 이를 다툴 원고적격이 인정된다. 2026 경찰간부 (○ | ×)

2. 지방법무사회의 사무원 채용승인거부처분 또는 채용승인취소처분에 대해서는 처분상대방인 법무사뿐만 아니라 그 때문에 사무원이 될 수 없게 된 사람도 이를 다툴 원고적격이 인정되어야 한다. 2025 군무원 9급 (O | X)
3. 지방법무사회가 법무사의 사무원 채용승인신청을 거부한 경우 채용승인을 신청한 법무사가 아닌 자는 취소소송을 제기하지 못한다. 2023 행정사 (O | X)
4. 「법무사규칙」이 이의신청절차를 규정한 것은 채용승인을 신청한 법무사뿐만 아니라 사무원이 되려는 사람의 이익도 보호하려는 취지로 볼 수 있으므로, 지방법무사회의 사무원 채용승인거부처분에 대해서는 처분상대방인 법무사뿐만 아니라 그 때문에 사무원이 될 수 없게 된 사람도 이를 다툴 원고적격이 인정된다. 2023 변호사 (O | X)
5. 법무사가 사무원을 채용할 때 소속 지방법무사회로부터 승인을 받아야 할 의무는 공법상 의무이다. 2022 국가직 9급 (O | X)

② 관련기출
6. 「출입국관리법」상의 체류자격 및 사증발급의 기준과 절차에 관한 규정들은 대한민국의 출입국 질서와 국경 관리라는 공익을 보호하려는 취지로 해석될 뿐이므로, 동법상 체류자격변경불가처분, 강제퇴거명령 등을 다투는 외국인에게는 해당 처분의 취소를 구할 법률상 이익이 인정되지 않는다. 2019 국가직 7급 (O | X)

③ 관련기출
7. 대한민국 영토 밖에 거주하는 외국인에게는 사증발급거부처분의 상대방이라고 하더라도 그 처분의 취소를 구할 법률상 이익이 인정되지 않는다. 2025 경찰간부 (O | X)
8. 사증발급거부처분을 받은 외국인은 그 거부처분에 대해 취소소송을 제기할 원고적격을 가진다. 2023 경찰간부 (O | X)
9. 사증발급의 법적 성질, 「출입국관리법」의 입법목적, 사증발급 신청인의 대한민국과의 실질적 관련성, 상호주의원칙 등을 고려하면, 우리 출입국관리법의 해석상 외국인에게는 사증발급거부처분의 취소를 구할 법률상 이익이 인정되지 않는다. 2023 서울시 지적 7급 (O | X)
10. 외국에서 사증발급거부의 취소를 구하는 외국인(은 판례상 취소소송에서 원고적격이 인정된다) 2023 군무원 7급 (O | X)
11. 중국 국적자인 외국인이 사증발급거부처분의 취소를 구하는 경우(에는 항고소송의 원고적격이 인정된다) 2021 국가직 9급 (O | X)

④ 관련기출
12. 대한민국에서 출생하여 오랜 기간 대한민국 국적을 보유하면서 거주한 재외동포는 사증발급거부처분의 취소를 구할 법률상 이익이 있다. 2022 국가직 9급 (O | X)
13. 외국인이라고 하더라도 대한민국과의 실질적 관련성 내지 법적으로 보호가치가 있는 이해관계를 형성한 경우에는 사증발급거부처분의 취소를 구할 원고적격이 인정된다. 2021 국회직 8급 (O | X)

정답
1. O 2. O 3. X 4. O 5. O 6. X 7. O 8. X 9. O 10. X
11. X 12. O 13. O

25 □□□

항고소송에 있어 소의 이익에 관한 설명으로 옳지 않은 것만을 <보기>에서 모두 고른 것은? (다툼이 있는 경우 판례에 의함)

― 보기 ―
㉮ 제재적 행정처분(선행처분)이 제재기간의 경과로 인하여 그 효과가 소멸되었다면, 부령인 시행규칙에서 제재적 행정처분을 받은 것을 가중사유로 삼아 장래의 제재적 행정처분을 하도록 정하고 있는 경우에도 선행처분의 취소를 구할 법률상 이익은 없다.
㉯ 상등병에서 병장으로의 진급요건을 갖춘 자에 대하여 그 진급처분을 행하지 아니한 상태에서 예비역으로 편입하는 처분을 하였다면, 그 진급처분이 행하여지지 않았음을 이유로 예비역편입처분의 취소를 구할 소의 이익이 있다.
㉰ 종교적 신념을 이유로 국립대학교 입학전형 면접시험 일정변경을 요구한 사안에서, 일정변경 거부행위가 있은 후 이와 관련하여 불합격처분이 있게 되면 거부행위는 불합격처분에 흡수되어 불합격처분만이 쟁송의 대상이 되고, 해당 거부행위의 취소를 구하는 부분은 소의 이익이 없어 부적법하게 된다.
㉱ 행정처분이 수익적인 처분이거나 신청에 의하여 신청 내용대로 이루어진 처분인 경우에는 처분상대방의 권리나 법률상 보호되는 이익이 침해되었다고 볼 수 없으므로 달리 특별한 사정이 없는 한 처분상대방은 그 취소를 구할 이익이 없다.

① ㉮, ㉯
② ㉮, ㉱
③ ㉯, ㉰
④ ㉯, ㉱

✓ **기출체크**

㉮ 관련기출
1. 丁이 영업정지처분을 받았고 그 정지기간이 지났으나 시행규칙의 형식으로 정한 처분기준에서 제재적 행정처분을 받은 것을 가중사유로 삼아 장래의 제재적 행정처분을 하도록 정하고 있고 이러한 시행규칙이 법령에 근거를 두고 있으며 가중된 제재처분을 받을 우려가 있는 상황에서, 정지기간이 이미 경과한 영업정지처분에 대하여 취소소송을 제기한 경우, 취소를 구할 법률상 이익이 있다. 2024 변호사 (O | X)
2. 부령인 시행규칙 형식으로 정한 처분기준에서 제재적 행정처분을 받은 것을 가중사유나 전제요건으로 삼아 장래의 제재적 행정처분을 하도록 정하고 있는 경우, 선행처분인 제재적 행정처분을 받은 상대방이 그 처분에서 정한 제재기간이 경과하였다 하더라도 그 처분의 취소를 구할 법률상 이익이 있다. 2024 군무원 9급 (O | X)

3. 제재적 행정처분이 그 처분에서 정한 제재기간의 경과로 인하여 그 효과가 소멸되었으나 부령인 시행규칙의 형식으로 정한 처분기준에서 제재적 행정처분(이하 '선행처분'이라고 함)을 받은 것을 가중사유나 전제요건으로 삼아 장래의 제재적 행정처분(이하 '후행처분'이라고 함)을 하도록 정하고 있는 경우, 위 시행규칙이 정한 바에 따라 선행처분을 가중사유 또는 전제요건으로 하는 후행처분을 받을 우려가 현실적으로 존재하는 경우에도 선행처분을 받은 상대방은 그 처분에서 정한 제재기간이 경과한 선행처분의 취소를 구할 법률상 이익이 없다. 2024 국회직 8급   (○ | ×)

4. 甲은 값싼 외국산 수입재료를 국내산 유기농 재료로 속여 상품을 제조·판매하였음을 이유로 식품위생법령에 따라 관할 행정청으로부터 영업정지 3개월 처분을 받았다. 한편, 위 영업정지의 처분기준에는 1차 위반의 경우 영업정지 3개월, 2차 위반의 경우 영업정지 6개월, 3차 위반의 경우 영업허가취소처분을 하도록 규정되어 있다. 甲은 영업정지 3개월 처분의 취소를 구하는 소송을 제기하였다.

   (1) 위와 같은 처분기준이 없는 경우라면, 영업정지처분에 정하여진 기간이 경과되어 효력이 소멸한 경우에는 그 영업정지처분의 취소를 구할 법률상 이익은 부정된다. 2017 지방직 7급   (○ | ×)
   (2) 甲에 대한 영업정지 3개월의 기간이 경과되어 효력이 소멸한 경우에 위 처분기준이 「식품위생법」이나 동법 시행령에 규정되어 있다면 甲은 영업정지 3개월 처분의 취소를 구할 소의 이익이 있지만, 동법 시행규칙에 규정되어 있다면 소의 이익이 인정되지 않는다. 2017 지방직 7급   (○ | ×)

5. 장래의 제재적 가중처분기준을 대통령령이 아닌 부령의 형식으로 정한 경우에는 이미 제재기간이 경과한 제재적 처분의 취소를 구할 법률상 이익이 인정되지 않는다. 2016 국가직 9급   (○ | ×)

㉯ 관련기출
6. 상등병에서 병장으로의 진급요건을 갖춘 자에 대하여 그 진급처분을 행하지 아니한 상태에서 예비역으로 편입하는 처분을 한 경우, 진급처분부작위위법을 이유로 예비역편입처분취소를 구할 소의 이익이 있다고 할 수 없다. 2009 국가직 9급   (○ | ×)

㉰ 관련기출
7. 행정처분에 있어서 불이익처분의 상대방은 직접 개인적 이익의 침해를 받은 자로서 원고적격이 인정되지만 수익처분의 상대방은 그의 권리나 법률상 보호되는 이익이 침해되었다고 볼 수 없으므로 달리 특별한 사정이 없는 한 취소를 구할 이익이 없다. 2025 소방직 9급
   (○ | ×)

8. 행정처분에 있어서 수익처분의 상대방은 그의 권리나 법률상 보호되는 이익이 침해되었다고 볼 수 없으므로 달리 특별한 사정이 없는 한 그 수익처분의 취소를 구할 이익이 없다. 2024 지방직·서울시 9급
   (○ | ×)

9. 수익처분의 상대방은 그의 권리나 법률상 보호되는 이익이 침해되었다고 볼 수 없으므로 달리 특별한 사정이 없는 한 그 처분의 취소를 구할 이익이 없다. 2023 경찰간부   (○ | ×)

10. 수익처분의 상대방에게도 당해 처분의 취소를 구할 이익이 인정될 수 있다. 2018 국회직 8급   (○ | ×)

11. 행정처분의 취소를 구할 이익은 불이익처분의 상대방뿐만 아니라 수익처분의 상대방에게도 인정되는 것이 원칙이다. 2011 국가직 9급
    (○ | ×)

정답
1. ○ 2. ○ 3. × 4. (1) ○ (2) × 5. × 6. ○ 7. ○ 8. ○ 9. ○
10. ○ 11. ×

제15회 | 소방 단원별 모의고사

출제 범위: 제36강 항고소송 1(취소소송의 의의 등)~제37강 항고소송 2(처분 등)

정답과 해설 p.172
옳은 지문 워크북 p.279

제한시간 /25분
나의 점수 /100점

01 □□□

항고소송의 피고에 관한 설명으로 옳은 것만을 <보기>에서 모두 고른 것은? (다툼이 있는 경우 판례에 의함)

─ 보기 ─

㉮ 국가나 공공단체의 의사를 실질적으로 결정하는 기관이라면 대외적으로 의사를 표시할 수 있는 기관이 아니라도 취소소송에서 피고가 된다.

㉯ 상급행정청의 지시에 의해 하급행정청이 자신의 명의로 처분을 하였다면, 취소소송의 피고는 상급행정청이 된다.

㉰ 공무수탁사인이 자기의 이름으로 처분을 한 경우 공무수탁사인이 피고가 된다.

㉱ 대리권을 수여받은 데 불과하여 그 자신의 명의로는 행정처분을 할 권한이 없는 행정청의 경우 대리관계를 밝힘이 없이 그 자신의 명의로 행정처분을 하였다면 그에 대하여는 처분명의자인 당해 행정청이 항고소송의 피고가 되어야 하는 것이 원칙이다.

㉲ 국무회의에서 건국훈장 독립장이 수여된 망인에 대한 서훈취소를 의결하고 대통령이 결재하여 서훈취소가 결정된 이후 국가보훈처장(현 국가보훈부장관)이 망인의 유족에게 독립유공자서훈취소결정통보를 한 경우, 서훈취소결정의 무효확인 등을 구하는 소에서의 피고는 국가보훈처장이다.

① ㉮, ㉯
② ㉯, ㉰
③ ㉰, ㉱
④ ㉱, ㉲

✔ 기출체크

㉮ 관련기출

1. 대외적으로 의사를 표시할 수 없는 내부기관이라도 행정처분의 실질적인 의사가 그 기관에 의하여 결정되는 경우에는 그 내부기관에게 항고소송의 피고적격이 있다. 2024 해경승진 (○ | ×)

2. 취소소송은 다른 법률에 특별한 규정이 없는 한 그 처분 등을 행한 행정청을 피고로 하므로, 대외적으로 의사를 표시할 수 있는 기관이 아닌 내부기관은 실질적인 의사가 그 기관에 의하여 결정되더라도 피고적격을 갖지 못한다. 2024 국가직 7급 (○ | ×)

3. 취소소송에서 피고가 될 수 있는 행정청에는 대외적으로 의사를 표시할 수 있는 기관이 아니더라도 국가나 공공단체의 의사를 실질적으로 결정하는 기관이 포함된다. 2020 국가직 9급 (○ | ×)

㉯ 관련기출

4. 항고소송은 원칙적으로 소송의 대상인 처분 등을 외부적으로 그의 명의로 행한 행정청을 피고로 하여야 하는 것이다. 2023 소방직 9급 (○ | ×)

5. 상급행정청의 지시에 의해 하급행정청이 자신의 명의로 처분을 하였다면, 당해 처분에 대한 취소소송에서는 지시를 내린 상급행정청이 피고가 된다. 2020 국가직 9급 (○ | ×)

6. 행정처분을 하게 된 연유가 상급행정청이나 타행정청의 지시나 통보에 의한 것이라 하여도, 취소소송에서의 피고는 원칙적으로 행정처분 등을 외부적으로 그의 명의로 행한 행정청이 된다. 2019 서울시 2회 7급 (○ | ×)

㉰ 관련기출

7. 행정권한을 위탁받은 공공단체 또는 사인이 자신의 이름으로 처분을 한 경우에는 그 공공단체 또는 사인이 항고소송의 피고가 된다. 2017 국가직(하) 9급 (○ | ×)

8. 공무수탁사인은 수탁받은 공무를 수행하는 범위 내에서 행정주체이고, 「행정절차법」이나 「행정소송법」에서는 행정청이다. 2017 사회복지직 9급 (○ | ×)

9. 법령에 의하여 공무를 위탁받은 공무수탁사인이 행한 처분에 대하여 항고소송을 제기하는 경우 피고는 위임행정청이 된다. 2010 지방직 9급 (○ | ×)

㉱ 관련기출

10. 대리권을 수여받은 데 불과하여 그 자신의 명의로는 행정처분을 할 권한이 없는 행정청의 경우 대리관계를 밝힘이 없이 그 자신의 명의로 행정처분을 하였다면 그에 대하여는 처분명의자인 해당 행정청이 항고소송의 피고가 되는 것이 원칙이다. 2025 행정사 (○ | ×)

11. 대리관계를 명시적으로 밝히지는 아니하였다 하더라도 처분명의자가 피대리 행정청 산하의 행정기관으로서 실제로 피대리행정청으로부터 대리권한을 수여받아 피대리행정청을 대리한다는 의사로 행정처분을 하였고 처분명의자는 물론 그 상대방도 그 행정처분이 피대리행정청을 대리하여 한 것임을 알고서 이를 받아들인 예외적인 경우에는 피대리행정청이 피고가 된다. 2022 국회직 8급 (○ | ×)

㉲ 관련기출

12. 건국훈장 독립장이 수여된 망인에 대한 서훈취소를 국무회의에서 의결하고 대통령이 결재함으로써 서훈취소가 결정된 후에 국가보훈처장(현 국가보훈부장관)이 망인의 유족에게 독립유공자서훈취소결정 통보를 하였다면 서훈취소처분 취소소송에서의 피고적격은 국가보훈처장에 있다. 2023 국가직 9급 (○ | ×)

13. 건국훈장 독립장이 수여된 망인에 대하여 사후적으로 친일 행적이 확인되었다는 이유로 대통령에 의하여 망인에 대한 독립유공자서훈취소가 결정되고, 그 서훈취소에 따라 훈장 등을 환수조치하여 달라는 당시 행정안전부장관의 요청에 의하여 국가보훈처장이 망인의 유족에게 독립유공자서훈취소결정을 통보한 사안에서, 독립유공자서훈취소결정에 대한 취소소송에서의 피고적격이 있는 자는 국가보훈처장이다. 2016 지방직 9급 (○ | ×)

정답
1. ✗ 2. ○ 3. ✗ 4. ○ 5. ✗ 6. ○ 7. ○ 8. ○ 9. ✗ 10. ○
11. ○ 12. ✗ 13. ✗

02 □□□

항고소송의 피고에 관한 설명으로 옳은 것만을 <보기>에서 모두 고른 것은? (다툼이 있는 경우 판례에 의함)

― 보기 ―

㉮ 취소소송은 그 처분 등을 행한 행정청을 피고로 하므로 공무원 등에 대한 징계, 기타 불이익처분의 처분청이 대통령인 경우에는 대통령을 피고로 하여 취소소송을 제기하여야 한다.

㉯ 중앙노동위원회의 처분과 공정거래위원회의 처분의 경우, 각각 중앙노동위원회와 공정거래위원회가 피고가 된다.

㉰ 국회의장, 대법원장이 행한 처분에 대한 피고는 각각 국회사무총장, 법원행정처장이 된다.

㉱ 지방의회의원에 대한 징계의결이나 지방의회의장선거의 경우 공포권자인 지방자치단체장이 피고가 된다.

㉲ 처분이 있은 뒤에 그 처분에 관계되는 권한이 다른 행정청에 승계된 때에는 이를 승계한 행정청을 피고로 한다.

① ㉮, ㉯
② ㉯, ㉰
③ ㉰, ㉲
④ ㉱, ㉲

✓ 기출체크

㉮ 관련기출

1. 국가공무원에 대한 징계처분의 처분청이 대통령인 경우에는 대통령이 피고가 된다. 2025 국가직 9급 (○ | ✗)

2. 「국가공무원법」에 따른 처분, 그 밖에 본인의 의사에 반한 불리한 처분이나 부작위에 관한 행정소송을 제기할 때에 대통령의 처분 또는 부작위의 경우에는 소속 장관을 피고로 한다.
2019 지방직·교육행정직 9급 (○ | ✗)

3. 행정소송과 그 피고에 대한 연결이 옳은 것만을 모두 고르면?
2018 지방직 9급

㉠ 대통령의 검사임용처분에 대한 취소소송 ― 법무부장관
㉡ 국토교통부장관으로부터 권한을 내부위임받은 국토교통부차관이 처분을 한 경우에 그에 대한 취소소송 ― 국토교통부차관
㉢ 헌법재판소장이 소속 직원에게 내린 징계처분에 대한 취소소송 ― 헌법재판소사무처장
㉣ 환경부장관의 권한을 위임받은 서울특별시장이 내린 처분에 대한 취소소송 ― 서울특별시장

① ㉠, ㉡
② ㉢, ㉣
③ ㉠, ㉢, ㉣
④ ㉠, ㉡, ㉢, ㉣

4. 공무원에 대한 징계·면직, 기타 본인의 의사에 반하는 불이익처분에 있어서 그 처분청이 대통령인 때에는 법무부장관을 피고로 하여야 한다. 2008 국회직 8급 (○ | ✗)

㉯ 관련기출

5. 합의제 행정기관의 처분에 대해서는 그 기관 자체가 피고가 되므로, 중앙노동위원회의 처분에 대한 소는 중앙노동위원회가 피고가 된다. 2025 국가직 9급 (○ | ✗)

6. 중앙노동위원회의 처분에 대한 소송은 중앙노동위원회 위원장을 피고로 한다. 2024 국가직 7급 (○ | ✗)

7. 개별법령에 합의제 행정청의 장을 피고로 한다는 명문규정이 없는 한 합의제 행정청 명의로 한 행정처분의 취소소송의 피고적격자는 당해 합의제 행정청이 아닌 합의제 행정청의 장이다. 2021 군무원 9급 (○ | ✗)

8. 「노동위원회법」상 중앙노동위원회의 처분에 대한 소송은 중앙노동위원회 위원장을 피고(被告)로 하여 처분의 송달을 받은 날부터 15일 이내에 제기하여야 한다. 2020 경행경채 (○ | ✗)

9. 항고소송에서 처분과 피고가 옳게 연결된 것은? 2015 국가직 9급
① 교육·학예에 관한 도의회의 조례 ― 도의회
② 지방의회의 지방의회의원에 대한 징계의결 ― 지방의회의장
③ 내부위임을 받은 경찰서장의 권한 없는 자동차운전면허정지처분 ― 지방경찰청장(현 시·도경찰청장)
④ 중앙노동위원회의 처분 ― 중앙노동위원회 위원장

㉰ 관련기출

10. 대법원장이 한 처분에 대한 행정소송의 피고는 대법원장이다.
2017 경행경채 (○ | ✗)

11. 헌법재판소장이 한 처분에 대한 행정소송의 피고는 헌법재판소사무처장으로 한다. 2017 경행경채 (○ | ✗)

12. 국회의장이 행한 처분에 대한 행정소송의 피고는 국회부의장이 된다.
2017 경행경채 (○ | ✗)

13. (판례에 의하면) 국회의장이 행한 처분의 경우 국회사무총장이 피고가 된다. 2014 지방직 7급 (○ | ✗)

㉱ 관련기출

14. (A구 의회 의원인 甲은 공무원을 폭행하는 등 의원으로서 품위를 손상시키는 행위를 하였다. 이러한 사유를 들어 A구 의회는 甲을 의원직에서 제명하는 의결을 하였다. 이에 甲은 위 제명의결을 행정소송의 방법으로 다투고자 한다) A구 의회는 입법기관으로서 행정청의 지위를 가지지 못하므로 甲에 대한 제명의결을 다투는 행정소송에서는 A구 의회 사무총장이 피고가 되어야 한다. 2023 국가직 9급
(○ | ✗)

15. 지방의회의원의 징계의결에 대해서는 지방자치단체장이 피고가 된다. 2009 세무사 (○ | ✗)

16. 지방의회의원에 대한 지방의회의 제명징계의결에 대하여 항고소송을 제기하는 경우 지방의회가 피고가 된다. 2006 국회직 8급 (○ | ✗)

㉲ 관련기출

17. 취소소송은 다른 법률에 특별한 규정이 없는 한 그 처분 등을 행한 행정청을 피고로 하지만, 처분 등이 있은 뒤에 그 처분 등에 관계되는 권한이 다른 행정청에 승계된 때에는 이를 승계한 행정청을 피고로 한다. 2024 지방직·서울시 9급 (○ | ✗)

18. 처분 등이 있은 뒤에 그 처분 등에 관계되는 권한이 다른 행정청에 승계된 때에는 그 처분 등에 대한 사무가 귀속되는 국가 또는 지방자치단체를 피고로 한다. 2023 소방직 9급 (○ | ✗)

19. 처분 등이 있은 뒤에 그 처분 등에 관계되는 권한이 다른 행정청에 승계된 때에는 이를 승계한 행정청을 피고로 한다. 2015 국가직 9급 (○ | ✗)

정답
1. × 2. ○ 3. ③ 4. × 5. × 6. ○ 7. × 8. ○ 9. ④ 10. ×
11. ○ 12. × 13. ○ 14. × 15. × 16. ○ 17. ○ 18. × 19. ○

03 □□□

행정소송에서의 피고에 관한 설명으로 옳은 것은? (다툼이 있는 경우 판례에 의함)

① 원고가 피고를 잘못 지정한 경우 피고경정은 사실심변론종결에 이르기까지 허용된다.
② 당사자소송의 원고가 피고를 잘못 지정한 때에는 법원은 원고의 신청 또는 직권에 의한 결정으로써 피고의 경정을 허가할 수 있다.
③ 취소소송에서 원고가 피고를 잘못 지정한 경우에 법원이 석명권의 행사 없이 바로 소를 각하하였다고 하여 이를 위법이라 볼 수는 없다.
④ 조례가 항고소송의 대상이 되는 행정처분에 해당되는 경우, 피고는 조례를 의결한 의결권자인 지방의회가 된다.

기출체크

① 관련기출
1. 피고경정은 사실심변론종결까지만 허용되므로 상고심에서는 피고경정이 허용되지 않는다. 2023 서울시 지적 7급 (○ | ×)
2. 「행정소송법」 제14조에 의한 피고경정은 사실심변론종결에 이르기까지 허용된다. 2023 소방직 9급 (○ | ×)
3. 원고가 피고를 잘못 지정한 경우 피고경정은 취소소송과 당사자소송 모두에서 사실심변론종결에 이르기까지 허용된다. 2021 군무원 9급 (○ | ×)
4. (행정소송에서) 피고경정은 사실심은 물론 법률심인 상고심에서도 허용된다는 것이 판례의 입장이다. 2009 세무사 (○ | ×)

② 관련기출
5. 「행정소송법」상 원고가 피고를 잘못 지정한 때에는 법원은 원고의 신청에 의하여 결정으로써 피고의 경정을 허가할 수 있다. 2024 지방직·서울시 9급 (○ | ×)

③ 관련기출
6. 취소소송에서 원고가 피고를 잘못 지정한 것으로 보이는 경우 법원으로서는 마땅히 석명권을 행사하여 원고로 하여금 정당한 피고로 경정하게 하여 소송을 진행하게 하여야 한다. 2024 군무원 5급 (○ | ×)
7. 취소소송에서 원고가 처분청 아닌 행정관청을 피고로 잘못 지정한 경우, 법원은 석명권의 행사 없이 소송요건의 불비를 이유로 소를 각하할 수 있다. 2020 국가직 9급 (○ | ×)
8. 항고소송에서 원고가 피고를 잘못 지정하였다면 법원은 석명권을 행사하여 피고를 경정하게 하여 소송을 진행하여야 한다. 2016 서울시 7급 (○ | ×)

④ 관련기출
9. 조례에 대한 무효확인소송에서 피고적격이 있는 행정청은 지방의회이다. 2025 국가직 9급 (○ | ×)
10. 조례가 집행행위의 개입 없이도 그 자체로서 직접 국민의 구체적인 권리·의무나 법적 이익에 영향을 미치는 등의 법률상 효과를 발생하는 경우 무효확인소송의 피고는 당해 조례를 통과시킨 지방의회가 된다. 2024 지방직·서울시 9급 (○ | ×)
11. 조례가 항고소송의 대상이 되는 경우에는 지방의회가 아니라 공포권자인 지방자치단체의 장에게 피고적격이 있다. 2023 해경간부 (○ | ×)
12. 교육에 관한 시·도의 조례에 대한 무효확인소송은 시·도지사가 아니라 시·도교육감을 피고로 하여 제기하여야 한다. 2022 해경간부 (○ | ×)
13. 조례에 대한 무효확인소송의 경우 의결기관인 지방의회가 피고가 된다. 2022 국회직 8급 (○ | ×)

정답
1. ○ 2. ○ 3. ○ 4. × 5. ○ 6. ○ 7. × 8. ○ 9. × 10. ×
11. ○ 12. ○ 13. ×

04 □□□

항고소송의 피고에 관한 설명으로 옳지 않은 것만을 <보기>에서 모두 고른 것은? (다툼이 있는 경우 판례에 의함)

―보기―
㉮ 권한의 대리가 있는 경우 피대리청이 피고가 됨이 원칙이다.
㉯ 권한의 내부위임의 경우, 내부위임을 받은 자가 자신의 명의로 처분을 한 경우라도 위임청이 피고가 된다.
㉰ 처분청과 처분을 통지한 자가 다른 경우 처분을 통지한 자가 피고가 된다.
㉱ 처분 후 처분청이 없어진 경우 그 처분 등에 관한 사무가 귀속되는 국가나 공공단체가 피고가 된다.
㉲ 권한위임의 경우 원칙적으로 수임청이 피고가 된다.

① ㉮, ㉯
② ㉯, ㉰
③ ㉰, ㉱
④ ㉱, ㉲

기출체크

㉮ 관련기출
1. 대리기관이 대리관계를 표시하고 피대리행정청을 대리하여 행정처분을 한 때에는 피대리행정청이 피고가 된다. 2025 국가직 9급 (○ | ×)
2. 권한의 대리가 있는 경우, 대리행정청이 대리관계를 표시하고 피대리행정청을 대리하여 행정처분을 한 때에는 대리행정청이 피고로 되어야 한다. 2024 국가직 7급 (○ | ×)
3. 피대리행정청의 의사에 의해 대리권을 수여받은 행정기관이 대리관계를 표시하면서 피대리행정청을 대리하여 처분을 한 경우, 당해 처분에 대한 취소소송의 피고는 피대리행정청이 된다. 2023 국가직 7급 (○ | ×)

4. 대리기관이 대리관계를 표시하고 피대리행정청을 대리하여 행정처분을 한 때에는 피대리행정청이 피고가 되어야 한다. 2023 소방직 9급 (O | X)
5. (항고소송의 경우) 행정안전부장관을 대리하여 전자정부국장이 행한 행위에 대한 소송에서 전자정부국장(이 피고가 된다) 2014 국회직 8급 (O | X)

Ⓝ 관련기출

6. 내부위임을 받은 행정관청이 자신의 이름으로 행정처분을 한 경우 그 처분의 취소나 무효확인을 구하는 소송의 피고는 위임관청이 된다. 2025 지방직·서울시 7급 (O | X)
7. 행정처분의 취소를 구하는 행정소송은 다른 법률에 특별한 규정이 없는 한 그 처분을 행한 행정청을 피고로 하여야 하며, 행정처분을 행할 적법한 권한 있는 상급행정청으로부터 내부위임을 받은 데 불과한 하급행정청이 권한 없이 행정처분을 한 경우에도 피고는 실제로 그 처분을 행한 하급행정청이다. 2025 소방직 9급 (O | X)
8. 행정처분을 행할 적법한 권한 있는 상급행정청으로부터 내부위임을 받은 데 불과한 하급행정청이 권한 없이 행정처분을 한 경우 실제로 그 처분을 행한 하급행정청을 피고로 하여야 할 것이지 그 처분을 행할 적법한 권한 있는 상급행정청을 피고로 할 것은 아니다. 2024 지방직·서울시 9급 (O | X)
9. 권한의 내부위임이 있는 경우 내부수임기관이 착오 등으로 원처분청의 명의가 아닌 자기 명의로 처분을 하였다면, 내부수임기관이 그 처분에 대한 항고소송의 피고가 된다. 2020 국가직 7급 (O | X)
10. 서울지방경찰청장(현 서울경찰청장)은 운전면허와 관련된 처분권한을 각 경찰서장에게 내부위임하였다. 이에 따라 종로경찰서장은 자신의 명의로 甲에게 운전면허정지처분을 하였다. 甲이 적법한 절차에 따라 운전면허정지처분 취소소송을 제기하고자 한다. 피고적격자는? (다툼이 있는 경우 판례에 의함) 2015 지방직 9급
   ① 서울지방경찰청(현 서울경찰청)
   ② 서울지방경찰청장(현 서울경찰청장)
   ③ 종로경찰서
   ④ 종로경찰서장

Ⓓ 관련기출

11. 건국훈장 독립장이 수여된 망인에 대한 서훈취소를 국무회의에서 의결하고 대통령이 결재함으로써 서훈취소가 결정된 후에 국가보훈처장이 망인의 유족에게 독립유공자서훈취소결정 통보를 하였다면 서훈취소처분 취소소송에서의 피고적격은 국가보훈처장에 있다. 2023 국가직 9급 (O | X)
12. 건국훈장 독립장이 수여된 망인에 대하여 사후적으로 친일 행적이 확인되었다는 이유로 대통령에 의하여 망인에 대한 독립유공자서훈취소가 결정되고, 그 서훈취소에 따라 훈장 등을 환수조치하여 달라는 당시 행정안전부장관의 요청에 의하여 국가보훈처장이 망인의 유족에게 독립유공자서훈취소결정을 통보한 사안에서, 독립유공자서훈취소결정에 대한 취소소송에서의 피고적격이 있는 자는 국가보훈처장이다. 2016 지방직 9급 (O | X)
13. 처분청과 통지한 자가 다른 경우에는 처분청이 피고가 된다. 2012 국회(속기·경위직) 9급 (O | X)
14. 대법원은 처분청과 통지한 자가 다른 경우에는 통지한 자가 피고가 된다고 보았다. 2008 국가직 9급 (O | X)

㉣ 관련기출

15. 처분 후 처분을 한 행정청이 폐지된 경우에는 당해 처분청의 직근 상급행정청이 피고가 된다. 2008 선관위 7급 (O | X)

㉤ 관련기출

16. 권한의 위임이나 위탁을 받아 수임행정청이 자신의 명의로 한 처분에 관한 취소소송은 원칙적으로 수임행정청을 피고로 하여 제기하여야 한다. 2024 국가직 7급 (O | X)
17. 행정권한의 위임 또는 위탁이 있는 때 취소소송에서의 피고는 위임청이 된다. 2019 서울시 1회 7급 (O | X)
18. (권한의 위임의 경우) 수임청은 그 권한을 위임청의 이름으로 행사하며 그에 관한 소송의 피고는 위임청이 된다. 2014 서울시 7급 (O | X)
19. (항고소송의 경우) 행정안전부장관의 위임을 받아 전자정부국장이 행한 행위에 대한 소송에서 행정안전부장관(이 피고가 된다) 2014 국회직 8급 (O | X)
20. 항고소송의 경우 권한을 위임한 경우에는 수임청이 피고가 된다. 2013 서울시 9급 (O | X)

정답
1. O 2. X 3. O 4. O 5. X 6. X 7. O 8. O 9. O 10. ④
11. X 12. X 13. O 14. X 15. O 16. O 17. X 18. X 19. X 20. O

05 ☐☐☐

소송참가에 관한 설명으로 옳은 것만을 <보기>에서 모두 고른 것은? (다툼이 있는 경우 판례에 의함)

| 보기 |
㉮ 법원은 소송의 결과에 따라 권리 또는 이익의 침해를 받을 제3자가 있는 경우에는 당사자 또는 제3자의 신청에 의해서만 결정으로써 그 제3자를 소송에 참가시킬 수 있다.
㉯ 특정 소송 사건에서 당사자 일방을 보조하기 위하여 보조참가를 하려면 당해 소송의 결과에 대하여 이해관계가 있어야 하고, 여기서 말하는 이해관계라 함은 사실상·경제상 또는 감정상의 이해관계가 아니라 법률상의 이해관계를 가리킨다.
㉰ 제3자 소송참가에서 참가인이 상소를 하였다면 피참가인은 참가인의 의사에 반하여 상소취하나 상소포기를 할 수 없다.
㉱ 당사자능력과 소송능력이 없는 행정청으로서는 「민사소송법」상 보조참가를 할 수 없지만, 「행정소송법」상 소송참가는 할 수 있다.

① ㉮, ㉯
② ㉰, ㉱
③ ㉮, ㉯, ㉰
④ ㉯, ㉰, ㉱

✓ 기출체크

㉮ 관련기출

1. 법원은 소송의 결과에 따라 권리 또는 이익의 침해를 받을 제3자가 있는 경우에는 당사자 또는 제3자의 신청 또는 직권에 의하여 결정으로써 그 제3자를 소송에 참가시킬 수 있다. 2024 소방간부 (O | X)
2. 법원은 소송의 결과에 따라 권리의 침해를 받을 제3자가 있는 경우 그 제3자를 소송에 참가시킬 수 있다. 2023 세무사 (O | X)
3. 제3자의 소송참가에는 신청에 의한 경우와 직권에 의한 경우가 있다. 2012 국가직 9급 (O | X)

㉯ 관련기출

4. 특정 소송 사건에서 당사자 일방을 보조하기 위해 보조참가를 하려면 소송결과에 법률상 이해관계가 있어야 한다. 2023 세무사 (O | X)
5. 특정 소송 사건에서 당사자 일방을 보조하기 위하여 보조참가를 하려면 당해 소송의 결과에 대하여 사실상·경제상 또는 감정상의 이해관계가 있으면 충분하며 법률상의 이해관계가 요구되는 것은 아니다. 2015 국가직 9급 (O | X)

㉰ 관련기출

6. 「행정소송법」상 제3자 소송참가의 경우 참가인이 상소를 하였더라도, 소송당사자 본인인 피참가인은 참가인의 의사에 반하여 상소취하나 상소포기를 할 수 있다. 2020 지방직·서울시 9급 (O | X)

㉱ 관련기출

7. 행정청은 「민사소송법」상의 보조참가를 할 수 있을 뿐만 아니라 「행정소송법」에 의한 소송참가를 할 수 있고 공법상 당사자소송의 원고가 된다. 2020 지방직·서울시 9급 (O | X)
8. 타인 사이의 항고소송에서 행정청은 「민사소송법」상의 보조참가를 할 수는 없고 다만 「행정소송법」에 의한 소송참가를 할 수 있을 뿐이다. 2023 서울시 지적 7급 (O | X)
9. 행정청은 「민사소송법」상 보조참가를 할 수 없고 「행정소송법」상 행정청의 소송참가를 할 수 있을 뿐이다. 2017 세무사 (O | X)

정답
1. O 2. O 3. O 4. O 5. X 6. X 7. X 8. O 9. O

06 □□□

항고소송의 대상에 관한 설명으로 옳지 않은 것만을 <보기>에서 모두 고른 것은? (다툼이 있는 경우 판례에 의함)

— 보기 —

㉮ 甲시장이 감사원으로부터 「감사원법」에 따라 乙에 대하여 징계의 종류를 정직으로 정한 징계요구를 받게 되자 감사원에 징계요구에 대한 재심의를 청구하였는데 감사원이 재심의청구를 기각한 경우 감사원의 징계요구와 재심의결정은 항고소송의 대상이 되는 행정처분이라고 할 수 없다.

㉯ 대학 교원의 신규채용에 있어서 유일한 면접심사대상자로 선정되어 심사단계 중 대부분의 단계를 통과한 임용지원자의 임용신청에 대한 임용거부조치는 행정처분에 해당한다.

㉰ 보건복지부 고시인 「약제급여·비급여목록 및 급여상한금액표」는 일반적·추상적 규율로서 그 자체로서 국민건강보험가입자, 국민건강보험공단, 요양기관 등의 법률관계를 직접 규율하는 성격을 가진다고 볼 수는 없으므로 항고소송의 대상이 되는 행정처분에 해당하지 않는다.

㉱ 국가인권위원회의 성희롱결정 및 시정조치의 권고는 단순한 행정지도에 불과하므로 행정소송의 대상이 되는 행정처분이 아니다.

① ㉮, ㉰　　② ㉮, ㉱
③ ㉯, ㉰　　④ ㉰, ㉱

✓ 기출체크

㉮ 관련기출

1. 감사원의 징계요구와 재심의결정은 항고소송의 대상이 되는 행정처분이라고 할 수 없다. 2025 군무원 7급 (O | X)
2. 감사원의 「감사원법」에 따른 징계요구는 징계요구대상 공무원의 권리·의무에 직접적인 변동을 초래하지 아니하므로, 감사원의 징계요구는 항고소송의 대상이 되는 행정처분이라고 할 수 없다. 2023 서울시 지적 7급 (O | X)
3. 시장이 감사원으로부터 「감사원법」에 따라 징계의 종류를 정직으로 정한 징계요구를 받게 되자 감사원에 징계요구에 대한 재심의를 청구하였고, 감사원이 재심의청구를 기각한 경우, 감사원의 징계요구와 재심의결정은 항고소송의 대상이 되는 행정처분이라고 할 수 없다. 2022 소방직 9급 (O | X)
4. 甲시장이 감사원으로부터 「감사원법」에 따라 乙에 대하여 징계의 종류를 정직으로 정한 징계요구를 받게 되자 감사원에 징계요구에 대한 재심의를 청구하였는데 감사원이 재심의청구를 기각한 사안에서, 감사원의 징계요구와 재심의청구 기각결정은 항고소송의 대상이 되는 행정처분이다. 2021 국회직 8급 (O | X)

㉮ 관련기출

5. 유일한 면접대상자로 선정된 임용지원자에 대하여 국립대학교총장이 교원신규채용업무를 중단하는 조치는 항고소송의 대상이 아니다. 2012 국가직 7급 (○ | ×)

6. 대학 교원의 신규채용에 있어서 유일한 면접심사대상자로 선정된 임용지원자에 대한 교원신규채용중단조치는 임용지원자에 대한 신규임용을 사실상 거부하는 종국적인 조치로서 항고소송의 대상이 되는 처분 등에 해당한다. 2009 국회직 8급 (○ | ×)

㉯ 관련기출

7. 어떠한 고시가 다른 집행행위의 매개 없이 그 자체로 직접 국민의 구체적인 권리·의무나 법률관계를 규율하는 성격을 가질 때에는 항고소송의 대상이 되는 행정처분에 해당한다. 2025 국가직 7급 (○ | ×)

8. 보건복지부 고시인 「약제급여·비급여목록 및 급여상한금액표」는 다른 집행행위의 매개 없이 그 자체로서 국민건강보험가입자, 국민건강보험공단, 요양기관 등의 법률관계를 직접 규율하는 행정처분의 성격을 가진다. 2024 소방간부 (○ | ×)

9. 보건복지부 고시인 구 「약제급여·비급여목록 및 급여상한금액표」는 그 자체로서 국민건강보험가입자, 국민건강보험공단, 요양기관 등의 법률관계를 직접 규율하는 성격을 가지므로 항고소송의 대상이 되는 행정처분에 해당한다. 2018 국가직 9급 (○ | ×)

10. 어떠한 고시가 일반적·추상적 성격을 가질 때에는 법규명령 또는 행정규칙에 해당할 것이지만, 다른 집행행위의 매개 없이 그 자체로서 직접 국민의 구체적인 권리·의무나 법률관계를 규율하는 성격을 가질 때에는 항고소송의 대상이 되는 행정처분에 해당한다. 2017 서울시 7급 (○ | ×)

11. 행정규칙인 고시가 집행행위의 개입 없이도 그 자체로서 국민의 구체적인 권리·의무에 직접적인 변동을 초래하는 경우에는 항고소송의 대상이 된다. 2017 국회직 8급 (○ | ×)

㉰ 관련기출

12. 국가인권위원회의 성희롱결정 및 시정조치권고는 성희롱행위자로 결정된 자의 인격권에 영향을 미치지만 공공기관의 장 또는 사용자에게 일정한 법률상의 의무를 부담시키는 것은 아니므로 행정소송의 대상이 되는 행정처분에 해당한다고 볼 수 없다. 2025 국가직 7급 (○ | ×)

13. 국가인권위원회의 성희롱결정과 이에 따른 시정조치의 권고(는 취소소송의 대상이 되는 행정작용에 해당한다) 2025 해경승진 (○ | ×)

14. 국가인권위원회의 성희롱결정 및 시정권고는 처분성이 인정되지 않는다. 2022 해경간부 (○ | ×)

15. 성희롱행위를 이유로 한 국가인권위원회의 인사조치권고에 대하여 성희롱행위자로 결정된 자는 항고소송을 통해 다툴 수 있다. 2021 변호사 (○ | ×)

16. 국가인권위원회의 성희롱결정과 이에 따른 시정조치의 권고는 불가분의 일체로 행하여지는 것인데, 이는 비권력적 사실행위로서 행정소송의 대상이 되는 행정처분이 아니다. 2018 소방직 9급 (○ | ×)

정답
1. ○ 2. ○ 3. ○ 4. × 5. × 6. ○ 7. ○ 8. ○ 9. ○ 10. ○
11. ○ 12. × 13. ○ 14. × 15. ○ 16. ×

07 □□□

항고소송의 대상에 관한 설명으로 옳은 것은? (다툼이 있는 경우 판례에 의함)

① 근로복지공단이 사업주에 대하여 하는 개별사업장의 사업종류변경결정은 그것만으로는 사업주의 권리·의무에 직접적인 변동이나 불이익이 발생한다고 볼 수 없으므로 항고소송의 대상이 되는 처분에 해당하지 않는다.

② 구 「사회간접자본시설에 대한 민간투자법」에 근거한 서울-춘천 간 고속도로 민간투자시설사업의 사업시행자 지정은 행정처분이 아니라 공법상 계약에 해당한다.

③ 방위사업법령 및 「국방전력발전업무훈령」에 따른 연구개발확인서 발급은 사업관리기관이 개발업체에게 해당 품목의 양산과 관련하여 수의계약의 방식으로 국방조달계약을 체결할 수 있는 지위가 있음을 인정해 주는 대등당사자의 사법상 계약일 뿐 항고소송의 대상이 된다고 볼 수 없다.

④ 지방자치단체의 장이 「공유재산 및 물품 관리법」에 근거하여 기부채납 및 사용·수익허가방식으로 민간투자사업을 추진하는 과정에서 이루어지는 민간투자사업 '우선협상대상자 선정행위'나 '우선협상대상자 지위배제행위'는 모두 항고소송의 대상이 되는 행정처분에 해당한다.

✓ 기출체크

① 관련기출

1. 근로복지공단이 사업주에 대해 행하는 개별사업장의 사업종류결정은 행정청이 행하는 구체적 사실에 관한 법집행으로서 공권력을 행사하는 확인적 행정행위라고 보아야 한다. 2025 변호사 (○ | ×)

2. 근로복지공단이 사업주에 대하여 하는 '개별사업장의 사업종류변경결정'만으로는 사업주의 권리·의무에 직접적인 변동이나 불이익이 발생한다고 볼 수 없고, 국민건강보험공단이 보험료 부과처분을 함으로써 비로소 사업주에게 현실적인 불이익이 발생하게 되므로, 위 사업종류변경결정은 항고소송의 대상이 되는 처분에 해당하지 않는다. 2023 변호사 (○ | ×)

3. 근로복지공단이 사업주에 대하여 하는 개별사업장의 사업종류변경결정은 사업종류결정의 주체, 내용과 결정기준을 고려할 때 확인적 행정행위로서 처분에 해당한다. 2021 국회직 8급 (○ | ×)

② 관련기출

4. 구 「사회간접자본시설에 대한 민간투자법」에 근거한 서울-춘천 간 고속도로 민간투자시설사업의 사업시행자 지정은 공법상 계약에 해당한다. 2020 지방직·서울시 7급 (○ | ×)

5. 「사회기반시설에 대한 민간투자법」상 민간투자사업의 사업시행자 지정은 공법상 계약이 아니라 행정처분에 해당한다. 2016 국가직 9급 (○ | ×)

③ 관련기출

6. 국방전력발전업무훈령에 따른 연구개발확인서 발급은 개발업체가 전력지원체계 연구개발사업을 성공적으로 수행하여 군사용 적합판정을 받고 경우에 따라 사업관리기관이 개발업체에게 수의계약의 방식으로 국방조달계약을 체결할 수 있는 지위가 있음을 인정해주는 확인적 행정행위로서 처분에 해당한다. 2022 소방직 9급 (O | X)
7. 방위사업법 및 국방전력발전업무훈령에 따른 연구개발확인서 발급은 사업관리기관이 개발업체에게 해당 품목의 양산과 관련하여 수의계약의 방식으로 국방조달계약을 체결할 수 있는 지위가 있음을 인정해주는 확인적 행정행위로서 처분에 해당한다. 2021 국회직 8급 (O | X)

④ 관련기출

8. 「공유재산 및 물품 관리법」에 근거하여 공모제안을 받아 이루어지는 민간투자사업 '우선협상대상자 선정행위'나 '우선협상대상자 지위배제행위'에서 '우선협상대상자 지위배제행위'만이 항고소송의 대상인 처분에 해당한다. 2022 국가직 9급 (O | X)
9. 지방자치단체의 장이 「공유재산 및 물품 관리법」에 근거하여 기부채납 및 사용·수익허가방식으로 민간투자사업을 추진하는 과정에서 이미 선정된 우선협상대상자를 그 지위에서 배제하는 행위는 항고소송의 대상이 되는 행정처분에 해당한다. 2021 국회직 8급 (O | X)

정답
1. O 2. X 3. O 4. X 5. O 6. O 7. O 8. X 9. O

✓ 기출체크

① 관련기출
1. 행정청 또는 그 소속 기관이나 권한을 위임받은 공공기관의 행위가 아니더라도 상대방의 권리를 제한하는 행위라면 이를 행정처분이라고 할 수 있다. 2023 서울시 지적 7급 (O | X)
2. 상대방의 권리를 제한하는 행위라 하더라도 행정청 또는 그 소속 기관이나 권한을 위임받은 공공단체 등의 행위가 아닌 한 이를 행정처분이라고 할 수 없다. 2022 지방직·서울시 7급 (O | X)

② 관련기출
3. 「행정소송법」 제2조 소정의 행정처분이라고 하더라도 그 처분의 근거법률에서 행정소송 이외의 다른 절차에 의하여 불복할 것을 예정하고 있는 처분은 항고소송의 대상이 될 수 없다. 2019 서울시 2회 7급 (O | X)

④ 관련기출
4. 국회의원에 대한 징계처분에 대하여는 헌법 제64조 제4항이 법원에 제소할 수 없다고 규정하고 있으므로 행정소송의 대상이 되지 아니하나, 그러한 특별한 규정이 없는 지방의회의원에 대한 징계의결은 항고소송의 대상이 된다. 2023 변호사 (O | X)

정답
1. X 2. O 3. O 4. O

---

08 □□□

항고소송의 대상에 관한 설명으로 옳은 것은? (다툼이 있는 경우 판례에 의함)

① 상대방의 권리를 제한하는 행위라면 행정청 또는 그 소속 기관이나 권한을 위임받은 공공단체 등의 행위가 아니더라도 행정처분이 될 수 있다.
② 「행정소송법」 제2조의 처분의 개념 정의에는 해당한다고 하더라도 그 처분의 근거법률에서 행정소송 이외의 다른 절차에 의하여 불복할 것을 예정하고 있는 처분은 항고소송의 대상이 될 수 없다.
③ 국가보훈처장(현 국가보훈부장관)이 유족에게 한 '망인에 대한 서훈취소통지'는 서훈취소의 효과를 직접 일으켜 상대방의 법적 지위에 직접적인 법률적 변동을 일으키는 행정처분에 해당한다.
④ 국회의원에 대한 징계처분과 지방의회의 의원에 대한 징계의결은 모두 항고소송의 대상이 된다.

09 □□□

판례상 처분성을 인정하는 것만을 <보기>에서 모두 고른 것은?

| 보기 |
| ㉮ 공정거래위원회의 표준약관 사용권장행위
| ㉯ 공정거래위원회의 검찰에 대한 고발조치
| ㉰ 공정거래위원회가 「표시·광고의 공정화에 관한 법률」에 위반하여 허위광고를 하였다는 이유로 한 경고
| ㉱ 친일반민족행위자재산조사위원회의 재산조사개시결정
| ㉲ 장관의 소속 공무원에 대한 서면에 의한 경고

① ㉮, ㉱
② ㉰, ㉲
③ ㉮, ㉰, ㉱
④ ㉮, ㉯, ㉱, ㉲

✓ 기출체크

㉮ 관련기출
1. 구 「약관의 규제에 관한 법률」에 따른 공정거래위원회의 표준약관 사용권장행위(는 항고소송의 대상이 되는 처분에 해당한다) 2019 서울시 9급 (O | X)
2. (판례에 따르면) 공정거래위원회의 '표준약관 사용권장행위'는 항고소송의 대상이 되는 행정처분이 아니다. 2015 경행특채 1차 (O | X)
3. (판례에 의할 경우) 공정거래위원회의 표준약관 사용권장행위(는 항고소송의 대상이 될 수 있다) 2014 국회직 8급 (O | X)
4. 공정거래위원회의 표준약관 사용권장행위는 처분이다. 2014 경행특채 1차 (O | X)

㈏ 관련기출

5. 공정거래위원회의 고발조치(는 「행정소송법」상 '처분'에 해당한다)
   2019 서울시 1회 7급 (○ | ×)
6. 공정거래위원회의 고발조치는 사직당국에 대하여 형벌권 행사를 요구하는 행정기관 상호 간의 행위로서 행정청의 의사결정이므로 항고소송의 대상이 되는 행정처분이다. 2012 국회(속기·경위직) 9급 (○ | ×)
7. 행정소송으로 다툴 사안으로 옳지 <u>않은</u> 것은? (다툼이 있는 경우 판례에 의함) 2012 국가직 7급
   ① 공정거래위원회의 고발조치 및 고발의결에 관한 소
   ② 국유재산의 관리청이 무단점유자에 대하여 하는 변상금 부과처분에 관한 소
   ③ 지방의회의장에 대한 불신임의결에 관한 소
   ④ 지방자치단체에 근무하는 청원경찰에 대한 징계처분에 관한 소
8. 공정거래위원회의 고발조치나 고발의결은 「독점규제 및 공정거래에 관한 법률」 제71조에서 위 기관의 고발을 동 법률 위반죄의 소추요건으로 규정하고 있으므로 항고소송의 대상이 되는 처분에 해당한다.
   2010 국회속기직 9급 (○ | ×)

㈐ 관련기출

9. 「표시·광고의 공정화에 관한 법률」 위반으로 인한 공정거래위원회의 경고의결은 당해 표시·광고의 위법을 확인하되 구체적인 조치까지는 명하지 아니하는 것으로 사업자의 자유와 권리를 제한하는 행정처분에 해당하지 아니한다. 2022 소방간부 (○ | ×)

㈑ 관련기출

10. 친일반민족행위자재산조사위원회의 재산조사개시결정은 조사대상자의 권리·의무에 직접 영향을 미치는 독립한 행정처분으로 볼 수 없다.
    2025 군무원 7급 (○ | ×)
11. 친일반민족행위자재산조사위원회의 재산조사개시결정(은 판례상 '행정청이 행하는 구체적 사실에 관한 법집행으로서의 공권력의 행사 또는 그 거부와 그 밖에 이에 준하는 행정작용'에 해당하지 않고, 이 경우 그 불복을 다투는 소송의 유형은) 민사소송이다. 2013 지방직 9급 (○ | ×)

정답
1. ○ 2. × 3. ○ 4. ○ 5. × 6. × 7. ① 8. × 9. × 10. ×
11. ×

10 □□□

항고소송의 대상에 관한 설명으로 옳지 <u>않은</u> 것은? (다툼이 있는 경우 판례에 의함)

① 공기업·준정부기관이 법령 또는 계약에 근거하여 선택적으로 입찰참가자격제한조치를 할 수 있는 경우, 공기업·준정부기관이 계약에 근거한 권리 행사로서 입찰참가자격제한조치를 하였다면 입찰참가자격제한조치는 행정처분이 아니다.

② 재단법인 한국연구재단이 A대학교 총장에게 연구개발비의 부당집행을 이유로 과학기술기본법령에 따라 '두뇌한국(BK)21 사업'협약의 해지를 통보한 것은 공법상 계약을 계약당사자의 지위에서 종료시키는 의사표시가 아니라 행정처분에 해당한다.

③ 후속처분의 내용이 종전 처분의 유효를 전제로 그 내용 중 일부만을 추가·철회·변경하는 것이고 그 추가·철회·변경된 부분이 그 내용과 성질상 나머지 부분과 가분적인 경우라 하더라도 후속처분만 항고소송의 대상이 될 뿐 종전 처분은 항고소송의 대상이 될 수 없다.

④ 과세표준과 세액을 감액하는 경정처분에 대해서 그 감액경정처분으로도 아직 취소되지 아니하고 남아 있는 부분을 다투는 경우, 적법한 전심절차를 거쳤는지 여부, 제소기간의 준수 여부는 당초 처분을 기준으로 판단하여야 한다.

✓기출체크

① 관련기출

1. 공기업·준정부기관이 계약에 근거한 권리 행사로서 입찰참가자격제한조치를 하였더라도 입찰참가자격제한조치는 행정처분이다.
   2023 군무원 9급 (○ | ×)
2. 공기업·준정부기관이 법령 또는 계약에 근거하여 선택적으로 입찰참가자격제한조치를 할 수 있는 경우, 계약상대방에 대한 입찰참가자격제한조치가 법령에 근거한 행정처분인지 아니면 계약에 근거한 권리 행사인지는 원칙적으로 의사표시 해석의 문제이다. 2023 변호사 (○ | ×)
3. 공기업이나 준정부기관의 입찰참가자격제한은 계약에 근거할 수도 있고, 행정처분에 해당할 수도 있다. 2021 국회직 8급 (○ | ×)

② 관련기출

4. 과학기술기본법령상 국가연구개발사업 협약의 해지통보는 단순히 대등당사자의 지위에서 형성된 공법상 계약을 계약당사자의 지위에서 종료시키는 의사표시에 불과하다. 2025 국가직 9급 (○ | ×)
5. 재단법인 한국연구재단이 과학기술기본법령에 따라 체결한 연구개발비 지원사업협약의 해지통보에 대한 불복의 소(는 항고소송과 당사자소송 중 ( )의 대상이다) 2023 국회직 8급
6. 과학기술기본법령상 사업협약의 해지통보는 단순히 대등당사자의 지위에서 형성된 공법상 계약을 계약당사자의 지위에서 종료시키는 의사표시에 불과하여 공법상 당사자소송으로 다투어야 한다.
   2022 경찰간부 (○ | ×)

7. 「과학기술기본법」 및 하위법령상 사업협약의 해지통보는 단순히 대등당사자의 지위에서 형성된 공법상 계약을 계약당사자의 지위에서 종료시키는 의사표시에 불과하다. 2021 국회직 8급 (O | X)

8. 재단법인 한국연구재단이 A대학교 총장에게 연구개발비의 부당집행을 이유로 과학기술기본법령에 따라 '두뇌한국(BK)21 사업'협약의 해지를 통보한 것은 공법상 계약을 계약당사자의 지위에서 종료시키는 의사표시에 해당한다. 2019 국가직 7급 (O | X)

③ 관련기출

9. 기존 행정처분을 변경하는 내용의 행정처분이 뒤따르는 경우 후속처분이 종전 처분을 완전히 대체하는 것이거나 그 주요 부분을 실질적으로 변경하는 내용인 경우에는 특별한 사정이 없는 한 종전 처분은 그 효력을 상실하고 후속처분만이 항고소송의 대상이 된다. 2022 해경간부 (O | X)

10. 후속처분이 종전 처분의 유효를 전제로 그 내용 중 일부만을 추가·철회·변경하는 것이고 그 추가·철회·변경된 부분이 나머지 부분과 불가분적인 것인 경우에는 후속처분에도 불구하고 종전 처분이 여전히 항고소송의 대상이 된다고 보아야 한다. 2019 경행경채 2차 (O | X)

④ 관련기출

11. 과세표준과 세액을 감액하는 경정처분에 대해서 그 감액경정처분으로도 아직 취소되지 아니하고 남아 있는 부분을 다투는 경우, 적법한 전심절차를 거쳤는지 여부, 제소기간의 준수 여부는 당해 경정처분을 기준으로 판단하여야 한다. 2022 국가직 7급 (O | X)

12. 감액경정처분이 있는 경우, 항고소송의 대상은 당초의 부과처분 중 경정처분에 의하여 아직 취소되지 않고 남은 부분이고, 적법한 전심절차를 거쳤는지 여부도 당초 처분을 기준으로 판단하여야 한다. 2019 지방직 7급 (O | X)

13. 행정청이 금전 부과처분을 한 후 감액처분을 한 경우에 감액되고 남은 부분이 위법하다고 다투고자 할 때에는 감액처분 자체를 항고소송의 대상으로 삼아야 한다. 2017 국가직(하) 7급 (O | X)

14. 「산업재해보상보험법」상 보험급여의 부당이득 징수결정의 하자를 이유로 징수금을 감액하는 경우 감액처분으로도 아직 취소되지 않고 남아 있는 부분이 위법하다 하여 다툴 때에는, 제소기간의 준수 여부는 감액처분을 기준으로 판단해야 한다. 2017 지방직 9급 (O | X)

정답
1. X 2. O 3. O 4. X 5. 항고소송 6. X 7. X 8. X 9. O
10. X 11. X 12. O 13. X 14. X

11

판례가 ⓐ, ⓑ 모두 항고소송의 대상인 처분으로 인정하는 것만으로 연결된 것은?

① ⓐ 국토교통부 내부지침에 의한 항공노선에 대한 운수권 배분처분 — ⓑ 검사의 공소제기와 불기소결정

② ⓐ 「교육공무원법」상 승진후보자명부에 의한 승진심사방식으로 행해지는 승진임용에서 승진후보자명부에 포함되어 있던 후보자를 승진임용 인사발령에서 제외하는 행위 — ⓑ 교육부장관이 대통령에게 국립대학교 총장 임용제청을 하면서 대학에서 추천한 복수의 총장 후보자들 중 일부를 임용제청에서 제외한 행위

③ ⓐ 한국마사회가 조교사 및 기수의 면허를 부여하거나 취소하는 것 — ⓑ 법률에 의하여 당연퇴직된 공무원의 복직 또는 재임용신청에 대한 행정청의 거부행위

④ ⓐ 「병역법」상 신체등위판정 — ⓑ 건축계획심의신청에 대한 반려처분

✓ 기출체크

①-ⓐ 관련기출

1. 항공노선에 대한 운수권배분은 항고소송의 대상이 되는 행정처분에 해당한다. 2012 지방직 9급 (O | X)

2. 정부 간 항공노선의 개설에 관한 잠정협정 및 비밀양해각서와 건설교통부(현 국토교통부) 내부지침에 의한 항공노선에 대한 운수권배분처분은 항고소송의 대상이 되는 행정처분이다. 2010 경행특채 (O | X)

3. 건설교통부(현 국토교통부) 내부지침에 의한 항공노선에 대한 운수권배분처분은 행정처분에 해당한다. 2008 국가직 9급 (O | X)

①-ⓑ 관련기출

4. 검사의 공소에 대하여는 형사소송절차에 의하여서만 다툴 수 있고 행정소송의 방법으로 공소의 취소를 구할 수는 없다. 2018 경행경채 (O | X)

5. 검사의 불기소결정에 대해서는 항고소송을 제기할 수 없다. 2019 서울시 2회 7급 (O | X)

6. 검사의 불기소결정은 「행정소송법」상 처분에 해당되어 항고소송을 제기할 수 있다. 2019 지방직·교육행정직 9급 (O | X)

7. 검사의 불기소결정은 공권력의 행사에 포함되므로, 검사의 자의적인 수사에 의하여 불기소결정이 이루어진 경우 그 불기소결정은 항고소송의 대상이 되는 처분에 해당한다. 2019 국가직 9급 (O | X)

②-ⓐ 관련기출

8. 「교육공무원법」상 승진후보자명부에 의한 승진심사방식으로 행해지는 승진임용에서 승진후보자명부에 포함되어 있던 후보자를 승진임용 인사발령에서 제외하는 행위는 항고소송의 대상인 처분에 해당하지 아니한다. 2025 군무원 7급 (O | X)

9. 「교육공무원법」상 승진후보자명부에 의한 승진심사방식으로 행해지는 승진임용에서 승진후보자명부에 있던 후보자를 승진임용 인사발령에서 제외하는 행위는 행정처분에 해당한다. 2022 소방간부 (O | X)

10. 「교육공무원법」상 승진후보자명부에 의한 승진심사방식으로 행해지는 승진임용에서 승진후보자명부에 포함되어 있던 후보자를 승진임용 인사발령에서 제외하는 행위는 불이익처분으로서 항고소송의 대상인 처분에 해당한다. 2021 국회직 8급 (○ | ×)

11. 「교육공무원법」상 승진후보자명부에 의한 승진심사방식으로 행해지는 승진임용에서 승진후보자명부에 포함되어 있던 후보자를 승진임용 인사발령에서 제외하는 행위는 항고소송의 대상인 처분에 해당하지 않는다. 2019 지방직·교육행정직 9급 (○ | ×)

②-ⓑ 관련기출

12. 교육부장관이 대학에서 추천한 복수의 총장 후보자들 전부 또는 일부를 임용제청에서 제외하는 행위는 제외된 후보자들에 대한 불이익처분으로서 항고소송의 대상이 되는 처분에 해당한다고 보아야 한다. 2023 군무원 9급 (○ | ×)

13. 국립대학교 총장의 임용권한은 대통령에게 있으므로, 교육부장관이 대통령에게 임용제청을 하면서 대학에서 추천한 복수의 총장 후보자들 중 일부를 임용제청에서 제외한 행위는 처분에 해당하지 않는다. 2019 국가직 9급 (○ | ×)

③-ⓐ 관련기출

14. 한국마사회의 조교사·기수 면허취소처분(은 취소소송의 대상이 되는 행정작용에 해당한다) 2025 해경승진 (○ | ×)

15. 한국마사회가 조교사 또는 기수의 면허를 부여하거나 취소하는 것은 국가 기타 행정기관으로부터 위탁받은 행정청으로서의 권한 행사이다. 2024 변호사 (○ | ×)

16. 한국마사회가 조교사 또는 기수의 면허를 취소하는 것은 국가 기타 행정기관으로부터 위탁받은 행정권한의 행사가 아니라 일반사법상의 법률관계에서 이루어지는 단체 내부에서의 징계 내지 제재처분이다. 2022 국가직 7급 (○ | ×)

17. 한국마사회의 조교사나 기수에 대한 면허 취소·정지(는 취소소송의 대상이 되는 처분에 해당한다) 2022 군무원 9급 (○ | ×)

18. 한국마사회의 조교사·기수 면허취소처분(은 취소소송의 대상이 된다) 2021 지방직·서울시 7급 (○ | ×)

③-ⓑ 관련기출

19. 법률에 의하여 당연퇴직된 공무원의 복직 또는 재임용신청에 대한 행정청의 거부행위는 항고소송의 대상이 되는 행정처분에 해당한다. 2015 국회직 8급 (○ | ×)

④-ⓐ 관련기출

20. 「병역법」상 신체등위판정은 항고소송의 대상이 되는 행정처분이라 보기 어렵다. 2023 군무원 7급 (○ | ×)

21. 「병역법」상 군의관이 하는 신체등위판정은 항고소송의 대상이 되는 행정처분이라고 보기 어렵다. 2022 경찰간부 (○ | ×)

22. 군의관이 수행하는 「병역법」상 신체등위판정은 그에 따라 「병역법」상의 권리·의무가 정해지는 것이므로 행정처분에 해당한다. 2022 소방간부 (○ | ×)

23. 「병역법」상 신체등위판정은 항고소송의 대상이 된다. 2019 소방직 9급 (○ | ×)

24. 「병역법」상 신체등위판정은 행정청이라고 볼 수 없는 군의관이 하도록 되어 있으며, 그 자체만으로 권리·의무가 정하여지는 것이 아니라 그에 따라 지방병무청장이 병역처분을 함으로써 비로소 병역의무의 종류가 정하여지는 것이므로 항고소송의 대상이 되는 행정처분이라 보기 어렵다. 2013 국가직 9급 (○ | ×)

④-ⓑ 관련기출

25. 건축계획의신청에 대한 반려처분(은 항고소송의 대상이 되는 행정처분이다) 2015 지방직 9급 (○ | ×)

정답
1. ○ 2. ○ 3. ○ 4. ○ 5. ○ 6. × 7. × 8. × 9. × 10. ○
11. × 12. ○ 13. × 14. ○ 15. ○ 16. × 17. ○ 18. × 19. × 20. ○
21. ○ 22. × 23. × 24. ○ 25. ○

12

항고소송의 대상에 관한 설명으로 옳지 않은 것은? (다툼이 있는 경우 판례에 의함)

① 공기업·준정부기관이 입찰을 거쳐 계약을 체결한 상대방에 대해 관련 규정에 따라 계약조건 위반을 이유로 입찰참가자격제한처분을 하려면, 입찰공고와 계약서에 미리 계약조건과 그 계약조건을 위반할 경우 입찰참가자격제한을 받을 수 있다는 사실을 모두 명시하여야 한다.

② 시험승진후보자명부에서의 삭제행위는 그 자체로 어떠한 권리·의무를 설정 또는 법률상 이익에 직접적인 변동을 초래하는 것으로서 항고소송의 대상이 되는 행정처분에 해당한다.

③ 방송통신위원회가 JTBC에 대해 행한 고지방송명령은 권고적 효력만을 가지는 비권력적 사실행위에 해당할 뿐, 항고소송의 대상이 되는 행정처분에 해당하지 않는다.

④ 구 「국세징수법」이 규정하는 가산금 또는 중가산금은 국세를 납부기한까지 납부하지 않으면 과세관청의 확정절차 없이 법률규정에 따라 당연히 발생하는 것이므로, 가산금 또는 중가산금의 고지는 항고소송의 대상이 되는 행정처분에 해당하지 않는다.

기출체크

① 관련기출

1. 공기업·준정부기관이 입찰을 거쳐 계약을 체결한 상대방에 대해 「공공기관의 운영에 관한 법률」 등에 따라 계약조건 위반을 이유로 입찰참가자격제한처분을 하기 위해서는 입찰공고와 계약서에 미리 계약조건과 그 계약조건을 위반할 경우 입찰참가자격제한을 받을 수 있다는 사실을 모두 명시해야 한다. 2024 국회직 8급 (○ | ×)

② 관련기출

2. 시험승진후보자명부에서의 삭제행위는 행정처분이다. 2022 행정사 (○ | ×)

3. 공무원시험승진후보자명부에 등재된 자에 대하여 이전의 징계처분을 이유로 시험승진후보자명부에서 삭제하는 행위는 행정소송의 대상인 행정처분에 해당한다. 2019 국가직(하) 9급 (○ | ×)

4. 시험승진후보자명부에서의 등재자 성명 삭제행위(는 항고소송의 대상으로 인정된다) 2014 지방직 7급 (○ | ×)

④ 관련기출

5. 구 「국세징수법」상 가산금 또는 중가산금의 고지는 항고소송의 대상이 되는 처분이 아니다. 2023 지방직·서울시 9급 (○ | ×)

6. 구 「국세징수법」상 가산금은 국세를 납부기한까지 납부하지 아니하면 과세청의 확정절차 없이도 법률에 의하여 당연히 발생하는 것이므로 가산금의 고지는 항고소송의 대상이 되는 처분이라고 볼 수 없다. 2019 국가직 9급 (O | X)
7. 가산금과 중가산금은 납부기한까지 세금이 납부되지 아니하면 과세권자의 확정절차 없이 관련 법률규정에 의하여 당연히 발생되고 그 액수도 확정된다. 2018 경행경채 3차 (O | X)
8. 국세를 납부기한까지 납부하지 아니하면 과세권자의 가산금 확정절차 없이 구 「국세징수법」 제21조에 의하여 가산금이 당연히 발생하고 그 액수도 확정된다. 2017 국가직 9급 (O | X)
9. 구 「국세징수법」에 따른 가산금은 행정법상 금전급부 불이행에 대한 제재로 가해지는 금전부담이므로 그 고지는 항고소송의 대상이 되는 처분이다. 2013 지방직(하) 7급 (O | X)

정답
1. O 2. X 3. X 4. X 5. O 6. O 7. O 8. O 9. X

13 □□□

항고소송의 대상에 관한 설명으로 옳은 것만을 <보기>에서 모두 고른 것은? (다툼이 있는 경우 판례에 의함)

― 보기 ―

㉮ 여객자동차 운송사업자인 甲주식회사가 시내버스 노선을 운행하면서 환승요금할인, 청소년요금할인을 시행한 데에 따른 손실을 보전해 달라며 도지사와 ○○시장에게 보조금 지급신청을 하였으나, 도지사가 甲주식회사와 ○○시장에게 "甲주식회사의 보조금 지급신청을 받아들일 수 없음은 기존에 회신한 바와 같고, ○○시에서는 적의 조치하여 주기 바란다."는 취지로 통보한 것은 항고소송의 대상이 되는 처분에 해당한다.

㉯ 검찰총장이 대검찰청 내부규정에 근거하여 검사에 대하여 하는 '경고조치'는 검사의 권리·의무에 영향을 미치는 행위로서 항고소송의 대상이 되는 처분에 해당한다.

㉰ 코로나바이러스감염증-19의 예방을 위하여 음식점 및 PC방 운영자 등에게 영업시간을 제한하거나 이용자 간 거리를 둘 의무를 부여하는 서울특별시 고시는 관내 음식점 및 PC방의 관리자·운영자들에게 일정한 방역수칙을 준수할 의무를 부과하는 것으로서 항고소송의 대상인 행정처분에 해당한다.

㉱ 금융감독원장이 종합금융주식회사의 전 대표이사에게 재직 중 위법·부당행위 사례를 첨부하여 금융 관련 법규를 위반하고 신용질서를 심히 문란하게 한 사실이 있다는 내용으로 '문책경고장'을 보낸 서면통보행위는 항고소송의 대상이 되는 행정처분에 해당한다.

① ㉮, ㉯   ② ㉮, ㉱   ③ ㉯, ㉰   ④ ㉰, ㉱

✓ 기출체크

㉯ 관련기출
1. (검찰총장이 검사 丙에 대하여 대검찰청 내부규정에 근거하여 경고조치를 한 사안에서) 대검찰청 내부규정에서 검찰총장의 경고조치를 받은 검사에 대하여 직무성과급 지급이나 승진·전보인사에서 불이익을 주도록 규정하고 있다면, 丙은 검찰총장의 경고조치에 대하여 취소소송을 제기하는 방식으로 불복할 수 있다. 2022 변호사 (O | X)

㉰ 관련기출
2. 코로나바이러스감염증-19의 예방을 위해 음식점 및 PC방 운영자 등에게 영업시간을 제한하거나 이용자 간 거리를 둘 의무를 부여하는 서울특별시 고시는 판례가 그 처분성을 인정한다. 2024 국회직 8급 (O | X)

㉱ 관련기출
3. 금융감독원장이 종합금융주식회사의 전 대표이사에게 재직 중 위법·부당행위 사례를 첨부하여 금융 관련 법규를 위반하고 신용질서를 심히 문란하게 한 사실이 있다는 내용으로 '문책경고장(상당)'을 보낸 행위는 판례가 그 처분성을 인정한다. 2024 국회직 8급 (O | X)
4. 금융감독원장이 종합금융주식회사의 전 대표이사에게 재직 중 위법·부당행위 사례를 첨부하여 금융 관련 법규를 위반하고 신용질서를 심히 문란하게 한 사실이 있다는 내용으로 '문책경고장(상당)'을 보낸 행위는 행정처분에 해당한다. 2019 국가직 5급 승진 (O | X)

정답
1. O 2. O 3. X 4. X

14 □□□

항고소송의 대상에 관한 설명으로 옳지 <u>않은</u> 것은? (다툼이 있는 경우 판례에 의함)

① 세무조사결정은 납세의무자의 권리·의무에 직접 영향을 미치는 공권력의 행사로서 항고소송의 대상이 되는 행정처분에 해당한다.
② 「진실·화해를 위한 과거사정리 기본법」에 따른 진실·화해를 위한 과거사정리위원회의 진실규명결정은 국민의 권리·의무에 직접적으로 영향을 미치는 행위로 볼 수 없으므로 항고소송의 대상이 되는 행정처분으로 보기 어렵다.
③ 교도소장이 수형자를 '접견내용 녹음·녹화 및 접견시 교도관 참여대상자'로 지정한 행위는 수형자의 구체적 권리·의무에 직접적 변동을 초래하는 것으로서 항고소송의 대상이 되는 행정처분에 해당한다.
④ 공법상 재단법인인 총포·화약안전기술협회가 자신의 공행정활동에 필요한 재원을 마련하기 위하여 회비 납부의무자에 대하여 한 회비 납부통지는 항고소송의 대상인 행정처분에 해당한다.

✓ 기출체크

① 관련기출
1. 세무조사는 과세처분을 위한 중간행위에 불과하여 세무조사결정은 상대방의 권리·의무에 직접적으로 법률적 변동을 일으키지 아니하므로 항고소송의 대상이 되지 않는다. 2025 경찰간부 (O | ×)
2. 부과처분을 위한 과세관청의 질문조사권이 행해지는 세무조사결정이 있는 경우 납세의무자는 세무공무원의 과세자료 수집을 위한 질문에 대답하고 검사를 수인하여야 할 법적 의무를 부담하게 된다는 점에서 세무조사결정은 항고소송의 대상이 된다. 2024 군무원 9급 (O | ×)
3. 세무조사결정은 납세자의 권리·의무에 직접 영향을 미치는 공권력의 행사에 따른 행정작용으로서 항고소송의 대상이 된다. 2024 지방직·서울시 9급 (O | ×)
4. 세무조사결정만으로는 납세의무자의 권리·의무에 구체적으로 직접 어떠한 영향을 미치는 것은 아니므로 이는 항고소송의 대상이 되지 아니한다. 2024 국회직 8급 (O | ×)
5. 조세 부과처분을 위한 과세관청의 세무조사결정은 사실행위로서 납세의무자의 권리·의무에 직접 영향을 미치는 것은 아니므로 항고소송의 대상이 되지 아니한다. 2019 지방직 7급 (O | ×)

② 관련기출
6. 「진실·화해를 위한 과거사정리 기본법」 제26조에 따른 진실·화해를 위한 과거사정리위원회의 진실규명결정은 항고소송의 대상이 되는 행정처분이다. 2023 해경간부 (O | ×)
7. 「진실·화해를 위한 과거사정리 기본법」에 따른 과거사정리위원회의 진실규명결정은 피해자 등에게 진실규명신청권 및 그 결정에 대한 이의신청권 등이 부여되고, 그 결정에서 규명된 진실에 따라 국가가 법률상 의무를 부담하게 된다는 점 등에서 항고소송의 대상이 된다. 2022 소방간부 (O | ×)
8. 「진실·화해를 위한 과거사정리 기본법」이 규정하는 진실규명결정은 국민의 권리·의무에 직접적으로 영향을 미치는 행위로서 항고소송의 대상이 된다. 2018 경행경채 3차 (O | ×)
9. 진실·화해를 위한 과거사정리위원회의 진실규명결정(은 항고소송의 대상이 되는 행정처분으로 인정된다) 2015 지방직 9급 (O | ×)

③ 관련기출
10. 교도소장이 수형자를 '접견내용 녹음·녹화 및 접견시 교도관 참여대상자'로 지정한 행위는 수형자의 구체적 권리·의무에 직접적 변동을 가져오는 행정청의 공법상 행위로서 항고소송의 대상이 되는 처분에 해당한다. 2022 지방직·서울시 7급 (O | ×)
11. 교도소장이 특정 수형자를 '접견내용 녹음·녹화 및 접견시 교도관 참여대상자'로 지정한 행위(는 항고소송의 대상으로 인정된다) 2020 지방직·서울시 9급 (O | ×)

④ 관련기출
12. 공법인인 총포·화약안전기술협회가 자신의 공행정활동에 필요한 재원을 마련하기 위하여 회비 납부의무자에 대하여 한 회비 납부통지는 납부의무자의 구체적인 부담금액을 산정·고지하는 부담금 부과처분으로서 항고소송의 대상이 된다고 보아야 한다. 2025 군무원 9급 (O | ×)
13. 공법상 재단법인인 총포·화약안전기술협회가 자신의 공행정활동에 필요한 재원을 마련하기 위하여 회비 납부의무자에 대하여 한 회비 납부통지는 판례가 그 처분성을 인정한다. 2024 국회직 8급 (O | ×)
14. 공법인인 총포·화약안전기술협회가 회비 납부의무자에 대하여 한 '회비 납부통지'는 항고소송의 대상이 된다. 2023 해경간부 (O | ×)
15. 「총포·도검·화약류 등의 안전관리에 관한 법률」에 따른 총포·화약안전기술협회가 회비 납부의무자에 대하여 한 회비 납부통지는 항고소송의 대상이 되는 처분에 해당하지 않는다. 2023 소방직 9급 (O | ×)

정답
1. × 2. O 3. O 4. × 5. × 6. O 7. O 8. O 9. O 10. O 11. O 12. O 13. O 14. O 15. ×

15 □□□

항고소송의 대상에 관한 설명으로 옳은 것만을 <보기>에서 모두 고른 것은? (다툼이 있는 경우 판례에 의함)

―| 보기 |―

㉮ 법인세법령에 따른 과세관청의 원천징수의무자인 법인에 대한 소득금액변동통지와 「소득세법 시행령」에 따른 소득의 귀속자에 대한 소득금액변동통지는 모두 항고소송의 대상이 되는 행정처분이 아니다.

㉯ 구 「산업집적활성화 및 공장설립에 관한 법률」에 따른 산업단지 입주계약의 해지통보는 대등한 당사자의 지위에서 형성된 공법상 계약을 계약당사자의 지위에서 종료시키는 의사표시이므로 행정처분이 아니다.

㉰ 행정청이 사법상 계약인 물품구매계약 추가특수조건에 근거하여 한 나라장터 종합쇼핑몰 거래정지조치는 사법상 계약에 근거한 것이기는 하나, 행정청이 행하는 공권력 행사로서 그 상대방의 권리·의무에 직접 영향을 미치므로 행정처분에 해당한다.

㉱ 지방세의 결손처분은 납세의무가 소멸하는 사유가 아니라 체납처분을 종료하는 의미만을 가지며, 결손처분의 취소 역시 국민의 권리·의무에 영향을 미치는 행정처분이 아닌 과거에 종료되었던 체납처분절차를 다시 시작한다는 의미만을 가진다.

① ㉮, ㉰
② ㉮, ㉱
③ ㉯, ㉰
④ ㉰, ㉱

✓ 기출체크

㉮ 관련기출
1. 과세관청의 소득처분에 따른 소득금액변동통지(는 취소소송의 대상이 되는 행정작용에 해당한다) 2025 해경승진 (O | ×)
2. 과세관청의 원천징수의무자인 법인에 대한 소득처분에 따른 소득금액변동통지는 취소소송의 대상이 된다. 2021 지방직·서울시 7급 (O | ×)
3. 원천징수의무자인 법인에 대한 소득금액변동통지는 법인의 납세의무에 직접 영향을 미치므로 항고소송의 대상이 되는 처분이다. 2020 국회직 8급 (O | ×)

4. 구 「소득세법 시행령」에 따른 소득귀속자에 대한 소득금액변동통지는 원천납세의무자인 소득귀속자의 법률상 지위에 직접적인 법률적 변동을 가져오므로 행정처분이다. 2017 국회직 8급 (O | X)
5. 법인세법령에 따른 과세관청의 원천징수의무자인 법인에 대한 소득금액변동통지 및 「소득세법 시행령」에 따른 소득의 귀속자에 대한 소득금액변동통지는 항고소송의 대상이다. 2017 서울시 7급 (O | X)

⊕ 관련기출

6. 산업단지관리공단이 구 「산업집적활성화 및 공장설립에 관한 법률」에 따른 입주변경계약을 취소한 것은 행정청인 관리권자로부터 관리업무를 위탁받은 산업단지관리공단이 우월적 지위에서 입주기업체들에게 일정한 법률상 효과를 발생하게 하는 것으로서 항고소송의 대상이 되는 행정처분이다. 2025 변호사 (O | X)
7. 한국산업단지공단의 산업단지 입주자에 대한 입주계약해지는 항고소송의 대상인 행정처분이다. 2024 군무원 9급 (O | X)
8. 구 「산업집적활성화 및 공장설립에 관한 법률」에 따른 산업단지 입주계약의 해지통보는 대등한 당사자의 지위에서 형성된 공법상 계약을 계약당사자의 지위에서 종료시키는 의사표시이므로 당사자소송의 대상이 된다. 2024 국회직 8급 (O | X)
9. 〔甲은 「산업집적활성화 및 공장설립에 관한 법률」(이하 '법'이라 함)에 따라 산업단지관리공단과 A시 소재 산업단지 입주계약을 체결하였으나, 이후 산업단지관리공단은 甲의 계약 위반을 이유로 입주계약을 해지하였다〕甲이 산업단지관리공단을 상대로 입주계약의 해지를 다투려면 당사자소송에 의하여야 한다. 2022 변호사 (O | X)

㈄ 관련기출

10. 국가종합전자조달시스템인 '나라장터' 종합쇼핑몰을 통한 물품구매계약체결시, 구매계약에 계약위반시 거래를 정지한다는 등의 '추가특수조건'을 포함시킨 후, 이 '추가특수조건'에 근거하여 조달청이 거래정지를 한 조치는 행정처분에 해당한다. 2024 국회직 8급 (O | X)
11. 조달청이 국가종합전자조달시스템인 나라장터 종합쇼핑몰에서 일부 제품이 계약규격과 다르다는 이유로 거래정지조치를 하는 것은 항고소송의 대상이 되는 행정처분에 해당한다. 2023 해경간부 (O | X)
12. 조달청이 계약대상자에 대하여 나라장터 종합쇼핑몰에서의 거래를 일정 기간 정지하는 조치는 사법상 계약에 근거한 것으로서 이에 대해서는 행정소송이 아닌 민사소송을 통해 다투어야 한다. 2023 국회직 9급 (O | X)
13. 조달청이 국가종합전자조달시스템인 나라장터 종합쇼핑몰에 거래정지조치를 하는 것은 처분으로서 공법관계에 속한다. 2020 국회직 8급 (O | X)

㈅ 관련기출

14. 구 「지방세징수법」상 지방세의 결손처분은 국세의 결손처분과 마찬가지로 더 이상 납세의무가 소멸하는 사유가 아니라 체납처분을 종료하는 의미만을 가지고, 결손처분의 취소는 국민의 권리와 의무에 영향을 미치는 행정처분이 아니다. 2024 지방직·서울시 7급 (O | X)

정답
1. O 2. O 3. O 4. X 5. X 6. O 7. O 8. X 9. X 10. O
11. O 12. X 13. O 14. O

16 □□□
항고소송의 대상에 관한 설명으로 옳은 것은? (다툼이 있는 경우 판례에 의함)

① 교육부장관이 2025학년도 전체 의대정원을 2,000명 증원하여 각 대학별로 배정한 것은 항고소송의 대상이 되는 처분으로 볼 여지가 없다.
② 토지 등 소유자들이 그 사업을 위한 조합을 따로 설립하지 않고 직접 시행하는 도시환경정비사업에서, 토지 등 소유자들은 사업시행인가를 받기 전에는 행정주체로서의 지위를 갖지 못하므로 사업시행인가를 받기 전에 작성한 사업시행계획은 항고소송의 대상이 되는 독립된 행정처분에 해당하지 않는다.
③ 사업시행자인 한국도로공사가 구 「지적법」에 따라 고속도로 건설공사에 편입되는 토지소유자들을 대위하여 토지면적등록 정정신청을 하였으나 관할 행정청이 이를 반려한 사안에서, 이러한 반려행위는 항고소송의 대상이 되는 행정처분에 해당하지 않는다.
④ 행정청이 토지대장의 소유자명의변경신청을 거부한 행위는 토지소유자의 실체적 권리관계에 밀접하게 관련되어 있으므로 특별한 사정이 없는 한 항고소송의 대상이 되는 행정처분에 해당한다.

✓ 기출체크

② 관련기출
1. 구 「도시 및 주거환경정비법」상 토지소유자들이 조합을 설립하지 아니하고 직접 도시환경정비사업을 시행하고자 하는 경우에 내려진 사업시행인가처분은 설권적 처분의 성격을 가진다. 2023 지방직·서울시 9급 (O | X)
2. 토지 등 소유자들이 도시환경정비사업을 위한 조합을 따로 설립하지 아니하고 직접 그 사업을 시행하고자 하는 경우, 사업시행계획인가처분은 일종의 설권적 처분의 성격을 가지므로 토지 등 소유자들이 작성한 사업시행계획은 독립된 행정처분이 아니다. 2022 지방직·서울시 7급 (O | X)
3. 「도시 및 주거환경정비법」상 토지 등 소유자들이 조합을 따로 설립하지 않고 직접 시행하는 도시환경정비사업에서 토지 등 소유자들이 사업시행인가를 받기 전에 작성한 사업시행계획은 항고소송의 대상이 되는 독립된 행정처분에 해당한다. 2021 국회직 8급 (O | X)

③ 관련기출
4. 사업시행자인 한국도로공사가 구 「지적법」에 따라 고속도로 건설공사에 편입되는 토지소유자들을 대위하여 토지면적등록 정정신청을 하였으나 관할 행정청이 이를 반려하였다면, 이러한 반려행위는 항고소송대상이 되는 행정처분에 해당한다. 2019 지방직·교육행정직 9급 (O | X)
5. 고속도로 건설공사에 편입되는 토지소유자들을 대위하여 토지면적등록 정정신청을 하였으나 행정청이 이를 반려하였다면 이는 항고소송 대상이 되는 행정처분에 해당한다. 2012 국회(속기·경위직) 9급 (O | X)

④ 관련기출
6. 토지대장상의 소유자명의변경신청 거부행위(는 항고소송의 대상이 되는 행정처분에 해당한다) 2023 행정사 (○ | ×)
7. 행정청이 토지대장상의 소유자명의변경신청을 거부한 행위(는 판례상 항고소송의 대상으로 인정된다) 2020 지방직·서울시 9급 (○ | ×)
8. 지적공부 소관청이 토지대장상의 소유자명의변경신청을 거부한 행위(는 항고소송의 대상이 되는 처분에 해당한다) 2019 서울시 9급 (○ | ×)
9. 토지대장상의 소유자명의변경신청을 거부하는 행위는 실체적 권리관계에 영향을 미치는 사항으로 행정처분이다. 2019 서울시 2회 7급 (○ | ×)
10. 토지대장의 기재는 토지소유권을 제대로 행사하기 위한 전제요건으로서 토지소유자의 실체적 권리관계에 밀접하게 관련되어 있으므로 토지대장상의 소유자명의변경신청을 거부한 행위는 국민의 권리관계에 영향을 미치는 것이어서 항고소송의 대상이 되는 행정처분에 해당한다. 2016 국가직 9급 (○ | ×)

정답
1. ○ 2. ○ 3. × 4. ○ 5. ○ 6. × 7. × 8. ○ 9. × 10. ×

17 □□□

항고소송의 대상에 관한 설명으로 옳은 것만을 <보기>에서 모두 고른 것은? (다툼이 있는 경우 판례에 의함)

┤ 보기 ├

㉮ 지적공부 소관청이 지목변경신청을 반려한 행위는 토지소유자의 실체상의 권리관계에 변동을 가져오는 것이 아니므로 항고소송의 대상이 되는 행정처분으로 볼 수 없다.
㉯ 건축물대장 소관청의 용도변경신청 거부행위는 당해 건축물에 대한 실체상의 권리관계에 변동을 가져오는 것이 아니므로 항고소송의 대상이 되는 행정처분으로 볼 수 없다.
㉰ 행정청이 건축물에 관한 건축물대장을 직권말소한 행위는 국민의 권리관계에 영향을 미치는 것으로서 항고소송의 대상이 되는 행정처분에 해당한다.
㉱ 행정청이 무허가건물을 무허가건물관리대장에서 삭제하는 행위는 실체상의 권리관계에 변동을 가져오는 것이 아니므로 항고소송의 대상이 되는 행정처분에 해당하지 않는다.
㉲ 행정청이 건축물대장의 작성신청을 반려한 행위는 항고소송의 대상이 되는 행정처분에 해당하지 않는다.

① ㉮, ㉯
② ㉯, ㉰
③ ㉰, ㉱
④ ㉱, ㉲

기출체크

㉮ 관련기출
1. 지적공부 소관청의 지목변경신청 반려행위는 국민의 권리관계에 영향을 미치는 것으로서 항고소송의 대상이 되는 행정처분에 해당한다. 2023 군무원 9급 (○ | ×)
2. 지적공부 소관청의 지목변경신청 반려행위는 국민의 권리관계에 영향을 미친다고 볼 수 없어서 행정처분에 해당하지 않는다. 2022 국가직 7급 (○ | ×)
3. 지목은 토지소유권을 제대로 행사하기 위한 전제요건이므로 지적공부 소관청의 지목변경신청 반려행위는 항고소송의 대상이 되는 행정처분에 해당한다. 2019 지방직 7급 (○ | ×)
4. 지적공부 소관청의 지목변경신청 반려행위(는 「행정소송법」상 '처분'에 해당한다) 2019 서울시 1회 7급 (○ | ×)
5. 지적공부 소관청의 지목변경신청 반려행위는 행정사무의 편의와 사실증명의 자료로 삼기 위한 것이지 그 대장에 등재 여부는 어떠한 권리의 변동이나 상실효력이 생기지 않으므로 이를 항고소송의 대상으로 할 수 없다. 2017 국가직 9급 (○ | ×)

㉯ 관련기출
6. 건축물대장의 용도는 건축물의 소유권을 제대로 행사하기 위한 전제요건으로서 건축물소유자의 실체적 권리관계에 밀접하게 관련되어 있으므로, 건축물대장 소관청의 용도변경신청 거부행위는 국민의 권리관계에 영향을 미치는 것으로서 항고소송의 대상이 되는 행정처분에 해당한다. 2024 국가직 9급 (○ | ×)
7. 건축물대장 소관청의 용도변경신청 거부행위는 국민의 권리관계에 영향을 미치는 것으로서 항고소송의 대상이 되는 행정처분에 해당한다. 2023 군무원 9급 (○ | ×)
8. 판례는 건축물대장 소관청의 용도변경신청 거부행위의 처분성을 부인한다. 2011 국회직 8급 (○ | ×)

㉰ 관련기출
9. 건축물대장 소관 행정청이 건축물에 관한 건축물대장을 직권말소한 행위(는 항고소송의 대상이 되는 처분이다) 2012 국회직 8급 (○ | ×)

㉱ 관련기출
10. 행정청이 무허가건물을 무허가건물관리대장에서 삭제하는 행위는 처분성이 인정되지 않는다. 2022 해경간부 (○ | ×)
11. 무허가건물을 무허가건물관리대장에서 삭제하는 행위는 다른 특별한 사정이 없는 한 항고소송의 대상이 되는 행정처분에 해당한다. 2019 지방직 7급 (○ | ×)

㉲ 관련기출
12. 건축물대장 작성신청 반려행위는 항고소송의 대상이 되는 행정처분에 해당한다. 2023 행정사 (○ | ×)
13. 건축물대장 소관청의 건축물대장 작성신청 반려행위는 항고소송의 대상이 된다. 2019 소방직 9급 (○ | ×)
14. 건축물대장 작성신청의 반려행위는 처분성이 인정된다. 2018 서울시 1회 7급 (○ | ×)

정답
1. ○ 2. × 3. ○ 4. ○ 5. × 6. ○ 7. ○ 8. × 9. ○ 10. ○
11. × 12. ○ 13. ○ 14. ○

18 ☐☐☐

신청에 대한 거부처분에 관한 설명으로 옳지 않은 것은? (다툼이 있는 경우 판례에 의함)

① 국민이 행정청의 거부행위에 대해 항고소송을 제기하였으나 그 국민에게 행정청에 대하여 그 행위발동을 요구할 법규상 또는 조리상 신청권이 없는 경우에는 각하판결을 받게 된다.

② 거부처분의 처분성을 인정하기 위한 전제요건이 되는 신청권의 존부는 구체적 사건에서 신청인이 누구인가를 고려하지 않고 관계 법규의 해석에 의하여 일반국민에게 그러한 신청권을 인정하고 있는가를 살펴 추상적으로 결정되는 것이고, 신청인이 신청의 인용이라는 만족적 결과를 얻을 권리를 의미한다.

③ 거부행위가 항고소송의 대상인 처분이 되기 위해서는 그 거부행위가 '신청인의 법률관계에 어떤 변동을 일으키는 것'이어야 하는데, 이는 신청인의 실체상의 권리관계에 직접적인 변동을 일으키는 것은 물론, 신청인이 실체상의 권리자로서 권리를 행사함에 중대한 지장을 초래하는 것도 포함한다.

④ 인터넷 포털사이트 등의 개인정보 유출사고로 자신들의 주민등록번호 등 개인정보가 불법유출된 경우와 같이 피해자의 의사와 무관하게 주민등록번호가 유출된 경우에는 조리상 주민등록번호의 변경을 요구할 신청권을 인정함이 타당하고, 따라서 구청장의 주민등록번호 변경신청 거부행위는 항고소송의 대상이 되는 행정처분에 해당한다.

✓ 기출체크

① 관련기출

1. 국민의 적극적 행위신청에 대한 행정청의 거부행위가 항고소송의 대상이 되는 행정처분에 해당하기 위하여는 국민이 행정청에 대하여 그 행위발동을 요구할 법규상 또는 조리상의 신청권이 있어야 한다. 2023 군무원 7급 (○ | ×)

2. 신청권이 없는 신청에 대한 거부행위에 대하여 제기된 거부처분 취소소송(은 행정소송에서 소송이 각하되는 경우에 해당한다) 2017 국가직 7급 (○ | ×)

3. 행정청의 거부행위가 거부처분이 되려면 국민에게 법규상의 신청권이 있어야 하며, 조리상의 신청권으로는 될 수 없다. 2015 교육행정직 9급 (○ | ×)

4. 법규상 또는 조리상 신청권이 없는 경우에는 거부행위의 처분성이 인정되지 아니한다. 2014 지방직 9급 (○ | ×)

② 관련기출

5. 신청권은 그 신청에 따른 단순한 응답을 받을 권리를 넘어서 신청의 인용이라는 만족적 결과를 얻을 권리를 의미한다. 2025 지방직·서울시 9급 (○ | ×)

6. 거부처분의 처분성을 인정하기 위한 전제요건이 되는 신청권의 존부는 구체적 사건에서 관계 법규의 해석에 의하여 구체적으로 결정되는 것이고, 신청인이 그 신청에 따른 단순한 응답을 받을 권리를 넘어서 신청의 인용이라는 만족적 결과를 얻을 권리를 의미한다. 2023 소방간부 (○ | ×)

7. 거부처분의 처분성을 인정하기 위한 전제요건이 되는 신청권은 신청인이 그 신청에 따른 단순한 응답을 받을 권리를 넘어서 신청의 인용이라는 만족적 결과를 얻을 권리를 의미한다. 2021 지방직·서울시 9급 (○ | ×)

8. 신청에 대한 거부행위가 항고소송의 대상인 처분이 되기 위해서는 단순히 신청권의 존재 여부를 넘어서 구체적으로 그 신청이 인용될 수 있는 정도에 이르러야 한다. 2020 변호사 (○ | ×)

9. 거부행위의 처분성을 인정하기 위한 전제요건이 되는 신청권의 존부는 구체적 사건에서 신청인이 누구인가를 고려하지 말고 관계 법규에서 일반국민에게 그러한 신청권을 인정하고 있는가를 살펴 추상적으로 결정하여야 한다. 2019 사회복지직 9급 (○ | ×)

③ 관련기출

10. 거부행위가 항고소송의 대상인 처분이 되기 위해서는 그 거부행위가 신청인의 실체상의 권리관계에 직접적인 변동을 일으키는 것이어야 하며, 신청인이 실체상의 권리자로서 권리를 행사함에 중대한 지장을 초래하는 것만으로는 부족하다. 2022 지방직·서울시 9급 (○ | ×)

④ 관련기출

11. 주민등록번호가 피해자의 의사와 무관하게 유출된 경우 조리상 주민등록번호의 변경을 요구할 신청권이 인정된다. 2025 지방직·서울시 9급 (○ | ×)

12. 인터넷 포털사이트의 개인정보 유출사고로 자신의 주민등록번호가 불법유출되었음을 이유로 이를 변경해줄 것을 신청하였으나 행정청이 거부하는 취지의 통지를 한 경우, 행정청의 변경신청 거부행위는 항고소송의 대상인 행정처분에 해당하지 않는다. 2023 국회직 9급 (○ | ×)

13. 인터넷 포털사이트 등의 개인정보 유출사고로 주민등록번호가 불법유출되어 그 피해자가 주민등록번호 변경을 신청했으나 구청장이 거부통지를 한 사안에서, 피해자의 의사와 무관하게 주민등록번호가 유출된 경우에는 조리상 주민등록번호의 변경요구신청권을 인정함이 타당하다. 2021 국가직 9급 (○ | ×)

14. 인터넷 포털사이트 등의 개인정보 유출사고로 주민등록번호가 불법유출되었음을 이유로 주민등록번호 변경신청을 하였으나 관할 구청장이 이를 거부한 경우, 그 거부행위는 처분에 해당하지 않는다. 2019 국가직 9급 (○ | ×)

15. 피해자의 의사와 무관하게 주민등록번호가 유출된 경우라고 하더라도 주민등록번호의 변경을 요구할 신청권은 인정되지 않으므로, 구청장의 주민등록번호 변경신청 거부행위는 항고소송의 대상이 되는 행정처분에 해당하지 않는다. 2019 사회복지직 9급 (○ | ×)

> **정답**
> 1. ○ 2. ○ 3. × 4. ○ 5. × 6. × 7. × 8. × 9. ○ 10. ×
> 11. ○ 12. × 13. ○ 14. × 15. ×

19 □□□

신청에 대한 거부처분에 관한 설명으로 옳은 것만을 <보기>에서 모두 고른 것은? (다툼이 있는 경우 판례에 의함)

┌─ 보기 ─────────────────────────────────────┐
㉮ 거부처분 이후 동일한 내용의 새로운 신청에 대하여 다시 거부한 경우, 이는 상대방의 법적 지위에 변동을 일으키는 것이 아니므로 새로운 거부처분이 있는 것으로 볼 수 없다.

㉯ 업무상 재해를 당한 甲의 요양급여신청에 대하여 근로복지공단이 요양승인처분을 하면서 사업주를 乙주식회사로 보아 요양승인사실을 통지하자, 乙주식회사가 甲이 자신의 근로자가 아니라고 주장하면서 사업주변경신청을 하였으나 근로복지공단이 거부통지를 한 사안에서, 근로복지공단이 신청을 거부하였더라도 乙주식회사의 권리나 법적 이익에 어떤 영향을 미치는 것은 아니므로 이러한 거부통지는 항고소송의 대상이 되는 행정처분에 해당하지 않는다.

㉰ 대학 교원의 임용권자가 임용기간이 만료된 조교수에 대하여 재임용을 거부하는 취지로 한 임용기간만료의 통지는 항고소송의 대상이 되는 처분에 해당한다.

㉱ 문화재보호구역 내에 있는 토지의 소유자는 그 보호구역의 지정해제를 요구할 수 있는 법규상 또는 조리상의 신청권이 있다고 보기 어려우므로 이에 대한 거부행위는 항고소송의 대상이 되는 행정처분이 아니다.
└──┘

① ㉮, ㉯
② ㉮, ㉱
③ ㉯, ㉰
④ ㉰, ㉱

✓ 기출체크

㉮ 관련기출

1. 거부처분이 있은 후 당사자가 다시 신청을 한 경우에는 그 내용이 새로운 신청을 하는 취지라면 관할 행정청이 이를 다시 거절하는 것은 새로운 거부처분이라고 보아야 한다. 2025 국가직 9급 (○ | ×)

2. (자영업에 종사하는 甲은 일정 요건의 자영업자에게는 보조금을 지급하도록 한 법령에 근거하여 관할 행정청에 보조금지급을 신청하였으나 1차 거부되었고, 이후 다시 동일한 보조금을 신청하였다) 관할 행정청이 다시 2차의 거부처분을 하더라도 甲은 2차 거부처분에 대해서는 취소소송으로 다툴 수 없다. 2020 지방직·서울시 7급 (○ | ×)

3. 제1차 계고처분 이후 고지된 제2차, 제3차의 계고처분은 처분이 아니나, 거부처분이 있은 후 동일한 내용의 신청에 대하여 다시 거절의 의사표시를 한 경우에는 새로운 처분으로 본다. 2017 지방직(하) 9급 (○ | ×)

4. 판례에 의할 때 거부처분 이후 동일한 내용의 새로운 신청에 대한 반복된 거부행위는 처분에 해당하지 않는다. 2010 세무사 (○ | ×)

㉯ 관련기출

5. 업무상 재해를 당한 甲의 요양급여신청에 대하여 근로복지공단이 요양승인처분을 하면서 사업주를 乙주식회사로 보아 요양승인사실을 통지하자, 乙주식회사가 甲이 자신의 근로자가 아니라고 주장하면서 근로복지공단에 사업주변경을 신청하였으나 이를 거부하는 통지를 받은 경우, 근로복지공단의 결정에 따라 산업재해보상보험의 가입자 지위가 발생하는 것이 아니므로 乙주식회사에게 법규상 또는 조리상 사업주변경신청권이 인정되지 않아, 위 거부통지는 항고소송의 대상이 되지 않는다. 2019 변호사 (○ | ×)

㉰ 관련기출

6. 임용기간이 만료된 국립대학 조교수에 대하여 재임용을 거부하는 취지로 한 임용기간만료의 통지(는 취소소송의 대상이 된다) 2021 지방직·서울시 7급 (○ | ×)

7. 임용기간이 만료된 국·공립대학의 조교수에 대하여 재임용을 거부하는 취지로 한 임용기간만료의 통지는 행정처분에 해당한다. 2017 국회직 8급 (○ | ×)

8. 기간제로 임용되어 임용기간이 만료된 공립대학의 교원은 재임용 여부에 관하여 심사를 요구할 법규상 또는 조리상의 신청권을 가진다. 2014 서울시 7급 (○ | ×)

9. 국립대교수 재임용탈락통지는 항고소송의 대상이 되는 행정처분에 해당한다. 2011 사회복지직 9급 (○ | ×)

㉱ 관련기출

10. 문화재보호구역 내 토지소유자의 문화재보호구역 지정해제신청에 대한 행정청의 거부행위는 항고소송의 대상이 되는 행정처분에 해당하지 않는다. 2023 경찰간부 (○ | ×)

11. 문화재보호구역 내에 있는 토지소유자 등에게는 문화재보호구역의 지정해제를 요구할 수 있는 법규상 또는 조리상의 신청권을 인정할 수 있다. 2022 해경간부 (○ | ×)

12. 문화재보호구역 내에 있는 토지의 소유자는 그 보호구역의 지정해제를 요구할 수 있는 법규상 또는 조리상의 신청권이 있다고 보기 어려우므로 이에 대한 거부행위는 항고소송의 대상이 되는 행정처분으로 보기 어렵다. 2016 사회복지직 9급 (○ | ×)

13. 문화재보호구역 내에 있는 토지소유자 등으로서는 위 보호구역의 지정해제를 요구할 수 있는 법규상 또는 조리상의 신청권이 없다. 2016 경행경채 (○ | ×)

정답
1. ○ 2. × 3. ○ 4. × 5. ○ 6. ○ 7. ○ 8. ○ 9. ○ 10. ×
11. ○ 12. × 13. ×

20

판례상 처분성을 인정하는 것만을 <보기>에서 모두 고른 것은?

보기
㉮ 법인세 과세표준결정
㉯ 국유재산 무단점유자에 대한 변상금 부과처분
㉰ 지방의회의장에 대한 불신임의결
㉱ 국세환급거부결정
㉲ 조세환급금의 충당

① ㉮, ㉯
② ㉯, ㉰
③ ㉰, ㉱
④ ㉱, ㉲

기출체크

㉮ 관련기출
1. 세무서장의 법인세 과세표준결정행위는 판례에 의해 항고소송의 대상으로 인정된다. 2014 지방직 7급 (O | X)
2. 법인세 과세표준의 결정은 판례상 취소소송의 대상으로서 처분성이 인정된다. 2010 세무사 (O | X)

㉯ 관련기출
3. 국유재산의 관리청이 그 무단점유자에 대하여 하는 변상금 부과처분은 순전히 사경제주체로서 행하는 사법상의 법률행위라 할 수 없고, 이는 관리청이 공권력을 가진 우월적 지위에서 행한 것으로서 행정소송의 대상이 되는 행정처분이다. 2023 군무원 9급 (O | X)
4. (행정청 甲은 국가 소유의 땅을 무단점유하여 사용하고 있는 丙에게 변상금 100만원 부과처분을 하였다) 변상금 부과처분은 순전히 사경제주체로서 행하는 사법상의 법률행위이므로, 丙은 그 처분에 대해 민사소송을 제기하여 다툴 수 있다. 2023 지방직·서울시 9급 (O | X)
5. 국유재산 무단점유자에 대한 변상금 부과는 관리청이 공권력을 가진 우월적 지위에서 행한 것으로서 행정소송의 대상이 되는 행정처분이다. 2023 국회직 8급 (O | X)
6. 국유재산의 무단점유에 대한 변상금 부과는 공법관계에 해당하나, 국유 일반재산의 대부행위는 사법관계에 해당한다. 2023 국가직 9급 (O | X)

㉰ 관련기출
7. 국회의원에 대한 징계처분에 대하여 법원에 제소할 수 없다고 규정하고 있는 헌법의 취지에 비추어 볼 때, 지방의회의 지방의회의원에 대한 징계의결이나 의장에 대한 불신임결의는 항고소송의 대상이 되지 않는다. 2023 해경간부 (O | X)
8. 지방의회의장에 대한 불신임의결은 행정처분으로 볼 수 없으므로 항고소송의 대상이 되지 아니한다. 2018 경행경채 (O | X)
9. 지방의회의장에 대한 불신임의결은 의장으로서의 권한을 박탈하는 것으로서 행정처분에 해당한다. 2015 국회직 8급 (O | X)
10. 지방의회의장에 대한 지방의회의 불신임의결(은 처분성이 인정된다) 2014 사회복지직 9급 (O | X)

㉱ 관련기출
11. 국세환급금결정을 구하는 신청에 대한 환급거부결정은 처분성이 인정되지 않는다. 2022 해경간부 (O | X)
12. 국세기본법에 따른 과세관청의 국세환급금결정(은 항고소송의 대상이 되는 처분에 해당한다) 2019 서울시 9급 (O | X)
13. 국세환급금결정신청에 대한 환급거부결정(은 항고소송의 대상이 되는 행정처분이다) 2016 서울시 9급 (O | X)
14. 납세의무자의 국세환급금결정신청에 대한 세무서장의 환급거부결정은 취소소송의 대상이 된다. 2014 지방직 7급 (O | X)
15. 납세자가 세무서장에게 국세환급금 지급청구를 한 경우 세무서장의 환급거부결정은 판례에 의하면 항고소송의 대상이 되는 처분에 해당한다. 2009 세무사 (O | X)

㉲ 관련기출
16. 국세환급금 충당의 법적 성격과 관련하여 국세환급금의 충당은 납세의무자가 갖는 환급청구권의 존부나 범위 또는 소멸에 구체적이고 직접적인 영향을 미치는 처분이라기보다는 국가의 환급금채무와 조세채권이 대등액에서 소멸되는 점에서 오히려 「민법」상의 상계와 비슷한 것이다. 2020 지방직·서울시 7급 (O | X)

정답
1. × 2. × 3. O 4. × 5. O 6. O 7. × 8. × 9. O 10. O
11. O 12. × 13. × 14. × 15. × 16. O

21

판례상 처분성을 인정하지 않는 것만을 <보기>에서 모두 고른 것은?

보기
㉮ 구 「민원사무처리에 관한 법률」 제19조 제1항에서 정한 사전심사결과통보
㉯ 국가인권위원회의 진정 신청에 대한 각하 및 기각결정
㉰ 공정거래위원회가 구 「하도급거래 공정화에 관한 법률」 제26조 제2항 후단에 따라 관계 행정기관의 장에게 한 원사업자 또는 수급사업자에 대한 입찰참가자격의 제한을 요청한 결정
㉱ 교육부장관이 내신성적산정기준의 통일을 기하기 위하여 시·도교육감에게 통보한 대학입시기본계획 내의 내신성적산정지침

① ㉮, ㉯
② ㉮, ㉱
③ ㉯, ㉰
④ ㉰, ㉱

기출체크

㉮ 관련기출
1. 甲이 A시 소재 임야에 4층 이하의 공동주택을 건축하기 위하여 A시 시장 乙에게 「민원처리에 관한 법률」상의 사전심사청구를 하였고, 乙이 이에 대해 사전심사결과통지를 하였다면, 甲은 이 통지를 항고소송으로 다툴 수 있다. 2023 변호사 (O | X)
2. 구 「민원사무처리에 관한 법률」에서 정한 사전심사결과통보는 항고소송의 대상이 되는 행정처분에 해당하지 않는다. 2019 지방직·교육행정직 9급 (O | X)

㉯ 관련기출

3. 국가인권위원회가 진정에 대하여 각하 및 기각결정을 할 경우 피해자인 진정인은 인권침해 등에 대한 구제조치를 받을 권리를 박탈당하게 되므로, 국가인권위원회의 진정에 대한 각하 및 기각결정은 처분에 해당한다. 2019 국가직 9급 (○ | ×)
4. 국가인권위원회의 각하 및 기각결정은 항고소송의 대상이 되는 처분에 해당하지 아니하므로 헌법소원의 보충성 요건을 충족하여 헌법소원의 대상이 된다. 2017 국회직 8급 (○ | ×)

㉰ 관련기출

5. 공정거래위원회가 관계 행정기관의 장에게 하도급법을 위반한 사업자에 대한 입찰참가자격제한 등을 요청하는 결정은 해당 사업자에게 장차 후속처분으로 인한 법률상 불이익을 주게 되므로, 항고소송의 대상이 되는 처분에 해당한다. 2025 경찰간부 (○ | ×)
6. 공정거래위원회가 「하도급거래 공정화에 관한 법률」 제26조(관계 행정기관의 장의 협조)에 따라 관계 행정기관의 장에게 한 원사업자 또는 수급사업자에 대한 입찰참가자격의 제한을 요청한 결정은 항고소송의 대상이 되는 처분에 해당한다. 2024 국가직 7급 (○ | ×)

㉱ 관련기출

7. 교육부장관이 대학입시기본계획에서 내신성적산정기준에 관한 시행지침을 마련하여 시·도교육감에게 통보한 경우, 각 고등학교에서 위 지침에 일률적으로 기속되어 내신성적을 산정할 수밖에 없고 대학에서도 이를 그대로 내신성적으로 인정하여 입학생을 선발할 수밖에 없으므로 내신성적산정지침은 항고소송의 대상이 되는 행정처분에 해당한다. 2024 지방직·서울시 9급 (○ | ×)
8. 교육부장관이 시·도교육감에게 통보한 내신성적산정지침은 행정조직 내부에서의 내부적 심사기준이라기보다는 그 지침으로 인해 국민의 권익에 대한 직접적·구체적 변동을 가져올 수 있는 점에서 항고소송의 대상이 되는 처분으로 보아야 한다. 2024 소방간부 (○ | ×)
9. 교육부장관이 대학입시기본계획의 내용에서 내신성적산정기준에 관한 시행지침을 정한 경우, 각 고등학교는 이에 따라 내신성적을 산정할 수밖에 없어 이는 행정처분에 해당된다. 2019 국가직 9급 (○ | ×)
10. 교육부장관이 내신성적산정기준의 통일을 기하기 위해 시·도교육감에게 통보한 대학입시기본계획 내의 내신성적산정지침(은 판례가 항고소송의 대상인 처분성을 부정한다) 2017 서울시 9급 (○ | ×)
11. 교육부장관이 내신성적산정기준에 관한 시행지침을 마련하여 시·도교육감에게 통보한 것은 항고소송의 대상이 되는 행정처분으로 볼 수 없다. 2016 경행경채 (○ | ×)

정답
1. × 2. ○ 3. ○ 4. × 5. ○ 6. ○ 7. × 8. × 9. × 10. ○ 11. ○

22 ☐☐☐

판례상 처분성을 인정하는 것만을 <보기>에서 모두 고른 것은?

| 보기 |
㉮ 「국가공무원법」상 당연퇴직의 인사발령
㉯ 원자로시설부지사전승인처분
㉰ 구 「청소년 보호법」상 청소년유해매체물 결정 및 고시처분
㉱ 「공무원징계양정규칙」에 의한 불문경고조치
㉲ 도지사가 도내 특정시를 공공기관이 이전할 혁신도시 최종입지로 선정한 행위

① ㉮, ㉱
② ㉮, ㉲
③ ㉯, ㉰, ㉱
④ ㉯, ㉰, ㉲

✓ 기출체크

㉮ 관련기출

1. 「국가공무원법」상 당연퇴직의 인사발령(은 취소소송의 대상이 되는 행정작용에 해당한다) 2025 해경승진 (○ | ×)
2. 「국가공무원법」상 당연퇴직의 결격사유가 있어 행하여진 당연퇴직의 인사발령은 관념의 통지에 불과하여 항고소송의 대상이 되지 않는다. 2025 경찰간부 (○ | ×)
3. 「국가공무원법」에 의한 정년퇴직발령은 정년퇴직사실을 알리는 이른바 관념의 통지에 불과하다. 2023 경찰간부 (○ | ×)
4. 공무원에 대한 당연퇴직의 인사발령은 공무원의 신분을 상실시키는 새로운 형성적 행위이므로 행정소송의 대상이 되는 행정처분이다. 2022 국가직 7급 (○ | ×)
5. 「국가공무원법」상 당연퇴직의 인사발령은 법률상 당연히 발생하는 퇴직사유를 공적으로 확인하여 알려주는 관념의 통지에 불과하여 행정처분이 아니다. 2017 국회직 8급 (○ | ×)

㉯ 관련기출

6. 구 「원자력법」 제11조 제3항에 따른 부지사전승인처분은 그 자체로서 건설부지를 확정하고 사전공사를 허용하는 법률효과를 지닌 독립한 행정처분이다. 2025 경찰간부 (○ | ×)
7. 구 「원자력법」상 원자로 및 관계 시설의 부지사전승인처분은 그 자체로서 건설부지를 확정하고 사전공사를 허용하는 법률효과를 지닌 독립한 행정처분이다. 2017 국가직(하) 9급 (○ | ×)
8. 원자로 및 관계 시설의 부지사전승인처분은 그 자체로서 독립한 행정처분은 아니므로 이의 위법성을 직접 항고소송으로 다툴 수는 없고 후에 발령되는 건설허가처분에 대한 항고소송에서 다투어야 한다. 2017 국가직 9급 (○ | ×)
9. 원자력부지사전승인처분(은 항고소송의 대상이다) 2014 국회직 8급 (○ | ×)
10. 「원자력법」상 시설부지사전사용승인은 그 자체로서 독립적인 행정처분이 아니므로 취소소송으로 이를 다툴 수 없다. 2008 국회직 8급 (○ | ×)

㉰ 관련기출

11. 구 「청소년 보호법」에 따른 청소년유해매체물 결정 및 고시처분은 일반불특정 다수인을 상대방으로 하는 행정처분이다. 2024 소방간부
(O | X)

12. 항고소송의 대상이 되는 행정처분은? (다툼이 있는 경우 판례에 의함) 2012 지방직 9급
   ① 행정대집행상 제1차 계고처분 후에 이루어진 제2차, 제3차 계고 처분
   ② 혁신도시 최종입지 선정행위
   ③ 청소년유해매체물 결정 및 고시처분
   ④ 당연퇴직의 인사발령

13. 정보통신윤리위원회(행위 당시)가 특정 인터넷 웹사이트를 청소년유해매체물로 결정하고 청소년보호위원회(행위 당시)가 효력발생시기를 명시하여 고시하는 행위는 「행정소송법」상의 처분에 해당한다. 2010 지방직 9급
(O | X)

㉱ 관련기출

14. 어떠한 처분의 근거나 법적인 효과가 행정규칙에 규정되어 있다고 하더라도, 그 처분이 행정규칙의 내부적 구속력에 의하여 상대방에게 권리의 설정 또는 의무의 부담을 명하거나 기타 법적인 효과를 발생하게 하는 등으로 그 상대방의 권리·의무에 직접 영향을 미치는 행위라면, 이 경우에도 항고소송의 대상이 되는 행정처분에 해당한다. 2024 국가직 7급
(O | X)

15. 어떠한 처분의 근거나 법적인 효과가 행정규칙에 규정되어 있다면, 그 처분이 행정규칙의 내부적 구속력에 의하여 상대방의 권리·의무에 직접 영향을 미치는 행위라도 항고소송의 대상이 되는 행정처분이라 볼 수 없다. 2020 국가직 9급
(O | X)

16. 행정규칙에 의한 불문경고조치(는 판례상 행정처분으로 인정된다) 2019 소방직 9급
(O | X)

17. 근거규정이 행정규칙에 해당하는 이상, 그 근거규정에 의거한 조치는 행정처분에 해당하지 않는다. 2019 서울시 2회 7급
(O | X)

18. 판례에 의하면, 행정규칙에 의한 불문경고조치는 차후 징계감경사유로 작용할 수 있는 표창대상자에서 제외되는 등의 인사상 불이익을 줄 수 있다 하여도 이는 간접적 효과에 불과하므로 항고소송의 대상인 행정처분에 해당하지 않는다. 2018 서울시 1회 7급
(O | X)

㉲ 관련기출

19. 구 「공공기관 지방이전에 따른 혁신도시 건설 및 지원에 관한 특별법」에 따라 국토해양부장관이 발표한 한국토지주택공사의 지방이전방안(은 항고소송의 대상이 되는 행정처분이다) 2025 소방직 9급
(O | X)

20. 「국가균형발전 특별법」에 따른 시·도지사의 혁신도시 최종입지 선정행위(는 항고소송의 대상이 되는 처분에 해당한다) 2019 서울시 9급
(O | X)

21. 도지사가 도(道)내 특정시를 공공기관이 이전할 혁신도시 최종입지로 선정한 행위는 항고소송의 대상이 되는 행정처분이다. 2015 서울시 7급
(O | X)

22. 혁신도시 최종입지 선정행위(는 항고소송의 대상이 된다) 2012 지방직(상) 9급
(O | X)

정답
1. × 2. ○ 3. ○ 4. × 5. ○ 6. ○ 7. ○ 8. × 9. ○ 10. ×
11. ○ 12. ③ 13. ○ 14. ○ 15. × 16. ○ 17. × 18. × 19. ○ 20. ×
21. × 22. ×

23

항고소송의 대상에 관한 설명으로 옳은 것은? (다툼이 있는 경우 판례에 의함)

① 금융감독원장으로부터 문책경고를 받은 금융기관의 임원이 일정 기간 금융업종 임원선임의 자격제한을 받도록 관계 법령에 규정되어 있는 경우, 금융기관의 임원에 대한 금융감독원장의 문책경고는 행정처분에 해당한다.
② 자동차운송사업 양도·양수계약에 기한 양도·양수인가 신청에 대하여 행하여진 내인가의 취소행위는 확약의 취소에 불과하므로 항고소송의 대상이 되는 처분이 아니다.
③ 증액경정처분이 있는 경우, 원칙적으로는 당초 신고나 결정에 대한 불복기간의 경과 여부 등에 관계없이 증액경정처분만이 항고소송의 대상이 되므로 납세의무자는 그 항고소송에서 당초 신고나 결정에 대한 위법사유를 주장할 수 없다.
④ 과세처분에 있어 증액경정처분이 있는 경우 당초 처분은 증액경정처분에 흡수되어 소멸하고, 소멸한 당초 처분의 절차적 하자는 존속하는 증액경정처분에 승계된다.

기출체크

① 관련기출

1. 금융기관 임원에 대한 금융감독원장의 문책경고는 상대방의 권리·의무에 직접 영향을 미치지 않으므로 행정소송의 대상이 되는 처분에 해당하지 않는다. 2018 지방직 9급
(O | X)

2. 금융감독원장으로부터 문책경고를 받은 금융기관의 임원이 일정 기간 금융업종 임원선임의 자격제한을 받도록 관계 법령에 규정되어 있는 경우, 금융기관 임원에 대한 문책경고는 상대방의 권리·의무에 직접 영향을 미치는 행위이므로 행정처분에 해당한다. 2016 국가직 9급
(O | X)

3. 금융기관의 임원에 대한 금융감독원장의 문책경고는 항고소송의 대상이 되는 행정처분에 해당한다. 2015 경행특채 1차
(O | X)

4. 금융감독원장의 금융기관의 임원에 대한 문책경고(는 처분성을 인정한다) 2014 경행특채 1차
(O | X)

② 관련기출

5. 확약의 취소행위로서 내인가취소는 본인가신청에 대한 거부처분으로 항고소송의 대상이 되는 처분이다. 2023 군무원 7급
(O | X)

6. 자동차운수사업 양도·양수인가신청에 대하여 행정청이 내인가를 한 후, 본인가신청이 있음에도 내인가를 취소한 경우에 내인가취소행위를 본인가신청의 거부로 볼 것은 아니다. 2023 변호사
(O | X)

7. 자동차운송사업 양도·양수인가신청에 대하여 행정청이 내인가를 한 후 그 본인가신청이 있음에도 내인가를 취소한 경우, 다시 본인가에 대하여 별도로 인가 여부의 처분을 한다는 사정이 보이지 않는다면 내인가취소는 행정처분에 해당한다. 2022 국가직 9급
(O | X)

8. 행정청이 내인가를 한 후 이를 취소하는 행위는 별다른 사정이 없는 한 인가신청을 거부하는 처분으로 보아야 한다. 2019 서울시 2회 7급
(O | X)

9. 행정청이 내인가를 한 다음 이를 취소하는 행위는 인가신청을 거부하는 처분으로 보아야 한다. 2017 서울시 9급
(O | X)

③ 관련기출

10. 증액경정처분이 있는 경우, 원칙적으로는 당초 신고나 결정에 대한 불복기간의 경과 여부 등에 관계없이 증액경정처분만이 항고소송의 심판대상이 되고, 납세의무자는 그 항고소송에서 당초 신고나 결정에 대한 위법사유도 함께 주장할 수 있다. 2022 국가직 7급 (O | X)

11. 증액경정처분이 있는 경우, 원칙적으로는 당초 신고나 결정에 대한 불복기간의 경과 여부 등에 관계없이 증액경정처분만이 항고소송의 대상이 되고 납세의무자는 그 항고소송에서 당초 신고나 결정에 대한 위법사유를 주장할 수 없다. 2019 지방직 7급 (O | X)

12. 증액경정처분이 있는 경우 증액경정처분만이 항고소송의 대상이 되고, 납세의무자는 그 항고소송에서 당초 신고나 결정에 대한 위법사유도 함께 주장할 수 있다. 2014 지방직 7급 (O | X)

④ 관련기출

13. 증액경정처분이 있는 경우 당초 처분은 증액경정처분에 흡수되어 소멸하고, 소멸한 당초 처분의 절차적 하자는 존속하는 증액경정처분에 승계되지 아니한다. 2025 국가직 9급 (O | X)

14. 당초의 조세 부과처분의 과세표준과 세액을 증액하는 경정처분이 있으면 당초 처분은 경정처분에 흡수됨으로써 독립된 존재가치를 잃게 된다. 2024 변호사 (O | X)

정답
1. × 2. O 3. O 4. O 5. O 6. × 7. O 8. O 9. O 10. O
11. × 12. O 13. O 14. O

24 □□□

항고소송의 대상인 재결에 관한 설명으로 옳은 것만을 <보기>에서 모두 고른 것은? (다툼이 있는 경우 판례에 의함)

― 보기 ―

㉮ 항고소송은 원칙적으로 당해 처분을 대상으로 하나, 당해 처분에 대한 재결 자체에 고유한 위법이 있는 경우에는 재결을 대상으로 할 수 있는데 재결의 고유한 위법은 재결의 주체, 절차 및 형식상의 위법만을 의미하고, 내용상의 위법은 이에 포함되지 않는다.

㉯ 원처분주의가 적용됨에도 재결에 대해 취소소송을 제기하는데 재결 자체에 고유한 위법이 없는 경우라면, 원처분의 당부와는 상관없이 당해 재결취소소송은 이를 각하하여야 한다.

㉰ 행정심판청구가 부적법하지 않음에도 각하한 재결은 심판청구인의 실체심리를 받을 권리를 박탈한 것으로서 원처분에 없는 고유한 하자가 있는 경우에 해당하므로 그 재결은 취소소송의 대상이 된다.

㉱ 감사원의 변상판정처분에 대하여서는 행정소송을 제기할 수 없고, 재결에 해당하는 재심의 판정에 대하여서만 감사원을 피고로 하여 행정소송을 제기할 수 있다.

① ㉮, ㉯
② ㉮, ㉱
③ ㉯, ㉰
④ ㉰, ㉱

✓ 기출체크

㉮ 관련기출

1. 재결 자체에 고유한 위법에는 그 재결 자체의 주체, 절차, 형식상의 위법뿐만 아니라 내용상의 위법도 포함된다. 2025 지방직·서울시 7급 (O | X)

2. 재결취소소송이 허용되는 '재결 자체에 고유한 위법'이란 재결 자체의 주체, 절차, 형식상 위법을 말하며, 재결 자체의 내용상 위법은 포함되지 않는다. 2025 소방간부 (O | X)

3. 항고소송은 원칙적으로 당해 처분을 대상으로 하나, 당해 처분에 대한 재결 자체에 고유한 주체, 절차, 형식 또는 내용상의 위법이 있는 경우에 한하여 그 재결을 대상으로 할 수 있다. 2023 군무원 7급 (O | X)

4. 「행정소송법」제19조에서 말하는 '재결 자체에 고유한 위법'이란 원처분에는 없고 재결에만 있는 재결청의 권한 또는 구성의 위법, 재결의 절차나 형식의 위법, 내용의 위법 등을 뜻한다. 2022 국가직 9급 (O | X)

5. 재결 자체의 내용상 위법도 재결 자체에 고유한 위법이 있는 경우에 포함된다. 2020 군무원 9급 (O | X)

㉯ 관련기출

6. (식품접객업을 하는 甲은 청소년의 연령을 확인하지 않고 주류를 판매한 사실이 적발되어 관할 행정청 乙로부터「식품위생법」위반을 이유로 영업정지 2개월을 부과받자 관할 행정심판위원회 丙에 행정심판을 청구하였다) 甲이 丙의 기각재결을 받은 후 재결 자체에 고유한 하자가 있음을 주장하며 그 기각재결에 대하여 취소소송을 제기한 경우, 수소법원은 심리 결과 재결 자체에 고유한 위법이 없다면 각하판결을 하여야 한다. 2023 지방직·서울시 9급 (O | X)

7. 행정심판을 청구하여 기각재결을 받은 후 재결 자체에 고유한 위법이 있음을 주장하며 그 기각재결에 대하여 취소소송을 제기한 경우, 수소법원은 심리 결과 재결 자체에 고유한 위법이 없다면 각하판결을 하여야 한다. 2019 국가직 9급 (O | X)

8. 원처분주의에 반하여 재결에 대해 항고소송을 제기했으나 재결 자체에 고유한 위법이 없다면, 각하판결을 해야 한다. 2015 서울시 7급 (O | X)

9. 재결취소소송의 경우 재결 자체에 고유한 위법이 없더라도 원처분의 당부에 따라 기각 여부의 판결을 하여야 한다. 2014 국회직 8급 (O | X)

10. 재결 자체의 고유한 위법이 없는 경우에도 재결에 대한 취소소송을 제기한 경우에는 기각판결을 하여야 한다. 2012 서울시 9급 (O | X)

㉰ 관련기출

11. 행정심판청구가 부적법하지 않음에도 각하한 재결은 심판청구인의 실체심리를 받을 권리를 박탈한 것으로서 원처분에 없는 고유한 하자가 있는 경우에 해당하고, 따라서 위 재결은 취소소송의 대상이 된다. 2024 국가직 7급 (O | X)

12. 행정심판청구가 부적법하지 않음에도 각하한 재결은 심판청구인의 실체심리를 받을 권리를 박탈한 것으로서 원처분에 없는 고유한 하자가 있는 경우에 해당한다. 2024 지방직·서울시 7급 (O | X)

13. 행정심판청구가 부적법하지 않음에도 각하한 재결은 심판청구인의 실체심리를 받을 권리를 박탈한 것으로서 재결에 고유한 하자가 있는 경우에 해당하여 재결 자체가 취소소송의 대상이 된다. 2023 군무원 7급 (O | X)

14. 행정심판청구가 부적법하지 않음에도 각하한 재결은 원처분주의에 의해서 취소소송의 대상이 되지 않는다. 2015 지방직 9급 (O | X)

15. 행정심판청구가 부적법하지 않음에도 각하한 재결은 심판청구인의 실체심리를 받을 권리를 박탈한 것으로서 원처분에는 없는 고유한 하자에 해당하고, 이 재결은 취소소송의 대상이 된다. 2013 서울시 7급
(O | X)

관련기출

16. 감사원의 변상판정처분에 대하여는 행정소송을 제기할 수 없고, 재결에 해당하는 재심의 판정에 대하여만 감사원을 피고로 하여 행정소송을 제기할 수 있다. 2024 국회직 9급
(O | X)

17. 감사원의 변상판정처분에 대하여 위법 또는 부당하다고 인정하는 본인 등은 이 처분에 대하여 행정소송을 제기할 수 없고, 재결에 해당하는 재심의 판정에 대하여서만 감사원을 피고로 행정소송을 제기할 수 있다. 2020 지방직·서울시 7급
(O | X)

18. 감사원의 변상판정처분에 대하여서는 행정소송을 제기할 수 없고 그 재결에 해당하는 재심의 판정에 대하여만 감사원을 피고로 하여 행정소송을 제기할 수 있다. 2019 국회직 8급
(O | X)

19. 감사원의 변상판정처분에 대하여는 항고소송을 제기할 수 없고, 그에 대한 재결에 해당하는 재심의 판정만이 항고소송의 대상이 된다. 2008 세무사
(O | X)

정답

1. O 2. X 3. O 4. O 5. O 6. X 7. X 8. X 9. X 10. O
11. O 12. O 13. O 14. X 15. O 16. O 17. O 18. O 19. O

25 □□□

항고소송의 대상인 재결에 관한 설명으로 옳은 것만을 <보기>에서 모두 고른 것은? (다툼이 있는 경우 판례에 의함)

보기

㉮ 제3자효를 수반하는 행정행위에 대한 행정심판청구에 있어서, 그 청구를 인용하는 내용의 재결로 인해 비로소 권리이익을 침해받게 되는 자는 재결의 당사자가 아니므로 그 인용재결의 취소를 구하는 소를 제기할 수 없다.

㉯ 징계혐의자 甲에 대한 감봉 1월의 징계처분을 견책으로 변경한 소청결정 중 그를 견책에 처한 조치가 재량권의 남용 또는 일탈로서 위법하다는 사유는 소청결정 자체에 고유한 위법을 주장하는 것으로 볼 수 있으므로 甲은 소청심사위원회를 피고로 하여 소청결정에 대한 취소소송을 제기할 수 있다.

㉰ 행정심판의 재결에 이유모순이 있다는 사유는 재결처분 자체에 고유한 하자로서 재결처분의 취소를 구하는 소송에서는 그 위법사유로서 주장할 수 있으나, 원처분의 취소를 구하는 소송에서는 그 취소를 구할 위법사유로서 주장할 수 없다.

㉱ 개별법률에서 재결주의를 정하는 경우에는 재결에 대해서만 제소하는 것이 허용되므로 그 논리적인 전제로서 취소소송을 제기하기 전에 행정심판을 필요적으로 경유할 것이 요구된다.

① ㉮, ㉯   ② ㉮, ㉱
③ ㉯, ㉰   ④ ㉰, ㉱

기출체크

㉮ 관련기출

1. 제3자효를 수반하는 행정행위에 대한 행정심판청구에 있어서 그 청구를 인용하는 내용의 재결로 인하여 비로소 권리이익을 침해받게 되는 자는 그 인용재결에 대하여 다툴 필요가 있고, 그 인용재결은 원처분과 내용을 달리하는 것이므로 그 인용재결의 취소를 구하는 것은 원처분에는 없는 재결에 고유한 하자를 주장하는 셈이어서 당연히 항고소송의 대상이 된다. 2024 국가직 7급
(O | X)

2. 제3자효를 수반하는 행정행위에 대한 행정심판청구에 있어서, 그 청구를 인용하는 내용의 재결로 인해 비로소 권리이익을 침해받게 되는 자라도 인용재결에 대해서는 항고소송을 제기하지 못한다. 2015 서울시 7급
(O | X)

3. 제3자효 행정행위에서 인용재결이 있는 경우에 그 인용재결로 인하여 비로소 권리이익을 침해받은 자는 그 인용재결에 대하여 취소를 구할 수 있다. 2012 국회직 8급
(O | X)

㉯ 관련기출

4. 소청심사위원회가 징계혐의자에 대한 감봉 1월의 징계처분을 견책으로 변경한 소청결정 중 그를 견책에 처한 조치는 재량권의 남용 또는 일탈로서 위법하다는 사유는 소청결정 자체에 고유한 위법을 주장하는 것으로 볼 수 있어 소청결정의 취소사유가 될 수 있다. 2025 지방직·서울시 7급 (○ | ×)

5. 징계혐의자에 대한 감봉 1월의 징계처분을 견책으로 변경한 소청결정 중 그를 견책에 처한 조치는 재량권의 남용 또는 일탈로서 위법하다는 사유는 소청결정 자체에 고유한 위법을 주장하는 것이어서 소청결정의 취소사유가 된다. 2024 국가직 7급 (○ | ×)

6. 징계혐의자에 대한 감봉 1월의 징계처분을 견책으로 변경한 소청심사위원회의 결정이 있는 경우 견책으로 처한 소청결정에 대한 항고소송의 피고는 원칙적으로 소청심사위원회가 된다. 2021 소방간부 (○ | ×)

7. 징계혐의자에 대한 감봉 1월의 징계처분을 견책으로 변경한 소청결정 중 그를 견책에 처한 조치가 재량권의 남용 또는 일탈로서 위법하다는 사유는 소청결정 자체에 고유한 위법을 주장하는 것으로 볼 수 없어 소청결정의 취소사유가 될 수 없다. 2019 경행경채 2차
(○ | ×)

8. 소청심사위원회가 징계혐의자에 대한 감봉 1월의 징계처분을 견책으로 변경한 소청결정 중 그를 견책에 처한 조치는 재량권의 남용 또는 일탈로서 위법하다는 주장은 소청결정 자체에 고유한 위법을 주장하는 것으로 볼 수 없다. 2012 서울시 9급 (○ | ×)

㉰ 관련기출

9. 행정심판의 재결에 이유모순의 위법이 있다는 사유는 재결처분 자체에 고유한 하자로서 재결처분의 취소를 구하는 소송에서는 그 위법사유로서 주장할 수 있으나, 원처분의 취소를 구하는 소송에서는 그 취소를 구할 위법사유로서 주장할 수 없다. 2024 국가직 7급 (○ | ×)

10. 판례는 행정심판의 재결에 이유모순이 있다는 사유는 재결처분 자체에 고유한 하자로서 재결처분의 취소를 구하는 소송뿐만 아니라 원처분의 취소를 구하는 소송에서도 위법사유로 주장할 수 있다고 한다. 2022 경찰간부 (○ | ×)

11. 행정처분에 대한 행정심판의 재결에 이유모순의 위법이 있다는 사유는 재결처분 자체에 고유한 하자로서 재결처분의 취소를 구하는 소송에서는 그 위법사유로서 주장할 수 있으나, 원처분의 취소를 구하는 소송에서는 그 취소를 구할 위법사유로서 주장할 수 없다. 2020 군무원 9급 (○ | ×)

12. 행정처분에 대한 행정심판의 재결에 이유모순의 위법이 있다는 사유는 원처분의 취소를 구하는 소송뿐 아니라 재결처분의 취소를 구하는 소송에서도 그 취소를 구할 위법사유로 주장할 수 있다. 2014 지방직 7급 (○ | ×)

정답
1. ○ 2. × 3. ○ 4. × 5. × 6. × 7. ○ 8. ○ 9. ○ 10. ×
11. ○ 12. ×

the 제16회 | 소방 단원별 모의고사

출제 범위: 제38강 항고소송 3(그 밖의 소송요건 및 소변경 등)~
제40강 항고소송 5(무효등확인소송, 부작위위법확인소송)

정답과 해설 p.184
옳은 지문 워크북 p.285

01 □□□

취소소송의 제소기간에 관한 설명으로 옳은 것만을 <보기>에서 모두 고른 것은? (다툼이 있는 경우 판례에 의함)

보기

㉮ 조세심판에서의 재결청의 재조사결정에 따른 행정소송의 제소기간은 이의신청인 등이 후속처분의 통지를 받은 날부터 기산된다.

㉯ 청구취지를 변경하여 구소가 취하되고 새로운 소가 제기된 것으로 변경되었을 때 새로운 소에 대한 제소기간의 준수 여부 등은 원칙적으로 처음에 소를 제기한 때를 기준으로 하여야 한다.

㉰ 원고가 「행정소송법」상 항고소송으로 제기하여야 할 사건을 민사소송으로 잘못 제기한 경우에 수소법원이 그 항고소송에 대한 관할을 가지고 있지 아니하여 관할 법원에 이송하는 결정을 하였고 그 이송결정이 확정된 후 원고가 항고소송으로 소변경을 하였다면, 그 항고소송에 대한 제소기간의 준수 여부는 원칙적으로 소변경한 때를 기준으로 판단하여야 한다.

㉱ 처분 당시에는 취소소송의 제기가 법제상 허용되지 않아 소송을 제기할 수 없다가 위헌결정으로 인하여 비로소 취소소송을 제기할 수 있게 된 경우 객관적으로는 위헌결정이 있은 날, 주관적으로는 위헌결정이 있음을 안 날을 제소기간의 기산점으로 삼아야 한다.

① ㉮, ㉯
② ㉮, ㉱
③ ㉯, ㉰
④ ㉰, ㉱

✓ 기출체크

㉮ 관련기출

1. 납세자의 이의신청에 의한 재조사결정에 따른 행정소송의 제소기간은 이의신청인 등이 재결청으로부터 재조사결정의 통지를 받은 날부터 기산한다. 2017 지방직 9급 (O | X)
2. 「국세기본법」상의 이의신청에 대한 재조사결정에 따른 심사청구기간이나 심판청구기간은 이의신청인이 후속처분의 통지를 받은 날부터 기산된다. 2016 국가직 7급 (O | X)
3. 조세심판에서 재결청의 재조사결정에 따른 행정소송의 기산점은 후속처분의 통지를 받은 날이다. 2016 국회직 8급 (O | X)
4. 조세심판에서의 재결청의 재조사결정에 따른 행정소송의 제소기간은 이의신청인 등이 후속처분의 통지를 받은 날부터 기산된다. 2015 지방직 9급 (O | X)

㉯ 관련기출

5. 청구취지를 변경하여 종전의 소가 취하되고 새로운 소가 제기된 것으로 변경되었을 때에 새로운 소에 대한 제소기간을 준수하였는지는 원칙적으로 소의 변경이 있을 때를 기준으로 판단해야 한다. 2025 군무원 9급 (O | X)
6. 청구취지를 변경하여 종전의 소가 취하되고 새로운 소가 제기된 것으로 변경되었다면 새로운 소에 대한 제소기간 준수 여부는 원칙적으로 소의 변경이 있은 때를 기준으로 한다. 2017 지방직 9급 (O | X)
7. 판례는 청구취지의 변경으로 구소가 취하되고 신소가 제기된 것으로 되었을 때 신소에 대한 제소기간의 준수는 원칙적으로 소의 변경이 있은 때를 기준으로 한다. 2007 서울시 9급 (O | X)

㉰ 관련기출

8. 원고가 항고소송으로 제기해야 할 사건을 민사소송으로 잘못 제기한 경우, 수소법원이 관할 법원에 이송하는 결정을 하였고 그 이송결정이 확정된 후 원고가 항고소송으로 소변경을 하였다면, 그 항고소송에 대한 제소기간의 준수 여부는 원칙적으로 이송결정이 있은 때를 기준으로 판단하여야 한다. 2025 경찰간부 (O | X)
9. 원고가 「행정소송법」상 항고소송으로 제기해야 할 사건을 민사소송으로 잘못 제기한 경우에 수소법원이 그 항고소송에 대한 관할을 가지고 있지 아니하여 관할 법원에 이송하는 결정을 하였고, 그 이송결정이 확정된 후 원고가 항고소송으로 소변경을 하였다면, 그 항고소송에 대한 제소기간의 준수 여부는 원칙적으로 처음에 소를 제기한 때를 기준으로 판단하여야 한다. 2023 군무원 9급 (O | X)

㉱ 관련기출

10. 처분 당시에는 취소소송의 제기가 법제상 허용되지 않아 소송을 제기할 수 없다가 위헌결정으로 인하여 비로소 취소소송을 제기할 수 있게 된 경우에는 객관적으로는 '위헌결정이 있은 날', 주관적으로는 '위헌결정이 있음을 안 날' 비로소 취소소송을 제기할 수 있게 되어 이때를 제소기간의 기산점으로 삼아야 한다. 2020 경행경채 (O | X)

정답
1. × 2. ○ 3. ○ 4. ○ 5. ○ 6. ○ 7. ○ 8. × 9. ○ 10. ○

02 □□□

취소소송의 제소기간에 관한 설명으로 옳지 <u>않은</u> 것은? (다툼이 있는 경우 판례에 의함)

① 불특정 다수인에 대한 행정처분을 고시 또는 공고에 의하여 하는 경우 이에 대한 취소소송은 고시 또는 공고가 효력을 발생한 날로부터 90일 이내에 제기하여야 한다.

② 처분의 불가쟁력이 발생하였고 그 이후에 행정청이 당해 처분에 대해 행정심판청구를 할 수 있다고 잘못 알린 경우, 잘못된 안내에 따라 청구된 행정심판재결서 정본을 송달받은 날부터 다시 취소소송의 제소기간이 기산되는 것은 아니다.

③ 제3자가 어떠한 방법으로든지 행정처분이 있었음을 안 이상, 처분이 있음을 안 날부터 90일 이내에 취소소송을 제기하여야 한다.

④ 어느 처분의 취소를 다투는 소에 관련 처분의 취소를 구하는 청구를 추가적으로 병합한 경우, 추가적으로 병합된 소의 제소기간 준수 여부는 각 청구취지의 추가·변경신청이 있은 때를 기준으로 개별적으로 판단할 것이 아니라 최초의 소제기시를 기준으로 판단하여야 한다.

✔기출체크

① 관련기출

1. 불특정 다수인을 대상으로 하는 고시 또는 공고에 의하여 행정처분을 하는 경우에는 그 행정처분에 이해관계를 갖는 자는 고시 또는 공고가 있었다는 사실을 현실적으로 알았는지 여부에 관계없이 고시가 효력을 발생하는 날 행정처분이 있음을 알았다고 보아야 한다.
2025 국가직 7급 (○ | ×)

2. 통상 고시 또는 공고에 의하여 행정처분을 하는 경우에는 행정처분에 이해관계를 갖는 자가 고시 또는 공고가 있었다는 사실을 현실적으로 알았는지 여부에 관계없이 고시가 효력을 발생하는 날에 행정처분이 있음을 알았다고 보아야 한다. 2024 국회직 9급 (○ | ×)

3. 고시 또는 공고에 의하여 행정처분을 하는 경우, 그 행정처분에 이해관계를 갖는 사람이 고시 또는 공고가 있었다는 사실을 현실적으로 알았는지 여부에 관계없이 고시 또는 공고가 효력을 발생한 날에 행정처분이 있음을 알았다고 보아야 한다. 2020 지방직·서울시 9급 (○ | ×)

4. 불특정 다수인에 대한 행정처분을 고시 또는 공고에 의하여 하는 경우에는 그 행정처분에 이해관계를 갖는 사람이 고시 또는 공고가 있었다는 사실을 현실적으로 알았는지 여부에 관계없이 고시 또는 공고가 효력을 발생한 날에 행정처분이 있음을 알았다고 보아야 한다. 2017 지방직(하) 9급 (○ | ×)

5. 통상 고시 또는 공고에 의하여 행정처분을 하는 경우에 행정처분이 있었음을 안 날이란 행정처분의 이해관계를 갖는 자가 고시 또는 공고가 있었다는 사실을 현실적으로 안 날이 된다. 2017 사회복지직 9급 (○ | ×)

② 관련기출

6. 처분의 불가쟁력이 발생하였고 그 이후에 행정청이 당해 처분에 대해 행정심판청구를 할 수 있다고 잘못 알렸다면, 그 처분의 취소소송의 제소기간은 행정심판의 재결서를 받은 날부터 기산한다.
2017 지방직 9급 (○ | ×)

③ 관련기출

7. 제3자효 행정행위의 경우, 제3자가 어떠한 방법에 의하든지 행정처분이 있었음을 안 경우에는 안 날로부터 90일 이내에 행정심판이나 행정소송을 제기하여야 한다. 2019 서울시 9급 (○ | ×)

④ 관련기출

8. 어느 하나의 처분의 취소를 구하는 소에 당해 처분과 관련되는 처분의 취소를 구하는 청구를 추가적으로 병합한 경우, 추가적으로 병합된 소의 소제기기간의 준수 여부는 그 청구취지의 추가신청이 있은 때를 기준으로 한다. 2022 지방직·서울시 7급 (○ | ×)

> **정답**
> 1. ○ 2. ○ 3. ○ 4. ○ 5. × 6. × 7. ○ 8. ○

03 □□□

취소소송의 제소기간에 관한 설명으로 옳지 <u>않은</u> 것만을 <보기>에서 모두 고른 것은? (다툼이 있는 경우 판례에 의함)

― 보기 ―
㉮ 취소소송은 처분 등이 있음을 안 날부터 90일 이내, 처분 등이 있은 날부터 180일 이내에 제기하여야 하며 둘 중 하나의 기간이 도래하면 그 소제기는 부적법하다.
㉯ 「행정소송법」 제20조 제1항이 정한 제소기간의 기산점인 '처분 등이 있음을 안 날'이란 구체적으로 행정처분의 위법 여부를 판단한 날을 가리킨다.
㉰ 행정처분이 있은 날이란, 상대방이 있는 행정처분의 경우는 특별한 규정이 없는 한 의사표시의 일반적 법리에 따라 그 행정처분이 상대방에게 고지되어 효력이 발생한 날을 말한다.
㉱ 행정처분이 있음을 안 날부터 90일을 넘겨 행정심판을 청구하였다가 각하재결을 받은 후 그 재결서를 송달받은 날부터 90일 내에 원래의 처분에 대하여 취소소송을 제기한 경우, 취소소송의 제소기간을 준수한 것으로 볼 수 없다.

① ㉮, ㉯
② ㉮, ㉱
③ ㉯, ㉰
④ ㉰, ㉱

✔ 기출체크

㉮ 관련기출

1. 취소소송은 처분 등이 있음을 안 날부터 90일 이내에 제기하여야 하고, 처분 등이 있은 날부터 1년을 경과하면 이를 제기하지 못한다. 2025 국회직 8급 (O | X)
2. 취소소송은 처분 등이 있음을 안 날부터 90일 이내에, 처분 등이 있은 날부터 1년 이내에 제기할 수 있고, 다만 처분 등이 있은 날부터 1년이 경과하여도 정당한 사유가 있다면 취소소송을 제기할 수 있다. 2020 소방직 9급 (O | X)
3. 취소소송은 처분 등이 있은 날부터 1년을 경과하면 이를 제기하지 못한다. 다만, 정당한 사유가 있는 때에는 그러하지 아니하다. 2019 소방직 9급 (O | X)
4. 처분이 있음을 안 날부터 90일이 경과하였으나, 아직 처분이 있은 날부터 1년이 경과되지 않은 시점에서 제기된 취소소송은 취소소송의 소송요건을 충족한 경우에 해당한다. 2018 지방직 7급 (O | X)
5. 처분이 있음을 알고 90일이 경과하였더라도 처분이 있은 지 1년이 경과하지 않은 경우에는 취소소송을 제기할 수 있다. 2015 교육행정직 9급 (O | X)

㉯ 관련기출

6. '처분 등이 있음을 안 날'이란 통지, 공고 기타의 방법에 의하여 해당 처분이 있었음을 현실적·구체적으로 안 날을 말한다. 또한 행정처분이 있었다는 사실을 알면 족하고, 구체적으로 그 위법 여부에 대한 판단까지 요하는 것은 아니다. 2023 변호사 (O | X)
7. 상대방이 있는 행정처분에 대하여 행정심판을 거치지 아니하고 바로 취소소송을 제기하는 경우 처분이 있음을 안 날이란 통지, 공고 기타의 방법에 의해 당해 행정처분이 있었다는 사실을 현실적으로 안 날을 의미한다. 2017 국가직(하) 7급 (O | X)
8. '처분이 있음을 안 날'이란 통지, 공고 기타의 방법에 의하여 당해 처분이 있었다는 사실을 현실적으로 안 날을 의미하고, 구체적으로 그 행정처분의 위법 여부를 판단한 날을 가리키는 것은 아니다. 2012 국회(속기·경위직) 9급 (O | X)

㉰ 관련기출

9. 행정처분이 있은 날이라 함은 그 행정처분의 효력이 발생한 날을 의미한다. 2018 서울시 9급 (O | X)
10. 처분 등이 있은 날이란 당해 처분이 그 효력을 발생한 날을 말하며, 상대방이 있는 처분의 경우에는 상대방에게 도달되어야 한다. 2010 국회속기직 9급 (O | X)

㉱ 관련기출

11. 처분이 있음을 안 날부터 90일을 넘겨 청구한 부적법한 행정심판청구에 대한 재결이 있은 후 재결서를 송달받은 날부터 90일 이내에 원래의 처분에 대하여 취소소송을 제기하였다고 하여 취소소송이 다시 제소기간을 준수한 것으로 되는 것은 아니다. 2025 국가직 9급 (O | X)
12. 행정처분이 있음을 안 날부터 90일을 넘겨 행정심판을 청구하였다가 각하재결을 받은 후 그 재결서를 송달받은 날부터 90일 내에 원래의 처분에 대하여 취소소송을 제기하였다면, 취소소송의 제소기간을 준수한 것으로 볼 수 있다. 2025 해경승진 (O | X)
13. 행정심판을 청구하였으나 심판청구기간을 도과하여 각하된 후 제기하는 취소소송은 재결서를 송달받은 날부터 90일 이내에 제기하면 된다. 2021 국가직 9급 (O | X)
14. 처분이 있음을 안 날부터 90일을 넘겨 청구한 부적법한 행정심판 청구에 대한 재결이 있은 후 재결서를 송달받은 날부터 90일 이내에 원래의 처분에 대하여 취소소송을 제기하면 취소소송은 제소기간을 준수한 것으로 본다. 2020 경행경채 (O | X)
15. 행정처분이 있음을 안 날부터 90일을 넘겨 행정심판을 청구하였다가 각하재결을 받은 후 그 재결서를 송달받은 날부터 90일 내에 원래의 처분에 대하여 취소소송을 제기한 경우, 수소법원은 각하판결을 하여야 한다. 2019 국가직 9급 (O | X)

정답
1. O 2. O 3. O 4. × 5. × 6. O 7. O 8. O 9. O 10. O
11. O 12. × 13. × 14. × 15. O

---

04 □□□

사례에 관한 설명으로 옳은 것만을 <보기>에서 모두 고른 것은? (다툼이 있는 경우 판례에 의함)

> 동작경찰서장 甲은 직무수행능력의 부족을 이유로 직위해제처분을 받았다가 그 후 3개월이 경과하여도 직위를 부여받지 못하였다는 이유로 직위해제처분을 받은 지 3개월이 지난 후에 직권면직처분을 받아 경찰공무원의 신분을 상실하게 되었다. 이에 甲은 취소소송을 제기하려고 한다.

─ 보기 ─

㉮ 직위해제처분은 당해 행정작용의 성질상 행정절차를 거치기 곤란하거나 불필요하다고 인정되는 사항 또는 행정절차에 준하는 절차를 거친 사항에 해당하지 않으므로, 처분의 사전통지 및 의견청취 등에 관한「행정절차법」의 규정이 적용된다.

㉯ 甲은 선행 직위해제처분의 위법사유를 들어 후행 면직처분의 효력을 다툴 수 없다.

㉰ 행정청이 직위해제처분을 하면서 甲에게 법정의 행정심판청구기간보다 긴 기간으로 잘못 알린 경우에 甲이 그 잘못 알린 기간 내에 취소소송을 제기하였다면 제소기간을 준수한 것으로 본다는 것이 판례의 입장이다.

㉱ 만약 행정청이 직위해제상태에 있는 甲에 대하여 새로운 직위해제사유에 기한 직위해제처분을 한 경우 그 이전에 한 직위해제처분의 취소를 구할 소의 이익이 없다.

㉲ 만일 甲이 직위해제처분서를 송달받기 전에 정보공개를 청구하여 직위해제처분을 하는 내용의 통보서를 비롯한 일체의 서류를 교부받음으로써 적어도 그 무렵에는 처분이 있음을 알았다면 그때로부터「행정소송법」제20조 제1항이 정한 제소기간이 진행된다.

① ㉮, ㉯ ② ㉯, ㉱ ③ ㉰, ㉲ ④ ㉱, ㉲

✓ 기출체크

㉮ 관련기출

1. 직위해제처분은 당해 행정작용의 성질상 행정절차를 거치기 곤란하거나 불필요하다고 인정되는 사항 또는 행정절차에 준하는 절차를 거친 사항에 해당하므로, 처분의 사전통지 및 의견청취 등에 관한 「행정절차법」의 규정이 별도로 적용되지 않는다. 2025 국가직 7급 (O | X)

2. 「국가공무원법」에 따른 직위해제처분(은 「행정절차법」이 적용되는 사항에 해당한다) 2025 국회직 8급 (O | X)

3. 「국가공무원법」상 직위해제처분은 당해 행정작용의 성질상 행정절차를 거치기 곤란하거나 불필요하다고 인정되는 사항 또는 행정절차에 준하는 절차를 거친 사항에 해당하지 않으므로, 처분의 사전통지 및 의견청취 등에 관한 「행정절차법」의 규정이 적용되어야 한다. 2023 군무원 9급 (O | X)

4. 「국가공무원법」상 직위해제처분은 당해 행정작용의 성질상 행정절차를 거치기 곤란하거나 불필요하다고 인정되는 사항 또는 행정절차에 준하는 절차를 거친 사항에 해당하므로 처분의 사전통지 및 의견청취 등에 관한 「행정절차법」의 규정이 별도로 적용되지 않는다. 2023 소방간부 (O | X)

5. 「국가공무원법」상 직위해제처분은 공무원의 인사상 불이익을 주는 처분이므로 「행정절차법」상 사전통지 및 의견청취절차를 거쳐야 한다. 2021 지방직·서울시 9급 (O | X)

㉯ 관련기출

6. 선행 직위해제처분과 후행 직권면직처분 (사이에는 하자가 승계되지 않는다) 2025 경찰간부 (O | X)

7. 구 「경찰공무원법」에 따른 직위해제처분과 면직처분은 후자가 전자의 처분을 전제로 한 것이기 때문에 선행처분의 위법사유가 후행행위에 승계된다. 2024 소방직 9급 (O | X)

8. 선행처분인 공무원직위해제처분과 후행 직권면직처분 사이에는 하자의 승계가 인정된다. 2022 국가직 9급 (O | X)

9. 공무원의 직위해제처분과 면직처분(은 판례가 행정행위의 하자의 승계를 인정한다) 2017 서울시 9급 (O | X)

10. 「경찰공무원법」상 직위해제처분과 면직처분은 후자가 전자의 처분을 전제로 한 것이기는 하나 각각 단계적으로 별개의 법률효과를 발생하는 행정처분이어서 선행 직위해제처분의 위법사유가 면직처분에는 승계되지 아니한다. 2014 경행특채 (O | X)

㉰ 관련기출

11. 행정청으로부터 행정심판제기기간에 관하여 법정심판청구기간보다 긴 기간으로 잘못 통지받은 경우에 보호할 신뢰이익은 그 통지받은 기간 내에 행정심판을 제기한 경우뿐만 아니라 행정소송을 제기한 경우에까지 확대가 된다. 2025 국가직 7급 (O | X)

12. 행정청이 법정심판청구기간보다 긴 기간으로 잘못 알린 경우에 그 잘못 알린 기간 내에 심판청구가 있으면 그 심판청구는 법정심판청구기간 내에 제기된 것으로 본다는 취지의 「행정심판법」의 규정은 행정소송 제기에도 당연히 적용되는 규정이라고 할 수는 없다. 2025 국가직 9급 (O | X)

13. 처분청이 처분을 하면서 행정심판제기기간에 관하여 법정심판청구기간보다 긴 기간으로 잘못 알렸다면 그 잘못 알린 기간 내에 제기된 항고소송은 「행정소송법」상 법정제소기간을 도과하였더라도 제소기간을 준수한 것으로 본다. 2025 소방간부 (O | X)

14. 처분시에 행정청으로부터 행정심판제기기간에 관하여 법정심판청구기간보다 긴 기간으로 잘못 통지받은 경우에 보호할 신뢰이익은 그 통지받은 기간 내에 행정소송을 제기한 경우에까지 확대되지 않는다. 2022 지방직·서울시 9급 (O | X)

15. 「행정소송법」에서는 행정소송제기기간을 법령보다 긴 기간으로 잘못 알린 경우에 대해 이를 구제할 수 있는 규정을 두고 있지 않으나 「행정심판법」의 준용을 통해 구제가 가능하다. 2021 국회직 8급 (O | X)

㉱ 관련기출

16. 이미 직위해제처분을 받아 직위해제된 공무원에 대하여 행정청이 새로운 사유에 기하여 직위해제처분을 하였다면, 이전 직위해제처분의 취소를 구하는 소송을 제기하는 것은 부적법하다. 2023 국가직 7급 (O | X)

17. 행정청이 직위해제상태에 있는 공무원에 대하여 새로운 직위해제사유에 기한 직위해제처분을 한 경우 그 이전에 한 직위해제처분의 취소를 구할 소의 이익이 없다. 2016 지방직 7급 (O | X)

18. 행정청이 공무원에 대하여 새로운 사유에 기한 직위해제처분을 한 경우에도 그 이전에 한 직위해제처분의 취소를 구할 소의 이익이 있다. 2012 국가직 7급 (O | X)

㉲ 관련기출

19. 甲은 2022. 8. 26. 지방보훈청장으로부터 '재심신체검사 무변동처분 통보서'를 송달받았다. 그런데 甲은 위 통보서를 송달받기 전에 자신의 의무기록에 관한 정보공개를 청구하여 2022. 5. 28. 위 통보서를 포함한 일체의 서류를 교부받은 바 있다. 甲이 위 재심신체검사 무변동처분의 취소를 구하는 소를 제기함에 있어 제소기간의 기산점이 되는 '처분 등이 있음을 안 날'은 2022. 8. 26.이다. 2023 변호사 (O | X)

20. '처분이 있음을 안 날'은 처분이 있었다는 사실을 현실적으로 안 날을 의미하므로, 처분서를 송달받기 전 정보공개청구를 통하여 처분을 하는 내용의 일체의 서류를 교부받았다면 그 서류를 교부받은 날부터 제소기간이 기산된다. 2021 국가직 9급 (O | X)

정답
1. O 2. X 3. X 4. O 5. X 6. O 7. X 8. X 9. X 10. O
11. X 12. O 13. X 14. O 15. X 16. O 17. O 18. X 19. O 20. X

05 □□□

필요적(예외적) 행정심판전치주의가 적용되는 경우에 관한 설명으로 <보기>에서 옳은 것(○)과 옳지 않은 것(×)을 올바르게 조합한 것은? (다툼이 있는 경우 판례에 의함)

보기

㉮ 행정심판이 필수적인 경우, 행정심판을 거치지 않고 행정소송을 제기한 경우라도 사실심변론종결시까지 행정심판절차를 거치면 하자는 치유된다.

㉯ 무효등확인소송은 부작위위법확인소송과 달리 개별법에서 필요적(예외적) 행정심판전치주의를 규정하고 있는 경우라도 행정심판을 거쳐야만 제기할 수 있는 것은 아니다.

㉰ 국세에 대한 부과처분에 대해 취소소송을 제기하는 경우 행정심판을 거치지 않았다고 하여 소제기가 부적법한 것이 된다고는 볼 수 없다.

㉱ 청구기간을 경과한 부적법한 심판청구라도 행정심판위원회가 본안재결을 하였다면 하자가 치유되어 행정심판전치의 요건을 충족한 것으로 볼 수 있다.

㉲ 필요적 행정심판전치주의가 적용되는 경우, 원고가 전심절차에서 주장하지 아니한 처분의 위법사유를 소송절차에서 새로이 주장한 경우에는 다시 그 처분에 대하여 별도의 전심절차를 거쳐야 한다.

㉳ 행정심판의 전치 여부는 피고인 행정청이 항변하지 않는다면 이를 법원이 직권으로 조사하는 것은 변론주의의 한계를 벗어나는 것으로 위법하게 된다.

① ㉮(○) ㉯(○) ㉰(○) ㉱(○) ㉲(×) ㉳(×)
② ㉮(○) ㉯(○) ㉰(×) ㉱(×) ㉲(×) ㉳(×)
③ ㉮(○) ㉯(×) ㉰(○) ㉱(×) ㉲(×) ㉳(×)
④ ㉮(×) ㉯(○) ㉰(×) ㉱(×) ㉲(○) ㉳(○)

✓ 기출체크

㉮ 관련기출

1. 행정심판전치주의의 요건을 충족하였는지의 여부는 사실심변론종결시를 기준으로 한다. 2018 경행경채 (○ | ×)
2. 행정심판전치주의가 적용되는 경우에 행정심판을 거치지 않고 소제기를 하였더라도 사실심변론종결 전까지 행정심판을 거친 경우 하자는 치유된 것으로 볼 수 있다. 2015 국회직 8급 (○ | ×)
3. 필요적 행정심판전치주의가 적용되는 경우 행정심판전치요건은 사실심변론종결시까지 충족하면 된다. 2014 사회복지직 9급 (○ | ×)
4. 행정심판전치요건은 소제기시에 갖추지 못하였더라도 사실심변론종결시까지 구비하면 충족된 것으로 본다. 2011 세무사 (○ | ×)

㉯ 관련기출

5. 무효확인소송에는 행정심판전치주의가 적용되지 않는다. 2026 경찰간부 (○ | ×)
6. 취소소송에 관한 규정으로서 예외적 행정심판전치주의, 사정판결에 관한 규정 등은 무효확인소송에 준용되지 않는다. 2022 경찰간부 (○ | ×)
7. 부작위위법확인소송에 대해서도 행정심판과 취소소송의 관계를 준용하여 임의적 전치가 원칙이며, 다른 법률이 정한 경우에만 예외적으로 행정심판전치주의가 적용된다. 2022 소방간부 (○ | ×)
8. (甲에 대한 과세처분 이후 조세 부과의 근거가 되었던 법률에 대해 헌법재판소의 위헌결정이 있었고, 위헌결정 이후에 그 조세채권의 집행을 위해 甲의 재산에 대해 압류처분이 있었다) 甲은 압류처분에 대해 무효확인소송을 제기하려면 무효확인심판을 거쳐야 한다. 2019 국가직 7급 (○ | ×)
9. 과세처분무효확인소송의 경우 조세소송의 전치절차를 거치지 않아도 된다. 2012 세무사 (○ | ×)

㉰ 관련기출

10. 국세 부과처분 취소소송에는 임의적 행정심판전치주의가 적용된다. 2017 교육행정직 9급 (○ | ×)

㉱ 관련기출

11. 행정심판의 필요적 전치주의가 적용되는 경우, 부적법한 취소심판의 청구가 있었음에도 행정심판위원회가 기각재결을 하자 원처분에 대하여 제기한 취소소송(은 행정소송에서 소송이 각하되는 경우에 해당한다) 2017 국가직 7급 (○ | ×)
12. 기간 경과 등의 부적법한 심판제기가 있었고, 행정심판위원회가 각하하지 않고 기각재결을 한 경우는 심판전치의 요건이 구비된 것으로 볼 수 있다. 2015 국회직 8급 (○ | ×)
13. 제기기간을 도과한 부적법한 심판청구이더라도 재결기관이 본안재결을 한 경우에는 행정심판전치요건을 충족한 것으로 본다. 2011 세무사 (○ | ×)

㉲ 관련기출

14. 원고가 전심절차에서 주장하지 아니한 처분의 위법사유를 소송절차에서 새로이 주장한 경우 다시 그 처분에 대하여 별도의 전심절차를 거쳐야 한다. 2013 국가직 9급 (○ | ×)

㉳ 관련기출

15. 필요적 행정심판전치주의가 적용되는 경우 그 요건을 구비하였는지 여부는 법원의 직권조사사항이다. 2015 국회직 8급 (○ | ×)
16. 행정심판전치절차의 이행 여부는 법원의 직권조사사항이다. 2011 국회속기직 9급 (○ | ×)
17. 행정심판의 전치 여부는 법원이 직권으로 조사하여야 한다. 2011 세무사 (○ | ×)

정답
1. ○ 2. ○ 3. ○ 4. ○ 5. ○ 6. ○ 7. ○ 8. × 9. ○ 10. ×
11. ○ 12. × 13. × 14. × 15. ○ 16. ○ 17. ○

06

다른 법률에 당해 처분에 대한 행정심판의 재결을 거치지 아니하면 취소소송을 제기할 수 없다는 규정이 있음에도 불구하고 「행정소송법」상 행정심판을 제기함이 없이 취소소송을 제기할 수 있는 사유에 해당하지 <u>않는</u> 것만을 <보기>에서 모두 고른 것은?

보기

㉮ 처분의 집행 또는 절차의 속행으로 생길 중대한 손해를 예방하여야 할 긴급한 필요가 있는 때

㉯ 서로 내용상 관련되는 처분 또는 같은 목적을 위하여 단계적으로 진행되는 처분 중 어느 하나가 이미 행정심판의 재결을 거친 때

㉰ 행정청이 사실심의 변론종결 후 소송의 대상인 처분을 변경하여 당해 변경된 처분에 관하여 소를 제기하는 때

㉱ 행정심판청구가 있은 날로부터 60일이 지나도 재결이 없는 때

---

① ㉮, ㉯ ② ㉮, ㉱ ③ ㉯, ㉰ ④ ㉰, ㉱

✓ 기출체크

㉮㉯㉰㉱ 관련기출

1. 「행정소송법」상 필요적 전치주의가 적용되는 사안에서, 행정심판을 청구하여야 하나 당해 처분에 대한 행정심판의 재결을 거치지 아니하고 취소소송을 제기할 수 있는 경우에 해당하는 것은?
   2017 지방직 9급
   ① 동종사건에 관하여 이미 행정심판의 기각재결이 있는 경우
   ② 서로 내용상 관련되는 처분 또는 같은 목적을 위하여 단계적으로 진행되는 처분 중 어느 하나가 이미 행정심판의 재결을 거친 경우
   ③ 처분의 집행 또는 절차의 속행으로 생길 중대한 손해를 예방하여야 할 긴급한 필요가 있는 경우
   ④ 처분을 행한 행정청이 행정심판을 거칠 필요가 없다고 잘못 알린 경우

2. 「행정소송법」 제18조 제3항에서 규정하고 있는 '행정심판을 거칠 필요가 없는 경우'가 <u>아닌</u> 것은? 2016 서울시 9급
   ① 동종사건에 관하여 이미 행정심판의 기각재결이 있는 때
   ② 서로 내용상 관련되는 처분 또는 같은 목적을 위하여 단계적으로 진행되는 처분 중 어느 하나가 이미 행정심판의 재결을 거친 때
   ③ 행정청이 사실심의 변론종결 후 소송의 대상인 처분을 변경하여 당해 변경된 처분에 관하여 소를 제기하는 때
   ④ 법령의 규정에 의한 행정심판기관이 의결 또는 재결을 하지 못할 사유가 있는 때

3. 필요적 행정심판전치일 경우에 행정심판을 제기함이 없이 취소소송을 제기할 수 있는 경우가 <u>아닌</u> 것은? 2015 국가직 7급
   ① 동종사건에 관하여 이미 행정심판의 기각재결이 있은 때
   ② 처분을 행한 행정청이 행정심판을 거칠 필요가 없다고 잘못 알린 때
   ③ 처분의 집행 또는 절차의 속행으로 인하여 생길 중대한 손해를 예방하여야 할 긴급한 필요가 있는 때
   ④ 서로 내용상 관련되는 처분 또는 같은 목적을 위하여 단계적으로 진행되는 처분 중 어느 하나가 이미 행정심판의 재결을 거친 때

정답
1. ③ 2. ④ 3. ③

07

행정소송상 가구제제도에 관한 설명으로 옳지 <u>않은</u> 것은? (다툼이 있는 경우 판례에 의함)

① 일정한 납부기한을 정한 과징금 부과처분에 대한 집행정지결정이 내려진 경우, 그 집행정지기간 동안 납부기간은 진행되지 않는다.

② 「행정소송법」 제23조 제2항에서 정한 집행정지의 요건을 결여하였다는 이유로 효력정지신청을 기각한 결정에 대하여는, 행정처분 자체의 적법 여부를 가지고 불복사유로 삼을 수 있다.

③ 보조금 교부결정의 일부를 취소한 행정청의 처분에 대한 효력정지결정의 효력이 소멸하여 보조금 교부결정취소처분의 효력이 되살아난 경우, 원칙적으로 취소처분에 의하여 취소된 부분의 보조사업에 대하여 효력정지기간 동안 교부된 보조금의 반환을 명하여야 한다.

④ 집행정지결정을 한 후에라도 본안소송이 취하되어 그 소송이 계속하지 아니한 것으로 되면 이에 따라 집행정지결정은 당연히 그 효력이 소멸되며 별도의 취소조치가 필요한 것은 아니다.

✓ 기출체크

① 관련기출

1. 일정한 납부기한을 정한 과징금 부과처분에 대하여 집행정지결정이 내려졌다면 과징금 부과처분에서 정한 과징금의 납부기간은 더 이상 진행되지 아니하고 집행정지결정의 주문에 표시된 종기의 도래로 인하여 집행정지가 실효된 때부터 다시 진행된다. 2022 지방직·서울시 7급
(O | X)

② 관련기출

2. '처분 등이나 그 집행 또는 절차의 속행으로 인한 손해발생의 우려' 등 적극적 요건에 관한 주장·소명책임은 원칙적으로 신청인 측에 있고, 이 요건을 결여하였다는 이유로 효력정지신청을 기각한 결정에 대하여 행정처분 자체의 적법 여부를 가지고 불복사유로 삼을 수 없다.
2024 소방직 9급
(O | X)

③ 관련기출

3. 보조금 교부결정의 일부를 취소한 행정청의 처분에 대하여 법원이 효력정지결정을 하면서 주문에서 그 법원에 계속 중인 본안소송의 판결선고시까지 처분의 효력을 정지한다고 선언하였을 경우, 본안소송의 판결선고에 의하여 정지결정의 효력은 소멸하지만 당초의 보조금 교부결정취소처분의 효력이 당연히 되살아나는 것은 아니다.
2022 소방간부
(O | X)

4. 보조금 교부결정 취소처분에 대하여 법원이 효력정지결정을 하면서 주문에서 그 법원에 계속 중인 본안소송의 판결선고시까지 처분의 효력을 정지한다고 선언하였을 경우, 본안소송의 판결선고에 의하여 정지결정의 효력은 소멸하고 이와 동시에 당초의 보조금 교부결정취소처분의 효력이 당연히 되살아난다. 2018 국가직 7급 (O | X)

④ 관련기출

5. 집행정지결정 후 본안소송이 취하되어 소송이 계속되지 아니하더라도 집행정지결정의 효력이 당연히 소멸되는 것은 아니고, 별도의 취소조치를 필요로 한다. 2025 지방직·서울시 9급 (O | X)
6. 집행정지결정을 한 후에라도 본안소송이 취하되어 소송이 계속하지 아니한 것으로 되면 집행정지결정은 당연히 그 효력이 소멸되고 별도의 취소조치를 필요로 하는 것은 아니다. 2022 소방간부 (O | X)
7. 집행정지결정 후 본안소송이 취하되면 집행정지결정의 효력도 상실한다. 2021 군무원 7급 (O | X)
8. 집행정지결정을 한 후에 본안소송이 취하되더라도 그 집행정지결정의 효력이 당연히 소멸하는 것은 아니고, 별도의 취소조치를 필요로 한다. 2016 서울시 9급 (O | X)
9. 집행정지결정을 한 후에라도 본안소송이 취하되어 소송이 계속하지 아니한 것으로 되면 집행정지결정은 당연히 그 효력이 소멸된다. 2010 서울시 9급 (O | X)

정답
1. O 2. O 3. X 4. O 5. X 6. O 7. O 8. X 9. O

08 ☐☐☐

행정소송상 가구제제도에 관한 설명으로 옳은 것은? (다툼이 있는 경우 판례에 의함)

① 「행정소송법」은 취소소송의 경우에 집행정지뿐만 아니라 임시처분에 관하여도 규정하고 있다.
② 「행정소송법」상 집행정지의 대상에는 처분 등의 효력정지, 처분 등의 집행정지, 절차속행의 전부 또는 일부의 정지가 있다.
③ 집행정지요건 중 공공복리에 중대한 영향을 줄 우려와 관련하여 공공복리는 그 처분의 집행과 관련된 구체적·개별적 공익으로서 이러한 요건의 소명책임은 신청인에게 있다.
④ 「행정소송법」은 명문으로 「민사소송법」의 규정을 준용하도록 되어 있으므로 취소소송을 제기한 경우 법원은 당사자의 신청이나 직권으로 「민사집행법」상의 가처분결정을 할 수 있다.

✓ 기출체크

① 관련기출

1. 「행정소송법」과는 달리 「행정심판법」은 임시처분제도를 인정하고 있지 않다. 2024 국회직 9급 (O | X)
2. 「행정소송법」과 「행정심판법」은 처분 또는 부작위에 대하여 임시의 지위를 정하는 임시처분제도를 두고 있다. 2022 서울시 지적 7급 (O | X)
3. 「행정심판법」은 「행정소송법」과는 달리 집행정지뿐만 아니라 임시처분도 규정하고 있다. 2018 국가직 9급 (O | X)
4. 행정심판의 가구제제도에는 집행정지제도와 임시처분제도가 있다. 2018 서울시 9급 (O | X)
5. 현행 「행정소송법」은 적극적인 가구제수단으로서 임시처분을 명문으로 규정하고 있다. 2015 교육행정직 9급 (O | X)

② 관련기출

6. 「행정소송법」상 집행정지가 인용될 경우 그 효력으로는 처분 등의 효력정지, 처분 등의 집행정지, 절차속행의 전부 또는 일부의 정지가 있다. 2022 서울시 지적 7급 (O | X)
7. 집행정지의 대상은 처분 등의 효력, 그 집행 또는 절차의 속행이다. 2015 사회복지직 9급 (O | X)
8. 「행정소송법」은 처분의 일부에 대한 집행정지도 가능하다고 규정하고 있다. 2012 국가직 9급 (O | X)
9. 가분적인 처분의 일부에 대한 집행정지결정도 가능하다. 2011 세무사 (O | X)

③ 관련기출

10. 「행정소송법」은 집행정지의 소극적 요건으로 '공공복리에 중대한 영향을 미칠 우려가 없을 것'을 규정하고 있는데 이에 대한 주장·소명책임은 행정청에게 있다. 2025 변호사 (O | X)
11. 집행정지의 요건 중 공공복리에 중대한 영향을 미칠 우려와 관련된 주장 및 소명책임은 집행정지결정 신청인에게 있다. 2024 변호사 (O | X)
12. 집행정지의 요건으로 규정하고 있는 '공공복리에 중대한 영향을 미칠 우려'가 없을 것이라고 할 때의 '공공복리'는 그 처분의 집행과 관련된 구체적이고도 개별적인 공익을 말하는 것으로서 이러한 집행정지의 소극적 요건에 대한 주장·소명책임은 행정청에게 있다. 2023 국가직 9급 (O | X)
13. 회복하기 어려운 손해예방의 필요 등 집행정지의 적극적 요건에 관한 주장·소명책임은 원칙적으로 신청인에게 있으나, 공공복리에 중대한 영향을 미칠 우려가 없을 것 등 집행정지의 소극적 요건에 대한 주장·소명책임은 행정청에 있다. 2022 소방간부 (O | X)
14. 집행정지의 요건으로 규정하고 있는 '공공복리에 중대한 영향을 미칠 우려'가 없을 것이라고 할 때의 '공공복리'는 그 처분의 집행과 관련된 구체적이고 개별적인 공익을 말한다. 2018 경행경채 (O | X)

④ 관련기출

15. 행정처분의 효력이나 집행 혹은 절차속행 등의 정지를 구하는 신청은 「행정소송법」상 집행정지신청의 방법으로서만 가능할 뿐 「민사소송법」상 가처분의 방법으로는 허용될 수 없다. 2025 지방직·서울시 9급 (O | X)
16. 항고소송의 대상이 되는 행정처분의 효력이나 집행 혹은 절차속행 등의 정지를 구하는 신청은 「행정소송법」상 집행정지신청의 방법으로서만 가능할 뿐이고 「민사소송법」상 가처분의 방법으로는 허용될 수 없다. 2022 소방간부 (O | X)

17. 「행정소송법」 제8조 제2항은 "행정소송에 관하여 이 법에 특별한 규정이 없는 사항에 대하여는 「법원조직법」과 「민사소송법」 및 「민사집행법」의 규정을 준용한다."고 규정한다. 이에 관한 다음의 설명 중 옳지 않은 것은? (단, 다툼이 있는 경우 판례에 의함)

2017 사회복지직 9급

① 행정소송사건에서 「민사소송법」상 보조참가가 허용된다.
② 「민사소송법」상 가처분은 항고소송에서 허용된다.
③ 「민사집행법」상 가처분은 당사자소송에서 허용된다.
④ 행정소송으로 제기해야 할 사건을 민사소송으로 잘못 제기한 경우에 수소법원이 행정소송에 대한 관할이 없다면 특별한 사정이 없는 한 관할 법원에 이송하여야 한다.

18. 「민사집행법」에 따른 가처분은 항고소송에서도 인정된다.
2016 국가직 9급 (O | ×)

19. 취소소송을 제기한 경우 법원은 당사자의 신청이나 직권으로 「민사집행법」상 가처분을 내릴 수 있다. 2016 지방직 9급 (O | ×)

정답
1. × 2. × 3. O 4. O 5. × 6. O 7. O 8. O 9. O 10. O
11. × 12. O 13. O 14. O 15. O 16. O 17. ② 18. × 19. ×

09 □□□

행정소송상 가구제에 관한 설명으로 옳지 않은 것은? (다툼이 있는 경우 판례에 의함)

① 「행정소송법」상 집행정지결정은 결정 주문에서 정한 종기까지 존속하고 그 종기가 도래하면 당연히 소멸하므로, 효력기간이 정해져 있는 제재적 행정처분에 대한 취소소송에서 법원이 본안소송의 판결선고시까지 집행정지결정을 한 경우, 처분에서 정해 둔 효력기간은 판결선고시까지 진행하지 않다가 판결이 선고되면 그때 집행정지결정의 효력이 소멸함과 동시에 처분의 효력이 부활하여 처분에서 정한 효력기간이 다시 진행한다.

② 효력기간이 정해져 있는 제재적 행정처분에 대한 취소소송에서 법원이 본안소송의 판결선고시까지 집행정지결정을 한 경우, 처분에서 정해 둔 효력기간의 시기와 종기가 집행정지기간 중에 모두 지났더라도 특별한 사정이 없는 한 그와 동시에 해당 처분이 효력을 잃는 것은 아니다.

③ 제재처분에 대한 행정쟁송절차에서 처분에 대해 집행정지결정이 이루어지고 그 후 본안에서 해당 처분이 최종적으로 적법한 것으로 확정되어 집행정지결정이 실효되고 제재처분을 다시 집행할 수 있게 된 경우, 처분청이 당초 집행정지결정이 없었던 경우와 동등한 수준으로 해당 제재처분이 집행되도록 필요한 조치를 취하여야 하는 것은 아니다.

④ 처분상대방이 집행정지결정을 받지 못하였으나 본안소송에서 해당 제재처분이 위법하다는 것이 확인되어 취소판결이 확정된 경우, 처분청은 제재처분으로 처분상대방에게 생긴 불이익을 제거하기 위하여 필요한 조치를 취하여야 한다.

✓ 기출체크

① **관련기출**
1. 효력기간이 정해져 있는 제재적 행정처분에 대한 취소소송에서 법원이 본안소송의 판결선고시까지 집행정지결정을 하면, 처분에서 정해 둔 효력기간은 판결선고시까지 진행하지 않다가 판결이 선고되면 그때 집행정지결정의 효력이 소멸함과 동시에 처분의 효력이 당연히 부활하여 처분에서 정한 효력기간이 다시 진행한다. 2024 소방직 9급
(O | ×)

② **관련기출**
2. 효력기간이 정해져 있는 제재적 행정처분에 대한 취소소송에서 법원이 본안소송의 판결선고시까지 집행을 정지하는 결정을 한 경우, 해당 처분에서 정해 둔 효력기간의 시기와 종기가 집행정지기간 중에 모두 경과하면, 경과와 동시에 해당 처분은 실효된다. 2025 변호사
(O | ×)

③ 관련기출

3. 제재처분에 대한 행정쟁송절차에서 집행정지결정이 이루어졌더라도 본안에서 해당 처분이 최종적으로 적법한 것으로 확정되어 집행정지결정이 실효되고 해당 처분을 다시 집행할 수 있게 되면, 처분청으로서는 당초 집행정지결정이 없었던 경우와 동등한 수준으로 해당 처분이 집행되도록 필요한 조치를 취하여야 한다. 2025 변호사 (○ | ×)

4. 제재처분에 대한 행정쟁송절차에서 처분에 대해 집행정지결정이 이루어졌더라도 본안에서 해당 처분이 최종적으로 적법한 것으로 확정되어 집행정지결정이 실효되고 제재처분을 다시 집행할 수 있게 되면, 처분청으로서는 당초 집행정지결정이 없었던 경우와 동등한 수준으로 해당 제재처분이 집행되도록 필요한 조치를 취하여야 한다. 2023 군무원 5급 (○ | ×)

④ 관련기출

5. 처분상대방이 집행정지결정을 받지 못했으나 본안소송에서 해당 제재처분이 위법함이 확인되어 취소하는 판결이 확정되면, 처분청은 그 제재처분으로 처분상대방에게 초래된 불이익한 결과를 제거하기 위하여 필요한 조치를 취하여야 한다. 2022 변호사 (○ | ×)

정답
1. ○ 2. × 3. ○ 4. ○ 5. ○

10 □□□

<사례 1>~<사례 4>에 관한 설명으로 옳지 <u>않은</u> 것만을 <보기>에서 모두 고른 것은? (다툼이 있는 경우 판례에 의함)

<사례 1>
동작구청장은 A에게 건물철거명령을 내렸는바 이에 A가 자진철거를 하지 않자 계고처분을 하였다. 이에 A는 계고처분이 절차상 위법사유가 있다는 점을 들어 취소소송을 제기하면서 집행정지를 신청하였다.

<사례 2>
B는 국립대학교에 교원임용신청을 하였는데 임용권자는 B에게 임용신청을 거부하였다. 이에 B는 거부처분 취소소송을 제기하면서 처분의 집행정지를 신청하였다.

<사례 3>
C는 운전면허정지처분에 대해 무효확인소송을 제기하면서 집행정지를 신청하였다.

<사례 4>
D는 자신에 대한 현역병입영처분에 대해 관할 지방병무청장을 상대로 취소소송을 제기함과 동시에 집행정지신청을 하여 집행정지결정을 받았다.

─┤ 보기 ├─

㉮ A의 집행정지신청에 대해서는 처분의 효력정지가 아닌 절차의 속행정지를 우선하여야 한다는 것이 우리 소송법의 태도이다.

㉯ B가 집행정지를 신청한 경우, 집행정지의 다른 요건을 충족하면 집행정지를 하여야 한다는 것이 판례의 취지이다.

㉰ C의 경우 무효확인소송을 제기하였는바, 무효확인소송에는 취소소송의 집행정지에 관한 규정이 준용되지 않으므로 C의 집행정지신청은 허용되지 않는다.

㉱ 만약 D의 신청이 없었다면 법원이 직권으로 집행정지결정을 할 수는 없다.

㉲ <사례 4>에서 관할 지방병무청장은 집행정지결정에 대하여 즉시항고할 수 있으며 이러한 즉시항고에는 결정의 집행을 정지하는 효력이 있다.

㉳ 위 사례와 같이 집행정지를 구하는 신청 사건에서 신청인의 본안청구가 이유 없음이 명백한 경우 법원은 행정처분의 집행정지를 명할 수 없다.

① ㉮, ㉱, ㉳
② ㉰, ㉲, ㉳
③ ㉮, ㉯, ㉰
④ ㉯, ㉰, ㉱, ㉲

✓ 기출체크

㉮ 관련기출
1. 집행정지결정은 속행정지, 집행정지, 효력정지로 구분되고 이 중 속행정지는 처분의 집행이나 효력을 정지함으로써 목적을 달성할 수 있는 경우에는 허용되지 아니한다. 2022 군무원 9급 (O | X)
2. 처분의 효력정지는 처분의 집행 또는 절차의 속행을 정지함으로써 목적을 달성할 수 있는 경우에는 허용되지 아니한다. 2021 지방직·서울시 9급 (O | X)

㉯ 관련기출
3. 신청에 대한 거부처분의 효력을 정지하더라도 거부처분이 없었던 것과 같은 상태로 되돌아가는 데에 불과하고, 신청에 따른 처분을 하여야 할 행정청의 의무가 생기는 것은 아니므로, 거부처분의 효력정지는 이를 구할 이익이 없다. 2025 변호사 (O | X)
4. 신청에 대한 거부처분의 효력이 정지되어, 처분이 없었던 것과 같은 상태를 만드는 것에 지나지 않더라도, 특별한 이익의 존부와 관계없이 그 거부처분의 효력정지를 구할 수 있다. 2025 경찰간부 (O | X)
5. 거부처분의 효력정지는 그 거부처분으로 인하여 신청인에게 생길 손해를 방지하는 데 필요하므로 신청인에게는 그 효력정지를 구할 이익이 있다. 2021 지방직·서울시 9급 (O | X)
6. (「행정소송법」상 가구제와 관련하여) 거부처분은 그 효력이 정지되더라도 그 처분이 없었던 것과 같은 상태를 만드는 것에 지나지 아니하는 것이므로 정지할 필요성이 없다. 2019 경행경채 2차 (O | X)
7. 집행정지결정에 의하여 효력이 정지되는 처분이 당사자의 신청을 거부하는 것을 내용으로 하는 경우에는 그 처분을 행한 행정청은 집행정지결정의 취지에 따라 다시 이전의 신청에 대한 처분을 하여야 한다. 2018 국가직 7급 (O | X)

㉰ 관련기출
8. 무효확인소송에서는 집행정지가 인정되지 않는다. 2021 군무원 7급 (O | X)
9. (「행정소송법」상) 본안소송이 무효확인소송인 경우에도 집행정지가 가능하다. 2018 서울시 2회 7급 (O | X)
10. 집행정지결정은 취소소송에서만 인정되는 것은 아니다. 2010 서울시 9급 (O | X)

㉱ 관련기출
11. (「행정소송법」상) 집행정지는 본안이 계속되어 있는 법원이 당사자의 신청에 의하여 한다. 처분권주의가 적용되므로 당사자의 신청 없이 직권으로 하지 못한다. 2018 서울시 1회 7급 (O | X)
12. 집행정지결정은 당사자의 신청이 있는 경우는 물론, 법원의 직권에 의해서도 행해질 수 있다. 2015 교육행정직 9급 (O | X)
13. 법원의 직권에 의해서도 집행정지를 할 수 있다. 2010 서울시 9급 (O | X)

㉲ 관련기출
14. 취소소송의 본안이 계속되고 있는 법원의 집행정지의 결정에 대한 즉시항고에는 결정의 집행을 정지하는 효력이 있다. 2024 국회직 9급 (O | X)
15. 집행정지의 결정에 대하여 즉시항고할 수 있으며, 이 경우 집행정지의 결정에 대한 즉시항고에는 결정의 집행을 정지하는 효력이 없다. 2023 해경간부 (O | X)
16. (「행정소송법」상) 집행정지의 결정에 대한 즉시항고에는 결정의 집행을 정지하는 효력이 있다. 2018 서울시 2회 7급 (O | X)
17. 집행정지결정에 대한 즉시항고에는 결정의 집행을 정지하는 효력이 없다. 2016 사회복지직 9급 (O | X)

㉳ 관련기출
18. 행정처분의 집행정지를 구하는 신청 사건에서는 행정처분 자체의 적법 여부는 원칙적으로 판단의 대상이 아니나, 집행정지 사건 자체에 의하여도 신청인의 본안청구가 이유 없음이 명백할 때에는 행정처분의 집행정지를 명할 수 없다. 2023 지방직·서울시 7급 (O | X)
19. 신청인의 본안청구의 이유 없음이 명백할 때는 집행정지가 인정되지 않는다. 2021 지방직·서울시 9급 (O | X)
20. 본안청구의 이유 없음이 명백한 때에는 집행정지를 하지 못한다. 2018 서울시 1회 7급 (O | X)
21. 본안에 관한 이유 유무는 원칙적으로 집행정지 결정단계에서 판단할 것은 아니므로 집행정지 사건 자체에 의하여 신청인의 본안청구가 이유 없음이 명백한 때에도 집행정지를 명할 수 있다. 2015 사회복지직 9급 (O | X)
22. 처분의 취소가능성이 없음에도 처분의 효력이나 집행의 정지를 인정한다는 것은 집행정지제도의 취지에 반하므로 집행정지 사건 자체에 의하여도 신청인의 본안청구가 이유 없음이 명백하지 않아야 한다는 것도 집행정지의 요건이다. 2012 국가직 9급 (O | X)

정답
1. × 2. O 3. O 4. × 5. × 6. O 7. × 8. × 9. O 10. O
11. × 12. O 13. O 14. × 15. O 16. × 17. O 18. O 19. O 20. O
21. × 22. O

11 □□□

취소소송의 심리 등에 관한 설명으로 옳은 것만을 <보기>에서 모두 고른 것은? (다툼이 있는 경우 판례에 의함)

― 보기 ―
㉮ 행정소송의 대상이 되는 행정처분의 존부는 소송요건으로서 직권조사사항이고, 자백의 대상이 될 수 없는 것이므로 설사 그 존재를 당사자들이 다투지 아니한다 하더라도 그 존부에 관하여 의심이 있는 경우에는 이를 직권으로 밝혀 보아야 한다.
㉯ 취소소송의 원고적격은 소송요건의 하나이므로 사실심변론종결시까지 존속하면 충분하며, 법률심인 상고심에서 원고적격을 상실하였어도 소를 부적법한 것으로 볼 수는 없다.
㉰ 수개의 징계사유 중 일부가 인정되지 않더라도 인정되는 다른 징계사유만으로도 당해 징계처분의 타당성을 인정하기에 충분한 경우에는 그 징계처분을 유지하여도 위법하지 아니하다.
㉱ 어떠한 처분에 법령상 근거가 있는지, 「행정절차법」에서 정한 처분절차를 준수하였는지는 소송요건심사단계에서 고려하여야 할 요소이다.

① ㉮, ㉰　　② ㉯, ㉰
③ ㉯, ㉱　　④ ㉮, ㉯, ㉱

✓ 기출체크

㉮ 관련기출

1. 소송의 대상이 되는 행정처분의 존부는 소송요건으로서 직권조사사항이고, 자백의 대상이 될 수 없다. 2024 국회직 9급 (O | X)
2. 취소소송에서 쟁송의 대상이 되는 행정처분의 존부는 소송요건으로서 법원의 직권조사사항이고 자백의 대상이 될 수 없다. 2023 국가직 7급 (O | X)
3. 행정소송에서 쟁송의 대상이 되는 행정처분의 존재를 당사자들이 다투지 아니한다 하더라도 그 존부에 관하여 의심이 있는 경우에 법원은 이를 직권으로 밝혀야 한다. 2019 서울시 2회 7급 (O | X)
4. 행정소송의 대상이 되는 행정처분의 존부는 소송요건으로서 직권조사사항이고, 자백의 대상이 될 수 없는 것이므로, 설사 그 존재를 당사자들이 다투지 아니한다 하더라도 그 존부에 관하여 의심이 있는 경우에는 이를 직권으로 밝혀 보아야 할 것이다. 2015 지방직 9급 (O | X)
5. 행정소송에서 쟁송의 대상이 되는 행정처분의 존부는 자백의 대상이므로 그 존재를 당사자들이 다투지 아니하는 경우, 의심이 있어도 그 존부에 대해 법원이 직권으로 조사할 권한이 없다. 2013 서울시 7급 (O | X)

㉯ 관련기출

6. 취소소송의 제소시에 원고적격이 인정되어 사실심변론종결시까지 존속되었다면 이후 상고심에서 원고적격이 흠결되더라도 소는 적법하게 유지된다. 2025 소방간부 (O | X)
7. 무효등확인소송의 제기 당시에 원고적격을 갖추었다면 상고심 계속 중에 원고적격을 상실하더라도 그 소는 적법하다. 2024 지방직·서울시 9급 (O | X)
8. (甲은 단순위법인 취소사유가 있는 A처분에 대하여 「행정소송법」상 무효확인소송을 제기하였다) 甲이 무효확인소송의 제기 당시에 원고적격을 갖추었더라도 상고심 중에 원고적격을 상실하면 그 소는 부적법한 것이 된다. 2019 지방직 7급 (O | X)
9. 무효확인소송의 제1심 판결시까지 원고적격을 구비하였는데 제2심 단계에서 원고적격을 흠결하게 된 경우, 제2심 수소법원은 각하판결을 하여야 한다. 2019 국가직 9급 (O | X)
10. 사실심변론종결시에는 원고적격이 있었으나, 상고심에서 원고적격이 흠결된 취소소송(은 취소소송의 소송요건을 충족하지 않은 경우에 해당한다) 2018 지방직 7급 (O | X)

㉰ 관련기출

11. 수개의 징계사유 중 일부가 인정되지 않더라도 인정되는 다른 징계사유만으로도 당해 징계처분의 타당성을 인정하기에 충분한 경우에는 그 징계처분을 유지하여도 위법하지 아니하다. 2023 군무원 9급 (O | X)
12. 행정처분에 있어 여러 개의 처분사유 중 일부가 적법하지 않으면 다른 처분사유로써 그 처분의 정당성이 인정된다고 하더라도, 그 처분은 위법하게 된다. 2020 국가직 9급 (O | X)
13. 행정처분의 이유로 제시한 수개의 처분사유 중 일부가 위법하면, 다른 처분사유로써 그 처분의 정당성이 인정되더라도 그 처분은 위법하다. 2018 국가직 7급 (O | X)

㉱ 관련기출

14. 행정청의 처분에 법령상 근거가 있는지, 「행정절차법」에서 정한 처분절차를 준수하였는지는 본안에서 당해 처분이 적법한가를 판단하는 단계에서 고려할 요소이지, 소송요건심사단계에서 고려할 요소가 아니다. 2025 국가직 7급 (O | X)
15. 어떠한 처분에 법령상 근거가 있는지, 「행정절차법」에서 정한 처분절차를 준수하였는지는 본안에서 당해 처분이 적법한가를 판단하는 단계에서 고려할 요소가 아니라, 소송요건심사단계에서 고려할 요소이다. 2023 군무원 7급 (O | X)
16. 어떠한 처분에 법령상 근거가 있는지, 「행정절차법」에서 정한 처분절차를 준수하였는지는 소송요건심사단계에서 고려하여야 한다. 2023 국가직 9급 (O | X)
17. 어떠한 처분에 법령상 근거가 있는지, 「행정절차법」에서 정한 처분절차를 준수하였는지는 본안에서 당해 처분이 적법한가를 판단하는 단계에서 고려할 요소이지, 소송요건심사단계에서 고려할 요소가 아니다. 2021 국회직 8급 (O | X)
18. 행정청이 처분절차를 준수하였는지는 취소소송의 본안에서 고려할 요소이지, 소송요건심사단계에서 고려할 요소가 아니다. 2020 국가직 7급 (O | X)

> **정답**
> 1. O 2. O 3. O 4. O 5. X 6. X 7. X 8. O 9. O 10. O
> 11. O 12. X 13. X 14. O 15. X 16. X 17. O 18. O

12 □□□

취소소송의 심리 등에 관한 설명으로 옳은 것은? (다툼이 있는 경우 판례에 의함)

① 해당 처분을 다툴 법률상 이익이 있는지 여부는 직권조사사항이지만, 이에 관한 당사자의 주장은 직권발동을 촉구하는 의미 그 이상을 가지므로, 원심법원이 이에 관하여 판단하지 않았다면 판단유탈의 상고이유로 삼을 수 있다.

② 행정소송에서 처분청의 처분권한 유무는 소송요건이므로 법원의 직권조사사항에 해당한다.

③ 법원은 필요성이 인정될 경우 직권으로 증거조사를 할 수 있지만, 당사자가 주장하지 않은 사실에 대하여는 판단할 수 없다.

④ 어느 하나의 처분사유에 의한 과징금 부과처분에 대하여 해당 처분사유와 동일성이 인정되지 않는 다른 처분사유가 존재한다는 이유를 들어 처분을 적법하다고 한 법원의 판단은 특별한 사정이 없는 한 「행정소송법」상 직권심사주의의 한계를 넘는 것이다.

기출체크

① 관련기출
1. 해당 처분을 다툴 법률상 이익이 있는지 여부는 직권조사사항으로 이에 관한 당사자의 주장은 직권발동을 촉구하는 의미밖에 없으므로, 원심법원이 이에 관하여 판단하지 않았다고 하여 판단유탈의 상고이유로 삼을 수 없다. 2024 지방직·서울시 9급 (O | X)

② 관련기출
2. 피고인 처분청의 처분권한 유무는 피고적격의 문제이므로 법원의 직권조사사항이다. 2023 서울시 지적 7급 (O | X)
3. 행정소송에 있어서 처분청의 처분권한 유무는 직권조사사항이 아니다. 2020 군무원 9급 (O | X)
4. 행정소송의 제기요건은 법원의 직권조사사항이므로 행정소송에 있어서 처분청의 처분권한 유무는 직권조사사항이다. 2017 서울시 7급 (O | X)

③ 관련기출
5. 「행정소송법」에 따르면 법원은 필요하다고 인정할 때에는 직권으로 증거조사를 할 수 있으나, 당사자가 주장하지 아니한 사실에 대하여는 판단할 수 없다. 2023 지방직·서울시 9급 (O | X)
6. 법원은 필요하다고 인정할 때에는 직권으로 증거조사를 할 수 있고, 당사자가 주장하지 아니한 사실에 대하여도 판단할 수 있다. 2018 경행경채 3차 (O | X)

④ 관련기출
7. 법원이 어느 하나의 사유에 의한 과징금 부과처분에 대하여 그 사유와 기본적 사실관계의 동일성이 인정되지 아니하는 다른 처분사유가 존재한다는 이유로 적법하다고 판단하는 것은 특별한 사정이 없는 한 직권심사주의의 한계를 넘는 것이 아니다. 2022 지방직·서울시 7급 (O | X)

정답
1. O 2. X 3. O 4. X 5. X 6. O 7. X

---

13 □□□

행정소송에서의 입증책임에 관한 설명으로 옳지 않은 것만을 <보기>에서 모두 고른 것은? (다툼이 있는 경우 판례에 의함)

보기

㉮ 거부처분 취소소송에서 처분사유의 입증책임은 처분권한의 존재를 주장하는 원고에게 있다.

㉯ 항고소송의 경우에는 처분의 적법성을 주장하는 행정청에게 그 적법사유에 대한 증명책임이 있으므로, 재량권의 행사가 정당한 것이었다는 점을 주장·입증할 책임도 행정청이 부담한다.

㉰ 국민에게 일정한 이득과 권리를 취득하게 한 종전 행정처분을 취소하는 경우 취소하여야 할 필요성에 대한 증명책임은 행정청에게 있다.

㉱ 소송요건은 직권조사사항으로서 법치주의원칙에 따라 그 존부가 불분명한 경우에는 피고에게 입증책임이 있다.

㉲ 우편물이 등기취급의 방법으로 발송된 경우라도 수취인이 주민등록지에 실제로 거주하지 아니하는 경우에는 우편물이 수취인에게 도달하였다고 추정할 수는 없고, 따라서 이러한 경우에는 우편물의 도달사실을 과세관청이 입증하여야 한다.

① ㉮, ㉰
② ㉯, ㉱
③ ㉮, ㉯, ㉱
④ ㉮, ㉯, ㉲

기출체크

㉮ 관련기출
1. 결혼이민[F-6 (다)목] 체류자격을 신청한 외국인에 대하여 행정청이 그 요건을 충족하지 못하였다는 이유로 거부처분을 하는 경우 '그 요건을 갖추지 못하였다는 판단', 즉 '혼인파탄의 주된 귀책사유가 국민인 배우자에게 있지 않다는 판단' 자체가 처분사유가 되는바, 결혼이민[F-6 (다)목] 체류자격 거부처분 취소소송에서 그 처분사유에 관한 증명책임은 피고행정청에 있다. 2023 지방직·서울시 9급 (O | X)

㉯ 관련기출
2. 항고소송에서 해당 처분의 적법성에 대한 증명책임은 원칙적으로 처분의 적법을 주장하는 처분청에 있다. 2025 경찰간부 (O | X)
3. 재량권의 일탈·남용에 관하여는 행정행위의 효력을 다투는 사람이 주장·증명책임을 부담한다. 2024 국가직 9급 (O | X)
4. 재량에 의한 행정처분이 그 재량권의 한계를 벗어난 것이어서 위법하다는 점은 그 행정처분의 효력을 다투는 자가 이를 주장·입증하여야 하고, 처분청이 그 재량권의 행사가 정당한 것이었다는 점까지 주장·입증할 필요는 없다. 2022 소방직 9급 (O | X)
5. 처분이 재량권을 일탈·남용하였다는 사정은 처분의 효력을 다투는 자가 주장·증명하여야 한다. 2021 군무원 7급 (O | X)
6. 행정청의 재량에 속하는 처분이라도 재량권의 한계를 넘거나 그 남용이 있는 때에는 법원은 이를 취소할 수 있고, 재량권 일탈·남용에 관하여는 피고인 행정청이 증명책임을 부담한다. 2020 소방직 9급 (O | X)

관련기출

7. 국민에게 일정한 이익과 권리를 취득하게 한 종전 행정처분의 하자나 직권취소해야 할 필요성에 관한 증명책임은 기존 이익과 권리를 침해하는 처분을 한 행정청에 있다. 2023 경찰간부 (○ | ×)

8. 종전 행정처분에 하자가 있음을 전제로 직권으로 이를 취소하는 행정처분의 경우 하자나 취소해야 할 필요성에 관한 증명책임은 기존 이익과 권리를 침해하는 처분을 한 행정청에 있다. 2022 군무원 7급 (○ | ×)

9. 수익적 행정처분의 경우 상대방의 신뢰보호와 관련하여 직권취소가 제한되나 그 필요성에 대한 입증책임은 기존 이익과 권리를 침해하는 처분을 한 행정청에 있다. 2018 서울시 1회 7급 (○ | ×)

10. 일정한 행정처분으로 국민이 일정한 이익과 권리를 취득하였을 경우에 종전 행정처분에 하자가 있음을 전제로 직권으로 이를 취소하는 행정처분은 이미 취득한 국민의 기존 이익과 권리를 박탈하는 별개의 행정처분으로, 취소될 행정처분의 하자나 취소해야 할 필요성에 관한 증명책임은 기존 이익과 권리를 침해하는 처분을 한 행정청에 있다. 2016 경행경채 (○ | ×)

관련기출

11. 소송요건은 직권조사사항이다. 2012 세무사 (○ | ×)
12. 처분의 존재, 제소기간의 준수 등 소송요건은 취소소송에서의 직권조사사항이므로 원고가 입증책임을 지지 않는다. 2006 국가직 9급 (○ | ×)

관련기출

13. 등기에 의한 우편송달의 경우라도 수취인이 주민등록지에 실제로 거주하지 않는 경우에는 우편물의 도달사실을 처분청이 입증해야 한다. 2018 국가직 9급 (○ | ×)

정답
1. ○ 2. ○ 3. ○ 4. ○ 5. ○ 6. × 7. ○ 8. ○ 9. ○ 10. ○
11. ○ 12. × 13. ○

14

처분사유의 추가·변경에 관한 설명으로 옳지 않은 것은? (다툼이 있는 경우 판례에 의함)

① 처분청이 처분 당시에 적시한 구체적 사실을 변경하지 아니하는 범위 내에서 처분의 법률상의 근거를 변경하는 것은 원칙적으로 허용된다.

② 액화석유가스판매사업 불허가처분의 당초 처분사유인 사업허가기준에 맞지 않는다는 사유와 소송 계속 중 추가하여 주장한 사유인 이격거리 허가기준에 위반된다는 사유는, 기본적 사실관계에 있어서 동일성이 인정된다.

③ 토지형질변경 불허가처분의 당초 처분사유인 국립공원에 인접한 미개발지의 합리적인 이용대책 수립시까지 그 허가를 유보한다는 사유와 소송 계속 중 추가하여 주장한 처분사유인 국립공원 주변의 환경·풍치·미관 등을 크게 손상시킬 우려가 있다는 사유는 기본적 사실관계에 있어서 동일성이 인정되지 않는다.

④ 당초 처분사유인 정당한 이유 없이 계약을 이행하지 않았다는 사유와 소송 계속 중 추가한 사유인 관계 공무원에게 뇌물을 주었다는 사유는 기본적 사실관계에 있어서 동일성이 인정되지 않는다.

기출체크

① 관련기출

1. 처분 당시에 적시한 구체적 사실을 변경하지 아니하는 범위 내에서 단지 처분의 근거법령만을 추가·변경하는 것도 새로운 처분사유의 추가에 해당한다. 2025 경찰간부 (○ | ×)

2. 처분청이 처분 당시에 적시한 구체적 사실을 변경하지 아니하는 범위 내에서 단지 그 처분의 근거법령만을 추가·변경하는 것에 불과한 경우에는 새로운 처분사유의 추가라고 볼 수 없으므로 행정청이 처분 당시에 적시한 구체적 사실에 대하여 처분 후에 추가·변경한 법령을 적용하여 그 처분의 적법 여부를 판단할 수 있다. 2024 소방직 9급 (○ | ×)

3. 처분청이 처분 당시에 적시한 구체적 사실을 변경하지 아니하는 범위 내에서 단지 그 처분의 근거법령만을 추가·변경하거나 당초의 처분사유를 구체적으로 표시하는 것에 불과한 경우에는 새로운 처분사유를 추가하거나 변경하는 것이라고 볼 수 없다. 2020 군무원 9급 (○ | ×)

4. 처분청이 처분 당시에 적시한 구체적 사실을 변경하지 아니하는 범위 내에서 단지 처분의 근거법령만을 추가·변경하는 것은 새로운 처분사유의 추가라고 볼 수 없다. 2017 국가직 7급 (○ | ×)

5. 처분청이 처분 당시 적시한 구체적 사실을 변경하지 아니하는 범위 내에서 단지 처분의 근거법령만을 추가·변경하는 경우에 법원은 처분청이 처분 당시 적시한 구체적 사실에 대하여 처분 후 추가·변경한 법령을 적용하여 처분의 적법 여부를 판단할 수 있다. 2016 국가직 9급 (○ | ×)

② 관련기출

6. 액화석유가스판매사업 불허가처분을 하면서 당초에는 허가기준에 따라 검토한 결과 허가기준에 맞지 않다는 사유를 들었다가, 이격거리 기준에 위배된다는 사유를 추가한 경우(에는 기본적인 사실관계의 동일성이 인정된다) 2026 경찰간부 (O | X)

7. 허가기준에 맞지 않는다는 이유로 허가신청을 반려하였다가 소송 계속 중 이격거리 기준 위배를 반려사유로 주장한 경우(는 처분사유의 추가·변경과 관련하여 판례가 기본적 사실관계의 동일성을 인정한 것이다) 2010 경행특채 (O | X)

③ 관련기출

8. 토지형질변경 불허가처분의 당초의 처분사유인 국립공원에 인접한 미개발지의 합리적인 이용대책 수립시까지 그 허가를 유보한다는 사유와 그 처분의 취소소송에서 추가하여 주장한 처분사유인 국립공원 주변의 환경·풍치·미관 등을 크게 손상시킬 우려가 있으므로 공공목적상 원형 유지의 필요가 있는 곳으로서 형질변경허가 금지대상이라는 사유는 기본적 사실관계에 있어서 동일성이 인정된다.
2025 군무원 7급 (O | X)

④ 관련기출

9. 입찰참가자격제한을 하면서 당초에는 정당한 이유 없이 계약을 이행하지 않았다는 사유를 들었다가, 계약의 이행과 관련하여 관계 공무원에게 뇌물을 주었다는 사유를 추가한 경우(에는 기본적인 사실관계의 동일성이 인정된다) 2026 경찰간부 (O | X)

정답
1. × 2. ○ 3. ○ 4. ○ 5. ○ 6. ○ 7. ○ 8. ○ 9. ×

15 □□□

처분사유의 추가·변경에 관한 설명으로 옳지 않은 것은? (다툼이 있는 경우 판례에 의함)

① 당초 처분의 근거로 삼은 사유와 사회적 사실관계의 기본적 동일성이 인정되는 경우라고 하더라도 그에 관한 규범적 평가와 처분의 근거법령의 변경으로, 예컨대 기속행위가 재량행위로 변경되는 경우와 같이 당초 처분의 내용을 변경할 필요성이 제기된 경우에는 당초 처분의 내용을 그대로 유지하면서 근거법령만 추가·변경하는 것은 허용될 수 없다.

② 행정처분의 취소를 구하는 항고소송에서 피고인 처분청이 당초 처분의 근거로 제시한 사유에 실질적인 내용이 없다면, 소송단계에서 처분사유를 추가하여 주장할 수 없다.

③ 외국인 甲이 법무부장관에게 귀화신청을 하였으나 법무부장관이 '품행 미단정'을 불허사유로 「국적법」상의 요건을 갖추지 못하였다며 신청을 받아들이지 않는 처분을 하였는데, 법무부장관이 甲을 '품행 미단정'이라고 판단한 이유에 대하여 제1심 변론절차에서 「자동차 관리법」 위반죄로 기소유예를 받은 전력 등을 고려하였다고 주장한 후, 제2심 변론절차에서 불법체류 전력 등의 제반 사정을 추가로 주장하는 것은 기본적 사실관계에 있어서 동일성이 인정되지 않으므로 허용되지 않는다.

④ 이동통신요금 원가 관련 정보공개청구에 대해 행정청이 별다른 이유를 제시하지 아니한 채 통신요금과 관련한 총괄원가액수만을 공개한 후, 정보공개거부처분 취소소송에서 원가 관련 정보가 법인의 영업상 비밀에 해당한다는 비공개사유를 주장하는 것은, 그 기본적 사실관계가 동일하다고 볼 수 없는 사유를 추가하는 것이므로 허용되지 않는다.

기출체크

① 관련기출

1. 당초 처분의 근거로 삼은 사유와 사회적 사실관계의 기본적 동일성이 인정된다면 그에 대한 규범적 평가와 처분의 근거법령 변경으로 당초 처분의 내용을 변경할 필요성이 제기되는 경우라도, 처분청은 당초 처분의 내용을 그대로 유지한 채 근거법령만 추가·변경할 수 있다.
2025 지방직·서울시 9급 (O | X)

② 관련기출

2. 당초 행정처분의 근거로 제시한 이유가 실질적인 내용이 없는 경우에도 행정소송의 단계에서 행정처분의 사유를 추가할 수 있다.
2018 지방직 9급 (O | X)

③ 관련기출

3. 외국인 갑(甲)이 법무부장관에게 귀화신청을 하였으나 법무부장관이 '품행 미단정'을 불허사유로 「국적법」상의 요건을 갖추지 못하였다며 신청을 받아들이지 않는 처분을 한 경우, 법무부장관이 갑(甲)을 '품행 미단정'이라고 판단한 이유에 대하여 제1심 변론절차에서 「자동차 관리법」 위반죄로 기소유예를 받은 전력 등을 고려하였다고 주장하고, 제2심 변론절차에서 불법체류한 전력이 있다는 추가적인 사정까지 고려하였다고 주장하는 것은 허용되지 아니한다. 2025 군무원 7급 (O | X)

4. 외국인 갑(甲)이 법무부장관에게 귀화신청을 하였으나 법무부장관이 '품행 미단정'을 불허사유로 「국적법」상의 요건을 갖추지 못하였다며 신청을 받아들이지 않는 처분을 하였는데, 법무부장관이 갑(甲)을 '품행 미단정'이라고 판단한 이유에 대하여 제1심 변론절차에서 「자동차 관리법」 위반죄로 기소유예를 받은 전력 등을 고려하였다고 주장한 후, 제2심 변론절차에서 불법체류 전력 등의 제반 사정을 추가로 주장할 수 있다. 2019 서울시 2회 7급 (O | X)

④ 관련기출

5. 이동통신요금 원가 관련 정보공개청구에 대해 행정청이 별다른 이유를 제시하지 아니한 채 통신요금과 관련한 총괄원가액수만을 공개한 후, 정보공개거부처분 취소소송에서 원가 관련 정보가 법인의 영업상 비밀에 해당한다는 비공개사유를 주장하는 것은, 그 기본적 사실관계가 동일하다고 볼 수 있는 사유를 추가하는 것이다.
2019 서울시 2회 7급 (O | X)

정답
1. × 2. × 3. × 4. ○ 5. ×

16 □□□

취소소송의 판결에 관한 설명으로 옳은 것은? (다툼이 있는 경우 판례에 의함)

① 외형상 하나의 행정처분이라 하더라도 가분성이 있거나 그 처분대상의 일부가 특정될 수 있다면 그 일부만의 취소도 가능하고 그 일부의 취소는 당해 취소 부분에 관하여 효력이 생긴다.

② 공정거래위원회가 수개의 위반행위에 대하여 하나의 과징금 납부명령을 하는데 수개의 위반행위 중 일부의 위반행위만이 위법하나 소송상 그 일부의 위반행위를 기초로 한 과징금액을 산정할 수 있는 자료가 없는 경우에도 법원은 과징금 부과처분 전부를 취소할 수는 없다.

③ 행정청의 재량권이 부여되어 있는 과징금 부과처분이 법이 정한 한도액을 초과하여 위법할 경우, 법원으로서는 그 한도액을 초과한 부분이나 법원이 적정하다고 인정되는 부분을 초과한 부분만을 취소할 수 있다.

④ 행정청이 여러 개의 위반행위에 대하여 하나의 제재처분을 하였으나, 위반행위별로 제재처분의 내용을 구분하는 것이 가능하고 여러 개의 위반행위 중 일부의 위반행위에 대한 제재처분 부분만이 위법한 경우라도, 법원은 제재처분 전부를 취소하여야 한다.

✓ 기출체크

① 관련기출
1. 외형상 하나의 행정처분이라 하더라도 가분성이 있거나 그 처분대상의 일부가 특정될 수 있다면 그 일부만의 취소도 가능하고 그 일부의 취소는 당해 취소 부분에 관하여 효력이 생긴다. 2022 군무원 9급 (O | X)

2. 허가의 취소사유가 발생하면 취소가 가능하지만 일부취소는 불가능하다. 2015 행정사 (O | X)

3. 외형상 하나의 행정처분이라 하더라도 가분성이 있거나 그 처분대상의 일부가 특정될 수 있다면 그 일부만의 취소도 가능하다.
2013 경행특채 (O | X)

② 관련기출
4. 공정거래위원회가 위반행위에 대한 과징금을 부과하면서 여러 개의 위반행위에 대하여 외형상 하나의 과징금 납부명령을 하였으나 여러 개의 위반행위 중 일부의 위반행위에 대한 과징금 부과만이 위법하고 소송상 그 일부의 위반행위를 기초로 한 과징금액을 산정할 수 있는 자료가 있는 경우에는, 하나의 과징금 납부명령일지라도 그 일부의 위반행위에 대한 과징금액에 해당하는 부분만을 취소하여야 한다.
2022 소방간부 (O | X)

5. 「독점규제 및 공정거래에 관한 법률」을 위반한 광고행위와 표시행위를 하였다는 이유로 공정거래위원회가 사업자에 대하여 법 위반사실 공표명령을 행한 경우, 표시행위에 대한 법 위반사실이 인정되지 아니한다면 법원으로서는 그 부분에 대한 공표명령의 효력만을 취소할 수 있을 뿐, 공표명령 전부를 취소할 수 있는 것은 아니다.
2019 서울시 9급 (O | X)

6. 「독점규제 및 공정거래에 관한 법률」을 위반한 수개의 행위에 대하여 공정거래위원회가 하나의 과징금 부과처분을 하였으나 수개의 위반행위 중 일부의 위반행위에 대한 과징금 부과만이 위법하고, 그 일부의 위반행위를 기초로 한 과징금액을 산정할 수 있는 자료가 있는 경우에도 법원은 과징금 부과처분 전부를 취소하여야 한다.
2019 서울시 9급 (O | X)

③ 관련기출
7. 자동차운수사업면허조건 등을 위반한 사업자에 대한 과징금 부과처분이 법이 정한 한도액을 초과하여 위법할 경우 법원으로서는 그 전부를 취소할 수밖에 없다. 2025 국가직 9급 (O | X)

8. 재량권이 부여된 과징금 부과처분이 법정 한도액을 초과하여 위법할 경우 법원은 그 초과 부분만을 취소할 수 없고 부과된 과징금 전부를 취소하여야 한다. 2024 지방직·서울시 7급 (O | X)

9. 재량행위인 과징금 부과처분이 법이 정한 한도액을 초과하여 위법할 경우 법원으로서는 그 한도액을 초과한 부분이나 법원이 적정하다고 인정되는 부분을 초과한 부분만을 취소할 수 있다. 2024 국가직 9급 (O | X)

10. 행정청이 행정제재수단으로 사업정지 또는 과징금을 부과할 것인지, 과징금의 경우 얼마로 할 것인지의 재량이 부여된 경우 과징금 부과처분이 법이 정한 한도액을 초과하여 위법한 경우 법원은 그 초과된 부분만을 취소할 수 있다. 2022 소방간부 (O | X)

11. (여객자동차운송사업을 하는 甲은 관련 법규 위반을 이유로 사업정지처분에 갈음하는 과징금 부과처분을 받았다) 甲에게 부과된 과징금이 법이 정한 한도액을 초과하여 위법한 경우, 법원은 그 초과부분에 대하여 일부취소할 수 없고 그 전부를 취소하여야 한다.
2022 지방직·서울시 9급 (O | X)

④ 관련기출

12. 행정청이 여러 개의 위반행위에 대하여 하나의 제재처분을 하였다면, 위반행위별로 제재처분의 내용을 구분하는 것이 가능하고 여러 개의 위반행위 중 일부의 위반행위에 대한 제재처분 부분만이 위법하다고 하더라도, 법원은 그 제재처분 전부를 취소하여야 한다.
2025 지방직·서울시 7급 (○ | ×)

13. 행정청이 여러 개의 위반행위에 대하여 하나의 제재처분을 하였으나, 위반행위별로 제재처분의 내용을 구분하는 것이 가능하고 여러 개의 위반행위 중 일부의 위반행위에 대한 제재처분 부분만이 위법하다면, 법원은 제재처분 전부를 취소하여서는 아니 된다. 2022 국가직 7급
(○ | ×)

14. 행정청이 여러 개의 위반행위에 대하여 하나의 제재처분을 하였으나, 위반행위별로 제재처분의 내용을 구분하는 것이 가능하고 여러 개의 위반행위 중 일부의 위반행위에 대한 제재처분 부분만이 위법하다면, 법원은 제재처분 중 위법성이 인정되는 부분만 취소하여야 하고 제재처분 전부를 취소하여서는 아니 된다. 2022 군무원 7급 (○ | ×)

정답
1.○ 2.× 3.○ 4.○ 5.○ 6.× 7.○ 8.○ 9.× 10.×
11.○ 12.× 13.○ 14.○

17 □□□

사정판결에 관한 설명으로 옳지 않은 것만을 <보기>에서 모두 고른 것은? (다툼이 있는 경우 판례에 의함)

┌─ 보기 ─────────────────────────────┐
㉮ 법원은 원고의 청구가 이유 있다고 인정하는 경우에도 처분 등을 취소하는 것이 현저히 공공복리에 적합하지 아니하다고 인정하는 때에는 사정판결을 할 수 있는데, 이때 법원의 사정판결은 기각판결이다.

㉯ 법원이 사정판결을 하기 위해서는 피고행정청의 주장 또는 신청이 필요하다.

㉰ 법원이 사정판결을 함에 있어서 처분의 위법성을 판단하는 기준시점은 처분시이나, 사정판결의 필요성을 판단하는 기준시점은 판결시이다.

㉱ 법원이 사정판결을 하는 경우, 판결의 주문에서 처분의 위법함을 명시하여야 하며, 그 처분의 위법성에 대하여 기판력이 미친다.

㉲ 사정판결은 취소소송뿐만 아니라 무효확인소송과 부작위위법확인소송에서도 인정된다.
└────────────────────────────────────┘

① ㉮, ㉰
② ㉯, ㉰
③ ㉯, ㉲
④ ㉱, ㉲

✔기출체크

㉮ 관련기출

1. 법원은 원고의 청구가 이유 있다고 인정하는 경우에도 처분 등을 취소하는 것이 현저히 공공복리에 적합하지 아니하다고 인정하는 때에는 원고의 청구를 기각할 수 있다. 2023 지방직·서울시 9급 (○ | ×)

2. 사정판결은 본안심리 결과 원고의 청구가 이유 있다고 인정됨에도 불구하고 처분을 취소하는 것이 현저히 공공복리에 적합하지 아니하다고 인정하는 때 원고의 청구를 기각하는 판결을 말한다.
2021 지방직·서울시 9급 (○ | ×)

3. (「행정소송법」상 사정판결에서) 원고의 청구가 이유가 있다고 인정하는 경우에도 처분 등을 취소하는 것이 현저히 공공복리에 적합하지 아니하다고 인정하는 때에는 법원은 원고의 청구를 각하할 수 있다.
2017 경행경채 (○ | ×)

4. 사정판결은 소송요건을 충족하지 못한 경우에 행하는 판결이다. 2009 세무사 (○ | ×)

㉯ 관련기출

5. 법원은 당사자의 명백한 주장이 없는 경우에 직권으로 사정판결을 할 수 없다. 2025 지방직·서울시 7급 (○ | ×)

6. 법원은 당사자의 주장이 없더라도 직권으로 사정판결을 할 수 있다. 2025 소방간부 (○ | ×)

7. 원고의 청구가 이유 있다고 인정하는 경우에도 이를 인용하는 것이 현저히 공공복리에 적합하지 않다고 판단되면 법원은 피고행정청의 주장이나 신청이 없더라도 사정판결을 할 수 있다.
2022 지방직·서울시 9급 (○ | ×)

8. 법원은 당사자의 명백한 주장이 없는 경우에도 일건 기록에 나타난 사실을 기초로 하여 직권으로 사정판결을 할 수 있다. 2017 경행경채 (○ | ×)

9. 사정판결을 할 사정에 관한 주장·입증책임은 피고 처분청에 있지만 처분청의 명백한 주장이 없는 경우에도 사건 기록에 나타난 사실을 기초로 법원이 직권으로 석명권을 행사하거나 증거조사를 통해 사정판결을 할 수도 있다. 2017 국회직 8급 (○ | ×)

㉰ 관련기출

10. 법원이 사정판결을 할 때 그 처분 등을 취소하는 것이 현저히 공공복리에 적합하지 아니한지 여부는 처분시를 기준으로 판단한다.
2025 지방직·서울시 7급 (○ | ×)

11. 사정판결의 요건인 처분의 위법성은 변론종결시를 기준으로 판단하고, 공공복리를 위한 사정판결의 필요성은 처분시를 기준으로 판단하여야 한다. 2023 국가직 9급 (○ | ×)

12. 처분의 위법 여부는 처분시를 기준으로, 처분을 취소하는 것이 현저히 공공복리에 적합하지 아니한지 여부는 변론종결시를 기준으로 판단하여야 한다. 2016 국가직 7급 (○ | ×)

13. 사정판결을 하는 경우 처분의 위법성은 변론종결시를 기준으로 판단하여야 한다. 2016 국가직 9급 (○ | ×)

14. 사정판결의 대상이 되는 처분의 위법 여부에 대한 판단은 처분시를 기준으로 하고, 사정판결의 필요성 판단은 판결시를 기준으로 하는 것이 일반적 견해이다. 2014 서울시 7급 (○ | ×)

㉣ **관련기출**

15. 사정판결을 하는 경우 법원은 처분의 위법함을 판결의 주문에 표기할 수 없으므로 판결의 내용에서 그 처분 등이 위법함을 명시함으로써 원고에 대한 실질적 구제가 이루어지도록 하여야 한다. 2020 소방직 9급 (○ | ×)
16. 사정판결의 경우에는 처분의 적법성이 아닌 처분의 위법성에 대하여 기판력이 발생한다. 2019 서울시 9급 (○ | ×)
17. 사정판결시 법원은 그 판결의 주문에서 그 처분 등이 위법함을 명시하여야 한다. 2017 경행경채 (○ | ×)

㉤ **관련기출**

18. 무효등확인소송에서 법원이 처분을 무효라고 판단하는 경우에는 사정판결을 할 수 있다. 2025 지방직·서울시 7급 (○ | ×)
19. 행정처분이 무효인 경우에도 처분이 무효임을 확인하는 것이 현저히 공공복리에 적합하지 아니하다고 인정하는 때에는 「행정소송법」 제28조에 따라 사정판결을 할 수 있다. 2025 국회직 8급 (○ | ×)
20. 원고의 청구가 이유 있다고 인정하는 경우에도 처분의 무효를 확인하는 것이 현저히 공공복리에 적합하지 아니하다고 인정하는 때에는 법원은 원고의 청구를 기각할 수 있다. 2022 해경간부 (○ | ×)
21. 취소소송은 물론 당연무효의 행정처분을 소송목적물로 하는 행정소송에서도 사정판결을 할 수 있다. 2022 서울시 지적 7급 (○ | ×)
22. 사정판결은 항고소송 중 취소소송 및 무효등확인소송에서 인정되는 판결의 종류이다. 2021 지방직·서울시 9급 (○ | ×)

정답

1. ○ 2. ○ 3. × 4. × 5. × 6. ○ 7. ○ 8. ○ 9. ○ 10. ×
11. × 12. ○ 13. × 14. ○ 15. × 16. ○ 17. ○ 18. × 19. × 20. ×
21. × 22. ×

18 ☐☐☐

취소소송의 판결의 효력에 관한 설명으로 옳지 않은 것만을 <보기>에서 모두 고른 것은? (다툼이 있는 경우 판례에 의함)

┤ 보기 ├

㉮ 처분 등을 취소하는 확정판결은 소송당사자가 아닌 제3자에 대하여도 효력이 있다.
㉯ 처분의 취소판결이 확정되면 처분은 행정청의 별도 취소조치 없이도 소급하여 처분 당시부터 소멸된 것으로 된다.
㉰ 과세처분을 취소하는 판결이 확정되면 그 과세처분은 처분시에 소급하여 소멸하므로 그 뒤에 과세관청에서 그 과세처분을 경정하는 경정처분을 하였다면 이는 존재하지 않는 과세처분을 경정한 것으로서 그 하자가 중대하고 명백한 당연무효의 처분이다.
㉱ 취소판결의 기속력은 취소청구가 인용된 판결에서 인정되는 것으로서 취소판결이 확정되면 판결의 당사자인 행정청은 동일한 사실관계 아래에서 동일한 당사자에 대하여 동일한 내용의 처분 등을 반복하여서는 안 되는 의무를 지지만 그 밖의 관계 행정청까지 확정판결의 취지에 따라 행동하여야 할 의무를 지는 것은 아니다.
㉲ 어떤 행정처분을 위법하다고 판단하여 취소하는 판결이 확정되면 행정청은 취소판결의 기속력에 따라 해당 판결에서 확인된 위법사유를 배제한 상태에서 다시 처분을 하거나 그 밖의 위법한 결과를 제거하는 조치를 할 의무를 진다.
㉳ 거부처분에 대한 취소판결이 확정된 경우, 처분 당시 이후 발생한 새로운 사유를 들어 처분청이 다시 거부처분을 하는 것은 기속력에 위반되는 것으로 허용될 수 없다.

① ㉮, ㉲
② ㉯, ㉱
③ ㉰, ㉳
④ ㉱, ㉳

✅ **기출체크**

㉮ **관련기출**

1. 처분을 취소하는 확정판결은 소송에 관여하지 않은 제3자에 대해서도 효력이 있다. 2025 소방간부 (○ | ×)
2. 처분 등을 취소하는 확정판결은 제3자에 대하여도 효력이 있다. 2023 지방직·서울시 9급 (○ | ×)
3. 처분 등을 취소하는 확정판결은 당사자에 대해서만 효력이 있다. 2023 행정사 (○ | ×)

㉯ 관련기출

4. 영업정지처분에 대한 취소소송에서 취소판결이 확정되면 처분청은 영업정지처분의 효력을 소멸시키기 위하여 영업정지처분을 취소하는 처분을 하여야 할 의무를 진다. 2022 지방직·서울시 9급
(○ | ×)

5. 행정처분을 취소한다는 확정판결이 있으면 그 취소판결의 형성력에 의하여 당해 행정처분의 취소나 취소통지 등의 별도의 절차를 요하지 아니하고 당연히 취소의 효과가 발생한다. 2015 경행특채 1차
(○ | ×)

6. 형성소송설에 따를 경우 취소판결이 확정되면 당해 처분의 효력은 행정청이 취소하지 않더라도 소급하여 효력을 상실한다.
2012 지방직 9급
(○ | ×)

㉰ 관련기출

7. 취소판결이 확정된 과세처분을 과세관청이 경정하는 처분을 하였다면 당연무효의 처분이라고 할 수 없고 단순위법인 취소사유를 가진 처분이 될 뿐이다. 2021 군무원 7급
(○ | ×)

8. 다음 설명에 해당하는 취소소송의 판결의 효력을 바르게 묶은 것은?
2013 국가직 7급

> A: 과세처분을 취소하는 판결이 확정되면 그 과세처분은 처분시에 소급하여 소멸하는 것이므로 과세처분을 취소하는 판결이 확정된 뒤에는 그 과세처분을 경정하는 이른바 경정처분을 할 수 없다.
> B: 처분을 취소하는 판결이 확정되면 당사자인 행정청과 그 밖의 관계 행정청은 동일한 사실관계에 대하여 동일한 사유로 취소된 처분과 동일한 처분을 할 수 없다.

	A	B		A	B
①	자박력	기판력	②	형성력	기속력
③	불가쟁력	집행력	④	형성력	자박력

9. 취소판결 후에 취소된 처분을 대상으로 하는 처분은 당연히 무효이다. 2012 지방직(하) 7급
(○ | ×)

㉱ 관련기출

10. 취소판결의 기속력은 취소청구가 인용된 판결에서 인정되는 것으로서 당사자인 행정청과 그 밖의 관계 행정청에 확정판결의 취지에 따라 행동하여야 할 의무를 부과한다. 2021 변호사
(○ | ×)

11. 처분을 취소하는 판결은 그 사건에 관하여 당사자인 행정청과 그 밖의 관계 행정청을 기속한다. 2015 서울시 7급
(○ | ×)

㉲ 관련기출

12. 취소소송에서 취소판결이 확정된 경우, 행정청은 해당 판결에서 확인된 위법사유를 배제한 상태에서 다시 처분을 하거나 그 밖의 위법한 결과를 제거하는 조치를 할 의무가 있다. 2023 군무원 5급
(○ | ×)

13. 어떤 행정처분을 위법하다고 판단하여 취소하는 판결이 확정되면 행정청은 취소판결의 기속력에 따라 그 판결에서 확인된 위법사유를 배제한 상태에서 다시 처분을 하거나 그 밖에 위법한 결과를 제거하는 조치를 할 의무가 있다. 2021 경행경채
(○ | ×)

14. 행정처분의 취소판결이 확정되면 그 판결에서 확인된 위법사유를 배제한 상태에서 다시 처분을 하거나 그 밖에 위법한 결과를 제거하는 조치를 할 의무가 있다. 2021 군무원 7급
(○ | ×)

㉳ 관련기출

15. 확정판결의 당사자인 처분행정청은 그 행정소송의 사실심변론종결 이후 발생한 새로운 사유를 내세워 다시 이전의 신청에 대하여 거부처분을 할 수 있다. 2024 지방직·서울시 7급
(○ | ×)

16. 거부처분 취소판결이 확정된 후, 사실심변론종결 이후에 발생한 새로운 사유를 근거로 다시 거부처분을 하는 것은 기속력에 위반된다.
2015 국가직 7급
(○ | ×)

17. 거부처분 취소의 확정판결을 받은 행정청이 사실심변론종결 이후 발생한 새로운 사유를 내세워 다시 거부처분을 한 경우에도「행정소송법」제30조 제2항에 규정된 재처분에 해당한다. 2015 국회직 8급
(○ | ×)

정답
1. ○ 2. ○ 3. × 4. × 5. ○ 6. ○ 7. × 8. ② 9. ○ 10. ○
11. ○ 12. ○ 13. ○ 14. ○ 15. ○ 16. × 17. ○

19 ☐☐☐

취소소송의 판결의 효력에 관한 설명으로 옳은 것만을 <보기>에서 모두 고른 것은? (다툼이 있는 경우 판례에 의함)

┤ 보기 ├

㉮ 甲이 영업정지처분을 받고도 영업을 계속한 경우에 위 영업정지처분이 나중에 행정쟁송절차에 의해 취소되었다면 甲을 영업정지명령 위반을 이유로 처벌할 수 없다.

㉯ 징계처분의 취소를 구하는 소에서 징계사유가 될 수 없다고 취소확정판결을 한 사유와 다른 징계사유를 내세워 동일한 징계처분을 하는 것은 판결의 기속력에 저촉되는 행정처분이므로 허용될 수 없다.

㉰ 전소의 판결이 확정된 경우 후소의 소송물이 전소의 소송물과 동일하지 않다면, 전소의 소송물에 관한 판단이 후소의 선결문제가 되는 경우에도 후소에서 전소 판결의 판단과 다른 주장을 하는 것은 기판력에 반하지 않는다.

㉱ 특정 행정처분이 절차상의 위법사유로 인하여 취소된 경우에 이후 행정청이 이러한 절차상의 하자를 보완하여 다시 새로운 행정처분을 하는 것은 기속력에 위반되지 않는다.

① ㉮, ㉯ ② ㉮, ㉱
③ ㉯, ㉰ ④ ㉰, ㉱

✔ 기출체크

㉮ 관련기출

1. (A구 구청장은 관내에서 음식점을 운영하고 있는 甲이 청소년에게 주류를 판매하였다는 이유로, 甲에게 영업정지처분을 할 것을 고려하고 있다) 甲은 영업정지처분을 받고 이에 대해 취소소송을 제기하였으나 집행정지신청을 하지 아니하였다. 이 경우 甲이 영업정지기간 동안 영업을 계속하였다면, 위 영업정지처분이 나중에 행정쟁송절차에 의해 취소되더라도 甲은 영업정지명령 위반을 이유로 한 형사처벌을 면할 수 없다. 2023 변호사
(○ | ×)

2. 「도시 및 주거환경정비법」상 주택재개발사업조합의 조합설립인가처분이 법원의 재판에 의하여 취소된 경우 그 조합설립인가처분은 소급하여 효력을 상실한다. 2015 국회직 8급
(○ | ×)

④ 관련기출

3. 다음 사례에 대한 설명으로 옳지 않은 것은? 2017 국가직 9급

> 유흥주점영업허가를 받아 주점을 운영하는 甲이 A시장으로부터 연령을 확인하지 않고 청소년을 주점에 출입시켜 「청소년 보호법」을 위반하였다는 사실을 이유로 한 영업허가취소처분을 받았다. 甲은 이에 불복하여 취소소송을 제기하였고 취소확정판결을 받았다.

① A시장은 甲이 청소년을 유흥접객원으로 고용하여 유흥행위를 하게 하였다는 이유로 다시 영업허가취소처분을 할 수는 있다.
② 영업허가취소처분은 지나치게 가혹하다는 이유로 취소확정판결이 내려졌다면, A시장은 甲에게 연령을 확인하지 않고 청소년을 출입시켰다는 이유로 영업허가정지처분을 할 수는 있다.
③ 청소년들을 주점에 출입시킨 사실이 없다는 이유로 취소확정판결이 내려졌다면, A시장은 甲에게 연령을 확인하지 않고 청소년을 출입시켰다는 이유로 영업허가취소처분을 할 수는 없다.
④ 청문절차를 거치지 않았다는 이유로 취소확정판결이 내려졌다면, A시장은 적법한 청문절차를 거치더라도 甲에게 연령을 확인하지 않고 청소년을 출입시켰다는 이유로 영업허가취소처분을 할 수는 없다.

4. (甲이 관할 행정청으로부터 영업허가취소처분을 받았고, 이에 대해 취소소송을 제기하여 취소판결이 확정된 경우) 취소판결이 확정된 이후에는 다른 사유를 근거로 하더라도 다시 영업허가를 취소하는 처분을 할 수 없다. 2016 국회직 8급 (○ | ×)

㉰ 관련기출

5. 전소의 판결이 확정된 경우 후소의 소송물이 전소의 소송물과 동일하지 않더라도 전소의 소송물에 관한 판단이 후소의 선결문제가 되는 경우에 후소에서 전소 판결의 판단과 다른 주장을 하는 것은 기판력에 반한다. 2023 국가직 7급 (○ | ×)

㉱ 관련기출

6. 과세처분권자가 확정판결에 적시된 위법사유를 보완하여 행한 새로운 과세처분은 확정판결에 의해 취소된 종전의 과세처분과는 별개의 처분으로 기속력에 저촉되지 않는다. 2025 경찰간부 (○ | ×)
7. 과세의 절차 내지 형식에 위법이 있어 과세처분을 취소하는 판결이 확정되었을 때는 그 확정판결의 기판력은 거기에 적시된 절차 내지 형식의 위법사유에 한하여 미치는 것이므로 과세관청은 그 위법사유를 보완하여 다시 새로운 과세처분을 할 수 있다. 2024 국가직 9급 (○ | ×)
8. 절차상의 하자를 이유로 행정처분을 취소하는 판결이 선고되어 확정된 경우, 그 확정판결의 기속력은 취소사유로 된 절차의 위법에 한하여 미치는 것이므로 행정청은 적법한 절차를 갖추어 동일한 내용의 처분을 다시 할 수 있다. 2022 지방직·서울시 9급 (○ | ×)
9. 판례에 따르면, 처분의 절차적 위법사유로 인용재결이 있었으나 행정청이 절차적 위법사유를 시정한 후 행정청이 종전과 같은 처분을 하는 것은 재결의 기속력에 반한다. 2017 사회복지직 9급 (○ | ×)
10. 특정의 행정처분이 절차상의 위법사유로 인하여 취소된 경우에는 행정청은 이러한 절차상의 하자를 보완하여 다시 새로운 행정처분을 할 수 있다. 2009 지방직 8급 (○ | ×)

정답
1. × 2. ○ 3. ④ 4. × 5. ○ 6. ○ 7. ○ 8. ○ 9. × 10. ○

20

판결의 효력 중 기판력에 관한 설명으로 옳지 않은 것은? (다툼이 있는 경우 판례에 의함)

① 공사중지명령의 상대방이 공사중지명령의 취소소송을 제기하였다가 패소함으로써 그 판결이 확정되었다면, 공사중지명령의 상대방은 그 후 자신이 제기한 공사중지명령의 해제신청을 거부한 처분의 취소를 구하는 소송에서 공사중지명령의 적법성을 다툴 수 없다.
② 행정처분의 취소소송에서 청구기각판결이 확정되면 그 기판력은 그 행정처분의 무효확인을 구하는 소송에 미친다.
③ 행정청을 피고로 하는 행정처분 취소소송의 기판력은 당해 처분이 귀속하는 국가 또는 공공단체에 미친다.
④ 취소소송의 소송물은 '처분의 위법성 일반'이 아니라 '당해 처분의 개개의 위법사유'이므로 청구기각판결이 확정되더라도 이후 제기되는 취소소송에서 다른 사유를 들어 그 처분의 위법성을 주장하는 것은 기판력에 저촉되지 않는다.

기출체크

① 관련기출

1. 공사중지명령의 상대방이 제기한 공사중지명령 취소소송에서 기각판결이 확정된 경우 특별한 사정변경이 없더라도 그 후 상대방이 제기한 공사중지명령해제신청 거부처분 취소소송에서는 그 공사중지명령의 적법성을 다시 다툴 수 있다. 2022 지방직·서울시 9급 (○ | ×)
2. 甲이 앞서 공사중지명령 취소소송에서 패소하여 그 판결이 확정되었더라도, 甲은 그 후 공사중지명령의 해제를 신청한 후 해제신청 거부처분 취소소송에서 다시 그 공사중지명령의 적법성을 다툴 수 있다. 2021 국가직 9급 (○ | ×)

② 관련기출

3. 과세처분의 취소소송에서 청구가 기각된 확정판결의 기판력은 그 과세처분의 무효확인을 구하는 소송에는 미치지 않는다. 2025 지방직·서울시 9급 (○ | ×)
4. 처분의 취소소송에서 청구를 기각하는 확정판결의 기판력은 다시 그 처분에 대해 무효확인을 구하는 소송에 대해서는 미치지 않는다. 2021 국회직 8급 (○ | ×)
5. 취소소송에서 기각판결이 확정된 경우에는 처분이 적법하다는 점에 기판력이 발생하므로, 패소한 당사자는 해당 처분에 관한 무효확인소송에서 그 처분이 위법하다고 주장할 수 없다. 2021 변호사 (○ | ×)

③ 관련기출

6. 과세처분 취소소송의 피고는 처분청이지만 행정청을 피고로 하는 취소소송에 있어서의 기판력은 당해 처분이 귀속하는 국가 또는 공공단체에 미친다. 2025 지방직·서울시 9급 (○ | ×)

④ 관련기출

7. 취소소송의 소송물을 처분의 위법성 일반으로 보게 되면, 어떠한 처분에 대한 청구기각의 확정판결이 있는 경우에도 후에 제기되는 취소소송에서 그 처분의 위법성을 주장할 수 있다. 2018 지방직 9급 (○ | ×)

정답

1. × 2. × 3. × 4. × 5. ○ 6. ○ 7. ×

21 □□□

사례에 관한 설명으로 옳은 것만을 <보기>에서 모두 고른 것은? (다툼이 있는 경우 판례에 의함)

> 甲은 공동주택 및 근린생활시설을 건축하는 내용의 주택건설사업계획승인신청을 하였으나 행정청 乙은 거부처분을 하였다. 이에 甲이 거부처분 취소소송을 제기하여 승소판결을 받았고, 그 판결은 확정되었다.

┌─ 보기 ─────────────────────────────┐

㉮ 乙이 판결의 취지에 따른 재처분의무를 이행하지 않는 경우, 甲은 제1심 수소법원에 간접강제를 신청할 수 있다.

㉯ 간접강제결정에 기한 배상금은 확정판결에 따른 재처분의 지연에 대한 제재 또는 손해배상이다.

㉰ 乙이 재처분을 하더라도 그것이 거부처분에 대한 취소의 확정판결의 기속력에 위반되는 경우, 甲은 간접강제를 신청할 수 있다.

㉱ 乙이 재처분의무를 이행하지 않아 간접강제결정이 행하여진 경우, 간접강제결정에서 정한 의무이행기한이 경과한 이후에야 확정판결의 취지에 따른 재처분의 이행이 있었다면 간접강제결정에 기한 배상금을 추심할 수 있다.

㉲ 만약 甲이 乙의 거부처분에 대해 무효확인소송을 제기하여 무효확인판결이 확정된 경우, 취소판결의 재처분의무에 관한 규정과 간접강제에 관한 규정이 모두 준용된다.

└──────────────────────────────────┘

① ㉮, ㉯   ② ㉮, ㉰   ③ ㉯, ㉱   ④ ㉰, ㉲

✓ 기출체크

㉮㉰ 관련기출

1. 거부처분에 대한 취소의 확정판결이 있은 후 처분청이 재처분을 하였더라도 그것이 기속력에 반하는 것이라면 간접강제의 대상이 될 수 있다. 2025 소방간부 (○ | ×)

2. 거부처분을 취소하는 판결이 확정된 후 행정청이 일단 재처분을 하였다면 설령 그 재처분이 기속력에 위반되는 내용일지라도 재처분을 이행한 것이므로 간접강제의 대상이 되지는 않는다. 2023 서울시 지적 7급 (○ | ×)

3. (B시장으로부터 건축허가거부처분을 받은 乙은 이에 불복하여 행정쟁송을 제기하고자 한다) 乙이 건축허가거부처분에 대해 제기한 취소소송에서 인용판결이 확정되었으나 B시장이 기속력에 위반하여 다시 거부처분을 한 경우 乙은 간접강제신청을 할 수 있다. 2022 지방직·서울시 9급 (○ | ×)

4. 甲은 관할 A행정청에 토지형질변경허가를 신청하였으나 A행정청은 허가를 거부하였다. 이에 甲은 거부처분 취소소송을 제기하여 재량의 일탈·남용을 이유로 취소판결을 받았고, 그 판결은 확정되었다. 이에 대한 설명으로 옳은 것은? (다툼이 있는 경우 판례에 의함) 2019 국가직 9급

① A행정청이 거부처분 이전에 이미 존재하였던 사유 중 거부처분 사유와 기본적 사실관계의 동일성이 없는 사유를 근거로 다시 거부처분을 하는 것은 허용되지 않는다.
② A행정청이 재처분을 하였더라도 취소판결의 기속력에 저촉되는 경우에는 甲은 간접강제를 신청할 수 있다.
③ A행정청의 재처분이 취소판결의 기속력에 저촉되더라도 당연무효는 아니고 취소사유가 될 뿐이다.
④ A행정청이 간접강제결정에서 정한 의무이행기한 내에 재처분을 이행하지 않아 배상금이 이미 발생한 경우에는 그 이후에 재처분을 이행하더라도 甲은 배상금을 추심할 수 있다.

5. 주택건설사업 승인신청 거부처분에 대한 취소의 확정판결이 있은 후 행정청이 재처분을 하였다 하더라도 그 재처분이 종전 거부처분에 대한 취소의 확정판결의 기속력에 반하는 경우, 「행정소송법」상 간접강제신청에 필요한 요건을 갖춘 것으로 보아야 한다. 2018 지방직 9급 (○ | ×)

㉯㉱ 관련기출

6. 간접강제결정에서 결정한 의무이행기한이 경과한 후에 확정판결의 취지에 따른 재처분의 이행이 이루어진 경우, 간접강제결정에 기한 배상금의 추심은 허용된다. 2025 군무원 7급 (○ | ×)

7. 간접강제결정에 기한 배상금은 확정판결에 따른 재처분의 지연에 대한 제재 또는 손해배상이라는 것이 판례의 입장이다. 2025 해경승진 (○ | ×)

8. 법원이 간접강제결정에서 정한 의무이행기한이 경과한 후에라도 확정판결의 취지에 따른 재처분이 행하여지면, 처분상대방이 더 이상 배상금을 추심하는 것은 허용되지 않는다. 2023 국가직 7급 (○ | ×)

9. 간접강제결정에서 정한 의무이행기한이 경과하였다면 그 이후 확정판결의 취지에 따른 재처분의 이행이 있더라도 처분의 상대방은 간접강제결정에 기한 배상금을 추심할 수 있다. 2023 서울시 지적 7급 (○ | ×)

10. 법원이 간접강제결정에서 정한 의무이행기한이 경과한 후에라도 확정판결의 취지에 따른 재처분이 행하여지면, 처분상대방이 더 이상 배상금을 추심하는 것은 허용되지 않는다. 2023 국가직 7급 (○ | ×)

㉲ 관련기출

11. 거부처분에 대한 무효확인판결이 내려진 경우에는 그 행정처분이 거부처분인 경우에도 행정청에게 판결의 취지에 따른 재처분의무가 인정될 뿐 그에 대한 간접강제까지 허용되는 것은 아니다. 2025 군무원 7급 (○ | ×)

12. 행정처분에 대하여 무효확인판결이 내려진 경우에는 그 행정처분이 거부처분인 경우에도 행정청에 판결의 취지에 따른 재처분의무가 인정될 뿐만 아니라 그에 대하여 간접강제까지 허용된다. 2024 국회직 9급 (○ | ×)

13. 거부처분에 대해 무효확인소송을 제기하여 무효확인판결이 확정된 경우, 행정청에 판결의 취지에 따른 재처분의무가 인정될 뿐 간접강제는 허용되지 않는다. 2023 서울시 지적 7급 (○ | ×)

14. 취소확정판결의 기속력에 대한 규정은 무효확인판결에도 준용되므로, 무효확인판결의 취지에 따른 처분을 하지 아니할 때에는 1심 수소법원은 간접강제결정을 할 수 있다. 2021 국가직 7급 (○ | ×)

15. 거부처분의 무효확인판결에 따른 재처분의무를 이행하지 않는 경우에는 법원은 간접강제결정을 할 수 있다. 2021 국회직 8급 (○ | ×)

정답
1. ○ 2. × 3. ○ 4. ② 5. ○ 6. × 7. × 8. ○ 9. × 10. ○
11. ○ 12. × 13. ○ 14. × 15. ×

22 □□□

취소소송과 무효등확인소송과의 관계에 관한 설명으로 옳은 것만을 <보기>에서 모두 고른 것은? (다툼이 있는 경우 판례에 의함)

― 보기 ―

㉮ 행정처분이 무효라면 이른바 불가쟁력이 발생하지 않으므로 무효사유를 취소소송으로 제기하는 경우에도 제소기간의 제한을 받지 않는다.

㉯ 동일한 행정처분에 대하여 무효확인소송을 제기하였다가 그 후 그 처분에 대한 취소소송을 추가적으로 병합한 경우, 무효확인소송이 취소소송의 제소기간 내에 제기되었더라도 제소기간 도과 후 병합된 취소소송이 적법하게 제기된 것으로 볼 수는 없다.

㉰ 행정처분의 무효확인을 구하는 소에는 원고가 그 처분의 취소를 구하지 아니한다고 밝히지 아니한 이상 그 처분이 만약 당연무효가 아니라면 그 취소를 구하는 취지도 포함되어 있는 것으로 보아야 한다.

㉱ 무효인 처분에 대하여 취소소송이 제기된 경우 취소소송으로서의 소송요건이 구비되었다면 법원은 당해 소를 각하하여서는 아니 되며, 무효를 선언하는 의미의 취소판결을 하여야 한다.

① ㉮, ㉯
② ㉮, ㉱
③ ㉯, ㉰
④ ㉰, ㉱

✔ 기출체크

㉮ 관련기출

1. 행정처분의 당연무효를 선언하는 의미에서 그 취소를 구하는 행정소송을 제기하는 경우에는 무효등확인소송과 같이 제소기간의 제한이 없는 것으로 본다. 2024 국가직 7급 (○ | ×)

2. 행정처분의 당연무효를 선언하는 의미에서 취소를 구하는 행정소송을 제기한 경우에는 취소소송의 제소요건을 갖추어야 한다. 2022 국가직 7급 (○ | ×)

3. 무효인 행정행위에 대하여 무효의 주장을 취소소송의 형식(무효선언적 취소)으로 제기하는 경우에 있어서, 취소소송의 형식에 의하여 제기되었더라도 이러한 소송에 있어서는 취소소송의 제소요건의 제한을 받지 아니한다. 2022 군무원 7급 (○ | ×)

4. 무효인 처분에 대해 무효선언을 구하는 취소소송을 제기하는 경우에는 제소기간의 제한이 없다. 2022 지방직·서울시 9급 (○ | ×)

5. (甲은 중대·명백한 하자가 있어 무효인 A처분에 대해 소송을 제기하려고 한다) 甲이 A처분에 대해 취소소송을 제기하는 경우 제소기간의 제한을 받지 않는다. 2021 국회직 8급 (○ | ×)

㉯ 관련기출

6. 행정처분의 무효확인을 구하는 소에는 특단의 사정이 없는 한 그 취소를 구하는 취지도 포함되어 있다고 보아야 하는 점 등에 비추어 볼 때, 동일한 행정처분에 대하여 무효확인의 소를 제기하였다가 그 후 그 처분의 취소를 구하는 소를 추가적으로 병합한 경우, 주된 청구인 무효확인의 소가 적법한 제소기간 내에 제기되었더라도 추가로 병합된 취소청구의 소가 제소기간 도과 후에 병합되었다면 그 취소청구의 소는 제소기간을 도과하여 부적법하다. 2025 국회직 8급 (○ | ×)

7. 동일한 행정처분에 대하여 무효확인의 소를 제기하였다가 그 후 그 처분의 취소를 구하는 소를 추가적으로 병합한 경우, 주된 청구인 무효확인의 소가 적법한 제소기간 내에 제기되었다면 추가로 병합된 취소청구의 소도 적법하게 제기된 것으로 볼 수 있다. 2024 국가직 7급 (○ | ×)

8. 동일한 행정처분에 대하여 무효확인소송을 제기하였다가 그 후 그 처분의 취소를 구하는 소송을 추가적으로 병합한 경우에 주된 청구인 무효확인소송이 적법한 제소기간 내에 제기되었다면 추가로 병합된 취소소송도 적법하게 제기된 것으로 보아야 한다. 2021 경행경채 (○ | ×)

9. (甲은 중대·명백한 하자가 있어 무효인 A처분에 대해 소송을 제기하려고 한다) 甲이 A처분에 대해 무효확인소송을 제기하였다가 그 후 그 처분에 대한 취소소송을 추가적으로 병합한 경우, 주된 청구인 무효확인소송이 적법한 제소기간 내에 제기되었다면 추가로 병합된 취소소송도 제소기간을 준수한 것으로 보아야 한다. 2021 국회직 8급 (○ | ×)

10. (甲은 단순위법인 취소사유가 있는 A처분에 대하여 「행정소송법」상 무효확인소송을 제기하였다) 무효확인소송이 「행정소송법」상 취소소송의 적법한 제소기간 안에 제기되었더라도, 적법한 제소기간 이후에는 A처분의 취소를 구하는 소를 추가적·예비적으로 병합하여 제기할 수 없다. 2019 지방직 7급 (○ | ×)

㉰ 관련기출

11. 행정처분의 무효확인을 구하는 소에는 원고가 그 처분의 취소를 구하지 아니한다고 밝히지 아니한 이상 그 처분이 당연무효가 아니라면 그 취소를 구하는 취지도 포함되어 있는 것으로 보아야 하고, 그와 같은 경우에 취소청구를 인용하려면 먼저 취소를 구하는 항고소송으로서의 제소요건을 구비하여야 한다. 2023 국회직 8급 (○ | ×)

12. 일반적으로 행정처분의 무효확인을 구하는 소에는 취소를 구하는 취지도 포함된다고 보아야 한다. 2023 소방승진 (○ | ×)

13. (甲은 단순위법인 취소사유가 있는 A처분에 대하여 「행정소송법」상 무효확인소송을 제기하였다) 무효확인소송에 A처분의 취소를 구하는 취지도 포함되어 있고 무효확인소송이 「행정소송법」상 취소소송의 적법요건을 갖추었다 하더라도, 법원은 A처분에 대한 취소판결을 할 수 없다. 2019 지방직 7급 (○ | ×)

14. 무효확인소송을 제기하였는데 해당 사건에서의 위법이 취소사유에 불과한 때, 법원은 취소소송의 요건을 충족한 경우 취소판결을 내린다. 2017 국가직(하) 7급 (○ | ×)

㉱ 관련기출

15. 무효확인을 구하는 의미에서 취소를 구하는 행정소송을 제기하는 경우에도 취소소송의 제소요건을 갖추어야 한다. 2025 군무원 7급 (○ | ×)

16. 행정처분의 당연무효를 선언하는 의미에서 취소를 구하는 행정소송을 제기하는 경우에도 제소기간의 준수 등 취소소송의 제소요건을 갖추어야 한다. 2023 해경간부 (○ | ×)

17. (甲은 중대·명백한 하자가 있어 무효인 A처분에 대해 소송을 제기하려고 한다) 甲이 취소소송을 제기하였더라도 A처분에 중대·명백한 하자가 있다면 법원은 무효확인판결을 하여야 한다. 2021 국회직 8급 (○ | ×)
18. 무효인 행정행위는 당연무효를 선언하는 의미에서 그 취소를 구하는 형식의 소를 제기할 수 없다. 2018 교육행정직 9급 (○ | ×)
19. 무효인 처분에 대하여 취소소송이 제기된 경우 소송제기요건이 구비되었다면 법원은 당해 소를 각하하여서는 아니 되며, 무효를 선언하는 의미의 취소판결을 하여야 한다. 2014 지방직 9급 (○ | ×)

정답
1. × 2. ○ 3. × 4. × 5. × 6. × 7. ○ 8. ○ 9. ○ 10. ×
11. ○ 12. ○ 13. × 14. ○ 15. ○ 16. ○ 17. × 18. × 19. ○

23 □□□

무효등확인소송과 부작위위법확인소송에 관한 설명으로 옳지 않은 것은? (다툼이 있으면 판례에 의함)

① 행정처분의 당연무효를 구하는 소송에 있어서는 그 무효를 구하는 사람에게 그 행정처분에 존재하는 하자가 중대하고 명백하다는 것을 주장·입증할 책임이 있다.
② 지방자치단체가 조례를 통하여 노동운동이 허용되는 사실상의 노무에 종사하는 공무원의 구체적 범위를 규정하지 않고 있는 것에 대하여 버스전용차로 통행 위반 단속 업무에 종사하는 자가 부작위위법확인의 소를 제기하였으나 상고심 계속 중에 정년퇴직한 경우에 소의 이익은 인정되지 않는다.
③ 행정청이 당사자의 신청에 대하여 거부처분을 한 경우 부작위위법확인소송을 제기할 수는 없다.
④ 행정처분의 근거법률에 의하여 보호되는 직접적이고 구체적인 이익이 있는 경우라도 곧바로 「행정소송법」 제35조에 규정된 '무효확인을 구할 법률상 이익'이 있다고 볼 수는 없고, 이와 별도로 무효확인소송의 보충성이 요구된다.

✓ 기출체크

① 관련기출
1. 행정처분의 당연무효를 주장하여 그 무효확인을 구하는 행정소송에 있어서는 원고에게 그 행정처분이 무효인 사유를 주장·입증할 책임이 있다. 2024 국가직 7급 (○ | ×)
2. 행정처분의 당연무효를 주장하여 그 무효확인을 구하는 행정소송에 있어서는 피고행정청이 그 행정처분에 중대·명백한 하자가 없음을 주장·입증할 책임이 있다. 2016 지방직 9급 (○ | ×)

② 관련기출
3. 조례를 통하여 노동운동이 허용되는 사실상의 노무에 종사하는 공무원의 구체적 범위를 규정하지 않고 있는 것에 대하여 부작위위법확인의 소를 제기하였으나 상고심 계속 중에 정년퇴직한 경우에 소의 이익은 인정되지 않는다. 2022 소방간부 (○ | ×)

4. 처분의 신청 후에 원고에게 생긴 사정의 변화로 인하여, 그 처분에 대한 부작위가 위법하다는 확인을 받아도 종국적으로 침해되거나 방해받은 원고의 권리·이익을 보호·구제받는 것이 불가능하게 되었다면, 법원은 각하판결을 내려야 한다. 2020 국가직 9급 (○ | ×)

③ 관련기출
5. 당사자의 신청에 대한 행정청의 거부처분이 있는 경우에는 행정청이 당사자의 신청에 대하여 상당한 기간 내에 일정한 처분을 하여야 할 법률상 응답의무를 이행하지 아니함으로써 야기된 부작위라는 위법 상태를 제거하기 위하여 제기하는 부작위위법확인소송은 허용되지 아니한다. 2023 소방간부 (○ | ×)
6. 행정청이 당사자의 신청에 대하여 거부처분을 한 경우에는 부작위위법확인소송의 원고적격이 없거나 위 항고소송의 대상인 위법한 부작위가 있다고 볼 수 없어 그 부작위위법확인의 소는 부적법하다. 2022 소방간부 (○ | ×)
7. 당사자의 신청에 대한 행정청의 거부처분이 있는 경우에는 행정청이 당사자의 신청에 대하여 일정한 처분을 이행하지 아니함으로써 위법 상태가 야기된 것이므로 이를 제거하기 위하여 부작위위법확인소송도 허용된다. 2016 서울시 7급 (○ | ×)

④ 관련기출
8. 항고소송의 일종인 무효확인소송에서는 행정처분의 근거법률에 의해 보호되는 직접적이고 구체적인 이익이 있는 경우에 '무효확인을 구할 법률상 이익'이 있고, 별도로 무효확인소송의 보충성이 요구되지 않는다. 2025 지방직·서울시 9급 (○ | ×)
9. 행정처분의 근거법률에 의하여 보호되는 직접적이고 구체적인 이익이 있는 경우에는 「행정소송법」 제35조에 규정된 '무효확인을 구할 법률상 이익'이 인정되는 것과는 별개로 무효확인소송의 보충성이 요구되므로 행정처분의 무효를 전제로 한 이행소송 등과 같은 직접적인 구제수단이 있는지 여부를 따져 보아야 한다. 2025 국회직 8급 (○ | ×)
10. (甲은 중대·명백한 하자가 있어 무효인 A처분에 대해 소송을 제기하려고 한다) 甲이 A처분에 대해 무효확인소송을 제기하려면 확인소송의 일반적 요건인 즉시확정의 이익이 있어야 한다. 2021 국회직 8급 (○ | ×)
11. 무효인 과세처분에 의하여 세금을 납부한 자는 납부한 금액을 반환받기 위하여 부당이득반환청구소송을 제기하지 않고 곧바로 과세처분 무효확인소송을 제기할 수 있다. 2019 서울시 9급 (○ | ×)
12. 대법원은 종래 무효확인소송에서 요구해 왔던 보충성을 더 이상 요구하지 않는 것으로 판례태도를 변경하였다. 2018 교육행정직 9급 (○ | ×)

정답
1. ○ 2. × 3. ○ 4. ○ 5. ○ 6. ○ 7. × 8. ○ 9. × 10. ×
11. ○ 12. ○

24

부작위위법확인소송에 관한 설명으로 옳은 것은? (다툼이 있는 경우 판례에 의함)

① 부작위위법확인소송의 심리범위에 관해 절차적 심리설(응답의무설)을 따르게 되면, 부작위위법확인소송의 인용판결의 경우에 행정청이 신청에 대한 가부의 응답만 한 경우라면 「행정소송법」 제2조 제1항 제2호의 '일정한 처분'을 취한 것으로 볼 수 없다.

② 부작위위법확인소송의 인용판결에는 취소판결의 기속력에 관한 규정 및 간접강제에 관한 규정이 준용되지 않는다.

③ 취소소송에 관한 규정 중 처분변경으로 인한 소변경에 관한 규정은 무효등확인소송에는 준용되나 부작위위법확인소송에서는 준용되지 않는다.

④ 4급 공무원이 당해 지방자치단체 인사위원회의 심의를 거쳐 3급 승진대상자로 결정되고 임용권자가 그 사실을 대내외에 공표한 경우라도, 그 공무원에게 승진임용신청권이 있다고 볼 수는 없다.

✓ 기출체크

① 관련기출

1. (부작위위법확인소송의 심리범위에 관한) 절차적 심리설(응답의무설)에 의하면, 부작위위법확인소송의 인용판결의 경우에 행정청이 신청에 대한 가부의 응답만 하여도 「행정소송법」 제2조 제1항 제2호의 '일정한 처분'을 취한 것이 된다. 2015 국가직 7급 (○ | ×)

2. (부작위위법확인소송의 심리범위에 관한) 절차적 심리설(응답의무설)에 의하면, 신청의 대상이 기속행위인 경우에 행정청이 거부처분을 하여도 재처분의무를 이행한 것이 된다. 2015 국가직 7급 (○ | ×)

② 관련기출

3. 간접강제규정은 부작위위법확인소송에는 준용되지 아니한다. 2025 군무원 7급 (○ | ×)

4. 부작위위법확인판결에는 취소판결의 기속력에 관한 규정과 거부처분 취소판결의 간접강제에 관한 규정이 준용된다. 2015 국가직 7급 (○ | ×)

5. (부작위위법확인소송은) 거부처분 취소소송에서의 간접강제에 관한 규정이 준용된다. 2006 세무사 (○ | ×)

③ 관련기출

6. 「행정소송법」상 취소소송의 규정이 무효확인소송에는 준용되나 부작위위법확인소송에는 준용되지 <u>않는</u> 것은? 2014 서울시 7급
   ① 제3자에 의한 재심청구
   ② 행정심판기록의 제출명령
   ③ 처분변경으로 인한 소의 변경
   ④ 거부처분 취소판결의 간접강제
   ⑤ 관련청구소송의 이송 및 병합

7. 부작위위법확인소송에 대해서는 「행정소송법」상 처분변경으로 인한 소의 변경에 관한 규정이 준용된다. 2013 국회직 8급 (○ | ×)

④ 관련기출

8. 4급 공무원이 당해 지방자치단체 인사위원회의 심의를 거쳐 3급 승진대상자로 결정되고 임용권자가 그 사실을 대내외에 공표한 경우 그 공무원에게 승진임용신청권이 있다. 2014 서울시 7급 (○ | ×)

정답
1. ○ 2. ○ 3. × 4. ○ 5. ○ 6. ③ 7. × 8. ○

25

다음 설명 중 옳지 <u>않은</u> 것은? (다툼이 있는 경우 판례에 의함)

① 부작위위법확인소송은 원칙적으로 제소기간의 제한을 받지 않지만, 행정심판을 거친 경우에는 「행정소송법」 제20조가 정한 제소기간 내에 부작위위법확인의 소를 제기하여야 한다.

② 행정청이 행한 공사중지명령의 상대방이 그 명령 이후에 그 원인사유가 소멸하였음을 들어 공사중지명령의 철회를 신청하였으나 행정청이 아무런 응답을 하지 않고 있는 경우 행정청의 부작위는 그 자체로 위법하다.

③ 행정입법부작위는 「행정소송법」상 부작위위법확인소송의 대상이 되지 않는다.

④ 판례의 태도에 비추어 볼 때, 부작위위법확인소송에서 인용판결(확인판결)이 확정되면 행정청은 이전의 신청에 대한 처분을 하여야 하고 거부처분을 할 수는 없다.

✓ 기출체크

① 관련기출

1. 부작위위법확인의 소는 부작위상태가 계속되는 한 제소기간의 제한을 받지 않으므로, 행정심판 등 전심절차를 거친 경우에도 「행정소송법」상 제소기간이 적용되지 않는다. 2025 국가직 9급 (○ | ×)

2. 부작위위법확인소송을 제기하는 경우에는 행정심판을 거친 경우에도 제소기간의 제한이 없다. 2025 소방간부 (○ | ×)

3. 부작위위법확인소송에서 부작위상태가 계속되는 한 그 위법의 확인을 구할 이익이 있다고 보아야 하므로 행정심판 등 전심절차를 거친 경우에도 제소기간에 관한 규정은 적용되지 않는다. 2023 국가직 7급 (○ | ×)

4. 부작위위법확인의 소는 부작위상태가 계속되는 한 그 위법의 확인을 구할 이익이 있다고 보아야 하므로 원칙적으로 제소기간의 제한을 받지 않지만, 취소소송의 제소기간의 규정을 부작위위법확인소송에 준용하고 있는 점에 비추어 보면, 행정심판 등 전심절차를 거친 경우에는 취소소송의 제소기간 내에 부작위위법확인의 소를 제기하여야 한다. 2023 군무원 5급 (○ | ×)

5. 부작위위법확인소송은 행정심판 등 전심절차를 거친 경우라 하더라도 「행정소송법」 제20조가 정한 제소기간 내에 제기해야 하는 것은 아니다. 2022 국가직 7급 (○ | ×)

② 관련기출
6. 행정청이 행한 공사중지명령의 상대방이 그 명령 이후에 그 원인사유가 소멸하였음을 들어 공사중지명령의 철회를 신청하였으나 행정청이 아무런 응답을 하지 않고 있는 경우 행정청의 부작위는 그 자체로 위법하다. 2013 국회직 8급 (O | X)

③ 관련기출
7. 행정입법부작위는 부작위위법확인소송의 대상이 된다. 2023 지방직·서울시 9급 (O | X)
8. 「특정다목적댐법」에서 댐 건설로 손실을 입으면 국가가 보상해야 하고 그 절차와 방법은 대통령령으로 제정토록 명시되어 있음에도 미제정된 경우, 법령제정의 여부는 「행정소송법」상 부작위위법확인소송의 대상이 될 수 없다. 2023 국가직 9급 (O | X)
9. (A법률이 해당 법률의 집행에 관한 특정한 사항을 부령에 위임하고 있음에도 관계 행정기관은 그에 따른 B부령을 제정하고 있지 않다) B부령을 제정하여야 할 작위의무가 인정되는 경우에는 B부령을 제정하지 않은 입법부작위에 대해 「행정소송법」상 부작위위법확인소송으로 다툴 수 있다. 2023 변호사 (O | X)
10. 부작위위법확인소송의 대상이 될 수 있는 것은 구체적 권리·의무에 관한 분쟁이어야 하고 추상적인 법령에 관하여 제정의 여부 등은 그 자체로서 국민의 구체적인 권리·의무에 직접적 변동을 초래하는 것이 아니어서 그 소송의 대상이 될 수 없다. 2022 지방직·서울시 7급 (O | X)
11. 행정청이 행정입법 등 추상적인 법령을 제정하지 아니하는 행위는 법률이 시행되지 못하게 됨으로써 행정입법을 통해 구체화되는 개인의 권리를 침해하는 것으로, 항고소송의 대상이 된다. 2022 소방직 9급 (O | X)

④ 관련기출
12. 「도로법」 제61조에서 "공작물·물건, 그 밖의 시설을 신설·개축·변경 또는 제거하거나 그 밖의 사유로 도로를 점용하려는 자는 도로관리청의 허가를 받아야 한다."라고 규정하고 있다. 甲은 도로관리청 乙에게 도로점용허가를 신청하였으나, 상당한 기간이 지났음에도 아무런 응답이 없어 행정쟁송을 제기하여 권리구제를 강구하려고 한다. 다음 설명으로 옳은 것은? (다툼이 있는 경우 판례에 의함) 2016 지방직 9급
① 甲이 의무이행심판을 제기한 경우, 도로점용허가는 기속행위이므로 의무이행심판의 인용재결이 있으면 乙은 甲에 대하여 도로점용허가를 발급해주어야 한다.
② 甲이 부작위위법확인소송을 제기한 경우, 법원은 乙이 도로점용허가를 발급해 주어야 하는지의 여부를 심리할 수 있다.
③ 甲이 제기한 부작위위법확인소송에서 법원의 인용판결이 있는 경우, 乙은 甲에 대하여 도로점용허가신청을 거부하는 처분을 할 수 있다.
④ 甲은 의무이행소송을 제기하여 권리구제가 가능하다.
13. (부작위위법확인소송의 심리범위에 관한) 절차적 심리설(응답의무설)에 의하면, 부작위위법확인소송의 인용판결의 경우에 행정청이 신청에 대한 가부의 응답만 하여도 「행정소송법」 제2조 제1항 제2호의 '일정한 처분'을 취한 것이 된다. 2015 국가직 7급 (O | X)

정답
1. × 2. × 3. × 4. ○ 5. × 6. ○ 7. × 8. ○ 9. × 10. ○ 11. × 12. ③ 13. ○